Diction

Dizzjunarju

MALTESE – ENGLISH

ENGLISH – MALTESE

COLOUR IMAGE

Dictionary
Dizzjunarju

MALTESE – ENGLISH
ENGLISH – MALTESE

COLOUR IMAGE
MALTA
1998

Pubblikat mill-Colour Image Ltd
3, Triq San Pietru,
Mġarr MST 10,
Malta.

ISBN 99909-84-05-0

Disinn tal-qoxra: Professional Marketing Services Ltd.
Produzzjoni: Emanuel Cassar u David Calleja

Issettjat: Setright (Żabbar)
Mitbugħ: Colour Image (Mġarr) – 1998

B'dedika u ħajr
lill-Patri Ludovik Schembri OCD

Dan il-ktieb huwa mibni fuq:

Vokabularju Malti – Ingliż – Taljan

ta' Patri Ludovik Schembri OCD

TIFSIR TAT-TAQSIR TAL-KLIEM

act.	actionis
aġġ.	aġġettiv
anat.	anatomija
ark.	arkitettura
arkeol.	arkeoloġija
art.	artiklu
artiġ.	artiġjan
astro.	astronomija
avv.	avverbju
axx.	axxetika
ban.	bank
bot.	botanika
depl.	diplomazija
dif.	difettiv.
ekkl.	tal-Knisja
eletr.	elettriku
f.	femminil
fil.	filosofija
fiż.	fiżika
gram.	grammatika
ġeog.	ġeografija
ġeol.	ġeoloġija
I.	Ingliż
id.	l-istess
indef.	indefinit
indet.	indeterminat
inter.	interjezzjoni
irr.	irregolari
itt.	ittijoloġija (ħut)
kard.	kardinali
kim.	kimika
koll.	kollettiv
kom.	komuni
komp.	komparattiv
konġ.	konġunzjoni
kumm.	kummerċ
kwad.	kwadrilitteru
leg.	liġi.
lett.	letteratura
logħ.	logħob
m.	maskil
mar.	tal-baħar
med.	mediċina
mekk.	mekkanika
met.	metall
mil.	militari
min.	minerali
mit.	mitoloġija
muż.	mużika
n.	nom
nav.	navali
num.	numerali
ornit.	ornitoloġija (tjur)
p.p.	parteċipju passat
parl.	parlament
pl.	plural
prep.	preposizzjoni
preż.	preżent
pron.	pronom
prop.	propju
pros.	prosodija
s.	singular
Sq.	Sqalli
stor.	storja
suff.	suffiss
t.	Taljan
teatr.	teatru
tek.	teknika
teol.	teoloġija
v.	verb
I	l-ewwel forma
II	it-tieni forma
III	it-tielet forma
IV	ir-raba' forma
V	il-ħames forma
VI	is-sitt forma
VII	is-seba' forma
VIII	it-tmien forma
IX	id-disa' forma
X	l-għaxar forma
żool.	żooloġija (annimali)

MALTI – INGLIŻ

Aa

A, ***a l-ewwel ittra ta' l-alfabett Malti u l-ewwel waħda mill-vokali;*** the first letter of the Maltese alphabet and the first of the vowels.
abaku n.m., pl. -i, abacus.
abbandun n.m., abandon, abandonment.
abbanduna v.t., ***jabbanduna;*** to abandon, to forsake.
abbandunat aġġ. u p.p., abandoned, forsaken.
abbasso inter., down with.
abbati n.m., pl. -n,-ni, abbot, altar boy.
abbatija n.f., pl. -i, abbey, nunnery.
abbatissa n.f., pl. -i, abbess.
abbazija n.f., pl. -i, abbacy, abbey.
abbelliment n.m., pl. -i, embellishment, adornment, (muż.) ornament.
abbiltà n.f., pl. -jiet, ability, skill, capacity.
abbinat aġġ. u p.p., coupled.
abbiss n.m., pl. -i, abyss.
abbjett aġġ. u p.p., abject.
abblattiv n.m., pl. -i, (gram.) ablative.
abbli aġġ., able, capable, skilful.
abbokkament n.m., pl. -i, conversation, interview, talk.
abbona v.t., ***jabbona;*** to subscribe. ***~ f'gazzetta ta' kuljum;*** he subscribed to a daily newspaper.
abbonament n.m., pl. -i, subscription.
abbonat n.m., f. -a, pl. -i, subscriber.
abbonda v.t., ***jabbonda;*** to abound, to be plentiful. ***dan il-ktieb jabbonda biċ-ċitazzjonijiet;*** this book abounds in quotations.
abbord avv., on board.
abborra v.t., ***jabborri;*** to abhor, to loathe. ***~ l-ikel;*** he loathed food.
abborriment n.m., pl. -i, abhorrence.
abbozz n.m., pl. -i, sketch, outline.
abbozza v.t., ***jabbozza;*** to sketch, to draft, to delineate.
abbraċċ avv., embrace, hug.
abbrevjazzjoni n.f., pl. -jiet, abbreviation.
abbundanti aġġ., abundant.
abbundanza n.f., pl. -i, abundance, plenty.
abbuzzat aġġ. u p.p., sketched, delineated.
abbuż n.m., pl. -i, abuse.
abbuża v.t., ***jabbuża;*** to abuse.
abbużivament avv., abusively.
abdika v.t., ***jabdika;*** to abdicate.
abdikazzjoni n.f., pl. -jiet, abdication.
àbita v.t., ***jabita;*** to live, to dwell, to inhabit, to reside. ***hu j~ l-belt Valletta;*** he lives in Valletta.
abitabbli aġġ., habitable.
abitant n.m., f. -a, pl. -i, inhabitat, dweller, resident.
abitat aġġ. u p.p., dwelt.
abitat n.m., f. -a, pl. -i, inhabited district.
abitazzjoni n.m., pl. -jiet, habitation, house, abode.
abitudni n.f., pl. -jiet, habit, custom.
abitwali aġġ., habitual, usual.
abjad aġġ., white. ***~ tal-bajd;*** albumen.
abjura v.t., ***jabjura;*** to abjure. ***~ l-fidi;*** he abjured the faith.
abjura n.f., pl. -i, abjuration.
abjurazzjoni n.f., pl. -jiet, abjuration.
abolixxa v.t., ***jabolixxi;*** to abolish.
abolizzjoni n.f., pl. -jiet, abolition.
abolut aġġ. u p.p., abolished, abrogated.
aboriġni aġġ. u n.m., f. -a, pl. -i, aborigines.
abort n.m., pl. -i, (med.) abortion.
àbroga v.t., ***jabroga;*** (leg.) to abrogate, to repeal, to revoke.
abrogat aġġ. u p.p., (leg.) abrogated, repealed, revoked.
abrogazzjoni n.f., pl. -jiet, (leg.) abrogation.
àbside ara **apside**.
absint n.m., pl. -i, absinth, (bot.) wormwood.
abt n.m., pl. -jiet, arm-pit.
aċċelleratur n.m., pl. -i, (mek.) accelerator.
aċċendigass n.m., pl. -jiet, gas lighter.
aċċenn n.m., pl. -i, indication, hint, allusion.
aċċenna v.t., ***jaċċenna;*** to hint (at), to allude (to). ***~ b'sebgħu;*** to point at.
aċċennat aġġ. u p.p., hinted, alluded.
aċċent n.m., pl. -i, accent, stress.

aċċenta v.t., *jaċċenta;* to accent, to stress.
aċċentat aġġ. u p.p., accented, stressed.
aċċentwa v.t., *jaċċentwa;* to accentuate, to emphasize.
aċċentwat aġġ. u p.p., accentuated.
aċċerta ara **iċċerta**.
aċċess n.m., pl. -i, access, (leg.) inquest.
aċċessibbli aġġ., accessible.
aċċessjoni n.f., pl. -jiet, (med.) convulsion.
aċċessorju n.m., pl. -i, accessory, additional, fittings.
aċċetta n.f., pl. -i, button-hole.
aċċetta v.t., *jaċċetta;* to accept. *~ stedina għal tieġ;* he accepted an invitation to a wedding.
aċċettabbli aġġ., acceptable.
aċċettat aġġ. u p.p., accepted.
aċċettazzjoni n.f., pl. -jiet, acceptance, acceptation.
aċċident n.m., pl. -i, accident.
aċċola n.f., pl. -i, (itt.) amber jack.
aċetat n.m., pl. -i, (kim.) acetate.
aċidità n.f., pl. -jiet, acidity. *~ ta' l-istonku;* (med.) heartburn.
aċidu n.m., pl. -i, (kim.) acid.
aċitilena n.f., pl. -i, (kim.) acetylene.
adaġio avv., (muż.) adagio.
adatta, addatta v.t., *jaddatta;* to adapt.
adattament, addattament n.m., pl. -i, adaptation.
adattat, addattat aġġ. u p.p., adapted.
addenda n.f., pl. -i, addenda, addition, appendix.
addijo n.m., pl. -i, farewell, goodbye.
addizzjoni n.f., pl. -jiet, addition.
addoċċ avv., at random, at first sight, unthinkingly.
addome n.m., (anat.) abdomen.
addotta v.t., *jaddotta;* to adopt.
adegwat aġġ., adequate, proportionate.
adenojdi n. pl., (med.) adenoids.
adeżjoni n.f., pl. -jiet, (leg.) adhesion, adherence, assent, consent.
adolexxenti aġġ., adolescent, youth, teenager.
adolexxenza n.f., adolescence.
adorabbli aġġ., adorable.
adorazzjoni n.f., pl. -jiet, adoration.
adotta ara **addotta**.
adottat, addottat aġġ. u p.p., adopted.
adozzjoni n.f., pl. -jiet, adoption.
adulazzjoni n.f., pl. -jiet, adulation.
adult n.m., f. -a, pl. -i, adult.
adulterazzjoni n.f., pl. -jiet, adulteration.
adulterju n.m., pl. -i, adultery.
adùlteru n.m., f. -a, pl. -i, adulterer.
adura v.t., *jadura;* to adore, to worship.
adurat aġġ. u p.p., adored, worshipped.
aduratur n.m., f. -a, pl. -i, adorer, worshipper.
af imp. tal-v. irr., *jaf;* know you, take notice.
afda ara **fada**.
affann n.m., pl. -i, breathlessness, panting.
affari n.f., pl. -jiet, affair, matter, business.
affattu avv., at all. *~ xejn;* nothing at all, not at all.
affavur avv., on behalf of, in favour of.
affaxxinanti, aġġ., fascinating, attractive.
afferma v.t., *jafferma;* to affirm, to state, to confirm.
affermat aġġ. u p.p., affirmed, stated.
affermattiv aġġ., affirmative.
affermazzjoni, n.f., pl. -jiet, affirmation.
affettat aġġ., affected.
affezzjona v.t., *jaffezzjona;* to become attached to, to become fond of. *għandu d-don li jaffezzjona n-nies lejh;* he has the gift of attracting people to him.
affezzjonat aġġ., affectionate, fond (of).
affezzjoni n.f., pl. -jiet, affection, love.
affidavit n.m., pl. -ijiet, (leg.) affidavit.
affiljat, aġġ., affiliated.
affiljazzjoni n.f., pl. -jiet, affiliation.
affinità n.f., pl. -jiet, affinity, relationship.
affiss n.m., pl. -i, (gram.) affix.
affordja v.i., *jaffordja;* to afford. *ma nistax naffordja li nixtri din id-dar;* I cannot afford to buy this house.
affronta v.t., *jaffronta;* to face, to meet.
afnad aġġ.komp., deeper.
afonija n.f., bla pl., (med.) aphonia.
afqar aġġ.komp., poorer.
Afrikan n.m., f. -a, pl. -i, African.
aġenda n.f., pl. -i, agenda.
aġent n.m., f. -a, pl. -i, agent, representative.
aġenzija n.f., pl. -i, agency.
aġevolment n.m., pl. -i, facilitation.
aġġettiv n.m., pl. -i, (gram.) adjective.
aġġju n.m., bla pl., agio.
aġġorn n.m., pl. -i, hem-stitch.
aġġorna v.t., *jaġġorna;* to bring up to date, (parl.) to adjourn.
aġġornament n.m., pl. -i, adjourment.
aġġornu avv., up to date.
aġġru n.m., bla pl., (bot.) maple.
aġir n.m., bla pl., behaviour.
aġita v.t., *jaġita;* to agitate, to worry.
aġitat aġġ. u p.p., agitated.
aġitazzjoni n.f., pl. -jiet, agitation, excitement.

aġixxa v.t., *jaġixxi;* to act. ***hu dmir tiegħu li jaġixxi;*** it is his duty to act.
àgape n.m., bla pl., (teol.) christian love, charity.
agata n.f., pl. -i, (min.) agata.
àgave n.f., pl. -i, (bot.) agave.
aggrava v.t., *jaggrava;* to aggravate, to make worse.
aggredixxa v.t., *jaggredixxi;* to attack, to assault.
aggregat aġġ. u p.p., aggregated.
aggressiv aġġ., aggressive.
aggressjoni n.f., pl. -jiet, aggression, attack, assault.
aggressur n.m., f. -a, pl. -i, aggressor, assaulter.
agonizzant aġġ. u n.m., f. -a, pl. -i, a dying person.
Agostinjan n.m., f. -a, pl. -i, Augustinian.
agrarju aġġ., agrarian.
agrett n.m., f. -a, pl. -i, (ornit.) egret. ~ *isfar;* squacco heron.
agretta n.f., bla pl., (bot.) wood sorrel.
agrikultura n.f., bla pl., agriculture.
agrimessur n.m., pl. -i, land-surveyor.
agulja n.f., pl. -i, (itt.) garfish.
agunija n.f., pl. -i, agony.
agħar aġġ.komp., worse.
agħażż aġġ.komp., dearer, more friendly.
agħma n.m., (f. *għamja*), blind man, blind woman.
agħma aġġ., blind.
agħna aġġ.komp., richer.
agħraġ aġġ., lame, crippled.
agħwar aġġ., squint-eyed.
aħaff aġġ.komp., lighter, nimbler.
aħbar n.f., pl. -ijiet, news.
aħdar aġġ., green.
aħfef aġġ.komp., lighter, easier.
aħħar aġġ., last. *sa l-~;* till the end.
aħjar aġġ.komp., better.
aħjen aġġ.komp., more wicked.
aħmar aġġ., red. *bekkafik ~;* whitethroat.
aħna pron.pers. pl., we.
aħrax aġġ., fierce, cruel, despotic, harsh.
aħwa n. pl., *ta' ħu u oħt;* brothers and sisters.
aħxen ara **eħxen**.
aħżen ara **eħżen**.
ajjut n.m., bla pl., help, assistance.
ajjuta v.t., *jajjuta;* to help, to aid, to give assistance.
ajjutant n.m., f. -a, pl. -i, helper, assistant (mil.) adjutant.
ajjutat aġġ. u p.p., helped.
ajk n.m., pl. -ijiet, lay brother.
ajkla n.f., pl. -i, (ornit.) eagle. ~ *bajda;* snake eagle or short-toed eagle. ~ *imperjali;* imperial eagle. ~ *tat-tikki;* lesser spotted eagle. ~ *tal-baħar;* eagle ray.
ajklott n.m., f. -a, pl. -i, (ornit.) eaglet.
ajkulin aġġ., aquiline.
ajma inter., alas! oh! ah me!
ajru n.m., pl. -ijiet, weather, atmosphere.
ajrudrom n.m., pl. -i, airport, aerodrome.
ajrugramm n.m., pl. -i, aerogram.
ajrumetru n.m., pl. -i, aerometer.
ajrun n.m., f. -a, pl. -i, (ornit.) hero, crane.
ajrunawta n.m., pl. -i, aeronaut.
ajrunawtika n.f., bla pl., aeronautics.
ajruplan n.m., pl. -i, aeroplane, aircraft, airplane. ~ *tal-ġett;* jet-plane. ~ *tat-tkixxif;* spying plane, reconnaissance plane.
ajruport n.m., pl. -ijiet, airport.
ajrustat n.m., pl. -i, aerostat.
ajsberg n.f., pl. -s, iceberg.
ajsing n.m., bla pl., icing.
akbar aġġ.komp., greater, larger, older, bigger.
akkademikament avv., academically.
akkademiku aġġ., academic(al).
akkademja n.f., pl. -i, academy.
akkampa v.t., *jakkampa;* to camp.
akkampament n.m., pl. -i, encampment, camp, camping.
akkanit aġġ., persistent, obstinate, hot headed.
akkarija n.f., bla pl., thriftiness.
akklamazzjoni n.f., pl. -jiet, (parl.) acclamation, applause.
akkoljenza n.f., pl. -i, welcome or friendly reception.
akkoltu n.m., pl. -i, (ekkl.) acolyte.
akkomodazzjoni n.f., pl. -jiet, accommodation.
akkompanja v.t., *jakkompanja;* to accompany. ~ *f'funeral;* funeral procession.
akkompanjament n.m., pl. -i, accompaniment, retinue.
akkont avv., on account.
akkoppja v.t., *jakkoppja;* to couple, to match.
akkoppjament n.m., pl. -i, coupling.
akkordjin n.m., pl. -s, (muż.) accordion.
akkordju n.m., pl. -i, harmony, accord, agreement.
akkost avv., even (if).
akkredita v.t., *jakkredita;* to accredit.
akkreditat aġġ., (depl.) accredited.
akkrexxittiv aġġ., (gram.) augmentative.
akkumulattiv aġġ., cumulative.
akkumulatur n.m., pl. -i, (mek.) accumulator.

akkurat aġġ., accurate.
akkuratezza n.f., bla pl., accuracy.
akkuża v.t., ***jakkuża;*** (leg.) to accuse, to charge.
akkuża n.f., pl. -i, (leg.) accusation, charge.
akkużabbli aġġ., (leg.) accusable, chargeable (with), indictable.
akkużat aġġ. u p.p., accused.
akkużattiv n.m., pl. -i, (gram.) accusative.
akkużatur n.m., f. -atriċi, pl. -i, (leg.) accuser, prosecutor.
akkwadirraża n.m., pl. -i, (kim.) turpentine.
akkwaforti n.f., bla pl., (kim.) aquafortis.
akkwamarina n.f., pl. -i, (miner.) aquamarine.
akkwarella n.f., pl. -i, water colour, aquarelle.
akkwarellist n.m., f. -a, pl. -i, water-colour painter, aquarellist.
akkwarju n.m., pl. -i, aquarium.
akkwati n.f.pl., neighbourhood.
akkwidott n.m., pl. -i, aqueduct.
akkwist n.m., pl. -i, acquest, acquisition, acquirement.
akkwista v.t., ***jakkwista;*** to acquire, to obtain. ***~ ż-żmien;*** to gain time.
akkwistat aġġ. u p.p., acquired.
akrobat n.m., f. -a, pl. -i, acrobat.
akrobatika n.kom., pl. -i, acrobat.
akrobatikament avv., acrobatically.
akrobatiku aġġ., acrobatic.
akrobazija n.f., pl. -i, acrobacy.
aktar aġġ.komp., more.
aktarx avv., probably, rather.
akùstika n.f., bla pl., (fiż.) acoustics.
akùstiku aġġ., (fiż.) acoustic.
akut aġġ., (mużż.) sharp.
akwileġja n.f., bla pl., (bot.) columbine.
alabarda ara **labarda**.
alabardier ara **labardier**.
alabastru n.m., pl. -i, (min.) alabaster.
alakka n.f., pl. -i, Morocco leather.
alalunga ara **alonga**.
alarju n.m., pl. -i, Bishop's lictor.
alba n.f., pl. -i, dawn, daybreak, (ekkl.) alb.
albin aġġ. u n.m., f. -a, pl. -i, albino.
albiniżmu n.m., pl. -i, albinism.
albornu n.m., bla pl., (bot.) alburum.
album n.m., pl. -s, album.
albumina n.f., bla pl., (med.) albumen.
albural n.m., pl. -i, list of donors.
alċjun n.m., pl. -i, (ornit.) kingfisher.
alder n.m., bla pl., (bot.) alder wood.
alfabetiku aġġ., alphabetic.
alfabett n.m., pl. -i, alphabet.
alfier n.m., pl. -i, (mil.) ensign-bearer, standard-bearer.
alġebra n.f., pl. -i, (mekk.) algebra.
alġebrajkament avv., algebraically.
alġebrajku aġġ., algebraic(al).
alga n.f., bla pl., (bot.) alga, sea-weed.
alibi n.m., bla pl., (leg.) alibi.
aliment n.m., pl. -i, food, aliment, nutrition, (leg.) alimony.
alimentari aġġ., alimentary, nourishing.
aliskaf n.m., pl. -i, (mar.) hydrofoil.
alizzari n.pl., (bot.) madder.
aljena v.t., ***jaljena;*** to distract, to divert one's attention, to relax. ***~ għandek bżonn li taljena ruħek;*** you need to relax your mind.
aljenat aġġ. u p.p., absent-minded.
aljenazzjoni n.f., pl. -jiet, distraction.
aljetta n.f., pl. -i, hoop iron.
aljoli n.m.pl., garlic sauce.
alka ara **alga**.
alkal n.m., pl. -i, (kim.) alkali.
alkimist n.m., f. -a, pl. -i, alchemist.
alkimija n.f., bla pl., alchemy.
alkoħol n.m., bla pl., (kim.) alcohol.
alkoħoliku aġġ., alcoholic.
alkova n.f., pl. -i, alcove.
Alla n.Pr.m., God, the Almighty. ***~ ħares;*** God forbid. ***~ jħallsek;*** God reward you for it. ***għal-imħabba ta' ~;*** for God's sake. ***jgħinek ~ ;*** God help you. ***il-bniedem jipproponi u ~ jiddisponi;*** man proposes and God disposes. ***jekk ~ jrid;*** God willing.
allarm n.m., pl. -i, alarm.
allarmanti aġġ., alarming.
allarmat aġġ. u p.p., alarmed.
allavolja konġ., although.
alleanza n.f., pl. -i, alliance, covenant.
alleat aġġ. u n.m., f. -a, pl. -i, allied.
allega v.t., ***jallega;*** to allege, to bring in evidence.
allegat aġġ u p.p., alleged.
allegazzjoni n.f., pl. -jiet, allegation.
allegorija n.f., pl. -i, allegory.
allegorikament avv., allegorically.
allegòriku aġġ., allegoric(al).
allegra v.t., ***jallegra;*** to cheer, to rejoice, to gladden, to make happy.
allegrament avv., merrily, cheerfully, gaily.
allegrat aġġ. u p.p., cheered, rejoiced.
allegretto n.m., pl. -i, (muż.) allegretto.
allegrija n.f., pl. -i, merriment, gaiety, mirth.
allegro n.m., pl. -i, (muż.) allegro.

allegru aġġ., merry, cheerful.
alleluja ara **halleluja**.
allerġija n.f., pl. -i, (med.) àllergy.
allerġiku aġġ., (med.) allergic.
alliev n.m., f. -a, pl. -i, pupil, student, apprentice.
alligatur n.m., pl. -i, (żool.) alligator.
allinjament n.m., pl. -i, alignment.
alliterazzjoni n.f., pl. -jiet, (lett.) alliteration.
alloġġ n.m., pl. -i, lodging.
alloġġja v.t., *jalloġġja;* to lodge.
alloka v.t., *jalloka;* to allocate.
allokazzjoni n.f., pl. -jiet, allocation.
allokuzzjoni n.f., pl. -jiet, allocution.
allučinatorju aġġ., hallucinatory.
allučinazzjoni n.f., pl. -jiet, hallucination.
alluda v.t., *jalludi;* to allude, to refer to, to hint. *~ għal din fl-ittra tiegħu;* this was alluded to in his letter.
allumi n.m., pl. -jiet, (kim.) alum.
allura avv., then, therefore.
alluvjali aġġ., alluvial.
allużjoni n.f., pl. -jiet, allusion.
almanakk n.m., pl. -i, calendar, almanac.
almenu avv., at least.
almeridja n.f., bla pl., (bot.) glasswort, salwort.
almonier n.m., f. -a, pl. -i, almoner.
almu n.m., bla pl., ability, aptitude.
almuż aġġ., courageous.
alonga n.f., pl. -i, (itt.) albacore.
alosa n.f., pl. -i, (itt.) shad.
alpaka n.f., bla pl., (żool.) alpaca.
alpakka n.f., bla pl., (met.) white copper, german silver.
alpinist n.m., f. -a, pl. -i, alpinist, mountain-climber, mountaineer.
alpiniżmu n.m., pl. -i, mountaineering.
alpinja n.f., bla pl., (bot.) alpina.
altar ara **artal**.
altea n.f., bla pl., (bot.) althea, marsh mallow.
alterabbli aġġ., (leg.) alterable.
alterazzjoni n.f., pl. -jiet, alternation, change.
alternat aġġ., alternate.
alternattiv aġġ., alternative.
alternattiva n.f., pl. -i, alternative.
altezza n.f., pl. -i, highness.
altimetru n.m., pl. -i, (mek.) altimeter.
altoriliev n.m., pl. -i, (ark.) alto-relievo, high-relief.
altrimenti avv., otherwise.
altruwist n.m., f. -a, pl. -i, unselfish person, altruist.
aluminju n.m., bla pl., (met.) aluminium.
alwetta n.f., koll. u pl. *alwett;* (ornit.) skylark. *~ bumunqar;* bifasciated or hoopoe lark. *~ qastnija;* bar-tailed desert lark. *~ safra;* shore lark. *~ tad-deżert;* Dupont's lark. *~ tal-qrun;* temminick's horned lark. *~ tat-toppu;* crested lark.
alwiża n.f., pl. i, (bot.) lemon plant.
alza v.t., *jalza;* to raise, to lift, to heave.
ama, v.t., *jama;* to love, to like. *ma namahx;* I do not like him.
amabbli aġġ., amiable.
amàlgama v.t., *jamalgama;* to amalgamate.
amalgamat aġġ. u p.p., amalgamated.
amalgamazzjoni n.f., pl. -jiet, amalgamation.
amar v.I., *jamar;* to command, to order, to enjoin. *dak li Alla jamarna li nagħmlu;* what God commands us to do.
amâr n.m., pl. *amajjar;* order, command.
amarant n.m., bla pl., (bot.) amaranth, love-lies-bleeding.
amarena n.f., pl. -i, (bot.) hard black cherry.
amarilli n.f., bla pl., (bot.) amaryllis.
amaros n.m., bla pl., (bot.) cat thyme.
ambaxxata n.f., pl. -i, (dipl.) embassy.
ambaxxatur n.m., f. -triči, pl. -i, (dipl.) ambassador.
amberzuna n.f., pl. -i, (mil. u ark.) embrasure.
ambi v.dif., to necessitate, to require.
ambigwità n.f., pl. -jiet, ambiguity.
ambigwu aġġ., ambiguous.
àmbitu n.m., bla pl., competence.
ambivalenti n.f., pl. -jiet, ambivalent.
ambixxa v.t., *jambixxi;* to aim high.
ambizzjoni n.f., pl. -jiet, ambition.
ambizzjuż aġġ., ambitious.
ambjent n.m., pl. -i, environment.
ambjenta v.t., *jambjenta;* to acclimatize, to grow accustomed to the ways and habits of a place.
ambjentali aġġ., environmental.
ambone n.m., pl. -i, (ekkl.) ambo.
ambrażuna ara **amberżuna**.
ambrosja n.f., bla pl., (bot.) ambrosia.
Ambrożjan aġġ., (ekkl.) Ambrosian. *innu ~;* the Ambrosian hymn, the Te Deum. *kant ~;* Ambrosian chant.
ambu ara **għambu**.
ambulakru n.m., pl. -i, (ark.) ambulatory, (arkeol.) a corridor in a catacomb.
ambulanti aġġ., walking, travelling.
ambulanza n.f., pl. -i, ambulance.
ameba n.f., pl. -i, (med.) amoeba.
amen ara **ammen**.

amenda v.t., ***jamenda;*** (leg.) to amend.
ametist n.m., pl. -i, (met.) amethyst.
amittu n.m., pl. -i, (ekkl.) amice.
amjantu n.m., bla pl., (min.) amiant(h)us.
ammen inter., amen.
ammenda n.f., pl. -i, (leg.) fine, penalty.
amment n.m., bla pl., memory.
ammess aġġ. u p.p., admitted.
ammetta v.t., ***jammetti;*** to admit, to assent, to consent. ***nammetti li hi kopja eċċellenti;*** I admit it is an excellent imitation.
amministra v.t., ***jamministra;*** to administer, to manage.
amministrat aġġ. u p.p., administered.
amministrattiv aġġ., administrative.
amministrattivament avv., administratively.
amministratur n.m., f. -atriċi, pl. -i, administrator, manager, director.
amministrazzjoni n.f., pl. -jiet, administration, management, directorship.
ammira v.t., ***jammira;*** to admire.
ammirabbli aġġ., admirable.
ammiraljat ara **armiraljat**.
ammirat aġġ. u p.p., admired.
ammiratur n.m., f.-atriċi, pl. -i, admirer.
ammirazzjoni n.f., pl. -jiet, admiration.
ammirevoli aġġ., admirable.
ammissjoni n.f., pl. -jiet, admission.
ammonixxa v.t., ***jammonixxi;*** to warn, to admonish.
ammonizzjoni n.f., pl. -jiet, warning, admonition, admonishment.
ammonjàka, n.f., bla pl., (kim.) ammonia.
ammonju n.m., pl. -i, (kim.) ammonium.
ammont n.m., pl. -i, amount.
ammonta v.t., ***jammonta;*** to amount to. ***dak li għandu jagħti jammonta għal elf sterlina;*** his liabilities amount to one thousand pounds sterling.
ammortament n.m., pl. -i, (leg.) amortization, redemption.
ammortizza v.t., ***jammortizza;*** (leg.) to amortize, to redeem, to pay off.
amnesija, amnesia n.f., loss of memory.
amnestija n.f., pl. -i, amnesty.
amomu n.m., bla pl., (bot.) amomum.
amorin n.m., pl. -i, (ornit.) budgerigar, paroquet.
amoroso avv., (muż.) amoroso.
amorpropju n.m., bla pl., self-respect.
amoruż aġġ., loving, affectionate.
amovibbli aġġ., (leg.) removable.
ampèr n.m., pl. -s, (eletr.) ampere.
amplifajer n.m., pl. -s, (eletr.) amplifier.
ampulletta n.f., pl. -i, clepsydra, hour glass, time glass.
ampulluzza n.f., pl. -i, cruet.
amputazzjoni n.f., pl. -jiet, (med.) amputation.
amulet n.f., pl. -i, amulet.
anagoġija n.f., pl. -i, anagoge.
anagoġiku aġġ., anagogic(al).
anagramma n.f., pl. -i, anagram.
anakoreta n.m., pl. -i, anachorite, anachoret, hermit.
anakreòntiku aġġ., anacreontic.
anakroniżmu n.m., pl. -i, anachronism.
analettiku aġġ., (med.) analeptic.
analfabeta n.kom., pl. -i, illiterate (person).
analġesiku aġġ., (med.) analgesic.
analisi n.f., pl. -jiet, analysis. ***~ tad-demm;*** blood test. ***~ grammatikali;*** parsing.
analista n.kom., pl. -i, analyst.
analìtiku aġġ., analytic(al). ***werrej ~;*** analytical index.
analizza v.t., ***janalizza;*** to analyse.
analizzat aġġ. u p.p., analysed, tested, examined.
analoġija n.f., pl. -i, analogy.
analoġikament avv., analogically.
analògu aġġ., analogue, anagolous.
anamòrfosi n.f., pl. -jiet, anamorphosis.
ananas n.m., bla pl., (bot.) ananas, pineapple.
anarkija n.f., pl. -i, anarchy.
anàrkiku aġġ., anarchic(al).
anarkiku n.m., f. -a, pl. -iċi, anarchist.
anatema n.f., pl. -i, (ekkl.) anathema, excomunication.
anatomija n.f., pl. -i, anatomy.
anatòmiku aġġ., anatomic(al).
anatomizza v.t., ***janatomizza;*** to anatomize.
anatomizzat aġġ. u p.p., anatomized.
anċipriska n.f., pl. u koll. ***anċiprisk;***(bot.) nectarine.
anċova n.f., pl. -i, (itt.) anchovy.
andana n.f., pl. -i, landing.
andante avv., (muż.) moderately slow.
andanti aġġ., easy going, nice.
andar n.m., pl. ***andrijiet***, threshing floor.
anedottu n.m., pl. -i, anecdote.
anell n.m., pl. -i, ring, link.
anemija n.f., pl. -i, (med.) anaemia, lack of blood.
anèmiku aġġ., (med.) anaemic.
anemòmetru n.m., pl. -i, (fiż.) anemometer.
anèmoni n.f., pl. -id, (bot.) anemone, windflower.
anerojdi n.f., pl. -jiet, aneroid.
anestesija, n.f., pl. -i, (med.) anaesthesia.

anestetiku aġġ., anaesthetic.
anestetiku n.m., f.-tika, pl. -tetiċi, (med.) anaesthetic.
anestetista n.kom., pl. -estisti, (med.) anaesthetist.
anestetizza v.t., *janestetizza;* (med.) to anaesthetize.
anewriżmu n.m., pl. -i, (med.) aneurysm.
anfibju aġġ., amphibious.
anfiteatru n.m., pl. -i, amphitheatre.
ànfora n.f., pl. -i, (stor.) amphora.
anġas ara **lanġasa**.
anġelika n.f., bla pl., (bot.) angelica.
anġeliku aġġ., angelic.
anġina n.f., bla pl., (med.) angina.
anġlu n.m., pl. -i, angel. *~ kustodju;* guardian angel.
anglikan aġġ. u n.m., f. -a, pl. -i, anglican.
angolu n.m., pl. -i, angle.
anilina n.f., pl. -i, (kim.) aniline.
animazzjoni n.f., pl. -jiet, animation.
animella n.f., pl. -i, (med.) sweetbread.
anisi n.f., bla pl., (bot.) anise.
aniżett n.m., bla pl., anisette.
anki avv., too, also.
ankilożi n.f., bla pl., (med.) anchylosis.
ankra n.f., pl. -i, (mar.) anchor. *refa' ~;* to weigh anchor. *xeħet ~;* to cast anchor.
ankra v.t., *jankra;* (mar.) to anchor, to berth.
ankraġġ n.m., pl. -i, (mar.) anchorage.
ankrat aġġ. u p.p., (mar.) riding at anchor, come to anchor, at anchor.
ankrott n.m., pl. -i, (mar.) grapnel, kedge.
annali n.m.pl., annals.
annalista n.kom., pl. -i, annalist.
annata n.f., pl. -i, the year's crop.
anness aġġ., annexed, attached, enclosed.
annikilixxa v.t., *jannikilixxi;* to annihilate.
annimal n.m., pl. -i, animal, beast.
annimalesk aġġ., beastly.
anniversarju n.m., pl. -i, anniversary.
annotazzjoni n.f., pl. -jiet, annotation.
annu n.m., bla pl., year.
annulla v.t., *jannulla;* (leg.) to annul, to cancel.
annullabbli aġġ., (leg.) voidable.
annullament n.m., pl. -i, (leg.) annulment.
annullat aġġ. u p.p., (leg.) annulled, cancelled.
annuna avv., unanimously, with one consent.
annunz n.m., pl. -i, announcement.
annunzja v.t., *jannunzja;* to announce.
annunzjat aġġ. u p.p., announced.
annunzjatur n.m., f. -atriċi, pl. -i, announcer.
annunzjazzjoni n.f., pl. -jiet, annunciation.
annwali aġġ., annual, yearly.
annwalità n.f., pl. -jiet, annuity.
annwalment avv., annually, yearly.
annwarju n.m., pl. -i, yearbook.
anomalija n.f., pl. -i, anomaly.
anòmalu aġġ., anomalous.
anonimament avv., anonymously.
anònimu aġġ., anonymous.
anormali aġġ., abnormal.
anormalità n.f., pl. -jiet, abnormality.
anqas aġġ.komp., less, neither, not, not even.
ansjetà n.f., pl. -jiet, anxiety.
antaċċola n.f., pl. -i, spangle.
antagonist n.m., f. -a, pl. -i, antagonist.
antagoniżmu n.m., pl. -i, antagonism.
antàrtiku aġġ., (ġeog.) antartic.
anteċedent aġġ. u n.m., pl. -i, antecedent.
antenat n.m., f. -a, pl. -i, ancestor.
antenna n.f., pl. -i, aerial, (mar.) sail-yard.
antera n.f., pl. -i, (bot.) anther.
anterjuri aġġ., anterior.
anterna n.f., pl. -i, lantern. *~ tal-port;* lighthouse.
antìċipa v.t., *jantiċipa;* to anticipate.
antiċipat, aġġ. u p.p., anticipated, advanced (of money).
antiċipat avv., beforehand, in advance, in anticipation.
antiċipazzjoni n.f., pl. -jiet, anticipation.
antidilluvjan aġġ., (stor.) antediluvian.
antìdotu n.m., pl. -i, (med.) antidote.
antìfona n.f., pl. -i, (ekkl.) antiphone, antiphony, anthem.
antifonarju n.m., pl. -i, (ekkl.) antiphonial.
antifrażi n.f., pl. -jiet, antiphrase.
antik aġġ., ancient, old.
antikalja n.f., pl. -i, worthless antique, lumber.
antikament avv., anciently, in ancient times.
antikamera n.f., bla pl., anteroom.
antikità n.f., pl. -jiet, antiquity, antique.
antiklerikali aġġ., anticlerical.
antìkresi n.f., pl. -jiet, (leg.) antichresis.
antikrist n.m., pl. -ijiet, antichrist.
antikwarju n.m., pl. -i, antiquary.
antikwat aġġ. u p.p., antiquated, old fashioned.
antilop n.m., pl. -i, (żool.) antelope.
antimonju n.m., bla pl., (kim.) antimony.
antinjola n.f., pl. -i, spar.

antinna ara **antenna**.
antipapa n.m., pl. -i, (stor.) antipope.
antipast n.m., pl. -i, hors-d'oevre.
antipatija n.f., pl. -i, antipathy.
antipatiku aġġ., antipathetic, disagreeable.
antipenùltimu aġġ., antipenultimate.
antìpodi n.m.pl., (ġeog.) antipodes.
antiporta n.f., pl. -i, glass-door, outer door.
antisèttiku aġġ., (med.) antiseptic.
antisoċjali aġġ., antisocial.
antìtesi n.f., bla pl., antithesis.
antitètiku aġġ., antithetical.
antoloġija n.f., pl. -i, anthology.
antonomasja n.f., pl. -i, antonomasia.
antraċite n.f., bla pl., anthracite.
antropòfaġija n.f., pl. -i, anthrophagy, cannibalism.
antropofagu n.m., f. -a, pl. -i, cannibal.
antropoloġija n.f., pl. -i, anthropology.
antropologu n.m., f. -a, pl. -i, anthropologist.
antropometrija n.f., bla pl., anthropometry.
anżalora n.f., pl. -i, (bot.) anarole-tree.
anzi avv., nay, at least, and more than that.
anzjan n.m., f. -a, pl. -i, veteran, senior.
anzjanità n.f., pl. -jiet, seniority.
aorta n.f., pl. -i, (med.) aorta.
apatija n.f., pl. -i, apathy, indifference.
apatiku aġġ., apathetic.
aperitiv n.m., pl. -i, aperative, appetizer.
apert aġġ., open.
apertament avv., openly, frankly, plainly.
apertura n.f., pl. -i, opening, aperture.
apikultura n.f., bla pl., apiculture, bee keeping.
apitajżer n.m., bla pl., appetizer.
apoġew n.m., pl. -j, (astro.) apogee.
apogoġija n.f., pl. -i, apogoge.
Apokalissi n.m.pl., (stor.) Apocalypse.
apokalittiku aġġ., apocalyptic(al).
apòkope n.f., pl. -ijiet, (gram.) apocope.
apòkrifu aġġ., apocrifal.
apoloġètika n.f., bla pl., apologetics.
apoloġetiku aġġ., apologetic(al).
apoloġija n.f., pl. -i, apology.
apòlogu n.m., pl. -i, apologue.
apoplesija n.f., pl. -i, (med.) apoplexy.
apostasija n.f., pl. -i, apostasy.
apòstata n.kom., pl. -i, apostate.
apostolat ara **appostolat**.
apoteosi n.f., pl. -jiet, apotheosis.
appalt n.m., pl. -i, contract, undertaking.
appaltatur n.m., f. -a, pl. -i, contractor, undertaker.
appann n.m., bla pl., apex.
appannaġġ n.m., pl. -i, appanage.
apparat n.m., pl. -i, apparatus, preparation, (ekkl.) apparatus.
apparell n.m., pl. -i, (mit.) serin.
apparenza n.f., pl. -i, appearance, look, apparition.
apparizzjoni n.f., pl. -jiet, apparition.
appartament n.m., pl. -i, apartment, flat.
appartat aġġ. u p.p., secluded.
apparti avv., apart from, separately.
appartiena v.t., ***jappartieni;*** to belong, to pertain (to). ***dak ma jappartenix lilek;*** that does not belong to you.
appassjona v.t., ***jappassjona;*** to arouse passion.
appell n.m., pl. -i, (leg.) appeal, call.
appella v.t., ***jappella;*** (leg.) to appeal to.
appellabbli aġġ., (leg.) appealable.
appellant n.m., f. -a, pl. -i, (leg.) appellant.
appellat aġġ., (leg.) appealed.
appellattiv aġġ., appellative.
appena avv., as soon as, scarcely.
appendiċi n.f., bla pl., appendix.
appendiks n.f., bla pl., (med.) appendicitis.
appetuż aġġ., appetizing.
appik avv., shortly, soon, instantly, just about.
applawda v.t., ***japplawdi;*** to applaud, to cheer, to clap hands.
applawdut aġġ. u p.p., applauded, cheered.
applaws n.m., pl. -i, applause, cheer.
applika v.t., ***japplika;*** to apply. ***~ għal dar tal-gvern;*** he applied for a government tenement. ***~ ruħu;*** to apply oneself to.
applikabbli aġġ., applicable.
applikant n.m., f. -a, pl. -i, applicant.
applikat aġġ. u p.p., concentrated, applied.
applikazzjoni n.f., pl. -jiet, application.
appoġġ n.m., pl. -i, support.
appoġġatura n.f., pl. -i, (mużż.) appogiatura.
appojntment n.m., pl. -s, appointment.
apposta avv., on purpose.
appostlu n.m., pl. -i, apostle.
appostolat n.m., pl. -i, apostleship, apostolate.
appostoliku aġġ., apostolic.
appostrofu n.m., pl. -i, apostrophe.
appożizzjoni n.f., pl. -jiet, apposition.
apprensiv aġġ., apprehensive.
apprensjoni n.f., pl. -jiet, apprehension.
apprentist n.m., pl. -i, apprentice.

apprentistat n.m., pl. -i, apprenticeship.
apprezza v.t., *japprezza;* to appreciate, to value, to price, to esteem.
apprezzabbli aġġ., appreciable, valuable.
apprezzament n.m., pl. -i, appreciation, appraisement.
apprezzat aġġ. u p.p., esteemed, valued.
apprezzatur n.m., f. -a,-atriċi, pl. -i, estimator, valuer.
approfitta v.t., *japprofitta;* to profit from.
approfondixxa v.t., *japprofondixxi;* to profound, to deepen.
appront avv., at first sight.
appropositu avv., apropos.
approprija v.t., *japproprija;* (leg.) to appropriate, to take possession of.
approprijazzjoni n.f., pl. -jiet, (leg.) appropriation.
approva v.t., *japprova;* to approve, to agree to. ***ġie approvat (għadda) mill-eżami;*** he passed his examination, he was successful in his examination.
approvazzjoni n.f., pl. -jiet, approbation, approval.
approwċja v.i., *approwċja;* to approach. ***~ lil missieru biex ma jħallihx aktar imur il-klabb;*** he approached his father not to let him go to the club any more.
appuntament n.m., pl. -i, appointment, date.
appuntu avv., exactly, precisely.
April n.m., pl. April. ***l-ewwel ta' April;*** all Fools' Day.
àpsidi n.f., pl. -jiet, (ark.) apse.
aptit n.m., pl. -i, appetite.
aqqal ara **eqqel**.
aqwa aġġ.komp., stronger.
arabesk n.m., pl. -i, arabesque.
arabiżmu n.m., pl. -i, arabism.
aràldika n.f., bla pl., heraldry.
aralja n.f., pl. -i, (bot.) aralia.
aranċina n.f., pl. -i, rice ball.
aranċjata n.f., pl. -i, orangeade.
arazza n.f., pl. -i, arras, tapestry.
arbitra v.t., *jarbitra;* to arbitrate.
arbitraġġ n.m., pl. -i, arbitration.
arbitrarjament avv., arbitrarily.
arbitrarju aġġ., arbitrary.
àrbitru n.m., f. -a, pl. -i, arbiter.
arblu n.m., pl. -i, mast, pole, flagstaff. **~ ta' Mejju;** Maypole. ***~ tar-razza;*** genealogical tree, family tree, pedigree.
arbùla v.Sq., *jarbula;* to set erect, to erect, to raise.
arbulat aġġ. u p.p., erected, raised.
arbuxell n.kom., pl. -id, (bot.) shrub.
arċidjaknu n.m., pl. -i, (ekkl.) archdeacon.
arċiduka n.m., f. -essa, pl. -i, archduke.
arċier n.m., pl. -i, (stor.) archer, bowman.
arċipèlagu n.m., pl. -i, (ġeog.) archipelago.
arċipriet n.m., pl. -i, (ekkl.) archpriest.
arċisqof n.m., pl. -ijiet, (ekkl.) archbishop.
arċiveskovili aġġ., (ekkl.) archiepiscopal.
arċmisa n.f., bla pl., (bot.) feverfew.
ardir n.act., boldness, temerity, arrogance.
ardit aġġ., bold, daring fearless.
ardixxa v.t., *jardixxi;* to dare. ***tardixxi tgħid hekk?;*** dare you say so?
ardu n.m., bla pl., lard.
arena n.f., pl. -i, arena, stadium, open air theatre.
areola n.f., bla pl., (anat.) areola.
areopagu n.m., pl. -i, areopagus.
arġenta v.t., *jarġenta;* to silver, to plate with silver.
arġentat aġġ., silvered, silver-plated.
arġenterija n.f., pl. -i, the art of silver work, silversmith's shop.
arġentier n.m., pl. -a,-i, silversmith, goldsmith.
arganell n.m., pl. -i, (mar.) davit.
argilè n.m., pl. -jiet, narghile, hookahl.
argnu n.m., pl. -i, (mar.) windlass, winch, capstan.
argument n.m., pl. -i, argument.
argumenta v.t., *jargumenta;* to argue.
argumentat aġġ. u p.p., argued.
argumentazzjoni n.f., pl. -jiet, argumentation.
argużin n.m., pl. -i, jailer, warder, torturer.
aringa n.f., pl. -i, (itt.) herring.
aristokratiku aġġ. u n.m., f. -a, pl. -i, aristocratic.
aristokrazija n.f., pl. -i, aristocracy.
aritmetika n.f., bla pl., arithmetic.
aritmetiku aġġ., arithmetic.
arja n.f., bla pl., air.
arja n.f., pl. -i, area, arrogance.
arjetta n.f., pl. -i, hoop iron, iron bracket.
arjuż aġġ., airy, arrogant.
ark n.m., pl. -i,-ijiet, bow, (ark.) arch.
arka n.f., pl. -i, ark.
arkadiku aġġ., arcadian.
arkajku aġġ., archaic.
arkan n.m., pl. -i, mystery.
arkan aġġ., mysterious.
arkanġlu n.m., pl. -i, archangel.
arkata n.f., pl. -i, (ark.) arcade.
arkeoloġija n.f., pl. -i, archeology.
arkeolòġiku aġġ., archeological.

arkeologu n.m., f. -a, pl. -i, archeologist.
arkett n.m., pl. -i, fret frame. ~ ***tal-vjolin;*** fiddle-bow, bow of violin.
arkimadrita n.m., pl. -i, (ekkl.) archmanrite.
arkipjan n.m., pl. -i, (ark.) flat arch.
arkitett n.m., pl. -i, architect.
arkitettoniku aġġ., architectonic, architectonical.
arkitettura n.f., pl. -i, architecture.
arkitrav n.m., pl. -i, (ark.) architrave.
arkivista n.kom., pl. -i, archivist, keeper of archives.
arkivja v.t., ***jarkivja;*** to place in the archives.
arkivju n.m., pl. -i, archives, archive.
arkova ara **alkova**.
arlekkin n.m., pl. -i, harlequin, clown.
arloġġ n.m., pl. -i, watch, clock. ~ ***tal-but;*** pocket watch. ~ ***ta' l-idejn;*** wrist watch. ~ ***ta' l-ilma;*** water clock. ~ ***tar-ramel;*** sand glass. ~ ***tax-xemx;*** sun dial.
arluġġar n.m., pl. -a,-i, watch maker, watch repairer.
arma n.f., pl. -i, weapon, coat-of-arms.
arma v.t., ***jarma;*** to arm, to equip, to set up.
armajn avv., too late to do, now.
armament n.m., pl. -i, armament.
armarju n.m., pl. -i, cupboard.
armat aġġ. u p.p., armed, equipped.
armata n.f., pl. -i, army.
armatur n.m., pl. -i, mechanic, fitter.
armatura n.f., pl. -i, armour, show window.
armel n.m., pl. ***romol;*** widower.
armerija n.f., pl. -i, armoury.
armier n.m., pl. -a, armourer, gunsmith.
armiraljat n.m., bla pl., admiralty.
armirall n.m., pl. -i, (mar.) admiral.
armistizju n.m., pl. -i, (mil.) armistice.
armla n.f., pl. ***romol;*** widow.
armonija n.f., pl. -i, (muż.) harmony.
armonikament avv., (muż.) harmonically.
armoniku aġġ., (muż.) harmonic, harmonical.
armonizza v.t., ***jarmonizza;*** to harmonize.
armonizzat aġġ., harmonized.
armonizzazzjoni n.f., pl. -jiet, (muż.) harmonization.
armonju n.m., pl. -i, (muż.) harmonium.
armonjuż aġġ., harmonious.
arnes n.m., bla pl., harness.
aroma n.f., pl. -i, aroma.
aromatiku aġġ., aromatic.
arpa n.f., pl. -i, (muż.) harp.
arpeġġja v.t., ***jarpeġġja;*** (muż.) to play the harp.
arpista n.kom., pl. -i, (muż.) harper, harpist.
arpjun n.m., pl. -i, harpoon.
arra v.Sq., ***jarra;*** to err, to mistake, to be at fault.
arranġament n.m., pl. -i, arrangement, adjustment.
arrest n.m., pl. -i, arrest, capture, detention.
arresta v.t., ***jarresta;*** to arrest, to detain. ***il-pulizija ~ l-ħalliel;*** the policeman arrested the thief.
arrestat aġġ. u p.p., arrested, detained.
arretrat aġġ. u p.p., behindhand.
arrikkixxa v.t., ***jarrikkixxi;*** to enrich.
arriv inter., good-bye, au revoir.
arroganti aġġ., arrogant, haughty.
arroganza n.f., bla pl., arrogance, haughtiness.
arsèniku aġġ. u n.m., pl. -iċi, arsenic. ***aċidu ~;*** arsenic acid.
art n.f., pl. -ijiet, earth, land, ground.
artab aġġ., soft, tender, slow.
artal n.m., pl. -i, (ekkl.) altar.
arterja n.f., pl. -i, (anat.) artery.
arterjuż aġġ., (anat.) arterial.
arti n.f., bla pl., art.
artiċokks n.m.koll., (bot.) artichoke.
artifiċjali aġġ., artificial.
artifiċjalment avv., artificially.
artiġjan n.m., f. -a, pl. -i, artisan craftsman, artificer.
artikla n.f., pl. -i, (żool.) sea anemone.
artiklu n.m., pl. -i, (gram.) article.
artikolazzjoni n.f., pl. -jiet, articulation.
artikolista n.kom., pl. -i, journalist.
artiku aġġ., (ġeog.) arctic.
artillerija n.f., pl. -i, (mil.) artillery.
artillier n.m., pl. -i, (mil.) gunner.
artist n.m., f. -a, pl. -i, artist.
artistikament avv., artistically.
artistiku aġġ., artistic(al).
artrite n.f., bla pl., (med.) arthritis.
artritiku aġġ., (med.) arthritic.
aruka n.f., pl. -iet, (bot.) rocket.
arzella n.f., pl. u koll. ***arzell;*** (żool.) cockle.
arżnella n.f., pl. u koll. ***arżnell;*** (itt.) picarel.
arżnu n.m., bla pl., (bot.) pine.
asaħħ aġġ.komp., stronger, more robust.
asamm aġġ.komp., harder, more solid.
asbèstos n.m., bla pl., (min.) asbestos, earthflax.

asfalt n.m., bla pl., asphalt.
asfalta v.t., ***jasfalta;*** to asphalt.
asfaltat aġġ. u p.p., asphalted.
asfaltatura n.f., pl. -i, asphalting.
asfissija n.f., bla pl., (med.) asphyxia, asphyxy, suffocation.
asfissja v.t., ***jasfissja;*** (med.) to asphyxiate.
asfissjat aġġ. u p.p., asphyxiated.
asfodill n.m.koll., (bot.) asphodel.
asjatiku aġġ., asiatic.
asperġes n.m., pl. -ijiet, (ekkl.) asperges, holy water sprinkler, aspergillum.
asperina n.f., pl -i, (med.) aspirin.
aspersorju n.m., pl. -i, (ekkl.) holy water sprinkler.
aspett n.m., pl. -i, aspect, mean, look.
aspira v.t., ***jaspira;*** to aspire, to aim at, for.
aspirat aġġ. u p.p., aspirated, inspired after, aimed at, for.
aspirazzjoni n.f., pl. -jiet, aspiration.
aspirina ara **asperina**.
aspru aġġ., harsh, sharp.
ass n.m., pl. -i, (logħ.) ace.
assafètida n.f., bla pl., (med.) asafoetida.
assaġġ n.m., pl. -i, assay.
assalt n.m., pl. -i, assault, attack.
assalta v.t., ***jassalta;*** to assault.
assaltat aġġ. u p.p., assaulted.
assassin n.m., f. -a, pl. -i, murderer, assassin.
assassinju n.m., pl. -i, assassination, murder.
assassna v.t., ***jassassna;*** to assassinate, to murder.
assassnat aġġ. u p.p., assassinated, murdered.
assedja v.t., ***jassedja;*** to besiege, to surround, to beset. ***~ bil-mistoqsijiet;*** to beset one with questions.
assedju n.m., pl. -i, siege.
assemblea n.f., pl. -ji, assembly.
assenja v.t., ***jassenja;*** to assign, to allot, to allow. ***assenjawlu 100 lira sterlina fis-sena;*** they have allowed him 100 pounds sterling a year, **assenjazzjoni** n.f., pl. -jiet, assignation, assignment.
assenta v.t., ***jassenti;*** to absent oneself (from).
assenti aġġ., absent.
assenza n.f., pl. -i, absence.
assenzju n.m., bla pl., (bot.) wormwood.
assessja v.t., ***jassessja;*** to assess.
assessjat aġġ. u p.p., assessed.
assessur n.m., pl. -i, (leg.) assessor.
assi n.m., pl. -jiet, (leg.) estate, assets, property.
assidwament avv., assiduously.
assidwità n.f., bla pl., assiduousness.
assidwu aġġ., assiduous.
assigura v.t., ***jassigura;*** to assure, to insure. ***~ ruħu;*** to assure oneself.
assigurabbli aġġ., insurable.
assigurat aġġ. u p.p., insured.
assiguratur n.m., f. -atriċi, pl. -i, insurer.
assigurazzjoni n.f., pl. -jiet, insurance, assurance.
assimilja v.t., ***jassimilja;*** to assimilate.
assimilazzjoni n.f., pl. -jiet, assimilation.
assista v.t., ***jassisti;*** to assist.
assistent n.m., f. -a, pl. -i, assistant, helper, school teacher.
assistenza n.f., pl. -i, assistance, help, aid.
assjoma n.f., pl. -i, axiom.
assjomatiku aġġ., axiomatic.
assoċja v.t., ***jassoċja;*** to associate. ***~ ruħu ma' sħabu kollha kontra dik il-liġi;*** he associated himself with all his companions against that law.
assoċjat aġġ. u p.p., associated, enrolled.
assoċjazzjoni n.f., pl. -jiet, association.
assoġġetta ara **issuġġetta**.
assolt aġġ., (leg.) absolved, acquitted.
assolut aġġ., absolute, complete, perfect.
assolutament avv., absolutely.
assolutist aġġ. u n.m., f. -a, pl. -i, absolutist.
assolutiżmu n.m., pl. -i, absolutism.
assoluzzjoni n.f., pl. -jiet, absolution.
assolva v.t., ***jassolvi;*** (ekkl.) to absolve, to acquit.
assonanti aġġ., assonant.
assonanza n.f., pl. -i, assonance.
assorbiment n.m., pl. -i, absorption.
assorbixxa v.t., ***jassorbixxi;*** to absorb, to dry up.
assortiment n.m., pl. -i, assortment, stock.
assortit aġġ., assorted.
assuma v.t., ***jassumi;*** to assume, to undertake. ***qegħdin tassumu responsabbiltà kbira;*** you are incuring a tremendous responsability.
assunt aġġ., assumed, taken, undertaken.
assunzjoni n.f., pl. -jiet, assumption. ***l-~;*** Assumption.
assurd aġġ., absurd, preposterous, unreasonable.
assurdament avv., absurdly.
assurdità n.f., pl. -jiet, absurdity.
astemju aġġ., abstemious.
astensjoni n.f., pl. -jiet, abstention.
astensjonist n.m., f. -a, pl. -i, abstensionist.
astensjoniżmu n.m., pl. -i, abstentionism.
asterisk n.m., pl. -i, asterisk.
asteriżmu n.m., pl. -i, (astro.) asterism, constellation.

asterojdi n.m., pl. -jiet, (astro.) asteroid.
astigmatiku aġġ., (med.) astigmatic.
astigmatiżmu n.m., pl. -i, (med.) astigmatism.
astinenza n.f., pl. -i, abstinence.
astjena v.t., *jastjeni;* to abstain (from). *ma setax jastjeni li jagħmel dan;* he could not refrain from doing this.
astrakan n.m., bla pl., astrakhan.
astratt aġġ., abstract.
astrattament avv., abstractly.
astrazzjoni n.f., pl. -jiet, abstraction.
astrinġenti aġġ., astringent.
astroloġija n.f., pl. -i, astrology.
astrolòġiku aġġ., astrologic(al).
astròlogu n.m., f. -a, pl. -i, astrologer.
astronawta n.kom., pl. -i, astronaut.
astronawtika n.f., bla pl., astronautics.
astronomija n.f., pl. -i, astronomy.
astronòmiku aġġ., astronomic(al).
astrònomu n.m., f. -a, pl. -i, astronomer.
astruż aġġ., abruse.
astur n.m., pl. -i, (ornit.) red kite.
astut aġġ., astute, crafty, wily.
astuzja n.f., bla pl., astuteness, cunningness, shrewdness.
astuż ara **astut**.
atanasja n.f., bla pl., (bot.) African daisy, athanasi.
àtar n.m., pl. *atàr;* footprint, footmark, trace, vestige.
atarassija n.f., bla pl., (fil.) ataroxy.
atavistiku aġġ., (med.) atavisc.
ataviżmu n.m., pl. -i, (med.) atavism.
ateiżmu n.m., pl. -i, atheism.
atenew n.m., pl. -ej, atheneum.
atew n.m., f. atea, pl. -j, atheist.
Atlàntiku n.m., Pr. (ġeog.) Atlantic (ocean).
atlas n.m., pl. -ijiet, atlas.
atleta n.kom., pl. -i, athletic.
atletika n.f., bla pl., athletics.
atletikament avv., athletically.
atlètiku aġġ., athletic.
atmosfera n.f., pl. -i, atmosphere.
atmosferiku aġġ., atmospheric(al).
atomali aġġ., (muż.) atomel.
atòmiku aġġ., atomic.
atomizza v.t., *jatomizza;* to atomize.
atomizzat aġġ. u p.p., atomized.
atomizzatur n.m., pl. -i, atomizer.
àtomu n.m., pl. -i, atom.
atonija n.f., bla pl., (med.) atony.
atoniku aġġ., (gram.) atonic.
atriju n.m., pl. -i, (ark.) atrium, entrance, hall, porch.
atroċi aġġ., atrocious.
atroċità n.f., pl. -jiet, atrocity.
atrofija n.f., bla pl., (med.) atrophy.
atròfiku aġġ., (med.) atrophic.
atrofizza v.t., *jatrofizza;* (med.) to atrophy. *~ ruħu;* to atrophy, to waste away.
atrofizzat aġġ. u p.p., (med.) atrophied.
atropina n.f., bla pl., (med.) atrophine.
att n.m., pl. -i, act, action, deed, contract.
attakk n.m., pl. -i, attack, assault.
attakka v.t., *jattakka;* to attack, to assault. *konna attakkati għal għarrieda;* we were unexpectedly attacked.
attakkabbli aġġ., attackable, assailable.
attakkament n.m., pl. -i, attachment.
attakkat aġġ. u p.p., attached, bound, tied, attacked, assailed.
atteġġjament n.m., pl. -i, attitude, behaviour.
attenda v.t., *jattendi;* to attend, to be present at.
attendenza n.f., pl. -i, attendance.
attent aġġ., careful, cautious, attentive.
attentament avv., attentively.
attentat n.m., pl. -i, attempt.
attenwant n.m., pl. -i, (leg.) mitigating circumstance.
attenzjoni n.f., pl. -jiet, attention, carefulness, caution.
attestat n.m., pl. -i, (leg.) testimonial, certificate.
attira v.t., *jattira;* to attract, to draw attention.
attirat aġġ. u p.p., attracted.
attitudni n.f., pl. -jiet, attitude, disposition.
attiv aġġ., active.
attivament avv., actively.
attività n.f., pl. -jiet, activity.
attraenti aġġ., attractive.
attratt aġġ., attracted.
attrattiva n.f., pl. -i, attraction, allurement.
attrazzi n.m.pl., (mar.) ship's stores, ship's rigging.
attrazzjoni n.f., pl. -jiet, attraction.
attribut n.m., pl. -i, attribute.
attributtiv aġġ., attributive.
attribuzzjoni n.f., pl. -jiet, attribution.
attribwit aġġ. u p.p., attributed.
attribwixxa v.t., *jattribwixxi;* to attribute.
attriċi n.f., bla pl., actress.
attur n.m., pl. -i, actor.
attwali aġġ., actual, present.
attwalità n.f., pl. -jiet, actuality.
attwalment avv., actually.
attwarju n.m., pl. -i, (leg.) actuary, registrar.
avanz n.m., pl. -i, improvement, amelioration, progress.

avanza v.t., *javanza;* to advance, to proceed.
avanzat aġġ. u p.p., advanced.
avarija n.f., pl. -i, (mar.) damage at sea, difference.
avarjat aġġ., damaged.
ave inter., ave! Hail!.
avemarija n.f., pl. -iet, Ave Maria, Hail Mary.
avenju n.m., pl. -i, avenue.
averiġġ n.m., bla pl., average.
avidità n.f., bla pl., avidity.
avjatur n.m., f. -a,-atriċi, aviator, air person.
avjazzjoni n.f., pl. -jiet, aviation.
avolja kong., notwithstanding, even though.
avorju n.m., pl. -i, ivory.
avożet n.m., f. -a, pl. -i, (ornit.) avocet, avoset.
avukat n.m., f. -a,-essa, pl. -i, lawyer, advocate, barrister.
avukatura n.m., pl. -i, legal profession.
avultun n.m., pl. -i, (ornit.) griffon, vulture. ~ *abjad;* Egyptian vulture.
avvanz ara **avanz**.
avvanza v.t., *javvanza;* to advance. ***l-għadu kien qiegħed javvanza kuljum;*** the enemy was advancing every day.
avvelena ara **ivvelena**.
avvelenament ara **ivvelenament**.
avvelenat ara **ivvelenat**.
avveniment n.m., pl. -i, event.
avvent n.m., pl. -i, (ekkl.) Advent.
avventura n.f., pl. -i, adventure.
avventurier n.m., f. -a, pl. -i, adventurer.
avventuruż aġġ., adventurous.
avverb n.m., pl. -i, (gram.) adverb.
avverbjali aġġ., (gram.) adverbial.
avverbjalment avv., (gram.) adverbially.
avverbju n.m., pl. -i, (gram.) adverb.
avvers aġġ., adverse, contrary, opposite.
avversarju n.m., f. -a, pl. -i, adversary, opponent.
avversità n.f., pl. -jiet, adversity.
avversjoni n.f., pl. -jiet, aversion.
avverta v.t., *javverti;* to warn, to advert, to admonish.
avvertiment n.m., pl. -i, admonition, warning.
avviċina v.t., *javviċina;* to approach.
avviċinament n.m., pl. -i, approaching, coming.
avviċinat aġġ. u p.p., approached.
avviliment n.act., humiliation.
avvilixxa v.t., *javvilixxi;* to debaze, to humiliate, to degrade, to vilify, to disgrace. ~ ***ruħu ma' sħabu;*** he degraded himself among his friends.
avvilut aġġ. u p.p., debased, humiliated, disgraced, degraded.
avviż n.m., pl. -i, advertisement, notice.
avża v.t., *javża;* to inform, to warn, to give notice. ***avżajtu bil-periklu;*** I warned him of the danger.
avżat aġġ. u p.p., informed, warned, noticed.
awdaċi aġġ., audacious.
awdaċja n.f., bla pl., audacity.
awditorju n.m., pl. -i, auditorium.
awditur n.m., pl. -i, auditor.
awdjometru n.m., pl. -i, (med.) audiometer.
àwgura v.t., *jawgura;* to wish, to wish oneself happiness. ***nawguralek suċċess;*** I wish you success.
awgurju n.m., pl. -i, (good) wish, augury.
Awissu n.m., Pr., August.
awista n.f., pl. -i, (itt.) rock lobster.
awla n.f., pl. -i, hall, reception hall.
awlillejl ara **ewlillejl**.
awment n.m., pl. -i, increase, rise.
awra n.f., pl. -i, air, atmosphere.
awrata n.f., pl. -i, (itt.) gilthead bream.
awreola n.f., bla pl., halo, aureole.
awrikarja n.f., pl. -i, (bot.) araucaria.
awrikulari aġġ., auricular.
awrina n.f., bla pl., urine.
awrinar n.m., pl. -i, chamber-pot.
awrist n.m., pl. -i, (gram.) aorist.
awrora n.f., pl. -i, dawn, sunrise, daybreak.
awspiċju n.m., pl. -i, auspice, patronage, protection.
awsterità n.f., bla pl., austerity, severity.
awstrali aġġ., southern, austral.
Awstraljan aġġ. u n.m., f. -a, pl. -i, Australian.
Awstrijak aġġ. u n.m., f. -a, pl. -i, Austrian.
awtbord n.m., pl. -s, (mar.) outboard.
awtèntika v.t., *jawtentika;* (leg.) to authenticate.
awtentikat aġġ. u p.p., (leg.) authenticated.
awtentikazzjoni n.f., pl. -jiet, (leg.) authentication.
awtèntiku aġġ., (leg.) authentic, genuine.
awtobijografija n.f., pl. -i, autobiography.
awtobijografiku aġġ., autobiographic(al).
awtobijògrafu n.m., f. -a, pl. -i, autobiographer.
awtoġiro n.m., pl. -i, autogyro, autogiro.
awtògrafa v.t., *jawtografa;* to autograph.

awtografat aġġ. u p.p., autographed.
awtògrafu n.m., pl. -i, autograph.
awtòkrata n.kom., pl. -i, autocrat.
awtokratikament avv., autocratically.
awtokràtiku aġġ., autocratic, autocratical.
awtokrazija n.f., pl. -i, autocracy.
awtoma n.f., pl. -i, automaton.
awtomatikament avv., automatically.
awtomàtiku aġġ., automatic.
awtomobilist n.m., f. -a, pl. -i, motorist, motor-car driver.
awtomobiliżmu n.m., pl. -i, automobilism, motoring.
awtonomija n.f., pl. -i, autonomy, self-government.
awtònomu aġġ., autonomous, self-government.
awtopsja n.f., pl. -i, (med.) autopsy, post mortem examination.
awtorèvoli aġġ., authoritative.
awtorevolment avv., authoritatively.
awtorità n.f., pl. -jiet, authority.
awtoritarju aġġ., authoritative, authoritarian.
awtorizza v.t., ***jawtorizza;*** to authorize, to entitle, to empower. ***dak ma jawtorizzakx li tuża l-isem tal-ktieb tiegħi;*** that does not entitle you to make use of the title of my book.
awtorizzat aġġ u p.p., authorized, entitled.
awtorizzazzjoni n.f., pl. -jiet, authorization.
awtur n.m., f. -a, awtriċi, author.
awżiljarju aġġ., auxiliary.
axaħħ aġġ.komp., more miserly.
axtrej n.m., f., pl. -s, ash-tray.
axxendent n.m., pl. -i, ascendent.
axxendenza n.f., pl. -i, ancestors, genealogical tree.
axxensur n.m., pl. -i, lift, elevator.
axxess n.m., pl. -i, (med.) abscess.
axxètika n.f., bla pl., (teol.) ascetics.
axxètiku aġġ., (teol.) ascetic(al).
axxetiżmu n.m., pl. -i, ascetism.
axxite n.f., bla pl., (med.) ascites.
azzar n.m., bla pl., steel.
azzarin n.m., pl. -i, (mil.) rifle, musket.
azzjoni n.f., pl. -jiet, action.
azzjonista n.m., f. -a, pl. -i, shareholder.
ażma n.f., bla pl., (med.) asthma.
ażmàtiku aġġ. u n.m., f. -a, pl. -ċi, (med.) asthmatic, .
ażżard n.m., bla pl., hazard, risk. ***logħob ta' l-~;*** game of chance.
ażżarda v.t., ***jażżarda;*** to hazard, to risk, to venture. ***m'ażżardajtx inwaqqfu;*** I did not venture to stop him.
ażżmu aġġ., unleavened, azyme.

Bb

B, ***b it-tieni ittra ta' l-alfabett Malti u l-ewwel waħda mill-konsonanti;*** the second letter of the Maltese alphabet and the first of the consonants.
babaw n.m., pl. -ijiet, bugbear, bugaboo.
babberija n.f., pl. -i, foolishness, silliness, stupidity.
babbu n.m., f. -a, pl. -i, simpleton, fool, stupid.
babirussa n.m., pl. -i, (żool.) babirossa.
babjana n.f., bla pl., (bot.) babiana.
babun n.m., f. -a, pl. -i, (żool.) baboon.
baċċaċ v.II, ***jbaċċaċ;*** to make chubby, to grow chubby, to become chubby.
baċċan ara **beċċen**.
baċellerat n.m., pl. -i, bachelorhood, bachelorship.
baċil n.m., pl. -i, (ekkl.) basin, bowl.
baċillier n.kom., pl. -i, bachelor.
baċillu n.m., pl. -i, bacillus.
baċir n.m., pl. -i, (mar.) dock, shipyard.
bad ara **bied**.
baderna n.f., pl. -i, (mar.) sinnet, sennit.
badessa n.f., pl. -i, abbess.
bafer n.m., pl. -s, (tek.) buffer.
baffi n.m.pl., beard.
baġan aġġ. u n.m., bla pl., stupid, silly, simple fellow.
baġanata n.f., pl. -i, a piece of foolery, foolish action.
baġġ n.m., pl. -ijiet, ***baġis;*** badge.
baga n.f., pl. -i, buoy.
bagalja n.f., pl. -i, luggage, suitcase.
bagatell n.m., pl. -i, (logħ.) bagatelle.
bagatella n.f., pl. -i, bagatelle, trifle.
bagoll n.m., pl. -i, trunck, suitcase.
bagħad v.I, ***jobgħod;*** to hate, to detest, to cause hatred. ***hu mibgħud minn kulħadd;*** he is hated by everyone.
bagħàd n.m., f. u pl. -a, hater.
bagħal n.m., f. ***bagħla***, pl. ***bgħula;*** (żool.) mule.
bagħar n.kol., pl. ***ibgħar;*** dung.
bagħat v.I, ***jibgħat;*** to send. ***~ minn għand Qajfas għal għand Pilatu;*** to send from pillar to post.
bagħbas v.kwad., ***jbagħbas;*** to finger, to touch, to handle, to fiddle with.
bagħda n.unit.f., pl. -iet, hate.
bagħli aġġ., campestral, rural.
bagħta n.unit.f., pl. -iet, mission, sending, expedition.
bagħtar v.kwad., ***jbagħtar;*** to walk in mud.
bahrad, v.kwad., to make one romp, to frolic.
baħar n.m., pl. ***ibħra;*** sea. ***~ bla ċafċifa;*** choppy sea. ***~ qawwi;*** rough sea. ***bl-art u bil-~;*** by sea and land. ***ilma ~;*** sea water. ***raġel tal-~;*** sailor.
baħbaħ v.kwad., ***ibaħbaħ;*** to rinse.
baħbieħ n.m., f. u pl. -a, washer.
baħbuħ n.m., f. u pl. -a, a jovial man, lady, a jolly fellow.
baħbuħa n.f., pl. -iet, (żool.) cowrie, cowry.
baħħ n.m., pl. -ijiet, emptiness, void, loneliness.
baħħar v.II, ***jbaħħar;*** to sail, to navigate, to perfume, to fumigate. ***~ b'riħ in poppa;*** he sailed close to the wind.
baħħàr n.m., f. u pl. -a, sailor, mariner, perfumer.
baħri n.m., f. -ja, pl. -in, seaman, sailor.
baħrija n.f., pl. -iet, (żool.) hornet.
baj inter., bye-bye, farewell, good-bye.
bajda n.f., pl. -iet, koll. ***bajd;*** egg. ***~ mifsuda;*** addle egg. ***bajd moqli;*** fried eggs.
bajda aġġ., white.
bajdani aġġ., whitish.
bajja n.f., pl. -iet, vat, bay, gulf.
bajjad v.II, ***jbajjad;*** to whitewash, to bleach, to furbish.
bajjâd n.m., f. u pl. -a, whitewasher, bleacher.
bajju aġġ., bay. ***żiemel ~;*** a bay horse.
bajjunetta n.f., pl. -i, bayonet.
bajla n.f., pl. -iet, concrete mixer.
bajpass n.m., bla pl., by-pass.
bajrow n.f., pl. -s, ball-pen.
bajsikil n.f., pl. -s, bicycle.
bajtra n.f., pl. -iet, koll. ***bajtar;*** (bot.) fig.

~ ta' San Ġwann; fig of the first crop. *~ tax-xewk;* prickly pear, Indian fig.
bakgrawnd n.m., pl. -s, background.
bakkaljaw n.koll.m., f.-wa, (itt.) cod, pollack, coalie.
bakkanalja n.f., pl. -i, bacchanalia.
bakkar v.II, *jbakkar;* to rise early, to get up early.
bakkàr n.m., f. u pl. -a, early riser.
bakkarà n.f., pl. -jiet, (logħ.) baccarat.
bakketta n.f., pl. -i, (muż.) baton, wand.
baklu n.m., pl. -i, (ekkl.) pastoral staff, crosier.
balà ara **belà**.
balalu n.m., f. -a, pl. -i, booby, silly man, simple minded.
balanza n.f., pl. -i, (mar.) sailing trawler.
balavostra n.f., pl. -i, (ark.) baluster.
balavostrat n.m., pl. -i, (ark.) balustrade.
balbal v.kwad., *jbalbal;* to gibber, to babble, to prattle.
balbuljata n.f., pl. -i, confusion.
baldakkin n.m., pl. -i, (ekkl.) canopy.
baliena n.f., pl. -i, (itt.) whale, baleen.
baljol n.m., pl. -i, (mar.) bucket, pail.
balla n.f., pl. *balal;* bale, bullet.
ballabbli aġġ., (muż.) fit for dancing, suitable for dancing.
ballabrott n.m., pl. -i, ball.
balla' v.II, *jballa';* to cram.
ballarin n.m., f. -a, pl. -i, dancer.
ballat v.II, *jballat;* to beetle, to pun, to strike with a mallet.
ballata n.f., pl. -i, (lett.) lay, ballad.
ballata n.f., pl. -iet, punner, beetle.
ballett n.m., pl. -i, (muż.) ballet.
ballottra n.f, pl. -i, (żool.) weasel, (itt.) snake blenny, bearded rocking.
ballu n.m., pl. -ijiet, ball, dance. *~ bil-kostum;* fancy dress ball.
ballun n.m., pl. *blalen;* ball, football. *~ ta' l-ajru;* aerostat.
balluta n.f., pl. u koll. *ballut;* (bot.) oak.
Baltiku aġġ. u n.m., pl. -i, (ġeog.) Baltic.
balz n.m., pl. -i, (mar.) ship's beam.
balzmatur n.m., f. -a, pl. -i, embalmer.
balzmatura n.f., pl. -i, embalment.
balzmu n.m., bla pl., balsam, balm.
bambal v.kwad., *jbambal;* to bamboozle.
bambin n.m., f. -a, pl. -i, child.
bamboċċ n.m., f. -a, pl. -i, simpleton.
bambù n.m., bla pl., (bot.) bamboo.
bamper n.m., pl. -s, bamper.
banali aġġ., banal.
banalità n.f., pl. -jiet, banality.
banana n.f., pl. u koll., (bot.) banana.
banavolja aġġ. u n.komm., pl. -i, scoundrel, knave.
banda n.f., pl. *baned;* band. *palk (planċier) tal-~;* band-stand. *surmast tal-~;* band master.
banda n.f., pl. *bnadi;* side.
bandal, v.kwad., *jbandal;* to swing, to rock, to dandle. *qagħad bil-qiegħda fuq il-mejda jbandal saqajh;* he sat on the table swinging his legs.
bandalora n.f., pl. -i, banderol(e).
bandiera n.f., pl. -i, flag, ensign.
bandist n.m., f. -a, pl. -i, band player, bandsman.
bandit n.m., pl. -i, bandit.
banditur n.m., f. -a, pl. -i, town crier.
bandò n.m., pl. -jiet, bandeau.
band'oħra avv., another place, elsewhere.
bandu n.m., pl. -i,-jiet, proclamation, bann.
banduliera n.f., pl. -i, bandoleer.
banġ n.m., pl. *bnaġ, bnieġ;* (bot.) white henbane.
banġu n.m., pl. -jiet, (muż.) banjo.
banjat aġġ., u p.p., plated.
banjatura n.f., pl. -i, plating.
banju n.m., pl. -jiet, bath, bathing tub. *~ bil-qiegħda;* sit bath, hip bath. *~ marija;* bain-marie. *~ sħun;* hot bath. *~ tat-tajn;* mud bath. *~ tax-xemx;* sun bath. *kamra tal-~;* bath room. *ħa ~;* to take a bath. *ta ~;* to bath.
bank n.m., pl. -ijiet, bench. *~ tad-demm;* blood-bank. *~ ta' ħanut;* shop counter. *~ ta' mastrudaxxa;* joiner's bench. *~ tar-ramel;* sand bank.
bank n.m., pl. *banek;* savings bank, bank.
banka n.f., pl. *banek;* stool. *~ tal-lottu;* lotto office.
bankarotta n.f., bla pl., bankruptcy.
bankett n.m., pl. -i, banquet.
banketta n.f., pl. -i, footstool.
bankier n.m., f. -a, pl. -i, banker.
bankina n.f., pl. -i, footpath, footway, pavement.
bankun n.m., pl. -i, big bench, carpenter's bench.
bannas v.II, *jbannas;* to assert repeatedly.
bannat v.II, *jbannat;* to sprout, thallies.
bans inter., truly, undoubtedly, certainly.
baqa' v.I, *jibqa';* to remain. *dak il-kliem se jibqa' dejjem f'rasi;* those words will always remain in my memory.
baqat v.I, *jobqot;* to curdle, to coagulate.
baqbaq v.kwad., *jbaqbaq;* to bubble, to seethe, to afflict, to trouble.
baqbieq n.m., f. u pl. -a, pitcher, pit.

baqbuqa n.f., pl. -iet, pitcher.
baqgħa n.unit.f., pl. -t, a bode, permanence, a stay, covenant, agreement.
baqla n.f., pl. -iet, (med.) eczema.
baqqa n.f., pl. -iet, koll. ***baqq;*** (żool.) bug.
baqqan v.II, ***jbaqqan;*** to pick.
baqqat v.II, ***jbaqqat;*** to coagulate.
baqqun n.m., pl. ***bqaqen;*** pickax(e).
baqqunier n.m., f. -a, pl. -i, digger, pickman.
baqra n.m., pl. -iet, koll. ***baqar;*** (żool.) cow, (itt.) devil fish.
baqri aġġ., vaccine.
baqta n.f., bla pl., curd.
barad v.I, ***jobrod;*** to file.
baraks n.m.pl., barracks.
baram v.I, ***jobrom;*** to twist, to twine, to contorn.
barax v.I, ***jobrox;*** to scrape, to erase.
barba n.m., pl. -iet, uncle.
barbaġann n.m., pl. -i, (ornit.) barn-owl.
barbar v.kwad., ***jbarbar;*** to whir.
barbariżmu n.m., pl. -i, barbarism.
bàrbaru aġġ. u n.m., f. -a, pl. -i, barbaric, barbarian.
barbazzal n.m., pl. -i, curb.
barbetta n.f., pl. -i, sidewhisker, (mar.) painter, (mil.) barbette.
barbier n.m., f.-a, pl. -i, barber, hairdresser.
barbikan n.m., pl. -i, (mil.) barbican.
barbikju n.m., pl. -s, barbecue-grill, barbecue.
barbun n.m., pl. ***braben;*** (ornit.) flounder. ~ ***imperjali;*** turbot.
bard n.m., bla pl., cold.
bardan aġġ., frigid, cold.
bardana n.f., bla pl., (bot.) burdock.
bardatura n.f., pl. -i, harness.
bardaxxa n.kom., pl. ***bradax;*** rogue.
bardnell n.m., pl. -i, (mar.) gunwale, gunnel.
bardu n.m., pl. -i, bard.
barella n.f., pl. -i, (med.) stretcher, litter.
barġ n.m., pl. -is, (mar.) lighter.
baritonali aġġ., (muż.) baritone.
baritonu n.m., pl. -i, (muż.) baritone.
barjola n.f., pl. -i, nightcap.
barju n.m., bla pl., (kim.) barium.
bark n.m., pl. -ijiet, (mar.) bark, barque.
barka n.f., pl. -iet, blessing, benediction.
barkarola n.f., pl. -i, (muż.) barcarolle.
barkazza n.f., pl. -i, (mar.) old boat, clumsy slow boat.
barklor n.m., pl. -i, boatman.
barkun n.m., pl. ***braken;*** (mar.) pontoon, barge.
barli n.m.koll., barley.
barlotta n.f., pl. -i, (mar.) keg.
barma n.unit.f., pl. -iet, twist.
barmil n.m., pl. ***bramel;*** pail, bucket.
barnuż n.m., pl. ***braneż;*** cowl, hood.
barokk n.m., f. -a, pl. -i, (ark.) baroque.
baromètriku aġġ., (fiż.) barometric(al).
baròmetru n.m., pl. -i, (fiż.) barometer.
baroskopju n.m., pl. -i (fiż.) baroscope.
barqam v.kwad., ***jbarqam;*** to coo.
barr n.m., bla pl., desert, wilderness.
barra avv., outside.
barra v.II, ***jbarri;*** to exclude, to except, to exempt, to omit, to reject, to refuse.
barrad v.II, ***jbarrad;*** to file.
barràd n.m., f. u pl. ***barrada;*** filer.
barrada n.f., pl. -iet, file, cooling jar, cooler, refrigerator.
barraġ v.II, ***jbarraġ;*** to heap up, to amass.
barrakka n.f., wooden hut.
barram v.II, ***jbarram;*** to twist repeatedly.
barràm n.m., f. u pl. -a, twister.
barrani aġġ., stranger, foreigner.
barrasarsi n.pl., (mar.) chain-wale.
barrax v.II, ***jbarrax;*** to scrape frequently.
barràx n.m., f. u pl. -a, scraper.
barraxa n.f., pl. -iet, scraper.
barri n.m., f. -ja, pl. -n, bull.
barri aġġ., wild, savage.
barriera n.f., pl. -i, quarry, stone-pit, barrier.
barrikata n.f., pl. -i, barricade.
barumbara n.f, pl. -i, pigeon house, dovecot.
baruni n.m., f. -essa, pl. -jiet, baron.
barunija n.f., pl. -i, barony.
barunissa n.f., pl. -i, baroness.
barużæ n.f., pl. -i,-iet, (ornit.) red-necked phalarope. ~ ***griża;*** grey phalarope.
barważ v.kwad., ***jbarważ;*** to sew or stitch badly.
barxa n.unit.f., pl. -iet, scratch.
barżakk aġġ., hunchbacked.
barżakka n.f., pl. -i, (mil.) haversack.
basalt n.m., bla pl., (min.) basalt.
basar v.I, ***jobsor;*** to presage, to foretell, to predict.
baskat v.kwad., ***jbaskat;*** to torrefy.
basket n.m., pl. ***basktijiet;*** basket, bag.
baskitbol n.m., (logħ.) basketball.
basla n.f., pl. -iet, koll. ***basal;*** bulb, (bot.) onion.
basli aġġ., bulbous.
basra n.unit.f., pl. -iet, a prediction, presage, prophecy.
bass v.I, ***jboss;*** to fart, to break wind.
bassa n.unit.f., pl. -iet, a fart.

bassar v.II, ***jbassar;*** to foretell, to predict, to prophesy.
bassàr n.m., f. u pl. -a, foreteller of future events.
bassàs n.m., f. u pl. -a, he that breaks wind frequently.
bassezza n.f., pl. -i, vileness, lowness.
bassoriliev n.m., pl. -i, (ark.) bas-relief.
basta (avv.) enough.
bastard aġġ. u n.m., f. -a, pl. -i, bastard.
bastiment n.m, pl. -i, ship, vessel. ***~ tal-gwerra;*** warship.
bastjun n.m., pl. -i, bastion, rampart.
bastonċin n.m., pl. -i, small stick.
bastun n.m., pl. ***bsaten;*** stick, staff.
bata v.t., ***jbati;*** to suffer. ***jbati mir-rewmatiżmu;*** he suffers from rheumatism.
batal v.I, ***jbatal;*** to be or become vacant. ***fil-~;*** in vain.
batan v.I, ***jobton;*** to breed, to conceive.
batar v.I, ***jobtor;*** to counterpoise, to counterbalance.
bati aġġ., slow.
batta v.t., ***jbatti;*** to throw down, to overthrow.
battal v.II, ***jbattal;*** to empty, to remove, to take a holiday.
battàl aġġ., empty.
battalja nf., pl. -i, battle.
battaljun n.m., pl. -i, (mil.) battalion.
battall n.m., pl. -i, door knocker.
battam v.II, ***jbattam;*** to beetle, to plaster.
battana n.f., pl. -iet, sheep's skin.
battent n.m., pl. -i, rabbet.
batterija n.f., pl. -i, (eletr. u mil.) battery.
batterjoloġija n.f., pl. -i, bacteriology.
batterjolòġiku aġġ., bacteriologic(al).
batterjòlogu n.m., f. -a, pl. -i, bacterilogist.
batterju n.m., pl. -i, (med.) bacterium.
battibekk n.m., pl. -i, altercation, dispute, quarrel, squabble.
battilor n.m., pl. -i, gold-beater.
battisteru n.m., pl. -i, (ekkl.) baptistery, baptistry.
battuta n.f., pl. -i, (muż.) beat, bar, measure.
batut aġġ., sickly, suffering.
bavalor n.m., pl. -i, bib.
bavru n.m., pl. -i, lapel.
bawl n.m., pl. -s, (logħ.) bowling.
bawwax v.II, ***jbawwax;*** to run away, to flee secretly, to disappear clandestinely.
bawxa n.unit.f., pl. -iet, crime, a rogue trick.
bawxata n.f., pl. -i, orgy.
baxà n.m., pl. -jiet, ***bwaxa;*** Pasha.
baxar v.I, ***jobxor;*** to bring news, to tell, to announce.
baxx aġġ., low, shallow, vulgat.
baxxa v.II, ***jbaxxi;*** to lower. ***~ l-prezz ta' l-oġġetti;*** he lowered the price of the goods.
baxxar v.II, ***jbaxxar;*** to announce.
baxxàr n.m., f. u pl. -a, messenger.
baxxut aġġ., stooping.
baża' v.I, ***jibża';*** to fear, to be afraid.
bażàr n.m., pl. -ijiet, bazaar.
bażi n.f., pl. -jiet, base, basis, foundation.
bażiku aġġ., basic.
bażilika n.f., pl. -i, (ekkl.) basilica.
bażilisk n.m., pl. -i, (żool.) basilisk.
bażokk n.m., f. -a, pl. -i, bigot.
bażokkerija n.f., pl. -i, bigotry.
bażuga n.f., pl. -iet, (itt.) bronze bream.
bażwa n.f., pl. ***bżawi;*** (med.) rapture, hernia.
bażwar v.kwad., ***jbażqar;*** to cause hernia, to cause rapture.
bażwi aġġ., raptured, hernious.
bażża' v.II, ***jbażża';*** to frighten, to terrify, to cow, to browbeat. ***il-mewt ma tbeżżagħnix;*** death does not frighten me.
bażżar v.II, ***jbażżar;*** to manure, to pepper.
bażżàr n.m., f. u pl. -a, one who manures.
bdil n.act., change.
bdot n.m., pl. -i, pilot.
bduli aġġ., fickle.
beatifikat aġġ. u p.p., (ekkl.) beatified.
beatifikazzjoni n.f., pl. -jiet, (ekkl.) beatification.
beatìfiku aġġ., (ekkl.) beatific(al).
beatissimu aġġ., blessed.
beatitudni n.f., pl. -jiet., beatitude.
beatu aġġ. u n.m., f. -a, pl. -i, (ekkl.) blessed.
bebbuxi aġġ. ash-coloured.
bebbuxu n.m., f. -a, pl. u koll. ***bebbux;*** (żool.) snail, escargot.
bebuna n.f., pl. -iet, (bot.) wild camomile.
beċċen v.II, ***jbeċċen;*** to fatten.
beċċun n.m., f. -a, pl. ***bċieċen;*** (ornit.) pigeon.
beda v.I, ***jibda;*** to begin, to start, to commence. ***~ jagħmel xi ħaġa;*** he begins to do something.
bedgawn n.f., pl. -s, bedgown.
bedwin n.m., f. -a, pl. -i, bedouin.
begbeg v.kwad., ***jbegbeg;*** to quaff, to booze, to toss off.
begonja n.f., pl. -i, (bot.) begonia.
behem n.m., pl. ***ibhma;*** thumb, first.
bejbi n.kom., pl. -s, baby.

bejbisiter n.m.f., pl. -s, baby-sitter.
bejgħ n.act., sale. ~ *bi rkant;* auction, auction sale.
bejgħa n., goods, merchandise.
bejjen v.II, *jbejjen;* to interpose, to distinguish, to separate.
bejjet v.II, *jbejjet;* to nestle.
bejjiegħ n.m., f. u pl. -a, seller. ~ *tal-ħaxix;* green-grocer. ~ *tal-ħut;* fishmonger. ~ *tat-triq;* hawker.
bejjien n.m., f. u pl. -a, mediator, middleman, middleperson.
bejken n.m., bla pl., bacon.
bejkin pawder n.m., bla pl., baking powder.
bejlikk n.m., pl. -i, governor, ruler, principal, president, rector, director, superior.
bejn prep., between, among. ~ *ħalltejn;* doubtful. ~ *wieħed u ieħor;* almost, nearly, about.
bejt n.m., pl. *bjut;* terrace, roof. *għasfur tal-~;* sparrow.
bejta n.f., pl. -iet, nest. ~ *tal-fniek;* burrow. ~ *tal-firien;* mouse's nest. ~ *tan-naħal;* bee-hive. ~ *taż-żunżan;* wasp's nest.
bejżu aġġ., corpulent, chubby.
beka v.I, *jibki;* to weep, to cry. *jibki biki tad-demm;* he cries bitter tears.
bekbek ara **begbeg**.
bekbiek n.m., f. u pl. -a, swiller.
bekk n.m., pl. -ijiet, burner, batswing.
bekka v.II, *jbikki;* to make one cry, to make one weep.
bekkaċċ n.m., pl. *bkakaċ;* (ornit.) common snipe. ~ *ta' Mejju;* great snipe.
bekkaċċa n.f., pl. -iet, (itt.) bellows fish.
bekkaċina n.f., pl. -i, (ornit.) snipe.
bekkafik n.m., pl. -i, (ornit.) garden warbler. ~ *aħmar;* white throat. ~ *griż;* olivaceous warbler. ~ *isfar;* icterine warbler. ~ *rmiedi;* lesser white throat. ~ *tal-għana;* melodious warbler. ~ *taż-żebbuġ;* olive-tree warbler.
bekkamort n.m., pl. -i, casket-bearer.
bekkej n.m., f. u pl. -ja, weeper.
bekkejja n.f., bla pl., (bot.) weeping willow.
bekket v.II, *jbekket;* to beat, to strike.
bekkum n.m., pl. *bkiekem;* (żool.) sea-shell.
bekwadra n.f., pl. -i, (muż.) flat, natural.
bela' v.I, *jibla';* to swallow, to bolt. *il-baħar belgħu;* the sea swallowed him.
belbel v.kwad., to flutter.
belgħa n.f., pl. -t, sip.
belhieni aġġ., silly, foolish.
belhun aġġ., dunce.
bell vI, *jbill;* to dip, to dunk, to moisten.
belladonna n.f., pl. -i, (bot.) deadly nightshade.
bellah v.II, *jbellah;* to amaze, to astonish, to stultify.
belliegħ n.m., f. u pl. -a, swallower, devourer.
belliegħa n.f., pl. -t, whirlpool, vortex.
belliġerant n.m., f -a, pl. -i, belligerent.
bellikuż aġġ., bellicose, warlike.
bellus n.m., pl. *blieles,* velvet.
bellusa n.f., pl. -iet, (bot.) amarinth.
bellusi aġġ., velvety.
belt n.f., pl. *bliet;* city, town.
belti n.m., f. -ja, pl. -in, citizen.
Belżebub n.m.Pr., Beelzebub.
bena v.I, *jibni;* to build, to erect, to construct, to edify.
benedittin n.m., f. -a, pl. -i, benedictine.
benedizzjoni n.f., pl. -jiet, (ekkl.) benediction, blessing.
benefattur n.m., f. *benefattriċi;* pl. -i, benefactor.
benefiċċju n.m., pl. -i, benefice, benefit.
benefiċenza n.f., pl. -i, beneficence, charity.
benefiċjat aġġ., beneficed.
benefikat aġġ. u n.m., pl. -i, benefit.
benemerenza n.f., pl. -i, merit, good service.
benemertu aġġ., deserving.
benemertu n.m., f. -a, pl. -i, worthy person.
beneplaċtu n.m., pl. -i, consent.
benessri n.m., pl. -jiet, well-being, welfare.
benestant n.m., f. -a, pl. -i, well-off, well-to-do-person.
benevolenza n.f., pl. -i, benevolence.
benfatt aġġ., well-done, well made.
benġel v.kwad., *jbenġel;* to redress, to bruise, to make the skin livid.
beni n.f.pl., (leg.) property, estate, goods.
beninn aġġ., benign, mild, kind, benignant.
benjamin n.m., f. -a, pl. -i, darling, best loved child.
benna n.f., pl. -iet, taste, flavour.
bennej n.m., f. u pl. -a, mason, builder.
bennen v.II, to rock, to flavour, to make savoury. ~ *lil xi ħadd sakemm raqad;* to rock one to sleep.
benniena n.f., pl. -iet, cradle, cot.
bentrovato inter. well met.
benvist aġġ., trustworthy person.

benzina n.f., bla pl., benzine, benzoline, petrol.
bera v.I, ***jibri;*** to stare, to gaze, to shine.
beraħ v.I, ***jibraħ;*** to open wide.
beraħ n.m., bla pl., open place. ***fil-~;*** openly, publicly.
berbaq v.kwad., ***jberbaq;*** to squander, to lavish, to waste money.
berbex v.kwad., ***jberbex;*** to pilfer, to handle, to touch, to finger, to cheat.
berbieq n.m., f. u pl. -a, squanderer, spendthrift.
berbiex n.m., f. -a, pl. -i, pilferer, cheater.
berdel v.kwad., ***jberdel;*** to romp.
berdgħa n.f., pl. ***brada';*** pack-saddle.
berfel v.kwad., ***jberfel;*** to hew.
berfir n.m., bla pl., purple cloth.
berġa n.f., pl. ***bereġ;*** auberge, public clinic.
bergamott n.m.koll., f. -a, pl. -i, (bot.) bergamot.
bergħed v.kwad., ***jbergħed;*** to grow or become full of fleas.
bergħen v.kwad., ***jbergħen;*** to inflame, to excite, to anger.
bergħud n.m., pl. ***briegħed;*** (żool.) flea.
berill n.m., pl. -i, (min.) beryl.
berillju n.m., bla pl., (kim.) beryllium.
beritta n.f., pl. ***brieret;*** cap.
berkel v.kwad., ***jberkel;*** to blossom, to sprout.
berlina n.f., pl. -i, heavy travelling carriage.
bermeċ v.kwad., ***jbermeċ;*** to whirl, to twist.
berner n.m., pl. -s, burner.
berqa n.f., pl. -iet, koll. ***beraq;*** lightning.
berquqa n.f., pl. -iet, koll. ***berquq;*** (bot.) apricot.
berraħ v. II, ***jberraħ;*** to open wide, to throw wide open. ***berrħu l-bibien u t-twieqi kollha;*** open all doors and windows wide.
berraq v.II, ***jberraq;*** to lighten, to flash. ***beda jberraq il-lejl kollu;*** it lightened all the night. ***~ għajnejh;*** to stare.
berred v.II, ***jberred;*** to cool.
berrek v.II, ***jberrek;*** to make lie down, to squat.
berren v.II, ***jberren;*** to gimlet.
berrettin, n.m., pl. -i, (ekkl.) cap, berretta.
berried n.m., f. u pl. -a, cooler.
berriedi aġġ., refreshing.
berrieħ n.m., f. u pl. -a, one who opens wide.
berrina n.f., pl. ***brieren;*** gimlet, wimble.
berrittun n.m., pl. -i, large cap.
bersaljier n.m., pl. -i, sharp shooter, soldier of the crack corps in the Italian army.
bersall n.m., pl. -i, target.
berwieq n.m.koll. f. -a, pl. -iet, (bot.) asphodel.
berżelin n.f., pl. -i, (min.) berzeline.
bestja n.f., pl. -i, brute, beast, blackguard, beast.
bestjali aġġ., beastly, beastial.
bestjam n.m., pl. -i, cattle.
betbet v.kwad., ***jbetbet;*** to play the reed.
betbut n.m., pl. ***btiebet;*** reed.
bettieħa n.f., pl. -iet, koll. ***bettieħ;*** (bot.) melon.
bettija n.f., pl. ***btieti;*** cask, vat, barrel.
bewġa n.f., pl. -iet, escapade.
bewl n.m., f. -a, pl. -iet, urine, piss.
bewsa n.f., pl. -iet, a kiss. ***~ twila;*** prolonged kiss.
bewwaq, v. II, ***jbewwaq;*** to hollow.
bewweġ v.II, ***jbewweġ;*** to run away, to disappear clandestinely.
bewwel v.II, ***jbewwel;*** to pass urine.
bewwes v.II, ***jbewwes;*** to kiss repeatedly.
bewwet v.II, ***jbewwet;*** to put something in one's pocket.
bewwex v.II, ***jbewwex;*** to pass a thing secretly.
bewwieb b.m., f. u pl. -a, door keeper, porter.
bewwies n.m., f. u pl. -a, who kisses frequently.
bexbex v.kwad., ***jbexbex;*** to dawn. ***malli beda jbexbex;*** at daybreak.
bexlek v. kwad., ***jbexlek;*** to be occupied.
bexx v.I, ***jbixx;*** to sprinkle, to spray.
bexxa n.f., pl. -iet, a spraying, sprinkling, aspersion. ***~ xita;*** a drizzle.
bexxaq v.II, ***jbexxaq;*** to leave ajar, to half shut.
bexxex v.II, ***jbexxex;*** to spray, to sprinkle.
bexxiexa n.f., pl. -iet, water-pot.
bezzun n.m., pl. ***bziezen;*** bun, roll of bread, ice-pale.
beża' ara **baża'**.
beżaq v.I, ***jobżoq;*** to spit.
beżbeż v.kwad., ***jbeżbeż;*** to take by the forelock, to reproach, to reprimand, to rebuke, to chide.
beżbież n.m., f. u pl. -a, admonisher.
beżbuża n.f., pl. -iet, ***bżiebeż;*** tuft, forelock.
beżgħa n.f., pl. -t, fear, terror.
beżgħan aġġ., afraid.
beżlaħ v.kwad., ***jbeżlaħ;*** to despise.
beżlek v.kwad., ***jbeżlek;*** to suck lightly.

beżqa n.f., pl. -iet,-at, a spit.
beżżaq v.II, ***jbeżżaq;*** to spit often, to expectorate.
beżżel v.II, ***jbeżżel;*** to cause bewitchment.
beżżiegħ n.m., f. u pl -a, coward.
beżżiegħi aġġ., timourous.
beżżieq n.m., f. u pl. -a, spitter.
beżżul n.m., f. -a, pl. -iet, ***bżieżel;*** unlucky man, nipple.
bgħid aġġ., distant.
bgħid avv., aloof.
bhima n.f., pl. ***bhejjem;*** beast, animal.
bħajjar n.m., f. -a, pl. -iet, lake.
bħajra n.f., pl. -iet, pond, lake, melon field, melon bed.
bħal avv., like, similar to.
bħala avv., in the capacity of.
bħalissa avv., just now.
bħallikieku avv., as, as if.
bħalma avv., as like, in the same way.
bħalxejn avv., perhaps, what, why.
bħur n.m., bla pl., incense, fumigation, perfume.
bi prep., with.
Bibbja n.f., pl. -i, Bible.
bibita n.f., pl. -i, refreshments, drinks.
bibli(j)ografija n.f., pl. -i, bibliography.
bibli(j)ogràfiku aġġ., bibliographic(al).
bibli(j)ògrafu n.m., f. -a, pl. -i, bibliographer.
bibli(j)omanija n.f., pl. -i, bibliomania.
bibli(j)oteka n.f., pl. -i, library.
bibl(j)otekarju n.m., f. -a, pl. -i, librarian.
bibliku aġġ., biblical.
biċċa n.f., pl. -iet, ***bċejjeċ;*** piece, portion, morsel. ~ ***ta' l-art;*** floor cloth. ~ ***tat-tfarfir;*** duster.
biċċeċ v.II, ***jbiċċeċ;*** to cut into pieces.
biċċer v.II, ***jbiċċer;*** to disfigure, to slaughter, to butcher, to massacre.
biċċerija n.f., pl. -i, abattoir, slaughterhouse.
biċċier n.m., f. u pl. -a, butcher.
biċèfalu aġġ. bicefalous.
bidded v.II, ***jbidded;*** to pour, to empty, to spill.
biddel v.II, ***jbiddel;*** to change, to exchange, to alter.
biddiel n.m., f. u pl. -a, changer, money changer.
bidè n.m., pl. -jiet, bidet.
bidel v.I, ***jibdel,*** to change, to convert (into), to permute, to swap.
bidillu n.m., f. u pl. -a, school caretaker.
bidja n.f., pl. -iet, commencement, beginning, start, noviciate.
bidla n.f., pl. -iet, change.
bidni aġġ., corpulent.
bidu n.act., beginning, commencement.
bidwi n.m., f. -ja, pl. ***bdiewa;*** farmer, husbandman.
bieb n.m., pl. ***bibien, bwieb;*** door.
bieba n.f., pl. -iet, wicket. ~ ***tal-ħobż,*** crumb.
bied v.I, ***jbid;*** to lay eggs.
biedi aġġ., beginning, incipient.
biedja n.f., pl. ***bwiedi;*** farming, agriculture, husbandry.
biegħ v.I, ***jbigħ;*** to sell. ~ ***bin-nifs;*** to sell by instalments.
biegħa ara **bejgħa**.
biegħed v.III, ***jbiegħed;*** to send far away, to avert.
biehem v.III, ***jbiehem;*** to animalize.
bieki aġġ., weeping.
biel v. ***jbul;*** to piss, to pass water.
bieqja n.f., pl. ***bwieqi;*** porringer, bowl.
bieraħ n.m., bla pl., yesterday.
bieraħtlula (il-) the day before yesterday.
biered aġġ. u p.preż., cool, chilled, indifferent.
bierek v.III, ***jbierek;*** to bless. ***Alla jbierkek;*** God bless you.
bies v.I, ***jbus;*** to kiss.
bies n.m., pl. ***bisien;*** (itt.) flying gurnand.
biex avv. u kong., with what, in what way, in order to.
bież n.m., pl. ***biżien;*** (ornit.) mediterranean peregrine. ~ ***rari;*** lanner falcon. ~ ***ta' Barbarija;*** Barbary falcon. ~ ***tal-ħamiem;*** goshawk. ~ ***ta' rasu bajda;*** falcon. ~ ***tar-reġina;*** eleonora's falcon.
bieżel aġġ., industrious.
bifolk n.m., f. -a, pl. -in, boor.
bifstikk n.m., pl. -i, beefsteak.
biftì n.m., bla pl., beeftea.
biġġel v.II, ***jbiġġel;*** to be lenient, to mitigate, to attenuate, to protect, to defend, to honour, to respect.
biġġiel n.m., f. u pl. -a, mitigator, defender, protector.
biġla n.f., pl. -iet, leniency, lenience, veneration, reverence.
biġri avv., quickly.
biga n.f., pl. -i, (mar.) shear.
bigamija n.f., pl. -i, (leg.) bigamy.
bigamu n.m., f. -a, pl. -i, bigamist.
bigott n.m., f. -a, pl. -i, bigot.
bigotta n.f., pl. -i, (mar.) dead-eye.
bigottiżmu n.m., pl. -i, bigotry.
bijambò n.m., pl. -jiet, Jew's harp.
bijoġènesi n.f., bla pl., biogenesis.
bijografija n.f., pl. -i, biography.
bijografikament avv., biographically.

bijògrafiku aġġ., biographic(al).
bijògrafu n.m., f. -a, pl. -i, biographer.
bijokimika n.f., pl. -i, biochemistry.
bijoloġija n.f., pl. -i, biology.
bijoloġikament avv., biologically.
bijolòġiku aġġ., bilogic(al).
bijòlogu n.m., f. -a, pl. -i, biologist.
bijoplażma n.f., pl. -i, bioplasm.
bikamerali aġġ. (parl.) bicameral.
bikarbonat n.m., pl. -i, (kim.) bicarbonate. ~ ***tas-soda;*** sodium bicarbonate, baking soda.
bikem v.I, ***jibkem;*** to grow dumb.
biki n.act., weeping, crying.
bikja n.f., pl. -iet, a cry.
bikkej n.m., f. u pl. -ja, weeper.
bikkem v.II, ***jbikkem;*** to make dumb, to dumbfound.
bikkjerata n.f., pl. -i, drink, toast, potation.
bikkjerin n.m., pl. -i, small liqueur glass.
bikri avv., betimes, early. ***frott ~;*** early fruit.
bil- prep., with, with the, by.
bila n.f., pl. -i, bile.
bilanċ n.m., pl. -i, balance.
bilanċier n.m., f. -a, pl. -i, (mek.) balance wheel, pendulum.
bilanċjat aġġ., balanced.
bilaterali aġġ., bilateral.
bilbla n.f., pl. -iet, ***bliebel;*** (ornit.) short-toed lark. ~ ***sekonda;*** lesser-short-toed lark.
bilblun n.m., pl. -i, (ornit.) pipit. ~ ***salvaġġ jew tal-barr;*** Richard's pipit.
bilfors avv., by force, forcedly, willynilly.
bilġri avv., quickly, swiftly, soon, at once.
bilħaqq avv., by the way.
bilingwi aġġ., bilingual.
biljard n.m., pl. -s (logħ.) billiards.
biljett n.m., pl. -i, ticket.
biljun n.m., pl. -i, (num.) billion.
biljuż aġġ., bilious.
bilkemm avv., hardly, scarcely, nearly, almost.
billejl avv., by night, nightly.
billi kong., for, because of, owing to, what matters, never mind.
bimestral aġġ., two monthly, every two months.
bimoll n.m., pl. -i, (muż.) flat.
binarju n.m., pl. -i, track, rails.
binhar avv., by day, in the day time.
bini n.act., building, fabrication. ***tajn tal-~;*** mortar.
binoklu n.m., pl. -i, binocular, opera glass.
binomju aġġ., binomial.
binonja n.f., pl. -i, (bot.) red trumpet flower.
bint n.f., pl. ***bniet;*** daughter.
bìpedu aġġ., biped, bipedal.
biqa n.f., pl. -iet, ***biqat;*** grass rope.
bir n.m., pl. ***bjar;*** well, cistern.
birbant n.m., f. -a, pl. -i, rascal, rogue.
birbiena ara **verbena**.
birda n.f., pl. -iet, coldness, coolness, chill.
bired v.I, ***jibred;*** to become cool, to grow cool, to cool. ***is-soppa qiegħda tibred;*** the soup is cooling.
birek v.I, ***jibrek;*** to prostrate, to kneel down.
birjol n.m., pl. -i, bucket.
birjola n.f., pl. -i, night-cap.
birjoli n.m.pl., (bot.) trumpet-flower.
biroċċ n.m., pl. -i, barouche, cart.
birra n.f., pl. ***birer;*** beer, ale.
birrerija n.f., pl. -i, brewery.
biruq n.m., bla pl., ceruse, rouge.
birwina n.f., pl. -iet, (ornit.) dotterel. ~ ***ta' l-Asja;*** caspian plover. ~ ***tad-deżert;*** geoffroy's sand-plover.
bis n.m., pl. -jiet, (teatr.) bis, once more, encore.
bisbula n.f, pl. -iet, (bot.) great plantain.
bisestil aġġ., leap-year, bisextile.
biskott n.m., pl. -i, biscuit.
biskroma n.f., pl. -i, (muż.) demi-semi-quaver.
biskuttell n.m., pl. -i, hard biscuit, sop, rusk.
biskuttin n.m., pl. -i, macaroon.
bismut n.m., bla pl., (kim.) bismuth.
biss avv., only, solely.
bissewwa avv., rightly, truly.
bistekka n.f., pl. -i, beefsteak.
bisturin n.m., pl. -i, (med.) bistoury.
biswit prep., opposite, facing.
bît n.m., bla pl., beat.
bitħa n.f., pl. ***btieħi;*** yard, courtyard.
bitta n.f., pl. -i, (mar.) bitt, bollard.
bitum n.m., pl. -ijiet, bitumen.
bituminuż aġġ., bituminous.
bivakk n.m., pl. -i, (mil.) bivouac.
bivju n.m., pl. -i, cross-roads.
bixkel v.kwad., ***jbixkel;*** to embroil, to entangle.
bixkilla n.f., pl. ***bxiekel;*** wicker basket.
bixkla n.f., pl. -iet, tangle.
bixra n.f., pl. -iet, appearance, air, look, mien.
bizzarr aġġ., bizarre, queer, odd.
bizzilla n.f., pl. ***bizzilel;*** lace.
bizzilletta n.f., pl. -i, (bot.) neptune neffle.

biża' n.act., fear, terror.
biżbetiku aġġ., ill-tempered, peevish.
biżżejjed avv., enough, sufficiently.
biżżel v.II, ***jbiżżel;*** to make active.
bjad v.IX, ***jibjad;*** to become white, to bleach.
bjada n.f., pl. -iet, (med.) cataract.
bjank aġġ., blank, empty. ***karta bjanka;*** blank paper, unwritten paper.
bjankerija n.f., pl. -i, linen, underclothes.
bjennali aġġ., biennal.
bjennju n.m., pl. -i, period of two years.
bjond aġġ., blond, fair skinned, fair.
bjuda n.f., bla pl., whiteness, purity.
bjuger n.m., pl. -s, bugle.
bjutixin n.m., pl. -s, beautician.
bla prep., without.
blakaj n.f., pl. -s, black eye.
blakawt n.m., pl. -s, black out, complete darkness.
blakbord n.m., pl. -s, blackboard.
blakk n.m., bla pl., shoe polish.
blakledd n.m., bla pl., blacklead.
blakmarkit n.m., bla pl., black market.
blakmejl n.m, bla pl., blackmail.
blandun n.m., pl. -i, (ekkl.) pascal candle.
blanzun n.m., pl. -i, bud.
blata n.f., pl. -iet, ***blajjiet;*** rock, massy stone. ***~ ta' qabar;*** tomb stone.
blataforma n.f., pl. -i, platform.
blati aġġ., rocky.
blaws n.m., pl. -is, blouse.
blażun n.m., pl. -i, blazon, coat of arms.
blejjah aġġ., foolish, simple.
blejżer n.m., pl. -s, blazer.
blieh v.IX, ***jiblieh;*** to become silly, foolish, sottish.
blieq v.IX, ***jiblieq;*** to ripen in colour. ***l-għeneb beda jiblieq;*** the grapes begin to ripen in colour.
bligħ n.act., deglutition, swallowing.
blokk n.m., pl. -i,-ijiet, block. ***~ bini;*** block of houses.
blonġos n.m., pl. -ijiet, (ornit.) little bittern.
blonġun n.m., pl. -i, (ornit.) great crested grebe. ***~ rar;*** slavonian grebe. ***~ sekond;*** black-necked grebe. ***~ tat-tempesti;*** little auk. ***~ żgħir;*** little grebe.
blu aġġ., blue.
bluni aġġ., bluish.
bluha n.act., foolishnes, silliness.
blupiter n.m., pl. -s, blue Peter.
bluża n.f., pl. -i, ***blejjeż;*** blouse, overall.
bnazzi aġġ. u n.m., bla pl., fine weather, calm, calmness.
bniedem n.m., f. -a, pl. ***bnedmin;*** man, woman, mankind, individual (human) person, humanity.
bnin aġġ., savoury, delicious.
boa n.f., pl. -jiet, feather boa, (żool.) boa.
bobin n.m., pl. -i, reel, coil, spool.
boċċa n.f., pl. -i, ***boċoċ;*** marble, bowl.
boċni aġġ., punchy, plum.
bodbod n.m., pl. ***bdabad;*** (żool.) he-goat.
bogħod n.act., far, far away, distant. ***darba fil-~;*** seldom, rarely. ***fil-~;*** far off.
boj n.m., pl. -s, boy.
bojja n.m., pl. -i, hangman, executioner.
bojkott n.m., pl. -s, boycott.
bojkottjat aġġ. u p.p., boycotted.
bojlersjut n.m., pl. -s, boiler suit.
bokka n.f., pl. ***bokok;*** entrance, opening orifice, great hole.
bokkaport n.m., pl. -i, (mar.) hatch-way.
bokkin n.m., pl. -i, cigarett holder, cigar holder.
bokkla n.f., pl. -i, buckle clasp.
bokra n.f., pl. -iet, early rising.
bolbering n.m., pl. -s, ball bearing.
bolero n.m., pl. -ijiet, bolero, (muż.) bolero.
bolġa n.f., pl. -iet, pit.
boll n.m., pl. -ijiet, (itt.) common sting-ray. ***~ tork;*** blue sting-ray.
boll n.m., pl. ***bolol;*** stamp, post-mark, post-stamp, seal.
bolla n.f., pl. -i, ***bolol;*** stamp, postage stamp. ***~ tal-Papa;*** bull.
boloq v.I, ***jobloq;*** to exceed the points, to surpass. ***dak it-tifel ~ fil-logħba;*** that boy exceeded the points of the game.
bolt n.m., pl. -ijiet, bolt.
bolxevist n.m., f. -a, pl. -i, bolshevist.
bolxeviżmu n.m., pl. -i, bolshevism.
boma n.f., pl. -i, (mar.) boom.
bomba n.f., pl. -i, bomb. ***~ atomika;*** atom bomb. ***~ ta' l-indroġinu;*** hydrogen bomb.
bombàstiku aġġ., bombastic.
bomblu n.m., pl. -i, pitcher, water pot.
bomer n.m., pl. -s, bomber.
bonarjament aġġ., friendly way.
bonarju aġġ., (leg.) friendly.
bonasira n.f., pl. -i, good evening.
bonġornu n.m., pl. -ijiet, good morning.
bonġu ara **bonġornu**.
bonit n.m., pl. -s bonnet.
bonsens n.m., bla pl., sense, common sense, good sense.
bonswa n.f., pl. -t, good evening.
bont n.m., pl. -ijiet, thallus.
bontà n.f., bla pl., goodness, kindness.
bonus n.m., pl. -ijiet, bonus.

boqqa n.f., pl. -iet, ***boqoq;*** nip, draught.
boqxiex n.m.koll., backsheesh, bakhshish, money.
bora n.f., bla pl., bora, north-east wind.
bord n.m., pl. -s,-ijiet, board, committee.
borderò n.m., pl. -ijiet, list, note.
bordura n.f., pl. -i, border.
boreali aġġ., northern, boreal. ***awrora ~;*** aurora borealis.
borġ n.m., pl. ***braġ;*** heap. ***~ ġebel***, heap of stones.
borgeżija n.f., pl. -i, bourgeoisie, middle class.
borgumastru n.m., pl. -i, burgomaster.
borgħom n.m., bla pl., (bot.) germander.
bòriku aġġ., (kim.) boric. ***aċidu ~;*** boric acid.
borka n.f., pl. ***borok, birek;*** (ornit.) wild duck.
borma n.f., pl. ***borom;*** cooking pot.
bornitur n.m., pl. -i, burnisher, graver.
borqmi aġġ., invulnerable.
borqom n.m., pl. ***braqem;*** amnion, caul.
borra n.f, bla pl., snow.
borża n.f., pl. ***boroż;*** bag, purse.
bosk n.m., pl. -ijiet, wood, forest.
boskett n.m., pl. -i, grove.
boskuż aġġ., woody.
boss n.m., pl. -ijiet, boss, chief.
bosta aġġ., many, much.
bosta avv., too much.
botànika n.f., bla pl., botany.
botàniku n.m., f. -a, pl. -iċi, botanist.
botaniku aġġ., botanic(al), botanic.
boton n.m., pl. ***btan;*** breed, litter.
bott n.m., pl. -ijiet, tin, can.
bottegin n.m., pl. -i, small shop, club bar.
boxxla n.f., pl. -i, compass, glass door.
boxxlu n.m., pl. -i, ballot box.
bozza n.f., pl. ***bozoz;*** bulb, glass cover.
bozzatura n.f., pl. -i, protuberance.
bozzett n.m., pl. -i, sketch, outline, draft, model.
bqajla n.f., pl. -iet, (bot.) spinach, spinage.
bqija n.f., pl. -t, change, remainder, rest, remanent.
bra m.f., pl. -jiet, bra.
braċċ n.m., bla pl., help, support.
braċċjal n.m., pl. -i, armlet.
braċiera n.f., pl. -i, brazier, fire-pan.
bradella n.f., pl. -i, platform, dais.
braġjola n.f., pl. -i, chop, cutlet.
braga n.f., pl. -i, sling.
brajdsmejd n.f., pl. -s, bridesmaid.
brajmla n.f., pl. -iet, ***briemel;*** (ornit.) common pochard. ***~ rasha bajda;*** white-headed duck. ***~ rasha sewda;*** scaup duck. ***~ sewda;*** common scotter. ***~ tal-għajn;*** goldeneye. ***~ tat-toppu;*** tufted duck. ***~ tat-toppu aħmar;*** red crested pochard. ***~ ta' l-għajn bajda;*** ferrugious duck.
brakit n.m., pl. -s, bracket.
brakk n.m., bla pl., (żool.) setter.
brama n.f., pl. -iet, koll. ***bram;*** (itt.) jelly-fish.
branda n.f., pl. -i, ***braned;*** hammock.
brandi n.m., bla pl., brandy.
branka n.f, pl. -i, ***branek;*** category, class, claw, branch of learning, (ark.) flight of steps.
branzetta avv., arm-in-arm.
bravu aġġ., capable, clever.
brawn aġġ., brown. ***~ bread;*** brown bread. ***~ pejper;*** brown paper.
braxx n.m., pl. -is, brush.
brazz n.m., pl. -i, bracket.
brazzuletta n.f., pl. -i, bracelet.
breċċa n.f., pl. -eċ, breach.
brejbes n.m., pl. ***briebes;*** devil.
brejk n.m., pl. -s,-ijiet, break.
brejkwoter n.m., bla pl., breakwater.
brevett n.m., pl. -i, brevet.
brevi n.f., bla pl, (muż.) semibreve. ***~ tal-Papa*** (ekkl.)***;*** breve, brief.
brevjar n.m., pl. -i, (ekkl.) breviary.
briċ n.m, pl. -ijiet, breech.
brifkejs n.f., pl. -is, briefcase.
briġġ n.m., pl. -ijiet, bridge.
brigadier n.m., pl. -i, (mil.) brigadier.
brigant n.m., f. -a, pl. -i, brigand.
brigantaġġ n.m., pl. -i, brigandage, brigandism.
brigantin n.m., pl. -i, (mar.) brig, brigantine.
brigata n.f., pl. -i, brigade, (mil.) review.
brija n.f., bla pl., dandruff, scurf.
briju n.m., bla pl., merriment, sprightliness.
brikkun n.m., f. -a, pl. -i, knave, rascal, rogue.
brikkunata n.f., pl. -i, rascality, roguishness, riguery, knavery.
briks n.m., pl. -ijiet, brick.
brilja n.f., pl. -i, bridle.
brill n.m., pl. -i, milestone, (logħ.) skittle.
brillant n.m., pl. -i, brilliant, diamond, (teatr.) comic actor.
brillanti aġġ., brilliant, shining, glittering.
brillantina n.f., pl. -i, brilliantine.
brim n.act., twisting, twining, rolling.
brimba n.f., pl. -iet, koll. brimb, (żool.) spider.
brindisi n.m., pl. -jiet, toast. ***għamel ~;*** to drink, to toast.

brinġiela n.f., pl. -iet, koll. ***brinġiel;*** (bot.) aubergine, egg-plant.
brinġieli aġġ., peacock blue.
brix n.act., scratching, scratches.
brodu n.m., pl. -jiet, broth, meat soup.
brokkla n.f., pl. -i, (bot.) broccoli.
brolja n.f., pl. -i, (mar.) brails.
broma ara **brama**.
bromat n.m., bla pl., (kim.) bromate.
bromur n.m., pl. -i, (kim.) bromide.
bronki n.pl., (anat.) bronchi.
bronkite n.f., pl. -jiet, (med.) bronchitis.
bronkjali aġġ., (med.) bronchial.
bronkopolmonite n.f., bla pl., (med.) bronchial pneumonia.
bronkoskopija n.f., pl. -i, (med.) bronchoscopy.
bronkoskòpiku aġġ., (med.) bronchoscopic.
bronż n.m., bla pl., (met.) bronze.
bronżatura n.f., pl. -i, bronzing.
bronżin aġġ., bronzy.
bronżina n.f.,pl. -i, (mek.) bearing.
browk aġġ., penniless.
broxk n.m., pl. -ijiet, hard brush.
broxka n.f., pl. -iet, (bot.) gorse.
bruda n.act. chill, coldness, coolness, indifference.
brudett n.m., pl. -i, broth mixed with eggs.
bruka n.f., pl. -i,-iet, water-pot, (bot.) tamerisk.
brukkat n.m., bla pl., brocade.
brum n.m., pl. -ijiet, brougham.
brun aġġ., brown.
brunali n.pl., (mar.) scupper.
brunċell n.m.koll., vermicelli.
brunett aġġ., brunette.
brunġiela ara **brinġiela**.
brunżar n.m., f. u pl. -a, brazier, founder, melter of brass.
brutali aġġ., brutal.
brutalità n.f., pl. -jiet, brutality.
brutalment avv., brutally.
bsima n.f., bla pl., (bot.) hedge mustard.
bsir n.act., presage, foretelling.
btala n.f., pl. ***btajjel;*** vacation, holiday.
btaram v.VIII, ***jibtaram;*** to be twisted.
btejħa n.f., pl. -iet, small yard.
btell v.VIII, ***jibtell;*** to become wet, to be dipped.
btir n.m., bla pl., substance, essence of something, quintessence.
buba n., bla pl., simpleton.
buboniku aġġ., bubonic.
bubun n.m., pl. -i, large filbert, (med.) bubo.
buċaqq n.m., f. -a, pl. -iet, (ornit.) winchat. ~ ***tas-silla;*** European stonechat.
buda n.f., pl. -iet, (bot.) reed-mace.
budakkra n.f., pl. -iet, (ornit.) rock blenny. ~ ***tal-għajn;*** butterfly blenny. ~ ***ħamra;*** red-speckled blenny. ~ ***tal-qawwi;*** blenny. ~ ***bżarija;*** black-faced blenny.
Budda n.pr., Buddha.
buddist aġġ., u n.m., f. -a, pl. -i, buddhist.
buddiżmu n.m., pl. -i, buddhism.
budebbus n.m.koll., (bot.) broomrape.
budenb n.m., pl. -ijiet, (itt.) thresher shark.
budwar n.m., pl. -ijiet, boudoir.
bufè n.m., pl. -ijiet, buffet.
buffu n.m., f. -a, pl. -i, jester, clown, buffoon.
buffun ara **buffu**.
buffunata n.f., pl. -i, buffoonery, jest.
buffura n.f., pl. -i, squall.
buflu n.m., f. -a, pl. -i, (żool.) buffalo.
bufula n.f., pl. -iet, koll. ***buful;*** (ornit.) marmora's warbler. ~ ***ħamra;*** spectacled warbler. ~ ***sewda;*** Sardinian warbler. ~ ***tad-deżert;*** desert warbler. ~ ***ta' l-Atlas;*** tirstram's warbler. ~ ***tal-ħarrub;*** subalpine warbler. ~ ***tal-pavalor;*** ruppell's warbler. ~ ***tax-xagħri;*** provence (dartford) warbler.
buġija n.f., pl. -i, flat candle-stick.
buganvilla n.f.koll., (bot.) bougainvilla.
bugeddum n.m., bla pl., (ornit.) European bullfinch.
bugiddiem n.m., pl. -a, (ornit.) woodchat.
bugħadam n.m., pl. -a, (ornit.) pallid harrier. ~ ***abjad;*** hen harrier. ~ ***aħmar;*** marsh harrier. ~ ***rmiedi;*** montagu's harrier.
bugħaddas n.m., pl. -a, diver, (ornit.) guillemot. ~ ***tal-maltemp;*** red throated diver.
bugħarwien n., (żool.) slug.
bugħawwieġ n.m., pl. -ijiet, cramp.
buking n.m., pl. -s, booking.
bukkaport n.m., pl. -i, hatch, hatchway, man-hole.
bukkett n.m., pl. -i, nosegay, bunch of flowers.
bukkipink n.m., bla pl., book-keeping.
bukkun n.m., pl. -i, morsel.
bukmark n.m., pl. -s, bookmark.
buldogg n.m., pl. -jiet, (żool.) bulldog.
buldowżer n.m, pl. -s,-żrijiet, bulldowzer.
bulebbiet n.m., pl. -a, (ornit) wryneck. ~ ***aħdar;*** green woodpecker.
bulettin n.m., pl. -i, bullettin.

bulfajt n.m., pl. -s, bull fight.
buli n.m., pl. -jiet, bully.
buli ara **buri**.
bulibif n.m., bla pl., bully beef, corned beef.
bulin n.m., pl. -i, burine, graver.
buljut n.m., bla pl., boiled beef, boiled meat.
bullarju n.m., pl. -i, (ekkl.) bullarium, collection of Pope's bulls.
bullata n.f., pl. -i, brand.
bullubif ara **bulibif**.
bumbarda n.f., pl. -i, (mil.) bombard, trench gun.
bumbardament n.m., pl. -i, bombardment, bombing.
bumbardier n.m., pl. -i, (mil.) bombardier.
bumbardun n.m., pl. -i, (muż.) bombardon, bombardone.
bumellies n.m., f. u pl. -a, (żool.) grub, mite.
bumnejħer n.m. koll., (bot.) small coriander.
bumunqar n.m., pl. -a, (ornit.) weevil.
bunaħla n.f., pl. -iet, (żool.) queen bee.
bunajjar n.m., pl. -a, fireman.
bunemmiel n.m., pl. -a, (żool.) ant-eater.
bunixxief n.m., pl. -a, (bot.) wall barley.
bunja n.f., pl. -iet, (ark.) boss, ashlar.
buqar n.m., pl. -i, jug.
buqexrem n.m., bla pl., (bot.) vervain, verbena.
buqrajq n.m., f. u pl. -a, (ornit.) nightjar. ***~ abjad;*** Egyptian nightjar. ***~ aħmar;*** rufous nightjar.
bur n.m., pl. ***bwar;*** meadow.
buraġ n.m., bla pl., (kim.) borax.
buraġiera n.f., pl. -i, borax pot.
buraq n.m., f. -a, bla pl., (kim.) nitric acid.
buras n.m., pl. -ijiet, (itt.) mullet.
burax ara **buraġ**.
burdata n.f., pl. -i, mood.
burdell n.m., pl. ***briedel;*** brothel, bawdy house.
burdlieqa n.f., bla pl., (bot.) purslane.
burdnal n.m., pl. -i, (mar.) scupper.
burdnar n.m., pl. -i,-a, muleteer.
buretta n.f., pl. -i, (kim.) burette.
burgomastru n.m., pl. -i, burgomaster.
buri n.m., pl. -jiet, doldrams, bad mood, bad temper. ***bil-~;*** moody.
buri n.m., pl. ***bwier;*** (itt.) grey mullet.
burikba n.f., bla pl., (bot.) annual mercury.
burin n.m., pl. -i, (artiġ.) small chisel.
burina n.f., pl. -i, (mar.) bowline.
burò n.m., pl. -ijiet, bureau.
buròkrata n.kom., pl. -i, bureaucrat, bureaucratist.
burokratikament avv., bureaucratically.
burokràtiku aġġ., bureaucratic.
burokrazija n.f., pl. -i, bureaucracy.
burqax n.m., pl. id., ***brieqex;*** (itt.) painted comber.
burraxa nf., pl. -i, (bot.) borage.
burraxka n.f., pl. -i, tempest, storm, squall, hurricane.
buruż aġġ., haughty, proud, moody.
busbies n.m.koll., f. -a, pl. -iet, (bot.) fennel.
busieq n.m., bla pl., (bot.) meadow safron.
buskett ara **boskett**.
bust n.m., pl. -i, bust.
busuf n.m., f.-a, bla pl., (żool.) hairy beetle. ***~ il-baħar;*** wiskered sole.
buswejda n.f., bla pl., (ornit.) Sardinian warbler.
but n.m., pl. ***bwiet;*** pocket, pouch.
but n.m., pl. -iet, boot.
butiff n.m., f. -a, bla pl., very little, very small.
butir n.m., bla pl., butter.
butiriera n.f., pl. -ieri, butter-boat, butter-jar.
butirina n.f., bla pl., butterine, margerine.
buttàr n.m., f. u pl. -a, cooper.
buttarga n.f., bla pl., botargo.
buttin n.m., pl. -i, (mil.) loot.
buttun n.m., pl. -i, button. ***~ tal-widnejn;*** ear-ring, ear-drop.
buttuna n.f., pl. -i, button.
butwila aġġ., u n.kom., bla pl., lofty man, very tall, lofty woman.
buwaħħal n.m., f. u pl. -a, (itt.) cling-fish.
bux n.m.,koll. (bot.) box-wood.
buxakka n.f., pl. -iet, silk sash.
buxiħ n.m., bla p., (itt.) axillary wrasse.
buxx n.m., pl. -is, bush.
buxxolott n.m., pl. -i, wooden cup, wooden box.
buzzell n.m., pl. -i, (mar.) bloc-pulley.
buzzellar n.m., pl. -i, block-maker.
buzzett n.m., pl. -i, rough model, sketch.
bużerqum n.m., bla pl., pip.
bużillis n.m., bla pl., difficulty, obstacle, impediment, rub, there's the rub.
bużnannu n.m., f. -a, pl. -i, great grandfather, great grandmother.
bużullotta n.f., pl. -i, conjuring trick, prestidigitation.
bużullottist n.m., f. -a, pl. -i, prestidigitator, conjurer.

bużżieqa n.f., pl. ***bżieżaq;*** balloon, bubble.

bxara n.f., pl. ***bxajjar;*** information, announcement, news.

bxima n.f., pl. -t, ***bxejjem;*** (anat.) placenta, afterbirth.

bxula n.f., pl. ***bxiexel;*** penis, prepuce, foreskin.

bżallu n.m., pl. -i, reel.

bżar n.m.koll., pepper. **~ *aħdar;*** capicsum, green pepper.

bżieq n.act., spit, spittle.

bżigħ n.act., fear, fright.

bżonn n.m., pl. -ijiet, need, want, requirement.

bżonnjuż aġġ., needy, useful, indigent.

bżulija n.f., bla pl., diligence, haste, speed, industriousness, activity.

Ċ ċ ***it-tielet ittra ta' l-alfabett Malti u t-tieni waħda mill-konsonanti;*** third letter of the Maltese alphabet and second of the consonants.
ċabattin n.m., pl. -i, cobbler.
ċaċċar v.II, ***jċaċċar;*** to chatter.
ċaċċarata n.f., pl. -i, prattle.
ċaċċarun n.m., f. -a, pl. -i, braggart, chatterbox.
ċaċċir n.act., chatter, chattering.
ċaċċiż n.m., pl. -i, frame.
ċafċaf v.kwad., ***jċafċaf;*** to fret, to splash, to dabble, to skitter, to lop, to paddle.
ċafċif n.m., f. -a, pl. -iet, dabbling, splashing.
ċafċifa n.f., pl. -iet, lop, chop.
ċaflas v.kwad., ***jċaflas;*** to wade, to ford, to paddle.
ċaflis n.m., f. -a., pl. -iet, ***ċfales;*** muddiness.
ċagħka n.f., pl. -iet, koll. ***ċagħak;*** pebble, flint.
ċagħki aġġ., pebbled, pebbly.
ċaħad v.I, ***jiċħad;*** to deny, to gainsay. ~ ***li kien hu l-qattiel;*** he denied that he was the killer.
ċaħda n.f., pl. -iet, denial, deprevation, negation.
ċaħħad v.II, ***jċaħħad;*** to deprive, to deny.
ċaħħàd n.m., f. u pl. -a, denier, depriver.
ċajpar v.kwad., ***jċajpar;*** to befog, to blur, to dim, to blear. ***is-sħab beda jċajpar ix-xemx;*** the clouds began to befog the sun.
ċajta n.m.f., pl. -iet, koll. ***cajt;*** joke.
ċajtier n.m., f. u pl. -a, jester, joker, droll.
ċakkar n.m., f. u pl. -a, boor, churl.
ċalinġ n.m., pl. -ijiet, challenge.
ċallam v.II, ***jċallam;*** to walk at a very leisurely pace, to work very slowly.
ċallas v.II, ***jċallas;*** to daub, to smear, to soil.
ċama v.I, ***jċama;*** to mention a person by his name.
ċamata n.f., pl. -i, reproach.
ċambellan n.m., pl. -i, chamberlain.
ċamfrin ara **ċanfrin**.
ċamperlina n.f., pl. -i,-iet, (itt.) black-mouthed dogfish.
ċampjin n.m., pl. -s, champion.
ċampla n.f., pl. -iet, quoit.
ċan n.m., pl. -ijiet, (mar.) bilge.
ċana n.f., pl. ***ċwani;*** plane.
ċanfar v.kwad., ***jċanfar;*** to scold, to reproach, to reprove, to reprimand, to taunt, to rebuke, to twit, to upbraid.
ċanfàr n.m., f. u pl. -a, one who reproaches, scolds.
ċanfir n.m., f. -a, pl. -iet, rebuking, scolding, reprimanding.
ċamfrin n.m., f. u pl. -i, (tek.) chamfer.
ċanġier n.m., f. u pl. -a, money-changer.
ċanga n.f., pl. ***ċaneg;*** butcher's stall. ***laħam taċ-~;*** beef.
ċangàr n.act., paving, pavement.
ċangatura n.f., pl. -i, slab, flag-stone.
ċangun n.m., pl. ***ċnagen;*** large slab of stone, block.
ċans n.m., pl. -ijiet, chance, opportunity, occasion.
ċapċap v.kwad., ***jċapċap;*** to clap one's hands, to applaud.
ċapċip n.m., f. -a, pl. id. -iet, applause.
ċappa n.f., pl. -iet, ***ċapep;*** lump.
ċappamosk n.m. pl. -i, (ornit.) fly-catcher, white wagtail.
ċappas v.II, ***jċappas;*** to soil, to stain, to smear. ***ċappast idejja bid-demm;*** I have stained my hands with blood.
ċappella n.f., pl. -i, ***ċpiepel;*** quoit.
ċappetta n.f., pl. -i, ***ċpiepet;*** hinge, strap. ***~ ta' l-id;*** bracelet, arm-ring.
ċaqċaq v.kwad., ***jċaqċaq;*** to crack, to creak.
ċaqċieqa n.f., pl. -iet, rattle.
ċaqċiq n.act., cracking, rattling, ratting.
ċaqlaq v.kwad., ***jċaqlaq;*** to move, to toss.
ċaqlem v.kwad., ***jċaqlem;*** to move at a very slow pace.
ċaqlembuta n.f., pl. -i, seesaw, swing.
ċaqliq n.act., movement, motion.
ċaqquf ara **xaqquf**.
ċar aġġ., clear, pure.
ċara v.I, ***jċara;*** to make clear, to clarify.

ċarċar v.kwad., ***jċarċar;*** to spill, to shed. ***~ demmu għal pajjiżu;*** he shed his blood for his country.
ċarċara n.f., pl. -iet, ***ċraċar;*** cascade, waterfall.
ċarċir n.act., spilling, shedding.
ċarċu n.m., f. -wa, bla pl., very talkative, prolix.
ċarġ n.m., pl. -is, charge.
ċarizza aġġ., clarity, clearness.
ċarku n.m., pl. -i, chatterbox.
ċarlatan n.m., pl. -i, quack, charlatan, mountebank.
ċarrrat v.II, ***jċarrat;*** to tear, to rend.
ċarrati n.m., pl. -in, tearer, render.
ċarruta n.f., pl. ***ċraret;*** rag, tatter.
ċart n.f., pl. -s, chart.
ċass aġġ., gaze, still, immobile.
ċatt aġġ., flat.
ċattra n.f., pl. -i, (mar.) lighter, raft.
ċavetta n.f., pl. ***ċwievet;*** key.
ċavi n.f., pl. -jiet, (ark.) keystone.
ċaw inter., goodbye, farewell.
ċawla n.f., pl. -iet, koll. ***ċawl;*** (ornit.) jackdaw, (itt.) blue damsel-fish.
ċawlun n.m., pl. -i, (ornit.) carrion crow.
ċawsla n.f., pl. -i, koll. ***ċawsli;*** (bot.) mulberry.
ċeda/ċieda v.t., ***jċedi;*** to give up, to resign, to surrender, to cede, to succumb. ***~ l-jedd tiegħu lil ħuh;*** he gave up his rights to his brother.
ċèdola n.f., pl. -i, promissory note, certificate, coupon. ***~ tal-bank;*** banknote, voucher.
ċedru n.m., pl. -i, (bot.) cetron.
ċedut aġġ. u p.p., surrendered.
ċefa v.I, ***jiċfi;*** to card, to rail at, to rail against, to speak ill of.
ċefalaġija n.f., pl. -i, (med.) cephalagy, severe headache.
ċefċaq v.kwad., ***jċefċaq;*** to make bleary-eyed.
ċejjaq v.II, ***jċejjaq;*** to pip, to chirp, to cheep.
ċejs n.m., pl. -ijiet, printer's chase.
ċekċek v.kwad., ***jċekċek;*** to rattle, to tinkle.
ċekċik n.act., tinkling.
ċekk n.m., pl. -ijiet, cheque.
ċekken v.II, ***jċekken;*** to make small, to reduce, to diminish, to lessen, to humble. ***~ l-awtorità ta' xi ħadd;*** he lessened a person's authority.
ċekkmejt n.m., pl. -s, checkmate.
ċeklem ara **ċaqlem**.
ċelebrant n.m., pl. -i, celebrant.
ċelebrazzjoni n.f., pl. -jiet, celebration.
ċelebri aġġ., famous, renowned.
ċelebrità n.f., pl. -jiet, celebrity, fame.
ċelesti agg., sky-blue, light blue. celestial, heavenly.
ċelibat n.m., pl. -i, (ekkl.) celibacy.
ċella n.f., pl. ***ċelel;*** cell.
ċellaq v.II, ***jċellaq;*** to soil, to dirty, to smear, to besmear.
ċellista n.kom., pl. -i, (muż.) 'cello player, 'cellist.
ċellula n.f., pl. -i, cell.
ċellulari aġġ., cellular.
ċellulojde n.f., bla pl., celluloid.
ċelluloża n.f., bla pl., cellulose.
ċelu n.m., pl. ijiet, bester.
ċempel v.kwad., ***jċempel;*** to ring. ***jekk jogħġbok ~ il-qanpiena;*** ring the bell, please.
ċempil n.act., ringing, tinkling.
ċena n.f., pl. -i, -iet, supper. ***l-Aħħar Ċ~;*** Last Supper.
ċenaklu n.m., pl. -i, cenacle, supper room.
ċenċel v.kwad., to ring, to tinkle, to ting. ***il-maħanqa taż-żiemel ċenċlet;*** the horse's collar bells tinkled.
ċenċiela n.f., pl. -iet, ***ċnieċel;*** little bell.
ċenċil n.act., tinkling.
ċenobita n.m., pl. -i, coenobite.
ċenotaffju n.m., pl. -i, cenotaph.
ċens n.m., pl. ***ċnus;*** lease, emphytheusis.
ċenser v.t., ***jċenser;*** to incense.
ċensier n.m., pl. ***ċnieser;*** (ekkl.) ethurible, censer.
ċensiment n.m., pl. -i, census.
ċensur n.m., pl. -i, censor.
ċensura n.f., pl. -i, censure, censorhip.
ċensurabbli aġġ., censurable.
ċensurat aġġ., censored.
ċentawrja n.f., pl. -i, (bot.) centaury.
ċentawru n.m. pl. -i, (mit.) centaur, (astro.) centaurus.
ċenteżimali aġġ., centesimal.
ċenteżmu n.m., pl. -i, cent.
ċentigrad n.m., pl. -i, centigrade.
ċentigramm n.m., pl. -i, centigramme.
ċentilitru n.m., pl. -i centilitre.
ċentimetru n.m., pl. -i, centimetre.
ċentinarju n.m., pl. -i, centenary.
ċentrali aġġ., central.
ċentralità n.f., pl. -jiet, centrality.
ċentralizzat aġġ. u p.p., centralized.
ċentralizzazzjoni n.f., pl. -jiet, centralization.
ċentrifugu aġġ., centrifugal. ***forza ċentrifuga;*** centrifugal force.
ċentripetu aġġ., centripetal.

ċentru n.m., pl. -i, centre.
ċentun n.m., pl. -i, centro.
ċentupied n.m., pl. -i, (żool) centipede.
ċentuplikat aġġ. u p.p., centuplicated, centupled.
ċentuplikazzjoni n.f., pl. -jiet, centuplication.
ċenturja n.f., pl. -i, (mil.) century.
ċenturjun n.m., pl. -i, (mil.) centurion.
ċeppulazza n.m., pl. -i, (itt.) sowfish.
ċeppun n.m., pl. -i, woman's short jacket.
ċeppuna n.f., pl. ***ċpiepen;*** pen, fold.
ċeràmika n.f., pl. -i, ceramics.
ċeramist n.m., f. -a, pl. -i, ceramist.
ċerċaq v.kwad., ***jċerċaq;*** to trickle.
ċerċer v.kwad., ***jċerċer;*** to wander.
ċerċes v.kwad., ***jċerċes;*** to pass the time in idleness.
ċerċur n.m., f. -a, pl. ***ċrieċer;*** ragamuffin, tatterdemalion, tatter, wanderer.
ċereali n.m.pl., cereals.
ċerebrali n.m.pl., (med.) cerebral.
ċerimonja n.f., pl. -i, ceremony.
ċerimonjal n.m., pl. -i, (ekkl.) ceremonial.
ċerimonjali aġġ., ceremonial.
ċerimonjier n.m., pl. -i, (ekkl.) master of ceremonies.
ċerimonjuż aġġ., cerimonious.
ċerkatur n.m., pl. -i, begging friar.
ċermen n.m., pl. -s, chairman.
ċerna n.f., pl. ***ċeren;*** (itt.) grouper.
ċerografija n.f., pl. -i, cerography.
ċeroplàstika n.f., bla pl., ceroplastics.
ċert aġġ., certain.
ċertament avv., certainly.
ċertifikat n.m., pl. -i, certificate.
ċertizza n.f., pl. -i certainty, certitude.
ċertożin n.m., pl. -i (ekkl.) Carthusian.
ċertu aġġ., certain.
ċerv n.m., f. -a, pl. ***ċriev;*** (żool.) deer, stag.
ċervellett n.m., pl. -i, (anat.) cerebellum.
ċervjola n.f., pl. -i, (itt.) white tunny fish.
ċerzjolat aġġ. u p.p., (leg.) informed.
ċerzjorazzjoni n.f., pl. -jiet, (leg.) legal ascertainment of the contents of a notary deed.
ċesarja aġġ. u n.m., pl -i, (med.) caesarian operation.
ċess n.m., pl. -ijiet, printer's chase, (logħ.) chess.
ċessjonarju n.m., pl. -i, (leg.) assignee.
ċessjoni n.f., pl. -jiet, (leg.) assignment.
ċeste n.f., pl. -i, (med.) cyst.
ċestin n.m., pl. -i, small basket.
ċestun n.m., pl. -i, hamper, large wicker basket.
ċetaċċ n.m., pl. -i, cetacean.
ċetra n.f., pl. -i, (muż.) lyre.
ċewċew n.m., f. -wa, pl. -iet, (ornit.) greenshank.
ċewlaħ v.kwad., ***jċewlaħ;*** to ill-treat, to vilify.
ċeżura n.f., pl. -i, (proż.) caesura.
ċfolloq n.m., bla pl., embarassment, (bot.) buttercup.
ċfullarija n.f., pl. -i, (tekn.) reel.
ċiborju n.m., pl.- i, (ekkl.) ciborium.
ċiċċarda n.f., bla pl., (bot.) vetch.
ċiċċirella n.f., pl. -i, (itt.) sand-eel.
ċiċra n.f., pl. u koll. ***ċiċri;*** (bot.) green pea, chick-pea. ***ċiċri tal-qatta;***green peas.
ċieda ara **ċeda**.
ċiefa n.f., pl. ***ċief, ċwief;*** (ornit.) mediterranean shearwater. ***~ ta' denbha;*** pomatorhine skua. ***~ ta' denbha twil;*** long-tailed skua.
ċiegħek v.III, ***jċiegħek;*** to pave, cover with pebbles.
ċieqa n.f., pl. -iet, trifle.
ċiera n.f., pl. ***ċwieri;*** mien look, aspect. ***biċ-~;*** skulky, angry, ill-tempered, look daggers.
ċif n.m., pl. -ijiet, chief, principal, boss.
ċifra n.f., pl. -i, figure, cipher. ***~ tonda;*** round figure.
ċika n.f., pl. -i, taunt.
ċikala n.f., pl. -i, (mar.) anchor-ring.
ċikatriċi n.f., pl. -jiet, (med.) scar, sicatrice, cicatrix.
ċikin n.m., pl. -s, chicken-hearted person, lacking in courage.
ċikk n.m., pl. -ijiet, old donkey.
ċikkulata n.f., pl. -i, chocolate.
ċikkulatiera n.f., pl. -i, chocolate plate, chocolate pot.
ċikkulatina n.f., pl. -i, chocolate square.
ċiklami n.pl., (bot.) cyclamen.
ċiklem ċiklem avv., slowly, gently, very slowly.
ċikliku aġġ., (astr.) cyclic.
ċiklista n.kom., pl. -i, cyclist.
ċikliżmu n.m., pl. -i, (logħ.) cycling.
ċiklu n.m., pl. -i, cycle. ***~ lunari (tal-qamar);*** lunar cycle. ***~ solari (tax-xemx);*** solar cycle.
ċiklun n.m., pl.-i, cyclone.
ċiknatur n.m., pl. -i, trencher.
ċikonja n.f., pl. -i, (ornit.) stork. ***~ sewda;*** black stork.
ċikuta n.f., pl. -i, (bot.) hemlock.
ċikwejra n.f., bla pl., (bot.) chicory, soccory.
ċilìndriku aġġ., cylindrical.

ċilìndru n.m., pl. -i, cylinder.
ċilizju n.m., pl. -i, cilice.
ċima n.f., pl. -i, *ċwiemi;* very thick rope. *~ ta' l-irmonk;* tow line, tow rope.
ċimblor n.m., pl. -i, wick-holder, lamp float.
ċimblu n.m., pl. -i, (muż.) cymbal.
ċimiterju n.m., pl. -i, cemetry, graveyard.
ċimometru n.m., pl. i, (eletr.) cymometer.
ċinċilla n.f., pl. i, (żool.) chinchilla.
ċine n.m., pl. -jiet, cinema.
ċinema n.f., bla pl., cinema.
ċinematografija n.f., pl. -i, (tekn.) cinematography.
ċinematografiku aġġ., cinematographic.
ċinematografu n.m., pl. -i, (tekn.) cinema, picture place.
ċinerarja n.f., pl. -i, (bot.) cineraria.
ċinga n.f., pl. -i, *ċineg;* strap, girth, thong.
ċingi n.m.pl., braces.
ċingjal n.m., pl. -i, (żool.) wild pig, wild boar.
ċinglu n.m., pl. -i, (ekkl.) belt, girdle.
ċinikament avv., cynically.
ċiniku aġġ., cynical.
ċiniżmu n.m., pl. -i, cynism.
ċinju n.m., pl. -i, (ornit.) swan.
ċinkwantenarju n.m., pl. -i, fiftieth anniversary.
ċint n.m., pl. *ċnut;* fence, hedge.
ċinta n.f., pl. *ċinet;* girdle, band.
ċintorin n.m., pl. -i, belt.
ċintura n.f., pl. -i, girdle, belt.
ċipp n.m., pl. -ijiet, fetters, stocks, shackles. *~ ta' l-azzarin;* gun stock. *~ ta' familja;* origin.
ċippitodu n.m., pl. -i, (logħ.) teetotum.
ċipullazza n.f., pl. -i, (itt.) large-scale scorpion, fish.
ċipress n.m., f. -a, pl. u koll. id. cypress.
ċirasa n.f.koll., pl. -iet, (bot.) cherry.
ċirċ n.m., bla pl., drizzle.
ċirimella n.f., pl. -i, bagpipe, pipe.
ċirimellier n.m., f.-a, pl. -i, piper, bagpipe player.
ċirka n.f., pl. *ċrieki;* collection of alms, (ekkl.) tonsure. ***Ħamis iċ-~;*** Holy Thursday.
ċirka avv., about, approximately, nearly.
ċirklu n.m, pl. -i, (teat.) circus.
ċirkolanti aġġ., circulating. ***biblijoteka ~;*** circulating library, lending library.
ċirkolari aġġ. u n.kom., pl. -jiet, circulating, circular.
ċirkolazzjoni n.f., pl. -jiet, circulation.
ċirkonċiż aġġ., (ekkl.) circumcised.
ċirkonċiżjoni n.f., pl. -ijiet, (ekkl.) circumcision.
ċirkondat aġġ., surrounded.
ċirkonferenza n.f., pl. -i, circumference.
ċirkonfless aġġ., (gram.) circumflex.
ċirkonfuż aġġ., circumfused (with).
ċirkonskrizzjoni n.f., pl. -jiet, circumscription.
ċirkonvallazzjoni n.f., pl. -jiet, (mil.) circumvallation.
ċirkospett aġġ., circumspect.
ċirkospezzjoni n.f., pl. -jiet, circumspection.
ċirkostanti aġġ., surrounding, neighbouring.
ċirkostanza n.f., pl. -i, circumstance.
ċirkostanzjali aġġ., (leg.) circumstantial.
ċirkostanzjat aġġ., (leg.) circumstanced.
ċirku n.m., pl. *ċrieki;* circle, orbit, hoop, rim.
ċirkùwitu n.m., pl -i, (eletr.) circuit.
ċirlewwa n.f., pl. u koll., *ċirlew;* (ornit.) tern. ***~ bil-mustaċċi;*** whiskers tern. ***~ geddumu oħxon;*** gull-billed tern. ***~ sewda;*** black tern. ***~ tal-ġwienaħ abjad;*** white-winged tern. ***~ tax-xitwa;-*** sandwich tern. ***~ żgħira;*** little tern.
ċirniera n.f., pl. -i, hinge, clasp.
ċirrożi n.f., bla pl., (med.) cirrhosis.
ċirru n.m., pl. -i, cirrus.
ċiste n.f., pl. -i, (med) cyst.
ċisterċens aġġ., u n.m., pl. -i, (ekkl.) cistercian.
ċisterna n.f., pl. -i, cistern.
ċistite n.f., pl. -i, (med.) cystitis.
ċitat ara **iċċitat**.
ċitazzjoni n.f., pl. -jiet, quotation, summons.
ċitrat n.m., pl. -i, (bot.) citron.
ċitrata n.m., pl. -i, citron-water, citron-squash.
ċitriku aġġ., (med.) citric. ***aċidu ~;*** (med.) citric acid.
ċittadella n.f., pl. -i, (mil.) citadel.
ċittadin n.m., f. -a, pl. -i, citizen.
ċittadinanza n.f., pl. -i, citizenship.
ċìviku aġġ., civic.
ċivil n.m., bla pl., civil.
ċivili aġġ., civil. ***gwerra ~;*** civil war. ***liġi ~;*** civil law. ***żwieġ ~;*** civil marriage.
ċivilista n.m., pl. -i, (leg.) lawyer, solicitor.
ċivilizzat aġġ., civilized.
ċivilizzatur aġġ., u n.m., pl. -i, civilizer.
ċivilizzazzjoni n.f., pl. -jiet, civilization.
ċivilment avv., civilly.
ċiviltà n.f., pl. -jiet, civilization.
ċiżell n.m., pl. -i, chisel.
ċjàniku agg., (kim.), cyanic.

ċjanòġenu n.m., bla pl., (kim.) cyanogen.
ċjanożi n.f., bla pl., (med.) cyanosis.
ċjanur n.m., pl. -i, (kim.) cyanide.
ċjoè konġ., that is, namely, that is to say.
ċkala n.f., pl. -iet, koll. *ċkal;* (mar.) crawfish.
ċkejken aġġ., little, small.
ċkien v.IX, *jiċkien;* to grow or become small, smaller, lessen, to reduce, to diminish.
ċkunija n.f., pl. -t, infancy, childhood, smallness, littleness, humbleness.
ċlamit n.m.koll., bricks, tiles.
ċlampu n.m., bla pl., mist, murk.
ċlona n.f., pl. -i, slut.
ċmajra n.f. pl. *ċmajjar;* pneumonia. ~ *taż-żiemel;* glanders.
ċnisa n.f., bla pl., charcoal dust.
ċoff n.f., pl. *ċfuf;* bow, knot.
ċokon n.m., bla pl., littleness, smallness.
ċomb n.m.koll., f. -a, pl. -iet, lead.
ċombatura n.f., pl. -i, sealing, (mar.) splice.
ċombin n.m., pl. -i, bobbin.
ċong aġġ., maimed.
ċoqqa n.f., pl. *ċoqoq;* (ekkl.) cowl, habit.
ċorma n.f., pl. *ċorom;* throng, crew, mob.
ċpar n.m.koll., fog, mist. ~ ***il-għajnejn;*** dimness of the eye.
ċulqana n.f., *ċlieqen;* cotton gown.
ċumnija n.f., pl. *ċmieni;* chimney. ~ ***ta' fabbrika;*** chimney. ~ ***ta' vapur;*** funnel.
ċuqlajta n.f., rattle, (ornit.) woodlark.
ċurkett n.m., pl. *ċrieket;* ring.
ċurniena n.f., pl. *ċrienen;* bag, poke. ~ ***tal-kaċċa;*** game bag.
ċuvett n.m., pl. -i (orbnit.) spotted or dusky redshank.

Dd

D ***d ir-raba' ittra ta' l-alfabett Malti u t-tielet waħda mill-konsonanti;*** the fourth letter of the Maltese alphabet and the third of the consonants.

da, dan, dana pron., this.

dab v.I, ***jdub;*** to melt, to dissolve. ***~ fil-ħalq;*** it melts in the mouth.

dabbar v. II, ***jdabbar;*** to ulcerate, to repair, to mend.

dabbàr n.m., f. u pl. -a, mender.

dabra n.f., pl. -iet, ***dbabar;*** ulcer.

dada n.f., pl. -i,-iet, die (pl. dice).

dafar v.I, ***jidfor;*** to plait, to braid.

dafra n.f., pl. -iet, ***dfur;*** tress, plait, garland. ***~ tewm;*** bunch of garlic. ***~ xagħar;*** tress.

daga n.f., pl. -i, dagger.

dagerrotip n.m., pl. -i, daguerrotype.

dagerrotipija n.f., bla pl., daguerrotype.

dagħa v.I, ***jidgħi;*** to blaspheme, to curse.

dagħaj n.m., f. u pl. -ja, blasphemer.

dagħbien n.m., pl. ***dgħaben;*** hurricane, whirlwind, boisterous wind, cleft, crevice.

dagħdagħ v.kwad., ***jdagħdagħ;*** to rage.

dagħdigħ n.m., f. -a, pl. -iet, rage, great anger.

dagħmi aġġ., gloomy, dark.

dagħmien aġġ., dun.

dagħwa n.f., pl. -iet, blasphemy.

dahar n.m., pl. ***dhur;*** back. ***~ ta' siġġu;*** back of a chair.

daħak v.I, ***jidħak;*** to laugh. ***ma hemm xejn biex tidħak;*** there is nothing to laugh at, ***min jidħak l-aħħar jidħak l-aħjar;*** he who laughs last laughs best.

daħal v.I, ***jidħol;*** to enter. ***huma daħlu fil-palazz;*** they entered the palace.

daħħak v.II, ***jdaħħak;*** to make one laugh.

daħħàk n.m., f. u pl. -a, jester, droll.

daħħal v.II, ***jdaħħal;*** to introduce, to enter, to insert, to smuggle, to gain. ***~ b'kutrabandu l-merkanzija;*** he smuggled the merchandise, (goods).

daħħàl n.m., f. u pl. -a, introducer. ***~ tal-flus;*** cashier, collector.

daħħan v.II, ***jdaħħan;*** to smoke, to emit smoke, to fumigate.

daħka n.f., pl. -iet, a laugh.

daħkàn aġġ. u p.pres., laughing, smiling.

daħla n.f., pl. -iet, entry, entrance.

daħna n.f., pl. -iet, smokiness.

dajn n.m., koll -a, pl. -i, (żool.) fallow, deer, buck.

dajna n.f., pl. -iet, koll. ***dajn;*** (żool.) shell, conch.

dajnamow n.m., pl. -s, dynamo.

dak pron.m., f. ***dik;*** pl. ***dawk;*** he, she, it, that.

dakar n.m., pl. ***dkur;*** (żool.), nautilus.

dakkar v.II, ***jdakkar;*** to caprificate.

dakkàr n.m., f. u pl. -a, caprificator.

dakra n.f., pl. -iet, caprification.

dalam v.I, ***jidlam;*** to get or become dark.

dalgħodu avv., this morning.

dalħin avv., now, at present, at this moment.

dali avv., frequently, very often.

dalja n.f., pl. -i, (bot.) dahlia.

dallam v.II, ***jdallam;*** to darken, to obscure, to grow dark, to benight. ***l-ajru qed jiddallam;*** the sky is growing dark.

dallejl avv., tonight.

dalma n.f., pl. -iet, darkness, obscurity.

dalmàtika n.f., pl. -i, (ekkl.), dalmatic.

dalwaqt avv., soon, at once, in a moment.

dam v.I, ***jdum;*** to delay. ***~ ħafna ma wieġbu;*** he delayed too long to answer him.

dama n.f., pl. -i, lady, noble woman.

damask n.m., bla pl., damask, tapestry.

damaskat aġġ., damaskated.

damaskina n.f., bla pl., (bot.) damson.

damdam v.kwad., ***jdamdam;*** to resound, to sound.

damdim n.m., f. -a., pl -iet, resounding, resound.

damerin n.m., pl. -i, dandy.

dami n.m., pl. -s, dummy.

damiġella n.f., pl. -i, maid of honour, (ornit.) demoiselle crane.

damiġġjana n.f., pl. -i, demijohn.

damm v.I, ***jdomm;*** to string, to gather, to compile, to thread. ***~ il-qoton;*** to separate cotton from the cocoon.

damma n.f., pl. -i, ***damem;*** (logħ.) die (pl. dice).
damma n.f, pl. -iet, collection, compilation. **~ *ta' kliem;*** dictionary, vocabolary.
damma' v.II, ***jdamma';*** to shed tears.
dammam v. II, ***jdammam;*** to cause to be gathered.
dammiem n.m., f. u pl. -a, gatherer, collector.
damper n.m., pl. -s, damper.
dan, dana pron., this.
dandan v.kwad., ***jdandan;*** to peal, to clang, to ring.
dandàn n.m., f. u pl. -a, bell ringer.
dandin act., a peal of bells, chime.
danna v.II, ***jdanni;*** to suspect, to suppose, to deem, to think.
dannazzjoni n.f., pl. -jiet, damnation.
dannu n.m., pl. -i, damage, harm, prejudice.
dannuż aġġ., (leg.) injurious.
dans n.f., pl. -is, dance.
dant n.m., pl. -ijiet, buckskin, deerskin.
dantesk aġġ., Dantesque.
dantist n.m., f. -a, pl. -i, Dantist.
danza n.f., pl. -i, dance.
daq v.I, ***jduq;*** to taste. ***qatt ma ~ il-laħam;*** he never tasted meat.
daqdaq v.kwad., ***jdaqdaq;*** to be excited, to be agitated.
daqdiq n.act., being excited, being agitated.
daqna n.f., pl. -iet, goatee, beard.
daqni aġġ., bearded.
daqq v.I, ***jdoqq;*** to ring, to play. **~ *il-għaġina;*** to bruise paste. **~ *il-ħatar;*** to beat. **~ *it-tajjar;*** to beat cotton.
daqqa n.f., pl. -iet, a stroke, a blow, a hit, sound, music. **~ *ta' ġebla;*** a blow with a stone. **~ *ta' għajn;*** a glance. **~ *ta' ħarta;*** a blow. **~ *ta' id;*** aid, help. **~ *ta' sieq;*** a kick.
daqqâq n.m., f. u pl. -a, muscian. **~ *il-vjolin;*** fiddler. **~ *taż-żaqq;*** fifer, piper, bagpiper.
daqqas v.II, ***jdaqqas;*** to measure, to proportionate. ***irridu nnaqqsu n-nefqa skond il-mezzi tagħna;*** we must proportionate our expenditure to our income.
daqqâs n.m., f. u pl. -a, proportionalist.
daqquqa n.f., pl. -iet, koll. ***daqquq;*** (ornit.) cuckoo. **~ *tal-ġebel;*** wall-creeper. **~ *kaħla;*** cuckoo. **~ *tat-toppu;*** hoopoe.
daqquqa n.f., pl. -i, itch to laugh.
daqs n.m., pl. -iet, size, measure, quantity, proportion.
daqshekk avv. thus, enough, of this size.
daqsiex avv., very large, enormous, huge.
daqsinsew avv. of the same size, equal.
daqstant avv. thus, so much.
daqsxejn aġġ. u avv., little.
dar v.I, ***jdur;*** to turn, to go about, to rotate, to change one's mind. ***id-dinja ddur fuq l-assi tagħha;*** the earth rotates on its axis. **~ *ma' kull riħ;*** to be inconsistent, fickle.
dar n.f., pl. ***djar;*** house, home, habitation. **~ *t'Alla;*** the House of God, Church. **~ *il-bniet;*** convent. **~ *il-għerf;*** school, lyceum. **~ *l-irħieb;*** monastery. **~ *tal-kampanja;*** country house. **~ *il-qada;*** hell. **~ *is-sliem;*** heaven. ***ħobż tad-~;*** home made bread. ***mara tad-~;*** housewife.
dara v. I, ***jidra;*** to be accustomed, to habituate.
darab v.I, ***jidrob;*** to strike, to hit, to beat.
darba n.f, pl. -iet, ***drabi;*** wound, sore, hurt.
darba avv. once, some time ago. **~ *fil;*** seldom, rarely. **~ *kull wieħed;*** reciprocally. **~ *waħda;*** once upon a time.
dard n.m., pl. -s, dart.
dardar v.kwad., ***jdardar;*** to disgust, to make turpid.
dardir n.m., f. -a, pl. -iet, nausea.
dari avv., anciently, formerly.
darr v.i, ***jdorr;*** to hurt, to harm.
darra v.II, ***jdarri;*** to accustom, to habituate.
darrab v.II, ***jdarrab;*** to manure, to strike or hit repeatedly.
darras v.II, ***jdarras;*** to exacerbate. **~ *is-snien;*** to set on edge.
darsa n.f., pl. -iet, koll. ***dras;*** grinder, jawtooth, molar tooth.
dart ara **dard**.
data n.f., pl. -i, date.
datarju n.m., pl -i, (ekkl.) datary.
dattiliku aġġ., dactyl.
dàttilu n.m, pl. -i, (pros.) dactyl.
dattiv n.m., pl. -i, (gram.) dative.
datura n.f., bla pl., (bot.) datura.
davit n.m., pl. -s, (tek.) davit, clamp.
dawk pron., those, they.
dawl n.m., pl. ***dwal;*** light, illumination, brightness.
dawla n.f., pl. -iet, oil lamp.
dawli aġġ., luminous.
dawma n.f., bla pl., duration, delay.
dawn pron., these.
dawr n.m., pl. ***dwar;*** rotation.
dawra n.f., pl. -iet, a turning, tour, walk.
dawwal v.II, ***jdawwal;*** to illuminate, to enlighten, to illume. ***ix-xemx iddawwal id-dinja;*** the sun illuminates the earth.

dawwal n.m., f. u pl. -a, illuminator.
dawwâla n.f., pl. -i, luminary.
dawwali aġġ., illuminant.
dawwar v.II, ***jdawwar;*** to turn, to twist, to twirl. ***~ għajnejh fuqi;*** he turned his eyes on me. ***~ bis-swar;*** to fortify. ***~ spallejh;*** to turn one's back.
dawwâr n.m., f. u pl. -a, turner.
dawwara n.f., pl. -iet, wheel, roundabout, circumference.
daxx n.m., pl. -ijiet, dash.
dazjarju n.m., pl. -i, excise-man.
dazju n.m., pl. -i, excise, customs duty.
dażgur avv. surely, of course.
dbejlett n.m., bla pl., small or short skirt, mini skirt.
dbiba n.f., pl. -iet, ***dbejjeb;*** beast, animal.
dbiel v.IX, ***jitbiel;*** to wither, to dry. ***dak il-ward fuq il-mejda ~;*** those roses on the table withered.
debaħ v.I, ***jidboħ;*** to slaughter, to sacrifice, to immolate.
debb n.m., pl. -ijiet, (żool.) bear. ***~ il-Kbir;*** the Great Bear. ***~ iż-Żgħir;*** the Little Bear.
debba n.f., pl. -iet, (żool.) mare. ***~ tax-xitan;*** (żool.) dragon fly.
debbel v.II, ***jdebbel;*** to weaken.
debben v.II, ***jdebben;*** to abound in flies.
debber v.II, ***jdebber;*** to commission, to order.
debbieħ n.m., f. u pl. -a, immolator, butcher.
dèbboli aġġ., weak, feeble.
debbulizza n.f., pl. -i, weakness.
debbus n.m., pl. ***dbiebes;*** mace, sceptre.
deber v.I, ***jidbor;*** to negotiate.
debħa n.f., pl. -iet, sacrifice.
debitament avv. properly, duly.
dèbitu n.m., pl. -i, debt.
debitur n.m., f. -a, pl. -i, debtor.
debutt n.m., pl. -i, (teatr.) debut.
debuttant n.m., f. -a, pl. -i, (teatr.) debutant.
deċennali aġġ., decennial.
deċennju aġġ., decennium.
deċentement avv., decently.
deċenti aġġ., decent.
deċenza n.f., pl. -i, decency.
deċifrabbli aġġ., decipherable.
deċifrat aġġ., deciphrated.
deċifrazzjoni n.f., pl. -iet, decipherment.
deċigramm n.m., pl. -i, decigram(me).
deċilitru n.m., pl. -i, decilitre.
deċimali aġġ., decimal.
deċimazzjoni n.f., pl. -jiet, decimation.
deċina n.f., pl. -i, ten.
deċiż aġġ., determined.
deċiżament avv., decisively.
deċiżiv aġġ., decisive, conclusive.
deċiżivament avv., decisively.
deċiżjoni n.f., pl. -i, decision.
dedika n.f., pl. -i, dedication, author's inscription.
dedikant n.m., pl. -i, dedicant.
dedikat aġġ., dedicated, devoted, consacrated.
dedikazzjoni n.f., pl. -iet, dedication, consacration.
deduzzjoni n.f., pl. -jiet, deduction.
defa v.I, ***jidfi;*** to become lukewarm, to become tepid.
deferenti aġġ., deferential.
deferenza n.f., pl. -i, deference.
deff n.m., pl. -ijiet, the frame of a weaver's loom.
deffer v.II, ***jdeffer;*** to scratch.
deffes v.II, ***jdeffes;*** to thrust, to poke, to drive, to push. ***~ imnieħru fil-ħwejjeġ ta' ħaddieħor;*** he poked his nose into other people's affairs.
deffien n.m., pl. -a, grave-digger.
deffies n.m., f. u pl. -a, meddler, intruder.
deffun n.m.koll., potsherd.
deffus n.m., pl. ***dfiefes;*** intruder.
deficit n.m., bla pl., deficit.
defiċjenti aġġ., simple-minded.
definit aġġ., definitive.
definitiv aġġ., definitive. ***sentenza definitiva;*** final judgement.
definitivament avv., definitely.
definitur n.m., pl. -i, definer, (ekkl.) assessor to a religious order.
definizzjoni n.f., pl. -jiet, definition.
deflezzjoni n.f., pl. -jiet, deflection.
deflorazzjoni n.f., pl. -jiet, defloration.
deformat aġġ., deformed, disfigured.
deformazzjoni n.f., pl. -jiet, deformation, disfigurement.
deformi aġġ., deformed, mis-shaped, ill-shaped.
deformità n.f., pl. -jiet, deformity.
deġenerat aġġ. u p.p., degenerate, wicked.
deġenerazzjoni n.f., pl. -jiet, degeneration.
degradat aġġ., degraded.
degradazzjoni n.f., pl. -jiet, degradation.
deh inter., alas.
deha v.I, ***jidha;*** to give work, to keep busy, to engross, to employ oneself, to keep oneself occupied. ***hu ~ bl-aritmetika;*** he occupied himself with arithmetics.

dehbi aġġ., golden.
dehbien aġġ., golden.
deheb n.m., pl. ***dehbijiet;*** gold.
dehen n.m., pl. ***dehnijiet, idhna;*** knowledge, talent, sense, intellect, perception, judgement.
deher v.I, ***jidher;*** to appear, to be visible, to seem. ***jidhirli li miniex qiegħed nisma' llum;*** I seem to be deaf today.
dehex v.I, ***jidhex;*** to startle, to be startled, to dumbfound.
dehieb n.m., f. u pl. -a, gilder.
dehra n.f., pl. -iet, apparition, vision.
dehwa nf., pl. -iet, occupation, application, attention, cure.
dehwien aġġ., mindful, abstructed.
dehxa n.f., pl. -t,-iet, shock, costernation.
dejjaq v.II, ***jdejjaq;*** to tighten, to narrow, to make tight, to weary, to tire, to pester. ***~ il-qalb;*** to sadden. ***~ qalbu;*** to become sad.
dejjaq aġġ., narrow, close, strait.
dejjem v.II, ***jdejjem;*** to perpetuate.
dejjem avv., always, ever. ***~ ta' dejjem;*** eternally, perpetually, everlastingly.
dejjen v.II, ***jdejjen;*** to tick, to credit.
dejjiemi aġġ., everlasting, perpetual.
dejjien n.m., f. u pl. -a, creditor.
dejjieqi aġġ., restrictive, narrowing, annoying, tedious.
dejl n.m., pl. ***djul, dwiel;*** skirt, garment.
dejma n.f., bla pl., guard.
dejn n.m., pl. ***djun;*** debt. ***xtara bid-~;*** he bought on credit.
dejr n.m., pl. ***djar;*** palace, convent. ***~ il-bniet;*** convent.
dejt n.m., pl. -s, date.
dejżi n.f., pl. -s, (bot.) daisy.
dekadenti aġġ., decadent.
dekadenza n.f., pl. -i, decadence, decay, decline, (leg.) debarment.
dekadut aġġ., decayed, forfeited, fallen in rank.
dekàlogu n.m., pl. -i, decalogue.
dekan n.m., pl. -i, (ekkl.) dean. ***~ tal-korp diplomatiku;*** doyen.
dekanat n.m., pl. -i, deanery, deanship.
dekapodu n.m., pl. -i, (żool.), decapod.
dekarbonizzazzjoni n.f., pl. -jiet, decarbonization.
dekasìllabu n.m., pl. -i, (pros.) decasyllabic.
dekċer n.f., pl. -s, deck chair.
dekdek v.kwad., ***jdekdek;*** to sip, to quaff, to swallow, to guzzle.
dekdiek n.m, f. u pl. -a, drunkard, fuddler.
dekk n.m., pl. -ijiet, (mar.) deck, bridge.
dekkek v.II, ***jdekkek;*** to crumble, to hash, to pound, to overboil.
dekkuka n.f., pl. -iet, koll. ***dekkuk;*** (bot.) millet.
deklamat aġġ. u p.p., declaimed.
deklamatur n.m., f. -a, pl. -i, declaimer.
deklamazzjoni n.f., pl. -jiet, declamation.
deklinat aġġ. u p.p., declined.
deklinazzjoni n.f., pl. -jiet, declension, (gram.) declination.
deklinòmetru n.m., pl. -i, declinometer.
dekolazzjoni n.f., pl. -jiet, decollation, beheading.
dekoloranti aġġ., decolorant, decolo(u)rizing.
dekompost aġġ., (med.) decomposed, rotten.
dekompożizzjoni n.f, pl. -jiet (med.) decomposition.
dekor n.m., bla pl., decorum, propriety, dignity.
dekorat aġġ., decorated.
dekorattiv aġġ., decorative.
dekoratur n.m., f. -atriċi, pl. -i, decorator.
dekorazzjoni n.f., pl. -jiet, decoration.
dekoruż aġġ., decorous.
dèlega n.f., pl. -i, (leg.) proxy, power of attorney.
delegat n.m., f. -a, pl. -i, (leg.) delegate.
delegat aġġ. u p.p., (leg.) delegated.
delegazzjoni n.f., pl. -jiet, (leg.) delegation.
delfin n.m., pl. -i, dauphin, (itt.) dolphin, buttress, cowfish.
deliberat aġġ. u p.p., deliberate, resolute, decided, resolved.
deliberatament avv., deliberately.
deliberattiv aġġ., (parl.) deliberative.
deliberazzjoni n.f., pl -jiet, (parl.) deliberation, decision, resolution.
delikat aġġ., delicate, dainty.
delikatezza n.f., pl. -i, delicacy, daintyness, softness.
delinkwent n.m., f. -a, pl. -i, (leg.) delinquent, criminal.
delinkwenza n.f., pl. -i, (leg.) delinquency, criminality.
delirju n.m., pl. -i, (med.) delirium, frenzy.
delitt n.m., pl. -i, crime, offence, delict, felony.
delizzju n.m., pl. -i, hobby.
delizzjuż aġġ., delicious, exquisite, delightful.
dell n.m., pl. -ijiet, shade, shadow.
dellek v.II, ***jdellek;*** to smear, to besmear, to grease, to spread.

dellel v.II, ***jdellel;*** to shade, to shadow.
delli aġġ., shady, gloomy.
delta n.f., pl. -i, delta.
deltojde n.f., pl. -jiet, (anat.) deltoid.
delu n.m., pl. ***dliewi;*** (tek.) hopper.
delużjoni n.f., pl. -jiet, delusion.
demagoġija n.f., pl. -i, demagogy.
demagoġiku aġġ., demagogic.
demàgogu n.m., f. -a, pl. -i, demagogue.
demarkazzjoni n.f., pl. -jiet, demarcation. ***linja ta' ~;*** line of demarcation.
demdem v.kwad., ***jdemdem;*** to resound.
demel n.m., pl. ***dmiel;*** manure, dung, muck.
demgħa n.f., pl. -t, koll. ***dmugħ;*** tear.
demla n.f., pl. -iet, ***dwiemel;*** abscess, sore, ulcer.
demm n.m., pl. ***dmija;*** blood. ***~ tal-baqq;*** insipid, insensible. ***fuq ~ id-dars;*** reluctantly.
demmel v.II, ***jdemmel;*** to manure, to dung.
demmem v.II, ***jdemmem;*** to make blood, to imbue with blood.
demmes v.II, ***jdemmes;*** to dress meat, to cook ragouts.
demmi aġġ., bloody, sanguinary, bleeding.
demmiel n.m., f. u pl. -a, he that manures or dungs.
demmiela n.f., pl. ***dmiemel;*** dunghill, midden.
demmies n.m., f. u pl -a, he who forms ragouts.
demografija n.f., pl. -i, demography.
demografikament avv., demographically.
demogràfiku aġġ., demographic.
demokratikament aġġ., democratically.
demokràtiku aġġ., democratic.
demokratizzazzjoni n.f., pl. -jiet, democratization.
demokrazija n.f., pl. -i, democracy.
demolizzjoni n.f., pl. -jiet, demolition.
demoloġija n.f., pl. -i, demology.
demonju n.m., pl. -i, demon, devil.
demoralizzat aġġ. u p.p., demoralized.
demoralizzazzjoni n.f., pl. -jiet, demoralization.
den aġġ., honourable person.
denb n.m., pl. ***dnub, dnieb;*** tail. ***~ il-ħaruf;*** (bot.) rocket, mignonette.
denċi n.f., pl. ***dnieneċ, deneċ;*** (itt.), dentex. ***~ tal-għajn;*** large-eyed dentex.
dendel v.kwad., ***jdendel;*** to hang. ***ix-xabla kienet imdendla fuq rasu;*** the sword was hanging on his head.
dendiel n.m., f. u pl. -a, one who hangs, hangman.
dendul n.m., f. -a, pl. -in, tatterdemalion, untidy person.
dendula n.f., pl. -iet, ear-ring, slut.
denfil are **delfin**.
deni n.m., bla pl., fever, ill, evil, harm. ***~ biered;*** undulant fever. ***~ rqiq;*** hectic fever.
denigrazzjoni n.f., pl. -jiet, denigration.
denjament avv., worthily.
denn aġġ., worthy.
denna v.II, ***jdenni;*** to fester, to suppurate.
denneb v.II, ***jdenneb;*** to tail, to join, to put together.
dennes v.II, ***jdennes;*** to soil, to foul, to contaminate, to stain.
dennies n.m., f. u pl. -a, defiler, polluter.
denominattiv aġġ., denominative.
denominatur n.m., f. -a, pl. -i, denominator.
denomizzazzjoni n.f., pl. -jiet, denomination.
dens aġġ., dense, thick.
densament avv., densely, thickly.
densità n.f., bla pl., density, thickness.
dentali aġġ., dental.
dentatura n.f., pl. -i, denture, set of teeth.
dentell n.m., pl -i, (ark.) dentil.
dentellatura n.f., pl. -i, (ark.) indentation.
dentiċi are **denċi**.
dentifriċju n.m, pl. -i, dentifrice, toothpowder, tooth-paste.
dentist n.m., f. -a, pl.-i, dentist.
dentizzjoni n.f., pl. -jiet, dentition.
denunzja n.f., pl. -i, (leg.) denunciation, declaration, statement.
deplorabbli aġġ., deplorable.
deplorat aġġ., (parl.) deplored, blamed.
deplorevoli aġġ., (parl.) deplorable, blameworthy.
deponent aġġ., (gram.) deponent, (leg.) testifying.
deportat aġġ. u p.p., deported.
deportazzjoni n.f., pl. -jiet, deportation.
depost n.m., pl. -i, deposit, store-house, entrepot.
depow n.m., bla pl., police headquarters.
depożitant n.m., f. -a, pl. -i, (leg.) depositor.
depożitarju n.m., f. -a, pl. -i, depositary.
depożitat aġġ. u p.p., deposited.
depożitu n.m., pl -i, deposit, warehouse, store. ***kamra tad-~;*** left-luggage office.
depożitur n.m., f., -a. pl. -i, depositary.
depożizzjoni n.f., pl. -jiet, deposition. ***Id-~;*** (ekkl.), the Descent from the Cross.
depress aġġ., depressed, low spirited.
depressjoni n.f., pl. -jiet, depression.

deprezzament n.m., pl. -i, (leg.) depreciation.
deprezzat aġġ. u p.p., depreciated.
deputat n.m., f. -a, pl. -i, delegate, (parl.) deputy, representative. ***~ tal-parlament;*** member of Parliament.
deputazzjoni n.f., pl. -jiet (parl.) deputation.
derek n.m., pl. -s, (tek.) derrick.
deriva n.f., pl. -iet, (mar.) leeway, leeboard.
derivabbli aġġ., derivable.
derivat aġġ., derivative.
derivattiv aġġ., derivative.
derivazzjoni n.f., pl. -jiet, derivation.
dermatoloġija n.f., pl. -i, (med.), dermatology.
dermatòlogu n.m., f. -a, pl. -i, (med.) dermatologist.
dèroga n.f., pl. -i, (leg.) repeal, abrogation.
derogabbli aġġ., (leg.) that may be derogated from.
derogat aġġ. u p.p., (leg.) derogated from.
derogatorju aġġ., (leg.) derogatory.
derra v.II, ***jderri;*** to winnow, to fan wheat.
derrej n.m., f. u pl. -ja, winnower.
deru n.m., bla pl., (bot.) lentisk.
desiderattiv aġġ., (gram.) desiderative.
desk n.m., pl. -ijiet, desk.
deskritt aġġ., u p.p., described.
deskrittiv aġġ., descriptive.
deskrivibbli aġġ., describable.
deskrizzjoni n.f., pl. -jiet, description.
dèspota n.m., pl. -i, despot.
despotikament avv., despotically.
despòtiku aġġ., despotic.
despotiżmu n.m., pl. -i, despotism.
destabilizzazzjoni n.f., pl. -jiet, destabilization.
destin n.m., pl. -i, destiny, fate, doom.
destinat aġġ. u p.p., destined, appointed.
destinatarju n.m., f -a, pl. -i, addressee.
destinazzjoni n.f., pl. -jiet, destination.
destrojer n.m., pl. -s (mar.) destroyer.
detektiv n.m., pl. -s, detective.
detenzjoni n.f., pl. -jiet, (leg.) detention, imprisonment.
deterġent n.m., pl. -i, detergent.
deterjorament n.m., pl. -i, deterioration.
deterjorat aġġ. u p.p., deteriorated.
determinabbli aġġ., determinable, definable.
determinanti aġġ., determinant.
determinat aġġ., determinate.
determinattiv aġġ., decisive, determinative, (gram.) definite.
determinazzjoni n.f., pl. -jiet, determination, decision.
detriment n.m., pl. -i, detriment, damage, harm.
detrimentali aġġ., detrimental.
dettaljat aġġ. u p.p., detailed.
dettaljatament avv., in detail, with full particulars, minutely.
dettall n.m., pl. -i, detail.
dettatura n.f., pl. -i, dictation.
devalutazzjoni n.f., pl. -jiet, devaluation.
devastat aġġ., u p.p., devastated.
devastatur n.m., f. -a, -triċi, pl. -i, devastator, ravager.
devastazzjoni n.f., pl. -jiet, devastation, destruction, ravage.
devot aġġ. u n.m., f. -a, pl. -i, devout, pious, devout person, devotee.
devotament avv., devoutly, piously.
devozzjoni n.f., pl. -jiet, devotion, devoutedness.
dewa v.I, ***jidwi;*** to echo.
dewbien n.act., melting.
dewlgħa n.f., pl. -i, ***dwielagħ;*** (anat.) rib.
dewma n.f., pl. -iet, duration, delay.
dewmien n.act., duration, procrastination, delay.
dewqa n.f., pl. -t, a taste.
dewqan n.act., taste.
Dewteronomju n.Pr., Deuteronomy.
dewwa v.II, ***jdewwi;*** to medicate, to dress, to wound, to cure, to heal. ***it-tabib dewwielu l-ferita;*** the doctor dressed his wound.
dewwaq v.II, ***jdewwaq;*** to make somebody taste.
dewweb v.II, ***jdewweb;*** to melt, to dissolve.
dewwed v.II, ***jdewwed;*** to abound in worms, to verminate.
dewwedija n.f., pl. -i, large quantity of verms, large quantity of people, multitude.
dewwej n.m., f. u pl. -a, healer.
dewwem v.II, ***jdewwem;*** to delay, to detain.
dewwer are **dawwar**.
dewwieb n.m., f. u pl. -a, melter, founder.
dewwiem n.m., f. u pl. -a, procrastinator.
dewwiema n.f., pl. -iet, vane, weathercock.
dewwiemi aġġ., tardy.
dewwieq n.m., f. u pl. -a, taster.
dexxex v.II, ***jdexxex;*** to grind coarsely, to devour, to eat greedily.
dexxiex n.m., f. u pl.-a, glutton, devourer.
deżert n.m., pl. -i, desert, wilderness.

deżerta n.f., pl. -i, dessert.
deżinenza n.f., pl. -i, (gram.) case-ending, termination, ending.
deżolat aġġ. u p.p., desolate, afflicted.
deżolazzjoni n.f., pl. -ijiet, desolation.
dfin n.act., burying, burial, internment.
dfir n.act., tress.
dgħajjef aġġ., weak, feeble, faint.
dgħajsa n.f., pl., *dgħajjes;* boat. *~ tas-sajd;* fishing boat.
dgħif aġġ., thin, lean, meat without fat.
dgħufija n.f., bla pl., weakness.
dgħul n.m., bla pl., doubt, deceit, fraud.
dgħuma n.f., bla pl., obscurity, darkness, gloominess.
dhajjar n.m., bla pl., small back.
dhin n.act., unction, anointing.
dħul n.act., entrance, entry.
dħuli aġġ., mannerly, polite, affable, penetrable.
dħulija n.f., bla pl., familiarity, intimacy, gentleness, courtesy, confidence.
di pron., this.
dib n.m., pl. *djieb;* (żool.) wolf.
dibattibbli aġġ., debateable.
dibattiment n.m., pl. -i, (parl.) debate, discussion.
dibattitu n.m., pl. -i, (parl.) debate.
dibattut aġġ. u p.p., debated, discussed.
Diċembru n.Pr., December.
diċent inter., (mil.) fall in.
diċerija n.f., pl. -i, hearsay, groundless rumour, gossip.
diċitura n.f., pl. -i, dictation, wording, phrasing.
didaskalja n.f., pl. -i, (teatr.) stage direction.
didattiċiżmu n.m., pl. -i, didacticism.
didattika n.f., bla pl., didactics.
didattiku aġġ., didactic, instructive.
didektif ara **detektic**.
dieb ara **dab**.
dieċi n.m., pl. -ijiet, ten.
diećma n.f., pl. -i, tithe.
dieda n.f., pl. -i, torch.
diefi aġġ., lukewarm, tepid.
dieheb v.III, *jdieheb;* to gild.
diehen v.III, *jdiehen;* to illuminate.
dieher aġġ., apparent, evident. *bid-~;* clearly, manifestly.
diehex v.III, *jdiehex;* to startle.
dieħel aġġ. u p.p., entering, going in.
dieħes n.m., pl., *dwieħes;* whitlow.
dielja n.f., pl. *dwieli;* (bot.) vine.
diem ara **dam**.
dieni aġġ. u p.pres., festerous.
dieq ara **daq**.
dieta n.f., pl. -i, diet.
diewi aġġ. u p.pres., sounding, echoing.
difa ara **defa**.
difa n.act., serenity, clearness, mild weather.
difatti avv., in fact, as a matter of fact, in reality.
difen v.I, *jidfen;* to bury, to inter.
difensiv aġġ., defensive.
difensur n.m., f. -a, pl. -i, defender.
difer n.m., pl. *dwiefer;* nail. *~ ta' bhima;* claw, talon, hoof.
difett n.m., pl. -i, defect.
difettiv aġġ., (gram.) defective.
difettuż aġġ., defective, faulty.
diffamazzjoni n.f., pl. -ijiet, defamation.
differentement avv., differently.
differenti aġġ., different.
differenza n.f., pl. -i, difference.
differiment n.m., pl. -i, (leg.) postponement, adjournment.
differit aġġ. u p.p., (leg.) postponed.
diffiċli aġġ., difficult, hard.
diffidenti aġġ., diffident, distrustful, mistrustful.
diffidenza n.f., pl. -i, diffidence, distrust, mistrust.
diffikultà n.f., pl. -ijiet, difficulty.
diffikultuż aġġ., difficult.
diffużjoni n.f., pl. -ijiet, diffusion.
difiż aġġ. u p.p., defended.
difiża n.f., pl. -i, defence.
difla n.f., pl. -iet, (bot.) oleander.
difna n.f., pl. -iet, burial, internment.
difterite n.f., pl. -ijiet, (med.) diphtheria, diphtheritis.
diġà avv., already.
diġeribbli aġġ., digestible.
diġerit aġġ. u p.p., digested.
diġest n.m., pl. -i, (leg.) digest, compilation of laws.
diġestiv aġġ., (med.) digestive.
diġestjoni n.f., pl. -ijiet, digestion.
diġitali aġġ. u n.m., pl. -i, digital, (bot.) foxglove.
diġitalina n.f., bla pl., (kim.) digitalin.
diga n.f., pl. -i, dike, dyke, dam, sea-wall.
diglutizzjoni n.f., pl. -ijiet, deglutition.
digment avv., immediately, instantly.
digradazzjoni n.f., pl. -iet, degradation.
digressjoni n.f., pl. -ijiet, digression.
digriet are **degriet**.
dija n.f., pl. -t, splendour, brightness, light.
dijabete n.f., pl. -ijiet, (med.) diabetes.
dijabetiku aġġ., (med.) diabetic.
dijaboliku aġġ., diabolic, diabolical, devilish.

dijadema n.f., pl. -i, diadem, aureola, aureole.
dijaframma n.f., pl. -i, (anat., tek.) diaphragm.
dijagramma n.f., pl. -i, diagram.
dijalettika n.f., pl. -i, dialectic, dialectica.
dijalisi n.f., bla pl., (kim.) dialysis.
dijametralment avv., diametrally.
dijàmetru n.m., pl. -i, diameter.
dijarea n.f., bla pl., (med.) diarrhoea.
dijarkija n.f., pl. -i, diarchy.
dijàstoli n.f., bla pl., (med.) diastole.
dijatòniku aġġ., (muż.) diatonic.
dijàtriba n.f., pl. -i, diatribe.
dijèresi n.f., pl. -ijiet, (gram.) diaeresis.
dijetètika n.f., pl. -i, (med.) dietetics.
dijorama n.f., pl. -i, diorama.
dijurètiku aġġ., (med.) diuretic.
dik pron.f. ta' ***dak;*** pl. ***dawk;*** that.
dikjarat aġġ. u p.p., declared.
dikjarazzjoni n.f., pl. -ijiet, declaration.
dikka n.f., pl. -iet, overdone, overcooked.
dikkiena n.f., pl. -iet, ***dkieken;*** stone bench.
dikment avv., immediately, instantly.
diksa n.f., pl. -iet, fatigue.
diksata n.f., pl. -i, rage.
dikxiena n.f., pl. -iet, ***dkiexen;*** spoon.
dilatorju n.m., pl. -i, (leg.) dilatory.
dilek v.I, ***jidlek;*** to annoint, to rub with oil, to grease, to smear. ***~ il-ħobż bil-butir;*** to butter the bread.
dilemma n.f., pl. -i, dilemma.
dilettant n.m., f. -a, pl. -i, amateur.
dilettantiżmu n.m., pl. -i, dilettantism.
diliġenti aġġ., diligent.
diliġenza n.f., pl.-i, diligence.
dilka n.f., pl. -iet, an anointing.
dilluvju n.m., pl. -i, flood, deluge.
dimensjoni n.f., pl. -ijiet, dimension.
dimess aġġ., dismissed.
diminuttiv aġġ., u n.m., pl. -i, (gram.) diminutive.
dimissjonarju n.m., f. -a, pl. -i, resigner.
dimissjoni n.f., pl. -jiet, resignation.
dimonju are **demonju**.
dimostrabbli aġġ., demonstrable.
dimostrant n.m., f. -a, pl. -i, demonstrant.
dimostrat aġġ. u p.p., demonstrated.
dimostrattiv aġġ., (gram.) demonstrative.
dimostratur n.m., f. -a, pl. -i, demonstrator.
dimostrazzjoni n.f., pl. -jiet, demonstration.
din pron.f. ta' ***dan;*** pl. ***dawn;*** this, religion. ***id-~ nisrani;*** the Christian religion.
dinàmika n.f., bla pl, (fiż., muż.) dynamics.
dinàmiku aġġ., dynamic.
dinamitard n.m., f. -a, pl. -i, dynamiter, dynamitard.
dinamiżmu n.m., pl. -i, dynamism.
dinamite n.f., bla pl., dynamite.
dinamo n.m., pl. -s, (tek.) dynamo.
dinamòmetru n.m., pl. -i, (fiż.) dynamometer.
dinasta n.m., pl. -i, ruler, dynast.
dinastija n.f., pl. -i, dynasty.
dinastiku aġġ., dynastic.
dineb v.I, ***jidneb;*** to sin. ***~ kontra Alla;*** he sinned against God.
diner n.m., pl. -s, dinner.
dingi n.m, pl. -ijiet, (mar.) dinghi, dingy.
dinier n.m., pl. -i, small coin.
dinja n.f., pl. -iet, world, universe. ***ħareġ mid-~;*** to die, to expire. ***kemm id-~;*** exceedingly, much.
dinji aġġ., worldly.
dinjità n.f., pl. -ijiet, dignity.
dinjitarju n.m., pl. -i, (ekkl.) dignitary.
dinjituż aġġ., dignified.
dinosawru n.m., pl. -i, (żool.) dinosaur.
dintorn n.m., pl. -i, outskirts.
dipartiment n.m., pl. -i, department.
dipartimentali aġġ., departimental.
dipendenti aġġ., u p.pres., dependent.
dipendenza n.f., pl. -i, dependence.
diploma n.f., pl. -i, diploma, degree, certificate.
diplomat n.m., f. -a, pl. -i, diplomat, graduate.
diplomatiku aġġ. u n.m., f. -a, pl. -iċi, diplomatic. ***korp ~;*** diplomatic corps.
diplomàtiku n.m., f. -a, pl. -iċi, diplomatist, diplomat.
diplomazija n.f., pl. -i, diplomacy.
diportament n.m., pl. -i, deportment, behaviour.
diqa n.f., pl. ***dwejjaq;*** distress, sorrow, anguish, grief. ***~ ta' qalb;*** sadness, gloominess.
direk v.I, ***jidrek;*** to get up early.
dires v.I, ***jidres;*** to thresh, to trash.
dirett aġġ. u p.p., direct.
direttament avv., directly.
direttiv aġġ., directive.
direttorju n.m., pl. -i, (leg.) directory. ***~ tat-telefon;*** telephone directory.
direttur n.m., f. -triċi, pl. -i, director, (f. directress), manager, (f. manageress), administrator, head of Department. ***~ ġenerali;*** general manager. ***~ ta' l-orkestra;*** conductor. ***~ tal-palk;*** stage manager. ***~ spiritwali;*** spiritual director.

direzzjoni n.f., pl. -ijiet, direction, management.
diriġibbli aġġ., dirigible.
dirra n.f., pl. -iet, abomination, abhorrence, detestation.
dirsa n.f., pl. -iet, threshing.
dirwix n.m., f. -a, pl. ***driewex;*** hermit.
disa' aġġ., num., ninth.
disċarġ n.m., pl. -is, discharge.
disċarġjat aġġ. u p.p., discharged.
disenterija n.f., pl. -i, (med.) dysentery.
disfatta n.f., pl. -i, defeat.
disgrejs n.m., bla pl., disgrace, shame.
disgwid n.m., pl. -i, misunderstanding.
disgħa n.num., nine. ***vers ta' ~;*** line of nine syllables.
disillabu n.m., pl. -i, disyllable.
disinjatur n.m., f. -triċi, pl. -i, designer, draughtsman.
disinn n.m., pl. -i, drawing, design.
disk n.m., pl. -i, disc.
diska n.f.l., pl. -i, gramaphone record.
disklu n.m., pl. -i, scamp.
diskobolu n.m.., pl. -i, discobolus.
diskors n.m., pl. -i, speech, talk, discourse.
diskoteka n.f., pl. -i, record library.
diskret aġġ., discreet.
diskrezzjoni n.f., pl. -jiet, discretion.
diskriminazzjoni n.f., pl. -jiet, discrimination.
diskursata n.f., pl. -i, chat.
diskuss aġġ. u p.p., debated, discussed.
diskussjoni n.f., pl. -jiet, discussion, debate.
diskutibbli aġġ., questionable.
dispaċċ n.m., pl. -i, dispatch.
dìspari aġġ., odd, uneven.
disparità n.f., pl. -jiet, disparity.
dispensa n.f., pl. -i, pantry, store-room, (ekkl.) dispensation.
dispensabbli aġġ., dispensable.
dispensat aġġ. u p.p., exempted (from), exonerated.
dispensier n.m., f. -a, pl. -i, distributor, bestower, steward, (f. stewardess).
dispepsja n.f., bla pl., (med.) dyspepsia, dyspepsy.
disperazzjoni n.f., pl. -jiet, despair, desperation.
dispett n.m., pl. -i, despite, spite.
dispettuż aġġ., despiteful, spiteful.
dispjaċir n.m., pl. -i, grief, sorrow, displeasure, regret.
dispjaċut aġġ. u p.p., displeased.
disponibbli aġġ., disposable, available.
dispost aġġ. u p.p., willing, inclined.
dispożizzjoni n.f., pl. -jiet, disposition, inclination to.
disprament n.m., pl. -i, despair, desperation.
dispreġjattiv aġġ., (gram.) depreciative.
disprezz n.m., pl. -i, contempt.
disprezzat aġġ. u p.p., despised, contemned.
disputa n.f., pl. -i, dispute.
disputabbli aġġ., disputable.
disputat aġġ. u p.p., debated.
dissens n.m., pl. -i, disagreement, dissent.
dissertazzjoni n.f., pl. -jiet, dissertation.
dissettat aġġ. u p.p., (med.) dissected.
dissettur n.m., f. -a, pl. -i, (med.) dissector.
dissezzjoni n.f., pl. -jiet, (med.) dissection.
dissident n.m., f. -a, pl. -i, dissidenter.
dissolut aġġ., dissolute, loose, licentious.
dissoluzzjoni n.f., pl. -jiet, (leg.) dissolution.
dissonanza n.f., pl. -i, dissonance.
dissussat aġġ. u p.p., boned.
distakk n.m., pl. -i, detachment, withdrawal.
distakkament n.m., pl. -i, (mil.) detachment, separation.
distakkat aġġ. u p.p., detached, separated.
distanza n.f., pl. -i, distance.
distemper n.m., pl. ***distemprijiet;*** distemper.
distiku n.m., pl. -i, (pros.) couplet, distich.
distillat aġġ. u p.p., distilled.
distillatur n.m., pl. -i, distiller, still.
distillazzjoni n.f., pl. -jiet, distillation.
distillerija n.f., pl. -i, distillery.
distint aġġ., distinguished.
distintiv n.m., pl. -i, badge, emblem.
distinzjoni n.f., pl. -jiet, distinction.
distratt aġġ. u p.p., absent-minded, inattentive.
distrazzjoni n.f., pl. -iet, distraction, absent-mindedness, inattentiveness.
distrett n.m., pl. -i, district.
distrettwali aġġ., of the district.
distributtiv aġġ., distributive.
distributur n.m., f. -a, pl. -i, distributor, sorter.
distribuzzjoni n.f., pl. -jiet, distribution. ***~ tal-premjijiet;*** distribution of prizes.
distrutt aġġ. u p.p., destroyed.
distruttiv aġġ., destructive.
distruttur n.m., f. -triċi, -a, pl. -i, destructer, destroyer.
distruzzjoni n.f., pl. -jiet, destruction, ruin, extermination, havoc.

disturb n.m., pl. -i, disturbance, trouble.
disturbat aġġ. u p.p., unwell, disturbed, troubled.
ditektiv ara **detektiv**.
diterġent ara **detergent**.
ditirambu n.m., pl. -i, (lett.) dithyramb.
ditta n.f., pl. -i, ***ditet;*** firm, company, commercial house.
dittatorjali aġġ., dictatorial.
dittatur n.m., f. -a, pl. -i, dictator.
dittatura n.f., pl. -i, dictatorship, dictature.
dittong n.m., pl. -i, diphthong.
diva n.f., pl. -i, (teatr.) diva, prima donna.
divan n.m., pl. -i, divan, settee.
divers aġġ., different, unlike.
diversament avv., differently, in a different way.
diversifikat aġġ. u p.p., diversified.
diversifikazzjoni n.f., pl. -jiet, diversification.
diversità n.f., pl. -iet, diversity, variety.
diversiv n.m., pl. -i, diversion, amusement.
divertenti aġġ., pleasant, entertaining, amusing.
divertiment n.m., pl. -i, amusement, recreation.
divertita n.f., pl. -i, picnic, outing.
dividend n.m., pl. -i, dividend.
divin aġġ., divine.
divinità n.f., pl.-jiet, divinity.
diviż aġġ., divided, separated.
diviża n.f., pl. -i, uniform.
diviżibbli aġġ., divisible.
diviżibbilità n.f., pl. -jiet, divisibility.
diviżjoni n.f., pl. -jiet, division.
diviżorju aġġ., dividing, separating.
diviżur n.m., pl. -i, divisor.
divjet n.m., pl. -i, prohibition, (leg.) strict or absolute prohibition.
divorat aġġ. u p.p., devoured.
divoratur n.m., f. -a, pl. -i, devourer.
divorzjat aġġ. u p.p., (leg.) divorced.
divorzju n.m., pl. -i, (leg.) divorce.
divrenzja ara **differenza**.
diwi n.act., echo, echoing, harmony.
dixx n.m., pl. -jiet, dish.
dixxatura n.f., pl. -i, belch.
dixxendent n.m., f. -a, pl. -i, descendant.
dixxendenza n.f., pl. -i, descent.
dixxerniment n.m., pl. -i, discernment.
dixxiplina n.f., pl. -i, discipline.
dixxiplinat aġġ., disciplined.
dixxiplu n.m., pl. -i, (ekkl.) disciple.
dixxwoxer n.m., pl. -s, dishwasher.
dizzjoni n.f., pl. -jiet, diction.
dizzjunarju n.m., pl. -i, dictionary. ***~ ġeografiku;*** gazetteer.
diżabitat aġġ., uninhabited, depopulated.
diżapprovat aġġ. u p.p., disapproved.
diżapprovazzjoni n.f., pl. -jiet disapproval, disapprobation.
diżappunt n.m., pl. -i, disappointment.
diżappuntat aġġ. u p.p., disappointed.
diżarm n.m., pl. -i, (mil.) disarmament.
diżarmonija n.f., pl. -i, (muż.) disharmony, discord.
diżastru n.m., pl. -i, disaster.
diżastruż aġġ., disastrous.
diżattent aġġ., inattentive.
diżattenzjoni n.f., pl. -jiet, inattention, heedlessness.
diżeredat aġġ. u p.p., (leg.) disinherited.
diżeredazzjoni n.f., pl. -jiet, (leg.) disinheritance.
diżerta ara **diserta**.
diżertur n.m., f. -a, pl. -i, (mil.) deserter.
diżgrazzja n.f., pl. -i, misfortune, mishap, casualty, accident.
diżgrazzjat aġġ. u p.p., unfortunate, unlucky.
diżgrazzjatament avv., unfortunately, unluckily.
diżgust n.m., pl. -i, disgust.
diżgustat aġġ. u p.p., disgusted.
diżinfettant aġġ. u n.m., pl. -i, disinfectant.
diżinfettat aġġ. u p.p., disinfected.
diżinfezzjoni n.f., pl. -jiet, (med.) disinfection.
diżintegrat aġġ. u p.p., disintegrated.
diżintegratur n.m., f. -a, -atriċi, pl. -i, disintegrator.
diżinteress n.m., pl.-i, disinterestedness, unselfishness.
diżinteressat aġġ. u p.p., disinterested, unselfishness.
diżinteressatament avv., disinterestedly.
diżinvolt aġġ., unconstrained, free and easy.
diżinvoltura n.f., pl. -i, ease, unconstrainedness.
diżlivell n.m., pl. -i, (tek.) variation in height or level, unevenness.
diżokkupat aġġ., unemployed.
diżonest aġġ., dishonest, shameless, immodest, dishonourable.
diżonestà n.f., pl. -jiet, dishonesty.
diżonorevoli aġġ., dishonourable, disgraced.
diżordinat aġġ., disordered, disorderly, immoderate, intemperate.
diżordni n.m., pl. -jiet, disorder, confusion.

diżorganizzat aġġ. u p.p., disorganized.
diżorganizzazzjoni n.f., pl. -jiet, disorganisation.
diżorjentament n.m., pl. -i, disorientation.
diżubbidjent aġġ., disobedient.
diżubbidjenza n.f., pl. -i, disobedience.
diżunur n.m., pl. -i, dishonour, shame.
diżunurat aġġ. u p.p., dishonoured, disgraced.
diżutli aġġ., shabbily dressed, untidy, useless, ragged.
djabòliku aġġ., diabolic, diabolical.
djagonali aġġ., diagonal.
djagonalment avv., diagonally.
djagunar n.m, bla pl., diagonal cloth.
djaknu n.m., pl. -i, (ekkl.) deacon.
djakonat n.m., pl. -i, (ekkl.) deaconate, deaconhood, deaconship.
djalett n.m., pl. -i, dialect.
djalettali aġġ., dialectal.
djalèttika n.f., bla pl., (fil.) dialectics.
djalèttiku aġġ., dialectic, dialectical.
djalettoloġija n.f., pl. -i, dialectology.
djalettòlogu n.m., f. -a, pl. -i, dialectologist.
djalogu n.m., pl. -i, dialogue, conversation.
djamant n.m., pl. -i, diamond, (adamant).
djànjosi n.f., pl. -jiet, (med.) diagnosis.
djanjòstiku (med.), diagnostic.
djàpason n.m., bla pl., (muż.) diapason.
djarju n.m., pl. -i, diary.
djaspru n.m., bla pl., (min.) jasper.
djàstoli n.f., bla pl., (med.) diastole.
djatòniku aġġ., (muż.) diatonic.
djavlu n.m., pl. -i, (itt.) devil-fish.
djesis n.f., pl. -jiet, (muż.) sharp.
djief v.IX, *jidjief;* to become tepid.
djieq v.IX, *jidjieq;* to become narrow, strait, close.
djoċesan aġġ., diocesan. ***Isqof ~*** (ekkl.)*;* diocesan bishop.
djoċesi n.f., pl. -jiet, diocese.
djuqija n.f., bla pl., narrowness.
djurn n.m., pl. -i, (ekkl.) breviary.
dkejkna n.f., pl. -iet, small stool.
dlam n.m., pl. -iet, darkness, gloom, obscurity. ***~ ċappa;*** pitch darkness.
dliel n.m.koll., locks.
dliela n.f., pl. -iet, fine girl, (żool.) beetle.
dlieli aġġ., delicate, tender.
dlik n.act., unction, anointing, ointment.
dlonk avv., frequently, often, suddenly.
dlumi aġġ., dark, darkness, dismal.
dment avv., while.
dmija n.pl. ta' ***demm;*** much blood, bloodshed.
dmir n.m., pl. -jiet, duty.
dmugħ n.pl. ta' ***demgħa;*** tears.
dnewwa n.f., pl. -iet, violence, force, harm.
dnub n.m., pl. -iet, sin. ***~ mejjet;*** deadly sin, mortal sin. ***~ tan-nisel;*** original sin. ***~ venjal;*** venial sin.
doblu aġġ., double. ***daqq ~;*** to chime, to peal. ***ħajt ~;*** double wall.
doblun n.m., pl. -i, doubloon.
doċċa n.f., pl. ***doċoċ;*** shower, douche.
doċli aġġ., docile, meek.
doga n.f., pl. -i, academic gown, toga.
dogma n.m., pl. -i, dogma.
dojli n.f., pl. -jiet, doily.
dokk n.m., pl. -ijiet, dock.
dokk n.m., bla pl., duck, canvas.
dokkjard n.f., pl. -s, dockyard.
dokument n.m., pl. -i, document.
dokumentarju n.m., pl. -i, documentary.
dokumentazzjoni n.f., pl. -jiet, documentation.
dolċerija n.f., pl. -i, confectionery.
dolċier n.m., pl. -a, confectioner.
dolf n.m.koll., (bot.) plantan.
dollaru n.m., pl. -i, dollar.
dollieġħa n.f., pl. -t, koll. ***dollieġħ;*** (bot.) water-melon.
doloruż aġġ., painful, sorrowful.
dolożament avv., (leg.) fraudulently.
domanda n.f., pl. -i, (parl.) question, (leg.) claim.
domandat aġġ. u p.p., (parl.) questioned.
domaskina n.f., pl. -i, (bot.) damson.
domatur n.m., f. -a, -atriċi, pl. -i, tamer, subduer.
domenikali aġġ., domenical, of Sunday.
domèstiku aġġ., domestic.
domiċilju n.m., pl. -i, (leg.) domicile.
dominanti aġġ., dominant, prevailing.
dominat aġġ. u p.p., dominated.
dominatur n.m., f. -a, -triċi, pl. -i, dominator, ruler.
dominazzjoni n.f., pl. -jiet, domination.
dominju n.m., pl. -i, dominion.
dominò n.m., pl. -jiet, (logħ.) dominoes.
domma n.f., pl. -i, dogma.
dommatika n.f., pl. -i, dogmatics.
dommatikament avv., dogmatically.
dommatiku aġġ., dogmatic.
domna n.f., pl. -i, medal.
don n.m., pl. -i, gift, present.
donatarju n.m., f. -a, pl. -i, (leg.) donee.
donattiv n.m., pl. -i, (leg.) donative.
donatur n.m., f. -atriċi, pl. -i, (leg.) donor, giver. ***~ tad-demm;*** blood donor.
donazzjoni n.f., pl. -jiet, (leg.) donation.

doppjament avv., doubly.
doppju aġġ., double. ***bniedem ~;*** double face. ***jara ~;*** to see double.
dorga n.f., pl. ***dorog;*** pitcher.
dormitorju n.m., pl. -i, dormitory.
dorsali aġġ., (med.) dorsal. ***spina ~;*** (anat.) spine.
dossoloġija n.f., pl. -i, (ekkl.) doxology.
dota n.f., pl. -i, dowry.
dotazzjoni n.f., pl. -jiet, (leg.) endowment, dotation, dowry.
dott n.m., pl. -ijiet, (itt.) stonebass.
dottorat n.m., pl. -i, doctorship, doctorate.
dottoressa n.f., pl. -i, woman doctor, woman graduate.
dottrina n.f., pl. -i, doctrine.
dottrinarju n.m., f. -a, pl. -i, doctrinarian, doctrinaire.
dover n.m., pl. -i, duty. ***għamel id-~;*** to do one's duty. ***vittma tad-~;*** victim to his duty.
dovut aġġ. u p.p., due. ***ammont ~;*** amount due.
downat n.m., pl. -s, dough-nut.
doxxa n.f., pl. -i, douche, shower.
doża n.f., pl. -i, (med.) dose. ***żied id-~;*** to aggravate the matter.
dqiq n.m., bla pl., flour, meal. ***~ tal-qamħ-ir-rum;*** Indian meal.
drabi n.pl. ta' ***darba;*** times, sometimes, seldom. ***bosta ~;*** very often. ***wisq ~;*** often, frequently. ***xi ~;*** sometimes.
draċena n.f., pl. -i, (bot.) dragon-tree.
draft n.f., pl. -ijiet,-s, draught, draft, rough sketch.
draft n.m., bla pl., (logħ.) draughts.
dragant n.m., pl. -i, (mar.) wing-transom.
dragg n.m., pl. -s, drug.
draggpuxer n.m., pl. -s, drug pusher.
dragun n.m., pl. -i, dragon.
dragunett n.m., pl. -i, (itt.) common dragonet.
drajer n.m., pl. -s, hair-drier.
drajja n.f., pl. -iet, (mar.) stay.
drajver n.m., pl. -s, driver.
dramer n.m., pl. -s, drummer, player of drums.
dramm n.m., pl. -i, (teatr. u lett.), play, drama.
drammatikament avv. (teatr.) dramatically.
drammàtiku aġġ., drammatic.
drammaturgu n.m., pl. -i, dramatist, play wright.
dranaġġ n.m., pl. -i, drainage.
drapp n.m., pl. -iet, cloth, stuff, fabric.
drapperija n.f., pl. -i, drapery.
drappier n.m., f. u pl. -a, draper.
drastikament avv., drastically.
dràstiku aġġ., drastic.
drawwa n.f., pl. -iet, habit, use, custom. ***~ ħażina;*** bad habit. ***~ tajba;*** good habit, good breeding.
drèdnot n.m., pl. -ijiet, (mil. nav.) dreadnought.
drèser n.f., pl. -s, dresser, kitchen sideboard. ***ħerdrèser;*** hair dresser.
dresingawn n.f., pl. -s, dressing-gown.
dresingrùm n.f., pl. -s, dressing-room.
drib n.act., wounding.
driegħ n.m., pl. ***dirgħajn;*** arm. ***~ tal-moħriet;*** plough-tail.
drill n.m., pl. -ijiet, drill, gymnastics, drill, coarse twiled linen or cotton.
driller n.m, pl. -s driller.
drink n.m., pl. -s, drink.
dripp n.m., pl. -s, blood transfusion.
dris n.act., threshing.
dritt aġġ. u n.m., pl. -jiet, directly, right, reason. ***~ tad-dwana;*** tax, duty.
drizza n.f., pl. -i, (mar.) halyard. ***~ tal-majjistral;*** main gear. ***~ tat-trinkett;*** fore gear. ***~ tal-pik;*** gaff halyard.
dro n.m, pl. -jiet, (logħ.) draw.
droga n.f., pl. -i, (med.) drug.
drogat aġġ. u p.p., (med.) drugged.
drogier n.m., f. u pl. -a, (med.) druggist.
dromedarju n.m., pl. -i, (żool.) dromedary.
dropp n.m., pl. -s, drop.
dsatax n.num., nineteen.
dubbiena n.f., pl. -iet., koll. ***dubbien, dbieben;*** (żool.) fly.
dubbjuż aġġ., doubful, dubious, suspicious.
dubitattiv aġġ., dubitative.
dubju n.m., pl. -i, doubt.
dublett n.f., pl. ***dbielet;*** skirt, gown.
dublun n.m., pl. -i, doubloon.
duda n.f., pl. -iet, koll. ***dud, dwied;*** worm. ***~ tal-ful;*** mite. ***~ tal-ġobon;*** cheese-mite. ***~ tal-ħarir;*** silk worm. ***~ tal-kromb;*** grub. ***~ tal-qamħ;*** weevil. ***~ tar-ras;*** louse.
dugħ n.m., pl., ***dwiegħ;*** stave, ribband.
duħħan n.m., pl. ***dħaħen;*** smoke.
duka n.m., f. -essa, pl. -i, duke, (f. duchess).
dukali aġġ., ducal.
dukat n.m., pl. -i, dukedom, ducat.
dukessa n.f., pl. -i, duchess.
dukkâr n.m.koll., (bot.) wild fig.
dulepp n.m., pl. ***dwieleb;*** bolter, bolting hutch.

dullieġħa ara **dollieġħa**.
dulluvju ara **dilluvju**.
dulur n.m., pl. -i, pain, sorrow.
Dumnikan n.m., f. -a, pl. -i, Domenican.
dundjan n.m., f. -a, pl. -i, (ornit.) turkey.
duplikat aġġ., u p.p., duplicate.
duplikatur n.m., pl. -i, duplicator.
duplikazzjoni n.f., pl. -jiet, duplication.
duqqajs n.m.koll., hive, bee-hive.
duqqajsa n.f., pl. -iet, queen bee.
dura n.f., pl. -iet, hut.
durbies n.m., pl. ***driebes;*** (żool.) lion.
durrajsa n.f., pl. -iet, koll. ***durrajs;*** (ornit.) corn bunting. ***~ bajda;*** snow bunting. ***~ qastnija;*** rustic bunting. ***~ qerqnija;*** little bunting. ***~ ta' rasha sewda;*** black-headed bunting. ***~ safra;*** yellow bunting. ***~ tannord;*** lapland bunting.
dussies n.m., pl. -iet, spindle.
dutrina ara **dottrina**.
duttur n.m., f. ***dottoressa;*** pl. -i, doctor.
duwa n.f., pl. -t, medicine.
duwàl n.m., pl. -i, (gram.) dual.
duwaliżmu n.m., pl. -i, dualism.
duwodenali aġġ., (anat.) duodenal.
duwodenu n.m., bla pl., (anat.) duodenum.
dverna n.f., pl. -i, tavern, chop-house.
dwal v.IX, to grow bright, to become luminous, to lighten, to brighten. ***għajnejh dwalu bil-ferħ;*** his eyes brightened with joy.
dwana n.f., pl. -i, customs, custom-house.
dwanier n.m., pl. -i, collector of customs, customs agent.
dwar n.pl., ta' ***dawr;*** surroundings, about, round about.
dwar avv., about, near about.
dwejjaq n.pl., ta' ***diqa;*** sadness, worries.
dwejra n.f., pl. -iet, small house, cottage.
dwell n.m., pl. -ijiet, duel.
dwellant aġġ. u p.preż. duelling.
dwellist n.m., pl. -i, duellist.
dwett n.m., pl. -i, (mużż.) duet.

Ee

E ***e il-ħames ittra ta' l-alfabett Malti u t-tieni waħda mill-vokali;*** the fifth letter of the Maltese alphabet and the second of the vowels.
ebbenist n.m., f. -a, pl. -i, ebonist, cabinet maker.
èbbanu n.m., pl. -i, (bot.) ebony.
ebbeni inter., well, well then.
ebda pron., none, nobody.
ebdomodarju aġġ., (ekkl.) hebdomodal.
ebete aġġ., dull, stupid, blockhead.
ebete n.kom., pl. -i, feeble-minded person.
ebrajiżmu n.m., pl. -i, Hebraism.
ebrajk aġġ., Hebraic, Jewish.
ebrajk n.m., f. -a, pl. -i, Hebrew.
ebusija n.m., pl. -i, hardness. ***~ ta' ras;*** obstinacy.
eċċeda/eċċieda v.t., ***jeċċedi;*** to exceed.
eċċellenti aġġ., excellent.
eċċellenza n.f., pl. -i, excellence.
eċċentriċità n.f., pl. -jiet, eccentricity.
eċċentriku aġġ., eccentric.
eċċepixxa v.t., ***jeċċepixxi;*** (leg.) to except, to object.
eċċess n.m., pl. -i, excess.
eċċessiv aġġ., excessive.
eċċetra n.f., pl. -i, and so on.
eċċettwa v.t., ***jeċċettwa;*** to except.
eċċettwat aġġ., excepted.
eċċezzjonali aġġ., exceptional.
eċċezzjoni n.f., pl. -jiet, exception.
eċċita v.t., ***jeċċita;*** to excite, to provoke. ***jeċċita ruħu ħafna waqt l-eżami;*** he gets too excited during the examination.
eċċitabbli aġġ., excitable, excited, nervous.
eċċitament n.m., pl. -i, excitement.
eċċitanti aġġ., exciting.
eċċitat aġġ. u p.p., excited.
edìfika v.t., to edify.
edifikanti aġġ. u p.preż., edifying.
edifikat aġġ. u p.p., edified.
edifikazzjoni n.f., pl. -jiet, edification.
edifizzju n.m., pl. -i, edifice.
editorjal n.m., pl. -i, editorial.
editorjali aġġ., editorial.
editt n.m., pl. -i, (leg.) edict.
editur n.m., f. -triċi, pl. -i, editor.
edizzjoni n.f., pl. -jiet, edition.
edoniżmu n.m., pl. -i, hedonism.
èduka v.t., ***jeduka;*** to educate, to train, to bring up. ***ommu edukatu ħafna fi tfulitu;*** his mother brought him up very well in his childhood.
edukat aġġ. u p.p., polite, educated.
edukatament avv., politely.
edukatur n.m., f. -a, -triċi, pl. -i, educator.
edukazzjoni n.f., pl. -jiet, education.
effemèridi n.f., pl. -jiet, ephemerides.
effemina v.t., ***jeffemina;*** to make effeminate.
effeminat aġġ., effeminate.
effervexxenti aġġ., (med.) effervescent.
effervexxenza n.f., pl. -i, (med.) effervescence.
effett n.m., pl. -i, effect.
effettiv aġġ., effective.
effettivament avv., effectively.
effettwa v.t., ***jeffettwa;*** to effectuate, to effect, to carry into effect. ***dan ma jeffettwax il-pjan tagħna;*** this does not effect our plan.
effettwabbli aġġ., that may be carried into effect.
effettwazzjoni n.f., pl. -jiet, effectuation.
effiċjenti aġġ., efficient.
effiċjenza n.f., pl. -i, efficiency.
effikaċi aġġ., effectual, efficacious.
effikaċja n.f., bla pl., efficaciousness, efficacy.
effìmeru aġġ., (med.) ephemeral, transitory.
effużjoni n.f., pl. -jiet, effusion.
eġemonija n.f., pl. -i, hegemony.
eġemòniku aġġ., hegemonic.
eġittoloġija n.f., bla pl., Egyptology.
Eġizzjan n.m., f. -a, pl. -i, Egyptian.
ègloga n.f., pl. -i, (lett.) elogue.
egoist n.m., f. -a, pl. -i, selfish person, egoist.
egoiżmu n.m., pl. -i, selfishness.
egwali aġġ., equal.
egwalità n.f., pl. -jiet, equality.
egwalizza v.t., ***jegwalizza;*** to equalize.

egwaljanza n.f., pl. -i, equality.
egħref aġġ.komp., wiser, more learned.
egħżeż aġġ.komp., dearer, more dear.
eħfef aġġ.komp., easier, lighter.
eħla ara **oħla**.
eħnen aġġ.komp., kinder, more merciful.
eħrex aġġ.komp., fiercer, more cruel.
eħxen aġġ.komp., thicker, fatter.
eħżen aġġ.komp., worse.
ej inter., hello!
èjbes aġġ.komp., harder.
ejja v., come.
ekatombi n.f., pl. (id.) hetacomb.
ekkìmożi n.f., pl. -jiet, (med.) ecchimosis.
ekkleżjali aġġ., ecclesial.
ekkleżjastikament avv., ecclesiastically.
ekkleżjastiku aġġ., ecclesiastic.
ekklissa v.t., ***jekklissa;*** to eclipse.
ekklissat aġġ. u p.p., eclipsed.
ekklissi n.f., pl. -jiet, eclipse.
ekku avv., here, behold, look.
eklèttiku aġġ., (filos.) ecclectic.
eklìttika n.f., pl. -i, (astron.) ecliptic.
ekonomija n.f., pl. -i, economy.
ekonomikament avv., economically.
ekonòmiku aġġ., economic.
ekonomista n.kom., pl. -i, economist.
ekonomizza v.t., ***jekonomizza;*** to economize.
ekonomizzat aġġ. u p.p., economized.
ekònomu n.m., f. -a, pl. -i, steward, bursar.
ekra n.f., pl. -iet, (ornit.) siskin.
ekspert n.mm., pl. -s, expert.
ekumèniku aġġ., (ekkl.) Ecumenical. ***Konċilju ~;*** Ecumenical Council.
ekumeniżmu n.m., pl. -i, (ekkl.) ecumenism.
ekwanimità n.f., pl. -iet, equanimity.
ekwatorjali aġġ., equatorial.
ekwatur n.m., pl. -i, (ġeog.) equator.
ekwazzjoni n.f., pl. -jiet, equation.
ekwestri aġġ., equestrian.
ekwilateru aġġ., equilateral.
ekwilibrat aġġ., even-minded, well-balanced.
ekwilibrazzjoni n.f., pl. -jiet, balance, balancing.
ekwilibriju n.m., pl. -i, equilibrium, balance.
ekwilibrist n.m., f. -a, pl. -i, acrobat, equilibrist, rope-dancer.
ekwinozjali aġġ., (astro.) equinoctial.
ekwinozju n.m., pl. -i, (astro.) equinox.
ekwipaġġ n.m., pl. -i, (mar.) crew.
ekwivalenti aġġ., equivalent.
ekwivokament avv., equivocally.
ekwivoku n.m., f. -a, pl. -ċi, equivocation, misunderstanding.
ekwivoku aġġ., equivocal.
ekżema n.f., pl. -i, (med.) eczema.
ekżost n.m., bla pl., exhaust.
elaborat aġġ., elaborate.
elaborazzjoni n.f., pl. -jiet, elaboration.
elastiċità n.f., pl. -jiet, elasticity, springiness.
elastikament avv., elastically.
elàstiku aġġ., elastic.
eleġġa v.t., ***jeleġġi;*** to elect. ***~ lil xi ħadd għal xi uffiċċju;*** he elected a person to an office.
eleġibbli aġġ., (parl.) eligible.
eleġija n.f., pl. -i, (lett.) elegy.
eleġijaku aġġ., (lett.) elegiac.
elegantement avv., elegantly.
eleganti aġġ., elegant.
eleganza n.f., pl. -i, elegance.
elektrixin n.m., pl. -s, electrician.
element n.m., pl. -i, (fiż.) element.
elementari aġġ., elementary.
elemożina n.f., pl. -i, alms, charity.
elemożinier n.m., pl. -i, (ekkl.) almoner.
elenka v.t., ***jelenka;*** to make a list, to list.
elenku n.m., pl. -i, list, catalogue.
elett aġġ. u p.p., elected, chosen.
elettiv aġġ., elective.
elettorali aġġ., electoral.
elettorat n.m., pl. -i, electorate.
elettriċista n.m., pl. -i, (tekn.) electrician.
elettriċità n.f., pl. -jiet, electricity.
elettronika n.f., pl. -i, electronics.
elèttriku aġġ., electric.
elettriku n.m., bla pl., electricity.
elettrizza v.t., ***jelettrizza;*** to electrify.
elettrizzazzjoni n.f., pl. -jiet, charging with electricity, electrization.
elettronika n.f., bla pl., electronics.
elettroskopju n.m., pl. -i, (fiż.) electroscope.
elettur n.m., f. -a, pl. -i, elector.
èleva v.t., ***jeleva;*** to elevate, to lift up, to erect, to pick up. ***il-pulizija elevat l-arma mill-post tad-delitt;*** the police picked up the weapon from the site of the crime.
elevament n.m., pl. -i, elevation, raising. ***mandat ta' ~;*** (leg.) distraint.
elevat aġġ. u p.p., elevated.
elevazzjoni n.f., pl. -jiet, (ekkl.) elevation.
elevejter n.m., pl. -s, elevator.
elezzjoni n.f., pl. -jiet, election.
elf n.num., pl. ***eluf;*** thousand, one thousand.
elieġa ara **eleġġa**.
eliġibbiltà n.f., pl. -jiet, eligibility.
elìmina v.t., ***jelimina;*** to eliminate, to suppress. ***~ kull suspett fuqu;*** he removed every suspect upon him.

eliminat aġġ. u p.p., eliminated.
eliminazzjoni n.f., pl. -jiet, elimination.
eliżìr n.m., pl. -ijiet, elizir.
eliżjoni n.f., pl. -jiet, (gram.) elision.
eljografija n.f., pl. -i, heliography.
eljògrafu n.m., pl. -i, heliograph.
ellenista n.kom., pl. -i, Hellenist.
elleniżmu n.m., pl. -i, hellenism.
elmu n.m., pl. -ijiet, helmet.
eloġju n.m., pl. -i, eulogy.
elokuzzjoni n.f., pl. -jiet, elocution.
elokwenti aġġ., eloquent.
elokwenza n.f., pl. -i, eloquence.
eluċidazzjoni n.f., pl. -ijiet, elucidation.
eluda v.t., ***jeludi;*** to elude.
emàncipa v.t., ***jemanċipa;*** to emancipate.
emanċipat aġġ. u p.p., emancipated.
emanċipazzjoni n.f., pl. -jiet, (leg.) emancipation.
emblema n.f., pl. -i, emblem, symbol.
emblemàtiku aġġ., emblematic.
èmbolu n.m., pl. -i, (med.) embolus.
embrijoloġija n.f., pl. -i, embryology.
embrijon n.m., pl. -i, embryo.
emenda v.t., ***jemenda;*** to amend. ***il-gvern ~ din il-liġi;*** the government amended this law.
emendament n.m., pl. -i, (parl.) amendment.
emendat aġġ. u p.p., emended.
emerġenza n.f., pl. -i, emergency.
emèritu aġġ., emeritus.
èmigra v.t., ***jemigra;*** to emigrate. ***ħafna Maltin emigraw lejn l-Awstralja;*** many Maltese emigrated to Australia.
emigrant n.m., f. -a, pl. -i, emigrant.
emigrat aġġ. u p.p., emigrant.
emigrazzjoni n.f., pl. -jiet, emigration.
emikranja n.f., pl. -i, (med.) migraine, strong headache, hemicrania.
eminenti aġġ., eminent.
eminenza n.f., pl. -i, (ekkl.) eminence.
emìr n.m., pl. -i, emir.
emisferu n.m., pl. -i, hemisphere.
emissarju n.m., f. -a, pl. -i, emissary.
emissjoni n.f., pl. -jiet, emission.
emmen v.II., ***jemmen;*** to believe. ***~ kull ma qallu ibnu;*** he believed whatever his son told him.
emmien n.m., f. u pl. -a, believer.
emmna n.f., bla pl., faith.
emmnut aġġ. u p.p., believed.
emolumenti n.m., pl. bla s., emoluments.
emorreġija n.f., pl. -i, (med.) haemorrhage, hemorrage.
emorrojdi n.pl. bla s., (med.) haemorroids, hemorrhoids.
emozzjonanti aġġ., moving, thrilling, exciting, touching.
emozzjonat aġġ. u p.p., moved, agitated.
emozzjoni n.f., pl. -jiet, emotion, agitation, excitement.
empìriku aġġ., empirical.
empjetà n.f., bla pl., impiety.
empju aġġ., impious.
èmula v.t., ***jemula;*** to emulate.
emulatur n.m., f. -a, pl. -i, emulator.
emulazzjoni n.f., pl. -jiet, emulation.
emulsjoni n.m., pl. -jiet, (med.) emulsion.
ènamel n.m., bla pl., enamel.
enċiklika n.f., pl. -i, (ekkl.) encyclical letter.
enċiklopèdija n.f., pl. -i, encyclopaedia.
enċiklopediku aġġ., encyclopaedic.
enċiklopedist n.m., f. -a, pl. -i, encyclopaedist.
endekasìllabu n.m., pl. -i, hendecasyllabic.
endorsja v.i., ***jendorsja;*** to endorse. ***mur għidlu jendorsja dan iċ-ċekk;*** go and ask him to endorse this cheque.
enèma n.f., pl. -i, (med.) enema.
enerġija n.f., pl. -i, energy. ***~ atomika;*** atomic energy.
enerġikament avv., energically.
enèrġiku aġġ., energetic.
energùmenu n.m., pl. -i, energumen, wild creature.
ènfasi n.f., pl. -jiet, emphasis.
enfasizza v.t., ***jenfasizza;*** to emphasize.
enfatikament avv., emphatically.
enfàtiku aġġ., emphatic.
enfitewsi n.f., pl. -jiet, (leg.) emphyteusis.
enfitèwta n.f., pl. -i, (leg.) emphyteuta.
enfitèwtika aġġ., (leg.) emphyteutical.
enigma n.f., pl. -i, enigma, riddle.
enigmatikament avv., enigmatically.
enormement avv., enormously.
enormi aġġ., huge, enormous.
enormità n.f., pl. -jiet, enormity, enormousness, hugeness.
enterite n.f., pl. -jiet, (med.) enteritis.
entità n.f., pl. -jiet, entity.
entomoloġija n.f., pl. -i, entomology.
entomòlogu n.m., f. -a, pl. -i, entomologist.
entrata ara **intrata**.
entratura n.f., pl. -i, entrance.
entużjasta n.kom., pl. -i, enthusiast.
entużjastikament avv., enthusiastically.
entużjàstiku aġġ., enthusiastic.
entużjażma v.t., ***jentużjażma;*** to enthuse, to enrapture. ***id-diskors tiegħu jentużjażma lil kulħadd;*** his speeches enthuse everybody.

entużjażmat aġġ. u p.p., enraptured, enthused.
entużjażmu n.m., pl. -i, enthusiasm.
enùmera v.t., ***jenumera;*** to enumerate.
enumeratur n.m., pl. -i, enumerator.
enumerazzjoni n.f., pl. -jiet, enumeration.
envelop ara **invilopp**.
enżim n.m., pl. -i, (kim.) enzyme.
epatta n.f., bla pl., (astro.) epact.
epiċentru n.m., pl. -i, (ġeog.) epicentre, epicentrum.
epidemija n.f., pl. -i, epidemic.
epidèmiku aġġ., epidemic(al).
Epifanija n.f., pl. -i, (ekkl.) Epiphany.
epìgrafi n.f., pl. -jiet, (lett.) epigraph, inscription.
epigrafija n.f., pl. -i, epigraphy.
epigràfiku aġġ., epigraphic.
epigrafista n.kom., pl. -i, epigraphist.
epigramm n.m., pl. -i, (lett.) epigram.
epigrammatiku aġġ., epigrammatic.
epigrammista n.kom., pl. -i, epigrammist.
èpika n.f., pl. -i, (lett.) epic.
èpiku aġġ., (lett.) epic, epic poetry.
epikurew aġġ., epicurean.
epilessija n.f., pl. -i, (med.) epilepsy.
epilèttiku aġġ., epileptic.
epìlogu n.m., pl. -i, (lett.) epilogue.
episkopali aġġ., (ekkl.) episcopal.
episkopat n.m., pl. -i, (ekkl.) episcopate, episcopacy.
episodju n.m., pl. -i, (lett.) episode.
epistola n.f., pl. -i, (ekkl.) epistle.
epistolarju n.m., pl. -i, (lett.) letters, collection of letters.
epitaffju n.m., pl. -i, epitaph.
epitòm n.m., pl. -i, (lett.) epitome.
èpoka n.f., pl. -i, epoch, era.
epopea n.f., pl. -ej, (lett.) epopee.
eppùre avv., yet, however, nevertheless.
èqdem aġġ.komp., older, more ancient.
èqqel aġġ.komp., more fierce, fiercer, terrible.
èqras aġġ.komp., sourer.
èqreb aġġ.komp., nearer. ***l-~ demm;*** next of kin.
èqregħ aġġ.komp., balder.
èqsar aġġ.komp., shorter.
era n.f., pl. -i, era, epoch. ***~ nisranija;*** Christian era.
erbarju n.m., pl. -i, herbarium.
erbatax n.num., fourteen.
erbgħa n.num., four. ***l-~;*** Wednesday. ***l-~ ta' l-Irmied;*** Ash Wednesday.
erbgħi aġġ., quaternary.
erbgħin n.num., forty.
eredi n.kom., (id.) (leg.) heir, (f. heiress).
eredità n.f., pl. -jiet, (leg.) inheritance.
ereditarju n.m., f. -a, pl. -i, hereditary.
eremit n.m., f. -a, pl. -i, hermit, anachorite.
eremitaġġ n.m., pl. -i, hermitage.
éretikali aġġ., heretical.
erètiku n.m., f. -a, pl. -ċi, heretic.
erett aġġ. u p.p., erect, erected.
erezzjoni n.f., pl. -jiet, erection, building.
ereżija n.f., pl. -i, heresy.
ereżjarka n.kom., pl. -i, heresiarch.
erħa n.f., pl. ***erieħ;*** (żool.) heifer. ***~ tal-ftam;*** sucking calf.
erħostes n.f., pl. -is, air hostess.
erja n.f., pl. -s, area.
erjal n.m., pl. -s, aerial.
erkondixxiner n.m., pl. -s, air conditioner.
erletter n.f., pl. -s, air letter.
ermafrodit n.m., f. -a, pl. -i, hermaphrodite.
ermellin n.m., pl. -i, (żool.) ermine.
ermètiku aġġ., hermetic.
ernja n.f., pl. -i, (med.) hernia, rapture.
eroina n.f., bla pl., (med.) heroin.
eroj n.m., pl. id, hero.
erojiżmu n.m., pl. -i, heroism.
erojkament avv., heroically.
erojku aġġ., heroic. ***poeżija erojka;*** heroic verse.
erotiku aġġ., (lett.) erotic.
erożjoni n.f., pl. -jiet, erosion.
erpokit n.m., pl. -s, air pocket.
erranti aġġ., errant. ***kavallier ~;*** knight errant.
erràtiku aġġ., erratic.
errejd n.m., pl. -is, air-raid.
erronjament avv., erroneously, by mistake.
erronju aġġ., erroneous.
errur n.m., pl. -i, error, mistake.
erudit aġġ., learned, erudite.
erudizzjoni n.f., pl. -jiet, erudition, learning.
eruzzjoni n.f., pl. -jiet, eruption.
esàġera v.t., ***jesaġera;*** to exaggerate. ***ma għandekx tesaġera l-periklu;*** you must not exaggerate the danger.
esaġerat aġġ. u p.p., exaggerated.
esaġeratament avv., exaggeratedly.
esaġerazzjoni n.f., pl. -jiet, exaggeration.
eseġeta n.kom., pl. -i, (lett.) exegete, exegetist.
eseġetika n.m., bla pl., (teol.) exegesis, exegetics.
eseġetiku aġġ., exegetic.
eseġeżi n.f., bla pl., (lett.) exegesis.
esegwibbli aġġ., executable.
esegwit aġġ. u p.p., executed.

esegwixxa v.t., ***jesegwixxi;*** to execute, to perform, to carry out. **~ *biċċa mużika tassew sabiħa;*** he performed a very beautiful piece of music.
esekrabbli aġġ., execrably, abominable, detestable.
esekuttiv aġġ., executive, (leg.) executory.
esekutur n.m., f. -a, pl. -i, (leg.) executor.
esekuzzjoni n.f., pl. -jiet, execution.
esibit aġġ. u p.p., exhibited.
esibitur n.m., f. -a, pl. -i, exhibitor.
esibixxa v.t., ***jesibixxi;*** to exhibit. **~ *l-pittura tiegħu fis-sala l-kbira;*** he exhibited his paintings in the big hall.
esibizzjoni n.f., pl. -jiet, exhibition.
esiġa v.t., ***jesiġi;*** to exact, to expect, to require. ***intom tesiġu wisq minn għandu;*** you expect too much of him.
esiġenti aġġ. u p.preż., exigent.
esiġenza n.f., pl. -i, exigence, exigency.
eskalejter n.m., pl. -s, escalator.
eskatoloġija n.f., pl. -i, (teol.) escathology.
eskavejter n.m., pl. -s, excavator.
eskimiż n.m., f. -a, pl. -i, eskimo.
esklama v.t., ***jesklama;*** to exclaim.
esklamattiv aġġ., (gram.) exclamatory.
esklamazzjoni n.f., pl. -jiet, exclamation.
eskluda v.t., ***jeskludi;*** to exclude, to reject. ***il-bord mill-ewwel* ~ *l-proġett tiegħu;*** the board rejected his project at once.
eskluż aġġ. u p.p., excluded.
eskluživ aġġ., exclusive.
eskluživament avv., exclusively.
eskuživitá n.f., pl. -jiet, exclusiveness.
eskursjoni n.f., pl. -jiet, excursion.
eskursjonist n.m., f. -a, pl. -i, excursionist.
Èsodu n.Pr., (lett.) Exodus.
esòfagu n.m., pl. -i, (anat.) oesophagus, gullet.
espansiv aġġ., expansive.
espansjoni n.f., pl. -jiet, expansion.
espedizzjoni n.f., pl. -jiet, expedition.
espedjanti aġġ., expedient, suitable.
espedjent n.m., pl. -i, expedient.
espella v.t., ***jespelli;*** to expel, to reject.
esperiment ara **speriment**.
esperjenza n.f., pl. -i, experience.
espert aġġ., experienced, skilled, skilful.
espert n.m., f. -a, pl. -i, expert.
espjazzjoni n.f., pl. -jiet, expiation.
espliċitament avv., explicitly, expressly.
expliċitu aġġ., explicit.
esplojtja v.i., ***jesplojtja;*** to exploit.
esplojtjat aġġ. u p.p., exploited.
esplora v.t., ***jesplora;*** to explore.
esplorat aġġ. u p.p., explored.
esploratur n.m., f. -atriċi, pl. -i, explorer.
esplorazzjoni n.f., pl. -jiet, exploration.
esploživ aġġ., explosive.
esplożjoni n.f., pl. -jiet, explosion.
espona v.t., ***jesponi;*** to expose. ***fil-kappella tas-sorijiet kuljum jesponu 'l Ġesù Sagramentat;*** in the sisters' chapel the Blessed Sagrament is exposed every day.
esponent n.m., f. -a, pl. -i, (leg.) exponent.
esporta v.t., ***jesporta;*** to export. **~ *l-merkanzija tiegħu lejn l-Italja;*** he exported his merchandise to Italy.
esportat aġġ. u p.p., exported.
esportatur n.m., f. -a, -triċi, pl. -i, exporter.
esportazzjoni n.f., pl. -jiet, exportation.
espost aġġ. u p.p., exposed.
espożittiv aġġ., expositive.
espożitur n.m., f. -a, pl. -i, exposer.
espożizzjoni n.f., pl. -jiet, exposition, description, exhibition, show.
espress aġġ. u p.p., precise, explicit, expressed.
espress n.m., pl. -i, express. ***tren* ~;** express train.
espressament avv., expressively.
espressiv aġġ., expressive.
espressjoni n.f., pl. -jiet, expression. **~ *alġebrajka;*** algebraical expression.
esprima v.t., ***jesprimi;*** to express, to utter. **~ *l-opinjoni tiegħu fil-laqgħa;*** he expressed his opinion at the meeting.
esproprja v.t., ***jesproprja;*** to expropriate. ***il-proprjetà tiegħu ġiet esproprjata kollha;*** all his property was expropriated.
esproprjatur n.m., f. -a, pl. -i, dispossessor.
esproprjazzjoni n.f., pl. -jiet, (leg.) expropriation.
espuls aġġ. u p.p., expelled, ejected.
espulsjoni n.f., pl. -jiet, expulsion.
essenza n.f., pl. -i, essence.
essenzjali aġġ., essential.
essenzjalment avv., essentially.
essri n.m., pl. -jiet, being, creature.
èstasi n.f., pl. -jiet, (axx.) ecstasy, rapture.
estàtiku aġġ., ecstatic.
estendibbli aġġ., extendible.
estensiv aġġ., extensive.
estensivament avv., extensively.
estensjoni n.f., pl. -jiet, extension.
estenwanti aġġ., (leg.) exhausting, enfeebling.

estern n.m., pl. -i, external, outer. *angolu ~;* exterior angle.
esterna v.t., *jesterna;* to disclose, to manifest.
esternament avv., externally, outwardly.
èsteru n.m., foreign.
estètika n.f., bla pl., (lett.) aesthetics.
estetikament avv., (lett.) aesthetically.
estètiku aġġ., (lett.) aesthetic(al).
èstimu n.m., pl. -i, estimate.
estint aġġ., extinct.
estinzjoni n.f., pl. -jiet, extinction.
estiż aġġ. u p.p., extensive, extended.
estradizzjoni n.f., pl. -jiet, extradition.
estranju aġġ., extraneous, foreign.
estratt n.m., pl. -i, extract, off-print.
estrazzjoni n.f., pl. -jiet, extraction.
estrem aġġ., extreme.
estremist n.m., f. -a, pl. -i, extremist.
estremità n.f., pl. -jiet, extremity.
estremiżmu n.m., pl. -i, extremism.
estrinsikament avv., extrinsically.
estrinsìku aġġ., extrinsic.
estru n.m., pl. -i, -jiet, whim, freak, inspiration, (med.) fit.
estwarju n.m., pl. -i, (ġeog.) estuary.
età n.f., pl. -jiet, age.
ètere n.m., bla pl., (med.) ether.
etern aġġ., eternal.
eternament avv., eternally.
eternità n.f., pl. -jiet, eternity.
ètika n.f., bla pl., ethics.
etiketta n.f., pl. -i, etiqette.
ètiku aġġ., ethic, ethical.
etimoloġija n.f., pl. -i, etymology.
etimoloġikament avv., etymologically.
etimolòġiku aġġ., etymologic(al).
etimòlogu n.m., f. -a, pl. -i, etymologist.
ètniku aġġ., ethnic, ethnical.
èttiku n.m., f. -a, pl. -tiċi, hectic.
evada v.t., *jevadi;* to evade, to escape. *ma tistax tevadi t-taxxa tad-dħul;* you cannot evade income tax.
evakwa v.t., *jevakwa;* to evacuate. *il-belt ġiet evakwata;* the city was evacuated.
evakwazzjoni n.f., pl. -jiet, evacuation.
evanġelikament avv., (ekkl.) evangelically.
evanġeliku aġġ., (ekkl.) evangelic(al).
evanġelista n.m., pl. -i, (ekkl.) evangelist.
evanġelizza v.t., *jevanġelizza;* to evangelize. *San Franġisk Saverju ~ l-Indja;* Saint Francis Xavier evangelized India.
evanġelizzazzjoni n.f., pl. -jiet, (ekkl.) evangelization.
Evanġelju n.m., pl. -i, (ekkl.) Gospel.
evàpora v.t., *jevapora;* to evaporate. *jekk tħalli l-flixkun miftuħ, jevapora;* if you leave the bottle open, it will evaporate.
evaporazzjoni n.f., pl. -jiet, evaporation.
evażiv aġġ., evasive.
evażivament avv., evasively.
evażjoni n.f., pl. -jiet, evasion.
event n.m., pl. -i, event.
eventwali aġġ., eventual.
eventwalità n.f., pl. -jiet, eventuality.
eventwalment avv., eventually.
evidentement avv., evidently.
evidenti aġġ., evident, clear, plain.
evidenza n.f., pl. -i, evidence, clearness.
èvita v.t., *jevita;* to avoid, to evade, to shun. *ma stajtx nevita li ma nkellmux;* I could not avoid speaking to him.
evitabbli aġġ., avoidable.
èvoka v.t., *jevoka;* to evoke, to evocate.
evokazzjoni n.f., pl. -jiet, evocation.
evolut aġġ. u p.p., evolved.
evoluttiv aġġ., evolutive, evolutional.
evoluzzjoni n.f., pl. -jiet, evolution.
evolva v.t., *jevolvi;* to evolve.
evu n.m., bla pl., age. ***Medju ~;*** Middle Ages.
evviva inter., Hurrah, Long Live.
ew konġ., or, either.
ewfemiżmu n.m., pl. -i, (lett.) euphemism.
ewfonija n.f., pl. -i, (gram.) euphony.
ewfonikament avv., euphonically.
ewfòniku aġġ., (gram.) euphonic.
ewfonju n.m., pl. -i, (muż) euphonium.
ewkaliptus n.m., pl. -i, (bot.) eucalyptus.
Ewkaristija n.f., pl. -i, (ekkl.) Eucharist.
ewkaristiku aġġ., (ekkl.) eucharistic(al).
ewlieni aġġ., first, primary.
ewlillejl avv., eve or night, the evening before.
ewnuku n.m., pl. -i, eunuch.
ewrìtmiku aġġ., eurhythmic.
ewrìtmja n.f., bla pl., eurhythmy.
Ewropa n.Pr., Europe.
Ewropew aġġ., European.
ewtanasja n.f., bla pl., euthanasia, mercy-killing, painless death.
ewwel aġġ.num., first. ***l-~;*** the first.
ewwilla avv., perhaps.
eżagonali aġġ., hexagonal.
eżàgonu n.m., pl. -i, hexagon.
eżalta v.t., *jeżalta;* to exalt, to praise.
eżaltat aġġ. u p.p., exalted.
eżaltazzjoni n.f., pl. -jiet, exaltation.
eżàmetru n.m., pl. -i, (lett.) hexameter.
eżami n.m., pl. -jiet, examination. ***~ tal-kuxjenza;*** examination of conscience. ***~ orali;*** oral examination. ***~ skritt;*** written examination. ***għadda mill-~;*** to pass an

examination. ***weħel mill-~;*** to be rejected in an examination.

eżamina v.t., ***jeżamina;*** to examine. ***għandkom teżaminaw din il-ħaġa bir-reqqa;*** you must examine this matter thoroughly.

eżaminatur n.m., f. -triċi, pl. -i, examiner, inspector, tester.

eżasperazzjoni n.f., pl. -jiet, exasperation, vexation.

eżatt aġġ., exact.

eżattament avv., exactly.

eżattizza n.f., pl. -i, exactness, precision.

eżawriment n.m., pl. -i, exhaustion. ***~ nervuż;*** nervous breakdown.

eżawrit aġġ. u p.p., exhausted, out of print.

eżawrixxa v.t., ***jeżawrixxi;*** to exhaust, to sell out.

eżempju n.m., pl. -i, example, instance. ***per ~;*** for example, for instance.

eżemplari aġġ., exemplary.

eżenta v.t., ***jeżenta;*** to exempt. ***~ mill-eżami lil xi ħadd;*** he exempted somebody from the examination.

eżentat aġġ. u p.p., exempted.

eżenti aġġ., exempted, free.

eżenzjoni n.f., pl. -jiet, exemption.

eżèrċita v.t., ***jeżerċita;*** to exercise, to practise, to exert. ***ġie Malta biex jeżerċita l-professjoni tiegħu;*** he came to Malta to practise his profession.

eżerċitat aġġ. u p.p., trained.

eżerċitu n.m, pl. -i, army.

eżerċizzju n.m., pl. -i, exercise.

eżergu n.m., pl. -i, (lett.) exergue.

eżilja v.t., ***jeżilja;*** to exile, to banish, esiliare. ***kienu eżiljati fi żmien il-gwerra;*** they were exiled during the war.

eżiljat aġġ. u p.p., exiled, banished.

eżilju n.m., pl. -i, exile.

eżista v.t., ***jeżisti;*** to exist.

eżistenti aġġ. u p.preż., existent.

eżistenza n.f., pl. -i, existence.

eżistenzjalista n.kom., pl. -i, existentialist.

eżistenzjaliżmu n.m., pl. -i, existentialism.

èżita v.t., ***jeżita;*** to hesitate.

eżitazzjoni n.f., pl. -jiet, hesitation.

èżitu n.m., pl. -i, (leg.) result, outcome, issue.

Eżodu n.Pr., (ekkl.) Exodus.

eżonera v.t., ***jeżonera;*** to exonerate.

eżorbitanti aġġ., exorbitant.

eżorċista n.m., pl. -i, (ekkl.) exorcist.

eżorċizza v.t., ***jeżorċizza;*** (ekkl.) to exorcize.

eżorċiżmu n.m., pl. -i, (ekkl.) exorcism.

eżordju n.m., pl. -i, exordium, beginning.

eżorta v.t., ***jeżorta;*** to exhort. ***~ t-tifel biex jistudja;*** he exhorted the boy to study.

eżortazzjoni n.f., pl. -jiet, exhortation.

eżuberanti aġġ., exuberant.

eżultanza n.f., pl. -i, exultancy, exultation.

eżuma v.t., ***jeżuma;*** (leg.) to exhume, to unearth.

eżumerazzjoni n.f., pl. -jiet, (leg.) exhumation.

Ff

F ***f is-sitt ittra ta' l-alfabett Malti u r-raba' waħda mill-konsonanti;*** the sixth letter of the Maltese alphabet and the fourth of the consonants.
fabbli aġġ., affable, polite, courteous.
fabbrika n.f., pl. -i, factory.
fabbrikabbli aġġ., that can be fabricated, built. ***sit ~;*** building ground, housing area.
fabbrikant n.m., pl. -i, fabricator, manufacturer.
fabbrikat aġġ. u p.p., built, manufactured, made.
fabbrikazzjoni n.f., pl. -jiet, fabrication.
fabulus aġġ., legendary.
faċċata n.f., pl. -i, facade, front, page.
faċċol aġġ., double faced, hypocritical.
faċenda n.f., pl. -i, job, errand.
faċilità n.f., pl. -jiet, facility.
faċilitat aġġ. u p.p., facilitated.
faċilitazzjoni n.f., pl. -jiet, facilitation.
faċilment avv., easily.
faċli aġġ., easy.
fada v.i., ***jafda;*** to trust, to confide. ***~ f'Alla;*** he trusted in God.
fadal v.i., ***jifdal;*** to remain, to be left. ***~ ftit kopji ta' dan il-ktieb;*** only a few copies of this book are left.
faddal v.II, ***jfaddal;*** to save, to accumulate, to collect. ***faddalt żewġ liri sterlini;*** I have saved two pounds sterling.
faddâl n.m., f. u pl. -a, saver, thrifty man.
fadrappa ara **faldrappa**.
faġan n.m., pl. -i, (ornit.) pheasant. ***~ il-baħar;*** purple gallinule.
faġar v.I, ***jofġor;*** to bleed at the nose.
faġġaġ v.II, ***jfaġġaġ;*** to show off, to flaunt.
faġra n.f., pl. -iet, (med.) epitaxis, bleeding from the nose, haemorrhage.
faġun avv., abundantly, plentifully.
faga v.I, ***jifga;*** to suffocate.
fagott n.m., pl. -i, (muż.) bassoon.
fagottist n.m., f. -a, pl. -i, (muż.) bassoonist.
fagu n.m.koll., (bot.) beech.
faħal n.m., pl. ***fħula, fħul;*** stallion, heap of grain, very strong man.
faħam n.koll., f., ***faħma,*** pl. -iet, coal, charcoal. ***~ tal-ħaġra;*** coal.
faħħal v.II, ***jfaħħal;*** to rear as a stallion, to feed well, to fatten.
faħħam v.II, ***jfaħħam;*** to carbonize.
faħħâm n.m., f. u pl. -a, coalman, dealer in coal.
faħħar v.II, ***jfaħħar;*** to praise, to glorify, to honour. ***ma nistax infaħħarkom għal dak li għamiltu;*** I cannot praise you for what you have done.
faħħâr n.m., f. u pl. -a, praiser, boastful.
faħħari aġġ., laudative.
faħħax v.II, ***jfaħħax;*** to speak immodestly, indecently.
faħmi aġġ., carbonaceous.
faħx n.act., obscenity.
faħxi aġġ., obscene, filthy.
fajberglass n.f., pl. -is, fibre-glass.
fajerenġin n.f., pl. -s, fire-engine.
fajermen n.m., pl. -jiet, fireman.
fajjar v.II, ***jfajjar;*** to fire, to discharge, to sling.
fajjenza n.f., pl. ***fajjenez;*** faience, crock pottery, painted earthenware.
fajl n.m., pl. -s, -ijiet, file.
fajljar n.act., filing.
fajnal aġġ., (logħ.) final.
fajter n.m., pl. -s, fighter.
fakar v.I, ***jifkar;*** to remember.
fakir n.m., pl. -i, fakir.
fakkar v.II, ***jfakkar;*** to remind, to memorize.
fakkâr n.m., f. u pl. -a, reminder, remembrancer.
fakkari aġġ., reminiscent, memorable.
fakkin n.m., pl. -i, porter.
fakkinata n.f., pl. -i, vulgarity.
fakra n.f., pl. -iet, memory, remembrance.
faksìmile n.m., bla pl., facsimile, exact copy.
faktotum n.m., bla pl., factotum.
fakultà n.f., pl. -jiet, faculty, authority. ***~ mentali;*** mental faculty.
fakultattiv aġġ., optional.
fakultuż aġġ., wealthy, opulent, powerful.
falanġi n.f., pl. (id.) (anat.) phalanx.

falda n.f., pl. -i, brim, flap. ~ ***tal-laħam;*** slice. ~ ***ta' libsa;*** flap. ~ ***ta' muntanja;*** slope. ~ ***ta' kappell;*** brim.
faldistorju n.m., pl. -i, (ekkl.) faldstool.
faldrappa n.f., pl. -i, caparison, hearse-cloth.
falka n.f., pl. -i, ***falak;*** scaffold.
falkett n.m., pl. -i, (ornit.) sparrow hawk.
falkun n.m., pl. -i, (ornit.) falcon.
falkunier n.m., f. u pl. -a, falconer.
falla v.II, ***jfalli;*** to become bankrupt, to absent oneself.
falla n.f., pl. -iet, (mar.) leak.
fallaċi aġġ., fallacious.
fallakka n.f., pl. -i, plank.
fallar n.act., failure.
fallaz v.II, ***jfallaz;*** to falsify.
fallazi aġġ., forger, counterfeiter.
fallibbli aġġ., fallible, liable to err.
falliment n.m., pl. -i, bankrupt, bankrupcy, failure.
fallut aġġ. u p.p., bankrupt.
falsifikat aġġ. u p.p., falsified.
falsifikazzjoni n.f., pl. -jiet, falsification, forgery.
falsità n.f., pl. -jiet, falseness, falsity.
falz aġġ., false, counterfeit, forged. ***alla ~;*** idol. ***firma falza;*** forged signature. ***ġurament ~;*** perjury. ***munita falza;*** false coin. ***profeta ~;*** false prophet.
falza n.f., bla pl., scald-head.
falzament avv., falsely.
falzariga n.f., pl. -i, guide rule.
falzarju n.m., f. -a, pl. -i, forger.
falzett n.m., (mużż.) falsetto.
fama n.f., bla pl., fame, reputation. ***dar ~;*** brothel.
familja n.f., pl. -i, family. ***is-Sagra ~;*** the Holy Family. ~ ***kbira;*** large family. ~ ***reliġjuża;*** religious family.
familjari aġġ., familiar.
familjarità n.f., pl. -iet, familiarity.
familjarizzat aġġ. u p.p., familiarized.
familjarment avv., familiarly.
famuż aġġ., famous, renowned.
fanal n.m., pl. -i, lantern. ~ ***tal-karta;*** chinese lantern. ~ ***tal-poppa;*** stern light.
fanatikament avv., fanatically.
fanàtiku aġġ., fanatic(al).
fanatiżmu n.m., pl. -i, fanatism.
fanerògrama n.f., pl. -i, (bot.) phanerogram.
fanfara n.f., pl. -i, fanfare.
fanfarun n.m., f. -a, pl. -i, boaster, braggant.
fanfarunata n.f., pl. -i, fanfaronade.
fanfru n.m., pl. -i, (itt.) pilot fish.
fann n.m., pl. -ijiet, fan.
fannad v.II, ***jfannad;*** to deepen.
fantas v.kwad., to fancy, to prefigure, to trouble, to annoy.
fantasija n.f., pl. -i, fancy, immagination, phantasy.
fantasjuż aġġ., fanciful.
fantastikament avv., fantastically.
fantastiku aġġ., fantastic.
fantażma n.f., pl. -i, phantom, spectre.
fantażmogorija n.f., pl. -i, phantasmagoria.
fantażmagòriku aġġ., phantasmagoric.
fanterija n.f., pl. -i, (mil.) infantry.
faqa' v.I, ***jifqa';*** to split, to burst. ***ix-xmara faqgħet il-ħajt;*** the river burst its banks. ~ ***bid-daħk;*** to split with laughter.
faqar n.m., bla pl., poverty.
faqas v.I, ***jofqos;*** to hatch.
faqma n.f., pl. -iet, protruding chin.
faqqa' v.II, ***jfaqqa';*** to burst, to crack, to explode, to split, to bounce, to cracle.
faqqar v.II, ***jfaqqar;*** to impoverish, to make poor.
faqqas v.II, ***jfaqqas;*** to hatch. ***għadd il-flieles qabel faqqsu;*** he counted the chickens before they were hatched.
faqqiegħ n.m.koll., (bot.) agaric, mushrooms.
faqqus n.m.koll., (bot.) small water melon. ~ ***il-ħmir;*** squiring cucumber.
faqra n.f., pl. -iet, poverty.
faqsi aġġ., prolific, generative.
far v.I, ***jfur;*** to regurgitate, to overflow, to boil over. ***ix-xmara faret bix-xita;*** the river overflowed by the rain.
far n.m., pl. ***firien;*** (żool.) mouse, rat. ~ ***il-ġebel;*** marmot. ***bejtet il-~;*** mouse nest.
faraġ n.m., bla pl., comfort, consolation.
faragħun n.m., pl. -i, (n.Pr.) Pharoah, (logħ.) faro, (ornit.) guinea-hen.
farak v.I, ***jofrok;*** to limp, to hobble. ***dak ir-raġel qiegħed jofrok;*** that man is limping.
farbalà n.f., pl. -iet, furbelow, tippet.
fard n.m., pl. ***frud;*** odd. ***bil-~;*** odd. ***żewġ jew ~;*** to play at odd or even.
farda n.f., pl. -iet, saddle-cloth.
fardàl n.m., pl. ***fradal;*** apron, brat.
fardsieq aġġ., uterine.
farfar v.kwad., ***jfarfar;*** to dust, to brush.
farfett n.m., pl. ***friefet;*** (żool.) butterfly. ~ ***il-lejl;*** bat, noctule. ~ ***tal-kromb;*** cabbage-butterfly. ~ ***il-baħar;*** (itt.) butterfly ray.
farġa n.f., pl. -iet, bleeding from the nose, a consolation.

farinata n.f., pl. -i, flummery.
farinġi n.f., bla pl., (anat.) pharynx.
farinġite n.f., bla pl., (med.) pharyngitis.
faringoskopija n.f., pl. -i, (med.) pharyngoscopy.
faringoskòpiku aġġ., (med.) pharyngoscopic.
fariżejiżmu n.m., pl. -i, pharisaism.
fariżew n.m., f. -ea, pl. -ej, pharisee.
farka n.f., pl. -iet, koll. ***frak;*** small bit, morsel, fragment. ***~ ħobż;*** crumb.
farkizzana n.f., pl. -iet, koll. ***farkizzan;*** (bot.) black fig.
farm n.m., pl. -s, farm.
farmaċèwtika n.f., bla pl., pharmaceutics.
farmaċèwtiku aġġ., pharmaceutical.
farmaċija n.f., pl. -i, pharmacy.
farmakoloġija n.f., pl. -i, pharmacology.
farmakologu n.m., f. -a, pl. -i, pharmacologist.
farmakopeja n.f., bla pl., pharmacopoeia.
farrad v.II, ***jfarrad;*** to unmatch, to unpair, to dispair. ***~ is-sett tat-tè;*** he dispaired the tea set.
farrâd n.m., f. u pl. -a, odd number.
farradi aġġ., unmatched.
farraġ v.II, ***jfarraġ;*** to console, to amuse, to divert. ***~ nies fin-niket tagħhom;*** he consoled people in their distress. ***~ lit-tfal;*** to caress, to flatter, to fondle.
farraġi aġġ., consoling, comforting.
farraġinuż aġġ., farragious.
farràġni n.f., pl. -jiet, farrago.
farrak v.II, ***jfarrak;*** to crumble, to triturate, to break into pieces, to shatter, to smash, to dash. ***il-baħar ~ id-dgħajsa;*** the sea broke the boat into pieces.
farrâk n.m., f. u pl. -a, smasher.
farrett n.m., pl. -i, cut, gash, (żool) polecat.
farru n.m., pl. -ijiet, (bot.) spelt.
farruġ n.m., pl. ***frareġ;*** (ornit.) European roller, (żool) chick, chicken.
farsa n.f., pl. -i, (teatr.) farce.
fartas v.kwad., to make bald.
fartâs aġġ., bald.
fasad v.I, ***jifsad;*** to phlebotomize.
fasda n.f., pl. -iet, a blood letting.
fassâd n.m., f. u pl. -a, phlebotomist.
fassal v.II, ***jfassal;*** to model, to cut out a suit. ***il-ħajjata fasslet il-libsa;*** the dressmaker cut out the dress.
fassâl n.m., f. u pl. -a, cutter, modeller, planner.
fastidju n.m., pl. -i, annoyance.
fastidjuż aġġ., troublesome, tedious.
fatali aġġ., fatal.
fatalista n.kom., pl. -i, fatalist.
fatalità n.f., pl. -jiet, fatality.
fataliżmu n.m., pl. -i, fatalism.
fatalment avv., fatally.
fatam v.I, ***joftom;*** to wean.
fatar v.I, ***jiftar;*** to take breakfast, to take a rest, to rest, to lunch, to take lunch. ***hu ~ kmieni dalgħodu;*** he had breakfast early this morning.
fatàt n.m., f. -a, pl. -i, ghost, phantom, spectre.
fatata n.f., pl. -i, (bot.) nightshade.
fatra n.f., pl. -iet, breakfast, dinner.
fatt n.m., pl. -i, fact, deed.
fatta n.f., pl. -t, kind, sort, way, manner.
fattam v.II, ***jfattam;*** to wean.
fattar v.II, ***jfattar;*** to give breakfast, to flatten.
fattibbli aġġ., feasible, practical.
fattiga n.kom., pl. -i, handyman.
fattizzi n.pl., features.
fattur n.m., pl. -i, factor.
fattura n.f., pl. -i, invoice.
favetta n.koll.f., (bot.) dwarf bean.
favoluż aġġ., fabulous.
favorèvoli aġġ., favourable.
favorevolment avv., favourable.
favorit aġġ., favourite.
favoritiżmu n.m., pl. -i, favouritism.
favur n.m., pl. -i, favour.
fawl n.m., pl. -is, -ijiet, (logħ.) foul.
fawna n.f., bla pl., (żool.) fauna.
fawntin-pen n.f., pl. -s, fountain-pen.
fawra n.f., pl. -iet, boiling, heat of blood, overflow.
fawwar v.II, ***jfawwar;*** to boil, to flood, to fill with water, to cause to overflow. ***ix-xita fi Frar tfawwar il-bjar;*** the rain in February fills the wells.
fawwâr n.m., f. u pl. -a, one who boils or causes to overflow.
fawwara n.f., pl. -iet, spring.
faxinparejd n.f., fashion parade.
faxx n.m., pl. -i, bundle, bunch.
faxxa n.f., pl. ***faxex;*** band, bandage.
faxxiklu n.m., pl. -i, part, number, issue.
faxxina n.f., pl. -i, leafage.
faxxista n.koll., pl. -i, fascist.
faxxiżmu n.m., pl. -i, fascism.
fażi n.f., pl. -jiet, phase, stage.
fażola n.koll., pl. -iet, (bot.) beans.
fażżar v.II, ***jfażżar;*** to notch.
fdal n.act., remains, rest, remainder.
f'daqqa avv., together, at once.
fdat aġġ. u p.p., faithful, trusty, honest, trustworthy.
fdewwex n.m.koll., f -a, pl. -iet, ribbon shaped macaroni.

feda v.i., *jifdi;* to redeem, to ransom., *Kristu fdiena;* Christ redeemed us.
feddej n.m., f. u pl. -ja, redeemer.
feddel v.II, *jfeddel;* to make one faithful, to domesticate, to tame.
fedelment avv., faithfully.
fedeltà n.f., pl. -jiet, fidelity.
federali aġġ., federal.
federalista n.kom., pl. -i, federalist.
federalizmu n.m., pl. -i, federalism.
federazzjoni n.f., pl. -jiet, federation.
feġġ v.I, *jfiġġ;* to appear, to look out. ***illum ix-xemx xejn ma feġġet;*** today the sun did not appear.
feġġa n.f., pl. -iet, appearance. ***kewkba ~;*** shooting star.
fehem v.I, *jifhem;* to understand, to comprehend. ***qegħdin tifhmuni?;*** do you understand me?
fehma n.f., pl. -iet, opinion, judgement, intention. ***bla ~;*** irrational, unreasonable. ***ta' fehmtu;*** obstinate.
fejda n.f., pl. -iet, utility, usefulness, advantage.
fejġel n.m.koll., f. -a, pl. -iet, (bot.) rue.
fejjaq v.II, *jfejjaq;* to cure, to heal, to restore to health. ***~ lil xi ħadd;*** he healed a person.
fejjiedi aġġ., profitable, lucrative.
fejjieq n.m., f. u pl., -a, healer.
fejjieqi aġġ., curable.
fejn prep. u avv., where. ***~ qatt!*** where ever! ***għalfejn;*** whither. ***minfejn;*** whence. ***safejn;*** whence, to what limit, to what degree, up to where.
fejqa n.f., pl. -t, cure.
fejqan n.m., bla pl., recovery.
fekkek v.II, *jfekkek;* to dislocate, to sprain, to luxate.
fekondazzjoni n.f., pl. -jiet, fecundation.
fekrun n.m., f. -a, pl. *fkieren;* (żool) tortoise. ***~ tal-baħar;*** turtle. ***qoxra ta' ~;*** tortoise-shell.
fela v.I, *jifli;* to louse, to examine, to search, to scrutinize. ***~ bir-reqqa dokument;*** he examined accurately a document.
felaħ v.I, *jiflaħ;* to be strong or powerful.
felċa n.f., koll. u pl. -i, (bot.) fern.
feles n.m., pl. *ifilsa;* wedge, dowel.
feldel v.kwad., *jfeldel;* to curl.
felfel v.kwad., *jfelfel;* to frizzle.
felful n.m., f. -a, pl. *fliefel;* curl.
felfuli aġġ., frizzied.
felħ n.act., force, strength.
felħa n.f., pl. -t, force.
felħan aġġ., strong, sturdy, powerful.
feliċement avv., happily.
feliċi aġġ., happy.
feliċità n.f., pl. -jiet, happiness, joy, felicity.
felin aġġ., feline.
fell n.m., pl. -ijiet, bad omen, bad sign.
fellej n.m., f. u pl. -ja, examiner, researcher.
fellek v.II, *jfellek;* to steer badly.
fellel v.II, *jfellel;* to rend, to crack, to chap. ***~ il-wiċċ;*** to slash.
felles v.II, *jfelles;* to coin, to wedge.
felli n.m., pl., *flieli;* slice, chop, slit.
fellies n.m., f. u pl. -a, coiner.
fellonija n.f., pl. -i, (leg.) felony.
fellus n.m., pl. *flieles;* chicken, chick.
felqa n.f., pl. -iet, fetter.
feltru n.m., bla pl., felt.
felu n.m., f. -wa, pl. *fliewi;* (żool.) colt.
feluga n.f., pl. -i, (mar.) felucca, small vessel.
felula n.f., pl.-iet, koll. *felul;* wart.
femminil aġġ., (gram.) feminine.
femminiżmu n.m., pl. -i, feminism.
femorali aġġ., (anat.) femoral.
fèmore n.f., pl. -i, (anat.) femur, thighbone.
fena v.I, *jifni;* to fail, to faint, to annoy, to weary.
fenda v.Sq., *jfendi;* to point at, to bowl carefully, to eat abundantly.
fenek n.m., pl. *fniek;* (żool.) rabbit, coney. ***~ il-baħar*** (itt.) rabbit fish. ***~ ta' l-Indja*** (żool.) guinea-pig. ***~ salvaġġ*** (żool.) wild rabbit.
feniċe n.f., pl. -i, phoenix, phenix.
Feniċju n.f., f. -a, pl. ***Feniċi;*** Phoenician.
fenoloġija n.f., pl. -i, phenology.
fenomenali aġġ., phenomenal.
fenòmenu n.m., pl. -i, phenomenon.
fera v.I, *jferi;* to wound, to stab. ***hu kien ferut fil-fond;*** he was deeply wounded.
feragħ ara **foroghħ**.
feraħ v.I, *jifraħ;* to rejoice, to merry. ***it-tifel ~ bil-ktieb li tajtu;*** the boy rejoiced with the book you gave him.
feraq v.I, *jofroq;* to separate, to divide, to part. ***il-baħar jofroq l-Ewropa mill-Afrika;*** the sea separates Africa from Europe.
ferċaħ v.kwad., *jferċaħ;* to waggle, to hobble, to toddle. ***dak it-tifel qiegħed iferċaħ;*** that boy is waggling.
ferfer v.kwad., *jferfer;* to wag. ***il-kelb iferfer denbu;*** the dog wags his tail.
ferfex v.kwad., *jferfex;* to bustle.
ferfier n.m., f. u pl. -a, agitator.

ferfieri aġġ., agitated, trembling.
fergħa n.f., pl. -at, branch, bough, ramification.
fergħen v.kwad., ***jfergħen;*** to blaspheme.
fergħun n.m., pl. ***friegħen;*** wicked fellow, devil.
ferħ n.m., f. -a, pl. -iet, joy, gladness.
ferħ n.m., pl. ***frieħ;*** the young of any animal. ***~ ta' debba;*** nag. ***~ tal-ħamiem;*** pigeon. ***~ tan-naħal;*** swarm of bees. ***~ ta' siġra;*** bud. ***~ ta' ġenn;*** touch of madness.
ferħa aġġ. u p.preż., merry, cheerful, glad, joyful, gay.
ferilla n.f., pl. -i, (mar.) fishing boat, sailing boat.
feriment n.m., pl. -i, wounding.
ferita n.f., pl. -i, wound.
ferja n.f., pl. -i, holiday, vacation, (ekkl.) ordinary day, week-day.
ferken v.kwad., ***jferken;*** to remove fire from the oven, to harpoon.
ferkex v.kwad., ***jferkex;*** to scrape.
ferkun n.m., pl. ***frieken;*** pitchfork.
ferla n.f., pl. -i, (bot.) ferule.
ferm aġġ., steady, hard, strong.
fermament avv., firmly.
fermatura n.f., pl. -i, stoppage.
ferment n.m., pl. -i, ferment, excitement, agitation.
fermentazzjoni n.f., pl. -jiet, fermentation.
fermizza n.f., bla pl., firmness.
fernaq v.kwad., ***jfeṛnaq;*** to crackle, to flame, to blaze.
ferneżija n.f., pl. -i, frenzy.
fèrnot n.m., bla pl., fearnough.
feroċi aġġ., fierce, ferocious.
feroċja n.f., pl. -i, ferocity, ferociousness.
ferq n.m, pl. ***frieq;*** parting, separation, division. ***~ tax-xagħar;*** parting.
ferqa n.f., pl. -iet, disjunction.
ferragħ v.II, ***jferragħ;*** to bud, to bring forth leaves, to pour.
ferraħ v.II, ***jferraħ;*** to rejoice, to make glad, to gladden. ***l-aħbar ferrħithom;*** the news made them happy.
ferraq v.II, ***jferraq;*** to distribute, to divide, to separate. ***ma rnexxilux iferraq dawk iż-żewġt itfal;*** he was not able to separate those two boys.
ferrex v.II, ***jferrex;*** to extend, to lay out, to scatter.
ferried n.m., f. u pl. -a, divisor.
ferriegħi aġġ., leafy, budding.
ferrieħi aġġ., cheerful, boon.
ferrieq n.m., f. u pl. -a, distributor.
ferrieqi aġġ., distributable.
ferriex n.m., f. u pl. -a, spreader.
ferrovija n.f., pl. -i, train.
ferrovjier n.m., pl. -i, railway-man.
ferru n.m., bla pl., (kim.) iron.
fèrtili aġġ., fertile, fruitful, productive.
fertilità n.f., pl. -jiet, fertility.
fertilizzat aġġ. u p.p., fertilized.
fertilizzatur n.m., pl. -i, fertilizer.
fertilizzazzjoni n.f., pl. -jiet, fertilization.
ferut aġġ. u p.p., wounded.
ferventi aġġ., fervent, ardent.
fervur n.m., pl. -i, fervour, ardour.
fesa v.I, ***jifsa;*** to fart.
fesdaq v.kwad., ***jfesdaq;*** to shell, to husk, to hull. ***~ il-ful mill-miżwet;*** he shelled the beans from the pod.
fesfes v.kwad., ***jfesfes;*** to whisper. ***x'int tfesfes f'widnejn dak it-tifel?;*** what are you whispering in that boy's ear?
fesfies n.m., f. u pl. -a, buzzer, whisperer.
festa n.f., pl. -i, feast.
festaq v.kwad., ***jfestaq;*** to shell, to husk.
festin n.m., pl. -i, ball, banquet, feast.
festiv aġġ., festive. ***ġranet festivi;*** holidays.
fèstival n.m., pl. -s, festival.
festività n.f., pl. -jiet, festivity.
festun n.m., pl. -i, festoon.
fetaħ v.I, ***jiftaħ;*** to open, to rip. ***hu ma fetaħx fommu;*** he did not open his mouth.
fetaq v.I, ***joftoq;*** to unsew, to unstitch, to rip.
fetfet v.kwad., ***jfetfet;*** to stutter.
fetħa n.f., pl. -iet, aperture, opening.
fetiċċ n.m., pl. -i, fetish.
fetqa n.f., pl. -iet, rent, rip, rapture, hernia.
fetta n.f., pl. ***fetet;*** slice.
fettaħ v.II, ***jfettaħ;*** to enlarge, to amplify, to keep opening.
fettaq v.II, ***jfettaq;*** to rend, to unstitch.
fettel v.II, ***jfettel;*** to twist, to twirl, to make lukewarm.
fettet v.II, ***jfettet;*** to chop, to dip. ***~ il-biskuttell fil-kafè;*** he choped the rusk in the coffee.
fettieħ n.m., f. u pl. -a, enlarger.
fettieħi aġġ., aperitive, opening.
fettiel n.m., f. u pl. -a, twister.
fettul n.m., pl. ***ftietel;*** distaff, cigarette.
fettuli aġġ., longish.
fettuqa n.f., pl. -iet, ***ftietaq;*** trifle.
fewdali aġġ., feudal.
fewdalità n.f., pl. -jiet, feudality.
fewdaliżmu n.m., pl. -i, feudalism.
fewdatarju n.m., pl. -i, feudal, feudatory.

fewdu n.m., pl. -i, feud, fief.
fewġa n.f., pl. -iet, light breeze.
fewwaħ v.II, *jfewwaħ;* to scent, to perfume. ***il-fjuri jfewwħu l-arja;*** flowers scent the air.
fewwaq v.II, *jfewwaq;* to make one belch.
fewweġ v.II, *jfewweġ;* to blow lightly.
fewwieħi aġġ., sweet-smelling, sweet-scented, odorous.
fexfex v.kwad., *jfexfex;* to effervesce.
fexfiexi aġġ., effervescent.
fez n.m., pl. -jiet, fez, Turkish cap.
fġejla n.f., pl. -iet, (bot.) radish.
fġir n.act., nose bleeding.
fgat aġġ. u p.p., suffocated.
fgum n.m., pl. -ijiet, (mar.) caboose.
fi prep., in, in the, between, amongst.
fibra n.f., pl. -i, fibre.
fibroma n.f., pl. -i, (anat.) fibroma, growth.
fibruż aġġ., (med.) fibrous.
fibula n.f., pl. -i, (anat.) fibula.
fidda n.f., pl. *fided;* silver.
fidded v.II, *jfidded;* to silver.
fiddi aġġ., silvery.
fiddied n.m., f. u pl. -a, silver-smith.
fiddieni aġġ., silvery, silvered.
fidi n.f., bla pl., (teol.) faith.
fidil aġġ., faithful, loyal, trusty.
fidloqqom n.koll., (bot.) borage.
fiduċja n.f., pl. -i, confidence, trust.
fiduċjarju n.m., f. -a, pl. -i, (leg.) fiduciary.
fiduċjuż aġġ., confident, trustful, hopeful.
fidwa n.f., pl. -iet, redemption, liberation.
fied v.I, *jfid;* to be profitable, to fructify, to yield, to overflow, to run over.
fiegu n.m., pl. -ijiet, manor, farm.
fiehem v.III, *jfiehem;* to make one understand.
fieħ v.I, *jfuħ;* to smell sweet, to give fragrance. ***dak il-ward ifuħ ħafna;*** those roses smell sweet.
fieni aġġ. u p.preż., faint, weak, feeble.
fieq v.I, *jfiq;* to recover (health), to be healed. ***nibża' li ma jfiq qatt;*** I fear he will never recover.
fier avv., fair.
fiera n.f., pl. -i, fair, trade show.
fieragħ aġġ. u p.preż., empty, void, vacant.
fieraq v.III, *jfieraq;* to segragate.
fieres n.m., pl. *ifirsa;* horseman, knight.
fies n.m., pl. *fisien;* lickaxe.
fietel aġġ. u p.preż., lukewarm, tepid.
fiex prep., in what, where, how.
fifra n.f., pl. -i, (muż.) fife.
fiġel n.koll., f. *fiġla;* (bot.) radish.
figatell n.m., pl. -i, darling, best loved child.
figolla n.f., pl. -i, paste doll, figolla.
figorin n.m., pl. -i, model, fashion journal.
figura n.f., pl. -i, figure.
figurat aġġ. u p.p., figured.
figurattiv aġġ., figurative.
figurattivament avv., (lett.) figuratively.
figurazzjoni n.f., pl. -jiet, figuration.
fikabanana n.f.koll., (bot.) banana.
fil n.m., f. -a, pl. *fjiel;* (żool) elephant.
fil n.m., pl. -i, thread.
fil- prep., in, in the.
fila n.f., pl. -i, row, line, queue, file.
filament n.m., pl. -i, -s, (eletr.) philament.
filantropija n.f., pl. -i, philantropy.
filantropikament avv., philantropically.
filantròpiku aġġ., philantropic.
filàntropu n.m., f. -a, pl. -i, philantrope, philantropist.
filarmòniku aġġ., (muż.) philarmonic.
filata n.f., pl. -i, course.
filatelija n.f., pl. -i, philately.
filatelist n.kom., pl. -i, philatelist.
filatorju n.m., pl. -i, (tek.) spinning wheel.
fildiferru n.m., bla pl., iron wire.
fileġ v.I, *jifleġ;* to paralyze.
files v.I, *jifles;* to get rich, to become rich.
filġa n.f., pl. -iet, (med.) hemiplegia.
filibustier n.m., pl. -i, freebooster, filibuster.
filistew n.m., f. -ea, pl. -ej, Philistine.
filjali aġġ., (leg.) filial.
filjazzjoni n.f., pl. -jiet, (leg.) filiation.
filjozz n.m., f. -a, pl. -i, godson, (f. goddaughter).
fill avv., rarely. ***darba ~;*** seldom.
filliera n.f., pl. -i, draw-plate, wire-gauge, row.
film n.m., pl. -s, film., ***~ bil-kulur;*** colour film.
filodrammàtiku aġġ., philodrammatic.
filoloġija n.f., pl. -i, philology.
filoloġikament avv., philologically.
filolòġiku aġġ., philological.
filòlogu n.m., f. -a, pl. -i, philologist.
filosofija n.f., pl. -i, philosophy.
filosofikament avv., philosophically.
filosòfiku aġġ., philosophic(al).
filosofiżmu n.m., pl. -i, philosophism.
filòsofu n.m., f. -a, pl. -i, philosopher.
filoxx n.m., bla pl., flabby textile.
filter n.m., pl. -s, filter.
filtrat aġġ. u p.p., filtered.
filtrazzjoni n.f., pl. -jiet, filtration.
filugranu n.m., bla pl., (artiġ.) filigree.
filwaqt konġ., while.

filza n.f., pl. -i, file.
fiminella n.f., pl. -i, clasp.
fin aġġ., fine.
fin avv., cunningly.
final n.m., pl. -i, end.
finali aġġ., final.
finalist n.kom., (logh.) finalist.
finalità n.f., pl. -jiet, finality.
finalment avv., finally, at last.
finanza n.f., pl. -i, finance.
finanzier n.m., pl. -i, -a, financier.
finanzjarment avv., financially.
finestrun n.m., pl. -i, (ark.) large window.
finġa v.I, *jfinġi;* to feign.
fini n.m., pl. -jiet, aim, end, limit, boundary.
finiment n.m., pl. -i, finishing touch, ornament.
finizza n.f., pl. -i, fineness.
finsqla n.kom., pl. -i, petulant.
finta n.f., pl. -iet, feint.
fintusa n.f., pl. -i, cupping glass.
firda n.f., pl. -iet, separation. *~ taż–żwieġ;* divorce.
fired v.I, *jifred;* to separate, to part, to divide. *il-baħar jifred Malta minn Għawdex;* the sea separates Malta from Gozo.
firex v.I, *jifrex;* to spread, to stretch, to extend. *~ it-tapit ma' l-art;* he spread out the carpet on the floor. *~ il-mejda;* to prepare the table. *~ is-sodda;* to spread the bed.
firjol n.m., pl. *friewel;* (ekkl.) cloak.
firma n.f., pl. *firem;* signature.
firmament n.m., pl. -i, firmament.
firmatarju n.m., f. -a, pl. -i, signer, signatory.
firmerija n.f., pl. -i, infirmary.
firmizza n.f., pl.-i, first fruits.
firroll n.m., pl. -i, bolt.
firxa n.f., pl. -iet, distention, extention.
fis avv., promptly, quickly, all of a sudden.
fisàrmonika n.f., pl. -i, (muż.) accordian.
fisda n.f., pl. -iet, blood-letting, corruption.
fised v.I, *jifsed;* to rot, to taint, to spoil.
fisk n.m., bla pl., public treasury.
fiskali aġġ., fiscal.
fisqa v.I, *jfisqi;* to swaddle. *l-omm fisqiet it-tarbija;* the mother swaddled the baby.
fisqija n.f., pl. *fsieqi;* swaddling-bands, brat.
fiss aġġ., fixed, steady.
fissazzjoni n.f., pl. -jiet, fixation.
fissed v.II, *jfissed;* to spoil, to caress, to fondle, to pamper.
fisser v.II, *jfisser;* to describe, to comment, to explain. *hu jfissrilkom x'ġara;* he will explain what happened.
fissieri aġġ., explainable.
fissud n.m., f. -a, pl. -i, favoured son, (daughter).
fistla n.f., pl. -i, (med.) fistula.
fiswa n.f., pl. -i, noiseless fart.
fitel v.I, *jiftel;* to become tepid, to warm up, to cool down, to twist coarsely.
fiter n.m., pl. -s, fitter.
fitt aġġ., thick, careful, diligent to work, tedious.
fittex v.II, *jfittex;* to look for, to search, to seek, to enquire. *~ tagħrif fuq xi ħadd jew xi ħaġa;* he inquired about something or after somebody. *~ ix-xagħra fil-għaġina;* to stickle, to split hairs, to seek a quarrel.
fittiex n.f., u pl. -a, investigator, searcher.
fittiexi aġġ., investigative.
fittizju aġġ., fictitious, imaginary.
fixel v.I, *jifxel;* to disturb, to confuse.
fixkel v.kwad., *jfixkel;* to hinder, to disturb, to confound. *dan qiegħed ifixkel ix-xogħol tagħna;* this hinders our work.
fixkiel n.m., f. u pl. -a, preventer.
fixkija n.f., pl. -jiet, ribbon-shaped macaroni.
fixkla n.f., pl. -iet, confusion.
fixla n.f., pl. -iet, disorder, confusion.
fizzjal n.m., pl. -i, officer.
fiżika n.f., bla pl., physics.
fiżikament avv., physically.
fiżiku aġġ., physical.
fiżjografija n.f., pl. -i, physiography.
fiżjògrafu n.m., f. -a, pl. -i, physiographer.
fiżjoloġija n.f., pl. -i, physiology.
fiżjolòġiku aġġ., physiologic(al).
fiżjòlogu n.m., f. -a, pl. -i, physiologist.
fiżjonomija n.f., pl. -i, physiognomy.
fiżjonomista n.kom., pl. -i, physiognomist.
fiżjoterapija n.f., bla pl., physiotherapy.
fjakk aġġ., weak.
fjakkizza n.f., pl. -i, weakness, feebleness.
fjàkkola n.f., pl. -i, torch.
fjakkolata n.f., pl. -i, torchlight procession.
fjamant aġġ., quite-new, brand-new.
fjamingu n.m., -i, (ornit.) greater flamingo.
fjamma n.f., pl. -i, flame, blaze, (itt.) deal-fish. *~ ħamra;* red band-fish.
fjammata n.f., pl. -i, blaze.
fjammetta n.f., pl. -i, (itt.) sand-lance.

fjank n.m., pl. -i, side, flank.
fjask n.m., pl. -i, failure.
fjorentin n.m., pl. -i, (ornit.) continental great tit.
fjorin n.m., pl. -i, florin.
fjoritura n.f., pl. -i, blossoming, efflorescence.
fjur n.m., pl. flowers. ***il-~;*** the best.
fjurett n.m., pl. -i, floweret, foil.
fjuriera n.f., pl. -i, flower-pot.
fjus n.m., pl. -ijiet, -is, (eletr.) fuse.
fjuwil n.m., bla pl., fuel.
flaġell n.m., pl. -i, whip, scourge.
flaġellant n.m., pl. -i, (ekkl.) flagellant.
flaġellat aġġ. u p.p., flagellated.
flaġellazzjoni n.f., pl. -jiet, flagellation.
flagranti aġġ., (leg.) flagrant.
flajover n.f., pl. -s, flyover.
flajwil n.f., pl. -s, (mek.) fly-wheel.
flambò n.m., pl. -jiet, flambeau.
flanella n.f., pl. -i, flannel.
flanellett n.f., pl. -i, flanelletta.
flat n.m., pl. -i, flatus.
flatt n.m., pl. -ijiet, -s, flat.
flawt n.m., pl. -ijiet, (muż.) flute.
flawtat aġġ., (muż.) fluty, flute-like.
flawtist n.m., f. -a, pl. -i, (muż.) flutist.
flaxx n.m., pl. -ijiet, flush.
flebite n.f., pl. -jiet, (med.) phlebitis.
flebotomija n.f., pl. -i, (med.) phlebotomy.
flebòtomu n.m., f. -a, pl. -i, (med.) phlebotomist.
flejguta n.f., pl. -i, (muż.) fife, flageolet.
fleks n.m., pl. -ijiet, (eletr.) flex.
flemma n.f., bla pl., phlegm, coolness, apathy.
flemmàtiku aġġ., phlegmatic.
flessibbli aġġ., flexible, pliable.
flessibbilità n.f., pl. -jiet, flexibility.
flessjoni n.f., pl. -jiet, flexion.
flett n.m., pl. -ijiet, loin, fillet, sirloin.
fliegu n.m., pl. -i, strait.
flien n.m., f. -a, bla pl., a certain person.
fliġ n.act., paralysis.
flimkien avv., together.
flipp n.m., pl. -ijiet, egg flip.
fliskatur n.m., pl. -i, wash-hand basin.
flissjoni n.f., pl. -jiet, cold, flu.
flixkun n.m., pl. ***fliexken;*** bottle, flask. ***~ tas-sodda;*** hot water bottle. ***~ tat-trabi;*** feeding bottle.
flok avv., instead.
flokk n.m., pl. -jiet, jumper, (mar.) jib. ***~ ta' taħt;*** vest, undervest.
flora n.f., bla pl., (bot.) flora.
floridezza n.f., pl. -i, floridness, floridity, prosperity.
flòridu aġġ., florid.
florist n.m., f. -a, pl. -i, florist.
flotta n.f., pl. ***flotot;*** (mar.) fleet.
flus n.pl. ta' fils, pl. ***flejjes;*** money, coins. ***~ antiki;*** old coins. ***~ foloz;*** false coins.
fluss n.m., pl. -i, flux, discharge, flow.
fluttwazzjoni n.f., pl. -jiet, fluctuation.
fluwidità n.f., pl. -jiet, fluidity.
flùwidu aġġ., fluid.
fluworexxenti aġġ., fluorescent.
fluworexxenza n.f., bla pl., (fiż.) fluorescence.
fluwòru n.m., bla pl., (fiż.) fluorine.
fobija n.f., pl. -i, (med.) phobia, fear.
foħrija n.f., pl. -t, praise.
foka n.f., pl. -i, (żool.) seal.
fokist n.m., f. u pl. -a, fireman, stoker.
folja n.f., pl. -i, page, sheet.
folju n.m., pl. -i, newspaper.
fòlklor n.m., pl. -jiet, folklore.
folklorista n.kom., pl. -i, folklorist.
folkloristiku aġġ., folkloristic.
folla n.f., pl. ***folol;*** crowd, throng, multitude.
follikulari aġġ., (med.) follicular.
foloz aġġ.pl., false.
folt aġġ., thick.
fomm n.m., pl. -ijiet, ***fmum;*** mouth.
fond n.m., pl. -ijiet, bottom.
fond n.m., pl. -i, fund, property, capital.
fond aġġ., fondo. ***~ tal-kafè;*** coffee grounds.
fonda v.t., ***jfondi;*** (tekn.) to melt. ***id-deheb fonduh fil-griġjol;*** they melted the gold in the melting pot.
fondamentali aġġ., fundamental.
fondamentalment avv., fundamentally.
fondat aġġ. u p.p., founded.
fondazzjoni n.f., pl. -jiet, foundation.
fonderija n.f., pl. -i, foundry, melting house.
fonditur n.m., pl. -i, melter, founder, smelter.
fonditura n.f., pl. -i, (tekn.) smelting.
fondoq n.m., pl. ***fniedaq;*** depth.
fonètika n.f., bla pl., phonetics.
fonetikament avv., phonetically.
fonètiku aġġ., phonetic.
fòniku aġġ., phonic.
fonografija n.f., pl. -i, phonography.
fonogràfiku aġġ., phonographic.
fonògrafu n.m., pl. -i, phonograph.
fonogramma n.f., pl. -i, phonogram.
fonoloġija n.f., pl. -i, phonology.
fonolòġiku aġġ., phonologic(al).
fonqla n.f., pl. -iet, ***fnieqel;*** bore, waspish, peevish.

fonti n.f., pl. -jiet, (ekkl.) font. ~ ***tal-Magħmudija;*** baptismal font.
foqqiegħ ara **faqqiegħ**.
foraġġ n.m., pl. ***foraġġi;*** fodder, forage.
forċi n.m., bla pl., step ladder.
forċina n.f., pl. -i, small fork.
fòrċipi n.m., bla pl., (med.) forceps.
forensiku aġġ., forensic. ***mediċina forensika;*** forensic medicine.
foresta n.f., pl. -i, forest.
forġa n.f., pl. ***foroġ;*** forge, smithy.
forka n.f., pl. ***forok;*** gallows, scaffold.
forma n.f., pl. ***forom;*** form, model, shape. ~ ***ta' żarbun;*** shoemaker's last.
formaġġiera n.f., pl. -i, grated cheese vessel.
formali aġġ., formal.
formalina n.f., bla pl., (kim.) formalin.
formalità n.f., pl. -jiet, formality.
formaliżmu n.m., pl. -i, formalism.
formalment avv., formally.
format n.m., pl. -i, shape, size.
formattiv aġġ., formative.
formazzjoni n.f., pl. -jiet, formation.
formen n.m., pl. -ijiet, foreman.
formidabbli aġġ., formidable.
fòrmula n.f., pl. -i, formula.
formularju n.m., pl. -i, formulary.
formulat aġġ. u p.p., formulated.
forn n.m., pl. ***fran;*** oven, bakery, bakehouse.
forna v.t., ***jforni;*** to supply, to furnish. ***ma nistgħux infornuk bil-ħwejjeġ li tlabtna;*** we cannot supply you with the goods asked for.
forniment n.m., pl. -i, equipment.
fornitur n.m., f. -a, pl. -i, provider, supplier.
fornitura n.f., pl. -i, supply, equipment.
fornut aġġ. u p.p., supplied.
forogħ v.I, ***jofrogħ;*** to ebb, to become empty. ***il-baħar jofrogħ;*** the sea ebbs.
forok v.I, ***jofrok;*** to limp, to hobble.
forsi avv., perhaps, maybe.
forti n.m., pl. -jiet, (mil.) fort.
forti aġġ., strong.
fortifikat aġġ. u p.p., fortified.
fortifikazzjoni n.f., pl. -jiet, fortification.
fortina n.f., pl. -i, (mil.) blockhouse.
fortizza n.f., pl. -i, (mil.) fortress.
fortuna n.f., pl. -i, fortune, luck.
fortunàl n.m., pl. -i, (mar.) tempest, storm.
fortunat aġġ., lucky.
fortunatament avv., fortunately, luckily.
forwerd aġġ., (logh.) forward.
forza n.f., pl. -i, strength, power, might, force. ~ ***ċentrifuga;*** centrifugal force. ~ ***maġġura;*** absolute neccesity. ~ ***militari;*** land forces. ~ ***morali;*** moral force. ~ ***navali;*** naval force. ~ ***ta' l-ajru;*** air force. ~ ***tal-gravità;*** force of gravity.
fosdoq n.koll.m., (bot.) pistachio.
fosdqa n.f., pl. -iet, hush, pod, boll. ~ ***tad-dud tal-ħarir;*** cocoon.
fosfàt n.m., pl. -i, (kim.) phosphate.
fosforexxenti aġġ., phosphorescent.
fosforexxenza n.f., phosphorescence.
fosfòriku aġġ., phosphoric.
fosfru n.m., bla pl., (kim.) phosphor, phosphorus.
fosk aġġ., gloomy.
foss n.m., pl. -jiet, ditch.
fossa n.f., pl. ***fosos;*** hole, pit, ditch.
fòssili n.m.pl., fossil.
fossilizzat aġġ. u p.p., fossilized.
fossilizzazzjoni n.f., pl. -jiet, fossilization.
fost prep., among, between.
fotofobija n.f., bla pl., (med.) photophobia.
fotoġèniku aġġ., photogenic.
fotografat aġġ. u p.p., photographed.
fotografija n.f., pl. -i, photography.
fotogràfiku aġġ., photographic.
fotògrafu n.m., f. -a, pl. -i, photographer.
fotokopi n.f., pl. -s, photocopy.
fotokromija n.f., pl. -i, photochromy.
fotometrija n.f., pl. -i, (fiż.) photometry.
fotomètriku aġġ., photometric.
fotòmetru n.m., pl. -i, (fiż.) photometer.
fotosfera n.f., pl. -i, (astro.) photosphere.
foxxna n.f., pl. -i, (mar.) fork, trident, harpoon.
fqajjar aġġ., poor, miserable.
fqir n.m., f. -a, pl. ***fqar;*** poor, needy.
fra n.m., pl. -jiet, brother, lay brother.
fraġilità n.f., pl. -jiet, fragility.
fraġli aġġ., fragile, brittle.
frak n.pl. ta' farka, bits, fragments, smithereens. ~ ***tal-ħobż;*** bread crumbs.
frakass n.m., bla pl., fracas.
frakk n.m., pl. -jiet, tail-coat.
frammażun n.m., f. -a, pl. -i, freemason.
framment n.m., pl. -i, (lett.) fragment.
frammentarju aġġ., pl. -i, (lett.) fragmentary.
Franċiż aġġ., French.
Franġiskan aġġ. u n.m., f. -a, pl. -i, Franciscan.
frank aġġ., free, exempt. ***posta franka;*** postage free.
frankament avv., frankly, candidly, openly.
frankizza n.f., pl. -i, frankness, candidness.
Franza n.Pr., France.

Frar n.Pr., February.
frasservjent n.m., pl. -i, (ornit.) black-winged stilt.
fratell n.m., pl. -i, (ekkl.) guild-brother.
fratellanza n.f., pl. -i, (ekkl.) confraternity.
fratriċida n.kom., pl. -i, fratricide.
fratriċidju n.m., pl. -i, (leg.) fratricide.
frattant avv., meanwhile, in the meantime.
frattarija n.f., pl. -i, ado, brawl.
frawla n.f., pl. -iet, koll. ***frawli;*** (bot.) strawberry.
fraxxnu n.m., bla pl., (bot.) common ash.
frazzjoni n.f., pl. -jiet, fraction. ***~ deċimali;*** decimal fraction.
frażarju n.m., pl. -i, collection of phrases.
frażi n.f., pl. -jiet, phrase, sentence.
frażjoloġija n.f., pl. -i, phraseology.
frejgata n.f., pl. -i, (mar.) frigate, warship.
frejgatina n.f., pl. -i, (mar.) skiff.
frejm n.m., pl. -s, frame.
frejt n.m., pl. -s, freight.
frekwentat aġġ. u p.p., frequented.
frekwentatur n.m., f. -a, pl. -i, frequenter.
frekwentattiv aġġ., (gram.) frequentative.
frekwenti aġġ., frequent.
frekwenza n.f., pl. -i, frequency.
frenoloġija n.f., pl. -i, phrenology.
frenòlogu n.m., pl. -i, phrenologist.
frenża n.f., pl. ***freneż;*** fringe.
frid n.act., separation.
friex n.m.pl., coverlet, bed.
friġġ n.m., pl. ***friġis;*** refrigerator, fridge.
frikattiv aġġ., fricative.
frill n.m., pl. -i, frill, ruffle.
frisk aġġ., cool. ***bajda friska;*** fresh egg. ***ħobż ~;*** fresh bread. ***ħut ~;*** fresh fish. ***ilma ~;*** fresh water. ***riħ ~;*** cool wind.
friskatur n.m., pl. -i, basin.
friskizza n.f., bla pl., freshness, coolness.
fritta n.f., pl. -i, (tekn.) fritt.
frittazza n.f., pl. -i, (mar.) scrubbing-broom.
frittura n.f., pl. -i, fry, fritter.
frìvolu aġġ., frivolous.
frixa n.f., pl. -iet, (anat.) pancreas.
frizzjoni n.f., pl. -jiet, (med.) friction, rubbing.
friż n.m., pl. -ijiet, (ark.) frieze.
friża n.f., bla pl., cold storage. ***laħam tal-~;*** frozen meat.
frodi n.f., pl. -jiet, (leg.) fraud, deception.
froġa n.f., pl. ***frejjeġ;*** omelet(te), pancake.
front n.m., pl. -i, (mil.) front.
frontali aġġ., (mil.) frontal.
frontispizju n.m., pl. -i, (ark.) frontispiece.
frosta n.f., pl. -i, whip, lash.
frostin n.m., pl. -i, riding whip.
frott n.m.koll., f. -a, pl. -iet, fruit.
frugħa n.f., pl. -t, emptiness, vacuity, vanity, silliness.
fruntiera n.f., pl. -i, frontier.
frustier n.m., f. -a, pl. -i, foreigner, stranger.
frustrazzjoni n.f., pl. -jiet, frustration.
fruttiera n.f., pl. -i, fruit-dish.
fruttìferu aġġ., fructiferous.
fsada n.f., pl. -iet, blood-letting. ***~ muta;*** foot-bath.
fsid n.act., phlebetomy.
fsied n.act., fondling, affected ways.
ftaħar v.VIII, ***jiftaħar;*** to boast, to brag, to glory.
ftaħir n.act., boasting, bragging, vain-glory.
ftakar v.VIII, ***jiftakar;*** to remember, to recollect, to recall.
ftaqad v.VIII, ***jiftaqad;*** to scrutinize, to inspect.
ftaqar v.VIII, ***jiftaqar;*** to impoverish, to begrow poor. ***dak ir-raġel ~;*** that man grew poor.
ftehem v.VIII, ***jiftehem;*** to be understood.
ftehim n.act., agreement, pact, under-standing.
ftiehem v.VI, ***jiftiehem;*** to accord, to agree, to square. ***dak ~ fuq il-prezz;*** he agreed on the price.
ftiet n.koll.m., f. -a, pl. -iet, soups.
ftila n.f., pl. ***ftejjel;*** wick.
ftira n.f., pl. ***ftajjar;*** tart.
ftit aġġ., little, few. ***bil-~ il-~;*** little by little. ***~ ilu;*** a short time ago. ***~ tażżmien;*** little time.
ftuħ n.act., opening.
ftuq n.act., unstitching, hernia, rapture.
fuċillazzjoni n.f., pl. -jiet, execution by shooting.
fuċillier n.m., pl. -i, (mil.) rifleman, fusulier.
fuglar n.m., pl. -i, stove, hearth.
fuħħar n.koll., pl. -ijiet, pottery, baked clay, earthenware.
fuklar ara **fuglar**.
fula n.f., pl. -iet, koll. ***ful;*** (bot.) bean. ***~ maqsuma;*** to resemble, to be like.
fulbakk n.m., pl. -s, -ijiet, (logħ.) fullback.
fuljett n.m., pl. -i, leaflet.
fuljetta n.f., pl. -i, veneer.
fulkru n.m., pl. -i, (mek.) fulcrum.
fulminanti aġġ., (med.) fulminant.
fulskap n.f., pl. -s, foolscap.
fumarja n.f., pl. -i, (bot.) fumitory.

fumata n.f., pl. -i, smoke, smoking, smoke signal.
fumatur n.m., pl. -i, smoker.
fumenta n.f., pl. -i, (med.) fomentation.
fumigazzjoni n.f., pl. -jiet, fumigation.
funàmbulu n.m., pl. -i, funambulist.
fundament n.m., pl. -i, foundation, basis. *suspett bla ~;* groundless suspicion.
fundamentali aġġ., fundamental.
fundatur n.m., pl. -i, founder.
fundatriċi n.f., pl. -jiet, foundress.
fundazzjoni n.f., pl. -jiet, foundation.
funderija n.f., pl. -i, foundry.
fùnebri aġġ., funerary. ***orazzjoni ~;*** funeral oration.
funeral n.m., pl. -i, funeral, obsequies.
fungu n.m., pl. -i, (bot.) mushroom.
funikular n.m., pl. -i, (mek.) funicular, rope train.
funtana n.f., pl. -i, fountain, spring.
funtanier n.m., pl. -i, fountain keeper.
funzjonarju n.m., f. -a, pl. -i, functionary, officer.
funzjoni n.f., pl. -jiet, function.
fuq prep. u avv., up, on, upon, over. ***~ fuq;*** briefly. ***~ kollox;*** chiefly, mainly. ***~ ruħi;*** upon my soul, in faith. ***~ tiegħu;*** vivid, lively. ***'il, 'l ~;*** up, higher, above. ***im-semmi ~;*** above said, above mentioned. ***minn ~;*** from above, notwithstanding.
fuqiex? avv., upon which?, on or over what?, about what?
furban n.m., pl. -i, (mar.) pirate, corsair, buccaneer, freebooter.
furfiċetta n.f., pl. -i, hairpin.
furja n.f., pl. -i, fury, rage.
furjuż aġġ., furious.
furketta n.f., pl. ***frieket;*** fork.
furkettata n.f., pl. -i, forkful.
furkettun n.m., pl. -i, carving-fork.
furmatur n.m., pl. -i, shape maker, (tek.) chisel.
furnar n.m., f. u pl. -a, baker.
furrajna n.koll.f., (bot.) green corn.
furur n.m., pl. -i, great success, rage.
furzat n.m., pl. -i, galley-slave. ***lavuri fur-zati;*** hard labour.
fus n.m., pl. -ien, -ijiet, spindle, axle. ***~ ta' rota;*** axle tree.
fustan n.koll.m., fustian.
futbol n.m., pl. -s, (logħ.) football.
fùtili aġġ., futile, useless.
futur aġġ., future.
futurista n.kom., pl. -i, futurist.
futuriżmu n.m., pl. -i, futurism.
fuxfiex n.koll.m., f. -a, pl. -iet, (bot.) St. John's wort.
fużjoni n.f., pl. -jiet, fusion.
fwar n.m.koll., vapour, steam.
fwied n.m., pl. ***ifda, ifwda;*** (med.) liver.
fwieħ v.IX, ***jifwieħ;*** to become odori-ferous.
fwieħa n.f., pl. ***fwejjaħ;*** perfume, frag-rancy.

Ġg

Ġ ġ ***is-seba' ittra ta' l-alfabett Malti u l-ħames waħda mill-konsonanti;*** the seventh letter of the Maltese alphabet and fifth of the consonants.

ġa avv., already.

ġab ara **ġieb**.

ġabar v.I, ***jiġbor;*** to gather, to pick up, to collect. ***~ flus qodma;*** he collected old coins. ***~ il-flus;*** to collect. ***~ l-iltiema;*** to shelter. ***~ il-mara;*** to marry. ***~ il-pittura qadima;*** to repair.

ġabbar v.II, ***jġabbar;*** to patch, to mend, to repair, to collect, to obtain.

ġabbâr n.m., f. u pl. -a, gatherer, collector.

ġabra n.f., pl. -iet, collection.

ġabsàla n.f., pl. -iet, hive.

ġada n.f., pl. -i, -at, (min.) jade.

ġagàga n.f., pl. -i, overall. ***~ tal-ħaddiema;*** overall. ***~ tat-tobba;*** overall.

ġagwàr n.f., pl. -i, (żool.) jaguar.

ġagħad v.I, ***jiġġħad;*** to curl, to be curled.

ġagħal ara **ġiegħel**.

ġahar n.m., bla pl., dimness of sight.

ġaħ v.I, ***jġuħ;*** to be hungry.

ġaħġaħ v.kwad., ***jġaħġaħ;*** to walk feebly, to live poorly.

ġakbin n.m., f. -a, pl. -i, Jacobin.

ġakk n.m., pl. -ijiet, flag, banner, (mekk.) jack.

ġakketta n.f., pl. ***ġkieket;*** jacket.

ġakplejn n.m., pl. -s, jack-plane.

ġakulatorja n.f., pl. -i, short prayer.

ġaladarba avv., once.

ġalappa n.f., pl. -i, -iet, (med.) jalap.

ġama' v.I, ***jiġma';*** to gather, to assemble. ***~ s-suldati kollha fil-misraħ;*** he assembled all the soldiers in the square.

ġambomblu n.m., pl. -i, (ornit.) rock thrush.

ġamborì n.m, pl. -i, (mil.) jamboree.

ġamm n.m., pl. -ijiet, jam.

ġamma' v.II, ***jġamma';*** to collect little by little, to save. ***~ l-flus biex jixtri ktieb;*** he saved money to buy a book. ***~ l-flus;*** to hoard, to save, to ammass.

ġammar v.II, ***jġammar;*** to make burning coal.

ġamper n.m., pl. -jiet, jumper.

ġamra n.f., pl. -iet, ***ġmamar;*** burning coal, live coal.

ġandra n.f., pl. -iet, koll. ***ġandar;*** (bot.) acorn.

ġannat v.II, ***jġannat;*** to piece, to join, to unite.

ġannizzaru n.m., pl. -i, jannissary.

Ġappuniż n.m., f. -a, pl. -i, Japanese.

ġar n.m., f. -a, pl. ***ġirien;*** neighbour.

ġara v.I, ***jiġri;*** to happen, to befall, to occur. ***~ li waslet meta huwa kien se jitlaq;*** she happened to arrive when he was leaving.

ġarab n.m., bla pl., (med.) scabies.

ġarad v.I, ***jiġrad;*** to cut leaves.

ġaras n.m., pl. ***ġrasi;*** bell, small bell.

ġarda aġġ., bald. ***ħaġra ~;*** barren stone. ***nagħġa ~;*** woolless sheep.

ġardina n.f., pl. -i, small garden.

ġardinaġġ n.m., pl. -i, gardening.

ġardinar n.m., f. -a, pl. -i, gardener.

ġardiniera n.f., pl. -i, flower-stand, mixed salad.

ġarf n.m., pl. ***ġruf;*** precipice, slip.

ġarġir n.m., f. -a, koll. (id)., (bot.) Spanish mustard.

ġarnell n.m., pl. -i, (ornit.) cuckoo-pint.

ġarr v.I, ***jġorr;*** to transport, to carry, to move, to convey. ***~ minn dar għal oħra;*** he moved from one house to another.

ġarr n.act., transport, removal.

ġarra n.f., pl. ***ġarar;*** jar, pitcher, water-pot. ***~ tan-naħal;*** hive, bee-hive. ***xita bil-ġarar;*** very heavy rainfall.

ġarrab v.II, ***jġarrab;*** to experience, to try, to prove, to suffer. ***Alla biss jaf x'ġarrabt;*** God only knows how much I have suffered.

ġarrâb n.m., f. u pl. -a, experimenter, experimentist.

ġarraf v.II, ***jġarraf;*** to demolish, to precipitate, to overthrow, to pull down. ***id-dar iġġarrfet fil-gwerra;*** the house was demolished during the war.

ġarrâf n.m., f. u pl. -a, destroyer.

ġarrajja n.f., pl. -i, skein.

ġarrier n.m., f. u pl. -a, remover, carrier, porter.
ġavellott n.m., pl. -i, (mil.) javelin.
ġawhra n.f., pl. -iet, koll. ***ġawhar;*** pearl.
ġawhri aġġ., pearled.
ġażra n.f., pl. -iet, ***ġżari;*** skein.
ġazz n.m., pl. -jiet, (muż.) jazz.
ġbara n.f., pl. ***ġbajjar;*** (med.) poultice, cataplasm.
ġbejna n.f., pl. -iet, ewe-milk cheese.
ġbid n.act., pulling, drawing. ***logħba tal-~;*** tug of war.
ġbin n.m., pl. ***iġbna;*** forehead.
ġbir n.act., collecting, gathering. ***~ tal-flus;*** collection.
ġbiż n.m.koll., stubble.
ġdid aġġ., new. ***libsa ġdida;*** new dress. ***qamar ~;*** new moon. ***sena ġdida;*** New Year. ***Testment il-~;*** New Testament.
ġdiem n.m.koll., (med.) leprosy.
ġebbed v.II, ***jġebbed;*** to stretch, to extend, to prolong, to delay. ***il-ġurati ġebbdu wisq biex jagħtu l-verdett;*** the jury prolonged too much to give their verdict.
ġebbel v.II, ***jġebbel;*** to petrify, to turn (in)to stone.
ġebbes v.II, ***jġebbes;*** to chalk, to plaster.
ġebbied n.m., f. u pl. -a, one who stretches, procrastinator.
ġebbieda n.f., pl. -iet, ***ġbiebed;*** parentage, lineage, affinity, consanguinity.
ġebbies n.m., f. u pl. -a, plasterer.
ġebel n.m.koll., f. ***ġebla,*** pl. -iet, stones, hill, mountain.
ġebelin n.m., pl. -i, (żool.) sable.
ġebla n.f., pl. -iet, stone. ***~ tax-xewka;*** angular stone.
ġebli aġġ., stony, hilly, mountainous.
ġedded v.II, ***jġedded;*** to renew, to being again, to restore, to reform. ***~ iċ-ċens tad-dar;*** he renewed the lease of the house.
ġeddied n.m., f. u pl. -a, renewer, restorer, repairer, reformer.
ġegħda n.f., pl. -iet, wrinkle.
ġegħed ara **ġagħad**.
ġegħid n.act., curling, crisping.
ġegħida n.f., pl. -t, curling.
ġegħied n.m., f. u pl. -a, curler.
ġegħiedi aġġ., curled.
ġegħila n.f., pl. -iet, constraint, compulsion.
ġehież n.m., f. u pl. -a, provider of dowry.
ġej aġġ. u p.preż., coming, proceeding from, deriving. ***li ~;*** the future.
ġejjef v.II, ***jġejjef;*** to villify, to make one cowardly, to timid.
ġejjief n.m., f. u pl. -a, one who renders vile, cowardly.
ġejjieni aġġ., future, forthcoming.
ġejża n.f., pl. -iet, cross-beam, ridge, pole.
ġela v.I, ***jiġli;*** to accompany the bride and the bridegroom.
ġelat n.m., pl. -i, ice cream.
ġelatina n.f., pl. -i, (kim.) gelatine.
ġelatinuż aġġ., gelatinous.
ġelben v.kwad., ***jġelben;*** to bud, to burgeon, to bloom, to sprout. ***id-dmugħ ~ fil-għajnejn;*** to begin to cry.
ġelem n.m., pl. ***ġliem;*** shears, clipper.
ġelġel v.kwad., ***jġelġel;*** to crack, to clack.
ġelġil n.act., splitting, cracking.
ġeli n.m., bla pl., jelly.
ġelled v.II, ***jġelled;*** to excite quarrels, to litigate, to debate. ***~ żewġt iħbieb;*** he excited quarrels between two friends.
ġellewża n.f., pl. -iet, koll. ***ġellewż;*** (bot.) hazel nut, filbert.
ġellied n.m., f. u pl. -a, fighter, combatant, boxer.
ġelliedi aġġ., quarrelsome, litigious.
ġelożija n.f., pl. -i, jealousy.
ġelu n.m., bla pl., frost, icing, crust of sugar.
ġeluż aġġ., jealous.
ġema' ara **ġama'**.
ġemda n.f., pl. -iet, sootiness.
ġemel n.m., pl. ***iġmla;*** (żool.) camel, dromedary.
ġemġem v.kwad., ***jġemġem;*** to shed tears.
ġemġiemi aġġ., lachrymose.
ġemgħa n.f., pl. -t, gathering, collection, assembly, congress, congregation, crowd. ***~ nies;*** crowd. ***~ bhejjem;*** drove, herd, flock.
ġeminat aġġ., (gram.) geminate.
ġeminazzjoni n.f., pl. -jiet, (gram.) gemination.
ġemma n.f., pl. -i, gem, precious stone.
ġemma' ara **ġamma'**.
ġemmed v.II, ***jġemmed;*** to congeal, to thicken, to soot.
ġemmel v.II, ***jġemmel;*** to adorn, to embellish, to beautify.
ġemmiegħ n.m., f. u pl. -a, collector, gatherer. ***~ id-demel;*** scavenger, dustman. ***~ il-flus;*** cashier.
ġemmugħa n.f., pl. -t, (bot.) kind of spurge.
ġenb n.m., pl. ***ġnub;*** flank, side.
ġenba n.f., pl. -iet, nook. ***~ tal-ħobż;*** the side crust of a loaf.
ġendarm n.m., pl. -i, gendarm, police officer, policeman.

ġendarmerija n.f., pl. -i, gendarmerie.
ġenealoġija n.f., pl. -i, genealogy, pedigree.
ġenealòġiku aġġ., genealogical.
ġenealoġista n.kom., pl. -i, genealogist.
ġeneral n.m., pl. -i, (mil.) general. ***logutenent ~;*** lieutenant general. ***maġġur ~;*** major general.
ġenerali aġġ., general. ***elezzjoni ~;*** general election. ***kunsill ~;*** general council.
ġeneralissimu n.m., pl. -i, (mil.) generalissimo.
ġeneralità n.f., pl. -iet, generality.
ġeneralizzat aġġ. u p.p., generalized.
ġeneralizzazzjoni n.f., pl. -jiet, generalisation.
ġeneralment avv., generally.
ġenerat aġġ. u p.p., generated.
ġenerattiv aġġ., generative.
ġeneratur n.m., f. -a, -triċi, pl. -i, begetter, generator.
ġenerazzjoni n.f., pl. -jiet, generation.
ġenerikament avv., generically.
ġenèriku aġġ., generic, generical.
ġenerożità n.f., pl. -jiet, generosity.
ġèneru n.m., pl. -i, kind, sort, gender. ***~ femminil;*** feminine gender. ***~ komun;*** common gender. ***~ maskil;*** masculine gender. ***~ uman;*** mankind, humanity.
ġeneruż aġġ., generous.
Ġènesi n.m., bla pl., n.Pr. Genesis, beginning, starting-point.
ġenètiku aġġ., genetic.
ġeni n.m., bla pl., in embryo, prematurely born, unripe fruit.
ġenitali aġġ., genital.
ġenittiv n.m., pl. -i, (gramm.) genitive.
ġenitur n.m., f. -triċi, pl. -i, parent.
ġenjali aġġ., ingenious, clever.
ġenjalità n.f., pl. -jiet, ingeniousness.
ġenjalment avv., ingeniously.
ġenju n.m., pl. -i, genius.
ġenn n.m., pl. -ijiet, madness, folly, fury.
ġenna n.f., pl. -iet, heaven, paradise. ***~ ta' l-art;*** garden of Eden.
ġennata n.f., pl. -i, lunacy.
ġenneb v.II, ***jġenneb;*** to put aside.
ġennen v.II, ***jġennen;*** to madden.
ġennien n.m., f. -a, pl. -a, gardener.
ġenoċidju n.m., f. -a, pl. -i, genocide.
ġens n.m., pl. ***ġnus;*** race, generation, kind, gender.
ġentilezza n.f., pl. -i, kindness, gentleness, courtesy.
ġentili aġġ., kind, gentle.
ġentilment avv., kindly, politely.
ġentlom n.m., pl. -i, gentleman.
ġenuflessjoni n.f., pl. -jiet, genuflexion.
ġenwin aġġ., genuine, real.
ġenwinament avv., genuinely.
ġenwinità n.f., pl. -jiet, genuineness.
ġenzjana n.f., pl. -i, (bot.) gentian.
ġeoċèntriku aġġ., (astro.) geocentric(al).
ġeodesija n.f., bla pl., geodesy.
ġeodètiku aġġ., geodetic.
ġeografija n.f., pl. -i, geography.
ġeografikament avv., geographically.
ġeogràfiku aġġ., geographic(al).
ġeògrafu n.m., f. -a, pl. -i, geographer.
ġeòloġija n.f., pl. -i, geology.
ġeoloġikament avv., geologically.
ġeolòġiku aġġ., geologic(al).
ġeòlogu n.m., f. -a, pl. -i, geologist.
ġeomanzija n.f., pl. -i, geomancy.
ġeometrija n.f., pl. -i, geometry.
ġeometrikament avv., geometrically.
ġeometriku aġġ., geometric(al).
ġeometru n.m., f. -a, pl. -i, geometer.
ġera v.i., ***jiġri;*** to run, to travel. ***it-tifel ~ lejn il-bieb;*** the boy ran to the door.
ġeraħ v.i., ***jiġraħ;*** to wound, to injure, to hurt.
ġeranju n.m., pl. -i, (bot.) geranium, stork's bill.
ġerarka n.m., pl. -i, hierarch.
ġerarkija n.f., pl. -i, (ekkl.) hierarchy.
ġerarkikament avv., hierarchically.
ġeràrkiku aġġ., hierarchic(al).
ġergħa n.f., pl. -t, draught.
ġerħa n.f., pl. -iet, ***ġrieħi;*** wound, hurt.
ġerjatrija n.f., pl. -i, geriatrics.
ġerjatrista n.kom., pl. -i, geriatrist.
ġermàniku aġġ., germanic.
Ġermaniż n.m., f. -a, pl. -i, German, Teuton.
ġermiċida n.kom., pl. -i, germicide.
ġeroglìfiku aġġ., hieroglyphic, hieroglyph.
ġerra v.II, ***jġerri;*** to make one run, to run. ***~ ż-żiemel fit-tiġrija;*** he ran a horse in the race.
ġerragħ v.II, ***jġerragħ;*** to swallow, to absorb, to suffer, to bear, to tolerate, to endure. ***ma nistax inġerrgħu;*** I cannot bear him.
ġerrej n.m., f. u pl. -ja, jockey, racer, runner, vagabond, vagrant. ***mara ġerrejja;*** rambling woman.
ġerrejja n.f., pl. -iet, bolt.
ġerriegħ n.m, f. u pl. -a, swallower.
ġerriegħi aġġ., tolerable, bearable.
ġerrieħ n.m., f. u pl. -a, wounder.
ġersi n.m., pl. -jiet, cardigan, jersey.
ġeru n.m., pl. ***ġriewi;*** pup, puppy.
ġerundju n.m., pl. -i, (gram.) gerund.

Ġerusalemm n.Pr., Jerusalem.
ġerżi n.m., pl. -is, jersey.
ġesses v.II, ***jġesses;*** to chalk.
ġest n.m., pl. -i, gesture, movement.
ġestatorja aġġ., gestatorial. ***sedja ~;*** gestatorial chair.
ġestazzjoni n.f., pl. -jiet, (med.) gestation.
ġestjoni n.f., pl. -jiet, management, administration.
Ġesù n.Pr., Jesus. ***il-Qalb ta' ~;*** Sacred Heart.
ġett n.m.koll., (min.) jet. ***ajruplan tal-~;*** jet-propelled aeroplane, jet-plane.
ġewħan aġġ., hungry, starving, famished.
ġewlaq n.m., pl. ***ġwielaq;*** wicker basket, shopping basket.
ġewnaħ n.m, pl. ***ġwienaħ;*** wing.
ġewwa prep. u avv., within, inside, in. ***~mis-swar;*** within the walls. ***~ nett;*** extremely, remotely, within. ***idħol 'il ~;*** come in, go in. ***minn ~;*** from within, internally.
ġewwaħ v.II, ***jġewwaħ;*** to famish, to starve.
ġewwenija aġġ., domestic.
ġewwenija n.f., pl. -t, conscience.
ġewweż v.II, ***jġewweż;*** to eat fodder, to eat parsimoniously, to economize.
ġewwieħ n.m., f. u pl. -a, starver.
ġewwieħi aġġ., hungry, starving.
ġewwieni aġġ., internal, interior, inward, inner. ***il-~;*** entrails, bowels.
ġewwieżi aġġ., thrifty.
ġewża n.f., pl. -iet, koll. ***ġewż;*** (bot.) walnut. ***~ tal-għonq;*** Adam's apple. ***~ tal-lampa;*** lamp-burner.
ġeża v.I, ***jiġżi;*** to reward.
ġeżwitiżmu n.m., pl. -i, jesuitism, jesuity.
ġeżż v.I, ***jġiżż;*** to cut, to shear.
ġeżża n.f., pl. -iet, shearing.
ġeżżej n.m., f. u pl. -ja, shearer.
ġeżżeż v.II, ***jġeżżeż;*** to shear frequently or repeatedly.
ġeżżież n.m., f. u pl. -a, shearer.
ġgajta n.f., pl. -iet, crowd, throng, multitude.
ġgant n.m., pl. -i, giant.
ġganti aġġ., gigantic, gigantesque.
ġhież n.m., pl. ***ġhiżijiet;*** dowry.
ġhir n.m., bla pl., dimness, obfuscation.
ġhura n.f., bla pl., short-sightedness.
ġibda n.f., pl. -iet, pull, attraction, affection, inclination, love, bent. ***~ sabiħa;*** fine countenance.
ġibed v.I, ***jiġbed;*** to draw, to pull, to lead, to induce, to print. ***hu ~ il-ħabel tal-qanpiena;*** he pulled the rope of the bell. ***~ fuq xi ħadd;*** to shoot. **~ ir-ritratt;** to take a photograph. ***~ is-saqajn;*** to banter. ***~ il-widnejn;*** admonish, warn, extort.
ġibjun n.m., pl. -i, reservoir.
ġibs n.m.koll., pl. -ijiet, ***ġbus;*** chalk, plaster.
ġibsi aġġ., chalky, plastery.
ġibus n.m., pl. -jiet, gibus, opera-hat.
ġid n.m., bla pl., good, felicity, happiness, wealth, richness.
ġiddem v.II, ***jġiddem;*** to infect with leprosy.
ġidra n.f., pl. -iet, ***ġdur;*** (bot.) turnip.
ġidri n.m., bla pl., (med.) smallpox. ***~ r-riħ;*** roseola, chicken-pox.
ġie v. irr., ***jiġi;*** to come, to arrive. ***kif ~ f'rasek dan il-kliem?;*** how come these words came to your head?. ***~ fl-idejn;*** to come to blows.
ġieb v.I, ***jġib;*** to bring, to bear, to carry. ***id-dokument iġib il-firma tagħkom;*** the document bears your signature.
ġiebja n.f., pl. ***ġwiebi;*** cistern.
ġiefi aġġ., cruel, fierce, inhuman.
ġiegħed v.III, to curl, to crisp, to frizzle.
ġiegħel v.III, ***jġiegħel;*** to induce, to cause, to force, to constrain, to oblige, to order, to bid, to compel. ***xejn mhu se jġegħelni li nibqa' hawn;*** nothing will induce me to remain here.
ġieheż v.III, ***jġieheż;*** to give dowry.
ġieħ n.m., bla pl., honour, respect, reverence, worship, fame, reputation.
ġieri aġġ., current, running. ***ilma ~;*** running water.
Ġieżu n.Pr., Jesus. ***Ġieżu-Ġieżu;*** My God, Jesus!.
ġifa n.m., pl. ***ġwejjef;*** carrion, carcass, prostitute, whore.
ġifa aġġ., abject, contemptible, lazy, coward, craven.
ġifaġni n.f., pl. -jiet, abjectness, cowardice.
ġifen n.m., pl. ***iġfna;*** (mar.) vessel, galleon, ship.
ġifes aġġ., silly, fool.
ġigaga ara **ġagaga**.
ġiger n.m., bla pl., jig.
ġiġġifogu n.m., pl. -i, fireworks.
ġigna aġġ., bashful, abject, timid.
ġijns n.m., pl. -s, jeans. ***~ blu;*** blue jeans.
ġijp n.f., pl. -s, jeep.
ġilandra n.f., pl. -i, (ekkl.) throne.
ġilba n.f., pl. -iet, clamour, uproar.
ġilbiena ara **ġulbiena**.
ġild n.m.koll., leather.

ġilda n.f., pl. *ġlud;* skin. *~ tal-mus;* strop.
ġileb v.I, *jiġleb;* to riot.
ġilju n.m., pl. -i, (bot.) lily. *~ tal-baħar;* sea pancratium. *~ isfar ta' l-ilma;* nuphar. *~ ta' l-ilma;* water lily. *~ tal-widien;* lily of the valley.
ġilwa n.f., pl. -iet, procession.
ġimed v.I, *jiġmed;* to congeal, to condense.
ġimgħa n.f., pl. -t, *ġimgħat;* week. *il-~ l-Kbira;* Good Friday. *il-~ Mqaddsa;* Holy Week.
ġinekoloġija n.f., pl. -i, (med.) gynaecology.
ġinekolòġiku aġġ., gynaecological.
ġinekòlogu n.m., f. -a, pl. -i, gynaecologist.
ġinġer n.m., bla pl., (bot.) ginger.
ġinibru n.m., bla pl., (bot.) juniper.
ġinn n.m., bla pl., gin.
ġinnasju n.m., pl. i, gymnasium, grammar school.
ġinnàstika n.f., pl. -i, gymnastics.
ġinokkjatur n.m., pl. -i, kneeling stool, kneeler, faldstool.
ġip n.m., pl. -ijiet, jeep.
ġir n.m.koll., (min.) lime. *ilma tal-~;* water lime.
ġir n.m., pl. -i, tour, turn, round.
ġiraffa n.f., pl. -i, (żool.) giraffe.
ġirasol n.m., pl. -i, (bot.) sunflower.
ġiri n.act., running. *bil-~;* speedily, rapidly.
ġirja n.f., pl. -iet, race.
ġiroskopju n.m., pl. -i, gyroscope.
ġirun n.m., pl. -i, gusset.
ġisem n.m., pl. *iġsma;* body. *~ mejjet;* corpse, dead body.
ġissem v.II, *jġissem;* to embody, to make corpulent.
ġistakor n.m., pl. -i, tail-coat, dress coat.
ġiżi n.m.koll., (bot.) wallflower.
ġiżill n.m., pl. -i, (artiġ.) chisel.
ġiżillat aġġ., chisilled.
ġiżillatur n.m., pl. -i, chiseller, carver.
ġiżimin n.m.koll., f. -a, pl. -iet, (bot.) jasmine.
ġiżirana n.f., pl. -i, necklace.
ġiżja n.f., pl. -iet, reward, recompense.
ġiżjola n.f., pl. -i, (mar.) binnacle.
Ġiżwita n.m., pl. -i, Jesuit.
ġjaċenti aġġ., (leg.) in abeyance.
ġjaċint n.m., pl. -i, (min.) hyacinth.
ġjakk n.m., pl. -i, coat of mail.
ġjufija n.f., pl. -t, cowardice.
ġlajka n.f., pl. -iet, race, generation.
ġlata n.f., pl. -iet, *ġlajjet;* frost, hoar frost.
ġlejda n.f., pl. -iet, membrane.
ġlekk n.m., pl. -ijiet, jacket. *~ tal-ħadid;* hauberk, coat of mail.
ġliba n.f., pl. *ġlejjeb;* crowd. *~ għasafar;* bevy. *~ ħut;* shoal.
ġlieba n.f., pl. -iet, uproar, clamour, row.
ġlieda n.f., pl. -iet, strife, quarrel, fight.
ġludi aġġ., leathery.
ġmajra n.f., pl. -iet, embers.
ġmied n.m.koll., f. -a, pl. -iet, soot.
ġmiegħa n.f., pl. -t, congregation, community, company, society.
ġmiel n.m., pl. -ijiet, beauty, loveliness, charm.
ġmigħ n.act., collection, gathering.
ġmigħa n.f., pl. -t, puckering.
ġnien n.m., pl. *ġonna;* garden. *~ żooloġiku;* zoological garden, zoo.
ġobba n.f., pl. *ġobob;* dressing gown.
ġobni aġġ., cheesy.
ġobon n.m.koll., f. -a, pl. -iet, cheese.
ġog n.m., pl. -i, (anat.) joint.
ġojja n.f., pl. -iet, precious stone, darling.
ġojjel n.m., pl. -i, jewel.
ġojjellerija n.f., pl. -i, jewellery.
ġojjellier n.m., f. -a, pl. -i, jeweller.
ġojjier n.m., f. -a, pl. -i, jeweller.
ġojjin n.m., pl. -i, (ornit.) linnet. *~ salvaġġ;* mealy or common redpoll.
ġojner n.m., pl. -s, joiner.
ġojnt akkawnt n.m., pl. -s, joint account.
ġòki n.m., pl. -s, (logħ.) jockey.
ġolġol n.m., pl. *ġlieġel;* harness-bell.
ġonġa v.t., *jġonġi;* to unite, to join.
ġorf n.m., pl. *ġruf,* ravine, giant. *daqs ~;* a very tall man.
ġoss n.m., pl. -jiet, legal right acquired through use.
ġowker n.m., pl. -s, (logħ.) joker.
ġrad ara **ġurat**.
ġrajja n.f., pl. -iet, event, story.
ġublew n.m., pl. -ijiet, (ekkl.) jubilee.
ġudaiżmu n.m., pl. -i, Judaism.
ġudikabbli aġġ., (leg.) judgeable.
ġudikat aġġ., (leg.) judged.
ġudikatur n.m., pl. -i, judge.
ġudikatura n.f., pl. -i, judicature.
ġudizzjarju aġġ., (leg.) judicial.
ġudizzju n.m., pl. -i, judgement. *~ universali;* last judgement.
ġudizzjuż aġġ., judicious.
ġuf n.m., pl. *ġwief;* (anat.) womb, uterus.
ġugarell n.m., pl. -i, toy.
ġugata n.f., pl. -i, (logħ.) stake.
ġugatur n.m., f. -a, pl. -i, player, staker.
ġuħ n.m., pl. *ġwieħ;* hunger.
ġukulari aġġ., (anat.) jugular.
ġukulier n.m., f. -a, pl. -i, juggler.

ġulbiena n.f., pl. *ġlieben;* (bot.) vetch.
ġulepp n.m., pl. -ijiet, syrup, julep.
ġulġlien n.m.koll., f. -a, pl. -iet, (bot.) sesame.
ġuljana n.f., pl. -i, genealogy.
ġuljanist n.m., f. -a, pl. -i, genealogist.
ġummajż n.m., f. -a, pl. -iet, (bot.) sycamore.
ġummar n.m.koll., f. -a, pl. -iet, (bot.) birch, gorse, heather, rush.
ġummiena n.f., pl. *ġmiemen;* tassel.
ġuna n.f., pl. -iet, *ġwieni;* basket.
ġungla n.f., pl. -i, jungle.
Gunju n.m.Pr., June.
ġunkilju n.m., pl. -i, (bot.) jonquil.
ġunta n.f., pl. -i, junta, joint.
ġurament n.m., pl. -i, (leg.) oath. *~ falz;* perjury.
ġurat n.m., pl. -i, juryman, (żool.) locust, grasshopper. *bank tal-ġurati;* jury box.
ġurdien n.f., pl. *ġrieden;* (żool.) rat, mouse. *~ ta' l-imramma;* small mouse. *~ il-baħar;* (itt.) rat-tail.
ġurdieqa n.f., pl. -t, *ġriedaq;* spill, splinter.
ġurekonsult n.m., pl. -i, (leg.) jurisconsult.
ġuri n.m., pl. -jiet, (leg.) jury.
ġuridikament avv., (leg.) juridically, legally.
ġurìdiku aġġ., (leg.) juridical.
ġuridizzjonali aġġ., (leg.) jurisdictional.
ġurija n.f., pl. -i, (leg.) jury.
ġurisdizzjoni n.f., pl. -jiet, (leg.) jurisdiction.
ġurisprudenza n.f., pl. -i, (leg.) jurisprudence.
ġurist n.m., f. -a, pl. -im, (leg.) jurist.
ġurnal n.m., pl. -i, journal, newspaper.
ġurnalist n.m., f. -a, pl. -i, journalist.
ġurnaliżmu n.m., pl. -i, journalism.
ġurnata n.f., pl. *ġranet;* day. *ġranet tal-karnival;* shrovetide.
ġuspatronat n.m., pl. -i, (leg.) patronage (of a living).
ġust aġġ., just, fair.
ġustament avv., justly, rightly.
ġustifikat aġġ., justified.
ġustifikazzjoni n.f., pl. -jiet, justification.
ġustizzja n.f., pl. -i, justice.
ġustizzjat aġġ., executed.
ġustizzier n.m., pl. -i, (leg.) executioner, hangman.
ġuvinturija n.f., pl. -i, youth.
ġuvni n.m., pl. *ġuvintur;* lad.
ġuvni aġġ., young.
ġwejjed aġġ., quiet, lowly, tranquil, meek, placid.
ġwież n.m.koll., pulse, forage, fodder.

Gg

G g ***it-tmien ittra ta' l-alfabett Malti u s-sitt waħda mill-konsonanti;*** the eighth letter of the Maltese alphabet and the sixth of the consonants.
gabardin n.m., pl. -ijiet, gabardine.
gabarrè n.m., pl. -jiet, tray.
gabbana n.f., pl. -i, kiosk.
gabbier n.m., pl. -a, (mar.) topman.
gabdoll n.m., pl. -i, (itt.) basking shark.
gabillott n.m., pl. -i, farmer.
gabina n.f., pl. -i, cabin.
gabinett n.m., pl. -i, little room, closet, cabinet.
gabirjola n.f., pl. -i, caper, capriole, flip-flap.
gabirjolin n.m., pl. -i, cabriolet, cab.
gabja n.f., pl. -i, cage, (mar.) top sail. ***~ tat-trakkijiet;*** top.
gabjetta n.f., pl. -i, small cage.
gabjun n.m., pl. -i, large cage, gabion.
gabuba n.f., pl. -i, small room.
gadawdu n.m., pl. -i, phantasm, phantom, ghost, bogey man.
gadett n.m., pl. -i, cadet.
gadraj n.m., pl. -ja, (mar.) bum-boat man.
gaffa n.f., pl. ***gafef;*** (mek.) bulldozer.
gaġġa n.f., pl. ***gaġeġ;*** cage.
gagarella n.f., pl. -i, diarrhoea.
gagata n.f., pl. -i, defecation, ridiculousness.
gaj n.m., pl. -jijiet, gang.
gajdra n.f., pl. -iet, (żool.) oyster.
gajjard aġġ., strong, vigorous, powerful.
gala n.f., bla pl., gala. ***ilbies ~;*** gala dress. ***serata ~;*** gala performance.
galanterija n.f., pl. -i, politeness, courteousness.
galanti aġġ., courteous.
galantina n.f., pl. -i, galantine.
galantom n.m., pl. -i, honest man, gentleman.
galassja n.f., pl. -i, (astro.) galaxy, milky way.
galatew n.m., pl. -ijiet, code of politeness, good manners, book of etiquette.
galbat aġġ. u p.p., polite.
galbu n.m., bla pl., politeness, good manners, grace.
galena n.f., bla pl., (min.) galena.
galja n.f., pl. -i, helmet.
galjazza n.f., pl. -i, (mar.) galeass.
galjott n.m., pl. -i, galley-slave.
galjotta n.f., pl. -i, (mar.) galliot, small galley.
galjun n.m., pl. -i, (mar.) galleon.
galla n.f., pl. -iet, (żool.) gall-fly.
gallarija n.f., pl. -i, balcony.
gallerija n.f., pl. -i, art gallery.
galletta n.f., pl. -i, biscuit.
gallettina n.f., pl. -i, biscuit.
gallina n.f., pl. -i, (ornit.) woodcock, (itt.) grey gumard. ***~ tal-baħar;*** oystercatcher.
gallinar n.m., pl. -i, hen-coop.
gallinella n.f., pl. -i, (itt.) tub-fish.
gallinetta n.f., pl. -i, (itt.) piper.
gallozz n.m., pl. -i, (ornit.) crake.
galludinja n.m., bla pl., (żool.) turkey.
gallun n.m., pl. -i, galoon. ***~ tad-deheb;*** gold lace.
gallun n.m., pl. ***glalen;*** gallon.
galoppin n.m., pl. -i, canvasser.
galoxxa n.f., pl. -i, galosh, overshoe.
galvàniku aġġ., galvanic.
galvanist n.m., pl. -i, galvanizer.
galvaniżmu n.m., pl. -i, galvanism.
galvanizzat aġġ., galvanized.
galvanizzazzjoni n.f., pl. -jiet, galvanization.
galvanòmetru n.m., pl. -i, galvanometer.
galvanoplàstika n.f., bla pl., galvanoplasty.
gambetta n.f., pl. -i, trip, sgambetto.
gamblu n.m., pl. -i, (żool.) crayfish.
gambott n.m., pl. -ijiet, (mar.) gunboat.
gamew n.m., f. -wa, pl. -iet, cameo.
gamiema n.f., pl. -iet, koll. ***gamiem;*** (ornit.) turtle-dove.
gamumilla n.f., pl. -i, (bot.) camomile.
ganbowt ara **gambott**.
ganċ n.m., pl. -ijiet, hook, crochet-hook.
gandilabru n.m., pl. -i, branched candlestick.
gandiletta n.f., pl. -i, taper.
gandlier n.m., pl. -i, candlestick.
gandlora n.f., pl. -i, Candlemas.

gandoffla n.f., pl. -i, (żool.) cockle.
gandott n.m., pl. -i, trench.
ganfra n.f., bla pl, camphor.
gan̄ġetta n.f., pl. -i, hasp.
ganga n.f., pl. -i, (ornit.) pin-tailed sand-grouse.
gangala n.f., pl. -i, swollen neck-gland, swollen tonsil.
gangliju n.m., pl. -i, (anat.) ganglion.
gangmu n.m., pl. -i, (mar.) drag-net.
gangster n.m., pl. -s, gangster.
ganza n.f., pl. -i, braid.
gara v.I, ***jgara;*** to hurl, to throw. ***~ l-ġebla għal xi ħadd;*** he hurled a stone at somebody.
gara n.f., pl. -i, competition.
garagor n.m., pl. -i, winding stairs, vice.
garanti n.kom., bla pl., guarantor.
garantit aġġ. u p.p., guaranteed.
garanzija n.f., pl. -i, security, warranty, guarantee, pledge.
garat aġġ. u p.p., thrown, launched.
garatur n.m., f. -a, pl. -i, thrower.
garatura n.f., pl. -i, throwing, hurling.
garaxx n.m., pl. -ijiet, garage.
gardell n.m., pl. -i, (ornit.) goldfinch, yellow wagtail.
gardenja n.f., pl. -i, (bot.) gardenia.
gardjola n.f., pl. -i, (mil.) sentry-box, guardroom, watch tower.
gardrum n.m., pl. -s, (mil.) guard-room.
garġi n.pl., bla s., gills.
gargar v.kwad., ***jgargar;*** to rumble, to roar, to bellow. ***ir-ragħad qiegħed igargar fil-bogħod;*** the thunder is rumbling far away.
gargarella n.f., bla pl., (med.) diarrhoea.
gargariżmu n.m., pl. -i, gargle.
garni n.m.koll., (bot.) arum.
garr v.I, ***jgorr;*** to coo, to grumble, to moan, to lament, to complain, to wail. ***ma għandkom ebda raġuni li tgergru minnu;*** you have no reason to complain of him.
garrier n.m., f. u pl. -a, grumbler.
garrotta n.f., pl. -i, gar(r)otte.
garża n.f., pl. -i, (med.) gauze, lint.
garżella n.f., pl. -i, box, case. ***~ postali;*** post-office box.
garżubbla n.f., pl. -i, chasuble.
garżun n.m., pl. -i, shop-boy.
gass n.m., pl. -jiet, gas. ***~ tal-faħam;*** coal-gas. ***~ tal-gwerra;*** poison-gas. ***luminata tal-~;*** effervescent lemonade. ***maskra tal-~;*** gas-mask.
gassuż aġġ., gaseous.
gasteròpudu n.m.pl., (żool.) gasteropod.
gastriku aġġ., (med.) gastric.
gastrite n.f., bla pl., (med.) gastritis.
gastroloġija n.f., pl. -i, gastrology, cookery.
gastronomija n.f., pl. -i, gastronomy.
gastronòmiku aġġ., gastronomic(al).
gastrònomu n.m., f. -a, pl. -i, gastronome.
gattarell n.m., pl. -i, (itt.) small spotted dogfish.
gattoni n.pl., bla s., (med.) mumps.
gavitell n.m., pl. -i, (mar.) buoy.
gavott n.m., pl. -i, (muż.) fife player.
gavott n.f., pl. -i, (muż.) gavotte.
gavta n.f., pl. -i, cove.
gawda v.t., ***jgawdi;*** to enjoy. ***~ d-dehra tal-baħar;*** he enjoyed the view of the sea.
gawdent aġġ., merry, jolly.
gawdju n.m., pl. -i, joy, bliss, happiness.
gawdjuż aġġ., joyful, joyous.
gawwija n.f., pl. -iet, koll. ***gawwi;*** (ornit.) sea-gull.
gawża n.f., pl. -iet, accusation.
gazzetta n.f., pl. -i, gazette, newspaper.
gazzettier n.m., pl. -a, journalist, reporter.
gazzi n.f., pl. -i, (bot.) acacia.
gaża v.Sq., ***jugża;*** to accuse.
gażaża n.f., pl. -i, dummy.
gażiba n.f., pl. -iet, roguery, knavery.
gażja n.f., pl. -iet, accusation.
gażògenu n.m., pl. -i, gas generator.
gażolina n.f., pl. -i, gasolene, gasoline.
gażòmetru n.m., pl. -i, (tekn.) gasometer.
gażun n.m.koll., f. -a, pl. -i, (bot.) dwarf-branching stock.
gażżaj n.m., f. u pl. -ja, accuser.
gdim n.act., biting.
gebbex v.II, ***jgebbex;*** to swindle, to cheat.
geddel v.II, ***jgeddel;*** to make strong, robust.
geddes v.II, ***jgeddes;*** to heap, to pile, to ammass, to accumulate.
geddies n.m., f. u pl. -a, accumulator, heaper.
geddum n.m., pl. ***gdiedem;*** (anat.) mandible. ***~ ta' bhima;*** muzzle, snout. ***bil-~;*** sulky. ***dendel il-~;*** to make faces.
gedwed v.kwad., ***jgedwed;*** to gabble, to grumble, to mumble. ***dik ix-xiħa dejjem tgedwed;*** that old lady always grumbles.
geġweġ v.kwad., ***jgeġweġ;*** to mutter, to murmur, to hum, to swarm.
geġwiġija n.f., pl. -i, swarm, crowd.
gejġ n.m., pl. -is, gauge.
gejxa n.f., pl. -iet, geisha, dressing-gown.
gelgel v.kwad., ***jgelgel;*** to gurgle.
gelgul n.m., pl. ***gliegel;*** a gush of water.

gellux n.m., pl. ***glielex;*** calf, young animal.
gemgem v.kwad., ***jgemgem;*** to grumble, to chide, to mutter, to complain.
gemgiemi aġġ., naggy.
gemus n.m., pl. ***gwiemes;*** (żool.) buffalo.
gendus n.m., pl. ***gniedes;*** (żool.) bull, ox.
ger n.m., pl. -ijiet, (mek.) gear.
gerbeb v.kwad., ***jgerbeb;*** to roll, to round, to act hastily. ***it-tifel ~ il-ballun fuq il-mejda;*** the boy rolled the ball on the table.
gerbel v.kwad., ***jgerbel;*** to sift.
gerbieb n.m., f. u pl. -a, one who rolls.
gerbiebi aġġ., round, rolled.
gerbubi aġġ., round, orbicular.
gerfex v.kwad., ***jgerfex;*** to bungle, to rummage, to disorder. ***il-qattus gerfxilna l-logħba;*** the cat bungled us the game.
gerfiex n.m., f. u pl. -a, bungler.
gerfuxi aġġ., one who bungles.
gerger v.kwad., ***jgerger;*** to growl, to chide, to grumble, to murmur, to croak.
gerges v.kwad., to displease, to disappoint.
gerlin n.m, pl. -i, (mar.) hawser.
germed v.kwad., ***jgermed;*** to blacken, to make sooty.
gerrem v.kwad., ***jgerrem;*** to nibble, to gnaw.
gerrex v.II, ***jgerrex;*** to frighten away.
gerrez v.II, ***jgerrez;*** to bewail.
gerrief n.m., f. u pl. -a, scratcher, robber.
gerriem n.m., f. u pl. -a, nibbler.
gerwel v.kwad., ***jgerwel;*** to babble, to chatter, to mutter.
gerwiel n.m., f. u pl. -a, chatterbox.
gerżuma n.f., pl. ***grieżem;*** (anat.), throat, gallet.
gesges v.kwad., ***jgesges;*** to tremble, to shiver.
gett n.m., pl. -i, ghetto.
getta n.f., pl. -i, gaiter.
gewġa n.f., pl. -iet, tumult, uproar.
gezzez v.II, ***jgezzez;*** to amass, to heap, to hoard.
gezziez n.m., f. u pl. -a, one who heaps.
geżwer v.kwad., ***jgeżwer;*** to wrap up, to fold up. ***~ xi ħaġa fil-karti;*** he wrapped up something in paper.
geżwier n.m., f. u pl. -a, one who wraps.
geżwira n.f., pl. ***gżiewer;*** a woman's strip gown, kilt.
geżż v.I, ***jgiżż;*** to milk.
geżża n.f., pl. -iet, a little spurting of milk.
gidba n.f., pl. -iet, lie.
giddeb v.II, ***jgiddeb;*** to belie, to disprove.
giddem v.II, ***jgiddem;*** to bite frequently.
giddieb n.m., f. u pl. -a, liar.
giddiem n.m., f. u pl. -a, biter.
gideb v.I, ***jigdeb;*** to lie. ***~ lil ommu fejn mar ilbieraħ;*** he lied to his mother where he went yesterday.
gidem v.I, ***jigdem;*** to bite, to sell dear, to deceive, to cheat. ***kelb li jinbaħ ma jigdimx;*** a barking dog does not bite.
gidi n.m., pl. -jien, kid. ***il-~;*** (astr.) Capricorn.
gidma n.f., pl. -iet, bite.
gidmejmun n.m., f. -a, pl. -i, (żool.) marmoset, ape.
gifun n.m., pl. ***gwiefen;*** eaves.
gikk n.m., pl. -ijiet, (mar.) gig.
giljottina n.f., pl. -i, guillotine. ***xafra tal-~;*** the blade of the guillotine.
giljottinat aġġ. u p.p., guillotined.
gilpa n.f., pl. ***gliep;*** (żool.) fox.
gimes n.m., pl. ***gimsa;*** subtle mind.
gindazz n.m., pl. -i, (mar.) halyard.
giref v.I, ***jigref;*** to scratch. ***il-qattus ~ it-tifel;*** the cat scratched the boy.
girex v.I, ***jigrex;*** to grind coarsely.
gireż v.I, ***jigreż;*** to lament, to neigh.
girfa n.f., pl. -iet, ***grif;*** a scratch.
girlanda n.f., pl. -i, garland, wreath.
girna n.f., pl. -iet, ***giren;*** hut, cottage.
girxi aġġ., grinded coarsely.
girża n.f., pl. -iet, slight lament.
giżer n.m., pl. -s, geyser.
glaċjali aġġ., glacial.
gladjatur n.m., pl. -i, gladiator.
gladjola n.f., pl. -i, (bot.) gladiolus.
glàndola n.f., pl. -i, (anat.) gland.
glandolàri aġġ., (med.) glandular.
glasìs n.m., pl. -ijiet, glacis.
glawkoma n.f., pl. -i, (med.) glaucoma.
gliċerina n.f., pl. -i, (kim.) glycerine.
glifografija n.f., pl. -i, (tekn.) glyphography.
glifogràfiku aġġ., (artiġ.) glyphographic.
glifògrafu n.m., f. -a, pl. -i, glyphographer.
glikosurja n.f., bla pl., (med.) glycosuria.
glittografija n.f., pl. -i, glyptography.
glittògrafu n.m., f. -a, pl. -i, (artiġ.) glyptographer.
globiġerina n.f., bla pl., (ġeol.) limestone.
globu n.m., pl. -i, globe. ***~ tad-dinja;*** earth (terrestrial) globe.
globulari aġġ., globular.
glòbulu n.m., pl. -i, (anat.) corpuscle. ***~ tad-demm;*** blood corpuscle.
glorifikat aġġ. u p.p., glorified.
glorifikazzjoni n.f., pl. -jiet, glorification.

glorja n.f., pl. -i, glory. ***fil-~ t'Alla;*** in heaven.
glorjuż aġġ., glorious.
glossa n.f., pl. ***glosos;*** gloss, footnote, endnote, explanation note.
glossarju n.m., pl. -i, glossary.
glossoloġija n.f., pl. -i, lexicology.
glukosju n.m., bla pl., glucose.
glukows n.m., bla pl., glucose.
glutina n.f., bla pl., gluten.
goda v.t., ***jgodi;*** to enjoy.
godla n.f., pl. -iet, pulp, plumness.
godli aġġ., plumpy, muscular.
gods n.m., pl. ***gdus;*** heap, stack, pile, cluster.
goff aġġ., clumsy, uncouth.
goletta n.f., pl. -i, (mar.) schooner.
golf n.m., pl. -ijiet, (mar.) gulf, (logħ.) golf.
golja n.f., pl. -i, drill, bit.
gomma n.f., pl. ***gomom;*** gum, rubber. ***~ tat-taħsir;*** Indian rubber, eraser.
gommuż aġġ., gummy, sticky.
gondla n.f., pl. -i, (mar.) gondola.
gondolier n.m., f. u pl. -a, (mar.) gondolier.
gonfalun n.m., pl. -i, gonfalon, banner, standard.
gonfalunier n.m., pl. -i, gonfalonier.
gong n.m., pl. -ijiet, gong.
gonjometrija n.f., bla pl., goniometry.
gonjomètriku aġġ., goniometric(al).
gonjòmetru n.m., pl. -i, goniometer, protractor.
gorboġ n.m., pl. ***griebeġ;*** hovel, hog-pen, hog-sty.
gordjan aġġ., gordian. ***għoqda gordjana;*** gordian knot.
gorgeġġ n.m., bla pl., (muż.) trill.
gorgonzola n.Pr., Gorgonzola.
gorilla n.f., pl. -i, (żool.) gorilla.
gorna n.f., pl. -iet, hut.
gost n.m., pl. -i, pleasure, fun, enjoyment, taste.
gòtiku aġġ., (ark.) Gothic.
gott n.m., pl. -i, (mar.) long-handled scoop.
gotta n.f., pl. -i, (med.) gout.
governabbli aġġ., governable, manageable.
governanti n.kom., pl. -jiet, governor, governess.
governattiv aġġ., governmental.
governaturat n.m., pl. -i, governorship.
gowl n.m., pl. -jiet, (logħ.) goal.
Gozitan aġġ., Gozitan.
Gozo n.Pr., Gozo.
gożwajer n.m., bla pl., wire gauze.
gozz n.m., pl. ***gzuz;*** stack, pile, mass. ***~ ħuxlief;*** stack. ***~ suf;*** stack. ***~ qamħ;*** stack.
gozzu n.m., bla pl., (med.) goitre.
graċilità n.f., pl. -jiet, frailness, slenderness.
graċli aġġ., gracile, frail, delicate.
grad n.m., pl. -i, grade, degree. ***~ ta' parentela;*** degree of relationship.
grada n.f., pl. -i, lattice, grate.
gradatament avv., gradually.
gradazzjoni n.f., pl. -jiet, gradation.
gradenza n.f., pl. -i, chest of drawers.
gradenzina n.f., pl. -i, nest.
gradilja n.f., pl. -i, gridiron, grill.
gradwali aġġ., gradual.
gradwalment avv., gradually.
gradwat aġġ., graduated.
graf n.m., pl. -ijiet, graph.
graffit n.m., pl. -i, (ark.) graffito.
grafija n.f., pl. -i, writing, spelling.
grafikament avv., graphically.
gràfiku aġġ., graphic.
grafit n.m., bla pl., blacklead, graphite.
grafoloġija n.f., pl. -i, graphology.
grafòlogu n.m., f. -a, pl. -i, graphologist.
grafòmetru n.m., pl. -i, graphometer.
gramm n.m., pl. -i, gramme.
grammàtika n.f., pl. -i, grammar.
grammatikali aġġ., grammatical.
grammatikalment avv., grammatically.
grammàtiku n.m., pl. -i, grammarian.
gramofown n.m., pl. -s, gramaphone.
grampun n.m., pl. -i, grapnel.
gran aġġ., great.
granadilla n.f., pl. -i, (bot.) Passion flower.
granatier n.m., pl. -i, (mil.) grenadier.
granċ n.m., pl. -i, -ijiet, (żool.) crab. ***ħa ~;*** to make a blunder.
grandjuż aġġ., grand, grandiose.
granduka n.m., pl. -i, Grand Duke.
grandukat n.m., pl. -i, Grand Duchy.
grandukessa n.f., pl. -i, Grand Duchess.
granell n.m., pl. -i, grain.
granf n.m., pl. -i, claw, talon. ***waqa' taħt il-~ tiegħu;*** to fall into someone's clutches.
granit n.m.koll., (ġeol.) granite.
granita n.f., pl. -i, grated ice drink.
Granmastru n.m., pl. -i, Grand Master.
granulat aġġ., granulate.
granutill n.m.koll., gold or silver tensel.
granza n.f., pl. ***granez;*** bran.
grappa n.f., pl. -iet, clamp.
grass aġġ. u n.m., pl. -ijiet, fat.
grassett n.m., pl. -i, bold type.
grat aġġ., grateful.
gratis avv., gratis, free.
gratitudni n.f., pl. -jiet, gratitude.

grattin n.m., pl. -ijiet, (mar.) bolt-rope.
gratwit aġġ., gratuitous.
gravi aġġ., serious, grave.
gravidanza n.f., pl. -i, (med.) pregnancy.
gravità n.f., pl. -jiet, gravity. ***ċentru tal-~;*** centre of gravity.
gravitazzjoni n.f., pl. -jiet, gravitation.
gravuż aġġ., heavy, hard, oppressive, troublesome, painful.
grawnd n.m., pl. -s, (logħ.) ground, stadium.
grawwa n.f., pl. -iet, crane.
grazzi int., thanks!, thank you!
grazzja n.f., pl. -i, grace. ***bil-bona ~;*** with a good grace. ***stat ta' ~;*** state of grace. ***bona ~ tiegħek;*** pray! please! if you please! ***għall-~ t'Alla;*** by the grace of God.
grazzjuż aġġ., pretty, graceful.
greċiżmu n.m., pl. -i, Grecism, Hellenism.
gregarju aġġ., gregarious.
Gregorjan aġġ., (ekkl.) Gregorian. ***kalendarju ~;*** Gregorian calendar. ***kant ~;*** Gregorian chant, plainchant, plainsong.
grejvi n.m., pl. -jiet, gravy.
grembjal n.m., pl. -i, (ekkl.) gremial, silk apron.
gremxula n.f., pl. -iet, koll. ***gremxul;*** (żool.) lizard. ***~ tal-baħar;*** (itt.) pipefish.
Grieg aġġ. u n.m., f. -a, pl. -i, Greek. ***knisja tal-Griegi;*** Greek church. ***ilsien ~;*** Greek language. ***salib ~;*** Greek cross.
grif n.act., scratching.
grifun n.m., pl. -i, griffin.
griġjol n.m., pl. -i, (artiġ.) crucible, melting pot.
grigal n.m., pl. -i, north-east wind.
grigalata n.f., pl. -i, gale storm.
grillu n.m., pl. -i, (żool.) cricket, (mek.) trigger. ***għafas il-~;*** to press the trigger.
grin aġġ., inexperienced.
gringu n.m., pl. -ijiet, (itt.) conger-eel. ***~ tar-ramel;*** worm-eel.
grippja n.f., pl. -iet, (mar.) buoy-rope.
grissin n.m., pl. -i, long thin roll of bread.
grix n.act., grinding coarsely.
grixa n.f., pl. -iet, koll. ***grix;*** fine bran.
grixti aġġ., rude, rustic.
griż aġġ., grey. ***xagħar ~;*** grey hair.
griżma n.f., pl. -i, (teol.) ***~ ta' l-Isqof;*** confirmation. ***~ tal-morda;*** anointing of the sick.
grokk n.m., pl. -ijiet, grog.
groppa n.f., pl. -iet, croup.
grossa n.f., pl. -i, gross.
grossist n.m., f. -a, pl. -i, wholesale dealer.
grotta n.f., pl. -i, ***grotot;*** grotto, cave.
grottesk aġġ., grotesque.
grottlu n.m., pl. -i, (żool.) lithodomus.
gru n.m., pl. -wijiet, (ornit.) common crane.
grum n.m., pl. -ijiet, groom, servant.
grupp n.m., pl. -i, group.
gruwa n.f., pl. -iet, (ornit.) common crane.
guffaġni n.f., pl. -jiet, awkwardness.
guga n.f., pl. -iet, little cavern.
gula n.f., bla pl., gluttony, (arkeol.) ogee.
gulier n.m., pl. -i, glutton, epicure.
guluż aġġ., gluttonous, greedy.
gumna n.f., pl. -i, (mar.) mooring rope, hawser.
gundalla n.f., pl. -i, bump, lump.
gurbell n.m., pl. ***griebel;*** (itt.) corb. ***~ rar;*** meagre. ***~ tork;*** brown meagre.
gurilla ara **gorilla**.
gurġiera n.f., pl. -i, (mil.) gorget.
gurlin n.m., pl. -i, (ornit.) curlew.
gustuż aġġ., graceful, cute.
guttaperka n.f., bla pl., gutta-percha.
gutturali aġġ., (gram.) guttural.
guva n.f., pl. -i, aviary.
guvru n.m., pl. -i, felly, felloe.
gvern n.m., pl. -ijiet, government.
gvernatur n.m., pl. -i, governor.
gverta n.f., pl. ***gvieret;*** blanket, coverlet, (mar.) deck.
gwadann n.m., pl. -i, gain, profit.
gwaj n.m., pl. -ijiet, misfortune, mishap.
gwapp aġġ., arrogant, bold, presumptuous.
gwardabosk n.m., pl. -i, woodman, forester.
gwardarobba n.f., pl. -i, wardrobe.
gwardinfant n.m., pl. -i, hoops.
gwardja n.f., pl. -i, guard.
gwardjan n.m., pl. -i, guardian.
gwardjanat n.m., pl. -i, guardianship.
gwarniċ n.m., pl. -i, cornice, frame.
gwarniċun n.m., pl. -i, (ark.) entablature, projection.
gwarniġjon n.m., pl. -i, (mil.) garrison.
gwerra n.f., pl. ***gwerer;*** war. ***~ ċivili;*** civil war. ***~ santa;*** Holy war.
gwerrier n.m., f. u pl. -a, warrior.
gwerilla n.f., pl. -i, guerrilla.
gwerillier n.m., pl. -i, guerrilla, bushfighter.
gwida n.f., pl. -i, guide.
gżar n.act., accusing.
gżat aġġ. u p.p., accused, reported.
gżira n.f., pl. ***gżejjer;*** island.

GĦgħ

GĦ, għ ***id-disa' ittra ta' l-alfabett, is-seba' waħda mill-konsonanati u l-ewwel waħda mill-likwidi;*** the ninth letter of the alphabet, the seventh of the consonanats, and the first of the liquids.
għa inter., hoy!.
għab v.I, ***jgħib;*** to disappear, to vanish. ***illum is-sħab malajr ~;*** the clouds vanished quickly today.
għabar n.m., bla pl., weight, counterpoise.
għabba v.II, ***jgħabbi;*** to load, to laden, to deceive, to cheat, to trick. ***~ l-vapur bl-injam;*** he loaded the ship with timber.
għabbar v.II, ***jgħabbar;*** to counterpoise, to counterbalance, to powder, to cover with dust, to be angry, to fall into a passion.
għabbari aġġ., dusty.
għabbej n.m., f. u pl. -ja, loader, deceiver.
għabbex v.II, ***jgħabbex;*** to dazzle, to dawn.
għabex n.m., bla pl., twilight.
għabra n.f., pl. ***għabajjar;*** dust.
għabur n.fm., pl. ***għabajjar;*** (żool.) a young ram, a young ewe.
għad v.I, ***jgħid;*** to say, to speak, to narrate, to relate.
għad avv., yet, not yet.
għada n.f., pl. -iet, ***għewejjed;*** use, usage, custom, habit, temper.
għada avv., tomorrow.
għadab v.I, ***jagħdab;*** to be angry with.
għadba n.f., pl. -iet, anger, wrath.
għadd v.I, ***jgħodd;*** to count, to reckon, to number. ***tgħoddx il-flieles qabel ma jfaqqsu;*** don't count chickens before they hatch. ***il-jiem tiegħu huma magħduda;*** his days are numbered.
għadd n.act., number, addition. ***bla ~;*** numberless, numerous.
għadda n.f., pl.-iet, numeration, computation.
għadda v.II, ***jgħaddi;*** to pass. ***~ mid-dlam għad-dawl;*** he passed from darkness to light. ***~ bil-ħadida;*** to iron. ***~ l-ħażż;*** to go further. ***~ 'l quddiem;*** to advance. ***~ ż-żmien;*** to spend time. ***~ minn għalih;*** to happen. ***~ minn rasu;*** to come into one's mind.
għaddab v.II, ***jgħaddab;*** to provoke, to anger.
għaddâb n.m., f. u pl. -a, provoker.
għaddam v.II, ***jgħaddam;*** to render bony.
għaddar v.II, ***jgħaddar;*** to inundate, to flood.
għaddas v.II, ***jgħaddas;*** to plunge, to steep, to duck, to deceive, to delude, to beguile. ***~ il-kappell fl-ilma;*** he plunged the hat into the water.
għaddâs n.m., f. u pl. -a, diver, plunger.
għaddeb v.II, ***jgħaddeb;*** to punish, to chastize.
għadded v.II, ***jgħadded;*** to go on counting.
għaddej n.m., f. u pl. -ja, passing.
għaddieb n.m., f. u pl. -a, punisher, tormenter.
għaddiebi aġġ., punitive.
għaddied n.m., f u pl. -a, accountant, computer.
għader v.I, ***jagħder;*** to pardon, to excuse, to be compassionate, to commiserate, to pity.
għadilli avv., although, notwithstanding.
għadira n.f., pl. ***għadajjar;*** marsh, lake, pool.
għadma n.f., pl. -iet, koll. ***għadam;*** bone. ***~ tal-frott;*** kernel. ***~ taż-żarbun;*** shoe horn. ***~ (ħuta);*** red gurnard.
għadmi aġġ., bony.
għads n.m.koll., f. -a, pl. -iet, (bot.) lentils. ***~ il-ħamiem;*** vetches.
għadsa n.f., pl. -iet, immersion, plunging, mole.
għadsi aġġ., lenticular.
għadu n.f., pl. ***għedewwa;*** enemy, adversary. ***~ tal-bniedem;*** devil, demon.
għafas v.I, ***jagħfas;*** to press, to squeeze, to oppress.
għaffas v.II, ***jgħaffas;*** to squeeze hard.
għaffeġ v.II, ***jgħaffeġ;*** to tread, to crush. ***toqogħdux tgħaffġu fuq il-ħaxix;*** do not tread on the grass.
għaffieġ n.m., f. u pl. -a, treader.

għafja n.f., pl. -iet, health. ~ ***tal-mewt;*** any amelioration shorty before death.
għafjun n.m., bla pl., opium.
għafrit n.m., pl. ***għefieret;*** devil, impious, cruel, wicked person.
għafsa n.f., pl. -iet, pressing. ~ ***ta' l-id;*** shake of the hand.
għafsi aġġ., rustic.
għaġ n.m.koll., f. -a, pl. -iet, (bot.) pennyroyal.
għaġba n.f., pl. -iet, surprise, fuss.
għaġeb n.m., pl. ***għeġubijiet,*** wonder, marvel, amazement. ***tal-~;*** admirable, marvellous, awesome.
għaġen v.I, ***jagħġen;*** to knead.
għaġġeb v.II, ***jgħaġġeb;*** to surprise, to amaze, to astonish, to astound, to exagerate. ***il-kliem tiegħu għaġġibna;*** his words surprised us.
għaġġel v.II, ***jgħaġġel;*** to hasten, to hurry. ***għaġġlu biex imorru d-dar;*** they hastened to go home.
għaġġeż v.II, ***jgħaġġeż;*** to make old.
għaġġieb n.m., f. u pl. -a, admirer, wonderer.
għaġġiel n.m., f. u pl. -a, hastener.
għaġġien n.m., f. u pl. -a, kneader, dough-maker.
għaġin n.m.koll., f. -a, pl. -iet, paste, pasta.
għaġina n.f., pl. ***għeġejjen;*** dough. ~ ***moqlija biz-zokkor;*** dough-nut.
għaġla n.f., pl. -iet, haste, speed. ***bil-~;*** speedily, quickly.
għaġna n.f., pl. -iet, kneading.
għaġuż n.m., pl. ***għeġejjeż;*** an old man, decrepit.
għaġuża n.f., pl. -iet, (żool.) lobster, an old woman.
għagħa n.f., bla pl., rumour, uproar, murmur.
għaja n.act., weakness, tiredness, fatigue.
għajb n.m., bla pl., dishonour, disgrace, shame, blur.
għajba n.f., pl. -iet, disappearance.
għajdun n.f., pl. -ijiet, rigmarole.
għajdut n.f., bla pl., rumour. ~ ***tan-nies;*** gossip.
għajja v.II, ***jgħajji;*** to tire, to fatigue, to weaken. ***għajjieni għal mewt;*** he tired me to death.
għajjar v.II, ***jgħajjar;*** to revile, to insult, to be overcast, to be covered with clouds. ***it-tifel ~ lil ħabibu;*** the boy insulted his friend.
għajjâr n.m., f. u pl. -a, reviler.
għajjat v.II, ***jgħajjat;*** to clamour, to bawl, to cry, to shout. ***missierna ~ magħna;*** our father shouted at us.
għajjât n.m., f. u pl. -a, crier, bawler, shouter.
għajjati aġġ., crying.
għajjeb v.II, ***jgħajjeb;*** to ape, to mock, to make mouths, to hide, to skulk, to eclipse.
għajjen v.II, ***jgħajjen;*** to jinx, to gaze, to stare, to admire.
għajjex v.II, ***jgħajjex;*** to feed, to maintain, to vivify, to sustain.
għajjieb n.m., f. u pl. -a, counterfeiter.
għajjien n.m., f. u pl. -a, bewitcher.
għajjien aġġ. u p.preż., tired, weary, exhausted.
għajjur aġġ., envious, jeolous.
għajn n.f., pl. ***għejun;*** fountain, (anat.) eye. ~ ***il-labra;*** eye of the needle. ***agħtih daqqa ta' ~;*** to take a look at. ***bil-~;*** by naked eye. ***f'daqqa ta' ~;*** in an instant. ***minn taħt il-~;*** to steal a look. ***tebqet il-~;*** eyelid. ***fetaħ għajnejh;*** to take care, to realize. ***fetaħlu għajnejh;*** to make one cunning. ***għajnu fuqu;*** to be all eyes. ***għajnu togħkru;*** to suspect, to doubt. ***għalaq għajnu (is-sema);*** to become overcast, to rain in torrents. ***għalaq għajnejh;*** to die. ***mar b'għajnejh magħluqa,*** to go blindfold. ***ras il-~;*** fountain head.
għajnas v.kwad., ***jgħajnas;*** to cast a shy glance.
għajnuna n.f., pl. -iet, aid, help, assistance. ***l-ewwel ~;*** first aid.
għajr prep., except, but, only.
għajt n.f., bla pl., malevolence, hatred.
għajta n.f., pl. -iet, a shout, cry, clamour. ~ ***t'Alla;*** vocation.
għajxien n.act., living, aliment, food, nourishment.
għakar n.f., pl. ***għekur;*** dregs, misery.
għakes ara **għokos**.
għakka aġġ., decrepit.
għakkar v.II, ***jgħakkar;*** to foul with dregs, to live in idleness.
għakkarija n.f., pl. -i, laziness, slothfulness, sluggishness, idleness, niggardliness.
għakkes v.II, ***jgħakkes;*** to shackle, to fetter, to grind, to oppress.
għakkies n.m., f. u pl. -a, oppressor.
għakkies n.m., pl. ***għekiekes;*** crook.
għakreb n.m., pl. ***għekiereb;*** (żool.) scorpion.
għakrek v.kwad, ***jgħakrek;*** to idle, to loiter, to linger.
għakriek n.m., f. u pl. -a, loiterer.
għakrux n.f., pl. ***għekierex;*** (żool.) snail.

għaks n.act., oppression, calamity, misery, scarcity.
għaksa n.f., pl. *għekiesi* (anat.), knuckle. *~ ta' sieq;* ankle.
għal prep., towards, against, for, in favour of.
għala prep. u avv., why, for what reason.
għalaq n.m., f. -a, pl. *egħilqa;* handle, (żool.) leech.
għalaq v.I, *jagħlaq;* to shut, to close. *~ ħalq xi ħadd;* he shut someone's mouth. *~ għajnejh;* to die. *~ ħalqu;* to be silent. *~ il-ponn;* to clench. *~ it-triq;* to block. *~ f'ħabs;* to imprison.
għalb n.act., conquering, victory.
għalba n.f., pl. -iet, victory.
għaldaqshekk avv., therefore.
għaleb v.I, *jagħleb;* to vanquish, to subdue, to overcome, to conquer.
għalef v.I, *jagħlef;* to forage, to feed.
għalenija avv., unanimously.
għalf n.m., bla pl., fodder, forage.
għalfa n.f., pl. -iet, a feeding.
għalfejn avv., where?, why?, whither?
għalhekk avv., wherefore, thus, therefore.
għali aġġ., high, tall, dear, costly.
għali n.act., boiling, grief, sorrow, disgust, displeasure.
għalieni aġġ., averse or favourable.
għaliex avv., why? because, wherefore?, because.
għalissa avv., for the moment.
għalja n.f., pl. -iet, ebullition, grief, misfortune.
għalkemm konġ., although.
għalkollox avv., entirely, completely.
għalla v.II, *jgħalli;* to boil, to grieve, to afflict, to sadden, to raise the price.
għalla n.f., pl. -iet, crest.
għallanqas avv., at least.
għallaq v.II, *jgħallaq;* to hang. *il-bojja ~ il-qattiel;* the executioner hanged the murderer.
għallat v.II, *jgħallat;* to make one err, to cheat.
għalleb v.II, *jgħalleb;* to make thin, to emaciate.
għallej n.m., f. u pl. -ja, one who boils.
għallek v.II, *jgħallek;* to cling, to make sticky.
għallel v.II, *jgħallel;* to fertilize, to produce a crop.
għallem v.II, *jgħallem;* to teach, to instruct. *hu jgħallem il-Malti;* he teaches the Maltese language.
għalli avv., for what.
għallief n.m., f. u pl. -a, forager.
għalliel n.m., f. u pl. -a, fertilizer.
għallieli aġġ., productive.
għalliem n.m., f. u pl. -a, teacher, instructor.
għalliemi aġġ., didactic, instructive.
għallieq n.m., pl. -a, executioner, hangman.
għallis n.m., bla pl., (bot.) thistle.
għalqa n.f., pl. *għelieqi;* field.
għalta n.f., pl. -iet, mistake, error.
għalxejn avv., for nothing, for no reason.
għalxiex avv., for what.
għam v.I, *jgħum;* to swim, to float. *is-sufri jgħumu f'wiċċ il-baħar;* the corks float on the sea surface. *~ wiċċu 'l fuq;* he swam on his back.
għama n.f., bla pl., blindness.
għamad n.m., pl. *għemiedi;* band.
għamar n.m., pl. *għamâr;* habitation.
għamara n.koll.f., pl. *għamajjar;* furniture, habitation.
għamba v.I, *jagħmbi;* to need, to require.
għamel v.I, *jagħmel;* to do, to act, to make. *qiegħed nagħmel id-dmir tiegħi;* I am doing my duty. *~ il-flus;* to become rich. *~ ġieħ;* to honour. *~ il-geddum;* to pout. *~ għalih;* to persecute, to attack, to get angry with. *~ il-ġid;* to benefit. *~ il-ħaqq;* to judge. *~ il-ħila;* to encourage. *~ idejh fuq;* to beat. *~ idu fuq ir-ras;* to bless. *~ il-laħam;* to fatten. *~ il-leħja;* to shave. *~ in-nar;* to shoot. *~ minn idu;* to subscribe, to sign. *~ tajjeb;* to bail. *~ ta' birruħu;* to feign. *~ il-wisa';* to make room.
għames v.I, *jagħmes;* to press down under surface of a liquid.
għameż v.I, *jagħmeż;* to wink, to twinkle. *~ lil xi ħadd;* he winked at somebody.
għamja aġġ., blind. *il-musrana l-~;* (anat.) appendix.
għamla n.f., pl. -iet, *għemejjel;* making, feature, shape, action.
għamm n.m., pl. *għemum;* uncle.
għammad v.II, *jgħammad;* to blindfold.
għammar v.II, *jgħammar;* to inhabit, to dwell, to live, to reside, to furnish, to supply, to fecundate. *huma jgħammru l-belt Valletta;* they live in the city of Valletta.
għammâr n.m., f. u pl. -a, dweller, resident.
għammed v.II, *jgħammed;* to baptize. *il-kappillan ~ it-tarbija;* the parish priest baptized the baby. *~ la Lhudija;* to circumsize. *~ l-inbid;* to water wine.
għammem v.II, *jgħammem;* to darken, to dim, to obscure, to blur, to obfuscate.

għammeq v.II, ***jgħammeq;*** to deepen.
għammex v.II, ***jgħammex;*** to blear, to dazzle, to blink.
għammied n.m., f. u pl. -a, baptizer.
għammiel n.m., f. u pl. -a, doer, maker, fruitful, male sparrow.
għammieq aġġ., very deep, abysmal.
għammies n.m., f. u pl -a, oppressor.
għammiexi aġġ., dazzling.
għamnewwel avv., last year.
għamqi aġġ., deep.
għamra n.f., pl. -iet, faggot, colony, habitation.
għamsa n.f., pl. -iet, oppression, aggravation, immersion.
għamt n.f., pl. -ijiet, aunt.
għamuda n.f., pl. -iet, pillar, column.
għamża n.f., pl. -iet, a wink. ***ħadt ~;*** short sleep, nap.
għan ara **għen**.
għan n.m., pl. -ijiet, aim, purpose, intention.
għana v.I, ***jagħni;*** to enrich.
għana n.act., riches, wealth, opulence.
għanbaqra n.f., pl. -iet, koll. ***għanbaqar;*** (bot.) plum.
għanbra n.f., pl. ***għanbar;*** anber.
għanbu n.m., pl. ***għeniebi;*** (logħ.) ambo.
għanċeċ v.kwad., ***jgħanċeċ;*** to radiate.
għand prep., from, to, at.
għandur aġġ., gallant, spruce, dandy, beau.
għanem n.m.koll., cattle, herd, flock, drove.
għanet v.I, ***jagħnet;*** to hasten, to make haste.
għani aġġ., rich, wealthy.
għanja n.f., pl.-iet, song, hymn.
għanna v.II, ***jgħanni;*** to sing. ***l-omm għanniet għanja lit-tifel;*** the mother sang a song to the child.
għannaq v.II, ***jgħannaq;*** to embrace, to hug, to entwine, to cuddle. ***għannqu lil xulxin qabel infirdu;*** they embraced each other before parting.
għannej n.m., f. u pl. -ja, singer.
għanqa n.f., pl. -iet, embrace, hug.
għanqbuta n.f., pl. -iet, koll. ***għanqbut;*** cobweb, spider's web.
għanqra n.f., pl. ***għenieqer;*** double chin, dewlap, goitre.
għanqud n.m., pl. ***għenieqed;*** bunch. ***~ tal-bajd;*** ovary. ***~ għeneb;*** bunch of grapes, cluster of grapes.
għansar n.m.koll., (bot.) squill.
għant n.m., pl. ***għenut;*** sheath.
għantkux n.m.koll., (bot.) winged pea.
għaqad v.I, ***jagħqad;*** to be curled, to be congealed.
għaqal n.m., bla pl., reason, sense, judgement. ***bil-~;*** wise, sage, prudent. ***bla ~;*** foolish, witless.
għaqar v.I, ***jogħqor;*** to ulcerate.
għaqba n.f., pl. ***għeqiebi;*** hillock, knoll.
għaqda n.f., pl. -iet, union, confederation, society.
għaqel aġġ., meek.
għaqli aġġ., wise, prudent, sage.
għaqqad v.II, ***jgħaqqad;*** to join, to coagulate. ***~ fi żwieġ;*** to unite in marriage.
għaqqad n.m., f. u pl. -a, one that joins together, coagulator.
għaqqal v.II, ***jgħaqqal;*** to render intelligent.
għaqqâl n.m., f. u pl. -a, tamer.
għaqqar v.II, ***jgħaqqar;*** to wound, to ulcerate.
għaqqex v.II, ***jgħaqqex;*** to cheat, to deceive.
għaqquxi n.m., f. -ja, pl. -n, swindler.
għaqra n.f., pl. -iet, sore, ulcer, corn.
għar n.m., pl. ***għawar;*** shame.
għar n.m., pl. ***għerien;*** cave, den, grotto.
għar v.I, ***jgħir;*** to be jealous.
għarab n.m., pl. ***għorob;*** (ornit.) rook.
għaraf v.I, ***jagħraf;*** to know, to recognize, to identify. ***hu ma riedx jagħraf it-tifla bħala bintu;*** he refused to recognize the girl as his daughter.
għaraġ v.I, ***jagħraġ,*** to limp.
għaraq n.act., sweat, perspiration.
għarax v.I, ***jagħrax;*** to tickle.
għarb n.m., bla pl., west.
għarbel v.kwad., ***jgħarbel;*** to sift, to sieve, to bolt.
għarbiel n.m., pl. -a, siever.
Għarbi n.m., f. -ja, pl. -in, ***Għarab;*** Arab, Arabian. ***riħ ~;*** western wind.
għarbila n.f., pl. -iet, sifting.
għareb n.m., pl. ***għewiereb;*** angular stone.
għaref aġġ., wise, learned, erudite.
għarfa n.f., pl. -iet, knowledge, perception, idea.
għarfien n.act., gratitude, recognition, acknowledgement.
għargħar n.m., bla pl., flood, deluge.
għargħar n.m.koll., pl. ***għeriegħer;*** (bot.) juniper.
għargħar v.kwad., ***jgħargħar;*** to gargle, to gargalize, to flood. ***ix-xita għargħret ir-raba' kollu;*** the rain has flooded all the fields.
għargħax v.kwad., ***jgħargħax;*** to tickle, to titillate.

għargħaxi aġġ., ticklish.
għarib n.m., f. -a, pl. ***għorba, għerieb;*** foreigner, stranger.
għarix n.m., pl. ***għerejjex;*** hut, cottage.
għarixa n.f., pl. ***għarajjex;*** overcast.
għarka n.act., friction, a rubbing.
għarkubbtejn avv., kneeling.
għarma n.f., pl. ***għorom;*** heap.
għarnuq n.m., pl. ***għerieneq;*** (ornit.) crane.
għarqa n.f., pl. -iet, sweat, sweating, submersion, mundation, drowning.
għarqan aġġ., sweating.
għarqeb v.kwad., ***jgħarqeb;*** to kick with the heel.
għarqien n.m., bla pl., drowning.
għarqub n.m., pl. ***għerieqeb;*** heel.
għarraf v.II, ***jgħarraf;*** to notify, to reveal, to inform.
għarrâf n.m., f. u pl. -a, informant.
għarram v.II, ***jgħarram;*** to indemnify, to hoard, to amass, to heap up.
għarrâm n.m., f. u pl. -a, one who indemnifies.
għarraq v.II, ***jgħarraq;*** to cause one to sweat, to distill, to submerge, to drown, to ruin, to mar, to spoil. ***għarraqt il-kowt ġdid tiegħi;*** I have ruined my new coat.
għarras v.II, ***jgħarras;*** to betrothe, to engage, to replant. ***hu ~ lil bintu ma' Ġanni;*** he bethrothed his daughter to John.
għarrâs n.m., f. u pl. -a, promoter of matrimony, one who replants.
għarref v.II, ***jgħarref;*** to teach, to instruct, to make learned.
għarrem v.II, ***jgħarrem;*** to heap up, to pile up.
għarrex v.II, ***jgħarrex;*** to make huts, to peep.
għarrieda avv., fortuitously, unexpectedly.
għarriem n.m., f. u pl. -a, one who heaps up.
għarrieq n.m., pl. -a, distiller.
għars n.m., pl. ***għoros;*** plantation.
għarukaża n.f., pl. -ijiet, shame, ignominity.
għarus n.m., f. -a, pl. ***għarajjes;*** spouse, bridegroom, betrothed. ***~ il-Ħadd;*** ridge.
għarusa n.f., pl. ***għarajjes;*** bride. ~ (itt.)***;*** rainbow wrasse.
għarwel v.kwad., ***jgħarwel;*** to swarm.
għarwen v.kwad., ***jgħarwen;*** to undress, to bare, to strip naked, to divest, to despoil.
għarwien aġġ., naked, bare.
għasa n.f., pl. -iet, ***għosjien;*** cudgel.
għasar v.I, ***jagħsar;*** to squeeze, to press hard. ***~ il-għeneb;*** to press the grapes. ***~ il-ħwejjeġ;*** to wring clothes.
għasar n.m., pl. ***għosrien;*** afternoon, (ekkl.) evening prayer, vespers.
għasel n.m.koll., pl. ***għoslien;*** honey. ***qagħqa tal-~;*** honey-ring.
għasfar v.kwad., ***jgħasfar;*** to run away, to disappear.
għasfur n.m., pl. ***għasafar;*** (ornit.) bird. ***~ tal-bejt;*** sparrow. ***~ tal-ġenna;*** bird of paradise. ***~ tal-passa;*** bird of passage. ***~ tat-tħarrik;*** decoy bird. ***~ ta' San Martin;*** king fisher. ***~ taż-żebbuġ;*** grosbeak. ***~ tal-baħar;*** (itt.) bull ray.
għasida n.f., pl. ***għesejjed;*** porridge, pap, muddle.
għasleġ v.kwad., ***jgħasleġ;*** to sprout.
għasli aġġ., melliferous.
għasluġ n.m., pl. ***għesieleġ;*** spring, twig.
għasra n.f., pl. -iet, a squeeze, pressure, pression, pressing. ***sar ~;*** to be soaked.
għasri aġġ., (of the) evening.
għassa n.f., pl. ***għases;*** guard, sentinel, police station.
għassâr n.m., f. u pl. -a, wine-presser.
għassed v.II, ***jgħassed;*** to knead, to mix, to confound, to mingle, to jumble.
għassel v.II, ***jgħassel;*** to produce honey.
għasses v.II, ***jgħasses;*** to watch.
għassies n.m., f. u pl. -a, guard, guardian.
għata n.m.koll., cover, covering. ***~ ta' l-art;*** carpet. ***~ tal-ġisem;*** dress, clothes. ***~ ta' fuq kollox;*** coat, overcoat. ***~ ta' mejda;*** table-cloth. ***~ tar-ras;*** cap, hat. ***~ tas-sodda;*** coverlet. ***~ tal-wiċċ;*** veil, mask.
għatar ara **għotor**.
għatas v.I, ***jagħtas;*** to sneeze.
għatba n.f., pl. ***għetiebi;*** threshold, still, door step.
għatla n.f., pl. ***għetieli;*** ploughman's stick.
għatra n.f., pl. -iet, a stumble.
għatsa n.f., pl. -iet, a sneeze.
għatta v.II, ***jgħatti;*** to cover, to mantle, to hush. ***għatti dak li ġara;*** hush up that matter.
għattab v.II, ***jgħattab;*** to cripple, to maim.
għattan v.II, ***jgħattan;*** to crush, to pound, to contuse, to dent.
għattaq v.II, ***jgħattaq;*** to rear up to youth.
għattas v.II, ***jgħattas;*** to make one sneeze.
għattâs n.m., f. u pl. -a, sneezer.
għattej n.m., f. u pl. -ja, coverer, concealer.
għattel v.II, ***jgħattel;*** to clean the ploughshare.

għattieb n.m., f. u pl. -a, frequenter.
għattuqa n.f., pl. ***għewietaq;*** pullet.
għatu n.m., pl. ***għotjien;*** lid.
għatx n.m., bla pl., thirst.
għatxa n.f., pl. -iet, dryness, sicity.
għatxan aġġ., thirsty.
għawba n.f., bla pl., disappearance.
Għawdex n.Pr., Gozo.
Għawdxi aġġ. u n.m., f. -ja, pl. -in., Gozitan.
għawġ n.m., bla pl., trouble, crookedness, misfortune.
għawi n.act., instigation.
għawja n.f., pl. -iet, howl, incitement.
għawm n.m., bla pl., swimming.
għawma n.f., pl. -iet, a swim.
għawseġ n.m., bla pl., (bot.) European box-thornx.
għawwar v.II, ***jgħawwar;*** to render squint-eyed, to dig out, to hollow out.
għawwâr n.m., f. u pl. -a, one who makes hollows.
għawwas v.II, ***jgħawwas;*** to look askew.
għawwed v.II, ***jgħawwed;*** to repeat, to do again.
għawweġ v.II, ***jgħawweġ;*** to bend, to wrest, to twist, to contort, to pervert.
għawwem v.II, ***jgħawwem;*** to make one swim.
għawwied n.m., f. u pl., repeater.
għawwieġ n.m., f. u pl. -a, one who bends, one who wrests, perverter.
għawwiem n.m., f. u pl. -a, swimmer.
għax avv., why, because.
għax are **għex**.
għaxa n.m., f. ***għaxja;*** supper.
għaxar v.I, ***jagħxar;*** to tithe.
għaxar aġġ., num., ten.
għaxi aġġ., swooned, fainted, unconscious.
għaxija n.f., pl. -iet, evening.
għaxqa n.f., pl. -iet, delectation, delight, pleasure.
għaxqan aġġ., delightful.
għaxra aġġ.num., ten.
għaxwa n.f., pl. -iet, swoon, faint.
għaxxa v.II, ***jgħaxxi;*** to give one a supper, to make one faint.
għaxxaq v.II, ***jgħaxxaq;*** to delight, to pleasure. ***jitgħaxxaq jaħdem fil-ġnien;*** he delights in gardening.
għaxxar v.II, ***jgħaxxar;*** to decimate, to tithe.
għaxxex v.II, ***jgħaxxex;*** to nestle, to nidificate, to weaken.
għaxxieq n.m., f. u pl. -a, rejoicer, amuser.
għaxxiex n.m., f. u pl. -a, nest-builder, one who weakens.
għazza n.f., pl. -iet, mole.
għaża v.I, ***jagħżi;*** to offer sympathy, to condole.
għażaq v.I, ***jagħżaq;*** to dig, to hoe, to till. ***il-bidwi ~ l-għalqa;*** the farmer tilled the field. ***~ fl-ilma;*** to beat the water.
għażeb n.m., pl. ***għewieżeb, għożżieba;*** single, unmarried, bachelor.
għażel v.I, ***jagħżel;*** to separate, to divide, to choose, to select, to spin.
għażel n.m., bla pl., linen.
għażgħaż v.II, ***jgħażgħaż;*** to grind one's teeth.
għażiż aġġ., dear, affectionate, beloved.
għażla n.f., pl. -iet, a choice, separation.
għażqa n.f., -iet, digging, hoeing.
għażż v.I, ***jgħożż;*** to cherish, to appreciate, to hold dear, to grow lazy, to make lazy. ***ibni ~ ħafna r-rigal tiegħek;*** my son cherished much your present.
għażż n.m., bla pl., idleness, laziness.
għażża v.I, ***jgħażżi;*** to condole, to console, to relieve.
għażżaż v.kwad., ***jgħażżaż;*** to grind one's teeth, to gnash the teeth.
għażżel v.II, ***jgħażżel;*** to spin.
għażżen v.II, ***jgħażżen;*** to make one idle or lazy.
għażżiel n.m., f. u pl. -a, spinner.
għażżiela n.f., pl. ***għożlien;*** (żool.) gazelle.
għażżien aġġ., lazy, idle, slothful.
għażżieq n.m., f. u pl. -a, digger.
għeb ara **għab**.
għeja v.I, ***jegħja;*** to grow tired, to become exhausted.
għejra n.act., envy, jealosy.
għela v.I, ***jagħli;*** to boil, to feel sorry. ***il-borma qiegħda tagħli;*** the pot is boiling.
għelet v.I, ***jegħlet;*** to err, to be mistaken.
għelk n.m., bla pl., gum, viscosity.
għellel v.II, ***jgħellel*** to weaken.
għellem v.II, ***jgħellem;*** to mark.
għelm n.m., pl. ***għeliem;*** sign, mark.
għelt n.m., bla pl., mistake, error.
għema v.I, ***jagħmi;*** to become blind.
għen v.I, ***jgħin;*** to help, to succour, to support. ***għin ruħek biex Alla jgħinek;*** God helps who helps himself. . ***~ ruħu;*** to do one's best.
għena ara **għana**.
għenba n.f., pl. -iet, koll. ***għeneb;*** (bot.) grape. ***għeneb qares;*** sour grapes. ***meraq tal-~;*** wine.
għens n.m., pl. ***għenies;*** (żool.) he goat.
għer v.I, ***jgħir;*** to envy, to become jealous.

għera v.I, ***jegħra;*** to be naked, to undress oneself, to strip oneself.
għera n.act. nakedness.
għereq v.I, ***jegħreq;*** to sweat, to perspire, to transude, to distill, to ooze out, to sink, to be drowned. ***bis-sħana negħreq ħafna;*** the heat makes me perspire a lot.
għerf n.act., wisdom, knowledge.
għeri aġġ., naked.
għerq n.m., pl. ***għeruq;*** tendon, root.
għewa v.I, ***jagħwi;*** to instigate, to incite.
għex v.I, ***jgħix;*** to live. ***hija tgħix bil-qligħ ta' bintha;*** she lives of her daughter's earnings. ***~ ta' sinjur;*** to live well.
għid n.m., pl. ***għejjieda;*** feast day. ***~ il-Ħamiem;*** Epiphany. ***~ il-Ħamsin;*** Whitsunday. ***~ il-Kbir;*** Easter Sunday. ***~ iż-Żebbuġ;*** Palm Sunday. ***~ il-Lhud;*** Hebrew Passover.
għieb ara **għab**.
għilla n.f., pl. ***għelejjel;*** disease, illness, ailment.
għira n.f., bla pl., envy, jealousy.
għodda n.koll.f., pl. ***għodod;*** tool, impliments.
għodos v.I, ***jogħdos;*** to dive, to plunge, to duck.
għodu n.m., bla pl., morning. ***il-kewkba ta' fil-~;*** morning star.
għodwa n.f., pl. -t, morning.
għodwi aġġ., matutinal, morning.
għoff inter., ugh, what a bore!.
għoġba n.f., pl. -t, pleasure, delight, satisfaction.
għoġla n.f., pl. -iet, (żool.) heifer.
għoġob v.I, ***jogħġob;*** to give pleasure, to be pleased with, to like. ***l-aħħar pittura tiegħu kellha l-għan li togħġob lill-għajn;*** his last painting was meant to please the eye.
għoġol n.m., pl. ***għoġiela;*** (żool.) calf, steer, bullock.
għokos v.I, ***jogħkos;*** to become feeble, to decay, to decline. ***Pawlu ~ ħafna wara l-marda li kellu;*** Paul became too feeble after his sickness.
għola v.I, ***jogħla;*** to rise, to grow dear. ***il-ballun (ta' l-arja) jogħla 'l fuq;*** the balloon rises up. ***illum il-ħaxix ~ ħafna;*** today the vegetables grew dear.
għoli n.m., bla pl., height, loftiness.
għoli aġġ., high, expensive.
għolja n.f., pl. -iet, ascent, slope, steep, hill.
għolla v.II, ***jgħolli;*** to raise, to elevate, to lift up, to raise in price. ***is-sid ~ l-kera tad-dar tagħna;*** the landlord increased the rent of our house.
għollieqa n.f., pl. ***għelieqa;*** tie, ligature.
għolliqa n.f., pl. -t, koll. ***għolliq;*** (bot.) bramble.
għolob v.I, ***jogħlob;*** to grow lean, to grow thin.
għomma n.f., pl. ***għemejjem;*** grief, sorrow, affliction, disease, ailment, heat, stifling heat.
għomor n.m., bla pl., age, lifetime.
għonnella n.f., pl. ***għenienel;*** skirt, slip, faldetta.
għonq n.m., pl. ***għenuq;*** collar, (anat.) neck. ***ksir il-~;*** dangerous man, thoughtless person.
għoqda n.f., pl. ***għoqod;*** knot. ***~ flus;*** heap of money.
għoqdi aġġ., knotty.
għoqla n.f., pl. -iet, ***għoqol;*** grief, sorrow, lump.
għorba n.f. ta' ***għarib;*** strangers, foreigners.
għorfa n.f., pl. -iet, ***għorof;*** garret.
għorgħas n.m., bla pl., (bot.) arum.
għorna n.f., pl. -iet, ***għoron;*** cave, grotto.
għorok v.I, ***jogħrok;*** to rub.
għorox v.I, ***jogħrox;*** to limp.
għors n.m., pl. ***għaras;*** merriment.
għosfor v.kwad., ***jgħosfor;*** to disappear, to run away.
għosfor n.m.koll., (bot.) safflower, bastard saffron.
għoss n.m., pl. ***għesus;*** (anat.) sacrum.
għoti n.act., donation, giving.
għotja n.f., pl. -iet, gift, present.
għotob v.I, ***jogħtob;*** to become crippled.
għotor v.I, ***jogħtor;*** to stumble.
għoxa v.I, ***jogħxa;*** to faint, to swoon, to laugh heartily. ***~ wara xi ħadd;*** to be affected.
għoxrin n.num., twenty.
għożża n.f., bla pl., affection, taking to heart.
għubara n.f., pl. -t, (ornit.) houbara bustard.
għuda n.f., pl. -iet, wood.

Hh

H, h ***l-għaxar ittra ta' l-alfabett Malti u t-tmien waħda mill-konsonanti;*** the tenth letter of the Maltese alphabet and the eighth of the consonants.

haġra n.f., bla pl., hegira.

hajdar v.kwad., ***jhajdar;*** to leave a place in a hurry.

hajjem ara **hejjem**.

halleluja n.f., pl. -t, Hallelujah, Halleluiah.

hallow inter., hallo, hello.

hawn avv., here, hither. ***~ fuq;*** here above, up here. ***~ hekk;*** here. ***~ isfel;*** here below, down here. ***minn ~;*** from hence. ***sa ~;*** to here, as far as this. ***'l ~ u 'l hinn;*** here and there.

hebb v.I, ***jhebb;*** to attack, to assault, to run or rush upon some one. ***hu ~ għalija;*** he assaulted me.

hebbeż v.II, ***jhebbeż;*** to cause, to recede or draw back.

hebel v.I, ***jehbel;*** to grow or become mad.

hebeż v.I, ***jehbeż;*** to go backward.

heda v.I, ***jehda;*** to stop, to cease, to quiet or to calm oneself. ***sa fl-aħħar ix-xita bdiet tehda;*** at last the rain began to cease.

heda n.f., bla pl., quietness, calmness, tranquility.

hedak pron. dimost., that.

hedan pron. dimost., this.

hedda v.II, ***jhedda;*** to quiet, to calm.

heddeb v.II, ***jheddeb;*** to destroy, to demolish.

hedded v.II, ***jhedded;*** to threaten, to menance. ***~ lil xi ħadd bil-mewt;*** he threatened somebody with death.

heddem v.II, ***jheddem;*** to cook on slow fire.

heddied n.m., f u pl. -a, threatener.

heddiem n.m., f. u pl. -a, destroyer.

hedu n.act., ceasing, tranquillity, quiet, calmness.

heġem v.I, ***jehġem;*** to devour, to eat greedily.

hejjeb v.II, ***jhejjeb;*** to menace, to intimidate by butting.

hejjem v.II, ***jhejjem;*** to fondle, to cajole. ***~ lil xi ħadd jew xi ħaġa;*** he fondled somebody or something.

hejjiem n.m., f. u pl. -a, adulator.

hejjum n.m., f. u pl. -a, one who likes cajoling.

hejm n.act., affection, cajoling.

hekda avv., so, thus. ***~ kif;*** as soon as.

hekk avv., so, thus. ***~ jew ~;*** by hook or by crook.

hellel v.II, ***jhellel;*** to praise.

hemeż v.I, ***jehmeż;*** to pin. ***hemżet warda mal-libsa tagħha;*** she pinned a rose on her gown.

hemm n.m., pl. ***hemmum;*** sorrow, grief, trouble, misfortune, distress.

hemm avv., there, in that place. ***~ ġewwa;*** within, there in, inside. ***~ isfel;*** there below, down there. ***sa ~;*** to there, as far as that.

hemmem v.II, ***jhemmem;*** to grieve, to afflict, to trouble, to disturb.

hemża n.f., pl. -iet, pinning.

hena n.f., bla pl., consolation, comfort, happiness, prosperity.

hendwil n.m., bla pl., frenzy.

henna v.II, ***jhenni;*** to make happy, to comfort, to console. ***l-aħbar tiegħu hennietna;*** his news made us happy.

hennej n.m., f. u pl. -ja, one that brings happiness, comforter.

heres are **hereż**.

hereż v.I, ***jehreż;*** to beat, to pound, to bruise.

herra v.II, ***jherri;*** to putrefy, to rot, to corrupt, to wear, to damage. ***~ l-ħwejjeġ bix-xogħol;*** he wore out clothes with work.

herra n.f., bla pl., rigidity, harshness. ***bil-~;*** bluntly, roughly.

herrej n.m., f. u pl. -ja, corrupter.

herreż v.II, ***jherreż;*** to crumble, to triturate.

herriera n.f., bla pl., rudeness.

herrież n.m., f. u pl. -a, he who crushes or triturates.

herwel v.kwad., ***jherwel;*** to drive mad.

hettef ara **ħettef**.

hewden v.kwad., ***jhewden;*** to rave, to be delirious. ***il-marid kien qiegħed jhewden;*** the patient began to rave.
hewwa n.f., bla pl., love, air, abyss, gulf, pit. ***baħar ta' l-~;*** sea of love.
heżheż v.kwad., ***jheżheż;*** to shake, to vibrate. ***it-terremont ~ id-dar kollha;*** the earthquake shook the entire house.
heżhiż n.f., pl. -a, shaker, vibrator.
heżża n.f., pl. -iet, agitation, movement.
heżżeż ara **heżheż**.
hi pron. pers., she.
hida ara **heda**.
hieb v.I, ***jhib;*** to make a present, to offer a gift or love token.
hieni aġġ., happy, boon.
hija pron., pers. she.
hinn avv., there, in that place. ***'l hawn u 'l ~;*** here and there.
hireż ara **hereż**.
hmiż n.act., fastening with pins.
hosanna inter., hosanna.
hu pron. pers., he.
huma pron. pers., they.
huwa pron. pers., he.
hux pron. pers., is he?, so?, truly?

Ħħ

Ħ, ħ ***il-ħdax-il ittra ta' l-alfabett Malti u d-disa' waħda mill-konsonanti;*** the eleventh letter of the Maltese alphabet and the ninth of the consonants.

ħa v.irr., ***jieħu;*** to take, to accept, to confiscate, to receive. ***sa fl-aħħar se nieħu btala qasira;*** I shall take a short holiday at last. **~ *grazzja;*** to fall in love with. **~ *għalih;*** to be annoyed. **~ *b'id;*** to shake hands. **~ *b'martu;*** to get married. **~ *il-mewt;*** to be condemned. **~ *nifs;*** to rest oneself, to repose. **~ *n-nifs;*** to take breath, to be relieved. **~ *nota;*** to take note. **~ *l-proklama;*** to turn King's evidence. **~ *riħ;*** to catch a cold. **~ *r-riħ;*** to take advantage. **~ *r-ruħ;*** to recover. ***ħaditu x-xemx;*** sunburned. ***ħadu l-ġuħ;*** to be hungry. ***ħadu l-għatx;*** to be thirsty. ***ħadu n-ngħas;*** to fall asleep.

ħaba ara **ħeba**.

ħabaq n.koll., f. -a, pl. -iet, (bot.) basil, sweet basil.

ħabar ara **ħeber**.

ħabar n.m., pl. ***oħbra;*** bad news. ***daqq ~;*** to ring a knell.

ħabat v.I, ***jaħbat;*** to collide with, to beat, to strike, to smite, to hit. ***il-vapur ~ ma' blata u għereq;*** the ship struck a rock and sank. **~ *bil-karozza;*** to collide with. **~ *għal;*** to assault, to attack. **~ *ma';*** to collide. **~ *ma' xi ħadd;*** to fall in with. **~ *wiċċ imb'wiċċ;*** to meet.

ħabb v.I, ***jħobb;*** to love, to like. ***jiena nħobb il-mużika;*** I like music.

ħabb n.m., pl. -s, -ijiet, (mekk.) hub.

ħabb n.m.koll., f. -a, pl. -iet, an edible seed. **~ *ir-rummien;*** pomegranate pip. **~ *it-tamar;*** the kernel of a date.

ħabba n.f., pl. -iet, ***ħbub;*** grain.

ħabbar v.II, ***jħabbar;*** to announce, to tell, to foretell, to proclaim.

ħabbâr n.m., f. u pl. -a, messenger, ambassador, announcer.

ħabbat v.II, ***jħabbat;*** to knock, to beat. ***tal-posta ~ il-bieb;*** the postman knocked at the door. **~ *idejh;*** to clap, to applaud. **~ *il-bieb;*** to knock at the door. **~ *ma' l-art;*** to pull down, to floor.

ħabbât n.m., f. u pl. -a, beater, striker.

ħabbata n.f., pl. -iet, ***ħbabat;*** knocker, door-knocker.

ħabbeb v.II, ***jħabbeb;*** to endear, to pacify, to reconcile. ***il-karattru ħelu tiegħu ħabbu ma' ħbiebu;*** his gentle disposition endeared him to his friends.

ħabbel v.II, ***jħabbel;*** to impregnate, to embroil, to entangle, to involve, to confuse, to twist, to tangle. **~ *moħħu,*** to cudgel one's brains.

ħabbiel n.m., f. u pl. -a, rope-maker.

ħabbies n.m., f. u pl. -a, prison-warder, jailer.

ħabbież n.m., f. u pl. -a, baker.

ħabel n.m., pl. ***ħbula;*** rope. **~ *ta' l-inxir;*** clothes-line. ***ġbid tal-~;*** tug of war. ***qbiż tal-~;*** to skip.

ħabes v.I, ***jaħbes;*** to master, to arrest, to imprison.

ħabeż v.I, ***jaħbeż;*** to bake bread. ***il-bieraħ il-furnar ~ il-ħobż;*** yesterday the baker baked the bread.

ħabi n.act., occultation, secretion, hiding. ***bil-~;*** occultly, hiddenly, secretly.

ħabib n.m., f. -a, pl. ***ħbieb;*** friend. **~ *tal-qalb;*** intimate friend.

ħabla n.f., pl. -iet, confusion, disorder, cord.

ħabrek v.kwad., ***jħabrek;*** to endeavour, to strive, to cooperate.

ħabrieki aġġ., industrious, ingenious, diligent.

ħabs n.m., pl. -jiet, prison, jail, goal. ***bagħat il-~;*** to put into prison. ***weħel il-~;*** to lie in prison.

ħabsi n.m., f. -ja, pl. -n, prisoner.

ħabta n.f., pl. -iet, blow, stroke, knock, collision, knack, skill, capacity. ***din il-~;*** this time, today, nowaday.

ħada avv., near, by.

ħadar v.I, ***jaħdar;*** to be present.

ħadd pron. indet., pl. ***uħud;*** nobody, no one, none. ***hemm xi ~;*** is there anybody. ***xi ~;*** somebody. ***xi ~ ieħor;*** somebody else.

Ħadd n.Pr., pl. ***Ħdud;*** Sunday. **~ *il-Bluha;*** Carnival Sunday, Fools Sunday. **~ *il-Għid;*** Easter Sunday. **~ *il-Palm;*** Palm Sunday.
ħadd n.m., pl. ***ħdud;*** cheek, furrow.
ħaddan v.II, ***jħaddan;*** to embrace, to entwine, to hug. ***l-omm ħaddnet lil binha magħha;*** the mother embraced her son.
ħaddân n.m., f. u pl. -a, embracer.
ħaddar v.II, ***jħaddar;*** to be verdant, to make green.
ħadded v.II, ***jħadded;*** to iron.
ħaddem v.II, ***jħaddem;*** to employ, to give work to.
ħaddied n.m., pl. -a, blacksmith.
ħaddiem n.m., f. u pl. -a, worker, workman, labourer. **~ *bil-ġurnata;*** day labourer. **~ *tas-sengħa;*** skilled workman, skilled labourer.
ħaddiemi aġġ., laborious.
ħadem v.I, ***jaħdem;*** to work, to labour. ***dan ir-raġel ~ il-plančier tal-banda;*** this man worked the bandstand. **~ *lejl u nhar;*** he worked day and night. **~ *minn taħt;*** to work secretly.
ħadid n.m., f. -a, pl. -iet, koll. ***ħdejjed;*** iron. **~ *fondut;*** cast-iron. **~ *tan-nar;*** poker. **~ *tax-xagħar;*** curling-tongs, curling-iron. ***ħadida tal-mogħdija;*** smoothing iron, flat iron.
ħadra aġġ., green.
ħadrani aġġ., greenish.
ħaf v.I, ***jħuf;*** to flit about, to prowl. ***dak ir-raġel dejjem iħuf madwarna;*** that man always flits about us.
ħafa n.act., barefootedness.
ħafa n.f., pl. -iet, (geog.) erosion.
ħafas n.m.koll., prickly heat.
hafbekk n.m., pl. -s, (logħ.) half back.
ħafen v.I, ***jaħfen;*** to grasp. **~ *bi snienu;*** to seize with one's teeth.
ħafer v.I, ***jaħfer;*** to forgive, to pardon, to dig out, to hole. ***għandna naħfru l-għedewwa tagħna;*** we must pardon our enemies. ***Alla jaħfer;*** God forgives.
ħaff v.I, ***jħeff;*** to become light.
ħaffef v.II, ***jħaffef;*** to ease, to alleviate, to lighten, to hasten.
ħaffer v.II, ***jħaffer;*** to dig, to excavate.
ħaffief n.m., f. u pl. -a, one who lightens.
ħaffiefa n.f., pumice stone.
ħaffier n.m., f. u pl. -a, digger, excavator.
ħafi aġġ., barefooted.
ħafif aġġ., light, easy. ***moħħu ~;*** light minded, light headed. ***nagħsu ~;*** light sleeper.
ħafif avv., actively, busily.
ħafna n.f., pl. -iet, handful.
ħafna aġġ., many, much, lot.
ħafra n.f., pl. -iet, condonation.
ħafur n.m.koll., f. -a, pl. -iet, (bot.) oat.
ħaġa n.f., pl. ***ħwejjeġ;*** thing. **~ *moħġaġa;*** riddle, conundrum. ***l-ewwel ~;*** first of all. ***għidli ~;*** tell me.
ħaġar n.m.koll., f. -a, pl. -iet, stones.
ħaġeb v.I, ***jaħġeb;*** to lay aside, to adumbrate.
ħaġeb n.m., pl. ***ħwieġeb;*** eyebrow. **~ *tal-ful;*** the eye of a bean.
ħaġel n.m.koll., f. -a, pl. -iet, (ornit.) partridge.
ħaġġar v.II, ***jħaġġar;*** to stone, to lapidate. ***San Stiefnu kien imħaġġar għal mewt;*** Saint Stephen was stoned to death.
ħaġġâr n.m., f. u pl. -a, one who throws stones.
ħaġġeġ v.II, ***jħaġġeġ;*** to flame, to burn, to kindle.
ħaġġieġ n.m., f. u pl. -a, one who kindles.
ħaġra n.f., pl. -iet, stone. **~ *tas-samma;*** hard stone. **~ *tal-mitħna;*** mill-stone. **~ *taż-żnied;*** flint. ***mard tal-~;*** calculus.
ħaġri aġġ., stony.
ħaj aġġ., alive, brisk, lively, vivid.
ħajbur n.m.koll., f. -a, pl. -iet, rack, spindrift clouds.
ħajdrolik n.m., pl. -s, hydraulics.
ħajfin n.m., pl. -s, hyphen.
ħajja n.f., pl. -iet, life. **~ *ta' dejjem;*** eternal life. **~ *privata;*** private life. **~ *pubblika;*** public life. **~ *reliġjuża;*** religious life.
ħajjar v.II, ***jħajjar;*** to allure, to induce, to entice, to raise a desire, to make (one) choose.
ħajjâr n.m., f. u pl. -a, tempter.
ħajjat v.II, ***jħajjat;*** to sew often.
ħajjât n.m., f. u pl. -a, tailor, (f. milliner), dressmaker, tailoress.
ħajjeb n.m., f. ***ħajba,*** pl. -in, knave, rogue.
ħajjel v.II, ***jħajjel;*** to imagine, to induce.
ħajjen aġġ., malicious.
ħajjen v.II, ***jħajjen;*** to trap, to cheat.
ħajk n.m., pl. -s, hike.
ħajr n.m., bla pl., allurement, happiness, felicity, thanks, gratitude.
ħajra n.f., pl. -iet, desire, longing.
ħajran n.act., allurement, attraction.
ħajran aġġ., desirous, longing, willing.
ħajt n.m., pl. ***ħitan;*** wall. **~ *diviżorju;*** partition wall. **~ *tas-sejjieħ;*** rubble-wall.
ħajt n.m., f. -a, pl. -iet, ***ħjut;*** thread. **~ *tad-deheb;*** gold thread. **~ *tal-ħarir;*** silk

thread. ***kobba ~;*** a ball of thread. ***marel-la ~;*** skein.

ħajta n.f., pl. -iet, thread. ***~ dawl;*** the dawn, the first rays of light. ***~ dlam;*** dusk, the evening twilight. ***~ ta' l-ilsien;*** ligament of the tongue.

ħakem v.I, ***jaħkem;*** to render oneself superior, to command, to judge, to sentence, to refrain, to restrain, to repress, to take in hand, or in custody, to administer, to govern, to rule, to possess, to enjoin, to be master of. ***il-Franċiżi ħakmu lil Malta għal ftit żmien;*** the French ruled Malta for a short time.

ħakem n.m., bla pl., ruler, governor.

ħakk v.I, ***jħokk;*** to scratch, to rub, to itch. ***~ idejn xi ħadd;*** he rubbed another's hand.

ħakk n.m., f. -a, pl. -iet, grating, scratching, itching.

ħakkek v.II, ***jħakkek;*** to rub frequently.

ħakkiek n.m., f. u pl. -a, rubber.

ħakkiem n.m., f. u pl. -a, governor, ruler.

ħakma n.f., pl. -iet, domination.

ħal n.m., pl. ***ħwiel;*** actual state, disposition or condition.

ħal n.m., bla pl., village.

ħala n.act., waste, wasting, squandering. ***~ ta' żmien;*** waste of time.

ħâla n.f., pl. -iet, mole.

ħalaq v.I, ***jaħlaq;*** to create, to invent. ***Alla ~ id-dinja;*** God created the world.

ħalba n.f., pl. -iet, a milking. ***~ xita;*** a heavy shower.

ħalbi aġġ., milky.

ħaleb v.I, ***jaħleb;*** to milk.

ħalef v.I, ***jaħlef;*** to swear, to take an oath. ***~ li ma jixrobx aktar;*** he swore off drink.

ħaleġ v.I, ***jaħleġ;*** to card cotton, to gin cotton.

ħalf n.act., swearing.

ħalfa n.f., pl. -iet, oath, swear, blasphemy.

ħali n.m., f. -ja, pl. -jin, spendthrift.

ħali aġġ., prodigal, spendthrift.

ħalib n.m., pl. -ijiet, milk. ***~ tal-bott;*** condensed milk. ***~ frisk;*** fresh milk. ***abjad ~;*** milk-white. ***aħwa tal-~;*** foster brothers. ***deni tal-~;*** milk fever. ***kafè bil-~;*** coffee and milk. ***sinna tal-~;*** milk tooth.

ħalibatt n.m., pl. -i, (itt.) halibut.

ħalja n.f., pl. -iet, prodigality.

ħall v.I, ***jħoll;*** to untie, to loosen, to unbutton, to part, to separate, to absolve. ***il-qassis ħallu minn dnubietu;*** the priest absolved him.

ħall n.m.koll., vinegar.

ħalla n.f., pl. -iet, dissolution, absolution. ***~ baħar;*** billow.

ħalla v.II, ***jħalli;*** to sweeten, to mitigate, to soften, to leave, to permit, to allow, to neglect, to will, to bequeath. ***~ Malta għal dejjem;*** he left Malta for good. ***ħalliet id-dar lil bintha;*** she bequeathed the house to her daughter.

ħallas v.II, ***jħallas;*** to deliver, to pay, to remunerate, to comb. ***żewġi ~ id-dejn kollu tagħna;*** my husband paid all our debt.

ħallâs n.m., f. u pl. -a, payer, pay master, comb-maker.

ħallasi aġġ., solvent.

ħallat v.II, ***jħallat;*** to mingle, to mix, to blend. ***iż-żejt ma jitħallatx ma' l-ilma;*** oil does not mix with water.

ħallât n.m., f. u pl. -a, mixer.

ħallata ballata avv., huddle.

ħalleb v.II, ***jħalleb;*** to milk.

ħallef v.II, ***jħallef;*** to make one take an oath.

ħallel v.II, ***jħallel;*** to impute one with theft, to make vinegar.

ħallem v.II, ***jħallem;*** to make one dream.

ħallieb n.m., f. u pl. -a, milker.

ħalliebi aġġ., milky.

ħallief n.m., f. u pl. -a, one who gives an oath.

ħallieġ n.m., f. u pl. -a, cotton-dresser.

ħalliel n.m., f. u pl. -a,-in, thief, robber. ***~ mill-karozzi;*** thief who steals from parked cars.

ħalliem n.m., f. u pl. -a, dreamer.

ħallieq n.m., f. u pl. -a, creator.

ħalq n.m., pl. ***ħluq;*** mouth. ***baqa' b'ħalqu miftuħ;*** to be astonished.

ħalta n.f., pl. -iet, mixture. ***bejn ħalltejn;*** dubious, uncertain, ambiguous.

ħàma n.m.koll., mud, mire, slush. ***waqa' fil-~;*** to sink in the mire.

ħàma v.III, ***jħàmi;*** to protect, to defend.

ħamallu aġġ., vulgar man, coarse man.

ħamba n.f., bla pl., tumult, uproar, sedition, row.

ħambaq v.kwad., ***jħambaq;*** to vociferate, to bawl.

ħamberger n.f., pl. -s, hamburger.

ħamel v.I, ***jaħmel;*** to bring, to bear, to endure, to tolerate, to support, to suffer. ***min jagħmel jaħmel;*** he who harms, must suffer harm.

ħames aġġ.num., fifth.

ħamħam v.kwad., ***jħamħam;*** to speak with a nasal voice, to grunt, to provoke, to anger.

ħamħim n.act., nasalization.
ħami n.m., bla pl., baking.
ħamiema n.f., pl. -iet, koll. ***ħamiem;*** (ornit.) pigeon, dove. ~ ***tal-baħar;*** (itt.) white-skate. ~ ***tal-barr;*** rock-pigeon. ***Għid il-Ħamiem;*** Epiphany.
Ħamis n.Pr., pl. -ijiet, Thursday. ~ ***ix-Xirka;*** Maundy Thursday.
ħamla n.f., pl. -iet, torrent, stream.
ħammar v.II, ***jħammar;*** to redden, to blush. ***ħammarlu wiċċu bil-mistħija;*** he made him blush with shame.
ħammed v.II, ***jħammed;*** to silence.
ħammeġ v.II, ***jħammeġ;*** to foul, to soil, to dirty.
ħammel v.II, ***jħammel;*** to cleanse, to clean, to furbish.
ħammiel n.m., f. u pl. -a, one who makes seed-plots, cleanser.
ħammiela n.f., pl. ***ħmiemel;*** seed-bed.
ħammus n.m., f. -a, pl. -in, nigger, moor.
ħamra aġġ., red. ***bandiera ~;*** red flag.
ħamri aġġ., reddish.
ħamrija n.f., pl. -iet, soil.
ħamsa n.num., pl. -iet, five.
ħamsin n.num., pl. -ijiet, fifty. ***Għid il-~;*** Whit Sunday, Pentecost Sunday.
ħanaq v.I, ***joħnoq;*** to make hoarse, to strangle. ~ ***bin-nies;*** to crowd.
ħandaq n.m., pl. ***ħniedaq;*** moat.
ħandbukk n.m., pl. -s, handbook.
ħandem v.kwad., ***jħandem;*** to dilapidate, to demolish.
ħanek n.m., pl. ***ħniek;*** gum.
ħanex n.m., pl. ***ħniex;*** (żool.) earthworm.
ħanfes v.kwad., ***jħanfes;*** to irritate, to anger, to enrage.
ħanfus n.m., f. -a, pl. -iet, ***ħniefes;*** (żool.) black-beetle, chafer.
ħanġra n.f., pl. -iet, throat, gullet, throttle.
ħangar n.m., pl. -s, hangar.
ħanħan v.kwad., to speak through the nose.
ħanin aġġ., merciful, kind, compassionate, tender-hearted.
ħanini n.m., pl. ***ħnieni;*** lover, sweet-heart.
ħanisakil n.m., bla pl., (bot.) honey-suckle.
ħannen v.II, ***jħannen;*** to move to pity, to lull, to flatter, to caress, to fondle. ~ ***it-tifla qabel telqet;*** he caressed the girl before leaving.
ħannew n.m.koll., f. -wa, pl. -at, (bot.) betony.
ħannewija n.f., pl. -t, (bot.) acanthus bear's breech.
ħannex v.II, ***jħannex;*** to produce earthworms.
ħannieq n.m., f. u pl. -a, strangler.
ħannieqa n.f., pl. ***ħnienaq;*** necklace.
ħanqa n.f., pl. -iet, suffocation, hoarseness, strangulation.
ħanut n.m., pl. ***ħwienet;*** shop. ~ ***tal-barbier;*** barber's shop. ~ ***tad-deheb;*** jeweller's shop. ~ ***tal-ħwejjeġ;*** draper's shop. ~ ***tal-laħam;*** butcher's shop. ~ ***tal-merċa;*** grocer's shop. ***tal-~;*** shopkeeper.
ħanxar v.kwad., to slash, to strum.
ħanxâr n.m., f. u pl., -a, slasherer, one who cuts roughly.
ħanxâr n.m., pl. ***ħnaxar;*** curved knife.
ħanxel v.kwad., ***jħanxel;*** to take growth with small root or fibres.
ħanxul n.m., f. -a, pl. -iet, ***ħniexel;*** small root.
ħanżer v.kwad., ***jħanżer;*** to be piggish, to act like a pig.
ħanżir n.m., pl. ***ħnieżer;*** (żool.) hog, pig, boar, avaricious man. ~ ***l-art;*** (żool.) wood-louse. ~ ***il-baħar;*** (itt.) thorny perch. ~ ***selvaġġ;*** wild boar.
ħaqar v.I, ***jaħqar;*** to vex, to tease, to torment, to maltreat, to oppress, to despise, to scorn, to contempt. ***il-barrani ~ il-Maltin;*** the foreigner oppressed the Maltese.
ħaqq n.m., bla pl., truth, justice, right, due, price, worth. ***dar il-~;*** court. ***bil-~;*** justly, judiciously, by the way. ***tabilħaqq;*** truly, indeed.
ħaqqaq v.II, ***jħaqqaq;*** to verify, to ascertain, to assure, to altercate.
ħaqqieqi aġġ., affirmable.
ħaqra n.f., pl. -iet, oppression, vexation.
ħar v.I, ***jħir;*** to strive, to do one's utmost.
ħara n.f., pl. -t, street.
ħara v.I, ***jaħra;*** to void, to emit excrement, to shit.
ħara n.m., bla pl., excrement, dung, dirt, shit.
ħarab v.I, ***jaħrab;*** to escape, to run away, to fly away. ~ ***mill-ħabs;*** he escaped from prison.
ħaraġ n.m., pl. ***ħrieġ;*** penalty, fine, tax, due, tribute, levy.
ħaraq v.I, ***jaħraq;*** to burn. ~ ***subgħajh bis-sulfarina;*** he burned his fingers with a match.
ħarat v.I, ***jaħrat;*** to plough, to furrow, to till, to browse. ***il-bidwi ~ l-għalqa;*** the farmer ploughed the field.
ħarba n.f., pl. -iet, flight, escape.
ħarbat v.kwad., ***jħarbat;*** to disarray, to ruin, to destroy. ~ ***il-mejda;*** to clear the table.

ħarbât n.m., f. u pl. -a, destroyer.
ħarbati aġġ., destructive.
ħarbex v.kwad., ***jħarbex;*** to bungle, to scribble.
ħareġ v.I, ***joħroġ;*** to go out, to come out. **~ *mid-dar irrabjat;*** he left home enraged. **~ *barra mill-ħażż;*** to err from the right path. **~ *barra mit-triq;*** to go astray. **~ *mid-dinja;*** to pass away, to die, to expire. **~ *mill-qalb;*** to fall under one's displeasure. **~ *mir-ras;*** to forget.
ħârem n.m., pl. -ijiet, harem.
ħares v.III, ***jħares;*** to look at, to look upon, to guard, to have in custody, to observe, to obey. ***kien qiegħed iħares lejn il-baħar;*** he was looking at the sea.
ħâres n.m., pl. ***iħirsa;*** spectre, kabold, ghost, phantom.
ħarfex v.kwad., ***jħarfex;*** to bungle.
ħarġa n.f., pl. -iet, outing.
ħarħar v.kwad., ***jħarħar;*** to snore, to have the death rattle. ***il-moribond qiegħed iħarħar;*** the moribund has the death rattle.
ħarħari aġġ., rattling.
ħarifa n.f., pl. ***ħrajjef;*** autumn, fall.
ħarir n.m.koll., f. -a, pl. -ijiet, silk. ***dud tal-~;*** silk-worm. ***siġret il-~;*** (bot.) swollow-wort.
ħarja n.f., pl. -iet, excrement, shit.
ħarka n.f., pl. -iet, motion, movement.
ħarkien aġġ., quick, active, brisk.
ħarkusa n.f., pl. -iet, a blighted ear of corn or barley.
ħarq n.m., pl. ***ħruq;*** gap, cleft, crack.
ħarqa n.f., pl. -iet, burn.
ħarqa n.f., pl. ***ħrieqi;*** nappie, brat.
ħarr n.m., bla pl., heat.
ħarra v.II, ***jħarri;*** to relieve one's bowels.
ħarrab v.II, ***jħarrab;*** to put to flight, to rout.
ħarrabi aġġ., fleeing, flying, running away.
ħarraq v.II, ***jħarraq;*** to produce ardour, fervour.
ħarrât n.m., f. u pl. -a, plougher, tiller.
ħarrax v.II, ***jħarrax;*** to make rough, to irritate.
ħarreb v.II, ***jħarreb;*** to wage war, to exterminate, to destroy.
ħarref v.II, ***jħarref;*** to tell fibs, to make up stories. ***in-nannu jħarref ħafna;*** my grandfather tells many fibs.
ħarreġ v.II, ***jħarreġ;*** to lead out, to send out, to train, to exercise, to teach. ***l-għalliem ħarreġ it-tfal fil-Malti;*** the teacher teaches the Maltese language.
ħarrek v.II, ***jħarrek;*** to move, to give motion to, to perialize, to cite, to summon.
ħarrief n.m., f. u pl. -a, story-teller, romancer, tattler.
ħarrieġ n.m., f. u pl. -a, one who leads, sends or turns out. **~ *il-kotba;*** editor, publisher.
ħarrieġa n.f., pl. -iet, projection.
ħarriek n.m., f. u pl.-a, mover, citer.
ħarruba n.f., pl. -iet, (bot.) carob-tree.
ħarrubu n.m., pl. u koll., ***ħarrub;*** (bot.) carob.
ħars n.act., looking, watching, look, sight. **~ *ikrah;*** frown.
ħarsa n.f., pl. -iet, glance, a look.
ħarsien n.m., bla pl., protection, custody.
ħarta n.f., pl. -iet, cheek. ***daqqa ta' ~;*** a slap.
ħartam v.kwad., ***jħartam;*** to slap, to smack.
ħartum n.m., pl. ***ħrietem;*** the anterior part of the nose.
ħaruf n.m., f. -a, pl. -iet, ***ħrief;*** (żool.) lamb. **~ *t'Alla;*** the Lamb of God.
ħarxa aġġ., rough, rude. ***sentenza ~;*** severe sentence.
ħarxajja n.f., pl. -iet, (bot.) corn field madder.
ħasad v.I, ***jaħsad;*** to reap, to mow, to crop, to harvest, to startle. ***il-bidwi ~ il-qamħ;*** the farmer harvested the corn.
ħasba n.f., pl. -iet, cogitation, thought, provision.
ħasda n.f., pl. -iet, sudden astonishment, surprise.
ħaseb v.I, ***jaħseb;*** to think.
ħasel v.I, ***jaħsel;*** to wash, to bathe, to reproach severly. **~ *il-ħwejjeġ maħmuġa;*** he washed the dirty clothes. **~ *idejh;*** to wash one's hands of a thing. **~ *lil;*** to reprehend, to riprimand, to reproach.
ħasi n.m., pl. ***ħosjien;*** capon.
ħasil n.act., washing, bathing, ablution.
ħasira n.f., pl. ***ħsajjar;*** mat.
ħasla n.f., pl. -iet, a wash, washing.
ħasra n.f., pl. -iet, pity, commiseration.
ħass v.I, ***jħoss;*** to feel, to resent, to crack, to flaw. **~ *il-ħajra li jagħmel xi ħaġa;*** he felt like doing something.
ħassa n.f., pl. -iet, koll. ***ħass;*** (bot.) lettuce.
ħassâd n.m., f. u pl. -a, reaper, harvest man, mower.
ħassar v.II, ***jħassar;*** to damage, to corrupt, to spoil, to deprave, to debauch, to

mar, to delete, to annul, to cancel, to obliterate, to erase.
ħasseb v.II, ***jħasseb;*** to bring to one's mind.
ħassel v.II, ***jħassel;*** to acquire, to gain, to obtain.
ħassieb n.m., f. u pl. -a, thinker.
ħassiebi aġġ., thoughtful.
ħassiel n.m., f. u pl. -a, laundryperson.
ħasur n.m.koll., f. -a, pl. -iet, (bot.) samphire.
ħaswa n.f., pl. -iet, testicle.
ħat ara **ħiet**.
ħata v.I, ***jaħti;*** to transgress, to prepass.
ħatab n.m.koll., f. -a, pl. -iet, ***ħtabi;*** firewood.
ħataf v.I, ***jaħtaf;*** to snatch, to wrest. ***~ il-waqt li jmur;*** he snatched the opportunity to go.
ħatar n.m., pl. ***oħtra;*** stick, staff, baton.
ħatar v.I, ***jaħtar;*** to elect, to choose, to appoint, to select. ***huma ħatru president ġdid;*** they elected a new president.
ħatba n.f., pl. -iet, brand.
ħâtem n.m., pl. ***ħwietem;*** ring, seal. ***saba' tal-~;*** annular or ring finger.
ħaten v.I, ***jaħten;*** to circumcise.
ħaten n.m., pl. ***ħtien;*** brother-in-law, father-in-law, son-in-law.
ħater v.I, ***jaħter;*** to bet, to wager.
ħatfa n.f., pl. -iet, rapine, robbery.
ħati aġġ., guilty.
ħatja n.f., pl. -iet, transgression.
ħatna n.f., pl. -iet, circumcision.
ħatra n.f., pl. -iet, election.
ħatt v.I, ***jħott;*** to unload, to demolish. ***il-vapur qiegħed iħott il-merkanzija;*** the ship is unloading the goods.
ħatta n.f., pl. -iet, unloading, discharging, demolition.
ħattâf n.m., f. u pl. -a, plunderer.
ħattâm n.m., f. u pl. -a, sealer.
ħattam v.II, ***jħattam;*** to seal.
ħattar v.II, ***jħattar;*** to cudgel.
ħatteb v.II, ***jħatteb;*** to render hunchback, to hump.
ħatten v.II, ***jħatten;*** to circumcise.
ħawħa n.f., pl. -iet, koll. ***ħawħ;*** (bot.) peach.
ħâwi aġġ., thin, rare. ***darba fil-~;*** rarely.
ħawli aġġ., sterile, fruitless, barren.
ħawsel v.kwad., ***jħawsel;*** to cram.
ħawsla n.f., pl. -iet, ***ħwiesel;*** craw.
ħawt n.m., pl. ***ħwat;*** trough. ***~ ta' l-ilma mbierek;*** holy water font, stoup.
ħawtel v.kwad., ***jħawtel;*** to bustle, to bestir (oneself).
ħawtieli aġġ., industrious, ingenious.
ħawwad v.II, ***jħawwad;*** to mix, to stir, to confound. ***intom ħawwadtu dawn l-istampi kollha;*** you have mixed up all these pictures.
ħawwâd n.m., f. u pl. -a, stirer, mixer.
ħawwaħ v.II, ***jħawwaħ;*** to hollow.
ħawwar v.II, ***jħawwar;*** to season. ***smajt taħdita mħawra biċ–ċajt;*** I heard a conversation seasoned with humour.
ħawwef v.II, ***jħawwef;*** to cause one to grow lean.
ħawwel v.II, ***jħawwel;*** to plant. ***~ il-ġnien bis-siġar tal-larinġ;*** he planted the garden with orange trees.
ħawwief n.m., f. u pl. -a, pl. -iet, (ornit.) house martin.
ħawwiel n.m., f. u pl. -a, planter.
ħaxħax v.kwad., ***jħaxħax;*** to rustle.
ħaxix n.m.koll., f. -a, pl. -iet, grass, vegetables. ***~ ħażin;*** weeds. ***~ tal-morliti;*** (bot.) milfoil, yarrow. ***ħaxixa Ingliża;*** oxalis.
ħaxja n.f., pl. -iet, selvage, selvedge.
ħaxken v.kwad., ***jħaxken;*** to press upon, to shut up, to besiege, to block. ***~ lil xi ħadd mal-ħajt;*** he pressed up somebody to the wall.
ħaxkien n.m., f. u pl. -a, one who encloses or shuts in, besieger.
ħaxlef v.kwad., ***jħaxlef;*** to cobble, to bungle, to botch.
ħaxlief n.m., f. u pl. -a, bungler.
ħaxu n.act., stuffing, filling, dressing. ***x'int ~;*** slow, idle, lazy.
ħaxwex v.kwad., ***jħaxwex;*** to rustle, to murmur. ***il-weraq iħaxwex fir-riħ;*** the leaves rustle in the wind.
ħaxxen v.II, ***jħaxxen;*** to fatten, to make corpulent, to make bigger, to corrupt with bribes, to bribe.
ħaxxex v.II, ***jħaxxex;*** to eat grass.
ħaxxiexi aġġ., herbivorous.
ħażaq v.I, ***jaħżaq;*** to grasp.
ħażen v.I, ***jaħżen;*** to mourn, to store. ***~ il-qamħ fil-matmura;*** he stored the corn in the grannary.
ħażen n.m., bla pl., evil, wickedness.
ħażin aġġ., bad, harmful, sly, cunning, wicked, naughty, dying.
ħażiż n.m.koll., moss.
ħażna n.f., pl. -iet, provision.
ħażż v.I, ***jħożż;*** to delineate, to sketch.
ħażż n.m., pl. ***ħżuż;*** line, limit, bound, border.
ħażżem v.II, ***jħażżem;*** to gird.
ħażżen v.II, ***jħażżen;*** to make bad, to

vitiate, to deteriorate, to corrupt, to spoil, to debauch, to make cunning.
ħażżeż v.II, ***jħażżeż;*** to sketch, to scribble, to delineate. ***~ disinn sabiħ;*** he delineated a nice design. ***~ ismu;*** to sign.
ħażżiem n.m., f. u pl. -a, one who girds.
ħażżien n.m., f. u pl. -a, store-keeper, spoiler.
ħażżież n.m., f. u pl. -a, delineator.
ħbar n.f., pl. -ijiet, news.
ħbejża n.f., pl. -iet, small loaf.
ħbiberija n.f., pl. -iet, friendship.
ħbiela n.f., bla pl., pregnancy.
ħbis n.act., imprisonment.
ħbit n.act., beating, collision, clash, attack, assault.
ħbiż n.act., baking.
ħdan n.m., bla pl., bosom, breast. ***fi ~ il-knisja;*** in the bosom of the Church.
ħdar v.IX, ***jiħdar;*** to become or grow green.
ħdax n.num., eleven.
ħdejn avv., near, about, by.
ħdim n.act., working.
ħdura n.f., bla pl., verdure, greenness.
ħduti aġġ., loquacious, talkative.
ħeba v.I, ***jaħbi;*** to hide, to conceal. ***~ xi ħaġa lil xi ħadd;*** he hid something from somebody.
ħebb v.I, ***jħebb;*** to attack, to assault. ***hu ~ għalija;*** he assaulted me.
ħebel v.I, ***jeħbel;*** to become confused, to be concerted.
ħeber v.I, ***jeħber;*** to predict, to bode, to foresee.
ħedded v.II, ***jħedded;*** to denumb, to render torpid.
ħedel v.I, ***jeħdel;*** to be benumed.
ħedfown n.m., pl -s, head phone.
ħedla n.f., pl. -iet, numbness, torpor, torpidness.
ħefa v.I, ***jaħfi;*** to be or become barefooted, to wear, to waste, to consume.
ħeffa n.f., bla pl., nimbleness, agility, quickness, swiftness.
ħeġem v.I, ***jeħġem;*** to devour.
ħeġġa n.f., pl. -t, fervour, enthusiasm, zeal. ***bla ~;*** coldly, without zeal.
ħeġġeġ v.II, ***jħeġġeġ;*** to fill with fervour, to spirit, to blaze.
ħeja v.I, ***jaħji;*** to revive, to vivify.
ħejja v.II, ***jħejji;*** to prepare.
ħela v.I, ***jaħli;*** to waste, to consume, to scatter, to dissipate, to ruin. ***~ flusu fil-logħob;*** he dissipated his money in games.
ħelb n.m.koll., f. -a, pl. -iet, (bot.) fenugreek.
ħeles v.I, ***jeħles;*** to save, to finish, to free, to liberate.
ħelikopter n.m., pl. -s, helicopter.
ħell n.m., bla pl., theft, robbery.
ħellies n.m., f. u pl. -a, liberator, saviour.
ħelsa n.f., pl. -iet, liberation.
ħelsien n.act., freedom, liberation.
ħelu n.m.koll., f. ***ħelwa;*** sweets.
ħelu aġġ., gentle, meek, affable. ***~ ħelu;*** gently, softly.
ħema v.I, ***jaħmi;*** to bake, to make hot. ***ommi ħmiet it-torta;*** my mother baked the pie.
ħemda n.f., pl. -iet, taciturnity, silence, quiet, stillness.
ħemed v.I, ***jeħmed;*** to be silent, to keep silence. ***dak it-tifel malajr ~;*** that boy became silent quickly.
ħemel n.m., pl. ***eħmla, ħmiel;*** fagot, faggot, stack, bundle.
ħemer v.I, ***jeħmer;*** to ferment.
ħemma n.f., pl. -t, fervency, warmth.
ħemmed v.II, ***jħemmed;*** to silence, to impose silence, to calm, to pacify.
ħemmel v.II, ***jħemmel;*** to bundle.
ħemmer v.II, ***jħemmer;*** to leaven.
ħenn v.I, ***jħenn;*** to have pity or mercy, to compassionate, to commiserate. ***Mulej ~ għalina;*** Lord have mercy on us.
ħerba n.f., pl. ***ħereb;*** desolation, ruins.
ħeref v.I, ***joħrof;*** to moult.
ħerek v.I, ***jeħrek;*** to rise early.
ħerka n.f., pl. -iet, move, movement, gesture.
ħerqa n.f., pl. -t, ardour, eagerness, zeal.
ħerqan aġġ., fervent, ardent.
ħerraq v.II, ***jħerraq;*** to fluoresce.
ħerża n.f., pl. ***ħireż;*** puteal, brandreth.
ħesa v.I, ***jaħsi;*** to geld, to castrate.
ħeser v.I, ***jeħser;*** to converge.
ħesrem n.m., pl. ***ħsierem;*** sour grapes.
ħesrem avv., suddenly.
ħettel v.II, ***jħettel;*** to speak unintelligibly.
ħettief n.m., f. u pl. -a, one who speaks unintelligibly.
ħettufi aġġ., querulous.
ħexa v.I, ***jaħxi;*** to stuff, to fuck. ***Pawlu ~ dundjan għall-ikel;*** Paul stuffed a turkey for dinner.
ħfief v.II, ***jiħfief;*** to become light.
ħfin n.act., grasping.
ħġieġ n.m., koll., f. -a, pl. -iet, glass.
ħġieġa n.f., pl. -iet, window. ***~ tad-deni;*** clinical thermometer.
ħi n., pl. ***aħwa;*** brother.
ħidma n.f., pl. -iet, work, fatigue, labour, activity.

ħieles aġġ., free.
ħiemed aġġ., silent, quiet.
ħiena ara **ħjiena**.
ħiereġ aġġ., going out. ~ ***mid-dinja;*** decrepit.
ħiet v.I, ***jħit;*** to sew, to stitch. ~ ***libsa ġdida;*** he sewed a new dress.
ħila n.f., pl. -iet, courage, heartiness, valour, art, ability, skill. ***bla ~;*** pusillanimous, cowardly.
ħili aġġ., able, capable, brave, skilful, valiant.
ħin n.m., pl. -ijiet, time, moment, instant. ~ ***bla waqt;*** instantaneously, immediately. ***fil-~;*** in time. ***sar il-~;*** it is time. ***sewwa sew fil-~;*** in the nick of time.
ħiter n.m., pl. -s, heater. ~ ***ta' l-elettriku;*** electric heater.
ħjar n.m.koll., pl. -a, pl. -iet, (bot.) cucumber.
ħjata n.f., pl. -iet, seam, sewing.
ħjiel n.act., inkling, hint.
ħjiena n.f., bla pl., cunning, subtleness, malice.
ħkim n.act., prevalence, command, administration, government.
ħlas n.act., payment, pay, salary, wages.
ħlejja aġġ., sweetish.
ħlewwa n.f., pl. -iet, sweetness, affability, kindness. ~ ***ta' qalb;*** swoon.
ħlief avv., except, but, unless.
ħliefa n.f., pl. -iet, husk, chaff, prepuse.
ħlieqa n.f., pl. -t, joke, jest.
ħliq n.act., creation, invention.
ħliqa n.f., pl. ***ħlejjaq;*** creature.
ħluqi aġġ., merry, pleasant, witty.
ħlusi aġġ., expeditious, quick.
ħlusija n.f., pl. -t, freedom, liberty, exemption, immunity.
ħmar v.IX., ***jiħmar;*** to become or grow red, to blush. ***hu ~ bil-mistħija;*** he blushed for shame.
ħmar n.m., f. -a, pl. ***ħmir;*** (żool.) donkey, ass. ~ ***il-baħar;*** (itt.) trigger-fish. ~ ***il-lejl;*** nightmare.
ħmerija n.f., pl. -iet, stupidity, silliness, stolidity.
ħmewwa n.f., pl. -iet, acrimony, itch.
ħmieġ n.m.koll., pl. -ijiet, dirtiness, excrement, dung.
ħmiet n.f., pl. -ijiet, mother-in-law.
ħmira n.f., pl. ***ħmejjer;*** yeast, leaven, ferment.
ħmistax n.num., fifteen.
ħmu n.m., bla pl., father-in-law.
ħmura n.f., bla pl., redness.
ħnejja n.f., pl. -iet, (ark.) arch, vault, arc.
ħneżrija n.f., pl. -iet, loathsomeness.
ħniena n.f., pl. -iet, mercy, pity, compassion. ***bil-~;*** mercifully, compassionately, charitably.
ħniq n.m., bla pl., strangling.
ħobb n.m., bla pl., breast, bosom.
ħobi n.m., pl. -s, hobby.
ħobla aġġ., pregnant.
ħobol v.I, ***joħbol;*** to become pregnant.
ħobż n.m.koll., f. -a, pl. -iet, bread. ~ ***bla ħmira;*** unleavened bread. ~ ***frisk;*** fresh bread. ~ ***iebes;*** stale bread. ~ ***mixwi;*** toast. ~ ***slajs;*** sliced loaf. ~ ***tad-dar;*** home-made bread. ~ ***ta' l-oħxon;*** brown bread. ***il-bieba tal-~;*** bread-crumb.
ħobża n.f., pl. -iet, loaf.
ħodon n.m., pl. ***ħdan;*** breast, bosom, armful.
ħofra n.f., pl. -iet, hole. ~ ***tal-għonq;*** nape.
ħoġor n.m., pl. ***ħġur;*** lap. ~ ***it-tieqa;*** window sill, window ledge.
ħoġpoġ n.m., bla pl., hodge-podge.
ħokom n.m., bla pl., prevalence, influence.
ħola v.I, ***joħla;*** to become sweet.
ħolma n.f., pl. -iet, dream.
ħolom v.I, ***joħlom;*** to dream, to imagine.
ħolqa n.f., pl. -iet, ***ħoloq;*** hoop. ~ ***tal-ħjata;*** thimble.
ħolqien n.m., bla pl., creation.
ħomwerk n.m., pl. -s, homework.
ħondoq n.m., pl. ***ħniedaq;*** moat.
ħorfox n.m.koll., f. -a, pl. -iet, (bot.) thistle.
ħorġa n.f., pl. -iet, bag.
ħorman aġġ., wanton.
ħormown n.m., pl. -s, hormone.
ħorn n.m., pl. -ijiet, horn.
ħorof v.I, ***joħrof;*** to shed leaves, to lose leaves. ***is-siġar bdew joħorfu;*** the trees began to shed the leaves.
ħorom v.I, ***joħrom;*** to desire, to wish.
ħorr aġġ., honest.
ħorrox borrox avv., pell-mell, disorderly, carelessly.
ħosba n.f., pl. -iet, (med.) measles.
ħosbien ara **ħusbien**.
ħoss n.m., pl. ***ħsejjes;*** sound, noise. ~ ***kbir;*** bustle.
ħotba n.f., pl. -iet, ***ħotob;*** hillock, hunchback, hump, a request for marriage, brokerage.
ħotbi aġġ., hunchback, humpback.
ħotell n.m., pl. -ijiet, hotel.
ħotob v.I, ***joħtob;*** to act as a matchmaker, to make brokerage.
ħotof v.I, ***joħtof;*** to become empty.
ħottab n.m., f. u pl. -a, matchmaker, broker.

ħoxni aġġ., coarse, rough.
ħożoż aġġ., shabby.
ħożża n.f., pl. ***ħożoż;*** girdle.
ħrafa n.f., pl. -iet, ***ħrejjef;*** fable, tale.
ħrar n.m.koll., f. -a, pl. -iet, acrimony, thrush.
ħrara n.f., pl. -iet, zeal, ardour, fervour, eagerness, fervency, passion.
ħrax v.IX., ***jiħrax;*** to become rough, to roughen.
ħrib n.m., bla pl., war, warfare, flight, escaping.
ħrieb n.m., pl. -ijiet, desolation, misfortune.
ħrit n.act., ploughing.
ħruġ n.m., bla pl., way out.
ħruq n.m., bla pl., burning, fire.
ħruxija n.f., pl. -t, harshness, roughness, austerity, severity. ***bil-~;*** harshly, bitterly.
ħsad n.act., harvest, mowing.
ħsara n.f., pl. -t, damage.
ħsieb n.m., pl. -ijiet, cogitation, thought, design, intention, purpose. ***bla ~;*** unexpectedly, unexpected.
ħtabat ara **tħabat**.
ħtalat v.VIII, ***jeħtalat;*** to be or get mingled, mixed.
ħtar v.IX., ***jiħtar;*** to be choosy, to choose, to elect.
ħtieġ v.VIII, ***jeħtieġ;*** to be necessary.
ħtieġa n.f., pl. -iet, need, necessity.
ħtiena n.f., bla pl., cognation.
ħtif n.act., snatching, grabbing.
ħtija n.f., pl. -t, fault, guilt.
ħtileġ v.VIII, ***jeħtileġ;*** to disappear.
ħtin n.act., circumcision.
ħu n.m., pl. ***aħwa;*** brother.
ħubbejż n.m.koll., f. -a, pl. -iet, (bot.) mallow.
ħuffiefa n.f., pl. -iet, pumice, pumice-stone.
ħuġġieġa n.f., pl. -iet, ***ħġejjeġ;*** bonfire. ***~ nar;*** aflame.
ħummejr n.m.koll., f. -a, pl. -iet, (bot.) marvel of Peru.
ħurħara n.f., pl. -iet, death-rattle.
ħurrieq n.m.koll., f. -a, pl. -iet, (bot.) nettle. ***~ tat-tajr;*** hen's louse.
ħurtan n.m.koll., f. -a, pl. -iet, (bot.) bromegrass.
ħusbien aġġ., cogitative, thoughtful.
ħuta n.f., pl. -iet, koll. ***ħut;*** fish. ***~ ta' l-ilma ħelu;*** fresh water fish. ***~ kaħla;*** blue shark.
ħuttâb n.m., f. u pl. -a, matchmaker.
ħuttaf n.m., f. -a, pl. -iet, koll. ***ħuttaf;*** (ornit.) swallow.
ħuxlief n.m.koll., f. -a, pl. -iet, hay.
ħwar n.m.koll., f. -a, pl. -iet, aroma, flavour, spices.
ħwejjeġ n., pl. ta' ***ħaġa;*** properties, goods and chattles, clothes. ***~ tax-xogħol;*** working clothes.
ħwiel v.IX., ***jeħwiel;*** to become sterile.
ħxien v.IX., ***jeħxien;*** to become fat.
ħxuna n.act., fatness, thickness, bulkiness.
ħżiem n.m., pl. -ijiet, girdle, sash.
ħżien v.IX., ***jeħżien;*** to grow worse, to worsen, to deteriorate, to become bad.
ħżieża n.f., pl. ***ħżież;*** (med.) herpes, ringworm.
ħżunija n.f., pl. -t, badness, craftiness, cunning.

Ii

I, i ***it-tnax-il ittra ta' l-alfabett Malti u t-tielet waħda mill-vokali;*** the twelfth letter of the Maltese alphabet and the third of the vowels.

ibbada v.t., ***jibbada;*** to take care, to mind. ***ibbadu għal dak li qegħdin tagħmlu;*** mind what you are doing.

ibbakkja v.i., ***jibbakkja;*** to back, to give support. ***~ lil ħabibu fi kliemu;*** he backed his friend by his words.

ibbalija v.Sq., ***jibbalija;*** to undulate.

ibbalzma v.t., ***jibbalzma;*** to embalm.

ibbalzmat aġġ. u p.p., embalmed.

ibbamboċċa v.Sq., ***jibbamboċċa;*** to bamboozle, to cozen, to deceive.

ibbanja v.t., ***jibbanja;*** (artiġ.) to plate. ***~ bid-deheb żewġ kandlieri żgħar;*** he plated with gold two small candle-sticks.

ibbanjat ara **banjat**.

ibbanketta v.t., ***jibbanketta;*** to banquet.

ibbasta v.t., ***jibbasta;*** to suffice, to be sufficient.

ibbattma v.Sq., ***jibbattma;*** to plaster.

ibbattmat aġġ. u p.p., plastered.

ibbavakka v.t., ***jibbavakka;*** to bivouac.

ibbaża v.t., ***jibbaża;*** to base, to found.

ibbażat aġġ. u p.p., based, founded.

ibbeatifika v.t., ***jibbeatifika;*** to beatify. ***il-Papa l-bieraħ ~ soru Lhudija;*** yesterday the Pope beatified a Jewish nun.

ibbenèfika v.t., ***jibbenefika;*** (leg.) to benefit. ***se jibbenefika ħafna mill-bidla;*** he will benefit greatly from the change.

ibbenefikat aġġ. u p.p., benefited.

ibbies v.IX, ***jibbies;*** to become hard, to harden.

ibbilanċja v.t., ***jibbilanċja;*** to balance.

ibbina v.t., ***jibbina;*** (ekkl.) to binate. ***il-bieraħ il-qassis ~;*** yesterday the priest binated.

ibbisja v.t., ***jibbisja;*** (teatr.), to encore, to repeat. ***nhar il-Ħadd it-tenur talbuh jibbisja;*** last Sunday they asked the tenor to encore.

ibbisjat aġġ. u p.p., repeated.

ibblakka v.i, ***jibblakka;*** to polish.

ibblakkat aġġ. u p.p., polished.

ibbnazza v.Sq., ***jibbnazza;*** to become calm. ***illum l-ajru ~;*** today the weather became calm.

ibbojkottja v.i., ***jibbojkottja;*** to boycott.

ibbojkottjat ara **bojkottjat**.

ibbokkla v.Sq., ***jibbokkla;*** to buckle.

ibboksja v.i., ***jibboksja;*** (logħ.) to box.

ibbombja v.i., ***jibbombja;*** to bomb.

ibbordja v.i., ***jibbordja;*** to board, (mar.) to ply, to windward, to beat against the wind.

ibbottilja v.t., ***jibbottilja;*** to bottle.

ibbottiljat aġġ. u p.p., bottled.

ibbozza v.Sq., ***jibbozza;*** to lower the head, to hide oneself in a cloak.

ibbrejka v.i., ***jibbrejka;*** to brake.

ibbrilla v.t., ***jibbrilla;*** to glitter, to shine.

ibbrinda v.t., ***jibbrinda;*** to toast. ***ibbrindaw għas-suċċess ta' ħabibhom;*** they toasted the success of their friend.

ibbronża v.t., ***jibbronża;*** (artiġ.) to bronze.

ibbronżat aġġ. u p.p., (artiġ.) bronzed.

ibbuffunja v.Sq., ***jibbuffunja;*** (teatr.) to jest, to joke, to buffoon.

ibbukkja v.i., ***jibbukkja;*** to book. ***il-bieraħ mar jibbukkja l-ajruplan;*** yesterday he went to book the flight.

ibbukkjat aġġ. u p.p., booked.

ibbumbarda v.t., ***jibbumbarda;*** (mil.) to bomb. ***fil-gwerra l-belt ġiet ibbumbardata bosta drabi;*** during the war the city was bombed several times.

ibbumbardat aġġ. u p.p., bombed.

ibburdella v.t., ***jibburdella;*** to revel, to go to brothel.

ibbuwja v.i., ***jibbuwja;*** to boo.

iben n.m., f. ***bint;*** pl. ***ulied;*** son (f. daughter).

ibgħad aġġ.komp., farther.

ibisku n.m., pl. ***ibiskijiet;*** (bot.) hibiscus.

iblah n.m., f. ***belha;*** pl. ***boloh;*** fool, stupid.

iblah aġġ., foolish.

ibnen aġġ.komp., more savoury.

ibred aġġ.komp., cooler.

ibridiżmu n.m., pl. -i, hybridism.

ìbridu aġġ., hybrid.
ibtar aġġ., tailless.
ibżel aġġ.komp., more diligent.
iċċaċċra v.Sq., *jiċċaċċra;* to prate. ***qagħad jiċċaċċra l-ħin kollu;*** he prated all the time.
iċċaħħad v.V, *jiċċaħħad;* to deprive oneself. ***~ milli jpejjep il-jum kollu;*** he deprived himself of smoking all day.
iċċajpar v.V, *jiċċajpar;* to grow cloudy, foggy. ***minn filgħodu l-ajru beda jiċċajpar;*** from early morning the sky began to grow foggy.
iċċajta v.Sq., *jiċċajta;* to joke, to jest. ***miniex qiegħed niċċajta, tafx!;*** I am not joking, you know!
iċċalinġja v.i., *jiċċalinġja;* to challenge.
iċċalinġjat aġġ. u p.p., challenged.
iċċallas v.V, *jiċċallas;* to be soiled.
iċċanfrina v.Sq., *jiċċanfrina;* (tekn.) to chamfer, to cant.
iċċanga v.Sq., *jiċċanga;* to pave, to stone, to tile.
iċċangat aġġ. u p.p., paved.
iċċansja v.i., *jiċċansja;* to chance, to risk.
iċċappas v.V, *jiċċappas;* to be soiled or stained.
iċċaqlaq v.V, *jiċċaqlaq;* to move, to stir.
iċċaqlem v.V, **jiċċaqlem;** to bewriggle, to betoddle.
iċċara v.V, *jiċċara;* to make clear, to become clear. ***is-sema beda jiċċara;*** the sky began to clear.
iċċarċar v.V, *jiċċarċar;* to be spilled or shed. ***l-ilma qiegħed ~ mal-ħajt;*** the water is spilling over the wall.
iċċarġja v.i., *jiċċarġja;* to charge.
iċċarrat v.V, *jiċċarrat;* to be torn. ***din il-purtiera malajr tiċċarrat;*** this curtain tears easily.
iċċassa v.t., *jiċċassa;* to look fixedly. ***~ jħares lejn dik il-pittura;*** he looked fixedly at that picture.
iċċattja v.Sq., *jiċċattja;* to flatten, to be flattened.
iċċekken v.V, *jiċċekken;* to become small, to be smaller.
iċċekkja v.i., *jiċċekkja;* to check, ***il-pulizija ċċekkjaw il-passaport;*** the police checked the passport.
iċċelebra v.t., *jiċċelebra;* to celebrate.
iċċelebrat aġġ. u p.p., celebrated.
iċċellaq v.V, *jiċċellaq;* to be smeared.
iċċena v.t., *jiċċena;* to sup, to have supper. ***il-bieraħ ~ mal-ħbieb tiegħu;*** yesterday he had supper with his friends.
iċċensura v.t., *jiċċensura;* to censure.
iċċentra v.t., *jiċċentra;* to centre.
iċċentralizza v.t., *jiċċentralizza;* to centralize.
iċċentùplika v.t., *jiċċentuplika;* to centuplicate, to centuple.
iċċerċer v.V, *jiċċerċer;* to ramble, to gad about.
iċċerta v.t., *jiċċerta;* to assure, to make certain, to ascertain. ***iċċertah se jagħtih lura l-ktieb;*** he assured him of giving back the book.
iċċertifika v.t., *jiċċertifika;* to certify. ***it-tabib ~ li kien marid;*** the doctor has certified that he was sick.
iċċerzjora v.t., *jiċċerzjora;* (leg.) to make (oneself) sure, to assure.
iċċewlaħ v.V, *jiċċewlaħ;* to become ragged or tattered, to become dowdy.
iċċirkola v.t., *jiċċirkola;* to circulate. ***id-demm jiċċirkola fil-vini;*** the blood circulates through the veins.
iċċirkonċida v.t., *jiċċirkonċidi;* to circumcise.
iċċirkonda v.t., *jiċċirkonda;* to surround. ***l-għadu ~ l-belt;*** the enemy surrounded the city.
iċċita v.t., *jiċċita;* to cite, to quote.
iċċivilizza v.t., *jiċċivilizza;* to civilize.
iċċomba v.Sq., *jiċċomba;* to seal with lead, to cover with lead, (mar.) to splice (a rope).
iċċonga v.Sq., *jiċċonga;* to maim.
id n.f., pl. *idejn;* hand. ***kitba bl-~;*** handwriting. ***daqqa ta' ~;*** to give a hand. ***idejh fuq żaqqu;*** to stand idle. ***idu magħluqa;*** miser. ***ġie fl-idejn;*** to come to blows. ***ta b'id miftuħa;*** to give open handly.
idda v.II, *jiddi;* to bear, to bring, to carry, to present, to reward.
idda v.irr., *jiddi;* to shine brightly, to glisten, to glow.
iddabbar v.V, *jiddabbar;* to ulcerate, to be patched, to run into debt.
iddagħdagħ v.V, *jiddagħdagħ;* to scowl.
iddaħħaħ v.V, *jiddaħħaħ;* to be stirred up.
iddaħħal v.V, *jiddaħħal;* to put or get into, to be entered. ***kif tista' ~ din il-ħaġa f'dak il-post?;*** how can you get this into that place?
iddaħħan v.V, *jiddaħħan;* to become smoky.
iddajvja v.i., *jiddajvja;* to dive.
iddakkar v.V, *jiddakkar;* to be caprificated.
iddalja v.i., *jiddalja;* to dial.

iddallam v.V, ***jiddallam;*** to grow dark, to be darkened. ***is-sema qiegħed jiddallam;*** the sky is getting dark.
iddamma' v.V, ***jiddamma';*** to shed tears. ***għajnejha ddemmgħu bil-kliem li qalulha;*** her eyes shed tears because of the words they told her.
iddandan v.V, ***jiddandan;*** to show off.
iddanna v.t., ***jiddanna;*** to think, to suppose, to deem.
iddanniġġja v.t., ***jiddanniġġja;*** to damage.
iddanniġġjat aġġ. u p.p., damaged.
iddaqqas v.V, ***jiddaqqas;*** to be proportioned, measured, to become sizeable, to compare oneself with.
iddardar v.V, ***jiddardar;*** to be disgusted with, by, to grow muddy, to become turbid.
iddarra v.V, ***jiddarra;*** to accustom oneself.
iddarras v.V, ***jiddarras;*** to set one's teeth on edge, to become exacerbated.
iddata v.t., ***jiddata;*** to date.
iddatat aġġ. u p.p., dated.
iddawwal v.V, ***jiddawwal;*** to be illuminated, to be lightened, to brighten, to grow bright. ***għajnejh iddawwlu bil-ferħ;*** his eyes brightened with joy.
iddawwar v.V, ***jiddawwar;*** to be surrounded, to tarry, to delay. ***għaliex iddawwart daqshekk ma ġejt?;*** why did you delay so long to come?
iddebben v.V, ***jiddebben;*** to be surrounded by flies, to weary, to tire oneself.
iddebolixxa v.t., ***jiddebolixxi;*** to weaken, to enfeeble, to become weak.
iddebutta v.t., ***jiddebutta;*** (teatr.) to make one's debut.
iddeċieda v.t., ***jiddeċiedi;*** to decide, to resolve. ***iddeċidejt li mmur Ruma;*** I have decided to go to Rome.
iddeċifra v.t., ***jiddeċifra;*** to decipher.
iddèċima v.t., ***jiddeċima;*** to decimate.
iddèdika v.t., ***jiddedika;*** to dedicate. ~ ***ktieb lil ommu;*** he dedicated a book to his mother.
iddeduċa v.t., ***jiddeduċi;*** to deduce.
iddefenda v.t., ***jiddefendi;*** to defend, to plead. ~ ***kawża quddiem l-imħallef;*** he pleaded a case before the judge.
iddeffes v.V, ***jiddeffes;*** to meddle, to tamper, to interfere, to involve oneself, to get involved in. ***qatt ma ħalliet lil żewġha jiddeffes fil-politika;*** she never allowed her husband to meddle in politics.
iddefinixxa v.t., ***jiddefinixxi;*** to define. ***għaxar snin ilu l-Papa ~ bħala domma t-Tlugħ ta' Marija fis-Sema;*** ten years ago the Pope defined as dogma the Assumption of Our Lady.
iddeforma v.t., ***jiddeforma;*** to deform.
iddeġènera v.t., ***jiddeġenera;*** to degenerate.
iddegrada v.t., ***jiddegrada;*** to degrade.
iddejjaq v.V, ***jiddejjaq;*** to be or feel annoyed. ~ ***jisma' dan il-kliem;*** he got annoyed hearing these words.
iddejjen v.V, ***jiddejjen;*** to run into debt, to buy on credit. ~ ***biex jixtri karozza;*** he ran into debt to buy a car.
iddekada v.t., ***jiddekadi;*** to decay, to lapse.
iddeklama v.t., ***jiddeklama;*** to declaim, to recite. ***smajtu jiddeklama poeżija ta' Dun Karm;*** I heard him reciting a poem by Dun Karm.
iddeklina v.t., ***jiddeklina;*** to decline.
iddekora v.t., ***jiddekora;*** to decorate, to adorn.
iddèlega v.t., ***jiddelega;*** (leg.) to delegate.
iddelìbera v.t., ***jiddelibera;*** (parl.) to deliberate.
iddelirja v.Sq., ***jiddelirja;*** to be delirious. ***il-bieraħ il-marid kien qiegħed jiddelirja;*** the patient yesterday was very delirious.
iddellek v.V, ***jiddellek;*** to grease oneself.
iddellel v.V, ***jiddellel;*** to become shady.
iddemmem v.V, ***jiddemmem;*** to become bloody.
iddemokratizza v.t., ***jiddemokratizza;*** to democratize.
iddemolixxa v.t., ***jiddemolixxi;*** to demolish.
iddemoralizza v.t., ***jiddemoralizza;*** to demoralize.
idden v.II, ***jidden;*** to crow. ***filgħodu s-serduk beda jidden kmieni;*** the cock crowed early this morning.
iddendel v.V, ***jiddendel;*** to be hung.
iddenna v.V, ***jiddenna;*** to be infected.
iddenneb v.V, ***jiddenneb;*** to form a queue.
iddennes v.V, ***jiddennes;*** to be polluted.
iddenòmina v.t., ***jiddenomina;*** to denominate.
iddenunzja v.t., ***jiddenunzja;*** to denounce, to declare, to state.
iddeplora v.t., ***jiddeplora;*** (parl.) to deplore.
iddepona v.t., ***jiddeponi;*** (leg.) to depose, to bear witness.

iddeporta v.t., ***jiddeporta;*** (leg.) to deport, to exile.
iddepòżita v.t., ***jiddepożita;*** to deposit. ***iddepożitajt flusi l-bank;*** I have deposited my money with the bank.
idderiva v.t., ***jidderiva;*** to derive.
iddèroga v.t., ***jidderoga;*** (parl. u leg.) to derogate (from).
idderra v.V, ***jidderra;*** to be winnowed, to be spilled, to be scattered.
iddeskriva v.t., ***jiddeskrivi;*** to describe. ***~ nżul ix-xemx minn fuq il-bejt;*** he described sunset from the roof.
iddestina v.t., ***jiddestina;*** to destine.
iddestinat aġġ. u p.p., destined.
iddeterjora v.t., ***jiddeterjora;*** to deteriorate, to get worse.
iddetèrmina v.t., ***jiddetermina;*** to determine, to determinate. ***iddeterminaw it-tluq tagħhom minn Malta;*** they determined their departure from Malta.
iddetta v.t., ***jiddetta;*** to dictate. ***iddettalu x'għandu jagħmel;*** he dictated to him what to do.
iddettalja v.t., ***jiddettalja;*** to detail.
iddettat aġġ. u p.p., dictated.
iddevasta v.t. ***jiddevasta;*** to devastate, to ravage.
iddeverta v.t., ***jiddeverti;*** to amuse oneself, to enjoy oneself, to have fun. ***~ mat-tfal ta' l-iskola;*** he enjoyed himself with his school fellows.
iddevora v.t., ***jiddevora;*** to devour.
iddew inter., pray, please, I desire you.
iddewwa v.V, ***jiddewwa;*** to medicate oneself, to be cured.
iddewwaq v.V, ***jiddewwaq;*** to be tasted.
iddewweb v.V, ***jiddewweb;*** to be melted.
iddewwem v.V, ***jiddewwem;*** to be delayed.
iddewwer v.V, ***jiddewwer;*** to be wound upon reel.
iddexxex v.V, ***jiddexxex;*** (tekn.) to be ground coarsely.
iddèżola v.t., ***jiddeżola;*** to desolate.
iddibatta v.t., ***jiddibatti;*** (parl.) to debate.
iddiegħa v.V, ***jiddiegħa;*** to swear terribly.
iddieheb v.VI, ***jiddieheb;*** to be gilded.
iddiehen v.VI, ***jiddiehen;*** to draw inspiration (from).
iddiehex v.VI, ***jiddiehex;*** to be startled.
iddieħek v.VI, ***jiddieħek;*** to deride, to laugh at, to jeer.
iddiferixxa v.t., ***jiddiferixxi;*** (leg.) to differ (from), to postone. ***l-imħallef ~ l-kawża għal xahar ieħor;*** the judge has postponed the law case for a month.
iddiġerixxa v.t., ***jiddiġerixxi;*** (med.) to digest.
iddikjara v.t., ***jiddikjara;*** to declare, to state, to certify. ***~ ruħu favur jew kontra xi ħadd;*** he declared himself for or against somebody.
iddiletta v.t., ***jiddiletta;*** to take delight in, to take pleasure in.
iddimetta v.t., ***jiddimetti;*** to resign. ***Pawlu ~ mill-uffiċċju tiegħu;*** Paul resigned from his office.
iddimmja v.i., ***jiddimmja;*** to dim.
iddimostra v.t., ***jiddimostra;*** to demonstrate.
iddipenda v.t., ***jiddipendi;*** to depend. ***kien jiddipendi għall-għajxien tiegħu minn ommu;*** he depended upon his mother for his living.
iddiporta v.t., ***jiddiporta;*** to behave. ***~ ruħu ħażin;*** he behaved badly.
iddirieġa v.t., ***jiddirieġi;*** to direct, to manage, to conduct. ***ħija ~ l-orkestra tat-teatru;*** my brother conducted the theatre orchestra.
iddisapprova v.t., ***jiddisapprova;*** to disapprove.
iddisċarġja v.i., ***jiddisċarġja;*** to discharge, to dismiss, to remove electricity from.
iddisgusta v.t., ***jiddisgusta;*** to disgust. ***iddisgustani bil-kliem tiegħu;*** he disgusted me with his words.
iddisinfetta v.t., ***jiddisinfetta;*** (med.) to disinfect.
iddisinja v.t., ***jiddisinja;*** to draw, to sketch, to design.
iddisìntegra v.t., ***jiddisintegra;*** to disintegrate, to split.
iddisinteressa v.t., ***jiddisinteressa;*** to disinterest (oneself).
iddiskla v.Sq., ***jiddiskla;*** to lead a dissolute life.
iddiskorra v.t., ***jiddiskorri;*** to hold forth.
iddiskrimina v.t., ***jiddiskrimina;*** to discriminate.
iddiskuta v.t., ***jiddiskuti;*** to discuss. ***mhux meħtieġ li niddiskutu dan il-każ;*** we need not discuss this case.
iddisorganizza v.t., ***jiddisorganizza;*** to disorganize.
iddispensa v.t., ***jiddispensa;*** to dispense, to exempt.
iddispjaċa v.t., ***jiddispjaċi;*** to displease, to cause sorrow to. ***jiddispjaċini ħafna minn dak li għamilt;*** I am much displeased for what I have done.
iddispjaċut aġġ. u p.p., displeased.

iddispona v.t., ***jiddisponi;*** to dispose. ***jista' jiddisponi minn flusu kif irid;*** he can dispose of his means as he wishes.
iddispra v.t., ***jiddispra;*** to despair.
iddisprat aġġ. u p.p., desperate.
iddisprezza v.t., ***jiddisprezza;*** to despise, to scorn. ***~ dak kollu li għamilt jien;*** he despised whatever I have done.
iddisputa v.t., ***jiddisputa;*** to dispute.
iddissetta v.t., ***jiddissetta;*** (anat.) to dissect.
iddissolva v.t., ***jiddissolvi;*** (parl.) to dissolve.
iddissossa v.t., ***jiddissossa;*** to bone.
iddistakka v.t., ***jiddistakka;*** (mil.) to detach.
iddistilla v.t., ***jiddistilla;*** (kim.) to distil.
iddistingwa v.t., ***jiddistingwi;*** to distinguish.
iddistra v.t., ***jiddistra;*** to distract. ***fittxu li tiddistrawh minn dawn il-ħsibijiet;*** try to distract him from these thoughts.
iddistribwixxa v.t., ***jiddistribwixxi;*** to distribute.
iddistruġġa v.t., ***jiddistruġġi;*** to destroy.
iddisturba v.t., ***jiddisturba;*** to disturb.
iddiversifika v.t., ***jiddiversifika;*** to diversify.
iddiverta ara **iddeverta**.
iddivida v.t., ***jiddividi;*** to divide.
iddivora ara **iddevora**.
iddivorzja v.t., ***jiddivorzja;*** (leg.) to divorce.
iddixxa v.V, ***jiddixxa;*** to belch.
iddixxiplina v.t., ***jiddixxiplina;*** to discipline.
iddiżapprova v.t., ***jiddiżapprova;*** to disapprove. ***~ dak kollu li kienu qegħdin jgħidu;*** he disapproved whatever they were saying.
iddiżappunta v.t., ***jiddiżappunta;*** to disappoint, to delude. ***l-għalliem kien iddiżappuntat bir-riżultat tat-tfal tiegħu;*** the teacher was disappointed by the pupils' result.
iddiżarma v.t., ***jiddiżarma;*** (mil.) to disarm.
iddiżereda v.t., ***jiddiżeredi;*** to disinherit.
iddiżerta v.t., ***jiddiżerta;*** (mil.) to desert.
iddiżgusta v.t., ***jiddiżgusta;*** to disgust. ***ilkoll konna ddiżgustati kif kien qiegħed iġib ruħu;*** we were all disgusted by his behaviour.
iddiżinfetta ara **iddisinfetta**.
iddiżintegra ara **iddisintegra**.
iddiżenteressa v.t., ***jiddiżenteressa;*** to disinterest.
iddiżonora v.t., ***jiddiżonora;*** to dishonour, to disgrace.
iddiżubbidixxa v.t., ***jiddiżubbidixxi;*** to disobey.
iddjaloga v.t., ***jiddjaloga;*** to converse, to hold a dialogue.
iddobba v.Sq., ***jiddobba;*** to obtain, to acquire. ***hija ~ ktieb sabiħ;*** my brother acquired a beautiful book.
iddomanda v.t., ***jiddomanda;*** (parl.) to demand, to ask, to enquire.
iddomiċilja v.t., ***jiddomiċilja;*** to domicile.
iddòmina v.t., ***jiddomina;*** to dominate.
iddota v.t., ***jiddota;*** (leg.) to give a dowry.
iddottra v.t., ***jiddottra;*** to pretend to be very learned, to show off one's learning, to assume a learning air.
iddoża v.t., ***jiddoża;*** to doze.
iddraftja v.i., ***jiddraftja;*** to draft.
iddraggja v.i., ***jiddraggja;*** to drug.
iddrammatizza v.t., ***jiddrammatizza;*** to dramatize.
iddribilja v.i., ***jiddribilja;*** (logħ.) to dribble.
iddritta v.Sq., ***jiddritta;*** to straighten.
iddrizza v.Sq., ***jiddrizza;*** to straighten.
iddroga v.t., ***jiddroga;*** to drug.
iddroja v.i., ***jiddroja;*** to draw.
iddùbita v.t., ***jiddubita;*** to doubt. ***niddubita jekk jerbħux għada;*** I doubt whether they will win tomorrow.
iddulurat aġġ. u p.p., grieved, sorrowful.
iddùplika v.t., ***jidduplika;*** to duplicate.
iddutat aġġ. u p.p., endowed.
iddwella v.t., ***jiddwella;*** to duel.
idea n.f., pl. -t, -ijiet, idea.
ideal n.m., pl. -i, ideal.
ideali aġġ., ideal.
idealista n.kom., pl. -i, idealist.
idealiżmu n.m., pl. -i, idealism.
idealizza v.t., ***jidealizza;*** to idealize.
idealizzat aġġ. u p.p., idealized.
idealizzazzjoni n.f., pl. -jiet, idealization.
identìfika v.t., ***jidentifika;*** (leg.) to identify.
identifikat aġġ. u p.p., identified.
identifikazzjoni n.f., pl. -jiet, identification.
idèntiku aġġ., identical.
identità n.f., pl. -ijiet, (leg.) identity. ***karta ta' l-~;*** identity card.
ideoloġija n.f., pl. -i, ideology.
ideolòġiku aġġ., ideological.
ideoloġista n.kom., pl. -i, ideologist.
idgħam aġġ., dusky.
idi n.pl., bla s., ides.
idillju n.m., pl. -i, idyll.

idjaq aġġ.komp., narrower, straiter.
idjoma n.f., pl. -i, idiom.
idjomàtiku aġġ., idiomatic.
idjosinkrasija n.f., pl. -i, idiosyncrasy.
idjota n.kom., pl. -i, idiot, fool.
idolatrija n.f., pl. -i, idolatry.
idolàtru n.m., f. -a, pl. -i, idolater.
ìdolu n.m., pl. -i, idol.
idòneu aġġ., fit (for).
idra n.f., pl. -i, hydra.
idrofobija n.f., pl. -i, (med.) hydrophobia.
idròfobu aġġ., (med.) hydrophobic.
idròġenu n.m., pl. -i, (kim.) hydrogen.
idrografija n.f., pl. -i, hydrography.
idrogràfiku aġġ., hydrographic(al).
idròqrafu n.m., f. -a, pl. -i, hydrographer.
idroloġija n.f., pl. -i, hydrology.
idròlogu n.m., f. -a, pl. -i, hydrologist.
idromèl n.m., pl. -ijiet, hydromel.
idrometrija n.f., pl. -i, hydrometry.
idromètriku aġġ., hydrometric(al).
idròmetru n.m., pl. -i, water-gauge, hydrometer.
idròpiku aġġ., (med.) dropical.
idroplan n.m., pl. -i, seaplane.
idropsija n.f., pl. -i, (med.) dropsy.
idrostàtika n.f., bla pl., hydrostatics.
idroterapija n.f., pl. -i, (med.) hydrotherapeutics.
idroteràpiku aġġ., (med.) hydrotherapeutic.
idwal aġġ.komp., more luminous.
iffàbrika v.t., ***jiffabbrika;*** to construct, to build.
iffaċċettja v.Sq., ***jiffaċċettja;*** to facet, to cut facets on.
iffaċċja v.Sq., ***jiffaċċja;*** to emerge, to appear, to show oneself.
iffaċċjat aġġ. u p.p., faceted.
iffaċendja v.Sq., ***jiffaċendja;*** to busy oneself.
iffaċìlita v.t., ***jiffaċilita;*** to facilitate, to make easy.
iffajlja v.i., ***jiffajlja;*** to file. ~ ***d-dokumenti kollha tal-kawża;*** he filed all the documents of the case.
iffalsìfika v.t., ***jiffalsifika;*** to falsify. ~ ***dokument u mar il-ħabs;*** he falsified a document and was sent to prison.
iffamiljarizza v.t., ***jiffamiljarizza;*** to become familiar with.
iffanfarunja v.Sq., ***jiffanfarunja;*** to boast, to swagger.
iffanga v.t., ***jiffanga;*** to eat greedily.
iffantàstika v.t., ***jiffantastika;*** to imagine things, to day dream, to fancy.
iffastidja v.t., ***jiffastidja;*** to give annoyance to.
iffatiga v.t., ***jiffatiga;*** to toil, to fatigue.
iffavorixxa v.t., ***jiffavorixxi;*** to favour, to prefer.
iffavorut aġġ. u p.p., favoured, prefered.
iffawlja v.i., ***jiffawlja;*** (logħ.) to commit a foul.
iffejdja v.i., ***jiffejdja;*** (tekn.) to fade.
iffekonda v.t., ***jiffekonda;*** to fecundate.
ifferma v.Sq., ***jifferma;*** to stop.
iffermenta v.t., ***jiffermenta;*** to ferment.
iffermentat aġġ. u p.p., fermented.
ifferoċja v.Sq., ***jifferoċja;*** to become fierce, to render ferocious.
ifferoċjat aġġ. u p.p., ferocious.
iffertilizza v.t., ***jiffertilizza;*** to fertilize.
iffigura v.t., ***jiffigura;*** to figure.
iffilmja v.i., ***jiffilmja;*** to film, to reproduce on a film, to make a film.
iffilosofizza v.t., ***jiffilosofizza;*** to philosophize.
iffiltra v.t., ***jiffiltra;*** to filter.
iffirma v.t., ***jiffirma;*** to sign. ***iffirmajtuh il-kuntratt?;*** have you signed the contract?
iffirmat aġġ. u p.p., signed.
iffiskja v.t., ***jiffiskja;*** (teatr.) to boo, to whistle.
iffissa v.t., ***jiffissa;*** to fix, to become crazy. ~ ***għajnejh lejn is-sema;*** he fixed his eyes on the sky.
iffitta v.Sq., ***jiffitta;*** to annoy, to importune.
iffittja v.i., ***jiffittja;*** to fit.
iffjakka v.t., ***jiffjakka;*** to feel hungry.
iffjamma v.t., ***jiffjamma;*** to grow inflammatory.
iffjorixxa v.t., ***jiffjorixxi;*** to blossom, to flourish.
iffjurat aġġ., flower-shaped ornament, floral design.
ifflaġella v.t., ***jifflaġella;*** to flagellate, to scourge.
ifflaġellat aġġ. u p.p., flagellatory.
ifflaxxja v.i., ***jifflaxxja;*** to flush.
ifflowtja v.i., ***jifflowtja;*** to float.
iffluttwa v.t., ***jiffluttwa;*** to fluctuate.
iffoka v.Sq., ***jiffoka;*** to focus.
iffolla v.t., ***jiffolla;*** to crowd.
iffoltja v.t., ***jiffoltja;*** to become thicker.
iffonda v.t., ***jiffonda;*** to sink, to found.
ifforma v.t., ***jifforma;*** to form, to shape.
ifformalizza v.t., ***jifformalizza;*** to formalize.
iffòrmula v.t., ***jifformula;*** to formulate.
iffortìfika v.t., ***jiffortifika;*** (mil.) to fortify.
iffossilizza v.t., ***jiffossilizza;*** to fossilize.
iffossilizzat aġġ. u p.p., fossil, fossilized.

iffotògrafa v.t., ***jiffotografa;*** to photograph.
iffoxxna v.Sq., ***jiffoxxna;*** to harpoon, to jaff, to gormandise, to shovel food.
iffranka v.Sq., to save (money).
iffrekwenta v.t., ***jiffrekwenta;*** to frequent, to visit often. ***kien jiffrekwenta l-każin sikwit;*** he frequented often the club.
iffriska v.t., ***jiffriska;*** to refresh.
iffriża v.i., ***jiffriża;*** to freeze.
iffriżat aġġ. u p.p., frozen, congealed.
iffronta v.t., ***jiffronta;*** to face, to come face to face with. ***~ s-sitwazzjoni bi qlubija kbira;*** he faced the situation with courage.
iffrotta v.t., ***jiffrotta;*** to yield.
iffuċilla v.t., ***jiffuċilla;*** (mil.) to shoot, to execute by shooting. ***it-traditur ġie ffuċillat;*** the traitor was shot.
iffuċillat aġġ., shot.
iffullat aġġ., crowded.
iffùmiga v.t., ***jiffumiga;*** to fumigate.
iffunzjona v.t., ***jiffunzjona;*** to function.
iffurmat aġġ. u p.p., formed, shaped.
ifnad aġġ.komp., deeper.
ifqar aġġ.komp., poorer.
ifreq aġġ.komp., stronger.
iġġabbar v.V, ***jiġġabbar;*** to be pieced, to be mended.
iġġaddar v.V, ***jiġġaddar;*** to become full of pustles.
iġġakkja v.i., ***jiġġakkja;*** to jack up.
iġġamma' v.V, ***jiġġamma';*** to be collected, saved.
iġġammar v.V, ***jiġġammar;*** to flash fire, to burn up.
iġġammja v.V, ***jiġġammja;*** (mek.) to jam.
iġġannat v.V, ***jiġġannat;*** to be pieced together.
iġġarrab v.V, ***jiġġarrab;*** to be tried, experienced, to try on.
iġġarraf v.V, ***jiġġarraf;*** to fall down, to collapse. ***il-ħajt tal-ġnien ~ bix-xita;*** the wall of the garden fell down because of the heavy rain.
iġġebbed v.V, ***jiġġebbed;*** to be stretched.
iġġebbel v.V, ***jiġġebbel;*** to become petrified.
iġġedded v.V, ***jiġġedded;*** to be renewed, restored. ***dan il-ftehim ma jistax jiġġedded;*** this agreement cannot be renewed.
iġġejjef v.V, ***jiġġejjef;*** to become cowardly.
iġġela v.t., ***jiġġela;*** to freeze, to be frozen, to become congealed.
iġġelled v.V, ***jiġġelled;*** to become leathery.
iġġellel v.V, ***jiġġellel;*** to be cracked.
iġġemma' v.V, ***jiġġemma';*** to be collected.
iġġemmed v.V, ***jiġġemmed;*** to become sooty. ***din il-borma ġġemmdet kollha;*** this pan became all sooty.
iġġenera v.V, ***jiġġenera;*** to generate.
iġġeneralizza v.t., ***jiġġeneralizza;*** to generalize.
iġġenneb v.V, ***jiġġenneb;*** to go aside.
iġġennen v.V, ***jiġġennen;*** to become mad, to lose one's head. ***~ wara mara;*** he lost his head after a woman.
iġġerra v.V, ***jiġġerra;*** to gad about.
iġġerragħ v.V, ***jiġġerragħ;*** to be digested.
iġġerraħ v.V, ***jiġġerraħ;*** to be exulcerated.
iġġestikula v.t., ***jiġġestikula;*** to gesticulate.
iġġewwaħ v.V, ***jiġġewwaħ;*** to feel starved.
iġġiddem v.V, ***jiġġiddem;*** to become leprous.
iġġiegħed v.VI, ***jiġġiegħed;*** to be curled.
iġġiegħel v.VI, ***jiġġiegħel;*** to be compelled. ***kien imġiegħel li jmur Londra;*** he was compelled to go to London.
iġġieled v.VI, ***jiġġieled;*** to fight, to quarrel. ***~ sider ma' sider;*** he fought hand in hand.
iġġiera v.VI, ***jiġġiera;*** to wander about, to ramble. ***~ 'l hawn u 'l hemm;*** he wandered here and there.
iġġissem v.V, ***jiġġissem;*** to grow corpulent.
iġġiżilla v.Sq., ***jiġġiżilla;*** to chisel, to carve.
iġġonta v.t., ***jiġġonta;*** to join.
iġġùdika v.t., ***jiġġudika;*** to judge. ***niġġudikah mill-għemil tiegħu;*** I will judge him from his deeds.
iġġusta v.t., ***jiġġusta;*** to arrange, to adjust.
iġġustat aġġ. u p.p., proper.
iġġustìfika v.t., ***jiġġustifika;*** to justify. ***~ ruħu quddiem is-superjur tiegħu;*** he justified himself before his superior.
iġġustizzja v.t., ***jiġġustizzja;*** (leg.) to execute.
iġħar aġġ., beetle-eyed.
iġżem aġġ., shaved.
iggabba v.Sq., ***jiggabba;*** to cheat.
iggabbat aġġ. u p.p., cheated.
iggaloppja v.Sq., ***jiggaloppja;*** to gallop.
iggalvanizza v.t., ***jiggalvanizza;*** to galvanize.
igganċja v.t., ***jigganċja;*** (tekn.) to hook.
iggancjat aġġ. u p.p., hooked.

iggarantixxa v.t., ***jiggarantixxi;*** (leg.) to guarantee. ***niggarantixxu li x-xogħol hu magħmul tajjeb;*** we guarantee that the work is done well.
iggarantut ara **garantit**.
iggargarizza v.t.,***jiggargarizza;*** (med.) to gargle.
iggassja v.i., ***jiggassja;*** to gas.
iggiljottina v.t., ***jiggiljottina;*** to guillotine.
igglajdja v.i., ***jigglajdja;*** to glide.
igglorìfika v.t., ***jigglorifika;*** to glorify.
iggobba v.Sq., ***jiggobba;*** to render or become hunch-backed.
iggoffa v.t.,***jiggoffa;*** to become awkward or clumsy.
iggomma v.t., ***jiggomma;*** to gum.
iggorgeġġja v.t., ***jiggorgeġġja;*** (muż.) to trill.
iggosta v.t., ***jiggosta;*** to relish. ***naħseb li jiggostaw daqsxejn inbid wara l-ikel;*** I think they would relish some wine after the meal.
iggotta v.t., ***jiggotta;*** (mar.) to bail out. ***igguttaw l-ilma mid-dgħajsa;*** they bailed out the water from the boat.
iggranfa v.Sq., ***jiggranfa;*** to clutch, to cling to. ***fil-ġlieda ggranfalu wiċċu;*** he clutched his face in the quarrel. ***biex ma jegħreqx ~ mal-blat;*** in order not to drown he clutched to the rock.
iggrànula v.t., ***jiggranula;*** to granulate.
iggrassa v.t.,***jiggrassa;*** to fatten, to make fat.
iggrassat aġġ. u p.p., fattened.
iggrava v.t., ***jiggrava;*** to aggravate, to worsen. ***is-sitwazzjoni tagħna ggravat bl-istqarrija tiegħu;*** our situation was worsened by his statement.
iggravat aġġ. u p.p., aggravated, worsened.
iggrazzja v.t., ***jiggrazzja;*** to pardon.
iggrazzjat aġġ. u p.p., pardoned.
iggrokkja v.i., ***jiggrokkja;*** to grog, to drink grogs, to tipple.
iggronċja v.Sq., ***jiggronċja;*** to get benumed, to become numed, to get stiff with cold.
iggrottla v.Sq.,***jiggrottla;*** to huddle oneself up.
iggruppa v.t., ***jiggruppa;*** to group, to assemble.
iggruppat aġġ. u p.p., assembled, grouped.
iggummat aġġ. u p.p., gummed.
iggustat aġġ. u p.p., relished.
igguttat aġġ. u p.p., bailed.
iggverna v.t., ***jiggverna;*** to govern. ***is-sultan jirrenja iżda ma jiggvernax;*** the king reigns but does not govern.
iggvernat aġġ. u p.p., governed.
iggwerra v.t., ***jiggwerra;*** to wage war.
iggwida v.t., ***jiggwida;*** to guide. ***kien iggwidat minn ħuh x'għandu jagħmel;*** he was guided by his brother what to do.
iggwidat aġġ. u p.p., guided.
ikbar aġġ.komp., larger.
ikel n.m., bla pl., food, meal, victual, aliment.
ikħal aġġ., blue, azure.
ikkaġuna v.t., ***jikkaġuna;*** to cause. ***bit-traskuraġni tiegħu ~ l-mewt ta' tifla;*** through his negligence he caused the death of a girl.
ikkalkula v.t., ***jikkalkula;*** to calculate.
ikkalkulat aġġ. u p.p., calculated.
ikkalma v.t., ***jikkalma;*** to become calm. ***~ ħafna wara dik id-dagħdigħa;*** he became calm after that rage.
ikkalmat aġġ. u p.p., calmed.
ikkalpesta v.t., ***jikkalpesta;*** to trample.
ikkalpestat aġġ. u p.p., trampled.
ikkalunnja v.t., ***jikkalunnja;*** to calumniate, to slander.
ikkalunnjat aġġ. u p.p., calumniated, slandered.
ikkalzra v.Sq., ***jikkalzra;*** to imprison.
ikkamla v.Sq., ***jikkamla;*** to be worm-eaten. ***dak il-kowt ~ kollu fil-gwardarobba;*** that coat got worm-eaten in the wardrobe.
ikkamlat aġġ. u p.p., worm-eaten.
ikkampa v.t., ***jikkampa;*** to encamp, to camp.
ikkampat aġġ. u p.p., encamped.
ikkanċella v.t., ***jikkanċella;*** to cancel, to erase, to efface, to obliterate. ***~ t-titjira għal Ruma;*** he cancelled the flight to Rome.
ikkankrat aġġ. u p.p., gangreous.
ikkankrena v.Sq., ***jikkankrena;*** to gangrene.
ikkanonizza v.t., ***jikkanonizza;*** (ekkl.) to canonize. ***il-Papa ~ żewġ qaddisin nhar il-Ħadd;*** last Sunday the Pope canonized two saints.
ikkanvassja v.i., ***jikkanvassja;*** to canvass. ***~ lil sieħbu biex jiġi elett;*** he canvassed his friend to be elected.
ikkapitalizza v.t.,***jikkapitalizza;*** (ban.) to capitalize.
ikkapìtula v.t.,***jikkapitula;*** (mil.) to capitulate, to surrender.
ikkapottja v.Sq., ***jikkapottja;*** to wrap

oneself in a cloak, to put on one's overcoat.
ikkapparra v.t., ***jikkapparra;*** to forestall, to secure for oneself.
ikkapulja v.Sq., ***jikkapulja;*** to hash, to mince, to chop.
ikkapuljat aġġ. u p.p., minced meat.
ikkaratterizza v.t., ***jikkaratterizza;*** to characterize.
ikkarezza v.t., ***jikkarezza;*** to caress, to fondle. ***~ lil bintu waqt li kienet qiegħda tibki;*** he caressed his daughter while she was crying.
ikkarezzat aġġ. u p.p., fondled.
ikkarga v.t., ***jikkarga;*** to charge a gun.
ikkastiga v.t., ***jikkastiga;*** to chastize, to punish.
ikkastigat aġġ. u p.p., chastised, punished.
ikkastra v.t., ***jikkastra;*** (tekn.) to castrate, to geld.
ikkatàloga v.t., ***jikkataloga;*** to catalogue.
ikkatiżma v.Sq., ***jikkatiżma;*** to mesmerize, to hypnotize.
ikkavilla v.t., ***jikkavilla;*** (leg. u parl.) to cavil.
ikkawterizza v.t., ***jikkawterizza;*** (med.) to cauterize.
ikkawża v.t., ***jikkawża;*** to cause, to be the cause of. ***ikkawżalu l-mewt bit-traskuraġni tiegħu;*** he was the cause of his death through his negligence.
ikkikkja v.i., ***jikkikkja;*** (logħ.) to kick.
ikkjama v.t., ***jikkjama;*** to call out.
ikkjarifika v.t., ***jikkjarifika;*** to clarify.
ikkjuwja v.i., ***jikkjuwja;*** to queue.
ikklaxxja v.i., ***jikklaxxja;*** to clash.
ikklejmja v.i., ***jikklejmja;*** to claim.
ikklerja v.i., ***jikklerja;*** to clear.
ikkmanda v.t., ***jikkmanda;*** to command, to order, to bid.
ikkmandat aġġ. u p.p., commanded.
ikkoàgula v.t., ***jikkoagula;*** to coagulate.
ikkoċċla v.t., ***jikkoċċla;*** to maim.
ikkollàbora v.t., ***jikkollabora;*** to collaborate, to contribute. ***~ f'gazzetta ta' kuljum;*** he contributed to a daily newspaper.
ikkollassa v.t., ***jikkollassa;*** to collapse.
ikkollazzjona v.t., ***jikkollazzjona;*** (leg.) to collate.
ikkòlloka v.t., ***jikkolloka;*** to collocate.
ikkolonizza v.t., ***jikkolonizza;*** to colonize.
ikkombina v.t., ***jikkombina;*** to combine, to plan. ***x'intom tikkombinaw kontrija?;*** what are you planning against me?
ikkomda v.t., ***jikkomda;*** to accomodate.
ikkommèmora v.t., ***jikkommemora;*** to commemorate.
ikkommetta v.t., ***jikkommetti;*** (leg.) to commit. ***~ l-istess żball ta' qabel;*** he committed the same blunder as before.
ikkommova v.t., ***jikkommovi;*** to affect, to be affected, to move.
ikkommuta v.t., ***jikkommuta;*** (leg.) to commute.
ikkompara v.t., ***jikkompara;*** to compare.
ikkompatixxa v.t., ***jikkompatixxi;*** to regard with indulgence, to have compassion (for), to pity.
ikkompensa v.t., ***jikkompensa;*** to compensate.
ikkompeta v.t., ***jikkompeti;*** to compete. ***intom ma tistgħux tikkompetu miegħu;*** you cannot compete with him.
ikkompila v.t., ***jikkompila;*** to compile.
ikkompleta v.t., ***jikkompleta;*** to complete.
ikkòmplika v.t., ***jikkomplika;*** to complicate. ***kompla ~ l-każ;*** he continued to complicate the case.
ikkompona v.t., ***jikkomponi;*** to compose. ***~ ħafna innijiet sbieħ;*** he composed many beautiful hymns.
ikkomprenda v.t., ***jikkomprendi;*** to understand.
ikkompromettta v.t., ***jikkompromettti;*** to compromise.
ikkomùnika v.t., ***jikkomunika;*** to communicate.
ikkonċeda v.t., ***jikkonċedi;*** (leg. u parl.) to grant, to allow.
ikkonċedut aġġ. u p.p., granted.
ikkonċentra v.t., ***jikkonċentra;*** to concentrate.
ikkonċepixxa v.t., ***jikkonċepixxi;*** to conceive.
ikkonċeput aġġ. u p.p., conceived.
ikkonċerna v.t., ***jikkonċerna;*** (leg.) to concern.
ikkonċilja v.t., ***jikkonċilja;*** to conciliate.
ikkondensa v.t., ***jikkondensa;*** to condense.
ikkondizzjona v.t., ***jikkondizzjona;*** to condition.
ikkonduċa v.t., ***jikkonduċi;*** to conduct, to lead. ***l-Isqof ~ pellegrinaġġ għal Lourdes;*** the bishop led a pilgrimage to Lourdes.
ikkonferixxa v.t., ***jikkonferixxi;*** to confer (on, upon).
ikkonferma v.t., ***jikkonferma;*** to confirm, to ratify. ***~ dak li għidt jien;*** he confirmed what I have said.

ikkonfessa v.t., ***jikkonfessa;*** to confess. ***~ li kien hu l-qattiel;*** he confessed that he was the murderer.
ikkonfina v.t., ***jikkonfina;*** to border on.
ikkonfiska v.t., ***jikkonfiska;*** (leg.) to confiscate. ***il-pulizija kkonfiskatlu l-flus kollha;*** the police confiscated all his money.
ikkonfoffa v.Sq., ***jikkonfoffa;*** to plot, to conspire.
ikkonfonda v.t., ***jikkonfondi;*** to confound, to confuse, to become confused. ***~ u ma setax jitkellem;*** he became confused and could not speak.
ikkonfondut aġġ. u p.p., confounded, confused.
ikkonforta v.t., ***jikkonforta;*** to comfort.
ikkonfortat aġġ. u p.p., comforted.
ikkonfronta v.t., ***jikkonfronta;*** to confront, to compare. ***trid tikkonfronta miegħu?;*** do you want to be confronted with him?
ikkonfuta v.t., ***jikkonfuta;*** to confute.
ikkonġettura v.t., ***jikkonġettura;*** to conjecture.
ikkonġura v.t., ***jikkonġura;*** to conspire, to plot.
ikkongràtula v.t., ***jikkongratula;*** to congratulate. ***~ liż-żagħżugħ għal-lawrea li ħa;*** he congratulated the young man for his degree.
ikkònjuga v.t., ***jikkonjuga;*** (gram.) to conjugate.
ikkonkluda v.t., ***jikkonkludi;*** to conclude.
ikkonkorda v.t., ***jikkonkorda;*** (gram.) to concord.
ikkonkorra v.t., ***jikkonkorri;*** to compete, to apply, to contribute. ***kien hemm ħafna li kkonkorrew għall-eżami ta' spettur;*** there were many who applied for the examination of an inspector.
ikkonkwista v.t., ***jikkonkwista;*** (mil.) to conquer.
ikkonnettja v.t., ***jikkonnettja;*** to connect.
ikkonoxxa v.t., ***jikkonoxxi;*** to recognize, to acknowledge, to identify.
ikkonoxxut ara **konoxxut**.
ikkonsagra v.t., ***jikkonsagra;*** (ekkl.) to consecrate.
ikkonsagrat aġġ. u p.p., consecrate, consecrated.
ikkonsista v.t., ***jikkonsisti;*** to consist.
ikkonsla v.t., ***jikkonsla;*** to console. ***ikkunslaw bl-imħabba ta' wliedkom;*** take comfort in the love of your children.
ikkonsma v.t., ***jikkonsma;*** to consume, to consummate. ***nikkunsmaw tnax-il kaxxa fil-ġimgħa;*** we consume twelve boxes weekly.
ikkonsòlida v.t., ***jikkonsolida;*** to consolidate, to strengthen.
ikkonsulta v.t., ***jikkonsulta;*** to consult. ***mar jikkonsulta ruħu ma' avukat;*** he went to consult a lawyer.
ikkontempla v.t., ***jikkontempla;*** to contemplate.
ikkontenda v.t., ***jikkontendi;*** (leg.) to contend.
ikkontesta v.t., ***jikkontesta;*** (leg.) to contest. ***~ l-elezzjoni għall-president;*** he contested the election for president. ***~ elezzjoni;*** to contest an election.
ikkontinwa v.t., ***jikkontinwa;*** to continue.
ikkontja v.Sq., ***jikkontja;*** to count.
ikkontradixxa v.t., ***jikkontradixxi;*** to contradict.
ikkontrarja v.t., ***jikkontrarja;*** to contradict, to oppose, to annoy, to vex, to dissappoint.
ikkontrasta v.t., ***jikkontrasta;*** to contrast, to oppose.
ikkontrattakka v.t., ***jikkontrattakka;*** (med.) to counteract, to counter attack.
ikkontribwixxa v.t., ***jikkontribwixxi;*** to contribute. ***ikkontribwejt għal dan il-monument;*** I have contributed to this monument.
ikkontrolla v.t., ***jikkontrolla;*** to control.
ikkonvàlida v.t., ***jikkonvalida;*** to convalidate, to confirm, to ratify.
ikkonversa v.t., ***jikkonversa;*** to talk, to converse.
ikkonverta v.t., ***jikkonverti;*** to convert.
ikkonviena v.t., ***jikkonvieni;*** to be profitable.
ikkonvinċa v.t., ***jikkonvinċi;*** to convince.
ikkonvoka v.t., ***jikkonvoka;*** to convene, to convoke.
ikkonza v.Sq., ***jikkonza;*** (tekn.) to tan, to dress leather.
ikkoopera v.t., ***jikkoopera;*** to co-operate. ***~ mal-pulizija fuq dak is-serq;*** he co-operated with the police about that theft.
ikkoòrdina v.t., ***jikkoordina;*** to co-ordinate.
ikkopja v.t., ***jikkopja;*** to copy, to calk.
ikkoppa v.Sq., ***jikkoppa;*** to become darker.
ikkorda v.t., ***jikkorda;*** to come to an agreement, (muż.) to tune.
ikkoreġa v.t., ***jikkoreġi;*** to correct.
ikkorrisponda v.t., ***jikkorrispondi;*** to correspond.
ikkorròbora v.t., ***jikkorrobora;*** (leg.) to corroborate.

ikkorrompa v.t., ***jikkorrompi;*** to corrupt.
ikkostitwixxa v.t., ***jikkostitwixxi;*** to constitute, to form.
ikkostrinġa v.t., ***jikkostrinġi;*** to compel.
ikkostruwixxa v.t., ***jikkostruwixxi;*** to construct.
ikkraxxja v.i., ***jikkraxxja;*** to crash. ***~ (l-ajruplan);*** to crash.
ikkrea v.t., ***jikkrea;*** to create.
ikkreat aġġ. u p.p., created.
ikkreda v.t., ***jikkredi;*** to believe.
ikkredita v.t., ***jikkredita;*** to credit.
ikkrema v.t., ***jikkrema;*** to cremate. ***il-bieraħ ikkremaw il-katavru ta' l-Indjan;*** yesterday they cremated the corpse of the Indian.
ikkremat aġġ. u p.p., cremated.
ikkriepa v.Sq., ***jikkriepa;*** to press, to get weary.
ikkristallizza v.t., ***jikkristallizza;*** (kim.) to crystallize.
ikkritika v.t., ***jikkritika;*** to criticize.
ikkritikat ara **kritikat**.
ikkrolla v.t., ***jikkrolla;*** to collapse.
ikkrossja v.i., ***jikkrossja;*** to cross.
ikkukkanja v.Sq., ***jikkukkanja;*** to revel.
ikkuljuna v.Sq., ***jikkuljuna;*** to ridicule, to deride.
ikkultiva v.t., ***jikkultiva;*** to cultivate, to till.
ikkulura v.t., ***jikkulura;*** to colour.
ikkumbatta v.t., ***jikkumbatti;*** to combat, to fight, to militate.
ikkumbina v.t., ***jikkumbina;*** to arrange, to combine.
ikkummenta v.t., ***jikkummenta;*** to comment, to annotate, to give a commentary. ***sikwit jikkummenta fuq il-futbol;*** he gives often a commentary on football.
ikkummerċja v.t., ***jikkummerċja;*** to trade.
ikkummiedja v.t., ***jikkummiedja;*** to be funny.
ikkummissjona v.t., ***jikkummissjona;*** to commission.
ikkumpanja ara **akkumpanja**.
ikkumpatixxa v.t., ***jikkumpatixxi;*** to compassionate, to pity. ***ikkumpatixxi lil min hu marid;*** have pity on those who are sick.
ikkumpatut ara **kumpatut**.
ikkumpensa v.t., ***jikkumpensa;*** to compensate. ***'il quddiem nirrikompensak ta' l-inkwiet li qlajtlek;*** I will compensate you later for the trouble I have given you.
ikkumplimenta v.t., ***jikkumplimenta;*** to compliment.
ikkumplotta v.t., ***jikkomplotta;*** to plot.
ikkunċerta v.t., ***jikkunċerta;*** to rehearse. ***il-bieraħ marru jikkunċertaw l-innu nazzjonali;*** yesterday they went to rehearse the national anthem.
ikkundanna v.t., ***jikkundanna;*** (leg.) to condemn, to sentence. ***kien ikkundannat għal xogħol iebes;*** he was condemned to hard labour.
ikkundannat ara **kundannat**.
ikkunfetta v.t., ***jikkunfetta;*** to candy.
ikkunfettat aġġ. u p.p., candied.
ikkunfoffa v.Sq., ***jikkunfoffa;*** to conspire, to machinate, to cabal, to plot.
ikkunsenta v.t., ***jikkunsenti;*** to consent. ***~ li jagħmel xi ħaġa;*** he consented to do something.
ikkunserva v.t., ***jikkunserva;*** to preserve, to keep. ***ikkunservajt dan il-larinġ għalikom;*** I have kept these oranges for you.
ikkunservat aġġ. u p.p., preserved, kept.
ikkunsidra v.t., ***jikkunsidra;*** to consider. ***nerġgħu nikkunsidraw il-każ tiegħek;*** we will examine your case again.
ikkunsidrat aġġ. u p.p., considered.
ikkunsilja v.t., ***jikkunsilja;*** to advise, to council, to take advice of. ***ikkunsilja ruħu ma' sħabu fuq din il-ħaġa;*** he took advice of this matter from his companions.
ikkunsinna v.t., ***jikkunsinna;*** to deliver, to consign, to give up. ***nikkunsinnaw il-merkanzija l-ġimgħa d-dieħla;*** we will deliver the goods next week.
ikkunsinnat aġġ. u p.p., delivered, consigned.
ikkunslat aġġ. u p.p., consoled, comforted.
ikkunsmat aġġ. u p.p., consumed.
ikkuntempla v.t., ***jikkuntempla;*** to contemplate.
ikkuntemplat ara **kuntemplat**.
ikkuntenta v.t., ***jikkuntenta;*** to please, to contact, to satisfy. ***nikkuntenta b'dak kollu li tagħtini;*** I will be pleased with whatever you give me.
ikkuntentat aġġ. u p.p., pleased, contented, satisfied.
ikkuntratta v.t., ***jikkuntratta;*** to contract.
ikkunzat aġġ. u p.p., tanned.
ikkuppjat aġġ. u p.p., copied.
ikkupplat aġġ. u p.p., dome-shaped.
ikkura v.t., ***jikkura;*** to cure, to take care of oneself. ***min ikkurak?;*** who cured you?
ikkurat aġġ. u p.p., cured.

ikkurdat aġġ. u p.p., tuned.
ikkurdatur n.m., f. -a, pl. -i, piano-tuner.
ikkurdatura n.f., pl. -i, (tekn.) tuning.
ikkusksja v.Sq., *jikkusksja;* to granulate.
ikkustinja v.Sq., *jikkustinja;* to argue, to dispute, to quarrel.
ikkuttunat aġġ., stuffed with cotton.
ikkwadra v.t., *jikkwadra;* to square.
ikkwadrùplika v.t., *jikkwadruplika;* to quadruple, to quadruplicate.
ikkwalìfika v.t., *jikkwalifika;* to qualify. *~ għal surmast ta' skola;* he qualified for a headmaster.
ikkwerèla v.t., *jikkwerela;* (leg.) to take legal proceedings against.
ikkwieta v.Sq., *jikkwieta;* to quiet, to appease, to become quiet.
ikkwistjona v.t., *jikkwistjona;* to quarrel, to dispute. *il-ħin kollu jikkwistjona ma' sħabu;* all the time he quarrels with his friends.
ikkwota v.t., *jikkwota;* to quote. *~ minn liema ktieb ħa dik is-sentenza;* he quoted the book from where he took that sentence.
ikkwotat ara **kwotat**.
ikla n.f., pl. -iet, meal, banquet.
ikona n.m., pl. -i, (ekkl.) icon.
ikonografija n.f., pl. -i, iconography.
ikonogràfiku aġġ., iconographic(al).
ikonògrafu n.m., f. -a, pl. -i, iconographer.
ikonoklasta n.kom., pl. -i, iconoclast.
ikonoklàstiku aġġ., iconoclastic.
ikrah aġġ., ugly.
ikreh aġġ.komp., uglier.
iksaħ aġġ.komp., colder.
iksja n.f., pl. -iet, (bot.) ixia.
'il prep., to.
il- art., the.
ilju n.m., pl. -i, (anat.) ilium.
illajma v.Sq., *jillajma;* to languish.
illajmat aġġ. u p.p., languid.
illamenta v.t., *jillamenta;* to lament.
illàmpika v.Sq., *jillampika;* (tekn.) to distill. *il-pulizija sabitu jillampika fil-ġnien;* the police found him distilling in the garden.
illampikat aġġ. u p.p., distilled.
illampja v.t., *jillampja;* to flame, to blaze up.
illamta v.Sq., *jillamta;* to starch.
illamtat aġġ. u p.p., starched.
illandja v.i., *jillandja;* to land. *l-ajruplan ~ fil-mitjar ta' Ħal-Luqa;* the aeroplane landed at Luqa airport.
illardja v.i., *jillardja;* to lard.
illardjat aġġ. u p.p., larded.
illarga v.Sq., *jillarga;* to leave a place.
illawdja v.i., *jillawdja;* to allow, to permit.
illawrja v.t., *jillawrja;* to confer a degree (on), to graduate.
illaxka v.t., *jillaxka;* to loosen, to slacken, to thin, to make thin, to widen.
illaxkat aġġ. u p.p., loose.
illazjoni n.f., pl. -jiet, (fil.) illitation.
illèċitu aġġ., illicit, forbidden.
illeġibbli aġġ., illegible.
illeġisla v.t., *jilleġisla;* (parl.) to legislate.
illeġittma v.t., *jilleġittma;* (leg.) to legitimate, to legitimize.
illeġittmu aġġ., (leg.) illegitimate.
illega v.t., *jillega;* to bind.
illegali aġġ., illegal, unlawful.
illegalità n.f., pl. -ijiet, illegality, unlawfulness.
illegalizza v.t., *jillegalizza;* to legalize.
illegalment avv., illegally, unlawfully.
illegat aġġ. u p.p., (artiġ.) bound.
illesta v.t., *jillesti;* to prepare, to make ready.
illi konġ., that, which, who.
illìbera v.t., *jillibera;* to liberate, to free. *il-qorti lliberatu mill-akkużi kollha;* the court liberated him from all charges.
illiċenza v.t., *jilliċenza;* to dismiss, to discharge, to license. *kien illiċenzjat mill-armata;* he was dismissed from the army.
illiċenzjat ara **liċenzjat**.
illìkwida v.t., *jillikwida;* to liquidate.
illima v.Sq., *jillima;* (artiġ.) to file.
illimat aġġ. u p.p., (artiġ.) filed.
illìmita v.t., *jillimita;* to limit.
illimitat aġġ. u p.p., limited.
illìtika v.t., *jillitika;* to quarrel, to dispute, to altercate. *il-bieraħ ~ ma' kulħadd;* yesterday he quarreled with everybody.
illitterat aġġ., unlettered, unlearned.
illivella v.t., (artiġ.) *jillivella;* to level.
illixka v.Sq., *jillixka;* to entice, to bait.
illixxa v.Sq., *jillixxa;* to smooth.
illixxat aġġ. u p.p., smoothed.
illobbja v.i., *jillobbja;* (logħ.) to lob.
illòġiku aġġ., illogical.
illokalizza v.t., *jillokalizza;* to localize.
illoppja v.Sq., *jilloppja;* (med.) to drug with anaesthetic.
illostra v.Sq., *jillostra;* to polish.
illotta v.t., *jillotta;* to struggle.
illum avv., today. *~ il-ġurnata;* nowaday(s).
illùmina v.t., *jillumina;* to illuminate, to enlighten.

illuminat aġġ. u p.p., illuminated, enlightened.
illuminazzjoni n.f., pl. -jiet, illumination.
illuppjat aġġ. u p.p., drugged with anaesthetic.
illusìnga v.t., *jillusinga;* to flatter, to dare, to hope.
illusingat ara **lusingat**.
illustra v.t., *jillustra;* to illustrate.
illustrat aġġ. u p.p., illustrated.
illustrattiv aġġ., illustrative.
illustrazzjoni n.f., pl. -jiet, illustration.
illustri aġġ., illustrious.
illużjoni n.f., pl. -jiet, illusion.
illużjonista n.kom., pl. -i, illusionist.
illużorju aġġ., illusory.
ilma n.m., pl. -ijiet, water. *~ baħar;* sea water. *~ ġieri;* spring water. *~ ħelu;* fresh water. *~ kiesaħ;* cold water. *~ mbierek;* holy water. *~ minerali;* mineral water. *~ salmastru;* briny water. *~ sħun;* hot water. *~ tal-mejda;* table water. *~ tal-ward;* rose-water. *~ qiegħed;* stagnant water. *~ żahar;* orange water.
imàm n.m., pl. -ijiet, imam.
imballa v.Sq., *jimballa;* to enbale, to bale.
imballaġ n.m., pl. -i, packing.
imballatur n.m., f. -a, pl. -i, packer.
imballatura n.f., pl. -i, packing.
imbarazz n.m., pl. -i, embarrassment, litter, lumber.
imbarazza v.Sq., *jimbarazza;* to embarass.
imbarazzat aġġ. u p.p., embarrassed.
imbark n.m., pl. -i, embarcation, embarking.
imbarka v.t., *jimbarka;* (mar.) to embark, to ship.
imbarkat aġġ. u p.p., embarked, shipped.
imbarkatur n.m, f. -a, pl. -i, embarker.
imbarra v.t., *jimbarra;* to bar, to barricate.
imbarrat aġġ. u p.p., blocked up.
imbasta n.f., pl. -i, (tekn.) tuck.
imbatt n.m., bla pl., (mar.) choppy sea.
imbeċilli aġġ., imbecile.
imbeva v.t., *jimbevi;* to imbue with.
imbevut aġġ. u p.p., imbued with.
imblokk n.m., pl. -i, blockade, siege.
imblokka v.t., *jimblokka;* to blockade, to block.
imblukkat aġġ. u p.p., blocked (up).
imbokka v.t., *jimbokka;* to put food into someone's mouth. *~ riħ;* to catch a cold.
imbokkatura n.f., pl. -i, entrance.
imboll n.m., pl. -i, bulk.
imbolla v.t., *jimbolla;* to stamp.
imborġa v.Sq., *jimborġa;* to fill out.
imborna v.Sq., *jimborna;* (tekn.) to burnish.
imbornitur n.m., pl. -i, (artiġ.) burnishing tool, burnisher.
imbornitura n.f., pl. -i, (artiġ.) burnishing.
imbornut aġġ. u p.p., (artiġ.) burnished.
imborża v.t., *jimborża;* to pocket, to put into one's purse.
imbotta v.Sq., *jimbotta;* to push. *min jiġbed u min jimbotta;* while some push others pull.
imbraga v.Sq., *jimbraga;* to sling, to tie.
imbragatura n.f., pl. -i, sling.
imbràs (ġew) avv., (logh.) to tie.
imbrolja v.t., *jimbrolja;* to cheat, to swindle.
imbrolja n.f., pl. -i, fraud.
imbroljun n.m., f. -a, pl. -i, swindler.
imbrukkat n.m., pl. -i, brocade.
imbruljat aġġ. u p.p., confused, cheated.
imbrunali n.pl., bla s., (mar.) scuppers.
imbuljuta n.f., pl. -i, boiled chestnut.
imbullat aġġ. u p.p., stamped, full.
imbullatura n.f., pl. -i, stamping.
imbuskata n.f., pl. -i, (mil.) ambush.
imbuttat aġġ. u p.p., pushed.
imbuttatura n.f., pl. -i, thrust.
imbwiċċ avv., face to face.
imene n.f., pl., (anat.) hymen.
imenew n.m., pl. -ej, (lett.) nuptials, wedding, marriage.
imenòtteru n.m., pl. -i, (żool.) hymenopter.
ìmita v.t., *jimita;* to imitate.
imitabbli aġġ., imitable.
imitat aġġ. u p.p., imitated.
imitattiv aġġ., imitative.
imitatur n.m., f. -a, pl. -i, imitator.
imitazzjoni n.f., pl. -jiet, imitation.
imlaħ aġġ.komp., salter.
imles aġġ.komp., smoother.
imma konġ., but, nevertheless.
immàġina v.t., *jimmaġina;* to imagine. *ma tistgħux timmaġinaw kemm jien sogħbien;* you cannot imagine how sorry I am.
immaġinabbli aġġ., imaginable.
immaġinarju aġġ., imaginary.
immaġinat aġġ. u p.p., imagined.
immaġinattiv aġġ., imaginative.
immaġinattiva n.f., pl. -i, imaginative.
immaġinazzjoni n.f., pl. -jiet, imagination.
immaġni n.f., pl. -jiet, image.
immakka v.Sq., *jimmakka;* to bruise, to dent.

immakkat aġġ. u p.p., bruised.
immakulat aġġ., immaculate.
Immakulata l- n.Pr., Mary Immaculate.
immalafama v.t., to defame, to slander.
immalja v.t., *jimmalja;* to enmesh, to plait one's hair.
immaltratta v.t., *jimmaltratta;* to maltreat, to ill-treat.
immaltrattat ara **maltrattat**.
immanetta v.t., *jimmanetta;* to handcuff, to manacle. ***immanettawh u ħaduh l-għassa;*** they handcuffed him and took him to the police station.
immanettat aġġ. u p.p., handcuffed.
immanifesta v.t., *jimmanifesta;* to manifest.
immaniġġa v.t., *jimmaniġġa;* to manage, to handle, to manipulate.
immanka v.i., *jimmanka;* to mutilate, to maim.
immankat aġġ. u p.p., mutilated, disabled.
immannas aġġ. u p.p., tamed, domesticated.
immansa v.t., *jimmansa;* to tame, to domesticate.
immansat aġġ. u p.p., tamed.
immantar aġġ. u p.p., languishing.
immanuvra v.t., *jimmanuvra;* (mil.) to manoeuvre.
immaqdar aġġ., despised, blamed.
immarċja v.t., *jimmarċja;* to march. ***is-suldati bdew jimmarċjaw lejn il-fortizza;*** the soldiers began to march towards the fortress.
immarina v.t., *jimmarina;* to pickle.
immarinat aġġ. u p.p., pickled.
immarka v.t., *jimmarka;* to mark, to line. ***~ ħaġa minn oħra;*** he marked off one thing from another.
immarkat aġġ. u p.p., marked.
immarrar aġġ. u p.p., embittered.
immartella v.t., *jimmartella;* (artiġ.) to hammer.
immartirizza v.t., *jimmartirizza;* to martyrize.
immasħan aġġ. u p.p., enranged, angry.
immassaġġja v.t., *jimmassaġġja;* (med.) to massage.
immassakra v.t., *jimmassakra;* to massacre.
immaterjali aġġ., immaterial.
immatrìkola v.t., *jimmatrikola;* to matriculate.
immattja v.t., *jimmattja;* to make or render opaque, (logħ.) to check mate, to give checkmate.
immatur aġġ., unripe, immature.
immaturità n.f., pl. -jiet, immaturity.
immaxxingja v.i., *jimmaxxingja;* to machine-gun.
immażżra v.t., *jimmażżra;* (mar.) to moor.
immèdika v.t., *jimmedika;* to medicate. ***il-missier ~ l-ferita ta' ibnu;*** the father medicated his son's wound.
immedita v.t., *jimmedita;* to meditate.
immedjat aġġ., immediate.
immedjatament avv., immediately.
immejjel aġġ., bent, inclined, crooked.
immekkanizza v.t., *jimmekkanizza;* (tekn.) to mechanize.
immèla konġ., then, certainly, therefore.
immellaħ aġġ. u p.p., salted. ***laħam ~;*** saltmeat.
immelles aġġ. u p.p., flattered, caressed.
immemorabbli aġġ., immemorable, immemorial.
immens aġġ., immense.
immensament avv., immensely.
immensità n.f., pl. -jiet, immensity.
immeravilja v.t., *jimmeravilja;* to amaze, to astonish, to surprise, to be surprised.
immeraviljat ara **meraviljat**.
immèrita v.t., *jimmerita;* to deserve, to merit. ***~ premju għall-imġiba tajba tiegħu;*** he deserved a reward for his good behaviour.
immermer aġġ. u p.p., rotten.
immerraq aġġ., brothy.
immerrek aġġ. u p.p., cicatrized.
immersjoni n.f., pl. -jiet, immersion.
immersaq aġġ. u p.p., radiant.
immewweġ aġġ. u p.p., wavy, undulated.
immewwet aġġ. u p.p., killed, slain, discouraged.
immexxi aġġ. u p.p., conducted, guided.
immiegħek aġġ. u p.p., wallowed.
immiegħer aġġ. u p.p., despised.
immieri aġġ. u p.p., contradicted.
immigrant n.m., f. -a, pl. -i, immigrant.
immigrazzjoni n.f., pl. -jiet, immigration.
immilitarizza v.t., *jimmilitarizza;* to militarize.
immiljora v.t., *jimmiljora;* to improve, to ameliorate, to grow better. ***hemm bżonn li nimmiljoraw il-metodu tagħna;*** we must improve our method.
immina v.t., *jimmina;* (mil.) to mine. ***l-għadu ~ l-pont;*** the enemy mined the bridge.
imminaċċa v.t., *jimminaċċa;* to menace, to threaten. ***is-sħab qiegħed jimminaċċa x-xita;*** the clouds threaten rain.
imminat aġġ. u p.p., mined.

imminċotta v.t., *jimminċotta;* (tekn.) to dovetail.
imminda v.t., *jimminda;* to amend, to correct oneself.
immindat aġġ. u p.p., amended.
imminenti aġġ., imminent.
immira v.t., *jimmira;* to aim, to take aim, to sight, to take sight of, to look at. *lejn xiex qiegħed timmira?;* what are you looking at?
immissja v.i., *jimmissja;* to miss.
immitiga v.t., *jimmitiga;* to mitigate.
immobbilja v.t., *jimmobbilja;* to furnish.
immobbiljat ara **mobbiljat**.
immobilità n.f., bla pl., immobility.
immobilizza v.t., *jimmobilizza;* to mobilize.
immobilizzat aġġ. u p.p., mobilized.
immobilizzazzjoni n.f., pl. -jiet, mobilization.
immòdera v.t., *jimmodera;* to moderate. *issa qiegħed jimmodera ħafna fl-ikel;* now he is moderating very much his meal.
immoderna v.t., *jimmoderna;* to modernize.
immodìfika v.t., *jimmodifika;* to modify.
immòdula v.t., *jimmodula;* (muż.) to modulate.
immoffa v.Sq., *jimmoffa;* to grow mould, to grow musty. *dan il-frott qiegħed jimmoffa;* this fruit is growing mould.
immola v.t., *jimmola;* to bevel.
immolesta v.t., *jimmolesta;* (leg.) molest.
immolla v.t., *jimmolla;* to slacken, to go up.
immoltiplika v.t., *jimmoltiplika;* to multiply.
immonopolizza v.t., *jimmonopolizza;* to monopolize.
immonta v.t., *jimmonta;* to mount. *issuldati mmuntaw il-kanun fuq is-sur;* the soldiers mounted the gun on the bastion.
immorali aġġ., immoral.
immoralità n.f., pl. -jiet, immorality.
immoralizza v.t., *jimmoralizza;* to moralize.
immormra v.t., *jimmormra;* to murmur, to grumble.
immortali aġġ., immortal.
immortalità n.f., pl. -jiet, immortality.
immortìfika v.t., *jimmortifika;* to mortify.
immotiva v.t., *jimmotiva;* to motivate.
immudella v.t., *jimmudella;* (artiġ.) to model.
immuffat aġġ. u p.p., mouldy, musty.
immulta v.t., *jimmulta;* to fine, to mulct. *l-imħallef immultah għad-disprezz lejn il-Qorti;* the judge fined him for contempt of court.
immunità n.f., pl. -ijiet, (leg.) immunity.
immuta v.i., to become dumb.
immutat aġġ. u p.p., dumbed.
immùtila v.t., *jimmutila;* to mutilate.
immużika v.t., *jimmużika;* to set to music.
impaġinazzjoni n.f., pl. -jiet, pagination, make-up.
impaġna v.t., *jimpaġna;* to paginate, to arrange in pages.
impaġnat aġġ. u p.p., arranged in pages.
impaġnatur n.m., f. -a, pl. -i, clicker.
impalpabbli aġġ., impalpable, intangible.
imparzjali aġġ., impartial.
imparzjalità n.f., pl. -jiet, impartiality.
impass n.m., pl. -ijiet, impasse.
impassibbli aġġ., impassible.
impassibilità n.f., pl. -jiet, impassibility.
impediment n.m., pl. -i, (leg.) impediment.
impedixxa v.t., *jimpedixxi;* (leg.) to impede, to hinder, to prevent (from). *għandkom timpeduh li jagħmel dan;* you must prevent him from doing this.
impedut aġġ. u p.p., impeded.
impenja v.t., *jimpenja;* to engage, to undertake, to bind oneself, to work hard. *jien impenjajt ruħi li nħallas l-ispejjeż;* I bound myself to pay the expenses.
impenjat aġġ. u p.p., engaged.
impenn n.m., pl. -ji, engagement, pledge, obligation.
imperatriċi n.f., pl. -jiet, empress.
imperattiv aġġ., (gram.) imperative.
imperattivament avv., imperatively.
imperatur n.m., pl. -i, emperor.
imperċettibbli aġġ., imperceptible.
imperfett aġġ., imperfect.
imperfezzjoni n.f., pl. -jiet, imperfection.
imperjali aġġ., imperial.
imperjalist n.m., f. -a, pl. -i, imperialist.
impermeàbbli aġġ., impermeable.
impersonali aġġ., impersonal. *verb ~;* impersonal verb.
impersonalment avv., impersonally.
impertinenti aġġ., impertinent.
impertinenza n.f., pl. -i, impertinence.
imperu n.m., pl. -i, empire.
impesta v.t., *jimpesta;* to plague, to taint, to infect.
impestat aġġ. u p.p., plague-stricken.
ìmpetu n.m., pl. -i, impetus.
impika ara **ippika**.

impjant n.m., pl. -i, plant, system, installation.
impjastru n.m., pl. -i, piaster, poultice.
impjega v.t., ***jimpjega;*** to employ. ***impjegajnieh bħala kaxxier;*** we have employed him as a cashier.
impjegat n.m., f. -a, pl. -i, employee.
impjegat aġġ., employed.
impjieg n.m., pl. -i, employment, job. ***bla ~;*** unemployed.
impliċitament avv., implicitly.
implìċitu aġġ., implicit.
ìmplika v.t., ***jimplika;*** (leg.) to implicate, to imply, to involve, to entangle. ***ma rridx nimplika ruħi f'din il-ħaġa;*** I don't want to be entangled in this matter.
implikat aġġ. u p.p., (leg.) implicated, involved.
implikazzjoni n.f., pl. -jiet, (leg.) implication.
impona v.t., ***jimponi;*** to impose, to command.
imponderabbli aġġ., imponderable.
imponenti aġġ., grand, majestic, imposing, awesome.
imponenza n.f., pl. -i, magnificence, impressiveness.
impoppa avv., (mar.) to sail before the wind. ***bir-riħ ~;*** everything is going well.
importa v.t., ***jimporta;*** to matter, to import. ***ma jimpurtax;*** it does not matter. ***x'importa?;*** what does it matter?
importanti aġġ., important.
importanza n.f., pl. -i, importance.
importatur n.m., f. -a, pl. -i, importer.
importazzjoni n.f., pl. -jiet, importation.
impossessa v.t., ***jimpossessa;*** to take possession (of).
impossibbiltà n.f., pl. -jiet, impossibility.
impossibbli aġġ., impossible.
impost aġġ., u p.p., imposed.
imposta v.t., ***jimposta;*** to post, to mail, to place.
impostazzjoni n.f., pl. -jiet, posting, mailing.
impostur n.m., f. -a, pl. -i, impostor.
impostura v.t., ***jimpostura;*** to carry out an imposture.
impostura n.f., pl. -i, imposture.
impotenti aġġ., impotent.
impotenza n.f., pl. -i, impotence.
imprattikabbli aġġ., impracticable.
impreċiż aġġ., imprecise.
imprenditur n.m., f. -a, pl. -i, contractor, undertaker.
impreskrittibbli aġġ., (leg.) imprescriptible, indefeasible.
impressjona v.t., ***jimpressjona;*** to impress.
impressjonabbli aġġ., impressionable.
impressjonat aġġ. u p.p., deeply affected, impressed.
impressjoni n.f., pl. -jiet, impression.
imprest n.m., pl. -i, loan.
imprezzabbli aġġ., inestimable, invaluable.
impreżarju n.m., f. -a, pl. -i, (teatr.) manager.
impriġuna v.t., ***jimpriġuna;*** (tek.) to imprison.
impriġunat aġġ. u p.p., imprisoned.
impriża n.f., pl. -i, enterprise.
impronta v.t., ***jimpronta;*** (muż.) to improvise.
improvviża v.t., ***jimprovviża;*** to extemporise, to improvise. ***is-surmat ~ taħdita f'jum il-premjazzjoni;*** the headmaster improvised a speech on prize day.
improvviżat aġġ. u p.p., extemporised, off-hand. ***diskors ~;*** extempore speech.
improvviżatur n.m., f. -a, pl. -i, improvisor.
improvviżżazzjoni n.f., pl. -jiet, improvisation.
imprudenti aġġ., imprudent.
imprudenza n.f., pl. -i, imprudence.
impruvja v.t., ***jimpruvja;*** to improve.
impulletta n.f., pl. -i, hour-glass, time-glass, clepsydra.
impulluzza n.f., pl. -i, (ekkl.) cruet.
impuls n.m., pl. -i, impulse.
impulsiv aġġ., impulsive.
impunità n.f., pl. -jiet, (leg.) impunity.
impunja v.t., ***jimpunja;*** to fight, (leg.) to contest, to impugn. ***it-tifel ~ t-testment ta' missieru;*** the boy contested his father's will.
impur aġġ., impure.
impurità n.f., pl. -jiet, impurity.
impurtat aġġ. u p.p., imported.
impustat aġġ. u p.p., posted.
imputat n.m., f. -a, pl. -i, (leg.) defendant, accused.
inabitabbli aġġ., uninhabitable.
inaċċessibbli aġġ., inaccessible.
inaċċettabbli aġġ., unacceptable.
inaljenabbli aġġ., inalienable.
inammissibbli aġġ., inadmissable.
inappellabbli aġġ., (leg.) inappellable.
inapplikabbli aġġ., inapplicable.
inattakkabbli aġġ., unassailable, unattackable.
inattiv aġġ., inactive.
inavvertenza n.f., pl. -i, inadvertance.
inàwgura v.t., ***jinawgura;*** to inaugurate.

~ wirja ta' pittura; he inaugurated a painting exhibition.
inawgurat aġġ. u p.p., inaugurated.
inawgurazzjoni n.f., pl. -jiet, inauguration.
inbjank avv., blank. ***ċekk ~;*** blank cheque.
inċana v.Sq., ***jinċana;*** (artiġ.) to plane.
inċendjarju aġġ., incendiary.
inċendju n.m., pl. -i, fire, great fire.
inċens n.m., pl. -i, (ekkl.) incense, olibanum.
inċensa v.t., ***jinċensa;*** (ekkl.) to incense.
inċensat aġġ. u p.p., (ekkl.) incensed.
inċensazzjoni n.f., pl. -jiet, (ekkl.) incensation.
inċentiv n.m., pl. -i, incentive.
inċert aġġ., uncertain.
inċertezza n.f., pl. -i, uncertainty.
inċest n.m., pl. -i, (leg.) incest.
inċida v.t., ***jinċidi;*** to incise, to engrave.
inċident n.m., pl. -i, accident.
inċidentali aġġ., accidental.
inċidentalment avv., accidentally.
inċineratur n.m., pl. -i, incinerator.
inċinta aġġ., pregnant.
inċira n.f., pl. -i, sealing wax.
inċirata n.f., pl. -i, ***inċrajjat;*** tarpaulin, oil cloth, rain-coat, water-proof. ***~ tal-kisi;*** linoleum.
inċirka avv., about.
inċis n.m., bla pl., inch-tape.
inċita v.t., ***jinċita;*** to incite.
inċitament n.m., pl. -i, incitement.
inċiż aġġ., engraved, incised.
inċiżiv aġġ., incisive.
inċiżjoni n.f., pl. -jiet, (artiġ.) incision.
inċiżur n.m., f. -a, pl. -i, (artiġ.) engraver.
inċova n.f., pl. -i, (itt.) anchovy.
indaġni n.m., bla pl., inquiry.
indaga v.t., ***jindaga;*** to inquire, to investigate.
indagat aġġ. u p.p., investigated.
indagazzjoni n.f., pl. -jiet, investigation, inquiry.
indana n.f., pl. -i, (ark.) landing.
indanna v.Sq., ***jindanna;*** to damn, to be damned.
indannat aġġ. u p.p., damned.
indannazzjoni n.f., pl. -jiet, damnation.
indeċenti aġġ., indecent.
indeċenza n.f., pl. -i, indecency.
indeċifrabbli aġġ., undecipherable.
indeċiż aġġ., undecided.
indeċiżjoni n.f., pl. -jiet, indecision.
indefinit aġġ., indefinite.
indefinitivament avv., indefinitely.
indeklinabbli aġġ., (gram.) indeclinable.
indelibbli aġġ., indelible.
indemonja v.t., ***jindemonja;*** to demonize, to infuse the evil spirit, to infuriate, to make very angry, to drive mad.
indemonjat aġġ. u p.p., demoniac.
inden aġġ., unworthy.
indenja v.Sq., ***jindenja;*** to deign, to condescend. ***lanqas ~ ruħu li jħares lejn il-kont;*** he did not deign to cast a glance at the bill.
indenjament avv., unworthily.
indenn aġġ., unworthy.
indennità n.f., pl. -jiet, (leg.) indemnity.
indennizz n.m., pl. -i, indemnification.
indennizza v.t., ***jindennizza;*** (leg.) to indemnify.
indennizzat aġġ. u p.p., (leg.) indemnified.
indeskrivibbli aġġ., indescribable.
indeterminabbli aġġ., indeterminable.
indeterminat aġġ. u p.p., indeterminate.
ìndiċi n.m., pl. -jiet, index.
indifferenti aġġ., indifferent.
indifferenza n.f., pl. -i, indifference.
indifiż aġġ., (mil.) undefended.
indìġenu aġġ., indigenous.
indiġest aġġ., undigestible.
indiġestjoni n.f., pl. -jiet, indigestion.
ìndika v.t., ***jindika;*** to indicate. ***il-minutiera l-kbira ta' l-arloġġ tindika l-minuti;*** the long hand of the clock indicates the minutes.
indikat aġġ. u p.p., indicated.
indikattiv aġġ., (gram.) indicative.
indikatur n.m., pl. -i, flashing indicator.
indikazzjoni n.f., pl. -jiet, indication.
indimostrabbli aġġ., undemonstrable.
indinjità n.f., pl. -jiet, indignity.
indipendentement avv., independently.
indipendenti aġġ., independent.
indipendenza n.f., pl. -i, independence.
indirett aġġ., indirect.
indirettament avv., indirectly.
indirizz n.m., pl. -i, address, (leg.) direction, guide.
indirizza v.t., ***jindirizza;*** to address.
indirizzat aġġ. u p.p., addressed.
indiskret aġġ., indiscreet.
indiskrezzjoni n.f., pl. -jiet, indiscretion.
indiskutibbli aġġ., indisputable, unquestionable.
indispensabbli aġġ., indispensable.
indispost aġġ. u p.p., indisposed.
indispożizzjoni n.f., pl. -jiet, indisposition.
indisputabbli aġġ., undisputable.
indissolubbli aġġ., indissoluble.

indistingwibbli aġġ., undistinguishable.
indistint aġġ., indistinct.
indistruttibbli aġġ., undestructible.
indisturbat aġġ. u p.p., undisturbed.
individwali aġġ., individual.
individwalità n.f., pl. -jiet, individuality.
individwaliżmu n.m., pl. -i, individualism.
individwalment avv., individually.
individwu n.m., f. -a, pl. -i, individual.
indiviż aġġ., undivided.
indiviżibbli aġġ., indivisible.
indivja n.f., pl. -i, (bot.) endive.
indixxiplinat aġġ., undisciplined.
indizju n.m., pl. -i, indication, (leg.) circumstantial evidence, suspicious circumstances.
indizzjoni n.f., pl. -jiet, (stor.) indication.
Indjan n.m. u aġġ., f. -a, pl. -i, Indian. ***għamilha ta' l-~;*** to feign ignorance.
indokra v.Sq., ***jindokra;*** to guard, to beware, to watch over, to take care of, to eye, to give an eye. ***~ l-ħwejjeġ ta' ħuh waqt li kien qiegħed jgħum;*** he gave an eye to his brother's clothes while he was swimming.
indolenti aġġ., indolent.
indolenza n.f., pl. -i, indolence.
indottrina v.t., ***jindottrina;*** to indoctrinate.
indovinell n.m., pl. -i, riddle.
indôvna v.t., ***jindovna;*** to guess, to surmise.
indubbjament avv., undoubtedly.
indubitabbli aġġ., indubitable.
indukrat aġġ. u p.p., guarded, watched, cared for.
indulġenti aġġ., indulgent.
indulġenza n.f., pl. -i, (ekkl.) indulgence.
indult n.m., pl. -i, (ekkl.) indult.
induna v.Sq., ***jinduna;*** to perceive, to notice, to be aware of, to realize, to discover. ***~ bl-iżball tiegħu;*** he realized his mistake.
indura v.Sq., ***jindura;*** (artiġ.) to gild.
indurat aġġ. u p.p., (artiġ.) gilt.
induratur n.m., pl. -i, (artiġ.) gilder.
induratura n.f., pl. -i, (artiġ.) gilding.
industrija n.f., pl. -i, industry.
industrijali aġġ., industrial.
industrijuż aġġ., industrious.
induvnat aġġ. u p.p., guessed, surmised.
ineffiċjenti aġġ., inefficient.
ineffiċjenza n.f., pl. -i, inefficiency.
ineffikaċi aġġ., inefficacious.
ineffikaċja n.f., pl. -i, inefficacy.
inerzja n.f., bla pl., (fiż.) inertia, inertness.
inesplikabbli aġġ., inexplicable.
inevitabbli aġġ., inevitable.
ineżatt aġġ., inexact.
ineżattizza n.f., pl. -i, inexactness.
infallibbiltà n.f., pl. -jiet, infallibility.
infallibbli aġġ., infallible.
infama v.t., ***jinfama;*** to defame.
infamanti aġġ., infamous, disgraceful.
infamat aġġ. u p.p., covered with infamy.
infami aġġ., infamous.
infamja n.f., bla pl., infamy.
infanterija n.f., pl. -i, (mil.) infantry.
infantiċidju n.m., pl. -i, infanticide.
infantili aġġ., infantile, childish.
infarinat aġġ., soiled with flour, teeming with.
infart n.m., pl. -i, (med.) heart attack.
infatti avv., as a matter of fact.
infatwat aġġ., infactuated.
infatwazzjoni n.f., pl. -jiet, infactuation.
infaxxa v.t., ***jinfaxxa;*** to bandage, to swathe.
infaxxat aġġ. u p.p., bandaged, swaddled.
infedeltà n.f., pl. -jiet, infidelity, unfaithfulness.
infeliċi aġġ., unhappy.
infeliċità n.f., pl. -jiet, unhappiness.
inferjorità n.f., pl. -jiet, inferiority.
inferjuri aġġ., inferior.
infermier n.m., f. -a, pl. -i, nurse.
infern n.m., pl. -jiet, hell.
infernali aġġ., infernal.
infertilità n.f., pl. -jiet, infertility.
infetta v.t., ***jinfetta;*** (mech,) to infect.
infettat aġġ. u p.p., (med.) infected.
infezzjoni n.f., pl. -jiet, (med.) infection.
infidil aġġ., unfaithful.
infidil n.m., f. -a, pl. -i, infidel.
infiltrazzjoni n.f., pl. -jiet, infiltration.
infilza v.i. ***jinfilza;*** to file.
infinit aġġ., infinite.
infinità n.f., pl. -jiet, infinity.
infinitament avv., infinitely.
infiniteżimali aġġ., infinitesimal.
infjammabbli aġġ., inflammable.
infjammazzjoni n.f., pl. -jiet, (med.) inflammation.
inflazzjoni n.f., pl. -jiet, inflation.
inflessibbli aġġ., unfexibile.
inflessjoni n.f., pl. -jiet, inflexion, (gram.) inflection.
influwenti aġġ., influential.
influwenza n.f., pl. -i, influence, (med.) cold, flu, influenza. ***~ Spanjola;*** Spanish flu.
influwenzat aġġ. u p.p., influenced.
influwixxa v.t., ***jinfluwixxi;*** to influence.
infondat aġġ. u p.p., unfounded.

informa v.t., ***jinforma;*** to inform, to shape. ***~ lill-pulizija dak li kien hemm moħbi;*** he informed the police about what was hidden.
informat aġġ. u p.p., informed.
informattiv aġġ., informative.
informazzjoni n.f., pl. -jiet, information.
informi aġġ., shapeless, (leg.) lacking the proper legal form.
inforna v.t., ***jinforna;*** to put into the oven, to bake.
inforra v.Sq., ***jinforra;*** to line, to cover.
inforra n.f., pl., ***inforor;*** lining.
inforza v.Sq., ***jinforza;*** to enforce.
infoska v.t., ***jinfoska;*** to grow angry, to be vexed, to get enraged, to fly into a passion.
infrastruttura n.f., pl. ijiet, (parl.) infrastructure.
infrazzjoni n.f., pl. -jiet, (leg.) infraction, violation.
infurja v.t., ***jinfurja;*** to infuriate, to enrage, to lose one's temper.
infurjat aġġ. u p.p., enraged, out of temper.
infurmat aġġ. u p.p., informed.
infurnata n.f., pl. -i, ovenful, batch.
infurrat aġġ. u p.p., lined.
infurzat aġġ. u p.p., enforced.
infuż aġġ., infused.
infużjoni n.f., pl. -jiet, infusion.
inġazza v.Sq., ***jinġazza;*** to freeze.
inġazzat aġġ. u p.p., frozen.
inġekxin n.f., pl. -s, injection.
inġenja v.t., ***jinġenja;*** to devise, to endeavour, to do one's best.
inġenjożità n.f., pl. -jiet, ingeniousness, ingenuity, industriousness.
inġenju n.m., pl. -i, talent, genius.
inġenjuż aġġ., ingenious.
inġenwità n.f., pl. -jiet, ingenuousness.
inġenwu aġġ. ingenuous.
inġinerija n.f., pl. -i, engineering,
inġinier n.m., pl. -i, engineer.
inġinokkjatur n.f., pl. -i, kneeling stool, kneeler, faldstool.
inġir avv., in a circle, around.
inġunzjoni n.f., pl. -jiet, (leg.) injunction.
inġurja v.t., ***jinġurja;*** (leg.) to insult, to revile.
inġurja n.f., pl. -i, (leg.) insult, affront.
inġurjat aġġ. u p.p., (leg.) insulted, affronted.
inġurjuż aġġ., (leg.) insulting, abusive.
inġust aġġ., unjust.
inġustament avv., unjustly.
inġustizzja n.f., pl. -i, injustice.
ingaġġa v.t., ***jingaġġa;*** (mil.) to enlist, to enrol.
ingaġġat aġġ., (mil.) enrolled, enlisted.
ingalja v.t., ***jingalja;*** to equalize.
ingalla v.Sq., ***jingalla;*** to fertilize eggs.
ingallat aġġ. u p.p., fertilized.
ingann n.m., pl. -i, deception, deceit.
inganna v.t., ***jinganna;*** to deceive. ***ingannajtuni bi kliemkom;*** you have deceived me with your words.
ingannat aġġ. u p.p., deceived.
ingannatur n.m., pl. -i, deceiver.
ingassa v.t., to cancel, to obliterate, to noose.
ingassa n.f., pl., ***ingases;*** noose.
ingassat aġġ. u p.p., cancelled, obliterated.
ingassatura n.f., pl. -i, cancellation, obliteration.
ingast n.m., pl. -i bezel.
ingasta v.Sq., ***jingasta;*** to set, to insert.
ingastat aġġ. u p.p., set, inserted.
Ingilterra ara .
inglett n.m., pl. -i, (tekn.) mitre block, mitre box.
Ingliterra n.Pr. England.
Ingliż aġġ., English.
ingombra v.t., ***jingombra;*** to encumber. ***ingombrajt kullimkien bil-logħob tiegħek;*** you have encumbered everywhere with your toys.
ingombru n.m., pl. -i, encumberance.
ingott n.m., pl. -i, ingot.
ingotta v.t., ***jingotta;*** to bail.
ingrana v.t., ***jingrana;*** (mekk.) to put into gear, to be in gear, to mesh.
ingranaġġ n.m., pl. -i, (mekk.) gear, gearing.
ingranat aġġ. u p.p., (mekk.) geared.
ingrandiment n.m., pl. -i, enlargement.
ingrat aġġ., ungrateful.
ingratitudni n.f., pl. -jiet, ungratefulness.
ingravata n.f., pl. -i, necktie, cravat. ***kulra ta' l-~;*** breast ren.
ingredjent n.m., pl. -i, ingredient.
ingress n.m., pl. -i, entrance, admittance.
ingropp n.m., pl. -i, knag, knot.
ingroppa n.f., pl. -i, haunch.
ingumbrat aġġ. u p.p., encumbered.
ingwala v.t., ***jingwala;*** to get on well. ***dawk it-tfal jingwalaw ħafna bejniethom;*** those children get on well together.
ingwanta n.f., pl. -i, glove. ***nofs ~;*** mitten.
ingwent n.m., pl. -i, (med.) ointment.
inħejlent aġġ., (med.), inhalant.
inibit aġġ. u p.p., (leg.) inhibited.
inibitorju aġġ., (leg.) inhibitory.
inibixxa v.t., ***jinibixxi;*** (leg.) to inhibit.

inibizzjoni n.f., pl. -jiet, (leg.) inhibition.
inikwità n.f., pl. -jiet, iniquity.
inikwu aġġ., iniquitous.
inimitabbli aġġ., inimitable.
inizjala v.t., *jinizjala;* to initial.
inizjali aġġ., initial.
inizjattiva n.f., pl. -i, initiative.
injam n.m.koll., f. -a, pl. -iet, wood, timber.
injetta v.t., *jinjetta;* (med.) to inject.
injettat aġġ. u p.p., (med.) injected.
injezzjoni n.f., pl. -jiet, (med.) injection.
injorant aġġ., ignorant, unlearned.
injoranza n.f., pl. -i, ignorance.
inka ara **linka**.
inkalja v.Sq., *jinkalja;* to roast, (mar.) to run aground, to strike, to strand. ***iz-zija nkaljat il-kafè;*** my aunt roasted the coffee. ***il-vapur ~ fuq il-Munxar;*** the ship ran aground at Munxar.
inkaljat aġġ. u p.p., roasted, stranded.
inkaljatur n.m., pl. -i, coffee-roaster.
inkalkulabbli aġġ., incalculable.
inkalla v.Sq., *jinkalla;* to become callous, to become hard.
inkallat aġġ. u p.p., hardened.
inkam n.m., bla pl., income. ***taxxa fuq l-~;*** income tax.
inkandexxenti aġġ., incandescent.
inkapaċi aġġ., unable, incapable.
inkapaċità n.f., pl. -jiet, inability (to), incapacity (for).
inkapaċitat aġġ. u p.p., disabled.
inkappa v.Sq., *jinkappa;* to get (into), to fall (into).
inkardinazzjoni n.f., pl. -jiet, (ekkl.) incardination.
inkariga v.t., *jinkariga;* to entrust (with), to charge (with). ***inkarigajt lil Pawlu għal dan ix-xogħol;*** I entrusted Paul with this work.
inkarigat aġġ. u p.p., entrusted, charged (with).
inkarigu n.m., pl. -i, appointment, task.
inkarna v.t., *jinkarna;* to incarnate.
inkarnat aġġ. u p.p., incarnate.
inkarnazzjoni n.f., pl. -jiet, incarnation.
inkarta v.t., *jinkarta;* to wrap in paper.
inkartament n.m., pl. -i, dossier, documents.
inkassa v.t., *jinkassa;* to cash.
inkâtna v.t., *jinkatna;* to chain, to enchain.
inkatnat aġġ. u p.p., chained, enchained, fettered.
inkaxxa v.t., *jinkaxxa;* to encase, to box.
inkaxxat aġġ. u p.p., encased, boxed.
inkazza v.Sq., *jinkazza;* to despair.
inkejjuż aġġ., spiteful.
inkella avv., otherwise, else.
inkin n.m., pl. -i, bow, reverence.
inkiss inkiss avv., on tiptoe.
inkja v.i., *jinkja;* to ink.
inkjesta n.f., pl. -i, inquiry, quest, investigation.
inkjostru n.m., pl. -i, printer's ink.
inklelè avv., otherwise, else.
inklina v.t., *jinklina;* to incline, to lean, to bend. ***it-torri ta' Pisa qiegħed jinklina;*** the tower of Pisa is leaning forward.
inklinat aġġ. u p.p., inclined.
inklinazzjoni n.f., pl. -jiet, inclination.
inkluda v.t., *jinkludi;* to include.
inklużjoni n.f., pl. -jiet, inclusion.
inkoerenti aġġ., incoherent.
inkoerenza n.f., pl. -i, incoherence.
inkolla v.t., *jinkolla;* to stick, to paste, to glue, to gum.
inkolma v. Sq., *jinkolma;* (tekn.) to fill (up).
inkolpa v.t., *jinkolpa;* to inculpate, to blame, to accuse.
inkòmoda v.t., *jinkomoda;* to incomode, to trouble, to bother, to disturb. ***toqgħodx tinkomoda ruħek fuq dak;*** don't trouble yourself about that.
inkòmodu n.m., pl. -i, inconvenience.
inkomparabbli aġġ., incomparable.
inkompatibbli aġġ., incompatible.
inkompetenti aġġ., incompetent.
inkompetenza n.f., pl. -i, incompetence.
inkomplut aġġ., incomplete.
inkomprensibbli aġġ., incomprehensible, incomprensibile.
inkonċepibbli aġġ., inconceivable.
inkondizzjonament avv., unconditionally.
inkondizzjonat aġġ., unconditional.
inkonfutabbli aġġ., irrefutable.
inkongruwenti aġġ., inconsistent.
inkongruwenza n.f., pl. -i, incongruity, inconsistency.
inkonkludenti aġġ., inconclusive.
inkonsistenti aġġ., inconsistent.
inkonsistenza n.f., pl. -i, inconsistency.
inkontaminat aġġ., uncontaminated, pure.
inkontestabbli aġġ., incontestable.
inkontestat aġġ., uncontested.
inkontinenti aġġ., incontinent.
inkontinenza n.f., pl. -i, incontinence.
inkontrollabbli aġġ., uncontrolable.
inkontra v.t., *jinkontra;* to meet, to meet with, to come across.

inkontru n.m., pl. -i, meeting.
inkonvenjent n.m., pl. -i, inconvenience.
inkonvenjenza n.f., pl. -i, inconvenience.
inkonxjament avv., unconsciously.
inkonxju aġġ., unconscious.
inkorla v.t., *jinkorla;* to get angry, to fly into a rage.
inkòrpora v.t., *jinkorpora;* to incorporate, to embody.
inkorporat aġġ. u p.p., incorporated.
inkorporazzjoni n.f., pl. -jiet, incorporation.
inkorreġibbli aġġ., incorrigible.
inkorrett aġġ., incorrect.
inkorrettezza n.f., pl. -i, incorrectness.
inkorruttibbli aġġ., incorruptible.
inkredibbli aġġ., incredible.
inkredulità n.f., pl. -jiet, incredulity.
inkrèdulu aġġ., incredulous.
inkrepattiv aġġ., spiteful.
inkrepazzjoni n.f., pl. -jiet, spite.
inkrìment n.m., pl. -i, increment.
inkrimina v.t., *jinkrimina;* to incriminate, to impeach.
inkriminat aġġ., u p.p., incriminated.
inkriminazzjoni n.m., pl. -jiet, impeachment.
inkubatur n.m., pl. -i, (tekn.) incubator.
ìnkubu n.m., pl. -i, incubus.
inkullat aġġ. u p.p., glued.
inkullatura n.f., pl. -i, sticking, pasting.
inkulturazzjoni n.f., pl. -jiet, enculturation.
inkunabula n.pl., bla s., incunabulum.
inkurabbli aġġ., incurable.
inkuraġġiment n.m., pl. -i, encouragement.
inkuraġġixxa v.t., *jinkuraġġixxi;* to encourage. ***inkuraġġih ħafna biex jagħmel l-eżami tal-mużika;*** he encouraged him a lot to sit for the music examination.
inkuraġġut aġġ. u p.p., encouraged.
inkurlat aġġ. u p.p., angry.
inkuruna v.t., *jinkuruna;* to crown.
inkurunat aġġ. u p.p., crowned.
inkurunazzjoni n.f., pl. -jiet, coronation.
inkwantu avv., as regards, regarding.
inkwatru n.m., pl. -i, picture, painting.
inkwiet n.m., bla pl., trouble, disquiet.
inkwiet aġġ., unquiet, restless.
inkwieta v.t., *jinkwieta;* to disquiet, to worry, to bother, to be worried.
inkwina n.f., pl. -i, (artiġ.) anvil.
inkwirenti aġġ., (leg.) examining, investigating, inquiring.
inkwiżitur n.m., pl. -i, (stor. u ekkl.) inquisitor.
inkwiżizzjoni n.f., pl. -jiet, (stor. u ekkl.) inquisition.
innamra v.t., *jinnamra;* to fall in love (with) to enamour.
innaviga v.t., *jinnaviga;* (mar.) to sail.
innavika v.Sq., to tinker at.
innazzjonalizza v.t., *jinnazzjonalizza;* to nationalize.
innega v.t., *jinnega;* to deny. ***~ li qal dak il-kliem;*** he denied having said those words.
innegabbli aġġ., undeniable.
innegozja v.t., *jinnegozja;* to negotiate. ***~ biex jixtri dar fil-kampanja;*** he negotiated the purchase of a country house.
innegozjat aġġ. u p.p., negotiated.
innervja v.t., *jinnervja;* to be in a bad temper.
innewtralizza v.t., *jinnewtralizza;* to neutralize.
innoċentement avv., innocently.
innoċenti aġġ., innocent.
innoċenza n.f., pl. i, innocence.
innokkla v.Sq., *jinnokkla;* to curl.
innòmina v.t., *jinnomina;* (parl.) to nominate, to designate.
innominabbli aġġ., unnominable.
innormalizza v.t., *jinnormalizza;* to normalize.
innota v.t., *jinnota;* to annotate, to note.
innotìfika v.t., *jinnotifika;* (leg.) to notify. ***il-marixxal innotifikah bil-jum tal-kawża;*** the marshal notified him the date of the law case.
innovazzjoni n.f., pl. -jiet, innovation.
innu n.m., pl. -jiet, hymn, anthem.
innukklat aġġ. u p.p., curled.
innumerabbli aġġ., innumerable.
innumra v.t., *jinnumra;* to number.
innumrat aġġ. u p.p., numbered.
innutat aġġ. u p.p., noted.
inoperabbli aġġ., inoperable.
inopportun aġġ., inopportune.
inorganiku aġġ., inorganic.
inosservabbli aġġ., unobservable.
inqas aġġ.komp., less.
insalata n.f., pl. -i (bot.) salad.
insekwestrabbli aġġ., not liable to sequestration.
inseminazzjoni n.f., pl. -jiet, insemination.
insensat aġġ., insensate.
insensibbli aġġ., insensible.
inseparabbli aġġ., inseparable.
insett n.m., pl. -i, insect.
insettiċida n.m., pl. -i (kim.) insecticide.

insettoloġija n.f., pl. -i, insectology.
insidjuż aġġ., insidious.
insinjifikanti aġġ., insignificant.
insinja n.pl., bla s., (mil.) insignia.
insinwa v.t., *jinsinwa;* (leg.) to insinuate. *~ li xi ħadd seta' kixef is-sigriet;* he insinuated that somebody might have revealed the secret.
insinwat aġġ. u p.p., insinuated.
insinwazzjoni n.f., pl. -jiet, insinuation.
insista v.t., *jinsisti;* to insist. *jiena ninsisti fuq dan il-pont;* I insist on this point.
insistenti aġġ., insistent.
insistenza n.f., pl. -i, insistence.
insolenti aġġ., insolent.
insolenza n.f., pl. -i, insolence.
insolja n.f.koll., (bot.) an early kind of grapes.
insolubbli aġġ., insoluble.
insolvibbli aġġ., that cannot be solved.
insomma avv., in conclusion, finally, in short.
insonja n.f., pl. -i, (med.) insomnia, sleeplessness.
insopportabbli aġġ., unbearable.
insostenibbli aġġ., untenable.
insostitwibbli aġġ., irreplaceable.
inspekter n.m., pl. -s, inspector.
instabbli aġġ., unstable.
instabbilità n.f., pl. -jiet, instability.
installazzjoni n.f., pl. -jiet, installation.
insubordinat aġġ., insubordinate.
insubordinazzjoni n.f., pl. -jiet, insubordination.
insuffiċjenti aġġ., insufficient.
insuffiċjenza n.f., pl. -i, insufficiency.
insulari aġġ., insular.
insulenta v.Sq., *jinsulenta;* to insult.
insulina n.f., pl. -i, (med.) insulin.
insult n.m., pl. -i, insult.
insulta v.t., *jinsulta;* to insult.
insultat aġġ. u p.p., insulted.
insuperabbli aġġ., insuperable.
int pron. pers., you, thou.
intakka v.t., *jintakka;* to spoil, to taint.
intalja v.t., *jintalja;* (artiġ.) to carve, to incise, to engrave.
intaljat aġġ. u p.p., (artiġ.) carved, incised.
intaljatur n.m., pl. -i, (artiġ.) carver, engraver.
intall n.m., pl. *intalji;* (artiġ.) intaglio, carving, engraving.
intanġibbli aġġ., intangible.
intanġibilità n.f., pl. -jiet, intangibility.
intant avv., meanwhile.
intappa v.Sq., *jintappa;* to bung, to cork.
intappat aġġ. u p.p., corked.
intars n.m., pl. -i, (artiġ.) inlay.
intarsja v.t., *jintarsja;* (artiġ.) to inlay.
intarsjar n.m., bla pl., (artiġ.) marquery, inlaid work.
intarsjat aġġ. u p.p., (artiġ.) inlaid.
intarsjatur n.m., pl. -i, (artiġ.) inlayer.
intatt aġġ., intact, untouched.
intaxxa v.Sq., *jintaxxa;* to tax, to assess.
intaxxat aġġ. u p.p., taxed, assessed.
ìntegra v.t., *jintegra;* to integrate.
integrali aġġ., integral.
integrat aġġ. u p.p., integrated.
integrità n.f., pl. -jiet, integrity.
ìntegru aġġ., upright, honest.
intellett n.m., pl. -i, intellect.
intellettwali aġġ., intellectual.
intelliġenti aġġ., intelligent.
intelliġenza n.f., pl. -i, intelligence.
intelliġibbli aġġ., intelligible.
intens aġġ., intense.
intensament avv., intensely.
intensità n.f., pl. -jiet, intensity.
intensiv aġġ., intensive.
intent n.m., pl. -i, (leg.) intent, purpose, aim.
intenzjonat aġġ., disposed, willing.
intenzjoni n.f., pl. -jiet, intention.
interament avv., entirely, wholly, completely.
interċessjoni n.f., pl. -jiet, intercession.
interċessur n.m., f. -a, pl. -i, intercessor.
interċetta v.t., *jinterċetta;* to intercept.
interċettat aġġ. u p.p., intercepted.
interdett n.m., pl. -i, (ekkl. u leg.) interdict.
interess n.m., pl. -i, interest.
interessa v.t., *jinteressa;* to interest.
interessanti aġġ., interesting.
interessat aġġ. u p.p., interested.
interite n.f., pl. -jiet, (med.) enteritis.
interjezzjoni n.f., pl. -jiet, (gram.) interjection.
interjuri n.pl., bla s., entrails.
interkom n.m., pl. -s, intercom.
interludju n.m., pl. -i, (muż.) intermezzo.
intermedjarju n.m., f. -a, pl. -i, intermediary.
intermezz n.m., pl. -i, intermezzo.
interminabbli aġġ., interminable.
intermittenti aġġ., intermittent.
intermixin n.f., pl. -s, (teatr.) intermission.
intern aġġ., internal.
intern n.m., pl. -i, interior, inside. ***ministru ta' l-~;*** Home Secretary, Minister of Internal Affairs.

interna v.t., ***jinterna;*** to intern.
internament avv., inside, internally.
internat aġġ. u p.p., interned.
internat n.m., pl. -i, internee.
internazzjonali aġġ., international.
interpella v.t., ***jinterpella;*** (leg., u parl.) to interpellate.
interpellanza n.f., pl. -i, (parl.) interpellation, question.
interpellat aġġ. u p.p., (leg., u parl.) interpellated.
intèrpreta v.t., ***jinterpreta;*** to interpret, to construe. ***kif interpretajtu dan il-pass?;*** how have you interpreted this passage?
interpretat aġġ. u p.p., interpreted.
interpretazzjoni n.f., pl. -jiet, interpretation.
intèrpretu n.m., f. -a, pl. -i, interpreter.
interrenju n.m., pl. -i, interregnum.
intèrroga v.t., ***jinterroga;*** to interrogate, to question, to ask.
interrogant n.m., f. -a, pl. -i, (parl.) interrogator, questioner.
interrogat aġġ. u p.p., interrogated, asked, questioned.
interrogatorju n.m., pl. -i, (leg.) interrogatory.
interrogattiv aġġ., (gram.) interrogative.
interrogattivament avv., interrogatively.
interrogazzjoni n.f., pl. -jiet, interrogation.
interrompa v.t., ***jinterrompi;*** to interrupt. ***tinterrompux it-taħdita tagħna;*** don't interrupt our conversation.
interrott aġġ. u p.p., interrupted.
interruzzjoni n.f., pl. -jiet, interruption.
intervall n.m., pl. -i, interval.
intervent n.m., pl. -i, intervention.
interviena v.t., ***jintervieni;*** to intervene.
intervista v.t., ***jintervista;*** to interview.
intervista n.f., pl. -i, interview.
intervistat aġġ. u p.p., interviewed.
intestatura n.f., pl. -i, heading, title.
intestin n.m., pl. -i, (anat.) intestine.
inti pron. pers., you, thou.
intier aġġ., entire.
intimazzjoni n.f., pl. -jiet, (leg.) injunction, summons, notification.
intimidazzjoni n.f., pl. -jiet, intimidation.
ìntimu aġġ., intimate.
intitola v.t., ***jintitola;*** to entitle.
intitolat aġġ. u p.p., entitled.
intiż aġġ., learned.
intollerabbli aġġ., intolerable.
intolleranti aġġ., intolerant.
intolleranza n.f., pl. -i, intolerance.
intom pron. pers., you.
intona v.t., ***jintona;*** (muż.) to intone, to attone, to tone.
intonazzjoni n.f., pl. -jiet, (muż.) intonation.
intopp n.m., pl. -i, obstacle, hitch.
intornja v.Sq., ***jintornja;*** (artiġ.) to turn.
intornjatur n.m., pl. -i, (artiġ.) turner.
intortament avv., unjustly.
intoska v.t., ***jintoska;*** to poison.
intraduċibbli aġġ., untranslatable.
intransiġent aġġ., intransigent.
intransiġenza n.f., pl. -i, intransigence.
intransittiv aġġ., (gram.) intransitive.
intraprenda v.t., ***jintraprendi;*** to undertake, to assume.
intraprendenti aġġ., enterprising.
intraprendenza n.f., pl. -i, enterprise.
intrapriża n.f., pl. -i, enterprise.
intrata n.f., pl. ***intrajjet;*** entrance, admission.
intrattabbli aġġ., intractable.
intriċċ n.m., pl. -i, intrigue, interlacement, plot.
intriċċa v.t., ***jintriċċa;*** to interlace, to entwine.
intriċċat aġġ. u p.p., interlaced, entwined.
intriga v.t., ***jintriga;*** to meddle (with), to take charge of. ***mhux se jintriga ruħu mill-politika;*** he will not meddle in politics.
intriganti aġġ., intriguing.
intrigat aġġ. u p.p., intrigated.
intrigu n.m., pl. -i, intrigue.
intrìnsiku aġġ., intrinsic.
intrita n.f., pl. -i, almond cake.
introdott aġġ., introduced.
introduċa v.t., ***jintroduċi;*** to introduce. ***għamel ħażin li ntroduċa din id-drawwa ħażina;*** he was mistaken to introduce this bad habit.
introduzzjoni n.f., pl. -jiet, introduction.
introjta v.t., ***jintrojta;*** to encash.
introjtu n.m., pl. -i, income, revenue, (ekkl.) introit.
introspettiv aġġ., introspective.
intunat aġġ., (muż.) intoned, in tune (with), in harmony (with).
intuskat aġġ. u p.p., poisoned, envenomed.
intuwixxa v.t., ***jintuwixxi;*** to intuit, to know, to apprehend.
intuwizzjoni n.f., pl. -jiet, intuition.
inuman aġġ., inhuman.
inutili aġġ., useless.
invada v.t., ***jinvadi;*** to invade. ***is-suldati nvadew il-belt;*** the soldiers invaded the city.
invadut aġġ. u p.p., invaded.

invalda v.t., ***jinvalda;*** to invalidate. ***invaldawh minħabba saħħtu;*** he was invalidated because of his health.
invaldat aġġ. u p.p., invalidated.
invalidità n.f., pl. -jiet, invalidity.
invàlidu n.m., pl. -i, invalid, handicapped.
invàlidu aġġ., invalid, disabled, void.
invarjabbli aġġ., (gram.) invariable.
invaża v.t., ***jinvaża;*** to obsess.
invażat aġġ. u p.p., possessed by the devil.
invażjoni n.f., pl. -jiet, invasion.
invażur n.m., f. -a, pl. -i, invader.
inventa v.t., ***jinventa;*** to invent, to find out.
inventarju n.m., pl. -i, inventory. (leg.) ***bil-benefiċċju ta' l-~;*** without liability for debts exceeding assets. ***għamel ~ ta';*** to make an inventory of.
inventat aġġ. u p.p., invented.
inventur n.m., f. -a, pl. -i, inventor.
invenzjoni n.f., pl. -jiet, invention.
inverna v.t., ***jinverna;*** (mar.) to winter.
invertebrat aġġ., invertebrate.
investa n.f., pl. -i, pillow-case.
investa v.t., ***jinvesti;*** to invest, (mar.) to collide with, to knock against. ***~ flusu fi stokks tal-Gvern;*** he invested his money in Government stocks.
invèstiga v.t., ***jinvestiga;*** to investigate.
investigat aġġ. u p.p., investigated.
investigatur n.m., f. -a, pl. -i, investigator.
investigazzjoni n.f., pl. -jiet, investigation.
investiment n.m., pl. -i, investment.
investit aġġ. u p.p., run down, invested.
investitura n.f., pl. -i, investiture.
invidja n.f., bla pl., envy.
invidjuż aġġ., envious.
invilopp n.m., pl. -jiet, envelope.
invinċibbli aġġ., invincible.
invit n.m., pl. -i, invitation.
invita v.t., ***jinvita;*** to invite. ***invitawni għat-tieġ ta' oħthom;*** they invited me for their sister's wedding.
invitat aġġ. u p.p., invited.
invitatorju n.m., pl. -i, (ekkl.) invitatorium, invitatory.
invitta (wara Belt) n.Pr., unconquered.
inviżibbli aġġ., invisible.
inviżibilità n.f., pl. -jiet, invisibility.
inviżta v.t., ***jinviżta;*** to visit, to examine. ***~ l-marid;*** to examine the patient.
inviżtat aġġ. u p.p., visited.
invjolabbli aġġ., inviolable.
invjolabilità n.f., pl. -jiet, inviolability.
invojs n.m., pl. -is, invoice.
invoka v.t., ***jinvoka;*** to invoke.
invokattiv aġġ., invocatory.
invokazzjoni n.f., pl. -jiet, invocation.
involuntarju aġġ., (leg.) unvoluntary.
involuntarjament avv., unwillingly.
invulnerabbli aġġ., invulnerable.
invulnerabilità n.f., pl. -jiet, invulnerability.
inxurans n.f., bla pl., insurance.
inzerta v.Sq., ***jinzerta;*** to happen by chance, to succeed or turn out well.
inzertatura n.f., pl. -i, a lucky hit.
inzikka v.Sq., ***jinzikka;*** (logħ.) to knuckle, to flip.
ipèrbole n.f., pl. -i (lett.) hyperbole.
iperkritiku aġġ., hypercritical.
ipnotiku aġġ., (med.) hypnotic.
ipnotist n.m., f. -a, pl. -i, (med.) hypnotist.
ipnotiżmu n.m., pl. -i, (med.) hypnotism.
ipnotizza v.t., ***jipnotizza;*** (med.) to hypnotize.
ipnotizzat aġġ. u p.p., (med.) hypnotized.
ipoġew n.m., pl. -ej, hypogeum.
ipokondrija n.f., pl. -i, (med.) hypochondria.
ipokrisija n.f., pl. -i, hypocrisy.
ipòkrita n.kom., pl. -i, hypocrite.
ipoteka n.f., pl. -i, (leg.) mortgage, hypothec.
ipoteka v.t., ***jipoteka;*** (leg.) to mortgage, to hypothecate.
ipotekarju n.m., f. -a, pl. -i, (leg.) hypothecary, mortgage.
ipotekat aġġ. u p.p., (leg.) mortgaged.
ipotenusa n.f., pl. -i, hypotenuse.
ipòtesi n.f., pl. -jiet, (filos.) hypothesis.
ipotetikament avv., hypothetically.
ipotètiku aġġ., hypothetic(al).
ippaċċja v.t., ***jippaċċja;*** to patch.
ippaċìfika v.t., ***jippaċifika;*** to pacify.
ippakkettja v.t., ***jippakkettja;*** to make up in packets.
ippakkja v.i., ***jippakkja;*** to pack, to stuff.
ippakkjat aġġ. u p.p., packed.
ippalpat aġġ. u p.p., palpitated.
ippalpta v.t., ***jippalpta;*** to palpitate.
ippanċja v.t., ***jippanċja;*** to punch.
ippànikja v.t., ***jippanikja;*** to panic.
ippanna v.t., ***jippanna;*** to dim, to blur.
ippannat aġġ. u p.p., dimmed, blured.
ipparaguna v.t., ***jipparaguna;*** to compare (to or with).
ipparalizza v.t., ***jipparalizza;*** (med.) to paralyse.
ippariġġa v.t., ***jippariġġa;*** to equalize.
ipparkja v.i., ***jipparkja;*** to park.
ipparkjar n.m., bla pl., parking.
ipparkjat aġġ. u p.p., parked.

ippartèċipa v.t., *jippartecipa;* to participate, to take part in. *aħna ma pparteċipajniex fil-ġlieda;* we did not take part in the conflict.
ippassiġġa v.t., *jippassiġġa;* to walk, to stroll.
ippassja v.i., *jippassja;* (logħ.) to pass.
ippassula v.Sq., to wither.
ippastorizza v.t., *jippastorizza;* (med.) to pasteurize.
ippatrolja v.i., *jippatrolja;* to patrol.
ippattja v.Sq., *jippattja;* to negotiate, to agree.
ippenalizza v.t., *jippenalizza;* to penalize.
ippènetra v.t., *jippenetra;* to penetrate. *it-talb tiegħu ~ f'qalbi;* his prayers touched me to the heart.
ippensjona v.t., *jippensjona;* to superannuate.
ipperċepixxa v.t., *jipperċepixxi;* to perceive.
ipperċieda v.Sq., *jipperċiedi;* to defend, to protect.
ipperfezzjona v.t., *jipperfezzjona;* to perfect, to bring to perfection. *nixtieq li nipperfezzjona ruħi fl-Ingliż;* I want to perfect myself in the English language.
ippèrfora v.t., *jipperfora;* to perforate.
ipperforat aġġ. u p.p., perforated.
ipperìkola v.t., *jipperikola;* to be in danger, to put in danger.
ippermetta v.t., *jippermetti;* to allow, to permit. *ippermettili nitkellem;* allow me to talk.
ipperora v.t., *jipperora;* to perorate.
ipperpetwa v.t., *jipperpetwa;* to perpetuate.
ippersègwita v.t., *jippersegwita;* to persecute.
ippersèvera v.t., *jippersevera;* to persevere.
ippersista v.t., *jippersisti;* to persist.
ippersonìfika v.t., *jippersonifika;* to personify.
ippersunat aġġ., robust, well-built.
ipperswada v.t., *jipperswadi;* to persuade, to convince. *il-kliem tiegħu ma jipperswadinix;* his words do not persuade me.
ippetrìfika v.t., *jippetrifika;* to petrify.
ippettna v.t., *jippettna;* to comb.
ippettnat aġġ. u p.p., combed.
ippika v.Sq., *jippika;* to pique, to vie.
ippikkja v.i., *jippikkja;* to pick up.
ippilla v.Sq., *jippilla;* to argue.
ippinna v.Sq., *jippinna;* to rear.
ippinzilla v.Sq., *jippinzilla;* to imagine, to fancy.
ippittura v.t., *jippittura;* to paint.
ippjagat aġġ., full of sores.
ippjana v.t., *jippjana;* to plan. *ippjanar tal-familja;* family planning.
ippjanat aġġ. u p.p., planned.
ippjanta v.t., *jippjanta;* to plan, (bot.) to plant.
ippjega v.t., *jippjega;* to pleat, to fold.
ipplaka v.Sq., *jipplaka;* to calm, to appease, to placate. *~ lil xi ħadd;* to appease a person.
ippleġġja v.i., *jippleġġja;* to pledge, to bail.
ippoetizza v.t., *jippoetizza;* to poetize, to write poetry.
ippolarizza v.t., *jippolarizza;* to polarize.
ippolemizza v.t., *jippolemizza;* to polemize.
ippolitiċizza v.t., *jippolitiċizza;* to politicize.
ippompja v.Sq., *jippompja;* to pump.
ipponta v.Sq., *jipponta;* to sew, to pin, to point, to sharpen. *ippuntalu r-rivolver ma' rasu;* he pointed the revolver to his head.
ippontifika v.t., *jippontifika;* (ekkl.) to pontificate.
ippòpola v.t., *jippopola;* to populate, to people.
ippopolarizza v.t., *jippopolarizza;* to popularize.
ippopolat aġġ. u p.p., populated, peopled.
ippopotamu n.m., pl. -i, (żool.) hippopotamus.
ipporga v.t., *jipporga;* to purge, to empty one's bowels.
ippospona v.t., *jipposponi;* (leg.) to postpone. *~ s-smigħ tax-xhieda għal għada;* he postponed the hearing of the witnesses for tomorrow.
ippossieda v.t., *jippossiedi;* to own, to have, to possess. *jippossiedi ħafna djar;* he owns several houses.
ippostja v.i., *jippostja;* to post, to place.
ippòstula v.t., *jippostula;* to postulate.
ippottja v.i., *jippottja;* (logħ.) to pot.
ippoża v.t., *jippoża;* to pose. *dik it-tfajla tippoża biss lill-artisti kbar;* that girl poses only for great artists.
ippranza v.t., *jippranza;* to dine, to have dinner.
ippràttika v.t., *jipprattika;* to practise, to exercise.
ippreċipita v.t., *jippreċipita;* to precipitate.
ippreċiża v.t., *jippreċiża;* to define exactly, to state precisely.

ippredestina v.t., ***jippredestina;*** to predestine.
ippredestinat aġġ. u p.p., predestined.
ippredomina v.t., ***jippredomina;*** to predominate.
ipprefera v.t., ***jippreferi;*** to prefer. ***~ l-poeżija mill-proża;*** he preferred poetry to prose.
ippreferit ara **preferut**.
ippreferixxa v.t., ***jippreferixxi;*** to prefer.
ippreġùdika v.t., ***jippreġudika;*** (leg.) to prejudice.
ippremja v.t., ***jippremja;*** to reward, to award a prize. ***kien ippremjat b'midalja tad-deheb;*** he was awarded a gold medal.
ippremjat aġġ. u p.p., awarded.
ipprenota v.t., ***jipprenota;*** to book.
ippreokkupa v.t., ***jippreokkupa;*** to make anxious.
ipprepara v.i., ***jipprepara;*** to prepare. ***il-mara ppreparat l-ikel għall-familja;*** the housewife prepared supper for the family.
ippreserva v.t., ***jippreserva;*** to preserve.
ippresieda v.t., ***jippresiedi;*** to preside.
ippreskriva v.t., ***jippreskrivi;*** to prescribe.
ippressa v.t., ***jippressa;*** to press, to exercise pressure on.
ippressat aġġ. u p.p., pressed.
ippresta v.t., ***jippresta;*** to lend oneself.
ippretenda v.t., ***jippretendi;*** to pretend. ***ma jippretendix li hu xi għaref;*** he does not pretend to be a scholar.
ipprevala v.t., ***jipprevali;*** to prevail.
ippreveda v.t., ***jipprevedi;*** to foresee.
ipprexinda v.t., ***jipprexindi;*** to leave out of consideration, to prescind from.
ipprezza v.t., ***jipprezza;*** to value, to price.
ipprezzat aġġ. u p.p., valued, esteemed.
ippreżenta v.t., ***jippreżenta;*** to present. ***ippreżentat bukkett fjuri lill-għalliema f'jum il-festa tagħha;*** she presented a bouquet of flowers to her teacher on her name-sake.
ippreżentat ara **preżentat**.
ippriedka v.t., ***jippriedka;*** (ekkl.) to preach. ***qisni qiegħed nippriedka lill-ħajt;*** I seem to be preaching in vain.
ipprintja v.i., ***jipprintja;*** to print.
ipprinzipja v.t., ***jipprinzipja;*** to devise.
ippriva v.t., ***jippriva;*** to deprive. ***tipprivanix mill-ħbiberija tiegħek;*** do not deprive me of your company.
ipprivat aġġ. u p.p., deprived.
ipproċeda v.t., ***jipproċedi;*** (leg.) to proceed against. ***issa ~ kawża kontra tiegħu;*** now he proceeded legally against him.
ipproċessa v.t., ***jipproċessa;*** to process, (leg.) to prosecute.
ipproduċa v.t., ***jipproduċi;*** to produce.
ipprofana v.t., ***jipprofana;*** (ekkl.) to profane.
ipprofessa v.t., ***jipprofessa;*** (ekkl.) to profess.
ipprofetizza v.t., ***jipprofetizza;*** to profesy, to predict, to foretell.
ipprofitta v.t., ***jipprofitta;*** to profit, to gain, to take advantage of. ***nittama li ibni jipprofitta ruħu mill-parir tiegħek;*** I hope that my son will profit by your advice.
ipprofonda v.t., ***jipprofondixxi;*** to deepen, to make profound.
ipprofuma v.t., ***jipprofuma;*** to profume, to perfume, to disinfect.
ipprofumat aġġ. u p.p., sweet-smelling, perfumed, scented, disinfected.
ipproġetta v.t., ***jipproġetta;*** to plan, to project. ***il-perit ~ blokk bini sabiħ;*** the architect planned a nice block of houses.
ipprogramma v.t., ***jipprogramma;*** to draw up a programme.
ipprojbixxa v.t., ***jipprojbixxi;*** to forbid, to prohibit. ***it-tabib ipprojbielu t-tipjip;*** the doctor has forbidden him to smoke.
ipproklama v.t., ***jipproklama;*** to proclaim.
ipprokura v.t., ***jipprokura;*** to procure. ***~ li tikteb aħjar dan il-kliem;*** try to write better these words.
ipprolunga v.t., ***jipprolunga;*** to prolong.
ipprometta v.t., ***jipprometti;*** to promise, to be promising. ***dan it-tifel jipprometti ħafna;*** he is a promising boy.
ippromova v.t., ***jippromovi;*** to promote.
ippromulga v.t., ***jippromulga;*** to promulgate.
ippronunzja v.t., ***jippronunzja;*** to pronounce.
ippròpaga v.t., ***jippropaga;*** to propagate.
ippropona v.t., ***jipproponi;*** (parl.) to propose. ***il-bniedem jipproponi u Alla jiddisponi;*** man proposes, God disposes.
ippropomut ara **propost**.
ipproporzjona v.t., ***jipproporzjona;*** to proportion. ***għandhom jipproporzjonaw il-kastig mal-ħtija;*** they must proportion the punishment to the crime.
ipproroga v.t., ***jipproroga;*** (parl. u leg.) to prorogue.
ipprotesta v.t., ***jipprotesta;*** (leg. u parl.) to protest. ***ipprotestaw kontra l-liġi l-***

ġdida; they protested against the new law.
ipprotieġa v.t., *jipprotieġi;* to protect.
ipprova v.t., *jipprova;* to prove, to demonstrate. *għandkom tippruvaw il-verità;* you must prove the truth.
ipprovda v.t., *jipprovdi;* to provide, to supply.
ipprovdut ara **provdut**.
ippròvoka v.t., *jipprovoka;* to provoke, to excite. *ipprovokah bi kliemu;* he provoked him by his words.
ippruvat aġġ. u p.p., tried.
ippùbblika v.t., *jippubblika;* to publish, to make public. *~ ktieb tal-poeżiji;* he published a book of poems.
ippubblikat ara **pubblikat**.
ippulikarja v.Sq., *jippulikarja;* to dandify.
ippunteġġja v.t., *jippunteġġja;* to punctuate.
ippurċieda v.Sq., *jippurċiedi;* to protect, to defend.
ippurċinella v.i., *jippurċinella;* to buffoon, to play the clown.
ippurfuma ara **ipprofuma**.
ippurgat aġġ. u p.p., purged, purified.
ippurìfika v.t., *jippurifika;* to purify.
ippurifikat ara **purifikat**.
ippustjat aġġ. u p.p., (mil.) lying in wait.
ippuxxja v.i., *jippuxxja;* to push. *toqgħodx tippuxxjah biex iħallas;* do not push him for payment.
ippużat aġġ. u p.p., posed.
iqqortja v.t., *jiqqortja;* to have recourse to the court.
iqsar aġġ.komp., shorter.
irdoppja v.t., *jirdoppja;* to double.
irħas aġġ.komp., cheaper.
iris n.f., bla pl., (bot.) iris.
ironija n.f., pl. -i, irony.
ironikament avv., ironically.
ironiku aġġ., ironic(al).
irqaq aġġ.komp., thinner, slimmer.
irrabja v.t., *jirrabja;* to anger, to get angry.
irrabjat aġġ. u p.p., enraged.
irraġġa v.Sq., *jirraġġa;* to frolic, to romp.
irraġuna v.t., *jirraġuna;* to reason. *jirraġuna tajjeb, imma jimxi ta' iblah;* he reasons well, but he acts like a fool.
irrakkma v.Sq., *jirrakkma;* to embroider.
irrakkmat aġġ. u p.p., embroidered.
irrakkonta v.t., *jirrakkonta;* to tell, to narrate, to relate. *irrakkontali xi ħaġa sabiħa;* tell me something beautiful.
irrakkontat aġġ. u p.p., related, narrated.
irrama v.Sq., *irrama;* to copper.
irramat aġġ. u p.p., (tekn.) coppered.
irramba v.t., *jirramba;* to snatch.
irranġa v.t., *jirranġa;* to adjust, to arrange. *~ l-fjuri ta' dak il-vażett;* arrange the flowers of that vase.
irranġat aġġ. u p.p., arranged.
irranka v.Sq., *jirranka;* to work hard, to be laborious, to strive, to be pushing, to plod along, (mar.) to pull at the oars.
irrankja v.i., *jirrankja;* to rank.
irrappa v.Sq., *jirrappa;* to crop one's hair.
irrappat aġġ. u p.p., with cropped hair.
irrapporta v.t., *jirrapporta;* to report. *il-ġurnalist ~ l-każ tajjeb ħafna;* the journalist reported the facts very well.
irrappreżenta v.t., *jirrappreżenta;* to represent. *dan il-kwadru jirrappreżenta l-waqgħa ta' l-anġli;* this picture represents the fall of the angels.
irrappurtat aġġ. u p.p., reported.
irraspa v.t., *jirraspa;* to rasp.
irratìfika v.t., *jirratifika;* (leg. u parl.) to ratify.
irraxka v.Sq., *jirraxka;* to scrape.
irrazzjona v.i., *jirrazzjona;* to ration.
irreaġixxa v.t., *jirreaġixxi;* to react.
irrealizza v.t., *jirrealizza;* to realize. *qatt ma ~ l-periklu li kien jinsab fih;* he never realized the danger he was in.
irrèċta v.t., *jirreċta;* (teatr.) to recite. *~ poeżija fuq il-palk;* he recited a poem on the stage.
irreċtat aġġ. u p.p., (teatr.) recited.
irrefera v.t., *jirreferi;* to report, to relate, to refer to.
irreffja v.i., *jirreffja;* (logħ.) to referee.
irreġimenta v.t., *jirreġimenta;* to regiment.
irreġistra v.t., *jirreġistra;* to register.
irregala v.t., *jirregala;* to give a present, to make a present to.
irrègola v.t., *jirregola;* to regulate. *~ l-arloġġ;* to set a watch, a clock.
irregolari aġġ., irregular.
irregolarità n.f., pl. -jiet, irregularity.
irregolarizza v.t., *jirregolarizza;* to regularize.
irregolarment avv., irregularly.
irregolat ara **regolat**.
irrejdja v.i., *jirrejdja;* to raid.
irrejpja v.i., *jirrejpja;* to rape.
irrejsja v.i., *jirrejsja;* to rev up.
irrekjieda v.t., *jirrekjiedi;* to require.
irreklama v.t., *jirreklama;* to claim, to advertise. *ma rreklamajtux biżżejjed il-prodotti tagħkom;* you did not sufficiently advertise your products.

irrekordja v.i., *jirrekordja;* to record.
irrekwiżizzjona v.t., *jirrekwiżizzjona;* to requisition. *il-gvern ~ ħafna djar;* the government requisitioned many houses.
irrenda v.t., *jirrendi;* to render, to surrender.
irrenja v.t., *jirrenja;* to reign.
irreparabbli aġġ., irreparable.
irrèplika v.t., *jirreplika;* (leg. u parl.) to reply, to give another performance.
irrespinġa v.t., *jirrespinġi;* to repulse.
irrespira v.t., *jirrespira;* to breathe.
irresponsabbli aġġ., (leg.) irresponsable.
irrestawra v.t., *jirrestawra;* (artiġ.) to restore. *il-kappillan qiegħed jirrestawra l-knisja;* the parish priest is restoring the church.
irrestitwixxa v.t., *jirrestitwixxi;* (leg.) to return, to give back. *nirrestitwilek il-flus għada;* I will give you back the money tomorrow.
irrestrinġa v.t., *jirrestrinġi;* to restrict, to limit.
irresuma v.t., *jirresumi;* (parl.) to resume.
irrettìfika v.t., *jirrettifika;* (leg. u parl.) to rectify, to correct.
irrèvoka v.t., *jirrevoka;* (leg. u parl.) to revoke, to repeal. *irrevokawlu l-permess li kien ingħatalu;* he repealed the permission which was granted to him.
irrevokabbli aġġ., (leg. u parl.) irrevocable.
irreżista v.t., jirreżisti, to resist.
irreżistibbli aġġ., irresistible.
irribatta v.t., *jirribatti;* to confute, (logħ.) to return.
irribella v.t., *jirribella;* to rebel.
irridìkola v.i., *jirridikola;* to ridicule.
irriduċa v.t., *jirriduċi;* to reduce.
irrieċpa v.Sq., *jirrieċpa;* to babble.
irriferixxa v.t., *jirriferixxi;* to refer. *dan il-kliem ma jirriferix għalikom;* these words do not refer to you.
irrifjuta v.t., *jirrifjuta;* to refuse. *~ li naħdmu flimkien;* he refused to work with us.
irrifjutat aġġ. u p.p., refused.
irrifletta v.t., *jirrifletti;* to reflect. *irriflettu sewwa qabel ma tiddeċiedu;* think well before you decide.
irrifonda v.t., *jirrifondi;* (ban.) to refund, to reimburse. *għandi nirrifondilu l-ispejjeż kollha;* I must refund him all the expenses.
irriforma v.t., *jirriforma;* to reform.
irrifronta v.Sq., *jirrifronta;* to affront.
irriġènera v.t., *jirriġenera;* to regenerate.
irriġetta v.t., *jirriġetta;* to vomit, to reject.
irriga v.t., *jirriga;* to rule.
irrigala v.Sq., *jirrigala;* to present, to make a present of, to donate. *irregalali dan l-arloġġ;* he presented me this watch.
irrigalat aġġ. u p.p., presented.
irrigat aġġ. u p.p., ruled, striped.
irrigwarda v.t., *jirrigwarda;* to regard, to look over, to concern.
irriħersja v.i., *jirriħersja;* to rehearse.
irrikambja v.Sq., *jirrikambja;* to reciprocate.
irrikatta v.t., *jirrikatta;* to blackmail.
irrikjieda v.t., *jirrikjiedi;* to require.
irrikkmanda v.t., *jirrikkmanda;* to recommend. *~ ruħu lil Alla;* he recommended his soul to God.
irrikkmandat ara **rikkmandat**.
irrikompensa v.t., *jirrikompensa;* to reward, to recompensate, to reimburse. *irrid nirrikompensah għal dan ix-xogħol ta' ħniena;* I must reward him for this kind action.
irrikonċilja v.t., *jirrikonċilja;* to reconcile. *~ żewġ familji flimkien;* he reconciled two families together.
irrikonoxxa v.t., *jirrikonoxxi;* to recognize.
irrikonoxxibbli aġġ., unrecognizable.
irrikorra v.t., *jirrikorri;* to resort, to have recourse to.
irrikrea v.t., *jirrikrea;* to recreate, to entertain, to take recreation. *mar jirrikrea ruħu fil-ġnien;* he went to recreate himself in the garden.
irrilaksja v.i., *jirrilaksja;* to relax.
irrileva v.t., *jirrileva;* to point out.
irrima v.t., *jirrima;* to rhyme, to rime.
irrimanda v.t., *jirrimanda;* to send again, (leg.) to postpone.
irrimarka v.t., *jirrimarka;* to remark, to notice.
irrimat aġġ. u p.p., rhymed, rimed.
irrimedja v.t., *jirrimedja;* to remedy, to find a remedy, to redress. *għal kollox nistgħu nirrimedjaw minbarra għall-mewt;* there is a remedy for everything except death.
irrimedjabbli aġġ., irremediable.
irrimetta v.t., *jirrimetti;* to vomit, to send, to remit.
irrimùnera v.t., *jirrimunera;* to remunerate, to reimburse.
irrinforza v.t., *jirrinforza;* to make stronger, to strengthen.
irringrazzja v.t., *jirringrazzja;* to thank.

għandek tirringrazzja 'l Alla li kollox mar sewwa; you must thank God that everything turned out well.

irrink avv., indistinctly, without any distinction.

irrinunzja v.t., *jirrinunzja;* (leg.) to renounce. *il-prinċep ~ għat-tron;* the prince renounced the throne.

irripeta v.t., *jirripeti;* to repeat. *dejjem jirripeti dak li jisma' qisu pappagall;* he always repeats whatever he hears like a parrot. *l-istorja tirripeti ruħha;* history repeats itself.

irriproduċa v.t., *jirriproduċi;* to reproduce, to produce again.

irrisenja v.t., *jirrisenja;* to resign.

irriserva v.t., *jirriserva;* (leg. u parl.) to reserve, to keep for later. *dawn is-siġġijiet kienu riservati għalina;* these seats have been reserved for us.

irriskatta v.t., *jirriskatta;* to ransom.

irriskja v.i., *jirriskja;* to risk.

irriskjat aġġ. u p.p., risky, hazardous.

irrispetta v.t., *jirrispetta;* to respect.

irrisplenda v.t., *jirrisplendi;* to shine.

ìrrita v.t., *jirrita;* to irritate.

irritabbli aġġ., irritable.

irritalja v.i., *jirritalja;* to retaliate.

irritanti aġġ. u p.preż., irritant.

irritarda v.t., *jirritarda;* to retard.

irritazzjoni n.f., pl. -jiet, irritation.

irritorna v.t., *jirritorna;* to return, to come back, to give back. *jirritorna d-dar kuljum;* he returns home every day.

irritratta v.t., *jirritratta;* (leg.) to retract.

irriveda v.t., *jirrivedi;* to revise, to review.

irrivela v.t., *jirrivela;* to reveal.

irriversja v.i., *jirriversja;* (tekn.) to reverse.

irrivoluzzjona v.t., *jirrivoluzzjona;* to revolutionize.

irrizza v.Sq., *jirrizza;* to bistle.

irriżenja v.i., *jirriżenja;* to resign. *kien imġiegħel jirriżenja;* he was compelled to resign.

irriżolva v.t., *jirriżolvi;* to resolve, to decide.

irriżulta v.t., *jirriżulta;* to result. *~ li kien kollox għalxejn;* it resulted in a useless attempt.

irroffa v.t., *jirroffa;* to lose money in business.

irrofta v.t., *jirrofta;* to refuse.

irrokka v.Sq., *jirrokka;* to knock against, (mar.) to run aground, to strand.

irrolja v.t., *jirrolja;* (mar.) to pitch.

irrombla v.Sq., *jirrombla;* to roll.

irronda v.Sq., *jirronda;* to make one's round.

irrotja v.t., *jirrotja;* to be uneasy.

irrukkat aġġ. u p.p., stranded.

irrumblat aġġ. u p.p., rolled.

irtab aġġ. komp., softer.

isa inter., come on, quickly, courage.

isbaħ aġġ. komp., more beautiful, more handsome.

isem n.m., pl. -jiet, name.

isfaq aġġ.komp., thicker, denser.

isfar aġġ., yellow, pale. *~ tal-bajd;* yolk, yellow of the egg.

isfel avv., below, down.

isħaħ aġġ.komp., stronger.

isħan aġġ.komp., hotter.

iskju n.m., pl. -i, (anat.) ischium.

Islam n.Pr., Islam.

islamiku aġġ., islamic.

ismar aġġ., brown, swarthy. *ħobż ~;* brown bread. *zokkor ~;* brown sugar.

ismen aġġ.komp., fatter.

ispira v.t., *jispira;* to inspire.

ispirat aġġ. u p.p., inspired.

ispirazzjoni n.f., pl. -jiet, inspiration.

isqfija n.f., bla pl., bishopric, episcopate.

isqof n.m., pl. *isqfijiet;* bishop.

issa avv., now, at present, at this time. *minn ~ 'l quddiem;* henceforth. *minn ~ lura;* from this time back, for the past.

issabbar v.V, *jissabbar;* to be comforted.

issabbat v.V, *jissabbat;* to be banged, to be flung down.

issabotaġġja v.i., *jissabotaġġja;* to sabotage.

issaddad v.V, *jissaddad;* to become rusty. *dan il-kanċell qiegħed jissaddad kollu;* this gate is becoming rusty allover.

issaffa v.V, *jissaffa;* to be cleaned, purified, limpid, to become fair.

issaffaf v.V, *jissaffaf;* to be stratified.

issaffal v.V, *jissaffal;* to debase oneself.

issaffel v.V, *jissaffel;* to be humiliated.

issaġġar v.V, *jissaġġar;* to become filled with trees.

issaġġja v.t., *jissaġġja;* (tekn.) to assay, to cupel, to test (gold or silver).

issaġġjat aġġ. u p.p., (tekn.) assayable, tested.

issagramenta v.t., *jissagramenta;* to take an oath, to swear.

issagrìfika v.t., *jissagrifika;* (ekkl.) to sacrifice.

issagrifikat ara **sagrifikat**.

issaħħab v.V, *jissaħħab;* to become cloudy. *is-sema beda jissaħħab;* the sky is becoming cloudy.

issaħħaħ v.V, ***jissaħħaħ;*** to become strong, powerful.
issaħħan v.V, ***jissaħħan;*** to warm oneself, to become heated in temper.
issaħħar v.V, ***jissaħħar;*** to be bewitched, to be enchanted, to be charmed. ***~ wara xi ħadd;*** to be enchanted with.
issajdja v.i., ***jissajdja;*** to side.
issajja v.Sq., ***jissajja;*** to be on the look out, to watch, to attempt. ***qagħad jissajja lil xi ħadd jgħaddi minn hemm biex ineħħilu ħajtu;*** he was looking out for someone passing from there in order to murder him.
issajjar v.V, ***jissajjar;*** to grow ripe, to ripen, to mature, to be cooked.
issajnja v.i., ***jissajnja;*** to sign.
issàkar v.VI., ***jissakar;*** to get drunk. ***dak ir-raġel malajr jissakar;*** that man gets drunk easily.
issakkar v.V, ***jissakkar;*** to shut oneself, to be locked, to be closed. ***it-tifel ~ waħdu ġewwa;*** the boy was locked inside alone.
issakkeġġja v.t., ***jissakkeġġja;*** to sack.
issalda v.t., ***jissalda;*** (tekn.) to solder.
issaldat aġġ. u p.p., (tekn.) soldered.
issallab v.V, ***jissallab;*** to be crucified, to suffer, to support, to be interlaced, to become cruciform. ***Kristu ~ għall-fidwa tagħna;*** Christ was crucified for our redemption.
issaltja v.t., ***jissaltja;*** to assault, to leap over.
issaluta v.t., ***jissaluta;*** to salute.
issalvaġġja v.t., ***jissalvaġġja;*** to grow wild, to become wild.
issalvagwarda v.t., ***jissalvagwarda;*** to safeguard.
issamma' v.V, ***jissamma';*** to eavesdrop, to overhear.
issammar v.V, ***jissammar;*** to be nailed.
issantìfika v.t., ***jissantifika;*** to sanctify.
issanzjona v.t., ***jissanzjona;*** (leg.) to sanction.
issâpna v.Sq., ***jissapna;*** to soap.
issapnat aġġ. u p.p., soaped.
issaporta v.t., ***jissaporti;*** to endure, to tollerate, to suffer, to bear.
issappap v.V, ***jissappap;*** to become soaked, drenched.
issapportja v.i., ***jissapportja;*** to support.
issaqqa v.V, ***jissaqqa;*** to be watered, to be irrigated. ***illum il-ġnien ~ tajjeb bix-xita li għamlet;*** today the garden was watered well by the pelting rain.
issaqqaf v.V, ***jissaqqaf;*** to be thatched, to be covered with a roof.
issâra v.VI., ***jissara;*** to wrestle.
issarbat v.VI., ***jissarbat;*** to draw up, to marshal.
issarraf v.V, ***jissarraf;*** to be changed, to be cashed. ***dan iċ-ċekk ma jissarrafx;*** this cheque cannot be cashed.
issarraġ v.V, ***jissarraġ;*** to be interweaved with a thong.
issarram v.V, ***jissarram;*** to be muzzled, to get entangled.
issarrar v.V, ***jissarrar;*** to be bundled.
issarsar v.V, ***jissarsar;*** to be darned.
issartja v.t., ***jissartja;*** to slacken.
issarwal v.V, ***jissarwal;*** to put on pantaloons.
issassna v.t., ***jissassna;*** to assassinate, to murder.
issatina v.t., ***jissatina;*** to satin.
issatnat aġġ. u p.p., (tekn.) satin.
issawwab v.V, ***jissawwab;*** to be poured.
issawwaf v.V, ***jissawwaf;*** to become woolly or hairy.
issawwar v.V, ***jissawwar;*** to be formed, to be shaped.
issawwat v.V, ***jissawwat;*** to be beaten, to be cudgeled, to be lashed.
issawwem v.V, ***jissawwem;*** to be fasted.
issebbaħ v.V, ***jissebbaħ;*** to adorn oneself, to become more beautiful, to be glorified.
issebbel v.V, ***jissebbel;*** to run to seed.
isseddaq v.V, ***jisseddaq;*** to be rendered just, upright and true.
isseduċa v.t., ***jisseduċi;*** to seduce.
isseffaq v.V, ***jisseffaq;*** to grow thick, to make a bold face.
isseffed v.V, ***jisseffed;*** to be thrust into.
issega v.t., ***jissega;*** (tekn.) to saw.
issegat aġġ. u p.p., sawn.
issègrega v.t., ***jissegrega;*** to segregate.
issèjjaħ v.V, ***jissejjaħ;*** to be called, to be named.
issejjes v.V, ***jissejjes;*** to base oneself (on).
issekonda v.t., ***jissekonda;*** (parl.) to support.
isseksek v.V, ***jisseksek;*** to seek to know.
issekularizza v.t., ***jissekularizza;*** to secularize.
issekwestra v.t., ***jissekwestra;*** (leg.) to sequester, to sequestrate. ***issekwestralu kull ma kellu fil-ħanut;*** he sequestered all his goods in the shop.
isselezzjona v.i., ***jisselezzjona;*** to select.
issellef v.V, ***jissellef;*** to take in loan, to borrow. ***mar jissellef il-flus mingħand ħuh;*** he went to borrow the money from his brother.

issellem v.V, ***jissellem;*** to be greeted, to salute each other.
issellet v.V, ***jissellet;*** to fray out, to get frayed.
issemma v.V, ***jissemma;*** to be named, to be mentioned. ***issemmiet Marija għal ommha;*** she was named Mary after her mother.
issemmem v.V, ***jissemmem;*** to be poisoned, to poison oneself.
issemmen v.V, ***jissemmen;*** to be fattened, to grow fat.
issemplìfika v.t., ***jissemplifika;*** to simplify.
issenja v.i., ***jissenja;*** to sign.
issenneġ v.V, ***jissenneġ;*** to become hard, to become very stale. ***il-ħobż ~ fil-forn;*** the bread became hard in the oven.
issensel v.V, ***jissensel;*** to be linked, to be chained, to be strung together.
issensibilizza v.t., ***jissensibilizza;*** to sensibilize.
issensja v.V, ***jissensja;*** to permit, to dismiss, to discharge from work. ***issensjah mix-xogħol minħabba t-traskuraġni tiegħu;*** he discharged him from work because of his negligence.
issensjat aġġ. u p.p., dismissed.
issentenzja v.t., ***jissentenzja;*** (leg.) to sentence, to judge.
issepara v.t., ***jissepara;*** to separate. ***~ dawk iż-żewġt itfal minn xulxin;*** separate those two children from one another.
isserdek v.V, ***jisserdek;*** to perk, to grow proud.
isserja v.V, ***jisserja;*** to become serious.
isserpja v.t., ***jisserpja;*** to meander, to wind. ***~ 'l hawn u 'l hinn bil-karozza tiegħu;*** he meandered here and there with his car.
isserra v.V, ***jisserra;*** (tekn.) to saw.
isserraħ v.V, ***jisserraħ;*** to rest oneself, to be rested. ***sakemm wasal id-dar qagħad jisserraħ fuqi;*** until he arrived home he rested on me.
isserrat aġġ. u p.p., sawn.
isserva v.t., ***jisserva;*** to make use of. ***dejjem jisserva bl-affarijiet tiegħi;*** he always makes use of my belongings.
issetilja v.i., ***jissetilja;*** to settle.
issettaħ v.V, ***jissettaħ;*** to spread out.
issettja v.t., ***jissettja;*** to set, to adjust, to set type. ***~ l-arloġġ;*** to set a watch, a clock.
issettjat aġġ. u p.p., in order, in good order.
issewwa v.V, ***jissewwa;*** to be rectified, to be just, right, or correct, to become friends again.
issewwed v.V, ***jissewwed;*** to become black, to become dark.
issewwes v.V, ***jissewwes;*** to become worm-eaten.
issiegħen v.VI., ***jissiegħen;*** to lean against, to rest upon. ***~ mal-ħajt, fuq il-bastun;*** to lean against the wall, on a stick.
issieħeb v.VI, ***jissieħeb;*** to associate with, to be associated, to unite, to subscribe, to be in company with. ***issieħbu fil-ġlieda għall-ħelsien ta' pajjiżhom;*** they united in their struggle for the freedom of their country.
issielem v.VI, ***jissielem;*** to be reconciled.
issielet v.VI, ***jissielet;*** to duel, to fight a duel.
issiġìlla v.t., ***jissiġilla;*** to seal. ***~ d-deheb f'kaxxa u ħadu fis-sejf tal-bank;*** he sealed the gold articles in a box and placed them in the bank's safe.
issiġillat aġġ. u p.p., sealed.
issikka v.Sq., ***jissikka;*** to annoy, to tighten.
issikket v.V, ***jissikket;*** to be silenced, to render silent.
issìllaba v.t., ***jissillaba;*** to syllabicate.
issilloġìzza v.t., ***jissilloġizza;*** to syllogize.
issimbolizza v.t., ***jissimbolizza;*** to symbolize.
issimpatizza v.t., ***jissimpatizza;*** to sympathize. ***nissimpatizza miegħu għat-telfa li ġarrab;*** I sympathize with him for his loss.
issimplifika v.t., ***jissimplifika;*** to simplify. ***dan ix-xogħol issimplifikah ħafna;*** he simplified this work very much.
issìndika v.Sq., ***jissindika;*** to be inquisitive, to peep furtively.
issingja v.Sq., ***jissingja;*** to line.
issinìfika v.t., ***jissinifika;*** to signify, to mean. ***dan il-kliem x'jissinifika?;*** what do these words mean?
issinjala v.t., ***jissinjala;*** (mil.) to signal.
issinkronizza v.t., ***jissinkronizza;*** to synchronize.
issintetizza v.t., ***jissintetizza;*** to synthesize.
issippja v.i., ***jissippja;*** to sip.
issiringa v.Sq., ***jissiringa;*** to syringe.
issistematizza v.t., ***jissistematizza;*** to systematize.
issoċja v.t., ***jissoċja;*** to associate, to subscribe. ***nassoċja ruħi ma' dak kollu li qal;*** I associate myself to all that he said.
issoċjalizza v.t., ***jissoċjalizza;*** to socialize.

issoda v.t., ***jissoda;*** to become firm.
issodisfa v.t., ***jissodisfa;*** to satisfy, to fulfil, to suffice, to sate. ***~ l-obbligazzjoni tiegħu;*** he fulfilled his obligation.
issoffja v.t., ***jissoffja;*** to blow.
issoffoka v.t., ***jissoffoka;*** to choke, to suffocate.
issogra v.Sq., ***jissogra;*** to dare, to risk. ***~ li jitlef ħajtu biex isalvah;*** he risked his life to save him.
issokkorra v.t., ***jissokkorri;*** to help, to succour.
issokta v.Sq., ***jissokta;*** to go on, to continue, to pursue, to proceed. ***~ fit-tfittix tiegħu;*** he pursued his investigations.
issolennizza v.t., ***jissolennizza;*** to solemnize.
issolfeġġa v.t., ***jissolfeġġa;*** (muż.) to solfa, to solminate.
issolida v.t., ***jissolida;*** to solidify.
issomma v.t., ***jissomma;*** to add up, to sum up, to astonish, to be astonished.
issommetta v.t., ***jissommetti;*** to submit, to acquiesce.
issonda v.t., ***jissonda;*** (mar.) to sound.
issopona v.Sq., ***jissoponi;*** to suppose, to expect. ***nissoponu li jasal illejla, taħseb li nkunu nistgħu nkellmuh?;*** supposing he should arrive this evening, do you think we could speak to him?
issoponut aġġ. u p.p., supposed.
issòpu n.m., bla pl., (bot.) hyssop.
issopprima v.t., ***jissopprimi;*** to suppress.
issorprenda v.t., ***jissorprendi;*** to surprise. ***is-skiet tiegħu ma jissorprendinix;*** his silence does not surprise me.
issortja v.i., ***jissortja;*** to sort, to assort.
issorvelja v.t., ***jissorvelja;*** to oversee, to watch, to watch over, to guard. ***~ t-tfal waqt l-eżami;*** he watched over the boys during the examination.
issospenda v.t., ***jissospendi;*** to suspend.
issospira v.t., ***jissospira;*** to sigh.
issossa v.t., ***jissossa;*** to lift up, to raise.
issostitwixxa v.t., ***jissostitwixxi;*** to take the place of, to replace. ***issostitwejtu matul il-marda li kellu;*** I took his place during his illness.
issostna v.V, ***jissostni;*** to nourish.
issotta v.t., ***jissotta;*** to pelt.
issottolinja v.t., ***jissottolinja;*** to underline.
issottometta v.t., ***jissottometti;*** to subdue, to submit. ***~ ruħu għal kull ma qallu;*** he submitted himself to what he told him.
issottoskriva v.t., ***jissottoskrivi;*** to subscribe.
issottra v.t., ***jissottra;*** to subtract.
issuċċieda v.t., ***jissuċċiedi;*** to happen, to occur.
issudat aġġ. u p.p., consolidated.
issuffraga v.t., ***jissuffraga;*** (ekkl.) to pray for the deceased.
issuġġerixxa v.t., ***jissuġġerixxi;*** to suggest, to tell. ***ma hemmx għalfejn tissuġġerili dak li għandi nagħmel;*** you need not tell me what I have to do.
issuġġetta v.t., ***jissuġġetta;*** to subject.
issugrat aġġ. u p.p., risked.
issuktat aġġ. u p.p., continued.
issullieva v.t., ***jissullieva;*** to relieve, to comfort.
issundat aġġ. u p.p., (mar.) sounded.
issùpera v.t., ***jissupera;*** to surpass, to exceed.
issuppervja v.t., ***jissuppervja;*** to become proud, to grow arrogant.
issùpplika v.t., ***jissupplika;*** to supplicate, to beg, to implore.
issupplixxa v.t., ***jissupplixxi;*** to supply, to substitute, to replace. ***~ l-għalliem tal-Malti għal ftit żmien;*** he took the place of the Maltese teacher for some time.
issuppona v.t., ***jissupponi;*** to suppose, to imagine.
issupra v.t., ***jissupra;*** to exceed.
issùrroga v.t., ***jissurroga;*** (leg.) to take the place of, to replace, to substitute.
issurtjat aġġ. u p.p., sorted.
issuspetta v.t., ***jissuspetta;*** to suspect. ***hu dejjem jissuspetta f'kulħadd;*** he always suspects everybody.
issussidja v.t., ***jissussidja;*** (leg. u parl.) to subsidize. ***ississidjawlu l-pubblikazzjoni tal-ktieb;*** they subsidized the publication of his book.
issuttat aġġ. u p.p., pelted.
issuwiċida v.t., ***jissuwiċida;*** to commit suicide.
istantanju aġġ., instantaneous.
isterja n.f., bla pl., (med.) hysteria.
istigazzjoni n.f., pl. -jiet, instigation.
istint n.m., pl. -i, instinct.
istintiv aġġ., instinctive.
istintivament avv., instinctively.
istitut n.m., pl. -i, institute.
istituzzjoni n.f., pl. -jiet, institution.
istitwixxa v.t., ***jistitwixxi;*** to institute.
istmu n.m., pl. -i, (ġeog.) isthmus.
istruttiv aġġ., instructive.
istruttorja n.f., pl. -i, (leg.) investigation.
istruwit aġġ., educated, learned.
istruwixxa v.t., ***jistruwixxi;*** to instruct, to teach.

istruzzjoni n.f., pl. -jiet, instruction.
iswed aġġ., black.
itinerarju n.m., pl. -i, itinerary.
itjeb aġġ. komp., better.
itqal aġġ. komp., heavier, more difficult.
itrax aġġ. komp., deafer.
ittabba' v.V, *jittabba';* to be stained, to be spotted.
ittâfa' v.VI., *jittâfa';* to thrust or push one another mutually.
ittaffa v.V, *jittaffa;* to be mitigated, to relent.
ittaffal v.V, *jittaffal;* to become clayish.
ittaħħat v.V, *jittaħħat;* to humiliate oneself, to be humiliated.
ittajjar v.V, *jittajjar;* to fly over, to flutter. ***l-ajruplan ~ fuq il-belt;*** the aeroplane flew over the city.
ittajmja v.i., *jittajmja;* to time.
ittajpja v.i., *jittajpja;* to type. ***din l-ittra ttajpjatha oħtok;*** this letter was typed by your sister.
ittajpjat aġġ. u p.p., type written.
ittakilja v.i., *jittakilja;* (logħ.) to tackle.
ittakka v.i., *jittakka;* to tack, to attach.
ittallab v.V, *jittallab;* to beg.
ittalla' v.V, *jittalla';* to be raised.
ittâma v.VI, *jittâma;* to hope. ***nittamaw żminijiet aħjar;*** let's hope for better times.
ittamat aġġ. u p.p., hoped.
ittamma' v.V, *jittamma';* to be fed.
ittammas v.V, *jittammas;* to be curdled.
ittanta v.t., *jittanta;* to attempt, to try, to tempt, to seduce. ***~ xortih fil-lotterija;*** he tried his luck in the lottery.
ittapizza v.t., *jittapizza;* (artiġ.) to paper (a wall), to hang with tapestry, to upholster.
ittappan v.V, *jittappan;* to become opaque.
ittappja v.i., *jittappja;* to tap (a telephone call).
ittaqqab v.V, *jittaqqab;* to be pierced, to be holed, to be bored.
ittaqqal v.V, *jittaqqal;* to become heavy or weighty.
ittardja v.i., *jittardja;* to delay, to be late. ***il-ħabib tagħna se jittardja l-lejla;*** our friend will be late this evening.
ittarra v.V, *jittarra;* to become tender (meat).
ittarraf v.V, *jittarraf;* to confine oneself, to be exiled, to go to the edge.
ittarrax v.V, *jittarrax;* to grow deaf. ***milli jidher illum ittarrax dan;*** probably he grew deaf today.
ittastja v.t., *jittastja;* to touch, to feel (the pulse).
ittavla v.t., *jittavla;* (tekn.) to plank, to wainscot.
ittavlat aġġ. u p.p., (tekn.) covered with planks.
ittawwal v.V, *jittawwal;* to look from, to grow long. ***~ mit-tieqa u rah għaddej;*** he looked from the window and saw him passing by.
ittebbaq v.V, *jittebbaq;* to be divided.
ittedja v.t., *jittedja;* to bore, to weary.
ittedjat aġġ. u p.p., bored.
itteffel v.V, *jitteffel;* to behave like a boy, to be rejuvenated.
itteftef v.V, *jitteftef;* to be touched here and there.
ittejjeb v.V, *jittejjeb;* to become good.
ittejpja v.i., *jittejpja;* to tape.
ittèka v.VIII, *jitteka;* to lean on, to rest against.
ittelèfona v.t., *jittelefona;* to telephone, to phone. ***ħija ttelefonali minn Londra;*** my brother phoned me from London.
ittelègrafa v.t., *jittelegrafa;* to telegraph.
ittella' v.V, *jittella';* to be raised, to be lifted.
ittellef v.V, *jittellef;* to be deprived of.
ittellet v.V, *jittellet;* to be triplicated.
ittemmem v.V, *jittemmem;* to be finished.
ittempra v.t., *jittempra;* to temper, to sharpen.
ittemprat aġġ. u p.p., temperate, sharpened.
ittenda v.t., *jittendi;* to become aware of, to perceive. ***~ bin-nassa li kienet imħejjija għalih;*** he perceived the trap which had been prepared for him.
ittenfex v.V, *jittenfex;* to grow soft.
ittenna v.V, *jittenna;* to be repeated, to await.
ittentex v.V, *jittentex;* to become unrevelled.
itteorizza v.t., *jitteorizza;* to theorize.
ittermina v.t., *jittermina;* to terminate.
itterra v.V, *jitterra;* to become tender (meat).
itterraħ v.V, *jitterraħ;* to lie down, to stretch oneself.
itterrorizza v.t., *jitterrorizza;* to terrorize. ***iterrorizzah bl-għajat tiegħu;*** he terrorized him with his shouting.
ittertaq v.V, *jittertaq;* to shatter, to be shattered.
itterter v.V, *jitterter;* to shiver with cold.
itterżenta v.V, *jitterżenta;* to stun.
itterżentat aġġ. u p.p., stunned.
ittessera v.t., *jittessera;* to give membership card.

ittestìfika v.t., ***jittestifika;*** to testify.
ittestja v.i., ***jittestja;*** to test.
ittewwaq v.V, ***jittewwaq;*** to be sown hither and thither.
ittewweb v.V, ***jittewweb;*** to yawn, to gape.
ittiegħem v.VI, ***jittiegħem;*** to be tasted. ***ittiegħmet il-benna tal-frott;*** the flavour of the fruit was tasted.
ittieħed v.VI, ***jittieħed;*** to be taken, to be infected. ***~ l-isptar għal aktar kura;*** he was taken to hospital for more treatment.
ittiekel v.VI, ***jittiekel;*** to be eaten.
ittieraħ v.VI, ***jittieraħ;*** to toss over the bed.
ittiesef v.VI, ***jittiesef;*** to putrefy.
ittiffel ara **itteffel**.
ittigrat aġġ., striped, streaked.
ittijoloġija n.f., pl. -i, ichthylogy.
ittijòlogu n.m., f. -a, pl. -i, ichthyologist.
ittikkja v.Sq., ***jittikkja;*** to punctuate, to dot.
ittimbra v.t., ***jittimbra;*** to stamp, to give a bad reputation. ***ittimbrat mill-agħar;*** it was a serious blow for his reputation.
ittimbrat aġġ. u p.p., stamped.
ittìtuba v.t., ***jittituba;*** to hesitate.
ittoffa v.t., ***jittoffa;*** to push one's way in a crowd.
ittòllera v.t., ***jittollera;*** to tolerate. ***ma setax jittollera aktar l-insulti tiegħu;*** he could not tolerate his insults any more.
ittomba v.t., ***jittomba;*** to butt.
ittondja v.t., ***jittondja;*** to become round, to make round.
ittorpèdina v.t., ***jittorpedina;*** (mar.) to torpedo.
ittortura v.t., ***jittortura;*** to torture.
ittossja v.i., ***jittossja;*** (logħ.) to toss.
ittowstja v.i., ***jittowstja;*** to toast.
ittotalizza v.t., ***jittotalizza;*** to totalize.
ittra n.f., pl. -i, letter, epistle. ***~ kbira;*** capital letter. ***~ mejta;*** dead letter. ***~ pastorali;*** pastoral letter. ***~ reġistrata;*** registered letter. ***~ żgħira;*** small letter. ***karta ta' l-ittri;*** letter-paper. ***kaxxa ta' l-ittri;*** letter-box.
ittradixxa v.t., ***jittradixxi;*** to betray. ***b'dan il-kliem ~ lil ħabibu;*** with these words he betrayed his friend.
ittraduċa v.t., ***jittraduċi;*** to translate. ***~ silta mill-Malti għall-Ingliż;*** he translated a passage from Maltese to English.
ittradut aġġ. u p.p., betrayed.
ittràffika v.t., ***jittraffika;*** to deal, to trade, to traffic.
ittraġitta v.t., ***jittraġitta;*** to travel.
ittrakka v.Sq., ***jittrakka;*** (mar.) to get alongside.
ittrama v.t., ***jittrama;*** to plot.
ittranja v.t., ***jittranja;*** (mar.) to drag a fishing-net.
ittrankwillizza v.t., ***jittrankwillizza;*** to tranquilize.
ittransiġa v.t., ***jittransiġi;*** (leg.) to come to an agreement.
ittrâpana v.t., ***jittrapana;*** to drill.
ittrapassa v.t., ***jittrapassa;*** to pass away.
ittrapjanta v.t., ***jittrapjanta;*** to transplant.
ittrapant aġġ. u p.p., drilled.
ittraponta v.t., ***jittraponta;*** (artiġ.) to quilt.
ittrasborda v.t., ***jittrasborda;*** to tranship.
ittrasferixxa v.t., ***jittrasferixxi;*** to transfer, to move. ***kien ittrasferit minn skola għal oħra;*** he was transfered from one school to another.
ittrasfigura v.t., ***jittrasfigura;*** to transfigure.
ittrasforma v.t., ***jittrasforma;*** to transform.
ittrasgredixxa v.t., ***jittrasgredixxi;*** to transgress.
ittraskriva v.t., ***jittraskrivi;*** to transcribe.
ittraskura v.t., ***jittraskura;*** to neglect, to disregard. ***~ d-dmirijiet tiegħu;*** he neglected his duties.
ittrasmetta v.t., ***jittrasmetti;*** to transmit.
ittrasporta v.t., ***jittrasporta;*** to transport, to convey.
ittratiena v.t., ***jittratieni;*** to hold back, to keep back, to go slow in doing.
ittratta v.t., ***jittratta;*** to treat, to deal with.
ittraversa v.t., ***jittraversa;*** to cross.
ittravesta v.t., ***jittravesti;*** to travesty.
ittraxxenda v.t., ***jittraxxendi;*** to transcend.
ittrenja v.i., ***jittrenja;*** to train.
ittrenjat aġġ. u p.p., trained.
ittrijonfa v.t., ***jittrijonfa;*** to triumph.
ittrikkja v.i., ***jittrikkja;*** (logħ.) to trick.
ittrilla v.t., ***jittrilla;*** (muż.) to trill.
ittrimmja v.i., ***jittrimmja;*** (tekn.) to trim.
ittrinċja v.t., ***jittrinċja;*** (tekn.) to carve.
ittrinċjat aġġ. u p.p., (tekn.) carved.
ittrinka v.t., ***jittrinka;*** to drink greedily, to tipple, to cut up.
ittrìplika v.t., ***jittriplika;*** to triplicate.
ittrombja v.t., ***jittrombja;*** to look through a spyglass.
ittrottja v.i., ***jittrottja;*** to trot.
ittrumbetta v.i., ***jittrumbetta;*** to trumpet.
ittumbat aġġ. u p.p., butted.
ittundjat aġġ. u p.p., rounded.

itturmenta v.t., ***jitturmenta;*** to torment, to worry. ***is-sogħla tturmentatu l-lejl kollu;*** the cough worried him all night.
itturmentat ara **turmentat**.
itturufna v.Sq., ***jitturufna;*** to exile, to banish.
itturufnat aġġ., exiled, banished.
itwal aġġ.komp., taller.
iva avv., yes, certainly.
ivvalena v.t., ***jivvalena;*** to poison.
ivvalorizza v.t., ***jivvalorizza;*** to value, to evaluate.
ivvampja v.t., ***jivvampja;*** to blaze up.
ivvampjat aġġ. u p.p., blazed up.
ivvantaġġja v.t., ***jivvantaġġja;*** to advantage.
ivvantaġġjat aġġ. u p.p., advantaged.
ivvela v.t., ***jivvela;*** to fog.
ivvelena v.t., ***jivvelena;*** to poison, to envenom.
ivvelenament n.m., pl. -i, poisoning.
ivvelenat aġġ. u p.p., poisoned, envenomed.
ivvèndika v.t., ***jivvendika;*** to revenge.
ivvènera v.t., ***jivvenera;*** to venerate.
ivvèntila v.t., ***jivventila;*** to ventilate.
ivverìfika v.t., ***jivverifika;*** to verify. ***~ l-kont u sabu ħażin;*** he verified the bill and found it incorrect.
ivversja v.t., ***jivversja;*** to versify.
ivvessa v.t., ***jivvessa;*** to vex, to oppress.
ivvettja v.i., ***jivvettja;*** to vet.
ivvibra v.t., ***jivvibra;*** to vibrate.
ivvina v.t., ***jivvina;*** (tekn.) to vein.
ivvinat aġġ. u p.p., veined.
ivvinkla v.t., ***jivvinkla;*** (leg.) to entail.
ivvinta v.t., ***jivvinta;*** to invent.
ivvittimizza v.t., ***jivvittimizza;*** to victimize.
ivvizzja v.t., ***jivvizzja;*** to contract bad habits.
ivvjaġġja v.t., ***jivvjaġġja;*** to travel. ***~ l-Italja minn fuq s'isfel;*** he has travelled Italy from end to end.
ivvjâtka v. ***jivvjatka;*** to give holy communion to a dying person.
ivvjola v.t., ***jivvjola;*** to violate.
ivvokalizza v.t., ***jivvokalizza;*** to vocalize.
ivvoluntarja v.i., ***jivvoluntarja;*** to volunteer.
ivvômta v.t., ***jivvomta;*** to vomit, to retch.
ivvôta v.t., ***jivvota;*** (parl.) to vote. ***ivvutaw bil-wiri ta' l-idejn;*** they voted by show of hands.
ivvumtat aġġ. u p.p., vomited.
iwwarja v.i., ***jiwwarja;*** (eletr.) to wire.
iwweldja v.i., ***jiwweldja;*** (artiġ.) to weld.
iwweldjat aġġ. u p.p., (artiġ.) welded.
iwwoċċja v.i., ***jiwwoċċja;*** to watch.
ixded aġġ.komp., more costive, more niggardly.
ixheb aġġ., grey.
ixħaħ aġġ.komp., more close-fisted.
ixjeħ aġġ.komp., older.
ixqar aġġ., ruddy, redish.
ixraf aġġ.komp., harder.
ixxabbat v.V, ***jixxabbat;*** to climb, to look out of a window. ***~ ma' siġra u waqa';*** he climbed up a tree and fell down.
ixxadinja v.V, ***jixxadinja;*** to ape.
ixxaħħaħ v.V, ***jixxaħħaħ;*** to become stingy.
ixxaħħam v.V, ***jixxaħħam;*** to be greased, to grow fat, to receive bribes.
ixxaħxaħ v.V, ***jixxaħxaħ;*** to be tucked up, to feel drowsy, to feel cosy. ***illum ma qamx u qagħad jixxaħxaħ fis-sodda;*** today he did not wake up and tucked himself in bed.
ixxakkwa v.t., ***jixxakkwa;*** to rinse, to bathe.
ixxala v.t., ***jixxala;*** to enjoy oneself, to revel.
ixxammar v.V, ***jixxammar;*** to turn up one's sleeves, to bare one's arms.
ixxammem v.V, ***jixxammem;*** to smell, to scent. ***il-qattus qagħad ~ għall-ġurdien;*** the cat was scenting for the mouse.
ixxampla v.t., ***jixxampla;*** to be at ease.
ixxamplat aġġ. u p.p., with wide and large clothes, at ease.
ixxandar v.V, ***jixxandar;*** to be divulgated, to be broadcasted. ***din l-aħbar ixxandret il-bieraħ;*** this news was broadcasted yesterday.
ixxappap v.V, ***jixxappap;*** to be sopped.
ixxaqleb v.V, ***jixxaqleb;*** to be inclined to, to show partiality to.
ixxaqqaq v.V, ***jixxaqqaq;*** to be cracked, to split. ***it-tikħil beda jixxaqqaq;*** the plaster began to crack.
ixxarrab v.V, ***jixxarrab;*** to wet (oneself), to get wet. ***kif kien ġej mill-iskola xxarrab bix-xita;*** coming back from school he got wet in the rain.
ixxattar v.V, ***jixxattar;*** to get or become unequal.
ixxawwat v.V, ***jixxawwat;*** to broil oneself, to be singed.
ixxebbah v.V, ***jixxebbah;*** to be likened, to be like, to bear resemblance, to be compared to. ***dawk iż-żewġ subien ma jixxiebhu xejn;*** those two boys do not bear any resemblance to each other.

ixxebba' v.V, ***jixxebba';*** to be satiated.
ixxebbeb v.V, ***jixxebbeb;*** to rejuvenate.
ixxebbek v.V, ***ixxebbek;*** to be entangled.
ixxeblek v.kwad., ***jixxeblek;*** to twist round.
ixxejjaħ v.V, ***jixxejjaħ;*** to grow or get old.
ixxejjen v.V, ***jixxejjen;*** to come to nothing.
ixxejjer v.V, ***jixxejjer;*** to swing oneself. ***beda jixxejjer 'l hawn u 'l hemm mariħ;*** he began to swing here and there with the wind.
ixxejpja v.i., ***jixxejpja;*** to shape.
ixxejvja v.i., ***jixxejvja;*** to shave.
ixxekkel v.V, ***jixxekkel;*** to be shackled.
ixxellef v.V, ***jixxellef;*** to become blunt.
ixxellel v.V, ***jixxellel;*** to be basted.
ixxemmex v.V, ***jixxemmex;*** to be exposed to the sun, to bask in the sun, to get a sun-tan.
ixxempja v.t., ***jixxempja;*** (artiġ.) to model, to mould, to make a model.
ixxengel v.V, ***jixxengel;*** to stagger, to topple, to reel, to wobble, to totter. ***il-bieraħ daħal id-dar jixxengel;*** yesterday he returned home straggering.
ixxenja v.Sq., ***jixxenja;*** to make a scene.
ixxennaq v.V, ***jixxennaq;*** to desire eagerly, to covet.
ixxerraħ v.V, ***jixxerraħ;*** to be anatomized.
ixxerred v.V, ***jixxerred;*** to be scattered, to be spilled. ***l-inbid ~ fuq il-mejda;*** the wine was spilled on the table.
ixxerref v.V, ***jixxerraf;*** to lean out.
ixxerrek v.V, ***jixxerrek;*** to associate (with).
ixxettel v.V, ***jixxettel;*** to be replanted, to be rejuvenated, to feel young again.
ixxewwaq v.V, ***jixxewwaq;*** to make desire, to desire.
ixxewwek v.V, ***jixxewwek;*** to become full of thorns, to surround oneself with thorns.
ixxewwel v.V, ***jixxewwel;*** to wander.
ixxewwex v.V, ***jixxewwex;*** to take off one's hat, to be incited.
ixxiebah v.VI, ***jixxiebah;*** to resemble, to be like, to look like.
ixxiegħat v.VI, ***jixxiegħat;*** to grow arid.
ixxiegħeb v.VI, ***jixxiegħeb;*** to dissuade oneself from.
ixxiegħer v.VI, ***jixxiegħer;*** to become hairy, to be cracked, to become or grow into barley.
ixxierek v.VI, ***jixxierek;*** to be associated.
ixxiftja v.i., ***jixxiftja;*** to shift.
ixximjotta v.t., ***jixximjotta;*** to ape.
ixxokkja v.i., ***jixxokkja;*** to shock.
ixxortja v.i., ***jixxortja;*** (eletr.) to short-circuit, to be cut off.
ixxotta v.Sq., ***jixxotta;*** to dry up, to be dried up.
ixxoxxa v.Sq., ***jixxoxxa;*** to stay out in the air, to expose to the cold air. ***~ mnieħru;*** to blow the nose.
ixxuga v.t., ***jixxuga;*** to blot.
ixxugat aġġ. u p.p., blotted.
ixxurtjat aġġ. u p.p., fortunate, lucky.
ixxuttja v.i., ***jixxuttja;*** (logħ.) to shoot.
izzappap v.V, ***jizzappap;*** to become lame.
izzoppja v.Sq., ***jizzoppja;*** to become lame.
izzuppjat aġġ. u p.p., crippled.
iżda konġ., but, however, still, yet.
iżgħar aġġ.komp., smaller, younger.
iżjed aġġ.komp., more. ***~ u inqas;*** more or less. ***l-~;*** most, at the most.
iżmna n.pl., times, seasons.
ìżola v.t., ***jiżola;*** to isolate.
iżolament n.m., pl. -i, isolation.
iżolat aġġ. u p.p., isolated.
iżolatur n.m., pl. -i, isolator.
iżraq aġġ., azure, blue. ***agħma ~;*** amaurotic.
iżża v.irr., ***jiżżi (ħajr);*** to thank.
iżżaddam v.V, ***jiżżaddam;*** to have one's nose stuffed up.
iżżagħbel v.V, ***jiżżagħbel;*** to walk with a haughty air, to walk proudly, to disport.
iżżakkar v.V, ***jiżżakkar;*** to protrude.
iżżânak v.VI., ***jiżżânak;*** to romp.
iżżanżan v.V, ***jiżżanżan;*** to be (worn) for the first time.
iżżaqqaq v.V, ***jiżżaqqaq;*** to become big-bellied, to bulge.
iżżarġan v.V, ***jiżżarġan;*** to sprout, to put oneself forward.
iżżarma v.V, ***jiżżarma;*** to be disarmed.
iżżarrad v.V, ***jiżżarrad;*** to be stranded, to be frayed.
iżżattat v.V, ***jiżżattat;*** to be presumptuous.
iżżebbeġ v.V, ***jiżżebbeġ;*** to become like beads, to remain very stunted.
iżżebbel v.V, ***jiżżebbel;*** to be manured.
iżżeblaħ v.V, ***jiżżeblaħ;*** to be despised.
iżżeffen v.V, ***jiżżeffen;*** to dance, to be involved in matters of another.
iżżeffet v.V, ***jiżżeffet;*** to be covered with tar or pitch, to meddle.
iżżeġġeġ v.V, ***jiżżeġġeġ;*** to become glassy.
iżżegleg v.V, ***jiżżegleg;*** to wriggle.
iżżegħber v.V, ***jiżżegħber;*** to skip, to hop.
iżżejjen v.V, ***jiżżejjen;*** to adorn oneself.

iżżellaq v.V, ***jiżżellaq;*** to slither.
iżżelleġ v.V, ***jiżżelleġ;*** to be burnished, to be smeared.
iżżerżaq v.V, ***jiżżerżaq;*** to slide, to glide.
iżżewweġ v.V, ***jiżżewweġ;*** to marry. ~ ***tifla fqira;*** he married a poor girl.
iżżiehel v.V, ***jiżżiehel;*** to be caressed, to be fondled.
iżżuffjetta v.Sq., ***jiżżuffjetta;*** to mock, to play the clown.
iżżunżinja v.t., ***jiżżunżinja;*** to exite a person against another calumniously.

IEie

IE, ie ***it-tlittax-il ittra ta' l-alfabett Malti u r-raba' waħda mill-vokali;*** the thirteenth letter of the Maltese alphabet and the fourth of the vowels.

iebes aġġ., hard, stiff, harsh, immature, unripe, abstruse, difficult to understand.

ieħor pron., other, another. ***la wieħed u lanqas l-~;*** neither one nor the other.

iemes n.m., bla pl., yesterday. ***l-ewliemes;*** the day before yesterday.

ieqaf imperativ tal-v. ***waqaf;*** stop.

J j

J, j ***l-erbatax-il ittra ta' l-alfabett Malti u l-għaxar waħda mill-konsonanti;*** the fourteenth letter of the Maltese alphabet and the tenth of the consonants.
ja inter., oh.
jaf v.irr., to know.
jaħasra inter., alas, poor fellow.
jaħraqdin inter., curst be, accursed be.
jakk n.m., pl. -ijiet, (żool.) yak.
jalla inter., God grant, come on, quick.
jàmbiku aġġ., (pros.) iambic.
jambu n.m., pl. -i, (pros.) iambus.
jankella avv., otherwise.
Jannàr n.Pr., January.
jaqaw avv., perhaps.
jarda n.f., pl. -i, yard.
jasar n.m., bla pl., captivity, slavery, bondage.
jassar v.II, *jassar;* to enslave, to captivate.
jedd n.m., pl. -ijiet, right, free will. ***minn jeddu;*** spontaneously, voluntarily.
jekk konġ., if, whether.
jeklilè avv., otherwise, else.
jena n.f., pl. -i, (żool.) hyena.
jew konġ., or, else.
jewwilla avv., perhaps.
jiebes ara **iebes**.
jien pron. pers., I, .
jies n.m., bla pl., hope. ***qata' jiesu;*** he is past hope.
jiġifieri avv., that is to say, for instance, namely, that is.
jodju n.m., pl. -jijiet, (kim.) iodine.
jòdoform n.m., pl. -i, (kim.) iodoform.
jonkella konġ., or, either, otherwise.
jott n.m., pl. -ijiet, (mar.) yacht. ***tellieqa tal-jottijiet;*** yacht-race.
jum n.m., pl. ***jiem;*** day. ***kull ~;*** everyday, daily.

Kk

K, k ***il-ħmistax-il ittra ta' l-alfabett Malti u l-ħdax-il waħda mill-konsonanti;*** the fifteenth letter of the Maltese alphabet and the eleventh of the consonants.
kaballetta n.f., pl. -i, (muż.) cabaletta.
kabarrè n.m., pl. -jiet, tray.
kabbar v.II, ***jkabbar;*** to enlarge, to augment, to increase, to rear up, to amplify, to dilate, to stretch, to extend. ***il-fotografu ~ ir-ritratt ta' missieru;*** the photographer enlarged his father's photo.
kabbâr n.m., f. u pl. -a, increaser, enlarger.
kabina n.f., pl. -i, cabin, cuddy.
kaboċċa n.f., pl. -i, (bot.) cabbage.
kaboċċina n.f., bla pl., (bot.) great Indian cress.
kabotaġġ n.m., pl. -i, (mar.) cabotage, coasting trade.
kabozza n.f., pl. ***kbabez;*** cloak.
kabras v.kwad., ***jkabras;*** to cast down headlong. ***~ għal;*** to precipitate.
kabuċċin n.m., pl. -i, capuchin.
kaċċa n.f., pl. ***kaċeċ;*** hunting, chase. ***kelb tal-~;*** sporting dog.
kaċċamendola n.f., pl. -i, (ornit.) woodchat.
kaċċatur n.m., f. -a, pl. -i, hunter, huntsman.
kadenza n.f., pl. -i, (muż.) cadence.
kadett n.m., pl. -i, (mil.) cadet.
kadmju n.m., pl. -i, (kim.) cadmium.
kafar v.I, ***jokfor;*** to curse, blaspheme.
kafè n.m., pl. -jiet, coffee.
kafeìna n.f., bla pl., caffeine.
kafettier n.m., f. -a, pl. -i, coffee-house keeper.
kafettiera n.f., pl. -i, coffee-pot.
kaffâr n.m., f. u pl. -a, blasphemer.
kaftan n.m., pl. -i, caftan.
kaġun n.m., pl. -i, cause.
kagazza n.f., pl. -i, dross.
kagħba n.f., pl. ***kagħab;*** hall, drawing room.
kagħbar v.kwad., ***jkagħbar;*** to tumble or roll in the dust, to use or treat ill, to abuse.
kagħka n.f., koll. ***kagħak;*** ring-shaped cake, dough-nut. ***~ tal-għasel;*** honey ring cake.
kagħwara n.f., pl. -iet, ***kgħawar;*** pad.
kagħweġ v.kwad., ***jkagħweġ;*** to cause to wriggle.
kaħħal v.II, ***jkaħħal;*** to tinge or colour with azure, to cover, to lay over, to daub, to plaster. ***il-bajjad ~ il-ħajt kollu tal-ġnien;*** the whitewasher plastered all the wall of the garden.
kaħħâl n.m., pl. -a, plasterer.
kaħlani aġġ., bluish.
kaħlija n.f., pl. ***kaħli;*** (itt.) saddled bream.
kaħwiela n.f., pl. -i, (bot.) windflower, anemone.
kajjikk n.m., pl. -i, (mar.) caique, cockboat, ketch, pinnace.
kajmàn aġġ., mean, very mediocre, withered, dry, (żool.) caiman, cayman.
kajżella n.f., pl. -i, ferret basket, pigeonhole.
kàki n.m., bla pl., (bot.) khaki.
kakì n.m., bla pl., khaky.
kakka v.Sq., to shit.
kakka n.f., bla pl., excrement.
kakofonija n.f., pl. -i, cacophony.
kakofòniku aġġ., cacophonous.
kaktus n.m., pl. -i, (bot.) cactus.
kala v.Sq., ***jkala;*** to let down, to drop. ***is-sajjied ~ x-xbiek il-baħar;*** the fisherman lowered the fowling net in the sea. ***~ l-ankra;*** to drop anchor.
kala n.f., bla pl., inlet.
kalambrajn n.m., bla pl., cambric.
kalamilan n.m., bla pl., (med.) calomel.
kalamina n.f., pl. -i, (min.) calamine.
kalamita n.f., pl. -i, magnet, loadstone.
kalandra n.f., pl. -i, (ornit.) calandra lark.
kalanka n.f., pl. -i, inlet.
kalaverna n.f., pl. -i, dowel.
kalazzjon n.m., pl. -i, breakfast.
kalċedonja n.f., pl. -i, chalcedony.
kalċi n.m., pl. -jiet, chalice.
kalċju n.m., bla pl., (kim.) calcium.
kaldaràn n.m., f. u pl. -a, (artiġ.) coppersmith.

kaldarun n.m., pl. -i, cauldron, caldron.
kaldeskopiku aġġ., kaldescopic(al).
kaldeskopju n.m., pl. -i, kaldescope.
kalendarju n.m., pl. -i, calendar, almanac.
kalepin n.m., pl. -i, dictionary.
kaless n.m., pl. -i, calesh, gig.
kalibru n.m., pl. -i, calibre, caliber.
kaligrafija n.f., pl. -i, handwriting.
kalkara n.f., pl. -i, kiln, lime-kiln.
kalkatur n.m., pl. -i, calculator.
kallajrid inter., God willing.
kallotta n.f., pl. -i, skull-cap, calotte.
kallu n.m., pl. -ijiet, corn.
kalm aġġ., calm, quiet, tranquil.
kalma n.f., pl. ***kalmi;*** calm, calmness, quietness, tranquillity.
kalmant n.m., pl. -i, (med.) tranquillizer, lenitive, sedative.
kàlomel n.m., bla pl., (med.) calomel.
kalorija n.f., pl. -i, (fiż.) calorie.
kalorìmetru n.m., pl. -i, (fiż.) calorimeter.
kalunnja n.f., pl. -i, calumny, slander.
kalvarju n.m., pl. -i, calvary, ordeal, series of troubles.
Kalvarju il-, n.m.Pr., Mount Calvary.
kalzetta n.f., pl. -i, stock, stocking, hose. ~ ***tal-lastiku;*** elastic stocking. ~ ***tan-najlon;*** nylon stocking. ~ ***qasira;*** stock.
kalzettar n.m., f. u pl. -a, hosier.
kalzrat n.m., f. -a, pl. -i, prisoner.
kalzri n.m., pl. -jiet, prison, jail, goal.
kalzrier n.m., f. u pl. -a, jailer, (f. warder).
kamaleònt n.m., pl. -i, (żool.) chameleon.
kamawru n.m., pl. -i, the Pope's cap.
kambja v.t., ***jkambja;*** to change.
kambjala n.f., pl. -i, (ban.) bill (of exchange).
kambjament n.m., pl. -i, change. ~ ***tax-xena;*** to shift the scene. ***għamel ~;*** there has been some improvement.
kambju n.m., pl. -i, (kumm. u ban.) rate of exchange.
kambrè n.m., bla pl., cambric.
kamelja n.f., pl. -i, (bot.) camelia.
kàmera n.f., bla pl., camera.
kamerlengu n.m., pl. -i, (ekkl.) camerlengo.
kamin n.m., pl. -i, screw.
kàmla n.f., pl. ***kmul, kwamel;*** (żool.) moth.
kammilta n.f., pl. -i, (bot.) calamint.
kamoxx n.m., pl. -i, (żool.) shammy.
kamoxxa n.f., bla pl., chamois, chamois leather, shammy leather.
kamp n.m., pl. -ijiet, tent.
kampa v.t., ***jkampa;*** to live up. ***iz-ziju dam ikampa sebgħin sena;*** my uncle lived up to seventy years.
kampanella n.f., pl. -i, (bot.) bluebell.
kampanja n.f., pl. -i, country. ~ ***elettorali;*** election campaign.
kampanjol n.m., f. -a, pl. -i, country man, peasant.
kampanula n.f., pl. -i, (bot.) bell-flower.
kampiġġ n.m., pl. -i, (bot.) campeachy wood, log wood.
kampjonat n.m., pl. -i, championship.
kampjun n.m., pl. -i, sample, pattern, specimen.
kampjunarju n.m., pl. -i, (kumm.) book of patterns or samples.
kampnar n.m., pl. -i, steeple, bell tower.
kamra n.f., pl. ***kmamar;*** room, chamber. ~ ***tal-banju;*** bathroom. ~ ***tas-sodda;*** bedroom.
kamrier n.m., f. -a, pl. -i, manservant, waiter, servant, (f. maid, waitress).
kamrin n.m., pl. -i, closet, lavatory.
kamuflaġ n.m., pl. -ijiet, (mil.) camouflage.
kamumella n.f., pl. -i, (bot.) camomile.
kamżu n.m., pl. -i, (ekkl.) alb.
kanal n.m., pl. -i, canal, kennel, ditch, channel, (ornit.) canary.
kanarin n.m., pl. -i, (ornit.) canary. ~ ***salvaġġ;*** hedge sparrow.
kanasta n.f., pl. -i, (logħ.) canasta.
kanavazz n.m., pl. -i, embroidery net.
kanċell n.m., pl. -i, gate.
kanċellatura n.f., pl. -i, erasure, effacement, obliteration.
kanċellerija n.f., pl. -i, chancery.
kanċer n.m., pl. -ijiet, (med.) cancer.
kanċillier n.m., pl. -i, chancellor.
kandelabru n.m., pl. -i, candlestick.
kandidat n.m., f. -a, pl. -i, candidate.
kandidatura n.f., pl. -i, candidature.
kandidu aġġ., candid, white, clean.
kandiletta n.f., pl. -i, taper.
kandlier n.m., pl. -i, candlestick.
kandlora, il- n.f., n.Pr., Candlemass.
kanġa v.t., ***jkanġi;*** to change colour. ***dan il-bellus ikanġi;*** this velvet changes colour.
kangarù n.m., pl. -wijiet, (żool.) kangaroo.
kanjolin n.m., pl. -i, (żool.) doggy, little dog, lap dog.
kankrena n.f., pl. -i, (med.) gangrene.
kankru n.m., pl. -ijiet, (med.) cancer.
kanna n.f., pl. ***kanen;*** pipe.
kannadindja n.f., bla pl., rattan cane.
kannamiela n.f., pl. -i, (bot.) sugar cane.
kannapè n.m., pl. -ijiet, sofa, settee, couch.

kannella n.f., bla pl., cinnamon.
kannella aġġ., brown.
kannestru n.m., pl. -i, wicker basket.
kannibaliżmu n.m., pl. -i, cannibalism.
kannibalu n.m., f. -a, pl. -i, cannibal.
kannierja n.f., pl. -i, charnel-house, ossuary.
kannizzata n.f., pl. -i, arbour, trellis.
kannokkjali n.m., pl. -jiet, field-glasses, binoculars.
kannol n.m., pl. -i, pipe, internode.
kanonika n.f., pl. -i, (ekkl.) priests' house, presbytery.
kanonikament avv., canonically.
kanonikat n.m., pl. -i, (ekkl.) canonry.
kanòniku aġġ., canonic(al). ***dritt ~;*** canon law.
kanonizzat aġġ., canonized.
kanonizzazzjoni n.f., pl. -jiet, canonization.
kanonku n.m., pl. -i, (ekkl.) canon.
kanopew n.m., pl. -ijiet, canopy.
kanott n.m., pl. -i, (mar.) canoe.
kanser n.m., pl. -s, (med.) cancer.
kant n.m., pl. -i, singing, chant. ***~ gregorjan;*** Gregorian Chant. ***surmast tal-~;*** singing master. ***skola tal-~;*** singing-school.
kanta v.t., ***jkanta;*** to sing, to give praise to, to chant. ***it-tfal ta' l-iskola kantaw l-innu "Fil-ħlewwa ta' Mejju";*** the school children sang the hymn "Fil-ħlewwa ta' Mejju".
kantabbli aġġ., cantabile, singable.
kantaliena n.f., pl. -i, monotonous melody, monotonous song, singsong.
kantant n.m., f. -a, pl. -i, singer.
kantat aġġ. u p.p., sung.
kàntiku n.m., pl. -i, canticle, hymn, song.
kantìn n.m., pl. -s, (mil.) canteen.
kantina n.f., pl. -i, cellar, vault.
kantun n.m., pl. ***knaten;*** canton.
kantuniera n.f., pl. -i, corner, angle.
kantur n.m., pl. -i, (ekkl.) cantor, chorister.
kanun n.m., pl. -i, (mil.) cannon, gun.
kanunata n.f., pl. -i, gunfire.
kanunier n.m., pl. -i, (mil.) gunner.
kanvas n.m., bla pl., canvas, tarpaulin.
kanvaser n.m., pl. -s, canvasser.
kanzunetta n.f., pl. -i, song, light song, ballad.
kanzunettist n.m., f. -a, pl. -i, music-hall singer.
kaölin n.m., bla pl., kaolin.
kaös n.m., bla pl., chaos.
kaötiku aġġ., chaotic.
kap n.m., pl. -ijiet, head.
kapaċi aġġ., able, capable.
kapaċità n.f., pl. -jiet, ability, capacity.
kapiċċola n.f., pl. -i, tow.
kapillari aġġ., capillary.
kapinera n.f., pl. -i, (ornit.) blackcap, black warbler.
kapital n.m., pl. -i, capital. ***~ mejjet;*** sunk capital.
kapitali aġġ., great, principal, main. ***belt ~;*** capital city.
kapitalist n.m., f. -a, pl. -i, capitalist.
kapitaliżmu n.m., pl. -i, capitalism.
kapitalizzat aġġ. u p.p., (bank.) capitalised.
kapitell n.m., pl. -i, (ark.) capital.
kapìtlu n.m., pl. -i, chapter.
kapitulari aġġ., (ekkl.) capitular.
kapitulazzjoni n.f., pl. -jiet, (mil.) capitulation.
kaplat n.m., pl. -i, (itt.) thick-lipped grey mullet.
kapoċċ n.m., pl. -i, cowl, hood.
kapott n.m., pl. -i, cloak, overcoat.
kappa n.f., pl. ***kapep;*** mantle, cape.
kappamanja n.f., pl. -i, (ekkl.) state cloak worn by cardinals and bishops.
kappamosk n.m., pl. -i, (ornit.) fly-catcher.
kappara n.f., pl. -iet, koll. ***kappar;*** (bot.) caper.
kapparra n.f., pl. -i, earnest money.
kappell n.m., pl ***kpiepel;*** hat. ***~ trespikos;*** three-cornered hat.
kappella n.f., pl. -i, ***kappelel;*** chapel.
kappellanija n.f., pl. -i, chaplaincy.
kappellun n.m., pl. -i, (ark.) transept.
kappestru n.m., pl. -i, halter.
kappillan n.m., pl. -i, parish priest, chaplain.
kappillier n.m., pl. -i, capillaire.
kappun n.m., pl. -i skull-cap. ***~ imperjali;*** (ornit.) bittern.
kapriċċ n.m., pl. -i, caprice, whim, freak.
kapriċċuż aġġ., capricious, freakish.
kaptan n.m., pl. -i, captain.
kaptell n.m., pl. -i, (ark.) capital.
kapuċċell n.m., pl. -i, cockerel.
kapuċċin n.m., pl. -i, capuchin. ***kafè ~;*** capuccino.
kapulavur n.m., pl. -i, masterpiece.
kapuljat n.m., bla pl., minced meat, hashed meat. ***magna tal-~;*** meat mincer, mincing machine.
kapural n.m., pl. -i, (mil.) corporal.
kapurjun n.m., f. -a, pl. -i, ringleader.
karab v.I, ***jokrob;*** to sigh, to groan. ***il-***

bieraħ il-marid ~ ħafna bl-uġigħ; yesterday the patient groaned much with pain.
karabinier n.m., pl. -i, (mil.) carabineer.
karaffa n.f., pl. -i, carafe, decanter.
karambòla n.f., pl. -i, (logħ.) cannon.
karamella n.f., pl. -i, caramel.
karàt n.m., pl. -i, carat.
karatterist n.m., f. -a, pl. -i, (teatr.) character actor.
karatteristika n.f., pl. -i, characteristic, trait.
karatteristiku aġġ., characteristic.
karattru n.m., pl. -i, character, disposition, nature, type. *~ korsiv;* in italic type, in italics.
karavan n.f., pl. -i, caravan.
karavella n.f., pl. -i, (mar.) caravel, carvel.
karawetta n.f., pl. -iet, koll. *karawett;* peanut, monkey nut.
karba n.f., pl. -iet, groan, sigh.
karbòliku aġġ., (kim.) carbolic. *aċidu ~;* carbolic acid.
kàrbon n.f., pl. -s, carbon-paper.
karbonat n.m., pl. -i, (kim.) carbonate.
karbonella n.f., pl. -i, charcoal (in sticks).
karbonìferu aġġ., carboniferous. *art karbonifera;* coal bed, carboniferous stratum.
karbòniku aġġ., (kim.) carbonic. *aċidu ~;* carbonic acid.
karbonizzat aġġ., carbonized.
karbonju n.m., bla pl., (kim.) carbon.
karbùr n.m., pl. -i, (kim.) carbide. *~ tal-kalċju;* calcium carbide.
karburatur n.m., pl. -i, (mekk.) carburettor.
karburazzjoni n.f., pl. -jiet, carburation.
karċinoma n.m., pl. -i, (med.) carcinoma.
kardamina n.f., pl. -i, (bot.) cuckoo flower.
kardamomu n.m., pl. -i, (bot.) cardamom.
kardaran n.m., pl. -i, coppersmith.
kardigan n.m., pl. -s, cardigan.
kardìjaku aġġ., (med.) cardiac.
kardinal n.m., pl. -i, (ekkl.) cardinal. *~ Legat;* Cardinal Legate.
kardinalat n.m., pl. -i, cardinalate.
kardinali aġġ., cardinal. *numri ~;* cardinal numbers. *rjieħ ~;* cardinal points, winds. *virtujiet ~;* cardinal virtues.
kardjografija n.f., pl. -i, cardiography.
kardjografu n.m., pl. -i, cardiograph.
kardjogramma n.m., pl. -i, cardiogram.
kardjoloġija n.f., pl. -i, cardiology.
kardjòlogu n.m., f. -a, pl. -i, specialist for heart diseases.
kardun n.m., pl. -i, (bot.) cardoon.
karestija n.f., pl. -i, famine, dearth.
karettun ara **karrettun**
karezza n.f., pl. -i, caress, fondling.
karfa n.f., pl. *kraf, kruf;* chaff, trash. *il-~;* rabble, mob.
karfusa n.f., pl. *karfus, krafes;* (bot.) celery.
karg aġġ., dark, deep, strong. *aħmar ~;* dark red. *kafè ~;* strong coffee.
kàri n.m., bla pl., curry. *ross bil-~;* rice with curry.
kàriga n.f., pl. -i, office, appointment. *daħal fil-~;* to enter into office. *ħalla l-~;* to leave office.
karikat aġġ., overloaded, affected, caricurated.
karikatura n.f., pl. -i, caricature.
karikaturist n.m., f. -a, pl. -i, caricaturist.
karina n.f., pl. -i, (mar.) keel. *ta ~;* to careen.
karinaġġ n.m., pl. -i, (mar.) careenage.
karità n.f., pl. -jiet, charity.
karitattiv aġġ., charitable.
kariżma n.m., pl. -i, charism, charisma.
karkàm n.m., bla pl., saffron.
karkar v.kwad., *jkarkar;* to carry away, to draw, to trail, to prolong, to delay. *il-ħamla karkret kollox magħha;* the torrent carried away everything with it.
karkara n.f., pl. -i, lime kiln.
karkassa n.f., pl. -i, carcass, carcase.
karkur n.m., pl. *krakar;* slipper.
karlina n.f., pl. -i, (bot.) carline.
karlinga n.f., pl. -i, (tek.) cockpit.
Karmelitan n.m., pl. -i, Carmelite, white friar. *~ Skalz;* Discalced Carmelite. *~ Tereżjan;* Discalced Carmelite.
karmes v.kwad., *jkarmes;* to produce small and unripe figs.
karminju n.m., pl. -i, carmine.
karmus n.m., pl. *krames;* small immature fig.
karnaġjon n.m., pl. -i, complexion.
karnali aġġ., carnel.
karnival n.m., pl. -i, carnival.
karnìvalata n.f., pl. -i, carnival revelry.
karnivoru aġġ., carnivorous.
karonja n.f., pl. -i, carrion.
karòtide n.f., pl. -i, (med.) carotid.
karotta n.f., pl. -i, (bot.) carrot.
karovana n.f., pl. -i, caravan.
kàrozza n.f., pl. -i, car, bus, char-a-bank, coach, carriage.
karozzella n.f., pl. -i, cab, coach.
karozzier n.m., f. u pl. -a, cabman.
karozzin n.m., pl. -i, cab.

karozzun n.m., pl. -i, large coach.
karpentier n.m., pl. -i, carpenter. ~ *ta' abbord;* carpenter of ships.
karpin n.m., pl. -i, (bot.) hornbeam.
karpjun n.m., pl. -i, (itt.) carp.
karpu n.m., pl. -i, (anat.) carpus.
karrab v.II, *jkarrab;* to cause to groan.
karrakka n.f., pl. -i, (mar.) dredge.
karrat v.II, *jkarrat;* to handle cards.
karretta n.f., pl. -i, *krieret;* wheelbarrow, cart.
karrettun n.m., pl. -i, cart.
karrettunar n.m., pl. -a, carter.
karriera n.f., pl. -i, career.
karrotta ara **karotta**.
karrozzar n.m., pl. -a, coach-maker.
karru n.m., pl. -ijiet, wagon. ~ *armat;* (armoured) tank. ~ *tal-mejtin;* hearse.
karta n.f., pl. -i, paper. ~ *tad-disinn;* drawing paper. ~ *ta' l-identità;* identity card. ~ *ta' l-ixkatlar;* emery paper. ~ *tal-logħob;* card, playing card. ~ *tal-mużika;* music paper. ~ *tas-sarr;* packing or wrapping paper, cap paper. ~ *saħħara;* carbon paper. ~ *samra;* brown paper. ~ *strazza;* waste paper. ~ *xuga;* blotting paper. *ħawwad il-karti;* to shuffle (the) cards.
kartab v.kwad., *jkartab;* to walk in slippers.
kartabun n.m., pl. -i, (artiġ.) square, carpenter's ruler.
kartapesta n.m., bla pl., papier machè.
kartastrazza n.f., pl. *kartistrazzi;* waste paper.
kartaxuga n.f., pl. *kartixugi;* blotting paper.
karteġġ n.m., pl. -i, correspondence, documents.
kartell n.m., pl. -i, keg, small barrel.
kartella n.f., pl. -i, tombola ticket.
kartellun n.m., pl. -i, placard, poster, bill.
kartiera n.f., pl. -i, wallet.
kartilaġni n.f., pl. -jiet, (anat.) cartilage.
kartoċċ n.m., pl. -i, *krataċ;* paper bag.
kartografija n.f., pl. -i, cartography.
kartògrafu n.m., f. -a, pl. -i, cartographer.
kartolina n.f., pl. -i, card, postcard.
kartomanzija n.f., pl. -i, cartomancy.
kartonċina n.f., pl. -i, thin card.
kartun n.m., pl. -s, animated cartoons.
kartuna n.f., pl. -iet, cardboard, pasteboard.
karus n.m., pl. -i, -ijiet, money-box.
karwat v.kwad., *jkarwat;* to roar, to thunder, to rumble, to grind coarsely, to stuff, to eat voraciously. *il-ġebla tal-mitħna bdiet tkarwat;* the mill stone began to grind. *ir-ragħad qiegħed ikarwat fil-bogħod;* the thunder is rumbling in the distance. ~ *l-ikel għax kien mgħaġġel;* he ate voraciously because he was in a hurry.
karwata n.f., pl. -t, coverlid, coverlet.
karzrat ara **kalzrat**.
karzri ara **kalzri**.
karzrier ara **kalzrier**.
kas n.m., bla pl., attention.
kasbar v.kwad., *jkasbar;* to maltreat, to dirty, to soil, to spot.
kasett n.m., pl. -s, cassette.
kaskara n.f., pl. -i, (med.) cascara.
kaskata n.f., pl. -i, cascade, waterfall.
kaskett n.m., pl. -i, (mil.) casque, helmet.
kassazzjoni n.f., pl. -jiet, cassation.
kassja n.f., bla pl., (bot.) cassia.
kassru n.m., pl. -i, (mar.) quarter-deck.
kast aġġ., chaste.
kast n.m., bla pl., cast.
kasta n.f., pl. -i, caste.
kastanjola n.f., pl. -i, (muż.) castanet.
kastard n.m., bla pl., custard.
kastardella n.f., pl. -i, (itt.) saurie.
kastell n.m., pl. -i, (ark.) castle, keep.
kastellan n.m., pl. -i, governor of a castle, lord of the manor.
kastellett n.m., pl. -i, small castle.
kastig n.m., pl. -i, punishment, chastisement.
kastità n.f., pl. -jiet, chastity.
kastrat n.m., pl. -i, eunuch.
kastrazzjoni n.f., pl. -jiet, castration.
kastur n.m., pl. -i, (żool.) castor, beaver.
katafalk n.m., pl. -i, catafalque.
katakliżma n.f., pl. -i, cataclysm.
katakombi n.m., pl. id, catacomb.
katalessi n.f., pl. -jiet, (med.) catalepsy.
katalett n.m., pl. -i, bier, litter.
katalgu n.m., pl. -i, catalogue, roll.
katalogat aġġ. u p.p., catalogued.
katamaràn n.m., pl. -i, (mar.) catamaran.
kataplażma n.f., pl. -i, (med.) cataplasm, poulice.
katapulta n.f., pl. -i, (mil.) catapult.
katar ara **kotor**.
katarretta n.f., pl. -i, (med.) cataract.
katarru n.m., pl. -i, (med.) catarrh, rheum.
katarsi n.f., pl. -jiet, (med.) catharsis.
katast n.m., pl. -i, land register.
katasta n.f., pl. -i, heap, pile.
katastrali aġġ., catastral.
katàstrofi n.f., pl. -jiet, catastrophe.
katastròfiku aġġ., catastrophic(al).
katavru n.m., pl. -i, corpse, dead body.
kàtedra n.f., pl. -i, chair, (professional) chair.

katedral ara **katidral**.
kategorija n.f., pl. -i, category.
kategòriku aġġ., categorical.
kategorikament avv., categorically.
katekist n.m., f. -a, pl. -i, catechist.
katekìstiku aġġ., catechistic.
katekiżmu n.m., pl. -i, catechism.
katekùmenu n.m., f. -a, pl. -i, catechumen.
kater n.m., pl. -s, (mar.) cutter.
katerpìllar n.f., pl. -s, (mek.) caterpillar.
kàteter n.m., pl. -s, (med.) catheter.
kàtgat n.m., pl. -ijiet, catgut.
katidral n.m., pl. -i, cathedral.
katina n.f., pl. -i, ***ktajjen;*** chain. ***~ ta' l-arloġġ;*** watch-chain. ***~ ta' l-għonq;*** necklace.
katnazz n.m., pl. -i, ***knatas;*** padlock, bolt.
kattar v.II, ***jkattar;*** to multiply, to increase, to augment, to propagate. ***Ġesù ~ il-ħobż fid-deżert;*** Jesus miltiplied the bread in the desert.
kattiv aġġ., cruel.
kattoliċità n.f., pl. -jiet, catholicity.
kattoliċiżmu n.m., pl. -i, catholicism.
kattolikament avv., catholically.
kattòliku n.m., f. -a, pl. -i, Catholic.
katuba n.f., pl. -i, (muż.) bass drum.
katuħa n.f., pl. -t, plough-handle.
katusa n.f., pl. -a, hydrant.
kavalier n.m., pl. -i, knight.
kavalkata n.f., pl. -i, cavalcade.
kavall n.m., pl. -i, (itt.) chub mackerel.
kavallerija n.f., pl. -i, cavalry.
kavallett n.m., pl. -i, easel.
kavallirat n.m., pl. -i, knighthood.
kavatina n.f., pl. -i, (muż.) cavatina.
kavebdix n.m., bla pl., cavebdish.
kaver n.m., pl. -s, cover. ***~ tal-ktieb;*** the cover of a book.
kaverna n.f., pl. -i, cavern, cave, den.
kavetta n.f., pl. -i, wooden bowl.
kavilja n.f., pl. -i, treenail, plug, peg.
kavitell n.m., pl. -i, (mar.) bouy.
kavjàr n.m., bla pl., caviare.
kawba n.f., bla pl., mahogany.
kawċu n.m., pl. -ijiet, India rubber.
kawkaw n.m., bla pl., cacao.
kawlata n.f., pl. -i, vegetable soup.
kawlifjura n.f., pl. -i, (bot.) cauliflower.
kawt aġġ., cautious, prudent, wary.
kawtela n.f., pl. -i, caution.
kawterizzat aġġ. u p.p., (med.) cauterized.
kawterizzazzjoni n.f., pl. -jiet, (med.) cauterization.
kawterju n.m., pl. -i, (med.) cautery.
kawzjoni n.f., pl. -jiet, (leg.) bail, security.
kawża n.f., pl. -i, cause, reason.
kawżàt aġġ. u p.p., caused.
kawżattiv aġġ., (gram.) causative.
kaxkar v.kwad., ***jkaxkar;*** to drag. ***dak ir-raġel ~ xkora tqila;*** that man dragged a heavy sack.
kaxmer n.m., bla pl., cashmere.
kaxxa n.f., pl. -i, ***kaxex;*** box, case, chest, coffer. ***~ ta' l-arloġġ;*** watch case. ***~ tad-daqq;*** barrel organ, street organ, gramaphone. ***~ tal-għodda;*** tool box. ***~ tal-mejjet;*** coffin. ***~ tat-terra;*** puff box.
kaxxabank n.m., pl. -ijiet, settle.
kaxxaforti n.f., pl. -jiet, safe.
kaxxetta n.f., pl. -i, small box. ***~ tat-tabakk;*** snuff-box.
kaxxier n.m., f. u pl. -a, cashier.
kaxxun n.m., pl. ***kxaxen;*** drawer.
kazzola n.f., pl. -i, ***kzazel;*** stew-pan, stew-pot, trowel.
każ n.m., pl. -ijiet, case, accident, adventure, chance. ***fil-~;*** in case.
każakka n.m., pl. -i, doublet, coat, jacket.
każamatta n.f., pl. -i, (mil.) casemate.
każbar ara **kasbar**.
każeina n.f., bla pl., (kim.) casein.
każerma n.f., pl. -i, (mil.) barracks.
każimir n.m., pl. -i, kerseymere.
każin n.m., pl. -i, club.
każinò n.m., pl. -jiet, game-house.
każista n.m., pl. -i, casuist.
każwali aġġ., casual.
kbarat n.m., pl., grandees, peers, noble-people, upper classes.
kbir aġġ., great, large, wide, spacious.
kburi aġġ., proud, haughty, lofty.
kburija n.f., pl. -t, grandeur, sovereignty, superiority, authority, magnificence, greatness, pride, haughtiness, presumption, loftiness, vanity.
kċina n.f., pl. ***kċejjen;*** kitchen.
kebbeb v.II, ***jkebbeb;*** to wind up, to reel. ***il-ħajjet ~ il-ħajt fuq ir-rukkell;*** the tailor wound up the thread on the reel.
kebbes v.II, ***jkebbes;*** to kindle, to light, to enkindle, to ignite, to set fire, to instigate, to provoke. ***it-tifel ~ in-nar u telaq;*** the boy kindled the fire and went away.
kebbex v.II, ***jkebbex;*** to cheat, to deceive, to delude, to be unfaithful.
kebbies n.m., f. u pl. -a, kindler, fomenter, exciter.
kebbiex n.m., f. u pl. -a, cheater, deceiver.
keċap n.m., bla pl., ketchup.
kečča v.Sq., ***jkeċċi;*** to turn out, to send away, to expel. ***l-għalliem ~ t-tifel mill-***

klassi; the teacher expelled the boy from the class.
keċċej n.m., f. u pl. -a, expeller.
keċner v.kwad., *jkeċner;* to prepare food, to do kitchen work. ***ir-raġel tagħha dejjem ikeċner;*** her husband always prepares the food.
kewċen v.kwad., *jkewċen;* to speak in a low voice.
keda avv., so, thus.
kedd v.I, *jkidd;* to use, to make use of, to wear out, to fatigue, to tire, to use or treat ill.
kedded v.II, *jkedded;* to ill treat, to ill-use.
kefen n.m., pl. *ikfna;* shroud.
keff v.I, *jkiff;* to hem, to tuck. ***it-tifla keffet id-dublett tagħha;*** the girl hemmed her skirt.
keff n.m., pl. *kfuf;* palm, handful.
keffa n.f., pl. *kefef;* hem, pleat.
keffef v.II, *jkeffef;* to hem.
keffen v.II, *jkeffen;* to shroud, to mute. ***il-kumissjonant ~ il-mejjet;*** the undertaker shrouded the corpse.
kefrija n.f., pl. -i, cruelty, barbarity, despotism.
kejbil n.m., pl. -s, cable.
kejd n.m., pl. -iet, deceit, stratagem, cheat, fraud.
kejjeb v.II, *jkejjeb;* to sadden.
kejjed v.II, *jkejjed;* to deceive or defraud by stratagems or wiles.
kejjel v.II, *jkejjel;* to measure. ***il-perit ~ ix-xogħol fuq il-ħajt;*** the architect measured the work on the wall.
kejjen v.II, *jkejjen;* to humble, humiliate.
kejjet v.II, *jkejjet;* to render indolent, slothful.
kejjied n.m., f. u pl. -a, cheater, deceiver.
kejjiel n.m., f. u pl. -a, measurer.
kejk n.m., pl. -ijiet, cake.
kejl n.m., bla pl., measure, measurement.
kelb n.m., f. -a, pl. *klieb;* (żool.) dog. ***~ il-baħar;*** (itt.) shark. ***~ tal-ferma;*** setter. ***~ tal-għassa;*** house-dog, watch dog. ***~ tal-kaċċa;*** pointer. ***~ tal-pulizija;*** police dog. ***~ ta' S. Bernard;*** St. Bernard Dog. ***~ ta' xkubetta;*** cock of a gun.
kellel v.II, *jkellel;* to crown, to praise.
kellem v.II, *jkellem;* to speak to, to converse with. ***qiegħed inkellem lill-ħajt;*** I am speaking to a post.
kelliem n.m., f. u pl. -a, speaker, spokesperson.
kelma n.f., pl. -iet, word, remark, expression, promise.
kemm avv., how much, how many. ***~-il darba;*** every time that, as often as.
kemmed v.II, *jkemmed;* to foment.
kemmex v.II, *jkemmex;* to corrugate, to wringle. ***~ il-libsa;*** to crumple. ***~ xofftejh;*** to make a wry mouth.
kemmun n.m.koll., (bot.) cumin, cummin. ***~ ħelu;*** anise.
kemxa n.f., pl. -iet, little, small quantity, fold, crease, wrinkle.
kenn v.I, *jkinn;* to shelter.
kenn n.m., pl. -ijiet, shelter, refuge, retreat.
kenna n.f., pl. *knejjen;* daughter-in-law.
kennen v.II, *jkennen;* to shelter, to grant asylum, to protect. ***~ lil dak ix-xiħ mix-xita;*** he sheltered that old man from the rain.
kenni aġġ., cosy.
kennies n.m., f. u pl. -a, sweeper, scavenger.
kenur n.m., pl. *kwiener;* stove, heath.
kenura n.f., pl. -i, (mar.) canoe, punt.
kera v.I, *jikri;* to let, to hire, to rent. ***~ dar mitt sterlina fis-sena;*** he rented a house one hundred sterling a year.
kera n.f., pl. *krejja;* rent.
kerċaħ v.kwad., *jkerċaħ;* to be numb with cold.
kerfju n.m., bla pl., curfew.
kermeżin aġġ., crimson.
kerosìn n.m., bla pl., kerosene.
kerrah v.II, *jkerrah;* to render ugly, to mar. ***dak il-bini ~ il-veduta;*** that building has marred the view.
kerrej n.m., f. u pl. -a, tenant, lessor.
kerrejja n.f., pl. -i, tenement occupied by several families.
kertejker n.m., pl. -s, caretaker.
kerubin n.m., pl. -i, cherub.
kesa v.I, *jiksi;* to cover, to daub, to plaster. ***il-ġar ~ l-ħajt bl-irħam;*** our neighbour covered the wall with marble.
kesaħ v.I, *jiksaħ;* to grow cold, to cool.
kesħa n.f., pl. -iet, cold, coldness, chill, chilliness.
keskes v.kwad., *jkeskes;* to incite, to instigate. ***~ il-kelb;*** to set a dog on someone.
kessaħ v.II, *jkessaħ;* to make cold, to cool, to freshen.
kewa v.I, *jikwi;* to wax hot, to become red hot, to wriggle in walking, to cauterize.
kewkba n.f., pl. *kwiekeb;* star. ***~ bid-denb;*** comet. ***~ feġġa;*** shooting star, jack-o'alatern. ***~ żahrija;*** evening star. ***kewkbet is-sebħ;*** Morning star.

kewkbi aġġ., starry.
kewkeb v.kwad., to adorn with stars, to shine, to glitter.
kewtel v.kwad., ***jkewtel;*** to cavil. ***is-surmast qallu biex ma joqgħodx ikewtel;*** the headmaster told him not to cavil.
kewtiela n.f., pl. -i, pretext, pretence.
kewwen v.II, ***jkewwen;*** to create, to bring into existence.
kewwes v.II, ***jkewwes;*** to decant, to pour off.
kewwies n.m., f. u pl. -a, he who decants.
kexkex v.kwad., ***jkexkex;*** to terrify, to frighten, to shock.
kexwex v.kwad., ***jkexwex;*** to rummage.
kexxun n.m., pl. ***kxaxen;*** drawer.
kħal v.IX, ***jikħal;*** to become blue.
kħula n.f., bla pl., blueness, bluishness, lividity.
kiber v.I, ***jikber;*** to increase, to grow, to augment, to grow old, to become proud. ***il-ħaxixa Ingliża kibret fil-ġnien;*** the oxalis grew in the garden.
kibes v.I, ***jikbes;*** to kindle, to take fire, to be inflamed or commoved, to grow warm, to flash with anger.
kibx n.m., pl. ***kbiex;*** (żool.) ram.
kieb v.I, ***jkib;*** to languish, to droop.
kiebi aġġ., melancholy, melancholic, sad, humble, modest, meek, quiet, still, calm.
kief n.m., pl. ***ikfa;*** cudgel, burden, load.
kief v.I, ***jkif;*** to beat.
kiefer aġġ., cruel, fierce, harsh, tyrant, despot.
kiefes aġġ., eclipsed.
kieku avv., if.
kiel v.I, irr., ***jiekol;*** to eat, to dine, to consume, to waste, to erode, to itch. ***fejn imur ibnek jiekol?;*** where does your son usually dine?.
kien v.I, ***jkun;*** to be, to exist, to subsist. ***~ hemm raġel;*** there was a man.
kieri n.m., pl. ***kirjin;*** lessor, landlord.
kies n.m., pl. -ien, glass.
kiesaħ aġġ., cold, frigid, indifferent, loath, unwilling, insipid, tedious.
kif avv., how, in what manner, as. ***~ dari;*** as usual. ***~ ġie ġie;*** just as it came.
kifes v.I, ***jikfes;*** to eclipse, to be eclipsed or darkened. ***il-lejla l-qamar se jikfes;*** there will be an eclipse of the moon tonight.
kifsa n.f., pl. -iet, solar eclipse.
kikk n.m., pl. -s, (logħ.) kick off.
kikkra n.f., pl. -i, cup.
kilba n.f., pl. -iet, hankering, voracity.
kileb v.I, ***jikleb;*** to feel rapid hunger, to be insatiable.
kileb n.m., pl. ***klejjeb;*** corbels.
kiloċiklu n.m., pl. -i, (tek.) kilocycle.
kilogramm n.m., pl. -i, kilogramme.
kilolitru n.m., pl. -i, kilolitre.
kilometru n.m., pl. -i, kilometer, kilometre.
kilowatt n.m., pl. -s, (eletr.) kilowatt.
kilwa n.f., pl. ***kliewi;*** (anat.) kidney. ***~ ta' bhima;*** kidney.
kimera n.f., pl. -i, chimera.
kimèriku aġġ., chimerical.
kìmika n.f., bla pl., chemistry.
kimikament avv., chemically.
kìmiku aġġ., chemical.
kimiku n.m., f. -a, pl. -i, chemist.
kimono n.m., pl. -i, kimono.
kina n.f., bla pl., chinaware, porcelain.
kindergardin n.m., pl. -s, kindergarten.
kines v.I, ***jiknes;*** to sweep. ***xkupa ġdida tiknes tajjeb;*** a new broom sweeps clean.
kinina n.f., pl. -i, (med.) quinine.
kinsa n.f., pl. -iet, sweep.
kirja n.f., pl. -iet, rent.
kirjanza n.f., pl. -i, breeding, education, politeness.
kirògrafu n.m., pl. -i, (leg.) chirographer.
kiromanzija n.f., pl. -i, chiromancy, palmistry.
kiropodist n.m., f. -a, pl. -i, chiropodist, pedicure.
kirurġija n.f., pl. -i, surgery.
kirurġikament avv., surgically.
kirùrġiku aġġ., surgical.
kirurgu n.m., pl. -i, surgeon.
kirxa n.f., pl. ***kirex;*** tripe, paunch.
kiseb v.I, ***jikseb;*** to get, to gain, to obtain, to acquire, to win. ***~ il-fiduċja ta' ħbiebu;*** he won his friends' trust.
kiser v.I, ***jikser;*** to break. ***~ il-ftehim ta' bejnietna;*** he broke our agreement. ***~ għajn il-labra;*** to break the eye of a needle. ***~ għonqu;*** to expose oneself (to danger), to engage. ***~ il-liġi;*** to contravene. ***~ in-ngħas;*** to break the sleep, to awake. ***~ is-sawma;*** to break one's fast. ***~ it-triq;*** to change or break off the direction. ***~ il-qalb;*** to grieve or afflict a person. ***~ qalbu;*** to pity. ***~ ras xi ħadd;*** to tease or annoy a person.
kisi n.m., bla pl., covering, dressing.
kisja n.f., pl. -iet, covering, plastering.
kisnijiet avv., stealthily.
kisra n.f., pl. -iet, fracture, breaking. ***~ ħobż;*** a slice of bread.
kisseb v.II, ***jkisseb;*** to obtain or procure for.
kisser v.II, ***jkisser;*** to break to pieces, to dash, to shatter, to smash, to break down,

to debilitate, to weaken, to tire or fatigue. *~ il-buqar;* he broke the jar to pieces.
kitarra n.f., pl. -i, (mużż.) guitar.
kitarrist n.m., f. -a, pl. -i, (muż.) guitarist, guitar-player.
kitba n.f., pl. -iet, scripture, writing.
kiteb v.I, *jikteb;* to write. *~ ittra lil ħuh;* he wrote a letter to his brother.
kitla n.f., pl. *ktieli;* kettle.
kittef v.II, *jkittef;* to shrug up one's shoulders, to sew a dress too tight, to win at play. *~ il-flus kollha fil-logħob;* he won every penny in the game.
kittieb n.m., f. u pl. -a, writer, clerk, scribe.
kittien n.m., pl. *ktieten;* (bot.) lint. *żejt tal-~;* linseed oil.
kittieni aġġ., producing flax.
kixef v.I, *jikxef;* to bare, to uncover, to discover, to reveal. *Kristofru Colombo ~ l-Amerka;* Christopher Colombus discovered America.
kixfa n.f., pl. -iet, discovery.
kixxef v.II, *jkixxef;* to have discovered, to cause to be discovered.
kixxief n.m., f. u pl. -a, discoverer.
kjamata n.f., pl. -i, call, caret.
kjarifika n.f., pl. -i, clarification.
kjaroskur n.m., pl. -i, light and shade.
kjass n.m., pl. -i, noise.
kjavi n.f., pl. -jiet, (muż.) key, clef.
kjeriku n.m., pl. -ċi, (ekkl.) cleric.
kjosk n.m., pl. -ijiet, kiosk.
kjostru n.m., pl. -i, cloister.
kju n.m., pl. -wijiet, queue.
klabb n.m., pl. -s, -ijiet, club.
klaċċ n.m., pl. -ijiet, clutch.
klajmaks n.m., bla pl., climax.
klamar n.m., pl. -i, ink-pot, inkstead, (itt.) cuttle fish.
klamoruż aġġ., clamorous.
klandestin aġġ., clandestine.
klandestinatament avv., clandestinely.
klaret aġġ., claret.
klarinett n.m., pl. -i, (muż.) clarinet, clarionet.
klarinettist n.m., f. -a, pl. -i, (muż.) clarinettist, clarino-player.
klassi n.f., pl. -jiet, class.
klassiċista n.kom., pl. -i, classicist.
klassiċiżmu n.m., pl. -i, classisism.
klassìfika n.f., pl. -i, classification.
klassifikat aġġ. u p.p., classified.
klàssiku aġġ., classic, classical.
klavìkola n.f., pl. -i, (anat.) clavicle, collarbone.
klawn n.m., pl. -s, clown.
klàwsola n.f., pl. -i, (leg.) clause.
klawstrali aġġ., claustral.
klawsura n.f., pl. -i, (ekkl.) enclosure.
klaxx n.m., pl. -ijiet, clash, conflict.
klemenza n.f., pl. -i, clemency.
klerikali aġġ., (ekkl.) clerical.
klerikat n.m., pl. -i, the clergy.
kleru n.m., pl. -i, clery.
klessidra n.f., pl. -i, clepsydra, water-clock, hourglass.
klijent n.m., f. -a, pl. -i, customer, client.
klijentela n.f., pl. -i, clientage.
klikka n.f., pl. *klikek;* clique.
klila n.f., pl. *kliel;* wreath. *klilet il-briegħed;* (bot.) flea-wort.
klima n.f., pl. -i, climate.
klimatèriku aġġ., climateric.
klimatoloġija n.f., pl. -i, climatology.
klin n.m., bla pl., (bot.) rosemary.
klìnika n.f., pl. -i, (med.) clinic.
klìniku aġġ., (med.) clinical. *tabib ~;* clinical physician. *termometru ~;* clinical thermometer.
klinometru n.m., pl. -i, clinometer.
klipp n.m., pl. -s, clip. *~ tax-xagħar;* hairpin.
klipper n.m., pl. -s, (mar.) clipper.
klistier n.m., pl. -i, (med.) enema.
klitoride n.f., pl. -jiet, (anat.) clitoris.
klorat n.m., pl. -i, (kim.) chlorate.
klorofilla n.f., pl. -i, chlorophyll.
klòroform n.m., bla pl., (med.) chloroform.
klorosi n.f., bla pl., (med.) chlorosis, green-sickness.
kloru n.m., bla pl., (kim.) chlorine.
klubi aġġ., ravenous.
klubija n.f., pl. -i, avidity, greediness, cruelty, tyranny.
kmand n.m., pl. -i, command.
kmandament n.m., pl. -i, commandment, precept.
kmandant n.m., pl. -i, (mil.) commander, chief, captain.
kmandat aġġ., commanded.
kmieni avv., early, betimes. *ejja ~;* come early. **qam ~;** to rise betimes.
knis n.m., bla pl., sweeping.
knisja n.f., pl. *knejjes;* church.
koadjutur n.m., pl. -i, (ekkl.) coadjutor. *isqof ~;* coadjutor bishop.
koagulat aġġ., coagulated.
koagulazzjoni n.f., pl. -jiet, coagulation.
koalizzjoni n.f., pl. -jiet, coalition government.
kobalt n.m., bla. pl., (kim.) cobalt.

kobba n.f., pl. ***kobob;*** ball of thread. ***waqa' ~;*** to fall down on one's face.
kobor n.m., bla pl., largeness, bigness, old age.
kobra n.f., pl. -i, (żool.) cobra.
koċċ n.m., pl. -i, a little, a small quantity.
koċċa n.f., pl. -i, pimple.
koċċìge n.f., pl. -jiet, (anat.) coccyx.
koċċinilja n.f., pl. -i, (żool.) cochineal.
koċċla n.f., pl. -iet, (med.) apoplexy, (żool.) oyster.
kodard aġġ., cowardly.
kodeìna n.f., bla pl., (kim.) codeine.
kòdiċi n.m., pl. -jiet, (leg.) code. ***~ civili;*** civil code. ***~ kriminali;*** criminal, penal code.
kodiċill n.m., pl. -i, (leg.) codicil.
koëfficjent n.m., pl. -i, coefficient.
koërċizzjoni n.f., pl. -jiet, coercion.
koërenza n.f., pl. -i, coherence.
koëtanju aġġ., coeval, coetaneous.
koëżistenti aġġ., coexistent.
koëżjoni n.m., pl. -jiet, cohesion.
kofanett n.m., pl. -i, casket.
koinċidenza n.f., coincidence.
kojl n.m., pl. -jiet, (eletr.) coil.
kok n.m., f. -a, pl. -i, cook.
koka n.f., bla pl., (bot.) coca.
kokaïna n.f., bla pl., cocaine.
kokka n.f., pl. ***kokok;*** (ornit.) owl.
kokotina n.f., bla pl., drinking chocolate.
kòkroċ n.f., pl. -ijiet, (żool.) cockroach.
koksin n.m., pl. -s, (mar.) coxswain.
koktejl n.m., pl. -s, cocktail.
kola n.f., pl. -i, (żool.) ladybird.
kolazzjon n.m., pl. -ijiet, breakfast.
kolèra n.f., bla pl., (med.) colera.
kolesterol n.m., bla pl., (kim.) cholesterol.
kolika n.f., pl. -ci, (med.) colic.
kolite n.f., bla pl., (med.) colitis.
kolja v.i., (tek.) to coil.
koljatura n.f., pl. -i, bight.
koll n.m., pl. -ijiet, parcel, bundle, case, pack.
kolla n.f., pl. ***kolol;*** glue, paste.
kollaboratur n.m., f. -atriċi, pl. -i, collaborator.
kollaborazzjoni n.f., pl. -jiet, collaboration.
kollass n.m., pl. -i, collapse.
kollaterali aġġ., collateral.
kollazzjoni n.f., pl. -jiet, (leg.) collation.
kolleġġjata n.f., pl. -i, (ekkl.) collegiate church.
kolleġġjalità n.f., pl. -jiet, collegiality.
kollega n.kom., pl. -i, colleague.
kollegament n.m., pl. -i, connexion.
kòllera n.f., anger.
kolletta n.f., pl. -i, collection, (ekkl.) collect.
kollettivament avv., collectively.
kollettività n.f., pl. -jiet, social community.
kollettur n.m., f. -a, pl. -i, collector. ***~ tat-taxxi;*** tax collector.
kollezzjoni n.f., pl. -jiet, collection.
kollezzjonist n.m., f. -a, pl. -i, collector.
kollha pron., all.
kollimatur n.m., pl. -i, collimator.
kollirju n.m., pl. -i, (med.) collyrium, eye lotion.
kolliżjoni n.f., pl. -jiet, collision.
kollokazzjoni n.f., pl. -jiet, collocation, placement.
kollodju n.m., pl. -i, (kim.) collodion.
kollokju n.m., pl. -i, colloquium, conversation.
kollox pron., all, everything, the whole.
kollox avv., totally, entirely. ***fuq ~;*** especially, above all. ***~ fuq ~;*** in short.
kollu pron., all.
kolluverd n.m., pl. -i, (ornit.) wild duck.
kolon n.m., bla pl., (anat.) colon.
kolonizzat aġġ. u p.p., colonized.
kolonizzazzjoni n.f., pl. -jiet, colonization.
kolonja n.f., pl. -i, colony.
kolonjali aġġ., colonial.
kolonna n.f., pl. -i, (ark.) column, pillar.
kolonnat n.m., pl. -i, colonnade.
koloss n.m., pl. -i, colossus, giant.
kolossali aġġ., colossal, huge, gigantic.
kolostru n.m., bla pl., (med.) colostrum.
kolp n.m., pl. -i, blow, hit, stroke. ***f'~;*** in a sudden.
kolpa n.f., bla pl., fault, guilt.
kolt aġġ., cultured, well-educated.
kom suff.pron., your, yours.
kòma n.f., pl. -i, (med.), coma.
koma n.f., pl. -s, comma.
kômdu aġġ., comfortable.
kometa n.f., pl. -i, (astr.) comet.
komiċità n.f., pl. -jiet, comicality.
komikament avv., comically.
kòmiku aġġ., comic, comical.
komiku n.m., f. -a, pl. -iċi, comic actor, comedian.
komittiva n.f., pl. -i, party, company.
komma n.f., pl. ***kmiem;*** sleeve.
kommemorat aġġ. u p.p., commemorated.
kommemorazzjoni n.f., pl. -jiet, commemoration.
kommenda n.f., pl. -i, (ekkl.) commendam.
kommendatur n.m., pl. -i, commendatore, commender.

kommensura n.f., pl. -i, commissure.
kommensurabbli aġġ., commensurable.
kommoss aġġ., moved, excited.
kommossjoni n.f., pl. -jiet, emotion, commotion, excitement.
kommoventi aġġ., moving.
kommutat aġġ. u p.p., commuted.
kommutazzjoni n.f., pl. -jiet, (leg.) commutation. ~ ***tal-piena;*** commutation of punishment.
komodina n.f., pl. -i, bedside table.
komparabbli aġġ., comparable.
komparat aġġ. u p.p., compared.
komparattiv aġġ., comparative.
kompartiment n.m., pl. -i, compartment.
kompatut aġġ. u p.p., compassionated.
kompendju n.m., pl. -i, compendium, abridgement.
kompetenti aġġ., competent. ***awtorità ~;*** competent authority.
kompetenza n.f., pl. -i, competence.
kompetitur n.m., f. -a, -triċi, competitor.
kompetizzjoni n.f., pl. -jiet, competition.
kompilat aġġ. u p.p., compiled.
kompilazzjoni n.f., pl. -jiet, (leg.) compilation.
kompitu n.m., pl. -i, task.
kompjaċenti aġġ., obliging.
kompjaċenza n.f., pl. -i, complaisance.
kompjuter n.m., pl. -s, computer.
kompla v.Sq., ***jkompli;*** to accomplish, to finish, to complete, to continue, to compliment. ***din il-pittura komplieha pittur ieħor;*** this painting was completed by another painter.
komplement n.m., pl. -i, (gram.) complement.
kompless n.m., pl. -i, complex.
kompletament avv., completely, entirely, fully.
kompliċi n.m., accomplice, complice, (leg.) partner.
kompliċità n.f., pl. -jiet, complicity, criminal participation, criminal cooperation.
komplikat aġġ. u p.p., complicated.
komplikazzjoni n.f., pl. -jiet, complication.
komplit aġġ., completed. ***xogħol ~;*** accomplished work.
komplott n.m., pl. -i, conspiracy, plot.
komplut aġġ. u p.p., accomplished, fulfilled, completed.
komponent n.m., pl. -i, member, component.
komponiment n.m., pl. -i, composition.
komponut aġġ. u p.p., composed.
komportament n.m., pl. -i, behaviour.
kompost aġġ., composed, compound.
kompożitur n.m., f. -a, pl. -i, composer.
kompożizzjoni, n.f., pl. -jiet, composition.
kompratur n.m., f. -a, pl. -i, buyer.
komprensiv aġġ., comprehensive.
komprensjoni n.f., pl. -jiet, comprehension.
kompressur n.m., pl. -i, (mekk.), compressor.
komprimarju n.m., f. -a., pl. -i, second leading actor.
kompriż aġġ., comprised, included.
kompromess n.m., pl. -i, (leg.) compromise.
kompromettenti aġġ., compromising.
komputazzjoni n.f., pl. -jiet, (leg.) computation.
komputist n.m., f. -a, pl. -i, accountant, book-keeper.
komun n.m., pl. -i, commune. ***sens ~;*** common sense.
komunella n.f., pl. -i, master key.
komunement avv., commonly, generally, usually.
komuni aġġ., common.
komunikat aġġ., communicated.
komunikat n.m., pl. -i, communication, bulletin, communique. ~ ***tal-gwerra;*** war communique, war bulletin.
komunikabbli aġġ., communicable.
komunikazzjoni n.f., pl. -jiet, communication.
komunist n.m., f. -a, pl. -i, communist.
komunità n.f., pl. -jiet, community.
komunitarju aġġ., of the community.
komunizmu n.m., pl. -i, communism.
komunjoni n.m., (leg.) communion, holy communion.
kon n.m., pl. -ijiet, cone.
konċelebrant n.m., pl. -i, (ekkl.) concelebrant.
konċelebrazzjoni n.f., pl. -jiet, (ekkl.) concelebration.
konċentrament n.m., pl. -i, concentration. ***kamp ta' ~;*** concentration camp.
konċentrat aġġ. u p.p., concentrated.
konċentrazzjoni n.f., pl. -jiet, concentration.
konċentriku aġġ., concentric.
konċepiment n.m., pl. -i, conception.
konċernat aġġ. u p.p., concerned.
konċessjonarju n.m., f. -a, pl. -i, (leg.) concessionaire, grantee.
konċessjoni n.f., pl. -jiet, concession, grant.

konċett n.m., pl. -i, concept, conception, idea.
konċiljabbli aġġ., compatible.
konċiljari aġġ., (ekkl.) conciliar.
konċiljazzjoni n.f., pl. -jiet, (ekkl.) conciliation.
konċilju n.m., pl. -i, (ekkl.) council. ~ *ekumeniku;* ecumenical council.
konċistorju n.m., pl. -i, (ekkl.) concistory.
konċittadin n.m., f. -a, pl. -i, fellow citizen.
konċiż aġġ., concise.
konċiżament avv., concisely.
konċiżjoni n.f., pl. -jiet, conciseness.
kondebitur n.m., f. -a, pl. -i, joint debitor.
kondensat aġġ., u p.p., condensed.
kondensazzjoni n.f., pl. -jiet, condensation.
kondenser n.m., pl. -s, condenser.
kondiment n.m., pl. -i, condiment.
kondixxendenza n.f., pl. -i, condescension.
kondizzjonali aġġ., conditional. ***mod ~;*** conditional mood.
kondizzjonat aġġ. u p.p., conditioned.
kondizzjoni n.f., pl. -jiet, condition.
kondoljanza n.f., pl. -i, condolence.
kondominju n.m., pl. -i, (leg.) ownership.
kòndor n.m., pl. -ijiet, (żool.) condor.
kondotta n.f., pl. -i, conduct, behaviour.
konduttur n.m., conductor, leader.
konfederat aġġ., confederate.
konfederazzjoni n.f., pl. -jiet, confederation.
konferenza n.f., pl. -i, conference.
konferenzier n.m., f. -a, pl. -i, lecturer, speaker.
konferiment n.m., pl. -i, conferment, bestowal.
konferma n.f., pl. -i, confirmation.
konfermat aġġ. u p.p., confirmed.
konfessat aġġ., u p.p., confessed.
konfessjonarju n.m., pl. -i, (ekkl.) confessional.
konfessjoni n.f., pl. -jiet, confession, (leg.) admission.
konfessur n.m., pl. -i, confessor.
konfigurazzjoni n.f., pl. -jiet, configuration.
konfini n.m., bla pl., boundary, border, frontier.
konfiska n.f., pl. -i, (leg.) confiscation, forfeiture.
konfiskat aġġ. u p.p., confiscated.
konflitt n.m., pl. -i, conflict, clash.
konfoffa n.f., pl. -i, conspiracy, cabal, machination.
konfondiment n.m., pl. -i, confounding.
konformazzjoni n.f., pl. -jiet, conformation.
konfort n.m., pl. -i, comfort, consolation, solace.
konfortabbli aġġ., consolable, comfortable.
konfraternità n.f., pl. -jiet, (ekkl.) confraternity.
konfront n.m., pl. -i, comparison, confrontation.
konfutazzjoni n.f., pl. -jiet, confutation.
konfuż aġġ., confused.
konfużjoni n.f., pl. -jiet, confusion.
konġenitu aġġ., congenital.
konġestjoni n.f., pl. -jiet, (med.) congestion.
konġettura n.f., pl. -i, conjecture.
konġuntiv aġġ., (gram.) conjunctive.
konġuntiva n.f., pl. -i, (med.) conjunctive.
konġuntivite n.f., pl. -jiet, (med.) conjunctivitis.
konġunzjoni n.f., pl. -jiet, (gram.) conjunction.
konġura n.f., pl. -i, conspiracy, plot.
konġurat n.m., f. -a, pl. -i, conspirator.
konglomerazzjoni n.f., pl. -jiet, conglomeration.
kongratulazzjoni n.f., pl. -jiet, congratulations.
kongregazzjoni n.f., pl. -jiet, congregation, assembly.
kongress n.m., pl. -i, congress.
koniku aġġ., conical.
konjakk n.m., bla pl., cognac, brandy.
konjugali aġġ., (leg.) conjugal.
konjugat aġġ. u p.p., (gram.) conjugated.
konjugazzjoni n.f., pl. -jiet, (gram.) conjugation.
konka n.f., pl. ***konok;*** large jar.
konkatidral n.m., pl. -i, (ekkl.) co-cathedral.
kònkavu aġġ., concave.
konklàvi n.m., bla pl., id., (ekkl.) conclave.
konklavist n.m., pl. -i, (ekkl.) conclave.
konkludenti aġġ., concluding.
konkluż aġġ. u p.p., concluded.
konklużjoni n.f., pl. -jiet, conclusion.
konkomitanza n.f., pl. -i, concomitance.
konkordanza n.f., pl. -i, agreement, concordance.
konkordat n.m., pl. -i, agreement, concordat.
konkorrent n.m., f. -a, pl. -, competitor.
konkorrenza n.f., pl. -i, concourse, competition.
konkors n.m., pl. -i, competition, concourse, (leg.) concurrance.

konkrèt aġġ., concrete.
konkrit n.m., bla pl., concrete.
konkubina n.f., pl. -i, concubine.
konkupixxenza n.f., pl. -i, concupiscence.
konkussjoni n.f., pl. -jiet, (med.) concussion. ~ *ċerebrali;* cerebral concussion.
konkwista n.f., pl. -i, conquest.
konkwistatur n.m., pl. -i, f. -a, -atriċi, pl. -i, conquerer.
konnanturali aġġ., connatural.
konnaturalità n.f., pl. -jiet, connaturality.
konnazzjonali aġġ., fellow countryman.
konness aġġ. u p.p., connected, joined, linked.
konnessjoni n.f., pl. -jiet, connection.
konnotazzjoni n.f., pl. -jiet, connotation.
konoxxenza n.f., pl. -i, aquaintance.
konoxxibbli aġġ., recognizable.
konoxxitur n.m., f. -a, pl. -a, connoisseur, expert.
konoxxut aġġ. u p.p., known.
konsagrazzjoni n.f., pl. -jiet, consegration, dedication.
konsangwinità n.f., bla pl., consanguinity.
konsangwinju aġġ., (leg.) kin, akin, relative.
konsegwenza n.f., pl. -i, consequence.
konsegwenzjali aġġ., consequent, consequential.
konsekuttiv aġġ., consecutive.
konsenja n.f., pl. -i, consignment, delivery.
konsentura n.f., pl. -i, fissure.
konservatorju n.m., pl. -i, college of music, (ekkl.) boarding house for orphans.
konservattiv aġġ., conservative.
konservatur n.m., f. -a, -atriċi, pl. -i, keeper, holder, custodian, (f.) conservatrix.
konservazzjoni n.f., pl. -jiet, conservation.
konsiderabbli aġġ., considerable.
konsiderazzjoni n.f., pl. -jiet, consideration. *ħadha f'~;* to take into consideration.
konsistenti aġġ., consisting (of, in), consistent, solid.
konsistenza n.f., pl. -i, consistency.
konslu n.m., pl. -i, consul.
konsolazzjoni n.f., pl. -jiet, consolation.
konsòlida n.f., bla pl., (bot.) comfrey.
konsolidat aġġ. u p.p., consolidated.
konsonanti n.f., pl. id. (gram.) consonant.
konsulat n.m., pl. -i, consulate.
konsulta n.f., pl. -i, consultation, council.
konsultazzjoni n.f., pl. -jiet, (leg.) consultation.
konsultur n.m., f. -a, pl. -i, consulter, consultant, counseller, adviser.
konsum n.m., pl. -i, consumption.
konsumatur n.m., f. -atriċi, pl. -i, consumer.
konsumazzjoni n.f., pl. -jiet, consumption.
kont n.m., pl. -ijiet, account, bill.
kontaġjuż aġġ., contagious.
kontagoċċi n.f., bla pl., dropper, dropping tube.
kontaminazzjoni n.f., pl. -jiet, contamination.
kontejner n.m., pl. -s, container.
kontemplat aġġ. u p.p., contemplated.
kontemplattiv aġġ., contemplative.
kontemplazzjoni n.f., pl. -jiet, contemplation.
kontemporanjament avv., contemporaneously, at the same time.
kontemporanju aġġ., contemporary, contemporaneous.
kontenut n.m., bla pl., content(s).
kontessa n.f., pl. -i, countess.
kontestat aġġ. u p.p., (leg.) contested.
konstestazzjoni n.f., pl. -jiet, (leg.) contestation, objection.
konti n.m., pl. -jiet, count.
kontinent n.m., pl. -i, (ġeog.) continent.
kontinentali aġġ., (ġeog.) continental.
kontinenza n.f., bla pl., continence.
kontinġent n.m., pl. -i, contingent.
kontinġenza n.f., pl. -i, contingency.
kontinwament avv., continually.
kontinwat aġġ., u p.p., continual, continued.
kontinwatur n.m., f. -a, -l. -i, continuer, continuator.
kontinwazzjoni n.f., pl. -jiet, continuation.
kontinwità n.f., pl. -jiet, continuity.
kontinwu aġġ., continuous, uninterrupted.
kontorn n.m., pl. -i, contour, outline, vegetables.
kontra prep., against.
kontraċettiv n.m., pl. -i, contraceptive.
kontradett aġġ., contradicted.
kontradiċenti aġġ., contradicting.
kontradittorju aġġ., contradictory.
kontradizzjoni n.f, pl. -jiet, contradiction.
kontralt n.m., pl. -i, (muż.) counter-tenor, contralto.
kontrapiż n.m., pl. -i, counterpoise, counterbalance, counterweight.
kontrapont n.m., pl. -i, (muż.) counterpoint.
kontraproposta n.f., pl. -i, (leg.) counterproposal.

kontraprova n.f., pl. -i, (leg.) counter-proof, counter-evidence.
kontraskarpa n.f., pl. -i, (mil.) counter-scarp.
kontrattakk n.m., pl. -i, (mil.) counter-attack.
kontravenzjoni n.f., pl. -jiet, contravention, intraction.
kontravelenu n.m., pl. -i, anti-venene, antidote.
kontrazzjoni n.f., pl. -jiet, contraction.
kontribut n.m., pl. -i, contribution.
kontributur n.m., f. -utriċi, pl. -i, contributor.
kontribuzzjoni n.f., pl. -jiet, contribution.
kontroffensiva n.f., pl. -i, (mil.) counter-offensive.
kontroll n.m., pl. -i, control, checking.
kontrollat aġġ. u p.p., controlled.
kontrollur n.m., pl. -i, controller.
kontrordni n.f., pl. -jiet, counter-order, countermand.
kontroversja n.f., pl. -i, controversy.
kontumaċi aġġ., (leg.) contumacious.
kontumaċja n.f., bla pl., (leg.) contumacy.
konupew n.m., pl. -ej, (ekkl.) cimorium, tabernacle veil.
konvalexxenti aġġ., (med.) convalescent.
konvalexxenza n.f., pl. -i, (med.) convalescence.
konvenjenza n.f., pl. -i, convenience.
konvenut n.m., f. -a, pl. -i, (leg.) defendant.
konvenzjonali aġġ., conventional.
konvenzjonalità n.f., pl. -jiet, conventionality.
konvenzjoni n.f., pl. -jiet, convention.
konverġenza n.f., pl. -i, convergence.
konvers n.m., f. -a, pl. -i, (ekkl.) lay brother.
konversazzjoni n.f., pl. -jiet, conversation.
konvertit aġġ. u p.p., converted.
konverżjoni n.f., pl. -jiet, conversion.
konvess aġġ., convex.
konvinċenti aġġ., convincing.
konvint aġġ. u p.p., convinced, persuaded.
konvinzjoni n.f., pl. -jiet, conviction, persuasion.
konvoj n.m., pl. -s, (mar.) convoy.
konvokat aġġ. u p.p., convoked, summoned.
konvokazzjoni n.f., pl. -jiet, convocation.
konvulżiv aġġ., convulsive.
konvulżjoni n.f., pl. -jiet, (med.) convulsion.
konz n.m., pl. -jiet, (mar.) fishing-line.
konza n.f., bla pl., (tek.) tan.
konzerija n.f., pl. -i, (tek.) tannery.
koöperattiv aġġ., co-operative.
koöperatur n.m., f. -a, pl. -i, co-operator.
koöperazzjoni n.f., pl. -jiet, co-operation.
koördinat aġġ. u p.p., co-ordinate.
koördinatur n.m., f. -a, triċi, pl. -i, co-ordinator.
koördinazzjoni n.f., pl. -jiet, coordination.
kopert aġġ., covered.
kopertina n.f., pl. -i, cover.
kopist n.m., f. -a, pl. -i, copyist, scribe.
kopja n.f., pl. -i, copy.
kopp n.m., pl. -jiet, net.
koppja n.f., pl. -i, couple.
koppla n.f., pl. -i, (ark.) dome.
kopra v.t., ***jkopri;*** to cover.
kor n.m., pl. -ijiet, (muż.) choir.
korali aġġ., coral.
korallina n.f., pl. -i, (bot.) coralline.
korantina n.f., bla pl., quarantine.
koranturi n.pl., (ekkl.) forty hours devotion.
korazza n.f., pl. -i, (mil.) armour, (itt.) common hammerhead.
korda n.f., pl. -i, (muż.) chord.
korderija n.f., pl. -i, rope-yard, rope factory.
kordjal n.m., pl. -i, cordial.
kordjali aġġ., hearty, cordial, genial.
koreografija n.f., pl. -i, choreography.
koreogràfiku aġġ., coreographic.
koreògrafu n.m., f. -a, pl. -i, coreographer.
korist n.m., f. -a, pl. -i, (muż.) chorister.
korla n.f., pl. -i, anger.
kornea n.f., pl. -j, (anat.) cornea.
korner n.m., pl. -s, (logħ.) corner.
kornu n.m., pl. -i, (muż.) horn.
korob ara **karab**.
korografija n.f., pl. -i, chorography.
korogràfiku aġġ., chorographic.
korografu n.m., f. -a, pl. -i, chorographer.
korolla n.f., pl. -i, (bot.) corolla.
korollarju n.m., pl. -i, corollary.
korom v.I, ***jokrom;*** to produce in abundance.
koronarju n.m., pl. -i, (anat.) coronary.
koronċina n.f., pl. -i, (ekkl.) short prayer.
korp n.m., pl. -i, body, korps. ***~ ta' l-għassa;*** police station.
korporal n.m., pl. -i, (ekkl.) corporal.
korporattiv aġġ., corporative.
korporazzjoni n.f., pl. -jiet, corporation.
korpuskolu n.m., pl. -i, corpuscle, corpuscule.

korra v.Sq., ***jkorri;*** to hurt oneself, to be wounded.
korrelattiv aġġ., (gram.) correlative.
korrenti aġġ., current. ***kont ~;*** current account.
korrett aġġ. u p.p., correct, right.
korrettament avv., correctly.
korrettizza n.f., pl. -i, correctness.
korrettur n.m., f. -a, pl. -i, corrector.
korrezzjoni n.f., pl. -jiet, correction.
korriment n.m., pl. -i, miscarriage, injury.
korrispondent n.m., f. -a, pl. -i, correspondent.
korrispondenza n.f., pl. -i, correspondence.
korroborat aġġ. u p.p., (leg.) corroborated.
korroborazzjoni n.f., pl. -jiet, corroboration.
korrompiment n.m., pl. -i, corruption.
korrompitur n.m., f. -a, pl. -i, corrupter.
korrott aġġ. u p.p., corrupt, corrupted.
korruzzjoni n.f., pl. -jiet, corruption, depravation, rottenness, bribery.
kors n.m., pl. -jiet, course.
korsa n.f., pl. -i, race.
korsija n.f., pl. -i, the current of a river, nave.
korsiv aġġ., cursiv, italic.
korteo n.m., pl. -j, procession, train.
kortesija n.f., pl. -i, courtesy.
kortiġjan n.m., f. -a, pl. -i, courtier.
korvina n.f., pl. -i, (itt.) corvine.
korvu n.m., pl. -i, (ornit.) crow, raven, rook.
kos inter., after all.
kosbor n.m.koll., (bot.) coriander. ***~ il-bir;*** maiden's hair.
kosmètiku aġġ., cosmetic.
kòsmiku aġġ., cosmic.
kosmografija n.f., pl. -i, (ġeog.) cosmography.
kosmogràfiku aġġ., (ġeog.) cosmographic(al).
kosmògrafu n.m., f. -a, pl. -i, (ġeog.) cosmographer.
kosmopolita n.kom., pl. -i, (ġeog.) cosmopolite.
kosmorama n.f., pl. -i, cosmorama.
kosmu n.m., bla pl., cosmos.
kospirazzjoni n.f., pl. -jiet, conspiration, conspiracy, machination.
kost n.m., bla pl., cost, expense.
kosta n.f., pl. -i, coast.
kostanti aġġ., constant, firm.
kostanza n.f., pl. -i, constance.
kostellazzjoni n.f., pl. -jiet, (astro.) constellation.
kostipazzjoni n.f., pl. -jiet, constipation.
kostituzzjonali aġġ., constitutional.
kostituzzjoni n.f., pl. -jiet, constitution.
kostitwenti aġġ. u p.preż., constituent.
kostitwenza n.f., pl., constituency.
kostitwit aġġ. u p.p., constituted.
kostrett aġġ. u p.p., compelled, forced.
kostrinġiment n.m., pl. -i, compulsion, constraint.
kostrutt aġġ. u p.p., (gram.) constructed, built, constructed.
kostruttiv aġġ., constructive.
kostruttur n.m., f. -a, pl. -i, constructor, builder.
kostruzzjoni n.f., pl. -jiet, construction.
kostum n.m., pl. -i, custom, habit, practice, manner. ***~ tal-karnival;*** fancy dress. ***dramm bil-~;*** costume piece.
kotnina n.f., pl. -i, (mar.) sail cloth.
kotor v.I, ***joktor;*** to multiply, to increase, to abound.
kotra n.f., pl. -i, increase, multiplication, augumentation. ***~ nies;*** multitude, crowd.
kotràn aġġ., augmenting, increasing.
kowt n.m., pl. -ijiet, coat.
koxxa n.f., pl. ***koxox;*** (anat.) thigh, corner, angle. ***~ ta' bieb;*** door-post, jamb.
kozz n.m., pl. -ijiet, nape, scruff.
kràker n.m., pl. -s, cracker.
kramp n.m., pl. -i, (med.) cramp.
kranju n.m., pl. -i, (anat.) scull, cranium.
kratier n.m., pl. -i, crater.
kraxx n.m., pl. -ijiet, crash.
kraxxħelmet n.m., pl. -s, crash helmet.
krażi n.f., pl. -jiet, (gram.) crasis.
kreatina n.f., pl. -i, (kim.) creatin(e).
kreattiv aġġ., creative.
kreatur n.m., f. -a, pl. -i, creator.
kreatura n.f., pl. -i, creature.
kreazzjoni n.f., pl. -jiet, creation.
kredenzjali n.m.pl., (dipl.) credentials.
kredibbli aġġ., credible.
kreditur n.m., f. -a, pl. -i, creditor.
kredtu n.m., pl. -iti, credit, trust. ***tilef il-~;*** to lose credit.
kredu n.m., pl. -ijiet, creed.
krejn n.m., pl. -jiet, (mil.) crane.
krejon n.m., pl. -s, crayon.
krejter n.m., pl. -s, crater.
krema n.f., pl. -i, cream.
krematorju n.m., pl. -i, crematorium.
kremazzjoni n.f., pl. -jiet, cremation.
krêmżi aġġ., crimson.
kreożòt n.m., bla pl., (kim.) creosote.
krepuskolari aġġ., (lett.) crepuscular.
krepuskolu n.m., pl. -i, twilight.

kretìn aġġ. u n.m., f. -a, pl. -i, cretin, idiot, imbecile, fool.
krettu ara **kredtu**.
krexxendo n.m., pl. -ijiet, (muż.) crescendo.
krexxuni n.m.koll., (bot.) water-cress.
krieh v.IX, ***jikrieh;*** to become ugly.
krikit n.m., bla pl., (logħ.) cricket.
krikk n.m., pl. -ijiet, (mek.) capstan, skid.
kriminal n.m., pl. -i, (leg.) criminal.
kriminali aġġ., (leg.) criminal.
kriminalist n.m., f. -a, pl. -i, criminalist.
kriminalment avv., criminally.
kriminoloġija n.f., pl. -i, criminology.
krinjera n.f., pl. -i, mane.
krinjola n.f., pl. -i, cornelian stone.
krinjolin n.m., pl. -i, crinoline.
kripta n.f., pl. -i, crypt.
kristall n.m.koll., (min.) crystal.
kristallizzat aġġ. u p.p., crystallized.
kristallizzazzjoni n.f., pl. -jiet, crystallization.
kristjan aġġ., Christian.
kristjanament avv., christianly.
kristjaneżmu n.m., pl. -i, Christianity.
kristjanità n.f., koll., Christianity.
kristoloġija n.f., pl. -i, christology.
kristoloġiku aġġ., christologic(al).
Kristu n.Pr., Christ.
kriterju n.m., pl. -i, criteria, judgement, opinion, sense.
krìtika n.f., pl. -i, criticism.
kritikat aġġ. u p.p., criticized.
krìtiku n.m., f. -a, pl. -i, -tiċi, critic.
kritiku aġġ., critic(al).
krittògama n.f., pl. -i, (bot.) crytogama.
kriżantema n.f., pl. -i, (bot.) chrysanthemum.
kriżi n.f., pl. -jiet, crisis.
kroma n.f., pl. -i, (muż.) quaver, crotchet.
kromàtiku aġġ., (muż.) chromatic. ***skala kromatika;*** chromatic scale.
kрònaka n.f., pl. -i, chronicle.
kròniku aġġ., chronic.
kronista n.m., pl. -i, chronicler.
kronoloġija n.f., pl. -i, chronology.
kronolòġiku aġġ., chronological.
kronomètriku aġġ., chronometric(al).
kronometru n.m., pl. -i, chronometer, (logħ.) stopwatch, (muż.) metronome.
kroxè n.m., pl. -jiet, crochet.
krozza n.f., pl. -i, crutch.
kru n.m., pl. -s, crew.
kruċ n.m., pl. -ijiet, cross. ***Santu ~;*** the Holy Rood, the Holy Cross. ***Gran ~;*** Grand Cross.
kruċetta n.f., pl. -i, (mar.) berth, bunk, cross-trees.
kruċier n.m., pl. -i, (ornit.) crossbill.
kruċiera n.f., pl. -i, (mar.) cruise.
kruċifissjoni n.f., pl. -jiet, crucifixion.
kruċjat n.m., pl. -i, crusader.
kruċjata n.f., pl. -i, crusade.
krudeltà n.f., pl. -jiet, cruelty.
krudil aġġ., cruel.
kruha n.f., pl. -t, ugliness.
krupier n.m., pl. -a, -i, (logħ.) croupier.
krupp n.m., pl. -ijiet, (med.) croup.
krustaċju n.m., pl. -i, (żool.) crustacean.
krustina n.f., pl. -i, rusk, toast.
kruż n.m., pl. -is, cruise.
krużer n.f., pl. -s, (mar.) cruiser.
ksib n.m., bla pl., acquiring, acquisition.
ksieħ n.m., bla pl., cold, chill.
ksir n.m., bla pl., fracture, breaking. ***~ il-qalb;*** affliction, heartache. ***~ ir-ras;*** importunity, troublesomeness.
ksuħa n.f., pl. -t, coldness, frigidity, chill.
ksur n.m., bla pl., fracture, breakage.
ktieb n.m., pl. ***kotba;*** book. ***il-~ il-Kbir;*** Scripture, the Bible. ***~ il-kliem;*** dictionary. ***~ tal-knisja;*** prayer book. ***~ tal-quddies;*** missal.
kubatur n.m., pl. -i, incubator.
kubatura n.f., pl. -i, cubature.
kubija n.f., pl. -i, (mar.) hawse-hole.
kùbiku aġġ., cubic.
kubist n.m., f. -a, pl. -i, cubist.
kubiżmu n.m., pl. -i, cubism.
kubrit n.m.koll., sulphur, brimstone.
kubrita n.f., pl. -iet, broundsel, ragwort, (itt.) little tunny.
kubu n.m., pl. -i, cube.
kuċċarda n.f., pl. -i, (ornit.) honey buzzard.
kuċċarina n.f., pl. -i, tea spoon.
kuċċarun n.m., pl. -i, ladle, soup-spoon.
kuċċetta n.f., pl. -i, (mar.) berth, bunk.
kuċċieda n.f., pl. ***kuċċied;*** nit.
kuċċier n.m., pl. -a, coach-man.
kuċiniera n.f., pl. -i, stove.
kuda n.f., pl. -i, train, trail.
kudiross n.m., pl. -i, (ornit.) redstar warbler.
kuġin n.m., f. -a, pl. -i, cousin.
kuġitur n.m., pl. -i, (ekkl.) coadjutor.
kugar n.m., pl. -i, (żool.) cougar.
kuħħala n.f., pl. -i, (med.) ecchimosis.
kuker n.m., pl. -s, cooker. ***prexer ~;*** pressure cooker.
kukkanja n.f., pl. -i, cockaigne.
kukkarda n.f., pl. -i, cockade.
kukkudrill n.m., pl. -i, (żool.) crocodile, alligator.
kukrumbajsa n.m., pl. -i, tumble, flip-flap.

kukù n.m., pl. -wijiet, (ornit.) cuckoo.
kulatta n.f., pl. -i, breech.
kuldarba avv., each time, whenever.
kulfejn avv., wherever, everywhere.
kulħadd pron., everybody, everyone.
kulinkwa pron. u aġġ., any, whatever.
kuljum avv., everyday.
kuljunata n.f., pl. -i, mockery.
kull pron. indef., each, every.
kullana n.f., pl. -i, necklace.
kullar n.m., pl. -i, collar.
kulleġġ n.m., pl. -i, college.
kullimkien avv., everywhere, wherever.
kulma pron. indef., whatever, everything that.
kulmeta avv., whenever, every time, when.
kulmin pron. indef., whoever, whose ever.
kult n.m., pl. -i, cult.
kultant avv., every now and then.
kultellazz n.m., pl. -i, (mar.) studdingsail.
kultivabbli aġġ., cultivable.
kultivat aġġ. u p.p., cultivated.
kultivatur n.m., f. -a, pl. -i, cultivator.
kultivazzjoni n.f., pl. -jiet, cultivation.
kultura n.f., pl. -i, culture.
kulturali aġġ., cultural.
kulur n.m., pl. -i, colour.
kulurit aġġ. u p.p., coloured.
kuluvert n.m., pl. -i, (ornit.) wild duck.
kumbattiment n.m., pl. -i, combat, fight, struggle.
kumbinazzjoni n.f., pl. -jiet, combination, coincidence. ***x'~;*** what a coincidence.
kumdità n.f., pl. -jiet, comfort, convenience.
kument n.m., pl. -i, (mar.) seam.
kumitat n.m., pl. -i, committee.
kumment n.m., pl. -i, comment, remark.
kummentarju n.m., pl. -i, commentary.
kummentatur n.m., f. -atriċi, commentator.
kummerċ n.m., bla pl., commerce, trade. ***kamra tal-~;*** Chamber of Commerce.
kummerċjali aġġ., commercial.
kummerċjant n.m., pl. -i, merchant, trader, trafficker.
kummidjògrafu n.m., f. -a, pl. -i, writer of commedies.
kummiedja n.f., pl. -i, comedy. ***il-~;*** circus.
kummissarjat n.m., pl. -i, (mil.) commissariat.
kummissarju n.m., pl. -i, commissioner. ***~ tal-pulizija;*** Commissioner of Police, Head of the Police.
kummissjonant n.m., pl. -i, undertaker.
kummissjoni n.f., pl. -jiet, commission.
kumnikazzjoni n.f., pl. -jiet, communication.
kumpanija n.f., pl. -i, company.
kumpann n.m., pl. -i, companion, mate.
kumparsa n.f., pl. -i, (leg.) lawsuit.
kumpass n.m., pl. -ijiet, compass, pair of compasses.
kumpassjoni n.f., pl. -jiet, compassion.
kumpatut aġġ. u p.p., compassionated.
kumpens n.m., pl. -, compensation.
kumpieta n.f., pl. -i, (ekkl.) compline, night prayer.
kumpliment n.m., pl. -i, compliment, flattery.
kumplimentuż aġġ., complimentary, ceremonious.
kumplott n.m., pl. -i, plot.
kunċert n.m., pl. -i, (muż.) concert.
kunċertat aġġ. u p.p., (muż.) concerted.
kunċertatur n.m., f. -a, pl. -i, (muż.) conductor.
kunċertist n.m., f. -a, pl. -i, (muż.) concert-player.
kundanna n.f., pl. -i, condemnation. ***~ għall-mewt;*** death sentence.
kundannat aġġ. u p.p., condemned.
kunfett n.m., pl. -i, comfit.
kunfettier n.m., f. u pl. -a, confectioner.
kunfettura n.f., pl. -i, candied peel.
kunfidenza n.f., pl. -i, confidence, familiarity, intimacy.
kunfidenzjali aġġ., confidential.
konġintura n.f., pl. -i, conjuncture.
kungress n.m., pl. -i, congress.
kunjard n.m., pl. -i, dowel, chock, wedge.
kunjata n.f., pl. -i, mother-in-law.
kunjatu n.m., pl. -i, father-in-law.
kunjett n.m., pl. -i, phial, cruse.
kunjom n.m, pl. -ijiet, surname, last name. ***~ tal-familja;*** family surname.
kunsens n.m., pl. -i, consensus, agreement, (leg.) consent, assent.
kunsentura n.f., pl. -i, fossure, crack, chap.
kunserva n.f., pl. -i, tomato-paste.
kunsiljat aġġ. u p.p., advised, recommended.
kunsill n.m., pl. -i, council, counsel, advice. ***~ tal-gwerra;*** war council. ***~ tal-ministri;*** Cabinet Council. ***Sala tal-~;*** Council Chamber.
kunsinnatarju n.m., f. -a, pl. -i, (leg.) consignee.
kunsulier n.m., f. -a, pl. -i, counsellor, adviser.

kuntaġġuż aġġ., (med.) contagious.
kuntatt n.m., pl. -i, contact.
kuntemplat aġġ. u p.p., contemplated.
kuntent aġġ., content, joyful, pleased, contented, satisfied, glad, happy.
kuntentizza n.f., pl. -i, gladness, happiness, joy, delight, contentment, satisfaction.
kuntest n.m., pl. -i, context.
kuntistabbli n.m., pl. -jiet, policeman, constable.
kuntrabandier n.m., f. -a, pl. -i, smuggler.
kuntrabandu n.m., pl. -i, contrabando, smuggling.
kuntrabaxx n.m., pl. -i, (muż.) double-bass, contrabass.
kontrabaxxist n.m., f. -a, pl. -i, (muż.) double-bass player.
kuntradanza n.f., pl. -i, country dance.
kuntrarjament avv., contrarily.
kuntrarjat aġġ. u p.p., disappointed, vexed.
kuntrarju n.m., pl. -i, contrary, opposed, opposite, adverse.
kuntrast n.m., pl. -i, contrast.
kuntratt n.m., pl. -i, (leg.) contract.
kuntrattazzjoni n.f., pl. -jiet, negotiation.
kuntrattur n.m., pl. -i, contractor.
kunvent n.m., pl. -i, convent, monastery, friary, priory.
kunventwali aġġ., (ekkl.) conventual.
kunżatur n.m., f. -a, pl. -i, tanner.
kunżatura n.f., pl. -i, (tekn.) tanning.
kupajba n.f., pl. -i, (bot.) copaiba, copaiva.
kupè n.f., pl. -jiet, coupè.
kuperċ n.m., pl. -i, lid.
kuppella n.f., pl. -i, (artiġ.) cupel.
kuppetta n.f., pl. -i, (med.) cupping-glass.
kuppletta n.m., pl. -i, small dome.
kupun n.m., pl. -i, coupon.
kura n.f., bla pl., care, cure, treatment.
kurabbli aġġ., curable.
kuraġġ n.m., bla pl., courage, spunk.
kuraġġuż aġġ., courageous, brave, valiant.
kuranti aġġ., careful. ***tabib ~;*** attending doctor.
kurat n.m., pl. -i, (ekkl.) curate.
kuratur n.m., f. -a, pl. -i, (leg.) guardian, administrator, trustee.
kurazza ara **korazza**.
kurazzier n.m., pl. -i, cuirassier.
kurċifiss n.m., pl. -i, crucifix.
kurdar n.m., f. u pl. -a, (artiġ.) rope-maker, cord-maker.
kurdiċella n.f., pl. -i, string, tape.
kurdun n.m., pl. -i, string, rope, cord, strand. ***~ tal-qanpiena;*** bell-rope. ***~ militari;*** cordon. ***~ ta' sur;*** cordon.
kurdwana n.f., pl. -i, (tekn.) cordwain, cordovan.
kuriġġa n.f., pl. -i, (mar.) strap.
kuritur n.m., pl. -i, corridor, passage way.
kurja n.f., pl. -i, (ekkl.) curia, Chancery office.
kurjal n.m., pl. -i, (leg.) lawyer.
kurjuż aġġ., curious, inquisitive.
kurkanta n.f., bla pl., almond sweetmeal.
kurkett n.m., pl. ***krieket;*** hook. ***~ mara u ~ raġel;*** hook and eye.
kurpett n.m., pl. ***kriepet;*** corset.
kurrata n.f., pl. -iet, (bot.) kurrat leek.
kurrent n.m., pl. -i, current. ***kont ~;*** current account.
kurrier n.m., f. -a, pl. -i, courier, apparitor.
kurrìkulu n.m., pl. -i, curriculum. ***~ ta' l-istudji;*** course of studies.
kursàl n.m., pl. -i, kursaal.
kursàr n.m., f. -a, pl. -i, (mar.) corsair, pirate, freebooter, buccaneer.
kurtina n.f., pl. -i, curtain.
kurtinaġġ n.m., pl. -i, bed-curtain, canopy.
kuruna n.f., pl. -i, crown. ***~ tal-fjuri;*** wreath of flowers. ***~ tal-martirju;*** crown of martyrdom. ***~ tar-rand;*** wreath of laurel. ***~ tar-rużarju;*** chapel, rosary beeds. ***~ tax-xewk;*** crown of thorns. ***diskors tal-~;*** speech from the throne.
kurunell n.m., pl. -i, (mil.) colonel.
kurunella n.f., pl. -i, (ekkl.) short prayer, (itt.) argentine.
kurunetta n.f., pl. -i, (muż.) cornet.
kurunettist n.m., pl. -i, (muż.) cornest, cornet player.
kurva n.f., pl.-i, curve, bend.
kurvatura n.f., pl. -i, curvature, curving, bending.
kurvetta n.f., pl. -i, (mar.) corvette.
kurżità n.f., pl. -jiet, curiosity.
kus n.m., pl. ***kwies;*** pitcher, jar, jug, oil-pot.
kustat n.m., pl. -i, (anat.) breast, chest.
kustilja n.f., pl. -i, (anat.) rib.
kustodja n.f., pl. -i, (leg.) custody.
kustodju n.m., pl. -i, custodian, guardian. ***anġlu ~;*** guardian angel.
kutra n.f., pl. -i, ***kwietri;*** blanket, counterpane, coverlet. ***~ kkutinata;*** quilt.
kutrabandu n.m., pl. -i, contraband.
kutrumbajsa n.f., pl. -i, somersault.
kutu aġġ., quiet.
kutu-kutu avv., quietly, softly.
kutuletta n.f., pl. -i, cutlet.
kutunjata n.f., pl. -i, quince marmalade.

kuxin n.m., pl. -s, cushion.
kuxjenza n.f., pl. -i, conscience. ~ *maħmuġa;* a guilty, dirty conscience. *eżami tal-~;* examination of conscience. *tingiż tal-~;* sting of conscience.
kunxjenzjożament avv., conscientiously.
kunxjenzjuż aġġ., conscientious.
kuxtbiena n.f., pl. -i, mortise, brace.
kuxxin n.m., pl. -i, cushion.
kuxxinett n.m., pl. -i, small cushion. ~ *tal-labar;* pin-cushion.
kużakk n.m., pl. -i, fly.
kverta ara **gverta**.
kwadern n.m., pl. -i, copy-book, exercise book.
kwadranglu n.m., pl. -i, quadrangle.
kwadrangulari aġġ., quadrangular.
kwadrant n.m., pl. -i, quadrant. ~ *ta' arloġġ;* dial face. ~ *tax-xemx;* sundial.
kwadrat aġġ., square.
kwadràtiku aġġ., quadratic.
kwadràtiku n.m., pl. -ċi, quadratic.
kwadratura n.f., pl. -i, quadrature.
kwadrilaterali aġġ., quadrilateral.
kwadrilja n.f., pl. -i, quadrille.
kwadru n.m., pl. -i, picture, painting, frame. ~ *sinottiku;* synoptic table.
kwadru aġġ., square. *ras kwadra;* a strong mind.
kwadruman aġġ., quadrumanous.
kwadrumvirat n.m., pl. -i, quadrumvirate.
kwadrùpedu n.m., pl. -i, quadruped.
kwadruplikat aġġ. u p.p., quadruplicate.
kwàdruplu aġġ., quadruple.
kwakka n.f., pl. -iet, (ornit.) night heron.
kwalìfika n.f., pl. -i, qualification, requisite.
kwalifikat aġġ. u p.p., qualified.
kwalità n.f., pl. -jiet, quality.
kwalitattiv aġġ., qualitative.
kwaljarin n.m., pl. -i, quail-call, quail pipe.
kwalsivolja pron., whichever, whatever, soever.
kwalunkwe ara **kulinkwa**.
kwantità n.f., pl. -jiet, quantity.
kwantitattiv aġġ., quantitative.
kwarantina n.f., pl. -i, quarantine.
kwareżima n.f., pl. -i, (ekkl.) lent.
kwareżimal n.m., pl. -i, (ekkl.) lent sermons.
kwareżimalist n.m., pl. -i, (ekkl.) lenten preacher.
kwart n.m., pl. -i, quarter, fourth part, one fourth.
kwartana n.f., pl. -i, (med.) quartan ague.
kwartett n.m., pl. -i, (muż.) quartet.
kwartier n.m., pl. -i, quarters, head-quarters, barracks.
kwartin n.m., pl. -i, (muż.) small clarinet.
kwartina n.f., pl. -i, (muż.) quartrain.
kwarz n.m., bla pl., (min.) quartz.
kwassja n.f., pl. -i, (bot.) quassia.
kwatern n.m., pl. -i, (logħ.) set of four numbers, quaterno.
kwaternarju n.m., pl. -i, (ġeol.) quaternary.
kważi avv., almost, nearly.
kwerċa n.f., pl. -i, (bot.) oak.
kwerela n.f., pl. -i, (leg.) action at law, complaint.
kwerelant n.m., f. -a, pl. -i, (leg.) plaintiff.
kwerelat n.m., f. -a, pl. -i, (leg.) defendant.
kwestjonabbli aġġ., questionable.
kwestjonarju n.m., pl. -i, questionnaire.
kwestjoni n.f., pl. -jiet, question, subject, point.
kwèstwa n.f., pl. -i, begging.
kwestwant n.m., f. -a, pl. -i, beggar, begging friar, (sister).
kwiet n.m., bla pl., quiet, quietness, calm, calmness, tranquillity.
kwiet aġġ., quiet, peaceful, placid, silent.
kwinarju n.m., pl. -i, (pros.) quinary, five syllables.
kwinkwenju n.m., pl. -i, quinquennium, period of five years.
kwinta aġġ., the fifth part.
kwintana n.f., pl. -i, quintain.
kwittanza n.f., pl. -i, (leg.) acquittance.
kwiżż n.m., pl. -is, (logħ.) quiz.
kworum n.m., bla pl., (leg.) quorum.
kwota n.f., pl. -i, (leg.) share, quota.
kwotat aġġ. u p.p., quoted, estimated.
kwotazzjoni n.f., pl. -jiet, quotation.
kwozjent n.m., pl. -i, quotient.
kxif n.m., bla pl., discovery, bareness.
kżinn n.m., pl. -i, (ornit.) swan.

L l

L, l ***is-sittax-il ittra ta' l-alfabett Malti, it-tnax-il waħda mill-konsonanti u t-tieni mil-likwidi;*** the sixteenth letter of the Maltese alphabet, the twelfth of the consonants and the second of the liquids.
'l prep., to.
l- art., the.
labarda n.f., pl. -i, (mil.) halbard.
labardier n.m., pl. -i, (mil.) halbardier.
labatija n.f., pl. -i, orphanage.
labbar v.II, ***jlabbar;*** to pin, to make needles, pins.
labbàr n.m., f. u pl. -a, one who sells needles.
labirint n.m., pl. -i, labyrinth.
labjali aġġ., labial.
labjàt aġġ., (bot.) labiate.
lablab v.kwad., ***jlablab;*** to babble, to tattle, to prate, to prattle, to chatter, to talk idly, to talk much. ***dejjem ilablab fil-vojt;*** he always chatters uselessly.
lablàb n.m., f. u pl., -a, blabber, prater, blab, quack.
lablabi aġġ., great talker, loquacious, talkative, garrulous.
laboratorju n.m., pl. -i, laboratory.
laborist n.m., f. -a, pl. -i, labourite.
labra n.f., pl. -iet, koll. ***labar;*** needle. ~ ***tad-daqq;*** gramaphone needle. ~ ***ta' l-inxir;*** clothes-pin, clothes peg. ~ ***tal-kalzetta;*** knitting needle. ~ ***tar-ras;*** pin. ~ ***tas-sarwan;*** safety pin. ~ ***tat-tabib;*** needle. ~ ***tal-vajjina;*** bodkin. ***għajn tal-~;*** needle's eye.
labranzetta avv., arm-in-arm.
lâbtu n.m., pl. -ijiet, (ekkl.) scapular.
laċċ n.m., pl. -i, (mar.) tiller.
laċċa n.f., pl. -i, (itt.) allice shad. ~ ***tat-tbajja';*** shad.
laċertu n.m., pl. -i, silverside.
ladarba avv., since, since that, once.
laġġu n.m., pl. -i, (artiġ.) agio.
lag n.m., pl. -i, (ġeog.) lake.
lagrimanti aġġ., weeping.
laguna n.f., pl. -i, (ġeog.) lagoon.
lagħab v.I, ***jilgħab;*** to play, to stake, to wager, to joke, to jest, to deceive, to cheat, to risk, to hazard. ***jilgħab bil-kliem;*** he began to play upon words. ~ ***il-flus fuq żiemel;*** he staked money on a horse. ~ ***man-nar;*** to play with edged tools.
lagħàb n.m., f. u pl. -a, player, gamester, jocker.
lagħaq v.I, ***jilgħaq;*** to lick, to lick up, to lap. ~ ***iż-żarbun ta' xi ħadd;*** he licked someone's shoes.
lagħàq n.m., f. u pl. -a, he who licks.
laħam n.m., pl. ***lħum, laħmijiet;*** flesh, meat.
laħaq v.I, ***jilħaq;*** to reach, to arrive at, to overtake, to come, to amount, to cost, to come at. ***jekk inħaffu l-pass nistgħu nilħquhom;*** if we quicken our pace we can overtake them.
laħħ v.I, ***jleħħ;*** to be persistent, to demand importunately, to ask continually, to insist, to flash continually. ~ ***il-beraq;*** to lighten continually.
laħħam v.II, ***jlaħħam;*** to put in flesh, to plump up, to fatten.
laħħaq v.II, ***jlaħħaq;*** to arrive in time, to promote, to appoint.
laħlaħ v.kwad., to rinse, to swill, to wag, to shake, to shake up. ~ ***dak il-liżar mill-ġdid;*** rinse that sheet again.
laħliħ n.m., bla pl., rinsing.
laħmi aġġ., fleshy.
lajju n.m., pl. -ijiet, tutor, teacher.
lajk n.m., pl. -ijiet, lay brother.
lajm n.koll., (bot.) lime. ~ ***ġuż;*** lime-juice.
lajma n.f., pl. -iet, slowness, calmness. ***bil-~;*** (very) slowly, bit by bit.
lajner n.m., pl. -s, (mar.) liner.
lajnotajp n.m., pl. -s, linotype.
lajnsmen n.m., pl. -ijiet, (logħ.) linesman.
lajter n.m., pl. -s, lighter.
lakkè n.m., pl. -jiet, lackey, lacquey.
lakonikament avv., laconically.
lakòniku aġġ., laconic.
lakoniżmu n.m., pl. -i, laconism.
lakuna n.f., pl. -i, gap, lacuna.
lala n.f., bla pl., freedom, familiarity.
lama n.f., pl. -i, blade, (żool.) lama.

lamànk avv., at least, not even.
lamentazzjoni n.f., pl. -jiet, lamentation.
lampa n.f., pl. -i, lamp. ~ ***ta' l-elettriku;*** bulb. ~ ***tal-pitrolju;*** kerosene lamp. ~ ***taż-żejt;*** oil lamp.
lampadarju n.m., pl. -i, chandelier.
lampier n.m., pl. -a, (ekkl.) suspended lamp.
lampik n.m., pl. -i, distiller, still, alembic.
lampjun n.m., pl. -i, lantern.
lampuka n.f., pl. -i, (itt.) dolphin fish.
lamtu n.m., pl. -i, starch.
lanċ n.m., pl. -ijiet, lunch.
lanċa n.f., pl. ***laneċ;*** (mar.) ferry-boat, launch.
lanċier n.m., pl. -i, (mil.) spear-man, lancer.
landa n.f., pl. -i, ***laned;*** tin.
landier n.m., f. u pl. -i, tinsmith.
landing n.m., pl. -s, landing.
landò n.m., pl. -iet, landau.
landrover n.f., pl. -s, land rover.
lanġas v.kwad., ***jlanġas;*** to rain heavily, to storm, to bluster, to be tempestuous. ***illum ix-xita l-ħin kollu tlanġas;*** today it rained cats and dogs.
lanġasa n.f., pl. ***lanġas;*** (bot.) pear.
lànja n.f., bla pl., drowse.
lankè n.m., pl. -jiet, nankeen.
lanqas avv., not, not even.
lant n.m., pl. -ijiet, long ditch dug in the ground.
lanterna ara **anterna**.
lanza n.f., pl. ***lanez;*** (mil.) spear, lance.
lanzetta n.f., pl. -i, (med.) lancet, fleam.
lanżat v.kwad., ***jlanżat;*** to produce bristles.
lanżita n.f., pl. u koll. ***lanżit;*** bristle.
laparatomija n.f., pl. -i, (med.) laparatomy.
lapes n.m., pl. -ijiet, pencil. ~ ***tal-lavanja;*** slate pencil.
làpida n.f., pl. -i, gravestone, tomb-stone, headstone.
lapidarju n.m., pl. -i, lapidary.
lapislazzuli n.m., pl. -i, (min.) lapis lazuli.
Lapsi n.Pr., Ascension.
laptu ara **labtu**.
laqa' v.I, ***jilqa';*** to receive, to welcome, to entertain, to accept, to approve, to lodge, to shelter. ~ ***'l ħabibu d-dar;*** he welcomed his friend at home.
laqam n.m., pl. -ijiet, nickname.
laqat v.I, ***jolqot;*** to hit, to strike, to guess. ~ ***il-musmar fuq rasu;*** he hit the nail on the head. ***b'ġebla ~ żewġ għasafar;*** he killed two birds with one stone.
laqgħa n.f., pl. -t, assembly, congregation, meeting.
laqlaq v.kwad., ***jlaqlaq;*** to stammer, to stutter, to gaggle. ***meta kellimtu beda jlaqlaq;*** when I spoke to him, he began to gaggle.
laqqa' v.II, ***jlaqqa';*** to bring together, to gather, to procure or promote a meeting, to assemble. ~ ***xi wħud minn ħbiebu biex jifirħu flimkien f'għeluq sninu;*** he gathered some friends to celebrate his birthday.
laqqam v.II, ***jlaqqam;*** to nickname, to vaccinate, to graft, to inoculate. ~ ***is-siġar tal-larinġ;*** he grafted the orange trees.
laqqàm n.m., f. u pl. -a, grafter, inoculator, vaccinator.
laqqat v.II, ***jlaqqat;*** to glean, to pick up. ***mar ilaqqat is-sbul mill-għalqa;*** he went to glean the ears of corn from the field.
laqqax v.II, ***jlaqqax;*** to chop.
laqta n.f., pl. -iet, hit, stroke.
laqxa n.f., pl. -iet, chip, pebble.
larinġa n.f., pl. -iet, koll., ***larinġ;*** (bot.) orange. ~ ***tad-demm;*** blood-orange.
larinġata n.f., pl. -i, orangeade.
larinġi n.f., pl. -id., (anat.) larynx.
larinġite n.f., pl. -jiet, (med.) laryngitis.
laringoloġija n.f., bla pl., (med.) laryngology.
laringoskopija n.f., pl. -i, (med.) laryngoscopy.
laringotomija n.f., pl. -i, (med.) laryngotomy.
lasta n.f., pl. -i, pole, staff, rod. ~ ***ta' bandiera;*** flag-staff.
lastku n.m., pl. -ijiet, elastic.
lat n.m., pl. -i, side.
laterali aġġ., lateral.
Latin n.m., f. -a, pl. -i, Latin.
latinist n.m., f. -a, pl. -i, latinist.
latinità n.f., bla pl., latinity.
latitudini n.f., pl. -jiet, (ġeog.) latitude.
latnija n.f., pl. -i, quarry, cistern.
latrina n.f., pl. -i, public convenience.
lattiċini n.m., pl., dairy products.
lava n.f., pl. -i, lava.
lavaman n.m., pl. -i, wash-hand stand.
lavanda n.f., pl. -i, (bot.) common lavander.
lavanja n.f., pl. -i, (ġeol.) slate.
lavattiv n.m., pl. -i, (med.) clyster.
lavrant n.m., f. -a, pl. -i, workman, labourer, shop-boy.
lawdemju n.m., pl. -i, (leg.) laudemium.
lawdspiker n.m., pl. -s, loud-speaker.
lawra n.f., pl. -i, (bot.) laurel.
lawrejat aġġ. u p.p., graduate.

lawrja n.f., pl. -i, academic degree.
lawżar n.m., pl. -a, *lważar;* hawker, peddler.
laxk aġġ., loose, morally lax, vulgar.
lazz n.m., pl. -ijiet, lace. ~ *taż-żarbun;* shoe lace, boot-lace, shoe string.
lazzarett n.m., pl. -i, (med.) lazaret, lazar house.
lażanja n.f., pl. -i, lasagna.
lbiċ n.m., bla pl., southwest wind.
lbieba n.f., pl. -i, crumb.
lbies n.m., pl., clothes, attire.
le avv., no, not.
leali aġġ., loyal.
lealment avv., loyally.
lealtà n.f., pl. -jiet, loyalty, faithfulness.
lebbet v.II, *jlebbet;* to run away, to huddle up, to render inactive or tame, to cause to gallop.
lebbiet n.m., pl. -a, jockey.
lebbra n.f., bla pl., (med.) leprosy.
lebbruż n.m., f. -a, pl. -i, (med.) leper.
lebbruż aġġ., (med.) leprous.
lebbrużarju n.m., pl. -i, (med.) leper hospital.
lebda pron., no one, nobody, none.
lebleb v.kwad., *jlebleb;* to desire ardently, to crave, to wave, to flutter.
leblieba n.f., pl. -iet, crave, strong desire, (bot.) bindweed.
leċitu aġġ., permissible, permitted (leg.) licit.
lefaq v.I, *jolfoq;* to sob, to sigh, to groan, to sigh in weeping. ***nolfqu f'dan il-wied tad-dmugħ;*** we sob in this valley of tears.
leff v.I, ***jliff;*** to muffle, to wrap up, to enfold, to enclose, to cover, to beat, to strike, to smite. ~ ***lil ibnu fil-kowt u ħarġu;*** he muffled his son in his coat and went out.
leffa n.f., pl. -iet, a beating, a percussion, a smiting.
leffaq v.II, *jleffaq;* to sob continuously.
leffieqi aġġ., sobbing.
leflef v.kwad., *jleflef;* to devour, to eat greedily, to raven.
leflief n.m., f. u pl. -a, devourer, glutton.
leġġ n.m., pl. -ijiet, (mar.) plug-hole.
leġġenda n.f., pl. -i, legend.
leġġendarju n.m., pl. -i, legendary.
leġġibbli aġġ., readable, legible.
leġiju n.m., pl. -i, reading desk, (ekkl.) lectern. ~ *tal-mużika;* music-stand.
leġislattiv aġġ., legislative.
leġislatur n.m., pl. -i, legislator.
leġislatura n.f., pl. -i, legislature, duration of Parliament.
leġislazzjoni n.f., pl. -jiet, (leg.) legislation.
leġittima n.f., pl. -i, (leg.) legal share, lawful portion.
leġittimat aġġ. u p.p., (leg.) legitimated, legitimized.
leġittimazzjoni n.f., pl. -jiet, (leg.) legitimation.
leġittimità n.f., pl. -jiet, (leg.) legitimacy, lawfulness.
leġittmu aġġ., legitimate, lawful, right.
leġjun n.m., pl. -i, (mil.) legion.
leġjunarju n.m., f. -a, pl. -i, (mil. u ekkl.) legionary.
lega n.f., pl. -i, league. ~ *tan-Nazzjonijiet;* League of Nations.
legali aġġ., legal, lawful.
legalità n.f., pl. -jiet, legality, lawfulness.
legalizzat aġġ. u p.p., legalized.
legalizzazzjoni n.f., pl. -jiet, legalization.
legalment avv., legally.
legat n.m., pl. -i, legate, (leg.) bequest, legacy. ~ *tal-Papa;* Legate of the Holy See, Apostolic Legate.
legatarju n.m., pl. -i, (leg.) legatee.
legatur n.m., pl. -i, bookbinder.
legatura n.f., pl. -i, bookbinding, (muż.) slur.
legazzjoni n.f., pl. -jiet, (depl.) legation.
legleg v.kwad. *jlegleg;* to quaff, to booze, to swill, to shake, to jog, to toss. ***beda jlegleg tazza nbid waħda wara l-oħra;*** he began to quaff wine one glass after another.
leglieg n.m., f. u p. -a, quaffer, tippler, boozer.
legumi n.m., pl. (bot.) legume.
legħen v.I, *jilgħen;* to curse.
leheb v.I, *jilheb;* to covet.
leheġ v.I, *jilheġ;* to pant.
lehem v.I, *jilhem;* to inspire, to illuminate.
lehma n.f., pl. -t, inspiration.
lehġa n.f., pl. -iet, pant.
leħen n.m., pl. ***ilħna, leħnijiet;*** voice, sound.
leħħ ara **laħħ**.
leħħa n.f., pl. -iet, importunity, flash.
leħħen v.II, *jleħħen;* to voice, to modulate.
leħja n.f., pl. -iet, beard.
lejbil n.f., pl. -s, label.
lejjel v.II, *jlejjel;* to spend the night.
lejl n.m., pl. *ljieli;* night. *lejlet il-Għid;* Easter Eve. *bil-lejl;* at night, by night, in or during the night.
lejli aġġ., nocturnal.

lejn n.m., pl. -s, (logħ.) lane.
lejn prep., towards.
lejżer n.m., pl. -s, (med.) laser.
lekkem v.II, ***jlekkem;*** to punch with the fist, to give blows, to box, to throw little at a time, to bait, to jerk.
lekumja n.f., pl. -i, turkish delight.
lellex v.II, ***jlellex;*** to shine, to glitter, to adorn, to decorate, to embellish. ***kemm bdiet tlellex il-ġiżirana tad-deheb fuqha;*** how much did the golden necklace glitter on her neck.
lema v.I, ***jilma;*** to shine, to glisten, to flash, to glitter, to sparkle. ***il-qamar u l-kwiekeb qegħdin jilmaw fis-sema;*** the moon and the stars are shining in the sky.
lemaħ v.I, ***jilmaħ;*** to catch sight of, to perceive, to descry. ***~ 'il ħuh fuq il-vapur minn fuq il-moll;*** he caught sight of his brother on the deck from the jetty.
lembut ara **lenbut**.
lemħa n.f., pl. -iet, resemblance, likeness.
lemin aġġ., n.m., pl., on the right side.
lemini aġġ., the right.
lemma n.f., pl. -i, -ata, (fil.) lemma.
lemmaħ v.II, ***jlemmaħ;*** to make one see.
lenbeb v.kwad. ***jlenbeb;*** to wind, to roll.
lenbi n.m., pl. ***lniebi;*** kneading trough, basin of a fountain.
lenbija n.f., pl. -i, tub.
lenbub n.m., pl. -i, quill.
lenbuba n.f., pl. -i, roller, quill, reel. ***~ tal-pulizija;*** baton, truncheon.
lenbut n.m., pl. ***lniebet;*** funnel.
lent n.m., bla pl., lint.
lenti n.f., pl. -jiet, lens.
lentilja n.f., pl. -i, (mar.) parbickle.
lenza n.f., pl. ***lenez;*** lash, fishing line.
leopard n.m., pl. -i, (żool.) leopard.
leqq v.I, ***jleqq;*** to shine, to glitter, to glister, to glisten. ***mhux kull ma jleqq deheb;*** all that glitters is not gold.
leqqieni aġġ., shining, bright, brilliant, sparkling.
lerċi n.f., pl. -jiet, (bot.) larch.
lessikografija n.f., pl. -i, lexicography.
lessikogràfiku aġġ., lexicographical.
lessikògrafu n.m., f. -a, pl. -i, lexicographer.
lèssiku n.m., pl. -i, lexicon.
lest aġġ., ready, done, prepared.
lesta v.t., ***jlesti;*** to prepare, to get ready. ***il-bidwi ~ l-għalqa għaż-żrigħ;*** the farmer prepared the field for seed.
letali aġġ., deadly, lethal.
letarġija n.f., pl. -i, (med.) lethargy.
letlet v.kwad., ***jletlet;*** to lap.
letterali aġġ., literal. ***traduzzjoni ~;*** literal translation.
letteralment avv., literally.
letterarju n.m., f. -a, pl. -i, literary.
letterat n.m., f. -a, pl. -i, literary man, man of letters.
letterat aġġ., lettered.
letteratura n.f., pl. -i, literature.
lettur n.m., f. -triċi, pl. -i, reader, lector.
lettura n.f., pl. -i, reading. ***kamra tal-~;*** reading room.
levantin aġġ., levantine.
levita n.m., pl. -i, (ekkl.) Levite.
Levitiku n.Pr., Leviticus.
lewa v.I, ***jilwi;*** to twist, to contort, to wrench, to turn. ***tal-ħut ~ l-kantuniera;*** the fishmonger turned round the corner. ***is-suldati lwew lejn il-lemin;*** the soldiers turned to the right.
lewkemja n.f., pl. -i, (med.) leukemia.
lewwaħ v.II, ***jlewwaħ;*** to shovel.
lewwaq v.II, ***jlewwaq;*** to give food in small quantities.
lewwem v.II, ***jlewwem;*** to cause to quarrel.
lewwen v.II, ***jlewwen;*** to colour.
lewwet v.II, ***jlewwet;*** to defile, to make dirty, to mire.
lewwieħ n.m., f. u pl. -a, shoveller.
lewwien n.m., f. u pl. -a, colourist.
lewwieq n.m., f. u pl. -a, chatterbox.
lewża n.f., pl. -iet, koll. ***lewż;*** almond. ***~ morra;*** bitter almond. ***idur mal-~;*** to beat around the bush.
lexxen v.II, ***jlexxen;*** to work with an axe, to hoe weeds.
lexxuna n.f., pl. ***lxiexen;*** axe, spud.
lezzjonarju n.f., pl. -i, (ekkl.) lectionary.
lezzjoni n.f., pl. -jiet, lesson.
lfiq n.m., bla pl., sobbing.
lġiem n.m., pl. ***ilġma;*** truss, bit, bridle, curb, restraint.
lgħab n.m., bla pl., slaver, drivel, foam.
lgħabi aġġ., slobbering.
lhudi n.m., f. -ja, pl. ***Lhud;*** Jew, Hebrew.
lħiħ aġġ., petulant, importunate, avid, greedy.
lhiġ n.m., bla pl., panting.
lħiq n.m., bla pl., attainment, reaching.
lħit n.m., bla pl., chin.
lħuqi aġġ., that can be reached.
li pron., which, that, who.
li konġ., if.
liberazzjoni n.f., pl. -jiet, liberation.
libbes v.II, ***jlibbes;*** to dress, to clothe, to enrobe. ***~ il-għarwien;*** clothe the naked.
libbet ara **lebbet**.
libbiena ara **lihbiena**.

libbies n.m., f. u pl. -a, one who dresses or clothes.
libbra n.f., pl. -i, pound.
libell n.m., pl. -i, (leg.) libel.
libelluż aġġ., (leg.) libellous.
liberali aġġ., liberal.
liberaliżmu n.m., pl. -i, liberalism.
liberalment avv., liberally.
liberament avv., freely, frankly, plainly.
liberat aġġ. u p.p., freed, liberated.
liberatur n.m., f. -a, pl. -i, liberator, deliverer, releaser, redeemer.
liberazzjoni n.f., pl. -jiet, liberation.
libertà n.f., pl. -jiet, liberty, freedom. *~ ta' l-istampa;* liberty of the press. *~ tal-kuxjenza;* liberty of conscience.
libertin n.m., f. -a, pl. -i, libertine.
libertinaġġ n.m., pl. -i, libertinage.
liberu aġġ., free.
libes v.I, *jilbes;* to dress, to get dressed. *irrid nilbes għall-ikel;* I must dress for dinner.
libet v.I, *jilbet;* to quail, to cower with fear, to run quickly.
libidinuż aġġ., lustful, libidinous.
libien ara **lubien**.
librar n.m., f. u pl. -a, librarian.
librerija n.f., pl. -i, library, bookcase.
librett n.m., pl. -i, booklet, (muż.) libretto.
librettist n.m., f. -a, pl. -i, (muż.) librettist, libretto writer.
libru aġġ., indipendent, frank.
libsa n.f., pl. *lbiesi;* suit, dress. *~ tad-dar;* surtout. *~ tal-għawm;* bathing costume. *~ ta' patri;* habit frock, cowl. *~ ta' qassis;* cassock, soutane. *~ tas-sodda;* bed-gown, pyjama. *~ tas-servizz;* uniform. *~ ta' taħt;* under wear, petticoat. *~ tat-tieġ;* wedding-gown, wedding dress.
libsiena n.f., pl. -iet, (bot.) broad-leaved sisymbrium.
liċenza n.f., pl. -i, licence. *~ tas-sewqan;* driver's licence.
liċenzjat aġġ. u p.p., licenced, dismissed.
liċeo n.m., pl. -i, lyceum.
lîċi n.m., bla pl., (bot.) holm oak.
liċitazzjoni n.m., pl. -jiet, (leg.) licitation, sale by auction.
lîda n.f., pl. -i, pestle.
lîder n.m., pl. -s, leader, conductor.
liebes aġġ. u p.preż., dressed, adorned, setoff. *~ ta' pajżan;* civilian.
liebet aġġ. u p.preż., quailing, quiet and silent, shrunk up in a corner.
liebru n.m., pl. -i, (żool.) hare.
liedna n.f., pl. -i, (bot.) ivy.
liegħeb v.III, *jliegħeb;* to foam, to slaver, to drivel, (logħ.) to dribble.
liegħeq v.III, *jliegħeq;* to lick.
liem v.I, *jlum;* to reproach, to reprove, to chide, to remprimand, to scold. *hu liemna għax ma wasalniex fil-ħin;* he reproached us for not arriving in time.
liema pron., which.
lieva n.f., pl. -i, lever, crow-bar, (mil.) conscription, levy.
lieżem aġġ. u p.preż., assiduous, diligent, constant.
lifgħa n.f., pl. -t, (żool.) viper.
lift n.m., pl. -jiet, lift.
lift n.m., pl. -iet, (bot.) turnip.
liġġem v.II, *jliġġem;* to bridle, to repress, to curb, to restrain.
liġġiem n.m., f. u pl. -a, restrainer.
liġi n.f., pl. -jiet, law. *~ tan-natura;* natural law, law of nature. *~ l-Qadima;* Old Testament. *~ l-Ġdida;* New Testament. *~ kanonika;* Canon Law. *ktieb tal-~;* code, book of laws.
liġwa n.f., pl. -iet, dearth.
lig n.m., pl. -ijiet, (logħ.) league.
liga n.f., bla pl., alloy.
ligament n.m., pl. -i, (anat.) ligament.
ligurizja n.f., bla pl., liquorice.
lihbien aġġ., dryness, siccity, drought. *il-lihbiena;* St. Martin's summer.
likèni n.f., pl. -jiet, (bot.) lichen.
lîkiġ n.m., bla pl., leakage. *~ tal-gass;* gas leakage.
likk n.m., pl. -ijiet, (logħ.) a jack. *donnu ~;* lilliputian.
likkem ara **lekkem**.
likuri n.pl., liquer, spirits.
likuriera n.f., pl. -i, cellaret.
likwidat aġġ. u p.p., liquidated.
likwidazzjoni n.f., pl. -jiet, liquidation.
likwidu aġġ. u n.m., pl. -i, liquid.
lil prep., to.
lilà n.f., bla pl., (bot.) lilac. *lewn ~;* colour lilac.
lillipuzjan aġġ. u n.m., f. -a, pl. -i, lilliputian.
lima n.f., pl. -i, (artiġ.) file.
limalja n.f., pl. -i, (artiġ.) file-dust.
limatur n.m., pl. -i, (artiġ.) filer.
limatura n.f., pl. -i, (artiġ.) filing.
limbu n.m., bla pl., (teol.) limbo.
limitu aġġ. u p.p., limited, restricted.
limitazzjoni n.f., pl. -jiet, limitation.
limitu n.m., pl. -i, limit, bound.
limpidu aġġ., limpid.
linċi n.kom., pl. -jiet, (żool.) lynx.
linfa n.f., pl. *linef;* chandelier.

lingwa n.f., pl. -i, language.
lingwaġġ n.m., pl. -i, language.
lingwata n.f., pl. -i, (itt.) common sole.
lingwist n.m., f. -a, pl. -i, linguist.
lingwistika n.f., bla pl., linguistics.
lingwistiku aġġ., linguistic.
liniment n.m., pl. -i, (med.) liniment.
linja n.f., pl. -i, line. *~ tat-telefon;* telephone line.
linka n.f., pl. *linek;* ink.
linoljum n.m., bla pl., linoleum.
linotajp n.f., bla pl., linotype.
lipp n.m., pl. -jiet, (żool.) wolf, (itt.) blue ling.
lipstik n.m., pl. -s, lipstick.
lira n.f., pl. -i, (mużż.) harp, lyre.
liriku aġġ., lyric, lyrical.
lissen v.II, *jlissen;* to pronounce, to chatter, to utter. *hu ma ~ ebda kelma;* he did not utter a single word.
lista n.f., pl. -i, list. *~ tal-prezzijiet;* price list.
litanija n.f., pl. -i, (ekkl.) litany.
litiġjuż aġġ., quarrelsome.
litìjasi n.f., bla pl., (med.) lithiasis.
litikant aġġ. u p.preż., litigant.
litografija n.f., pl. -i, (art.) lithography.
litogràfiku aġġ., (art.) lithographic.
litoloġija n.f., pl. -i, lithology.
litòte n.f., pl. -i, (lett.) litotes.
litotomija n.f., pl. -i, (med.) lithotomy.
litru n.m., pl. -i, litre.
littoral n.m., pl. -i, (ġeog.) littoral.
liturġija n.f., pl. -i, (ekkl.) liturgy.
liturġiku aġġ., (ekkl.) liturgical.
livell n.m., pl. -i, level.
livellat aġġ. u p.p., levelled.
livrija n.f., pl. -i, livery.
liwja n.f., pl. -iet, turn, turning.
lixka n.f., pl. -i, bait.
lixkata n.f., pl. -i, baiting, allurment, enticement.
lixx aġġ., smooth, sleek.
lixxatura n.f., pl. -i, smoothing.
lizz n.m., f. -a, pl. -i, (itt.) barracuda.
liżar n.m., pl. *lożor;* sheet.
liżem v.I, *jilżem;* to be assiduous, diligent, eager, constant.
ljun n.m., pl. -i, (żool.) lion.
ljunfant n.m., pl. -i, (żool.) elephant. *~ il-baħar;* lobster.
lkoll pron., all.
lment n.m., pl. -i, lamentation, complaint.
lmenta v.t., *jilmenta;* to lament, to complain. *ma għandkom ebda raġuni li tilmentaw minnu;* you have no reason to complain of him.
lobbja n.f., pl. -i, a felt hat.
lobotomija n.f., pl. -i, (med.) lobotomy.
lobu n.m., pl. -i, (med.) lobe.
lodevoli aġġ., laudable.
loġġ n.m., pl. -jiet, guichet.
loġġa n.f., pl. *loġoġ;* lodge.
loġġat n.m., pl. -i, covered gallery.
loġika n.f., bla pl., logics.
loġikament avv., logically.
loġiku aġġ., logical.
logaritmu n.m., pl. -i, logarithm.
logogramm n.m., pl. -i, logogramm.
logògrafu n.m., pl. -i, logographer.
logutenent n.m., pl. -i, (mil.) lieutenant.
logħba n.f., pl. -iet, koll. *logħob;* game.
logħob n.m., bla pl., playing. *bil-~;* jestingly.
lok n.m., pl. -ijiet, place.
lokal n.m., pl. -i, place.
lokali aġġ., local.
lokalizzat aġġ., localized.
lokalizzazzjoni n.f., pl. -jiet, localization.
lokatorju n.m., f. -a, pl. -i, (leg.) tenant, lessee.
lokawt n.m., pl. -s, lock out.
lokazzjoni n.f., pl. -jiet, (leg.) lease.
loker n.m., pl. -s, locker.
lokit n.m., pl. -s, locket.
lokomotiva n.f., pl. -i, locomotive.
lokuzzjoni n.f., pl. -jiet, locution.
lokwela n.f., pl. -i, fluency of speech.
lombaġni n.m., pl. -jiet, (med.) lumbago.
lombrina n.f., pl. -i, (itt.) umber.
lomma n.f., pl. -iet, principal stem.
lôndri n.m., pl. -jiet, laundry.
lonġitudni n.f., pl. -jiet, (ġeog.) longitude.
longa n.f., bla pl., sultry heat of the sun.
loppju n.m., bla pl., opium.
loqma n.f., pl. -iet, koll. *loqom;* morsel.
lori n.m., pl. -s, lorry.
lostru n.m., bla pl., polish, varnish. *~ taż-żraben;* shoe polish.
lott n.m., pl. -jiet, lot.
lotta n.f., pl. -i, struggle, wrestling match.
lottatur n.m., f. -atriċi, pl. -i, fighter, struggler, wrestler.
lotterija n.f., pl. -i, (logħ.) lottery.
lozzu n.m., pl. -jiet, (mar.) skiff, (itt.) pike.
lqat n.m., bla pl., gleaning.
lqugħ n.m., bla pl., parry, wear, weir.
lqugħi aġġ., agreeable, admissable.
lsien n.m., pl. *ilsna;* tongue, language, speech. *~ il-fart (bot.);* bugloss. *~ ta' l-għaġeb;* eloquence. *~ li jista';* a nible tongue. *~ ħażin;* an evil tongue. *~ il-kelb;* (bot.) hound's tongue. *~ tal-moħriet;* ploughshare. *~ tan-nar;* flame.

~ tal-qanpiena; clapper. *~ ta' San Pawl;* (ġeol.) Saint Paul's tongue.
lsir aġġ. u n.m., f. u pl. -a, slave.
ltaħaq v.VIII, *jiltaħaq;* to be reached.
ltaqa' v.VIII, *jiltaqa';* to meet, to meet with, to encounter. *il-bieraħ iltqajna magħhom il-misraħ;* yesterday we met them at the square.
lteff v.VIII, *jilteff;* to be covered with a cloak or mantle.
ltewa v.VIII, *jiltewa;* to be bent, twisted, contorted, convolved.
ltim n.m., f. -a, pl. *ltiema;* orphan.
lubien n.m.koll., incense.
lubrikazzjoni n.f., pl. -jiet, lubrication.
luċelettrika n.f., bla pl., electricity.
luċerna n.f., pl. -i, oil lamp.
Luċifru n.Pr., Lucifer.
ludo n.m., bla pl., (logħ.) ludo.
lugger n.m., bla pl., (mar.) lugger.
luħ n.m., pl. *lwieħ;* shovel, peel, spade.
lukanda n.f., pl. -i, hotel, inn, lodging.
lukandier n.m., f. -a, pl. -i, hotel owner, inn-keeper.
lukkett n.m., pl. -i, latch, hasp.
Lulju n.Pr., July.
lumank avv., at least.
lumiċella n.f., pl. -iet, koll. *lumiċell;* (bot.) sweet lemon.
lumija n.f., pl. -iet, koll. *lumi;* (bot.) lemon.
luminata n.f., pl. -i, lemonade.
luminazzjoni n.f., pl. -jiet, lumination.
luna n.f., bla pl., sail-cloth, canvas.
lunapark n.f., pl. -s, funfair.
lunarju n.m., pl. -i, almanac.
lunetta n.f., pl. -i, single eye-glass, (ark.) lunette.
lupa n.f., pl. -i, bulimy, (tek.) circular saw.
lupu n.m., f. -a, pl. *lpup;* (żool.) wolf, (itt.) bass.
luq n.m., koll. (bot.) poplar.
luqqata n.f., pl. -t, dustaff.
lura avv., back, backwards.
lusingat aġġ. u p.p., flattered.
lusingatur n.m., f. -a, pl. -i, flatterer.
lussu n.m., bla pl., luxury.
lussuż aġġ., luxurious.
lustratur n.m., f. -a, pl. -i, polisher.
lustratura n.f., pl. -i, (tekn.) polishing.
lustrazzjoni n.f., pl. -jiet, illustration.
Luteran aġġ. u n.m., f. -a, pl. -i, Lutheran.
Luteru n.Pr., Luther.
luttu n.m., bla pl., bereavement, mourning.
luzzu n.m., pl. -i, (mar.) schiff.
lvant n.Pr., East.
lvent aġġ., active, swift, lively.
lwiża ara **alwiża**.

Mm

M, m ***is-sbatax-il ittra ta' l-alfabett Malti, it-tlettax-il waħda mill-konsonanti u t-tielet mil-likwidi;*** the seventeenth letter of the Maltese alphabet, the thirteenth of the consonants and the third of the liquids.
m' prep., with, together with.
'ma konġ., but, nevertheless.
ma n.f., pl. jiet, mother.
ma avv., no, not.
ma' prep., with, together with.
mabħra n.f., pl. -iet, censer.
mabqar n.m., pl. ***mbaqar;*** cattle-shed.
mabrad n.m., pl. ***mbarad;*** file.
mabram n.m., pl. ***mbarem;*** spinning-wheel.
mabxar n.m., pl. ***mbaxar;*** news-room.
mabżar n.m., pl. ***mbażar;*** pepper-pot.
maċina n.f., pl. -i, (mar.) crane, gin.
maċinatur n.m., f. -a, pl. -i, miller.
maċinell n.m., pl. -i, (artiġ.) muller.
madaffa n.f., pl. -i, (tek.) punner.
màdam n.f., pl. -s, madame, headmistress.
madankollu konġ., nevertheless.
madàr n.m., bla pl., group of houses.
madaxxumi n.m., pl. -jiet, (mar.) gasket, becket.
madbaħ ara **midbaħ**.
madmad n.m., pl. ***mdamad;*** yoke.
Madonna n.f., pl. -i, Our Lady, the Blessed Virgin.
madrab n.m., pl. ***mdarab;*** pilaster.
madre n.f., pl. -jiet, mother.
madrigal n.m., pl. -i, (lett.) madrigal.
madriperla n.f., pl. -i, mother of pearl, (bot.) moon-wort.
maduma n.f., pl. -iet, koll. ***madum;*** tile, brick.
madwar avv. u prep., about, environs.
maestà n.kom., pl. -jiet, majesty.
maestrija n.f., pl. -i, mastery, masterly, skill, ability.
maestuż aġġ., majestic.
mafja n.f., pl. -i, mafia.
mafjuż aġġ. u n.m., f. -a, pl. -i, belonging to the mafia, member of the mafia.
mafkar n.m., pl. ***mfakar;*** monument.
mafler n.f., pl. -s, muffler.
mafrad n.m., pl. ***mfared;*** earthenware basin, ox shed, ox stall.
mafwar n.m., pl. ***mfawar;*** place of evaporation.
maġàr n.m., bla pl., vicinage.
maġenb prep., near, close to.
maġenta aġġ., magenta.
maġġur n.m., pl. -i, (mil.) major. ***artal ~;*** high altar. ***surġent ~;*** sergeant major.
maġġuranza n.f., pl. -i, majority. ***~ assoluta;*** absolute majority.
maġġurdom n.m., pl. -i, house-steward, butler.
Maġi n.m.pl., Magi, the wise men.
maġija n.f., pl. -i, magic. ***~ sewda;*** black magic.
maġiku aġġ., magic, magical. ***bakketta maġika;*** magician's wand. ***lanterna maġika;*** magic lantern.
maġisterju n.m., pl. -i, (ekkl.) magisterium, teaching. ***~ tal-Knisja;*** teaching of the Church.
maġistrat n.m., pl. -i, (leg.) magistrate.
maġistratura n.f., pl. -i, magistracy.
maġmar n.f., pl. ***maġmra;*** brazier.
maġra n.f., pl. ***mġieri;*** stream, spring.
maganja n.f., pl. -i, bad action.
magazin n.m., pl. -s, magazine.
magazzin n.m., pl. -i, warehouse, ware-store.
magazzinaġġ n.m., pl. -i, warehouse dues.
magg n.m., pl. -s, mug.
magna ara **makna**.
magru aġġ., meagre, thin, lenten diet.
magħad v.I, ***jomgħod;*** to chew, to masticate, to munch. ***omgħod sewwa l-ikel għax jagħmillek id-deni;*** chew the food well so that you will not harm yourself.
magħàd n.m., f. u pl. -a, chewer, masticator.
magħadi aġġ., masticatory.
magħda n.f., pl. -iet, mastication, chew.
magħdub aġġ., angry.
magħdud aġġ. u p.p., computed, reckoned, accounted for.
magħdur aġġ. u p.p., compassionated, commiserated, pitied.

magħfuġ aġġ. u p.p., trodden.
magħfun aġġ. u p.p., desiccated.
magħfus aġġ. u p.p., pressed, squeezed, constrained, forced.
magħġna n.f., pl. ***magħġen;*** kneading trough.
magħġub aġġ. u p.p., pleased, liked.
magħġun aġġ. u p.p., kneaded.
magħkus aġġ. u p.p., miserable, wretched, weakened, stunted.
magħlaq n.m., pl. ***mgħalaq;*** enclosure, seclusion.
magħleb n.m., pl. ***mgħaleb;*** stalk, stem.
magħlef n.m., pl. ***mgħalef;*** fodder, forage.
magħlub aġġ. u p.p., lean, thin, slender, meagre.
magħluf aġġ. u p.p., pastured, fed.
magħlul aġġ. u p.p., full of ailments, disease, sickness.
magħluq aġġ. u p.p., shut, closed, encircled, enclosed, surrounded, shut in, strait.
magħlut aġġ. u p.p., mistaken, erred.
magħmudija n.f., pl. -i, baptism. ***~ tad-demm;*** baptism of blood. ***~ tal-Lhud;*** circumcision. ***fidi tal-~;*** birth certificate. ***fonti tal-~;*** font.
magħmul n.m., pl. ***mgħamel;*** bewitchment, enchantment, made, done, performed.
magħmuż aġġ. u p.p., winked.
magħqud aġġ. u p.p., coagulated, congealed, frozen, united, condensed.
magħqur aġġ. u p.p., wounded, ulcered.
magħruf aġġ. u p.p., known, recognized, manifest, noted, notorious, public.
magħruġ aġġ. u p.p., limping.
magħruk aġġ. u p.p., rubbed, scrubbed.
magħrus aġġ. u p.p., espoused, expoused.
magħsra n.f., pl. -iet, press, squeezer.
magħsur aġġ. u p.p., pressed, squeezed.
magħtub aġġ. u p.p., maimed, lamed, crippled.
magħtur aġġ. u p.p., lame, crippled, limped.
magħxa n.f., pl. -iet, acquisition.
magħżel n.m., pl. ***mgħażel;*** spinning-wheel, spindle.
magħżul aġġ. u p.p., separated, parted, severed, elected, chosen, spun.
magħżuq aġġ. u p.p., dug up.
magħżuż aġġ. u p.p., much valued, rare, precious.
maħanqa n.f., pl. -iet, horse collar.
maħat v.I, ***jomħot;*** to blow one's nose.
maħbeż n.m., pl. ***mħabeż;*** bakery, oven, batch.
maħbub aġġ. u p.p., beloved, loved.
maħbus aġġ. u p.p., imprisoned, incarcerated.
maħbut aġġ. u p.p., beaten, struck, hit.
maħbuż aġġ. u p.p., baked.
maħdum aġġ. u p.p., worked, tilled, cultivated.
maħfra n.f., pl. -iet, condonation, forgiveness, pardon, remission.
maħfun aġġ. u p.p., grasped, grabbed. ***~ bis-snien;*** seized with one's teeth.
maħfur aġġ. u p.p., forgiven.
maħġar n.m., pl. ***mħaġar;*** place abounding in stones.
maħġub aġġ. u p.p., covered, veiled, retired, isolated.
maħħa v.I, ***jmaħħi;*** to erase with a rubber.
maħħaħ v.II, ***jmaħħaħ;*** to think, to reflect. ***ilu jmaħħaħ ħafna kif jidħak bina;*** he has been thinking for a long time how to deceive us.
maħħat v.II, ***jmaħħat;*** to snivel.
maħkuk aġġ. u p.p., grated, scratched, rubbed.
maħkum aġġ. u p.p., subdued, dominated, ruled, administered, commanded.
maħleb n.m., ***mħaleb;*** milk-pail, dairy.
maħleġ n.m., pl. **mħaleġ;** cotton-gin.
maħlub aġġ. u p.p., milked.
maħluf aġġ. u p.p., sworn, sworn to.
maħluġ aġġ. u p.p., carded cotton with seeds removed.
maħlul aġġ. u p.p., loosened, dissolved, melted, liberated.
maħluq aġġ. u p.p., created.
maħlut n.m.koll., mixed grain.
maħmaħ v.kwad., ***jmaħmaħ;*** to stutter, to stammer.
maħmieħi aġġ., hoarse.
maħmuġ aġġ. u p.p., foul, dirty, nasty, slovenly.
maħmul aġġ. u p.p., supported, suffered, tollerated.
maħnaq n.m., pl. ***maħanqa;*** collar.
maħnat n.m., ***mħanat;*** shopping center.
maħnuq aġġ. u p.p., strangled, choked, stifled, hoarse. ***~ bin-nies;*** crowded.
maħqur aġġ. u p.p., ill-treated, oppressed.
maħrab n.m., pl. ***mħareb;*** refuge, shelter, asylum.
maħrub n.m., f. -a, pl. -in, (mil.) deserter, fugitive.
maħruġ aġġ. u p.p., brought out, extracted, jutting (out), published.
maħruq aġġ. u p.p., burnt. ***~ bix-xemx;*** sunburned, sunburnt.
maħrut aġġ. u p.p., ploughed.

maħsel n.m., ***mħasel;*** laundry, washing-house, lavatory.
maħsub aġġ. u p.p., thought, pondered on.
maħsud aġġ. u p.p., reapened, mowed.
maħsul aġġ. u p.p., washed, reproved, reprehended, reproached, scolded.
maħsus aġġ. u p.p., felt, feeling unwell.
maħta n.f., pl. ***mħat;*** snot.
maħtab n.m., pl. ***mħatab;*** wood, forest.
maħtub aġġ. u p.p., asked by a third person for marriage.
maħtuf aġġ. u p.p., snatched, wrested.
maħtum aġġ. u p.p., sealed.
maħtun aġġ. u p.p., circumcised.
maħtur aġġ. u p.p., chosen, elected, selected.
maħtut aġġ. u p.p., unloaded, demolished, dismantled.
maħwar n.m., pl. ***mħawar;*** druggist's shop.
maħwet n.m., pl. ***mħawet;*** fish-market.
maħżen n.m., pl. ***mħażen;*** warehouse, store.
maħżna n.f., pl. -iet, pantry, sideboard.
maħżnier n.m., f. u pl. -a, storekeeper, warehouse-keeper, storeman.
maħżuq aġġ. u p.p., held tight between one's arms.
maħżuż aġġ. u p.p., scribbled, delineated, marked, signed, sketched.
majjal n.m., f. -a, pl. -i, hog, pig. ***laħam tal-~;*** pork.
majjiera n.f., pl. -i, (mar.) rib (of a boat, a ship).
majjistra n.f., pl. -i, schoolmistress, midwife.
majjistral n.m., bla pl., north west wind, mistral.
majjistru n.m., f. -a, pl. -i, master.
majjolka n.f., bla pl., (artiġ.) majolica, maiolica.
majjoneż n.f., bla pl., mayonnaise.
majjuskola n.f., pl. -i, capital letter.
majka n.f., bla pl., mica.
majn n.f., pl. -s, mine.
majna v.t., ***jmajna;*** to lower sails, to haul down. ***il-baħrin majnaw il-qlugħ minħabba r-riħ qawwi;*** the sailors lowered the sails because of high wind.
makabru aġġ., macabre.
makakka aġġ., astute, cunning, shrewd.
makakkerija n.f., pl. -i, astuteness, cunningness, shrewdness.
makintoxx n.f., pl. -ijiet, mackintosh, rainproof coat.
makkatura n.f., pl. -i, lividity, bruise.
makkinarju n.m., pl. -i, machinery.
makkinetta n.f., pl. -i, small machine, small engine.
makkinist n.m., f. -a, pl. -i, machinist, engineer.
makku n.m., koll. (itt.) pellucid sole.
makna n.f., pl. -i, machine. ***~ għall-ħasil tal-platti;*** dishwasher. ***~ tal-ħasil;*** washing machine. ***~ tal-ħjata;*** sewing machine. ***~ ta' l-istampar;*** printing machine, press.
maksiskert n.m., pl. -s, maxi skirt.
maktur n.m., ***mkatar;*** handkerchief. ***~ tal-għonq;*** neckerchief. ***~ tar-ras;*** kerchief.
makuba n.f., pl. -i, (bot.) pelargonium.
malafama n.f., pl. -i, ill fame.
malafidi n.f., bla pl., bad faith.
malajr avv., soon, quickly, nimbly, immediately.
malakit n.m., bla pl., (min.) malachite.
malament avv., badly.
malandrin n.m., pl. -i, highwayman.
malann n.m., pl. -i, illness, disease, infirmity.
malarja n.f., bla pl., malaria.
malawgurju n.m., pl. -i, ill-omen. ***uċċellu tal-~;*** bird of ill omen.
maledukat aġġ., impolite, ill-bred.
malfattur n.m., pl. -i, malefactor.
malinjità n.f., pl. -jiet, malignity, malignancy.
malinkonija n.f., pl. -i, melancholy.
malinkoniku aġġ., melancholic, hippish.
malinn aġġ., malign, malignant. ***spirtu ~;*** evil spirit. ***tumur ~;*** malignant tumour.
malintiż aġġ., misunderstood.
malizzja n.f., pl. -i, malice.
malizzjuż aġġ., malicious.
malja n.f., pl. -i, link, ring, mesh, vest, undervest, knitted vest. ***~ tal-għawm;*** bathing costume, swimming suit. ***~ tax-xagħar;*** plait.
maljatura n.f., pl. -i, linkeage.
malerija n.f., pl. -i, hosiery.
malli avv., as soon as.
Malta n.Pr., Malta.
maltemp n.m., pl. -i, bad weather.
maltempata n.f., pl. -i, storm, squall.
Malti n.m., pl. -n, Maltese.
maltrattament n.m., pl. -i, ill-treatment, maltreatment.
maltrattat aġġ. u p.p., ill-treated.
malva n.f., pl. -i, (bot.) mallow.
malvizz n.m., pl. -i, (ornit.) song thrush. ***~ aħmar;*** redwig. ***~ iswed;*** blackbird. ***~ tal-Lvant;*** siberian thrush. ***~ tas-sidra bajda;*** ring ousel.
malvizzun n.m., pl. -i, (ornit.) fieldfare. ***~ prim (imperja);*** mistle thrush.

mamà n.f., pl. -jiet, mother.
màmmal n.m., pl. -i, mammal.
mammalukk n.m., pl. -i, mameluke.
mammażejża n.f., pl. -iet, (bot.) henbane.
mammiferu aġġ., (żool.) mammiferous.
mammona n.f., pl. -i, mammon.
mammut n.m., pl. -ijiet, (żool.) mammoth.
mamur aġġ. u p.p., commanded, ordered.
manbar n.m., pl. ***mnabar;*** pulpit, tribune, stand.
manċa n.f., pl. -i, tip.
mandarin n.m., pl. -i, mandarin.
mandat n.m., pl. -i, (leg.) seizure, confiscation, sequestration.
mandatarju n.m., pl. -i, (leg.) mandatory.
mander n.m., bla pl., mess, pen.
mandìbula n.f., pl. -i, (med.) mandible, jaw.
màndola n.f., pl. -i, (muż.) mandola.
mandolina n.f., pl. -i, tangerine, (muż.) mandolin.
mandolinist n.m., f. -a, pl. -i, (muż.) mandolin-player.
mandra n.f., pl. -i, sheep-cot, pen, fold, mess.
mandrin n.m., pl. -i, (tekn.) mandril, mandrel.
manetta n.f., pl. -i, ream, quire, handcuff, manacle.
manganiż n.m., bla pl., (kim.) manganese.
mangnu n.m., pl. -i, mangle, calendar.
manifattura n.f., pl. -i, manufacture.
manifatturier n.m., f. -a, pl. -i, manufacturer.
manifest n.m., pl. -i, manifest.
manifestat aġġ. u p.p., manifested.
manifestazzjoni n.f., pl. -jiet, manifestation.
manifikament avv., magnificently, splendidly.
manifiku aġġ., magnificent, splendid.
manifku n.m., pl. -i, notary.
maniġer n.m., pl. -s, manager.
maniġġ n.m., pl. -i, manage, handling.
maniġibbli aġġ., manageable.
manigold n.m., pl. -i, rogue, rascal, knave.
manija n.f., pl. -i, mania.
manìjaku aġġ., maniac.
manikin n.m., pl. -i, mannequin.
manikomju n.m., pl. -i, lunatic asylum.
manikott n.m., pl. -i, mitten, muffettee, muff.
manilja n.f., pl. -i, handle.
manîplu n.m., pl. -i, (ekkl.) maniple.
manipulatur n.m., f. -atriċi, pl. -i, manipulator.
manipulazzjoni n.f., pl. -jiet, manipulation.
manjesja n.f., pl. -i, (kim.) magnesia.
manjetiżmu n.m., pl. -i, magnetism.
manjiera n.f., pl. -i, manner. ***bil-manjieri;*** well mannered, mannerly. ***bla manjieri;*** ill mannered.
manju aġġ., great.
mank avv., not even, at least.
manka n.f., pl. ***manek;*** hose.
mankament n.m., pl. -i, deficiency, imperfection.
mankana n.f., pl. -i, (itt.) poor cod.
mankanza n.f., pl. -i, lack, absence.
manku n.m., pl. -ijiet, handle. ***~ ta' sikkina;*** knife handle. ***~ ta' xkupa;*** broomstick.
manna n.f., bla pl., manna.
mannara n.f., pl. ***mnanar;*** axe, hatch.
mannas v.II, ***jmannas;*** to tame, to appease, to domesticate, to render mild and meek.
mannite n.f., pl. -jiet, (kim.) mannite, mannite-sugar.
manoċċa n.f., pl. -i, kite.
manumetru n.m., pl. -i, manometer.
manqâx n.m., pl. ***mnieqex;*** chisel.
mans aġġ., tame, domesticated, mild, meek, gentle, quiet, calm.
mansab n.m., pl. ***mnasab;*** gin, fowling net.
manswet aġġ., meek, gentle.
mant n.m., pl. -ijiet, mantle.
mantâr n.m., pl. ***mnatar;*** cloak, cape.
mantell n.m., pl. -i, cloak.
manteniment n.m., pl. -i, (leg.) maintenance, nurture.
manti n.m.pl., (mar.) halyards.
mantilja n.f., pl. -i, mantilla.
mantna v.Sq., ***jmantni;*** to maintain, to keep, to nurture. ***kien imantni ġar tiegħu;*** he maintained a neighbour of his.
mantnut aġġ. u p.p., maintained.
manumorta n.f., bla pl., (leg.) mortmain.
manuskritt n.m., pl. -i, manuscript.
manutensjoni n.f., pl. -jiet, maintenance, upkeep.
manuvra n.f., pl. -i, (mar.) manoeuvre.
manwal n.m., pl. -i, manual, handbook, hodman.
manwali aġġ., manual. ***xogħol ~;*** manual labour.
manwella n.f., pl. -i, (mar.) handspike. ***~ tat-tmun;*** tiller.
manwiel n.m., pl. -a, hodman.
manxò n.m., pl. -jiet, muff.

mappa n.f., pl. ***mapep;*** map. ***~ tal-baħar;*** chart.
mappamondu n.m., pl. -i, (ġeog.) globe.
maqbad n.m., pl. ***mqabad;*** handle.
maqbar n.m., pl. ***mqabar;*** cemetry, church-yard, burial ground.
maqbud aġġ. u p.p., caught, seized, sequestered, confiscated.
maqbuż aġġ. u p.p., leaped, skipped, omitted, left out.
maqdab n.m., pl. ***mqadab;*** pruning knife.
maqdar v.kwad., ***jmaqdar;*** to despise, to slight, to condemn, to belittle. ***min imaqdar irid jixtri;*** he that despises intends to buy.
maqdari aġġ., despicable, contemptible.
maqdes n.m., pl. ***mqades;*** church, temple.
maqful aġġ. u p.p., locked, buttoned.
maqgħad n.m., pl. ***mqagħad;*** seat, chair.
maqħab n.m., pl. ***mqaħab;*** brothel, bawdy house.
maqjel n.m., pl. ***mqawel;*** cattlepen, sty, pen, fold.
maqjem n.m., pl. ***mqawem;*** place of veneration.
maqjes n.m., pl. ***mqajes;*** regulator.
maqlub aġġ. u p.p., overturned, upset. ***bil-~;*** on the contrary, the reverse, vice-versa, inside out.
maqlugħ aġġ. u p.p., pulled out, rooted up, sprained, dislocated, won, gotten, earned, gained.
maqmaq v.kwad., ***jmaqmaq;*** to bleat.
maqmar n.m., bla pl., almanac.
maqrud aġġ. u p.p., scrubbed.
maqruħ aġġ. u p.p., skinned, flayed.
maqrus aġġ. u p.p., pinched.
maqrut n.m., pl. ***mqaret;*** date-cake.
maqsum aġġ. u p.p., broken, split, divided, separated, crossed, transversed.
maqtel n.m., pl. ***mqatel;*** slaughter-house, abattoir.
maqtugħ aġġ. u p.p., separated, parted, severed, isolated, cut off, amputated, decided, determined, spoiled.
maqtul aġġ. u p.p., killed, murdered, slain.
maqtur aġġ. u p.p., dripping.
mar v.I, ***jmur;*** to go. ***~ 'il bogħod ħafna;*** he went too far.
mara n.f., pl. ***nisa;*** woman, wife, female. ***~ tad-dar;*** housewife.
marabùt n.m., bla pl., marabout.
marad v.I, ***jimrad;*** to be sick, to get sick, to sicken. ***it-tifel tagħha ~ bis-suffejra;*** her son got sick with jaundice.
maraskin n.m., pl. -i, maraschino.
marasma n.f., pl. -i, (med.) marasmus.
maratona n.f., pl. -i, (logħ.) marathon, race.
marbat n.m., pl. ***mrabat;*** bollard.
marbut aġġ. u p.p., tied, bound, fastened.
marċ n.m., pl. -ijiet, hammer, (muż.) march. ***~ funebri;*** funeral march.
marċa n.f., bla pl., (med.) pus, matter. ***bil-~;*** mattery, purulent.
marċapied n.m., pl. -i, pavement, foot-path.
mard n.act., disease, illness, sickness, distemper. ***~ ta' l-imsaren;*** colitis. ***~ tal-griężem;*** quinsy. ***~ tal-għajnejn;*** ophthalmy. ***~ tan-ngħas;*** enchefalitis, lethargy. ***~ tan-nisa;*** gonorrhoea, syphilis, venereal disease. ***~ tal-qamar;*** epilepsy. ***~ tar-rqad;*** sleeping sickness. ***~ tas-sider;***tuberculosis, phthisis.
marda n.f., pl. -iet, disease, illness.
marden n.m., pl. ***mraden;*** (artiġ.) spindle.
mardud aġġ. u p.p., restored, furrowed.
marèa n.f., pl. -t, (mar.) tide.
marella n.f., pl. -i, skein.
maremòt n.m., pl. -i, (fiż.) seaquake.
marġ n.f., pl. ***mraġ;*** marsh.
marġerina n.f., pl. -i, margarine.
marġni n.m., pl. -jiet, margin.
margerita n.f., pl. -i, (bot.) daisy.
margun n.m., pl. -i, (ornit.) asiatic cormorant. ***~ tat-toppu;*** mediterranean shag.
marħab n.m., pl. ***mrieħeb;*** monastery, convent, hermitage.
marid aġġ. u n.m., f. -a, pl. ***morda;*** sick, ill, patient. ***~ b'qalbu;*** cardiac. ***~ b'sidru;*** phthistical.
marina n.f., pl. -i, sea-coast, seaside.
marinat aġġ., pickled.
marittmu aġġ., maritime.
marixxal n.m., pl. -i, (mil.) marshal, (leg.) court marshal.
marjoloġija n.f., pl. -i, (teol.) mariology.
marjunetta n.f., pl. -i, marionette, puppet.
marka n.f., pl. -i, mark, signal.
markatur n.m., f. -a, pl. -i, marker.
markatura n.f., pl. -i, marking.
marker n.m., pl. -s, marker.
markiż n.m., f. -a, pl. -i, maquis.
markiżat n.m., pl. -i, marquisate.
marlazz n.m., pl. -i, cleaver, butcher's cleaver.
marloċċ n.m., pl. -i, mattock handle.
marlozz n.m., pl. -i, (itt.) hake.
marmad n.m., pl. ***mramad;*** ashtray.
marmalejd n.f., pl. -ijiet, marmalade.
marmalja n.f., pl. -i, mob, rabble, ragtag.
marmar v.kwad., ***jmarmar;*** to murmur.

marmista n.m., pl. -i, worker in marble, marble cutter.
maronita n.m., pl. -i, (ekkl.) maronite.
marqad n.f., pl. **mraqad;** bed, dormitory.
marra n.f., pl. ***marar;*** mattock, pickaxe, hoe.
marrad v.II, ***jmarrad;*** to make ill or sick, to give or cause a disease, to sicken. ***il-kesħa kbira marrdet ħafna nies bl-influwenza;*** the extreme cold caused many people to get sick with flu.
marradi aġġ., sickly, morbific, morbifical.
marrar v.II, ***jmarrar;*** to embitter, to make bitter.
marrara n.f., pl. -iet, (med.) gall, spleen. ***ġebel fil-~;*** gall-stone.
marrubja n.f., pl. -i, (bot.) horehound, hoarhound.
marruna n.f., pl. -i, (bot.) horse chestnut.
marsa n.f., pl. ***mrasi;*** haven, harbour, gulf, bay, marsh.
marsus aġġ. u p.p., pressed, closed, thick, constrained, well packed.
marsuttlat aġġ., hectic.
màrtel v.kwad., ***jmartel;*** to hammer.
martell n.m., pl. ***mrietel;*** (artiġ.) hammer.
martellat aġġ. u p.p., hammered.
martellata n.f., pl. -i, hammer blow.
martingana n.f., pl. -i, martingale.
martirizzat aġġ. u p.p., martyrized.
martirju n.m., pl. -i, martyrdom.
martiroloġju n.m., pl. -i, martyrology.
martora n.f., pl. -i, marten.
martri n.kom., bla pl., martyr.
marxux aġġ. u p.p., sprinkled, aspersed.
marzjali aġġ., martial. ***liġi ~;*** martial law. ***qorti ~;*** court martial.
marzpan n.m., pl. ***mrazpan;*** marchpane, (itt.) parrotfish.
Marzu n.Pr., March.
marżebba n.f., pl. ***mrieżeb;*** beetle, brake, punnet.
masġar n.m., pl. ***msaġar;*** wood, grove, thicket.
masħan v.kwad., ***jmasħan;*** to vex.
masħar v.kwad., ***jmasħer;*** to deride, to scorn.
masil n.m., pl. -s, (anat.) muscle.
maskalzun n.m., pl. -i, rascal, knave.
maskara n.f., pl. -i, mascara.
maskarat n.m., f. -a, pl. -i, maquer, masker.
maskaretta n.f., pl. -i, vamp.
maskarun n.m., pl. -i, grotesque mask.
maskil aġġ., (gram.) masculine.
maskra n.f., pl. -i, mask, visor. ***~ tal-gas;*** gas-mask. ***neħħa l-~;*** to take away the mask.
maskulin n.m., pl. -i, masculine.
massa n.f., pl. ***mases;*** mass, heap.
massaġġ n.m., pl. -i, massage.
massaġġjat aġġ. u p.p., massaged.
massaġġjatur n.m., f. -a, pl. -i, masseur.
massakru n.m., pl. -i, massacre.
massima n.f., pl. -i, maxim.
mastella n.f., pl. -i, tub, churn, vat.
master n.m., pl. -s, master.
màstiċi n.f., bla pl., mastic.
mastika n.f., bla pl., mastic.
mastikazzjoni n.f., pl. -jiet, mastication.
mastin n.m., pl. -i, (żool.) mastiff-dog.
mastite n.f., bla pl., (med.) mastitis.
mastizz aġġ., massy, massive, solid.
mastodont n.m., pl. -i, (żool.) mastodon.
mastojde n.f., bla pl., (anat.) mastoid.
mastru n.m., bla pl., master.
mastrudaxxa n.m., pl. -i, carpenter, joiner.
masturbazzjoni n.f., pl. -jiet, masturbation.
mâtal v.III, ***jmatal;*** to defer, to delay payment.
matemàtika n.f., pl. -i, mathematics.
matematikament avv., mathematically.
matematiku n.m., f. -a, pl. -i, mathematician.
materja n.f., pl. -i, matter, substance, subject, (med.) pus.
materjal n.m., pl. -i, material.
materjali aġġ., material.
materjalist n.m., f. -a, pl. -i, materialist.
materjalistiku aġġ., materialistic.
materjaliżmu n.m., pl. -i, materialism.
materjalment avv., materially.
matern aġġ., maternal, motherly.
maternità n.f., pl. -jiet, maternity. ***sptar tal-~;*** maternity hospital.
maternitidress n.f., pl. -es, maternity dress.
matinè n.f., pl. -jiet, (teatr.) matinee.
matmura n.f., pl. ***mtamar;*** granary, barn.
matnazz aġġ., stocky.
mâtra n.f., bla pl., target.
matriċi n.f., pl. -jiet, (ekkl.) matrix.
matriċida n.f., pl. -i, matricide.
matrikola n.f., pl. -i, matriculation.
matrikulat aġġ., matriculated.
matrimonjali aġġ., matrimonial. ***sodda ~;*** double bed.
matrimonju n.m., pl. -i, marriage.
matruna n.f., pl. -i, (med.) matron.
matt aġġ., opaque, matt.
mattàl n.m., f. -a, pl. -a, procrastinator.
mattar v.II, ***jmattar;*** to stretch one's arms or legs.
matul prep., during, along.

matur aġġ., mature.
maturità n.f., pl. -jiet, maturity.
matutin n.m., pl. -i, matins. ***il-matutina;*** the morning star.
mawmettan n.m., f. -a, pl. -i, mahomedan, mahometan.
mawra n.f., pl. -iet, the act of going, a walk, tour, excursion.
mawran n.m., bla pl., the act of going.
mawwar v.II, ***jmawwar;*** to make one go.
maxat v.I, ***jomxot;*** to comb. ***għandek tomxot qabel tmur l-iskola;*** you must comb your hair before you go to school.
maxingann n.m., pl. -s, (mil.) machine-gun.
maxta n.f., pl. -iet, combing, hair style.
maxtar v.kwad., ***jmaxtar;*** to eat greedily.
maxtura n.f., pl. -i, crib, manger, rack.
maxx aġġ., mashed.
maxxat v.II, ***jmaxxat;*** to comb often.
maxxât n.m., f. u pl. -a, comber, hair dresser, hair stylist.
maxxita n.f., pl. -iet, (bot.) chervil.
mazz n.m., pl. -i, bunch, bundle, cluster.
mazza n.f., pl. ***mazez;*** club, cudgel, mace, sledge, sledge-hammer.
mazzamorra n.f., pl. -i, (mar.) crumbs of biscuits.
mazzapik n.m., pl. -i, (artiġ.) beetle mallet.
mazzaranga n.f., pl. -i, punner.
mazzarell n.m., pl. -i, quill, peg.
mazzata n.f., pl. -i, blow.
mazzaz v.II, ***jmazzaz;*** (logħ.) to shuffle the cards.
mazzett n.m., pl. -i, small bunch.
mazzier n.m., pl. -i, mace-bearer, macer.
mazzita n.f., koll. ***mazzit;*** blood pudding.
mazzola n.f., pl. -i, mallet, (itt.) common spiny dogfish.
mazzun n.m., pl. ***mzazen;*** rock goby.
mażun n.m., f. -a, pl. -i, freemason, mason.
mażunerija n.f., pl. -i, masonary, freemasonary.
mażżra n.f., pl. -i, counterpoise.
mbaċċaċ aġġ. u p.p., chubby.
mbagħad avv., then, after, afterwards, at that time.
mbagħbas aġġ. u p.p., mishandled, tempered (with).
mbaħbaħ aġġ. u p.p., rinsed.
mbaħħar aġġ. u p.p., sailed, navigated, fumigated.
mbajja avv., on all fours.
mbajjad aġġ. u p.p., whitewashed, whitened.
mbakkar aġġ. u p.p., risen early.
mballa' aġġ. u p.p., swallowed, crammed.
mballat aġġ. u p.p., beetled.
mbandal aġġ. u p.p., rocked, swung.
mbaqbaq aġġ. u p.p., boiled, afflicted, upset, troubled.
mbaqqa' aġġ. u p.p., retained.
mbaqqaq aġġ. u p.p., full of bugs.
mbaqqat aġġ. u p.p., coagulated, curdled.
mbarrad aġġ. u p.p., smoothed with a file.
mbarraġ aġġ. u p.p., heaped or piled up.
mbarrax aġġ. u p.p., scratched repeatedly.
mbarri aġġ. u p.p., excepted, exempted, left out.
mbaskat aġġ. u p.p., baked hard.
mbassar aġġ. u p.p., foretold.
mbattal aġġ. u p.p., emptied, unfurnished.
mbattam aġġ. u p.p., plastered.
mbaxxar aġġ. u p.p., announced.
mbażwar aġġ. u p.p., hernious, ruptured.
mbażża' aġġ. u p.p., frightened, terrified, intimidated.
mbażżar aġġ. u p.p., peppered, manured, dunged, marled.
mbe avv., on all fours.
mbeċċen aġġ. u p.p., fattened.
mbejjen aġġ. u p.p., distinguished, interposed, intermeddled, placed or crossed between.
mbejjet aġġ. u p.p., sown in holes.
mbelgħen aġġ. u p.p., slobbery.
mbellah aġġ. u p.p., astonished, stupefied. ***~ wara xi ħadd;*** passionately in love.
mbelles aġġ. u p.p., velvety.
mbenġel aġġ. u p.p., livid.
mbennen aġġ. u p.p., rendered savoury, rocked.
mberbaq aġġ. u p.p., lavished, squandered.
mberfel aġġ. u p.p., hemmed, trimmed, flighty. ***moħħu ~;*** eccentric, odd.
mbergħed aġġ. u p.p., full of fleas.
mbergħen aġġ. u p.p., inflamed with anger.
mberraħ aġġ. u p.p., wide open.
mberraq aġġ. u p.p., staring.
mberred aġġ. u p.p., cooled, appeased, pacified, reconciled.
mberren aġġ. u p.p., bored, pierced.
mbettaħ aġġ. u p.p., puffy.
mbewwaq aġġ. u p.p., hollow, hollowed out.
mbewweġ aġġ. u p.p., disappeared clandestinely.
mbewwel aġġ. u p.p., made or caused to piss, full of urine or piss.
mbewwes aġġ. u p.p., kissed repeatedly, pacified, reconciled, appeased.

mbexbex aġġ. u p.p., drizzly, dawned.
mbexxaq aġġ. u p.p., ajar.
mbexxex aġġ. u p.p., sprinkled.
mbeżbeż aġġ. u p.p., admonished, seized by the hair.
mbeżżaq aġġ. u p.p., spat.
mbiċċeċ aġġ. u p.p., cut in pieces.
mbiċċer aġġ. u p.p., butchered, flagellated.
mbidded aġġ. u p.p., poured, emptied.
mbiddel aġġ. u p.p., changed, shifted.
mbiegħed aġġ. u p.p., removed, separated.
mbierek aġġ. u p.p., blessed. ***ilma ~;*** holy water.
mbiġġel aġġ. u p.p., venerated, protected, defended, exempted, discharged from.
mbikkem aġġ. u p.p., mute, dumb, mite.
mbikki aġġ. u p.p., weeping, crying, afflicted.
mbissem aġġ. u p.p., smiling.
mbixkel aġġ. u p.p., entangled, embroiled, confounded.
mbiżżel aġġ. u p.p., rendered active.
mċafċaf aġġ. u p.p., choppy, undulated.
mċaħħad aġġ. u p.p., deprived, denied.
mċajpar aġġ. u p.p., hazy, misty, foggy, blear.
mċallas aġġ. u p.p., smeared, fouled.
mċanfar aġġ. u p.p., reproached, chidden.
mċapċap aġġ. u p.p., applauded, clapped.
mċappas aġġ. u p.p., stained, speckled.
mċaqċaq aġġ. u p.p., cracked, crackled.
mċaqlaq aġġ. u p.p., moved, waved, drunk, fuddled, tipsy.
mċarċar aġġ. u p.p., shed.
mċarrat aġġ. u p.p., rent, torn.
mċefċaq aġġ. u p.p., bleared.
mċekken aġġ. u p.p., lessened, diminished, abased.
mċempel aġġ. u p.p., rung.
mċenser aġġ. u p.p., incensed.
mċerċer aġġ. u p.p., tattered, shabby, tatty.
mċewlaħ aġġ. u p.p., ill-dressed, shabby, slovenly.
mċiegħek aġġ. u p.p., pebbly, gritty, gravelly.
mdabbar aġġ. u p.p., ulcerous, acquired, earned.
mdaħdaħ aġġ. u p.p., disturbed, troubled.
mdaħħak aġġ. u p.p., made to laugh, entertained.
mdaħħal aġġ. u p.p., introduced, penetrated, involved, implicated.
mdaħħan aġġ. u p.p., covered with smoke, darkened, bleared, hazy, swallowed.
mdakkar aġġ. u p.p., caprificated.
mdallam aġġ. u p.p., darkened, obscured.
mdamma' aġġ. u p.p., tearful.
mdammam aġġ. u p.p., strung.
mdandan aġġ. u p.p., dressed elegantly.
mdanna n.f., pl. ***mdanen;*** mother-in-law.
mdaqqa n.m.koll., straw of threshed barley.
mdaqqaq aġġ. u p.p., played, pounded.
mdaqqas aġġ. u p.p., sizeable.
mdardar aġġ. u p.p., squeamished, disgusted with, muddy, turbid.
mdarras aġġ. u p.p., having the teeth set on edge, irritated, exasperated.
mdawwal aġġ. u p.p., illuminated, lightened, lucent, shining, bright, glittering.
mdawwar aġġ. u p.p., turned, rounded, made round, environed, surrounded, encompassed.
mdebben aġġ. u p.p., surrounded or full of flies.
mdebber aġġ. u p.p., promised to work, commissioned, having received earnest.
mdeffes aġġ. u p.p., intromitted, let in, introduced.
mdehhes aġġ. u p.p., insinuated, introduced.
mdehhex aġġ. u p.p., startled.
mdejjaq aġġ. u p.p., narrowed, closed, grieved, vexed, afflicted, disquieted, gloomy.
mdejjem aġġ. u p.p., perpetuated.
mdejjen aġġ. u p.p., indebted.
mdekdek aġġ. u p.p., drunk, tipsy.
mdekkek aġġ. u p.p., crumbled, overdone, overcooked.
mdellek aġġ. u p.p., greased, oily.
mdellel aġġ. u p.p., shaded, shadowed, caressed, flattered.
mdemmel aġġ. u p.p., dunged, manured.
mdemmem aġġ. u p.p., stained with blood, covered with blood.
mdemmes aġġ. u p.p., seasoned.
mdendel aġġ. u p.p., hanged, suspended.
mdenneb aġġ. u p.p., tailed, joined, put together.
mdennes aġġ. u p.p., fouled, soiled, spotted.
mdenni aġġ. u p.p., festered.
mderri aġġ. u p.p., winnowed.
mdewwaq aġġ. u p.p., tasted.
mdewweb aġġ. u p.p., melted, dissolved.
mdewwed aġġ. u p.p., verminous.
mdewwem aġġ. u p.p., delayed, retarded, detained.
mdewwi aġġ. u p.p., cured, medicated.
mdexxex aġġ. u p.p., grounded coarsely, eaten quickly.
mdieheb aġġ. u p.p., gilted.

mdiehex aġġ. u p.p., startled.
mdorri aġġ. u p.p., accustomed, habituated, used to.
meċlaq v.kwad., to munch. ***meta tibda tiekol dejjem tmeċlaq;*** when you begin to eat, you always munch.
meċmeċ v.kwad., to stutter.
medd v.I, ***jmidd;*** to spread, to stretch, to extend, to make one lay down. ***~ idu biex jaqbdu;*** he extended his hand to catch him. ***~ fl-art;*** to murder, to kill.
medda n.f., pl. ***meded;*** extension, stretch, lying down, largeness.
mediċina n.f., pl. -i, medicine.
medikament n.m., pl. -i, medication.
medikat aġġ. u p.p., medicated, dressed, treated.
medikatura n.f., pl. -i, medication, treatment, dressing.
mediku aġġ., medical.
meditat aġġ. u p.p., meditated.
meditazzjoni n.f., pl. -jiet, meditation.
Mediterran n.Pr.m., (ġeog.) Mediterranean.
medja n.f., pl. -i, average.
medjan aġġ., mean, middle. ***linja medja;*** median line.
medjatur n.m., f. -atriċi, mediator, f. mediatrix.
medjazzjoni n.f., pl. -jiet, mediation.
medjokri aġġ., mediocre.
medjokrità n.f., pl. -jiet, mediocrity.
medju aġġ., middle, mean, medium. ***età medja;*** middle age. ***~ Evu;*** Middle Ages.
megàfonu n.m., pl. -i, megaphone.
megalìtiku aġġ., megalithic.
megalomanija n.f., pl. -i, megalomania.
megalomanìjaku n.m., f. -a, pl. -i, megalomaniac.
megawott n.m., pl. -s, (elettr.) megawatt.
megħjien aġġ., gazed upon.
megħjud aġġ. u p.p., told, said, narrated, related.
megħjun aġġ. u p.p., helped, succoured, aided.
megħliel aġġ., sickly, weakly, infirm.
megħlub aġġ. u p.p., vanquished, overcome, conquered.
megħud aġġ. u p.p., said, told.
mehdi aġġ. u p.p., occupied.
mehġum aġġ. u p.p., devoured, eaten greedily.
mehla n.f., pl. -iet, sluggishness.
mehli aġġ., tardy, slow, sluggish.
mehmeż n.m., pl. ***mhiemeż;*** goad.
mehmuż aġġ. u p.p., pinned.
mehrież n.m., pl. ***mhiereż;*** mortar.
mehruż aġġ. u p.p., pounded.
meħba n.f., pl. ***mħieba;*** gift.
meħbur aġġ. u p.p., predicted, foreseen.
meħjiel aġġ. u p.p., valiant, stout, strebuous, courageous, audacious.
meħjut aġġ. u p.p., sewn, stitched.
meħlus aġġ. u p.p., delivered, saved, liberated, ended, finished, completed.
meħmur aġġ. u p.p., fermented, leavened.
meħtieġ aġġ. u p.p., needed, necessary, needy.
meħud aġġ. u p.p., taken, subdued, conquered, vanquished, radicated, rooted. ***~ bil-qalb;*** accepted willingly.
mejda n.f., pl. ***mwejjed;*** table.
mejjel v.II, ***jmejjel;*** to incline, to bend, to bow. ***~ rasu u ma tkellem xejn;*** he bowed his head and remained silent.
mejjet n.m., f. ***mejta,*** pl. ***mejtin;*** corpse, dead body.
mejjet aġġ. u p.preż., dead, deceased.
mejjiela n.f., pl. -i, kneading trough, washing basin.
Mejju n.Pr.m., May. ***bekkaċċ ta' ~;*** great snipe.
mejkapp n.m., pl. -jiet, make-up.
mejlaq n.m., pl. ***mwielaq;*** whetstone, razor strop.
mejlaq v.kwad., to whet, to hone, to sharpen.
mejt n.m., pl. -ijiet, giddiness, dizziness.
mekkaħ v.II, ***jmekkaħ;*** to spoil or dirty anything by use.
mekkanik n.m., pl. -s, mechanic.
mekkanika n.f., bla pl., mechanics.
mekkanikament avv., mechanically.
mekkaniku n.m., pl. -i, mechanic, mechanician, mechanist.
mekkàniku aġġ., mechanical.
mekkanizzazzjoni n.f., pl. -jiet, mechanization.
mekkaniżmu n.m., pl. -i, mechanism.
mekkek v.II, ***jmekkek;*** to move to and fro.
mekkuk n.m., pl. ***mkiekek;*** shuttle.
mekmek v.kwad., ***jmekmek;*** to munch.
mela v.I, ***jimla;*** to fill, to cram, to stuff, to charge. ***~ l-flixkun bl-ilma;*** he filled the bottle with water.
melankonija n.f., pl. -i, melancholy.
melħ n.m., pl. ***mlieħ;*** salt.
melħa n.f., pl. -iet, meddler, intruder.
melissa n.f., pl. -i, (bot.) balm, treacle.
mell v.I, **jmill;** to abhor, to dislike.
mella n.f., pl. -iet, weariness, taedium.
mellaħ v.II, ***jmellaħ;*** to salt, to corn. ***~ il-laħam biex jieħdu miegħu;*** he salted the meat to take it with him.

mellej n.m., f. u pl. -ja, filler.
melles v.II, *jmelles;* to caress, to pat, to smooth. ~ ***iż-żiemel biex ma jitnaffarx;*** he sleeked the horse not to skettish.
mellieħ n.m., f. u pl. -a, salter.
mellieħa n.f., *mlielaħ;* salt pan.
mellies n.m., f. u pl. -a, fondler, flatterer.
melodija n.f., pl. -i, melody.
melodjuż aġġ., (muż.) melodious.
melodramma n.m., pl. -i, melodrama.
melodrammàtiku aġġ., melodramatic.
membrana n.f., pl. -i, (anat.) membrane.
membru n.m., pl. -i, member.
memorabbli aġġ., memorable.
memorandum n.m., pl. -i, memorandum.
memorja n.f., pl. -i, memory.
memorjal n.m., pl. -i, memorial, petition.
mendikant n.m., pl. -i, mendicant, beggar.
mendil n.m., pl. ***mniedel;*** (anat.) omentum, (table) cloth, towel.
meninġi n.m.pl., (anat.) meninx.
meninġite n.f., pl. -jiet, (med.) meningitis.
menopawsa n.f., pl. -i, (anat.) menopause.
menqa n.f., pl. ***mnieq;*** small field.
menqgħa n.f., pl. ***mnieqagħ;*** little pool.
mensula n.f., pl. -i, (ark.) console.
mensurazzjoni n.f., pl. -jiet, mensuration.
menswalità n.m., pl. -jiet, monthly payment.
menta n.f., bla pl., mint.
mentali aġġ., mental.
mentalità n.f., pl. -jiet, mentality.
mentalment avv., mentally.
menti n.f., bla pl., mind.
mentol n.m., bla pl., (med.) menthol.
mentri konġ., while.
menù n.m., pl. -wijiet, menu.
meqjum aġġ. u p.p., venerated, honoured, dear.
meqjus aġġ. u p.p., measured, censured, criticised, thrifty.
meqrud aġġ. u p.p., extrinated, destroyed, ruined.
mequl aġġ. u p.p., said.
mera n.m. u f., pl. ***mirja;*** mirror, pattern, model, example. ~ ***tal-karozza;*** driving mirror.
meraħ v.I, ***jimraħ;*** to wander, to roam.
meraq n.m.koll., juice.
meravilja n.f., pl. -i, wonder, astonishment, amusement, marvel.
meraviljat aġġ. u p.p., astonished, amazed, surprised.
meraviljuż aġġ., wonderful, marvellous.
merċa n.f., bla pl., goods, merchandise. ***ħanut tal-~;*** grocery.
merċenarju n.m., pl. -i, mercenary.
merċier n.m., f. u pl. -a, grocer.
merdquxa n.f., pl. -iet, koll. ***merdqux;*** (bot.) marjoram, sweet marjoram.
merdugħ aġġ. u p.p., sucked.
merfugħ aġġ. u p.p., raised, preserved, saved, set apart, laid up, wrathful, resentful.
merġugħ aġġ. u p.p., turned back.
mergħa n.f., pl. -t, pasture.
merħ n.m.koll., any fruit produced out of season.
merħba n.f., pl. -iet, welcome. ~ ***bik;*** welcome.
merħi aġġ. u p.p., feeble, weak, faint, relaxed, slack, loosened, unbent.
merħla n.f., pl. ***mrieħel;*** herd, flock, drove.
meridjan n.m., pl. -i, meridian.
meridjonali aġġ., meridional, southern.
merill n.m., pl. -i, (ornit.) thrush.
merilla n.f., pl. -i, skein.
merin ara **morin**.
merkant n.m., pl. -i, merchant, tradesman, trader. ~ ***tat-triq;*** pedlar.
merkantil aġġ., merchantile, trading, commercial. ***vapur ~;*** merchant ship.
merkanzija n.f., pl. -i, goods, wares, merchandise.
merkurju n.m., pl. -i, (kim.) mercury, quicksilver.
merla n.f., pl. -i, (itt.) brown wrasse.
merluzz ara **marlozz**.
mermer v.kwad., to rotten, to decay.
merraq v.II, ***jmerraq;*** to make juicy.
merrek v.II, ***jmerrek;*** to cicatrize, to scar.
mertu n.m., pl. -i, merit.
merut aġġ. u p.p., contradicted.
meruż aġġ., contradictous.
merżaq v.kwad., to irradiate.
merżuq n.m., pl. ***mrieżaq;*** ray, beam.
mesaħ v.I, ***jimsaħ;*** to wipe, to dry. ~ ***għajnejh mid-dmugħ;*** he wiped his eyes from tears.
mesbula ara **bisbula**.
mesenterju n.m., pl. -i, (anat.) mesentery.
mesħa n.f., pl. -iet, drying, wiping.
mesħun n.m., pl. ***msieħen;*** hot water.
mesken v.kwad., to pity.
meslaħ v.kwad., ***jmeslaħ;*** to dirty.
mesmeriżmu n.m., pl. -i, (med.) mesmerism.
mesmes v.kwad., to touch frequently.
mess v.I, ***jmiss;*** to feel, to touch, to handle, to nudge, to move, to affect. ***messni fuq spallti;*** he touched me on my shoulder. ~ ***il-polz;*** to feel a person's pulse.

messa n.f., pl. -iet, touch, touching, contact.
messaġġ n.m., pl. -i, message.
messaġġier n.m., f. u pl. -a, messenger, letter carrier.
messaħ v.II, *jmessaħ;* to wipe repeatedly.
messal n.m., pl. -i, missal.
messej aġġ., touching.
messes v.II, *jmesses;* to palpate.
messiesi aġġ., touching.
Messija n.m., Messiah.
mest aġġ., sad, sorrowful, mournful.
mestier n.m., pl. -i, trade.
mestruwazzjoni n.f., menstruation.
meta avv., when.
metaboliżmu n.m., pl. -i, metabolism.
metafiżika n.f., pl. -i, metaphysics.
metafiżiku n.m., pl. -i, metaphysician.
metafiżiku aġġ., metaphysical.
metàfora n.f., pl. -i, metaphor.
metaforikament avv., metaphorically.
metafòriku aġġ., metaphorical.
metafrażi n.f., pl. -jiet, metaphrase.
metakarpu n.m., pl. -i, (anat.) metacarpus.
metakroniżmu n.m., pl. -i, metachronism.
metall n.m., pl. -i, (min.) metal.
metàlliku aġġ., metallic.
metallografija n.f., pl. -i, metallography.
metallojdi aġġ., metalloid.
metallurġija n.f., pl. -i, metallurgy.
metallùrġiku aġġ., metallurgic(al).
metamòrfosi n.f., pl. -jiet, metamorphosis.
metamorfiżmu n.m., pl. -i, metamorphism.
metàtasi n.f., pl. -jiet, metastasis.
metatarsu n.m., pl. -i, (anat.) metatarsus.
metàtesi n.f., pl. -jiet, (gram.) metathesis.
metempsikożi n.f., pl. -jiet, metempsychosis.
metèora n.f., pl. -i, (fiż.) meteor.
meteorìt n.m., pl. -i, (fiż.) meteorite.
meteoroloġija n.f., pl. -i, (fiż.) meteorology.
meteoroloġiku aġġ., (fiż.) meteorologic(al).
meteoròlogu n.m., f. -a, pl. -i, (fiż.) meteorologist.
metikoluż aġġ., meticulous.
metodikament avv., methodically.
metodist n.m., f. -a, pl. -i, methodist.
metodoloġija n.f., pl. -i, methodology.
metodu n.m., pl. -i, method, system.
metonomija n.fm., pl. -i, metonomy.
mètrika n.f., pl. -i, metrics.
mètriku aġġ. metric, metrical. ***sistema metrika;*** metric system.
metrònomu n.m., pl. -i, (muż.) metronome.
metropoli n.f., pl. -jiet, metropolis.
metròpolita aġġ., metropolitan.
metru n.m., pl. -i, meter.
mewġa n.f., pl. -iet, koll. ***mewġ;*** wave, surgel.
mewġi aġġ., wavy.
mewt n.f., pl. ***mwiet;*** death. ***donnu ~;*** to be a skeleton.
mewta n.f., ***mwiet;*** death.
mewweġ v.II, ***jmewweġ;*** to undulate, to wave.
mewwes v.II, ***jmewwes;*** to stab.
mewwet v.II, ***mewwet;*** to cause death, to kill, to slay, to mute, to tone down.
mewwieġi aġġ., wavering.
mewwies n.m., f. u pl. -a, cutter.
mexa v.I, ***jimxi;*** to walk. ***min jimxi maz-zopp isir zopp bħalu;*** he who walks with the lame, will learn to limb.
mexmex v. kwad. ***jmexmex;*** to pick, to scrounge. ***fuq ix-xogħol dejjem im-exmixha tajjeb;*** while at work he always scrounges well.
mexxa v.II, ***jmexxi;*** to guide, to lead, to conduct. ***Mosè ~ l-poplu Iżraelit fid-deżert;*** Moses conducted the Israelites in the desert.
mexxej n.m., f. u pl. -a, leader, guide.
mexxej aġġ., current.
mezz n.m., pl. -i, means.
mezza n.f., pl. ***mezez;*** wicker basket.
mezzalasta n.f., pl. -i, half mast.
mezzaluna n.f., pl. -i, half moon.
mezzan n.m., f. -a, pl. -i, broker, middleman, mediator.
mezzanin n.m., pl. -i, entresol, mezzanine.
mezzubust n.m., pl. -i, bust.
mfaddal aġġ. u p.p., saved.
mfaħħal aġġ. u p.p., fattened.
mfaħħam aġġ. u p.p., carbonised.
mfaħħar aġġ. u p.p., praised.
mfakkar aġġ. u p.p., reminded, commemorated.
mfallaz aġġ. u p.p., falsified.
mfalli aġġ. u p.p., bankrupt.
mfantas aġġ. u p.p., sulky.
mfaqqa' aġġ. u p.p., burst, cracked.
mfaqqar aġġ. u p.p., impoverished.
mfaqqas aġġ. u p.p., hatched.
mfarfar aġġ. u p.p., brushed.
mfarrad aġġ. u p.p., unmatched, odd.
mfarraġ aġġ. u p.p., comforted, consoled.
mfarrak aġġ. u p.p., smashed to pieces, shattered.
mfartas aġġ. u p.p., made bald.
mfassal aġġ. u p.p., cut out.

mfattam aġġ. u p.p., weaned.
mfattar aġġ. u p.p., flattened.
mfawwar aġġ. u p.p., boiled, seethed, overflowed.
mfejjaq aġġ. u p.p., cured, healed, recovered.
mfekkek aġġ. u p.p., dislocated, sprained.
mfelfel aġġ. u p.p., curled.
mfelleġ aġġ. u p.p., paralytic, maimed, lamed, crippled.
mfelles aġġ. u p.p., coined.
mferfer aġġ. u p.p., moved, stirred, wagged.
mferfex aġġ. u p.p., hasty and impatient in his work, rash.
mferkex aġġ. u p.p., bungled.
mfernaq aġġ. u p.p., blazing, flaming.
mferragħ aġġ. u p.p., ramified.
mferraħ aġġ. u p.p., rejoiced.
mferraq aġġ. u p.p., divided, distributed, shared.
mferrex aġġ. u p.p., scattered, spread, extended.
mfesdaq aġġ. u p.p., shelled.
mfesfes aġġ. u p.p., whispered.
mfettaħ aġġ. u p.p., enlarged, widened, dilated.
mfettel aġġ. u p.p., rolled between the hands or fingers.
mfettet aġġ. u p.p., dipped in the coffee.
mfewwaħ aġġ. u p.p., perfumed, scented.
mfewwaq aġġ. u p.p., velched.
mfewweġ aġġ. u p.p., breezy, ventilated.
mfidded aġġ. u p.p., silvered.
mfiehem aġġ. u p.p., made to understand.
mfisqi aġġ. u p.p., swaddled.
mfissed aġġ. u p.p., caressed.
mfisser aġġ. u p.p., explained, interpreted.
mfittex aġġ. u p.p., searched, looked for. ~ ***bil-qorti;*** summoned to appear in court.
mfixkel aġġ. u p.p., impeded, obstructed, stumbled.
mġamma' aġġ. u p.p., accumulated, gathered, collected.
mġannat aġġ. u p.p., patched, mended.
mġarrab aġġ. u p.p., experienced, tried, practised, tempted.
mġarraf aġġ. u p.p., demolished.
mġebbed aġġ. u p.p., stretched, pulled.
mġebbel aġġ. u p.p., mountainous, stony, rocky.
mġebbes aġġ. u p.p., chalked, covered with chalk.
mġedded aġġ. u p.p., renewed, reformed.
mġejjef aġġ. u p.p., discouraged.
mġejnen aġġ. u p.p., mad.
mġelben aġġ. u p.p., budded, sprouted.
mġelġel aġġ. u p.p., cracked.
mġelled aġġ. u p.p., excited into quarrel.
mġemġem aġġ. u p.p., wet with tears.
mġemma' aġġ. u p.p., saved, gathered.
mġemmed aġġ. u p.p., coagulated, congested, sooted, covered with soot.
mġemmel aġġ. u p.p., beautified, embellished.
mġenneb aġġ. u p.p., set apart.
mġennen aġġ. u p.p., maddened.
mġerragħ aġġ. u p.p., digested, suffered, tollerated.
mġerraħ aġġ. u p.p., wounded.
mġerri aġġ. u p.p., caused to run.
mġewnaħ aġġ. u p.p., winged.
mġewwaħ aġġ. u p.p., hungry, starved.
mġewwef aġġ. u p.p., abject.
mġewweż aġġ. u p.p., used sparingly.
mġezz n.m., pl. -ijiet, shears.
mġiba n.f., pl. ***mġejjeb;*** behaviour, deportment, bearing.
mġiddem aġġ. u p.p., leperous.
mġiegħed aġġ. u p.p., frizzled, curled.
mġieneb aġġ. u p.p., set aside.
mġissem aġġ. u p.p., corpulent.
mgarżam aġġ. u p.p., unleavened bread.
mgeddel aġġ. u p.p., robust.
mgeddes aġġ. u p.p., piled or heaped up, amassed.
mgedwed aġġ. u p.p., grumbled, mumbled.
mgemgem aġġ. u p.p., lamented, grumbled about.
mgerbeb aġġ. u p.p., rolled, rounded.
mgerfex aġġ. u p.p., confounded, disordered, confused.
mgermed aġġ. u p.p., smutted.
mgerrem aġġ. u p.p., gnawed, nibbled.
mgerrex aġġ. u p.p., boorish.
mgezzez aġġ. u p.p., amassed.
mgeżwer aġġ. u p.p., wrapped up, involved.
mgiddeb aġġ. u p.p., belied, disapproved.
mgiddem aġġ. u p.p., bitten.
mgħabbar aġġ. u p.p., counterpoised, covered with dust, dusty.
mgħabbex aġġ. u p.p., stunned, dazzled, obscure.
mgħaddam aġġ. u p.p., bony.
mgħaddar aġġ. u p.p., full of puddles, drunk, fuddled.
mgħaddas aġġ. u p.p., plunged, immersed, dived, deceived, deluded.
mgħaddeb aġġ. u p.p., punished, lashed.
mgħaffas aġġ. u p.p., pressed, squeezed.
mgħaffeġ aġġ. u p.p., treaded.

mgħaġġeb aġġ. u p.p., wondered, admired, surprised, stupefied.
mgħaġġel aġġ. u p.p., hurried.
mgħaġġeż aġġ. u p.p., made old, made to look old.
mgħajjar aġġ. u p.p., reviled, offended, cloudy.
mgħajjat aġġ. u p.p., called.
mgħajjeb aġġ. u p.p., mocked, hazy.
mgħajjen aġġ. u p.p., bewitched, gazed at, stared at.
mgħajjex aġġ. u p.p., helped to live, maintained.
mgħajnas aġġ. u p.p., eyed, stared at, gazed at.
mgħakkar aġġ. u p.p., viscous, sticky.
mgħakkes aġġ. u p.p., oppressed, vexed, tyrannized.
mgħallaq aġġ. u p.p., hanged.
mgħallat aġġ. u p.p., made to err, cheated.
mgħalleb aġġ. u p.p., made lean, emaciated.
mgħallek aġġ. u p.p., glutinous, clammy, sticky.
mgħallem n.m., pl. -in, teacher, instructer, master.
mgħallem aġġ. u p.p., marked, signed, taught. ***ta' ~;*** learnedly, masterly.
mgħammad aġġ. u p.p., blind folded, hoodwinked.
mgħammaq aġġ. u p.p., deepened.
mgħammar aġġ. u p.p., inhabited, populated, furnished.
mgħammed aġġ. u p.p., baptized, mixed with water.
mgħammex aġġ. u p.p., dazzled, blear-eyed.
mgħammeż aġġ. u p.p., winked at.
mgħamċeċ aġġ. u p.p., radiated, glistering.
mgħannaq aġġ. u p.p., embraced.
mgħanni aġġ. u p.p., sung.
mgħaqqad aġġ. u p.p., knoddy, coagulated, congealed.
mgħaqqal aġġ. u p.p., made intelligent, rational, wise, prudent.
mgħaqqar aġġ. u p.p., wounded, ulcerous.
mgħarbel aġġ. u p.p., sifted, sieved, bolted, examined carefully, censured, criticised, enquired into judically.
mgħarfa n.f., pl. ***mgħaref;*** spoon.
mgħargħar aġġ. u p.p., strangled.
mgħargħax aġġ. u p.p., tickled.
mgħarraf aġġ. u p.p., informed, notified, advised, published.
mgħarram aġġ. u p.p., indemnified.
mgħarraq aġġ. u p.p., sweated, distilled, sunk, drowned, ruined.
mgħarras aġġ. u p.p., engaged, betrothed.
mgħarref aġġ. u p.p., instructed, taught, learned.
mgħarrem aġġ. u p.p., stacked, piled up, heaped up.
mgħarrex aġġ. u p.p., cloudy, overcast, peeped.
mgħarwen aġġ. u p.p., undressed, naked, bare.
mgħasfar aġġ. u p.p., escaped or fled away.
mgħasleġ aġġ. u p.p., unleafed.
mgħasses aġġ. u p.p., guarded, watched.
mgħattab aġġ. u p.p., crippled, maimed.
mgħattan aġġ. u p.p., squashed, crushed.
mgħattaq aġġ. u p.p., brought up to youth.
mgħattar aġġ. u p.p., stumbled.
mgħawwar aġġ. u p.p., made squint-eyed, dug up, excavated.
mgħawweb aġġ. u p.p., reiterated, repeated.
mgħawweġ aġġ. u p.p., curved, bent, crooked.
mgħawwem aġġ. u p.p., made to swim, swum, submerged.
mgħax n.m.koll., interest, lucre, gain, profit, advantage.
mgħaxxaq aġġ. u p.p., delighted, pleased.
mgħaxxar aġġ. u p.p., tithed, decimated.
mgħaxxex aġġ. u p.p., nestled, faint, weak, sick.
mgħaxxi aġġ. u p.p., supped.
mgħażgħaż aġġ. u p.p., pressed, squeezed with the teeth.
mgħażqa n.f., pl. ***mgħażaq;*** hoe, spade.
mgħażżel aġġ. u p.p., frayed.
mgħażżen aġġ. u p.p., made lazy.
mgħellem aġġ. u p.p., marked.
mgħid n.act., mastication, chewing.
mgħobbi aġġ. u p.p., loaded, laden, cheated, deceived, deluded.
mgħoddi aġġ. u p.p., pass, passed. ***~ bil-ħadida;*** ironed.
mgħolli aġġ. u p.p., raised up, lifted up, boiled, displeased, afflicted.
mgħotti aġġ. u p.p., covered.
mgħoxxi aġġ. u p.p., swooned, fainted.
mhedded aġġ. u p.p., threatened, menaced.
mheddi aġġ. u p.p., appeased, calmed.
mhejjem aġġ. u p.p., caressed.
mhendem aġġ. u p.p., demolished, destroyed, ruined.
mhenni aġġ. u p.p., consoled, comforted, made happy.
mherreż aġġ. u p.p., crumbled, bruised, triturated.
mherri aġġ. u p.p., putrified, corrupted, rotten.

mherwel aġġ. u p.p., mad, madded.
mhewden aġġ. u p.p., delirious.
mheżheż aġġ. u p.p., shaken, vibrated.
mhiba n.f., pl. ***mhejjeb;*** gift, present.
mhux avv., it is not, not.
mħabba n.f., pl. -iet, love, affection, fondness.
mħabba avv., because of.
mħabbar aġġ. u p.p., announced, notified.
mħabbat aġġ. u p.p., knocked, beaten, struck, stricken, busy.
mħabbeb aġġ. u p.p., rendered friendly, pacified.
mħabbel aġġ. u p.p., embroiled, entangled, ruffled.
mħabrek aġġ. u p.p., endeavoured, striven.
mħadda n.f., pl. ***mħaded;*** pillow, cushion, bolster.
mħaddan aġġ. u p.p., embraced.
mħaddar aġġ. u p.p., made green.
mħaddel ara **mħeddel**.
mħaddem aġġ. u p.p., employed.
mħaffef aġġ. u p.p., hurried, done in a hurry, lightened, eased.
mħaffer aġġ. u p.p., excavated, dug, trenched.
mħaġġar aġġ. u p.p., stoned, lapidated.
mħaġġeġ aġġ. u p.p., inflamed, fiery, kindled.
mħajjar aġġ. u p.p., longing, desirous, enticed, allured, induced, attracted.
mħajjat aġġ. u p.p., sewn.
mħakka n.f., pl. ***mħakek;*** grater.
mħalla n.f., pl. ***mħalel;*** reel, distaff, (astron.) Pleiades.
mħallas aġġ. u p.p., paid, combed.
mħallat aġġ. u p.p., mingled, mixed, jumbled.
mħallef aġġ. u p.p., made or obliged to swear.
mħallef n.m., pl. -in, judge.
mħallel aġġ. u p.p., accused of theft, acetous.
mħallem aġġ. u p.p., caused to dream.
mħamħam aġġ. u p.p., irritated, exasperated, angry.
mħammar aġġ. u p.p., reddened.
mħammed aġġ. u p.p., silenced.
mħammeġ aġġ. u p.p., fouled, dirtied.
mħammel aġġ. u p.p., cleaned, cleansed.
mħanfes aġġ. u p.p., angered, displeased.
mħannen aġġ. u p.p., moved to pity, lulled, caressed, flattered.
mħannex aġġ. u p.p., verminated.
mħanxar aġġ. u p.p., hewn or cut roughly, slashed.
mħanxel aġġ. u p.p., full of small roots, rooted.
mħanżer aġġ. u p.p., bungled.
mħaqqaq aġġ. u p.p., verified, ascertained, proved, insisted on.
mħara n.f., pl. -iet, koll. ***mħar;*** (żool.) limpet.
mħarbat aġġ. u p.p., ruined, destroyed, disordered.
mħares aġġ. u p.p., watched, guarded, observed.
mħarfex aġġ. u p.p., botched.
mħarħar aġġ. u p.p., rattling.
mħarrab aġġ. u p.p., made to flee.
mħarrax aġġ. u p.p., roughened, exasperated, angered.
mħarreb aġġ. u p.p., made desolate, uninhabited, solitary, lonely.
mħarref aġġ. u p.p., fabled, invented.
mħarreġ aġġ. u p.p., trained, experienced, exercised, skilful.
mħarrek aġġ. u p.p., moved, cited, summoned to appear in court.
mħassar aġġ. u p.p., cancelled, obliterated, lamented, condoled, damaged, corrupted, tainted, rotten, spoiled, deprated.
mħasseb aġġ. u p.p., pensive, thoughtful.
mħassel aġġ. u p.p., squashed.
mħatra n.f., pl. -i, wager, bet.
mħatteb aġġ. u p.p., hunchbacked.
mħattet aġġ. u p.p., delineated, unloaded.
mħawtel aġġ. u p.p., industrious, ingenious.
mħawwad aġġ. u p.p., confounded, confused, mixed.
mħawwar aġġ. u p.p., seasoned.
mħawwel aġġ. u p.p., planted.
mħaxħax aġġ. u p.p., drowsy.
mħaxlef aġġ. u p.p., bungled, botched.
mħaxxen aġġ. u p.p., swollen, fattened.
mħaxxex aġġ. u p.p., herbivorous.
mħażżem aġġ. u p.p., girdled, bound.
mħażżen aġġ. u p.p., made cunning, crafty, made bad, vitiated, corrupted, spoiled.
mħażżeż aġġ. u p.p., delineated, sketched.
mħeddel aġġ. u p.p., benumbed.
mħeġġeġ aġġ. u p.p., ardent, full of fervour.
mħemmed aġġ. u p.p., silenced.
mħolli aġġ. u p.p., left.
mibdi aġġ. u p.p., begun, commenced.
mibdul aġġ. u p.p., permuted, changed, bartered, exchanged, altered, transmuted, transformed.
mibegħda n.f., pl. -t, hate, abomination, aversion.
mibgħud aġġ. u p.p., hated, detested, disliked.
mibgħut aġġ. u p.p., sent.

mibjugħ aġġ. u p.p., sold, betrayed.
mibki aġġ. u p.p., lamented, bewailed, bemoaned.
miblugħ aġġ. u p.p., swallowed.
mibluh aġġ. u p.p., astonished, surprised.
miblul aġġ. u p.p., moistened, wet, wetted.
mibni aġġ. u p.p., built, constructed, made.
mibqut aġġ. u p.p., coagulated.
mibrud aġġ. u p.p., cooled, filed.
mibruħ aġġ. u p.p., evident, manifest, well known.
mibrum aġġ. u p.p., twisted, plumped.
mibrux aġġ. u p.p., scratched, scraped, grated.
mibsur aġġ. u p.p., guessed, foretold, prognosticated.
mibxur aġġ. u p.p., announced.
mibxux aġġ. u p.p., sprinkled.
mibżaq n.m., pl. ***mbieżaq;*** spitoon.
mibżugħ aġġ. u p.p., feared, dreaded.
mibżuq aġġ. u p.p., spat.
miċċa n.f., pl. ***miċeċ;*** match.
miċħud aġġ. u p.p., denied, rejected, disavowed.
midalja n.f., pl. -i, medal.
medaljun n.m., pl. -i, medallion.
midbaħ n.m., pl. ***mdiebaħ;*** slaughter house, temple, altar.
midbiel aġġ. u p.p., withered, dried, faded.
midbuħ aġġ. u p.p., slaughtered, killed, sacrificed.
middejjen aġġ. u p.p., indebted.
middi aġġ. u p.p., shining, glittering, resplendent, bright, given, presented.
middieħek aġġ. u p.p., mocked, laughed at.
middija n.f., pl. -i, present, gift.
midfna n.f., pl. ***mdiefen;*** a burying place, churchyard.
midfun aġġ. u p.p., buried, hidden.
midgħi aġġ. u p.p., cursed, exacrated, blasphemer.
midhen n.m., pl. ***mdiehen;*** unguent, ointment.
midhi aġġ. u p.p., engrossed, attentive, mindful.
midhun aġġ. u p.p., anointed.
midħal n.m., pl. ***mdieħel;*** entrance, ingress.
midħla n.f., bla pl., familiar.
midħna n.f., pl. ***mdieħen;*** chimney, funnel.
midħuk aġġ. u p.p., laughed at, mocked, betrayed, deceived.
midjun aġġ. u p.p., indebted.
midjuq aġġ. u p.p., tasted, narrowed, straitened.
midluk aġġ. u p.p., anointed.
midmum aġġ. u p.p., strung together.
midneb n.m., pl. -in, sinner.
midquq aġġ. u p.p., sounded, beaten, trashed, minced, hashed, pounded.
midra n.f., pl. ***mdieri;*** pitchfork, winning fork.
midrub aġġ. u p.p., wounded.
midrus aġġ. u p.p., trashed.
midwa n.f., pl. -iet, clinic, polyclinic.
midwi aġġ. u p.p., echoed, resounded.
miegħed v.III, ***jmiegħed;*** to chew.
miegħek v.III, ***jmiegħek;*** to rub, to vilify, to debase.
miegħer v.III, ***jmiegħer;*** to debase, to blame, to injure, to contemn.
miegħex v.III, ***jmiegħex;*** to be profitable, to turn to account.
miehel v.I, ***jmiehel;*** to retard.
miekla n.f., pl. ***mwiekel;*** meat, food, victuals.
miel v.I, ***jmil;*** to lean, to incline, to condiscend. ***it-torri ta' Pisa qiegħed imil;*** the tower of Pisa is leaning.
miel n.m., pl. ***mwiel;*** estate, means, riches.
mielaħ aġġ., saltish, salty, briny, saline.
miera v.III, ***jmieri;*** to contradict, to gainsay, to oppose. ***kemm iħobb imieri ħuk;*** how contradictious is your brother.
miet v.I, ***jmut;*** to die, to expire, to perish. ***Kristu ~ fuq is-salib biex jifdina;*** Christ died on the Cross to redeem us.
mieta n.f., pl. -i, tariff, assize.
miexi aġġ. u p.p., walking, moving, travelling.
mifdi aġġ. u p.p., redeemed, ransomed.
mifdul aġġ. u p.p., left, remained, extant.
mifġur aġġ. u p.p., bleeding at the nose.
mifhum aġġ. u p.p., understood, comprehended.
mifles n.m., pl. ***mfieles;*** bank, treasury, exchequer.
mifli aġġ. u p.p., enloused, examined carefully, scrutinized.
mifluġ aġġ. u p.p., crippled, paralysed, maimed.
mifni aġġ. u p.p., languishing, faint.
mifqugħ aġġ. u p.p., burst.
mifqus aġġ. u p.p., hatched.
mifrex n.m., pl.***mfierex;*** mattress, bed, couch.
mifrud aġġ. u p.p., separated, disunited, divided.
mifruħ aġġ. u p.p., congratulated, welcomed.

mifruq aġġ. u p.p., disjoined, forked.
mifrux aġġ. u p.p., spread, stretched out, opened.
mifsud aġġ. u p.p., phlebotomized, bled, addled, rotten.
miftakar aġġ. u p.p., commemorated, reminded.
miftaqar aġġ. u p.p., impoverished.
miftiehem aġġ. u p.p., agreed, understood.
miftuħ aġġ. u p.p., opened.
miftum aġġ. u p.p., weaned, dishabituated.
miftuq aġġ. u p.p., unstitched, raptured, hernious, shelled, lulled, husked.
mifxul aġġ. u p.p., confused, disturbed.
miġbud aġġ. u p.p., pulled, drawn up, attracted, printed.
miġbur aġġ. u p.p., picked up, collected, repaired, mended, retired, secluded, solitary.
miġfna n.f., pl. ***mġiefen;*** fleet.
miġġieled aġġ. u p.p., litigated, contended.
miġimgħa n.f.koll., pl. -t, congregation, assembly, muster.
miġja n.f., pl. -t, coming, arrival.
miġjub aġġ. u p.p., brought, carried, esteemed, respected, regarded, valued.
miġmugħ aġġ. u p.p., assembled, gathered, collected.
miġnun aġġ. u p.p., mad, insane, foolish, crazy, demented.
miġri aġġ. u p.p., run, circulated, happened, befallen.
miġruħ aġġ. u p.p., wounded, hurt, sore.
miġrur aġġ. u p.p., transported, transferred, removed, carried, carried away, wound into skeins.
miġżi aġġ. u p.p., rewarded, recompensed, remunerated.
miġżuż aġġ. u p.p., sheared.
migdub aġġ. u p.p., lied.
migdum aġġ. u p.p., bitten.
migruf aġġ. u p.p., scratched.
mija n.num.kard., hundred.
mijelite n.f., pl. -jiet, (med.) myelitis.
mijokardite n.f., pl. -jiet, (med.) myocarditis.
mijope aġġ., (med.) short-sighted.
mijopija n.f., bla pl., (med.) short-sightedness, myopia.
mikbus aġġ. u p.p., kindled.
mikdud aġġ. u p.p., resentful.
mikfuf aġġ. u p.p., hemmed, welted.
mikfus aġġ. u p.p., eclipsed.
mikinsa n.f., pl. ***mkienes;*** broom.
miklub aġġ. u p.p., famished, ravenous, insatiable.
miknus aġġ. u p.p., swept.
mikri aġġ. u p.p., hired, rented.
mikrobu n.m., pl. -i, (med.) microbe.
mikrofonu n.m., pl. -i, (tekn.) microphone.
mikrokożmu n.m., pl. -i, microcosm.
mikrometru n.m., pl. -i, micrometer.
mikroskopju n.m., pl. -i, microscope.
mikser n.m., pl. -s, mixer. ***~ tas-siment;*** cement mixer.
miksi aġġ. u p.p., covered, clothed.
miksub aġġ. u p.p., obtained, gained.
miksur aġġ. u p.p., broken.
mikteb n.m., pl. ***mkieteb;*** writing-desk.
miktub aġġ. u p.p., written, enrolled, enlisted.
mikul aġġ. u p.p., eaten, corroded.
mikwi aġġ. u p.p., burning very hot, red-hot.
mikxuf aġġ. u p.p., uncovered, unveiled.
mil n.m., pl. -i, ***mwiel;*** mile.
milbus aġġ. u p.p., dressed.
milfuf aġġ. u p.p., wrapped up.
milgħub aġġ. u p.p., played, betted, deceived.
milgħun aġġ. u p.p., cursed.
milgħuq aġġ. u p.p., licked.
milhum aġġ. u p.p., inspired.
milħuq aġġ. u p.p., overtaken, arrived, reached.
mili n.m., bla pl., impletion, filling, dressing.
Milied n.m., pl. -ijiet, Christmas.
militanti aġġ., militant.
militar n.m.koll., military.
militari aġġ., military.
militarizzazzjoni n.f., pl. -jiet, militarization.
militariżmu n.m., pl. -i, militarism.
milizzja n.f., pl. -i, militia, army.
milja n.f., bla pl., plentitude.
miljard n.m., pl. -i, milliard.
miljardarju n.m., f. -a, pl. -i, multi-millionaire.
miljorament n.m., pl. -i, improvement.
milju n.m.koll., (bot.) sorghum, millet.
miljun n.m., pl. -i, million.
miljunarju n.m., f. -a, pl. -i, millionaire.
millenarju n.m., pl. -i, millenarian, millenary.
milleżmu n.m., pl. -i, thousandth part.
milli konġ., of that, which, rather than.
millieġ n.m.koll., millet.
milligramm n.m., pl. -i, milligramme, milligram.
millilitru n.m., pl. -i, millilitre.
millimetru n.m., pl. -i, millimetre.
milmuħ aġġ. u p.p., perceived.

milqi aġġ. u p.p., received, welcomed.
milqugħ aġġ. u p.p., received, entertained.
milqut aġġ. u p.p., hit, struck.
milsa n.f., pl. ***miles;*** (anat.) spleen.
milud aġġ. u p.p., born.
miluda n.f., pl. -in, parturient.
milum aġġ. u p.p., scolded, reproached.
milwa n.f., pl. ***mliewi;*** skein. ~ ***zalzett;*** roll, roller.
milwi aġġ. u p.p., bent, twisted, turned, inclined.
milwiem aġġ. u p.p., aqueous, pluvial, pluvious, rainy.
mima n.f., pl. -i, mime.
mimdud aġġ. u p.p., stretched out, lying.
mimgħud aġġ. u p.p., chewed, masticated.
mìmika n.f., pl. -i, mimicry.
mìmiku aġġ., mimic, mimical.
mimli aġġ. u p.p., replete, full, filled, solid, compact, massive. ~ ***bih innfisu;*** proud, haughty. ***drapp ~;*** thick.
mimnugħ aġġ. u p.p., prohibited, forbidden.
mimosa n.f., pl. -i, (bot.) mimosa.
mimsuħ aġġ. u p.p., wiped.
mimsus aġġ. u p.p., touched. ~ ***mid-dud;*** infected, blighted.
mimxut aġġ. u p.p., combed.
min pron., who?, whom?.
mina n.f., pl. -i, (mil.) mine, tunnel.
minaċċa n.f., pl. -i, menace.
minaċċat aġġ. u p.p., threatened, menaced.
minaċċuż aġġ., threatening, menacing.
minarett n.m., pl. -i, minaret.
minatur n.m., pl. -i, miner.
minbarra prep. u konġ., except.
minbejn prep., from between, from among.
minbuħ aġġ. u p.p., barked.
minbux aġġ. u p.p., provoked, teased.
minċott n.m., pl. -i, tenon, dovetail.
mindaqqiet avv., sometimes, at times, now and then.
mindil n.m., pl. ***mniedel;*** (anat.) caul, omentum.
mindu avv., since, since when, ever since.
mindur aġġ. u p.p., observed.
mineral n.m., pl. -i, (ġeol.) mineral.
minerali aġġ., mineral. ***ilma ~;*** mineral water.
mineraloġija n.f., pl. -i, mineralogy.
minestra n.f., pl. -i, vegetable soup.
minfaħ n.m., pl. ***mniefaħ;*** bellows, (itt.) boar-fish.
minfejn prep., from where, from whence.
minfes n.m., pl. ***mniefes;*** nostril.
minfexx aġġ. u p.p., burst forth, broken out.
minflok avv., instead.
minfud aġġ. u p.p., penetrated, transfixed, transpierced.
minfuħ aġġ. u p.p., blown, swollen. ~ ***bih innifsu;*** proud, haughty, vain.
minfuq aġġ. u p.p., spent, expended.
minfuq avv., upwards.
minġel n.m., pl. ***mnieġel;*** scythe, sickle.
minġur aġġ. u p.p., dressed.
minġuż n.m., pl. ***mnieġeż;*** (itt.) striped bream.
mingħajr prep., without.
mingħand prep., from.
mingħi aġġ. u p.p., doleful, mournful, groaning with pain.
mingħul aġġ. u p.p., cursed.
minħabba avv., on account of, because of.
minħtieġ aġġ. u p.p., necessary, requisite, useful, needed.
minħur aġġ. u p.p., slaughtered, snored.
mìnima n.f., pl. -i, (muż.) minim.
mìnimu aġġ., minimum.
miniskert n.m., pl. -s, miniskirt.
ministerjali aġġ. ministerial.
ministeru n.m., pl. -i, ministry.
ministrell n.m., pl. -i, ministrel.
ministru n.m., pl. -i, minister.
minjatura n.f., pl. -i, miniature.
minjier n.m., pl. -s, miner.
minjiera n.f., pl. -i, mine.
minju n.m.koll., (artiġ.) red lead.
minkeb n.m., pl., ***mniekeb;*** elbow, angle, corner.
minkejja avv., in spite of, not withstanding.
minki aġġ. u p.p., vexed.
minn prep., from.
minnu aġġ., true.
minnufih avv., quickly, directly, all of a sudden, immediately.
minnula n.f., pl. i, (itt.) cockrell.
minoranza n.f., pl. -i, minority.
minotawru n.m, pl. -i, minotaur.
minqi aġġ., cleaned, cleansed, macerated.
minqugħ aġġ., u p.p., macerated, steeped, soaked.
minqur aġġ., u p.p., peched.
minqux aġġ. u p.p., carved, graved, engraved.
minsi aġġ. u p.p., forgotten.
minsub aġġ. u p.p., placed, erected, raised, hunted for, snared, trapped, waylaid.
minsuġ aġġ. u p.p., woven.
mintaħt avv., downwards.

mintba n.f., pl. -iet, hillock, mount, steep hill.
mintuf aġġ. u p.p., plucked.
mintul avv., through, along, throughout.
minur aġġ., minor.
minuranza n.f., pl. -i, minority.
minurenni aġġ. (leg.) minor.
minùskola aġġ., small, very small.
minuta n.f., pl. -i, minute.
minutiera n.f., pl. -i, minute hand, pointer.
minwett n.m., pl. -i, minuet.
minxtamm aġġ. u p.p., smelt.
minxuf aġġ. u p.p., dried up, withered, dissicated.
minxur aġġ. u p.p., sawed, hanged out, displayed.
minżel n.m., pl. ***mnieżel;*** landing-place.
minżugħ aġġ. u p.p., undressed, disrobed.
minżul aġġ. u p.p., descended.
mira n.f., pl. -i, sight, target, aim, end, purpose, object.
miraġġ n.m., pl. -i, mirage.
miraklu n.m., pl. -i, miracle.
mirakulat aġġ., miraculously.
mirakuluż aġġ., miraculous.
mirbuħ aġġ. u p.p., won, conquered, subdued, vanquished.
mirdum aġġ. u p.p., buried.
mirfes n.m., pl. ***mriefes;*** treadle.
mirfud aġġ. u p.p., propped, supported.
mirfus aġġ. u p.p., trodden, trampled upon.
mirgun aġġ. u p.p., terrified, frighted.
mirgħi aġġ. u p.p., pastured, grazed.
mirgħub aġġ. u p.p., greedy, covetous.
mirgħux aġġ. u p.p., abashed, ashamed.
mirhun aġġ. u p.p., pawned.
mirjieħ aġġ., windy.
mirjun n.m., pl. -i, (mil.) morion, casque, helmet.
mirkeb n.m., pl. ***mriekeb;*** vehicle, car, carriage, truck, ship.
mirkub aġġ. u p.p., ridden.
mirkun aġġ. u p.p., propped, supported.
mirkus aġġ. u p.p., economised.
mirla n.f., pl. -i, (itt.) brown wrasse.
mirqi aġġ. u p.p., cured or healed of jaundice.
mirqum aġġ. u p.p., arranged, adorned, embellished.
mirra n.f., pl. -iet, myrrh.
mirtub aġġ. u p.p., softened.
mirtuħ aġġ. u p.p., shivering.
miru n.m., bla pl., holy oil.
mirwaħ n.m., pl. ***mriewaħ;*** fan.
mirżuħ aġġ. u p.p., chilled, shivering with cold.
mirżun aġġ. u p.p., restrained.
misantropija n.f., pl. -i, misanthropy.
misantròpiku aġġ., misanthropic(a).
misapproprjazzjoni n.f., pl. -i, (leg.), misappropriation.
misbi aġġ. u p.p., ravaged, ruined, enslaved.
misbuk aġġ. u p.p., unleaved, attenuated.
misbul aġġ. u p.p., enraged, angry, out of temper.
misbuq aġġ. u p.p., outstripped, outrun.
misdud aġġ. u p.p., stopped, obstructed.
misfatt n.m., pl. -i, misdeed, crime.
misfi aġġ. u p.p., serence, clear, fair, purified.
misfuf aġġ. u p.p., sucked.
misgħen n.m., pl., ***msiegħen;*** support.
misħaq n.m., pl. ***msieħaq;*** pulverizer.
misħi aġġ. u p.p., cleared up.
misħun ara **mesħun**.
misħuq aġġ. u p.p., bruised, punded.
misħut aġġ. u p.p, cursed, execrated.
misjub aġġ. u p.p., found, invented.
misjuħ aġġ. u p.p., called.
misjum aġġ. u p.p., fasted.
misjuq aġġ. u p.p., driven.
misjur aġġ. u p.p., matured, ripened, cooked.
misk n.m., bla pl., musk.
miskin aġġ., pitiable, poor.
miskredent aġġ., unbelieving, misbelieving.
miskta n.f., bla pl., (bot.) mastic.
miskur aġġ. u p.p., drunk.
miskut aġġ. u p.p., silenced.
Mislem n.m., pl. ***Misilmin;*** Muslim.
mislub aġġ. u p.p., crucified.
misluf aġġ. u p.p., lent.
misluħ aġġ. u p.p., skinned, flayed.
mislut aġġ. u p.p., drawn, unsheated, sharpened, pointed, slim, slender.
misluta n.f., pl. ***msielet;*** ear-ring, pendent.
mismum aġġ. u p.p., poisoned.
mismugħ aġġ. u p.p., heard, listened.
mismut aġġ. u p.p., scalded, burnt, surprised.
misnun aġġ. u p.p., whetted, sharpened.
misoġinija n.f., pl. -i, misogyny.
misoġinu n.m., f. -a, misoginist.
misqi aġġ. u p.p., given water.
misqja n.f., pl. -iet, watering trough.
misraħ n.m., pl. ***msieraħ;*** square.
misrek n.m., pl. ***msierek;*** lance, harpoon.
misrum aġġ. u p.p., entangled, confused.
misruq aġġ. u p.p., robbed, stolen.
misrur aġġ. u p.p., packed up, bundled up, wrapped up.

miss n.f., pl. -is, miss.
missall n.m., pl. -i, (ekkl.) missal.
missellef aġġ. u p.p., lent, borrowed.
missier n.m., pl. -ijiet, father.
missila n.f., pl. -i, (mil.) missile.
missjoni n.f., pl. jiet, mission.
missjunarju n.m., f. -a, pl. -i, missionary.
mistabar aġġ. u p.p., patient, enduring, suffering, consoled, comforted.
mistad aġġ. u p.p., fished, hunted.
mistagħdar aġġ. u p.p., stagnated, paludal.
mistagħġeb aġġ. u p.p., surprised, astonished, astounded.
mistejqer aġġ. u p.p., recovered, returned to one's senses.
mistenbaħ aġġ. u p.p., awakened.
mistenni aġġ. u p.p., expected, awaited.
misterjożament avv., mysteriously.
misterju n.m., pl. -i, mystery.
misterjuż aġġ., mysterious.
mistgħall aġġ. u p.p., enjoyed.
mistgħan aġġ. u p.p., helped, relieved.
mistħajjel aġġ. u p.p., imagined, conceived.
mistħarreġ aġġ. u p.p., investigated.
mistħi aġġ. u p.p., bashful, ashamed, modest, coy.
mistħija n.f., pl. -t, shame, bashfulness, abashment, timidness.
mistħoqq aġġ. u p.p., deserved, worthy.
mistħoqqija n.f., pl. -iet, merit, worthiness, condignness.
mistiċiżmu n.m., pl. -i, mysticism.
mistieden aġġ u p.p., invited.
mistieden n.m., f. -a, pl. -in, guest.
mistienes aġġ. u p.p., accompanied, escorted, domesticated.
mistifikazzjoni n.f., pl. -jiet, mystification.
mìstika n.f., bla pl., (teol.) mystics.
mìstiku aġġ., mystic.
mistkenn aġġ. u p.p., sheltered.
miskennija n.f., pl. -iet, shelter, refuge.
mistkerrah aġġ. u p.p., abhorred, having dread or fear.
mistmerr aġġ. u p.p., loathed, nauseated, abhorred.
mistoħbi aġġ. u p.p., hidden, concealed.
mistoħbija n.f., pl. -iet, concealment, (logħ.) hide-and-seek.
mistoħji aġġ. u p.p., revived, restored, reanimated.
mistoqsi aġġ. u p.p., asked, questioned, interrogated.
mistoqsija n.f., pl. -i, question, interrogation.
mistqarr aġġ. u p.p., confessed, avowed.
mistra n.f., pl. -t, hidden place, secret place.
mistrieħ aġġ. u p.p., reposed, rested, quiet.
mistur aġġ. u p.p., covered, veiled, hidden, concealed. ***bil-~;*** secretly, privately.
mistura n.f., pl. -i, (med.) mixture.
miswi aġġ. u p.p., appraised.
mît n.m., pl. -i, myth.
mita ara **meta**.
mitbagħ n.f., pl. ***mtiebagħ;*** printing press.
mitbaħ n.f., pl. ***mtiebaħ;*** kitchen.
mitbiedel aġġ. u p.p., changed, exchanged, permuted.
mitbna n.f., pl. -iet, a rick of straw.
mitbugħ aġġ. u p.p., printed.
mitbuħ aġġ. u p.p., cooked.
mitbuk aġġ. u p.p., crumbled or grounded finely.
mitbuq aġġ. u p.p., shut up, closed.
miter n.m., pl. -s, meter.
mitfa n.f., pl. -iet, extinguisher.
mitfi aġġ. u p.p., extinguished, quenched.
mitfugħ aġġ. u p.p., thrown, hurled, pushed, dashed.
mitħaddet aġġ. u p.p., spoken, discussed, discoursed, debated, argued.
mitħassar aġġ. u p.p., corrupted, commiserated.
mitħna n.f., pl. ***mtieħen;*** mill. ***~ ta' l-ilma;*** water-mill. ***~ tal-kafè;*** coffee-mill, grinder. ***~ tar-riħ;*** wind-mill. ***ħaġra tal-~;*** millstone.
mitħun aġġ. u p.p., grounded.
mitigazzjoni n.f., pl. -jiet, mitigation.
mìtiku aġġ., mythic(al).
miting n.m., pl. -s, meeting.
mitjar n.m., bla pl., airport, aerodrome.
mitkellem aġġ. u p.p., spoken, talked.
mitkixxef aġġ. u p.p., discovered, disclosed, explored.
mitlaq n.m., pl. ***mtielaq;*** starting point.
mitlub aġġ. u p.p., demanded, asked, prayed, entreated.
mitluf aġġ. u p.p., lost, damned, desperate. ***~ fil-ħsieb;*** abstructed.
mitlugħ aġġ. u p.p., raised, lifted, ascended, fermented, leavened.
mitluq aġġ. u p.p., abandoned, deserted, dismissed, freed.
mitmiehel aġġ. u p.p., retarded, delayed.
mitmugħ aġġ. u p.p., nourished, maintained, fed.
mitmum aġġ. u p.p., finished.
mitni aġġ. u p.p., folded.
mitniehed aġġ. u p.p., sighed.
mitoloġija n.f., pl. -i, mythology.

mitològiku aġġ., mythologic(al).
mitqal aġġ., of the weight of.
mitqiegħed aġġ. u p.p., placed, settled.
mitqla n.f., pl. -t, ***mtieqel;*** weight, heaviness.
mitqub aġġ. u p.p., bored, pierced, perforated.
mitra n.f., pl. -i, (ekkl.) mitre.
mitraħ n.m., pl. ***mtieraħ;*** mattress. ***~ tarrix;*** feather-bed.
mitraq n.m., pl. ***mtieraq;*** hatch, pick.
mitriegħed aġġ. u p.p., trembling, shivering, shaking.
mitrud aġġ. u p.p., pursued, followed.
mitruħ aġġ. u p.p., unnerved, paralysed.
mitrux aġġ. u p.p., brushed, stunned.
mitt aġġ. num., hundred.
mittallab aġġ. u p.p., begged.
mittewweb aġġ. u p.p., yawned.
mittiefes aġġ. u p.p., damaged, spoiled, corrupted.
mittieħed aġġ. u p.p., taken, infected.
mittiekel aġġ. u p.p., corroded.
mittiesef ara **mittiefes**.
mitwa n.f., pl. ***mtiewi;*** beam.
mitwi aġġ. u p.p., folded, wrapped.
mitwiegħed aġġ. u p.p., promised.
mitwieled aġġ. u p.p., born.
mitwieżen aġġ. u p.p., supported.
mixbuh aġġ. u p.p., resembled.
mixdud aġġ. u p.p., dressed, saddled, hardened, constipated.
mixegħla n.f., pl. -t, illumination.
mixgħuf aġġ. u p.p., repented.
mixgħul aġġ. u p.p., kindled, lighted, enlighted, rebelled, fervent, busy.
mixhi aġġ. u p.p., desired, longed for.
mixhud aġġ. u p.p., witnessed, testified.
mixhur aġġ. u p.p., deplored, lamented, divulged, proclaimed.
mixħut aġġ. u p.p., thrown, flung, sick, ill, laid in bed.
mixi n.m., bla pl., walking. ***bil-~;*** on foot.
mixja n.f., pl. -iet, walk, stroll.
mixkuk aġġ. u p.p., penetrated, transfixed, transpierced.
mixli aġġ. u p.p., accused.
mixmum aġġ. u p.p., smelled.
mixni aġġ. u p.p., hated.
mixquq aġġ. u p.p., cracked, slit.
mixrub aġġ. u p.p., drunk, absorbed, lean, thin, lank.
mixruk aġġ. u p.p., associated.
mixtarr aġġ. u p.p., ruminated.
mixtel n.m., pl. ***mxietel;*** seed-bed, nursery bed.
mixtered aġġ. u p.p., scattered, dispersed.
mixtieq aġġ. u p.p., desired.
mixtla n.f., pl. -iet, nursery bed, seed bed.
mixtri aġġ. u p.p., bought, purchased, bribed.
mixwi aġġ. u p.p., roasted.
mixxellanja n.f., pl. -i, miscellanea, miscellany.
mixxiebah aġġ. u p.p., likened, resembled.
miżata n.f., pl. -i, fee.
miżbla n.f., pl. -iet, dunghill.
miżbugħ aġġ. u p.p., painted.
miżbur aġġ. u p.p., pruned, lopped.
miżerabbli aġġ., miserable, wretched.
miżerament avv., miserably.
miżerikordja n.f., bla pl., mercy, pity.
miżerja n.f., pl. -i, misery, poverty.
mìżeru aġġ., miserable.
miżfun aġġ. u p.p., danced.
miżgħud aġġ. u p.p., increased, abounding.
miżhul aġġ. u p.p., caressed.
miżieb n.m., pl. ***mwieżeb;*** stone water sprout.
miżien n.m., pl. ***mwieżen;*** scales, balance.
miżirgħa n.f., pl. -t, sown field.
miżjud aġġ. u p.p., joined, augmented, increased, added.
miżjur aġġ. u p.p., visited, examined.
miżlaq n.f., pl. ***mżielaq;*** slippery place.
miżmum aġġ. u p.p., held, kept, retained.
miżquq aġġ. u p.p., billed.
miżrugħ aġġ. u p.p., sown.
miżun aġġ. u p.p., balanced, weighed, pondered.
miżura n.f., pl. -i, measure, measurement.
miżwed n.m., pl. ***mżiewed;*** pod.
miżżewweġ aġġ. u p.p., married, paired, matched.
mjassar aġġ. u p.p., enslaved.
mkabbar aġġ. u p.p., increased, augmented, brought up, proud, haughty, lofty.
mkabbas aġġ. u p.p., wrapped up, muffled.
mkaħħal aġġ. u p.p., covered, plastered.
mkarkar aġġ. u p.p., dragged.
mkarrab aġġ. u p.p., grieved, sighing, lamenting.
mkarwat aġġ. u p.p., ground coarsely, roared, thundered, rumbling.
mkasbar aġġ. u p.p., maltreated, despised, vilified, fouled, spoiled, dirtied.
mkattar aġġ. u p.p., increased, multiplied, augmented.
mkaxkar aġġ. u p.p., dragged.
mkebba n.f., pl. ***mkebeb;*** reel.

mkebbeb aġġ. u p.p., wounded up, reeled.
mkebbes aġġ. u p.p., kindled, set on fire, instigated, provoked.
mkebbeż aġġ. u p.p., deceived, deluded, horned, cuckolded.
mkeċċi aġġ. u p.p., expelled, sent away.
mkedded aġġ. u p.p., vexed repeatedly.
mkeffef aġġ. u p.p., hemmed.
mkeffen aġġ. u p.p., shrouded.
mkejjel aġġ. u p.p., measured, calculated.
mkellel aġġ. u p.p., crowned.
mkellem aġġ. u p.p., spoken to.
mkemmex aġġ. u p.p., wrinkled, corrugated.
mkennen aġġ. u p.p., sheltered.
mkerċaħ aġġ. u p.p., weak, infirm.
mkerrah aġġ. u p.p., rendered ugly or deformed.
mkeskes aġġ. u p.p., instigated, incited.
mkessaħ aġġ. u p.p., cooled.
mkewkeb aġġ. u p.p., starred, starry.
mkexkex aġġ. u p.p., shuddering.
mkien n.m., pl. ***mkejjen;*** place.
mkisseb aġġ. u p.p., obtained, acquired, procured.
mkisser aġġ. u p.p., broken.
mkittef aġġ. u p.p., tight.
mkixxef aġġ. u p.p., discovered, disclosed, revealed.
mlagħlagħ aġġ. u p.p., stummered, stuttered.
mlaħħam aġġ. u p.p., fleshy, plump.
mlaħħaq aġġ. u p.p., promoted.
mlaħlaħ aġġ. u p.p., loosed, shaken, stirred, rinsed.
mlanġas aġġ. u p.p., stormy, blustering, tempest.
mlanżat aġġ. u p.p., bristled.
mlaqlaq aġġ. u p.p., croaked,gaggled.
mlaqqa' aġġ. u p.p., induced to meet, confronted, compared.
mlaqqam aġġ. u p.p., nicknamed, grafted.
mlaqqat aġġ. u p.p., gleaned.
mlaqqax aġġ. u p.p., chipped.
mlebbet aġġ. u p.p., routed, galopped.
mlebleb aġġ. u p.p., ardently desired.
mleff n.m., pl. -ijiet, cloak.
mleffef aġġ. u p.p., wrapped up in clothes.
mlegleg aġġ. u p.p., guzzled.
mleħħen aġġ. u p.p., (muż.) modulated.
mlellex aġġ. u p.p., adorned, decorated, embellished, glittering, shining.
mlenbeb aġġ. u p.p., rolled, reeled, winded.
mlesti aġġ. u p.p., prepared.
mletlet aġġ. u p.p., lapped.
mlewwaħ aġġ. u p.p., fanned, winnowed.
mlewwen aġġ. u p.p., coloured.
mlewweż aġġ. u p.p., full with almonds.
mlibbes aġġ. u p.p., dressed, clothed.
mliegħeb aġġ. u p.p., slavering.
mlieheġ aġġ. u p.p., broken-winded.
mlieħ v.IX, ***jimlieħ;*** to become salty.
mlies v.IX, ***jimlies;*** to become smooth.
mliġġem aġġ. u p.p., bridled, restrained.
mlissen aġġ. u p.p., pronounced.
mluħa n.f., pl. -t, saltiness.
mluħija n.f., pl. -t, (bot.) okro hibiscus.
mnabbar aġġ. u p.p., exposed, displayed.
mnabbi aġġ. u p.p., prophesied, foretold.
mnaddaf aġġ. u p.p., cleaned, cleansed, scoured, furbished.
mnaddar aġġ. u p.p., prepared a threshing floor.
mnaffar aġġ. u p.p., scared.
mnaġġar aġġ. u p.p., dressed, trimmed.
mnajjar aġġ. u p.p., set on fire, inflamed.
mnalla inter., by (the mercy of) God.
mnaqqar aġġ. u p.p., pecked, pilfered, stolen.
mnaqqas aġġ. u p.p., diminshed, reduced, lessened.
mnaqqax aġġ. u p.p., engraved, sculptured, carved, pied.
mnara n.f., pl. ***mnajjar;*** oil lamp.
mnarja n.f., pl. -i, illumination.
mnassab aġġ. u p.p., trapped.
mnassar aġġ. u p.p., christianized, made christian.
mnassas aġġ. u p.p., ensnared.
mnawwan aġġ. u p.p., mewed.
mnawwar aġġ. u p.p., blossomed, musty, mouldy.
mnażża' aġġ. u p.p., undressed, unclothed, disrobed.
mnebbaħ aġġ. u p.p., awakened, inspired, prompted.
mneffaħ aġġ. u p.p., swollen, tumefied, blown.
mneħħi aġġ. u p.p., taken away, abolished, abrogated, repealed.
mnejn prep. u avv., whence.
mnemmel aġġ. u p.p., full of ants.
mnemmes aġġ. u p.p., hunted with a ferret.
mnemmex aġġ. u p.p., freckled.
mnemònika n.f., pl. -i, mnemonica.
mnemòniku aġġ., mnemonic.
mnessi aġġ. u p.p., caused to forget.
mnewwel aġġ. u p.p., handed, presented, delivered.
mniddem aġġ. u p.p., caused to repent.
mniddi aġġ. u p.p., moistened.
mniedi aġġ. u p.p., published, proclaimed, divulged.

mniegħel aġġ. u p.p., shod.
mniegħes aġġ. u p.p., drowsy, sleepy.
mniehed aġġ. u p.p., caused to sigh.
mnieħer n.m., pl. ***mniħrijiet;*** nose.
mniffed aġġ. u p.p., penetrated, connected.
mniġġes aġġ. u p.p., contaminated, polluted.
mniggeż aġġ. u p.p., pricked, stung.
mnikkeb aġġ. u p.p., angular.
mnikker aġġ. u p.p., made to loiter.
mnikket aġġ. u p.p., punctuated, dotted, spotted, mournful, doleful, baleful, grieved.
mnisseġ aġġ. u p.p., woven.
mnissel aġġ. u p.p., begot, generated, procreated, originated.
mnissi aġġ. u p.p., made to forget.
mnittef aġġ. u p.p., plucked.
mnitten aġġ. u p.p., rendered fetid.
mnixxef aġġ. u p.p., dried, dried up.
mnixxi aġġ. u p.p., drained.
mniżżel aġġ. u p.p., caused to descend, lowered, registered.
mnoqqi aġġ. u p.p., weeded, sifted.
mobilizzat aġġ. u p.p., mobilized.
mobilizzazzjoni n.f., pl. -jiet, mobilization.
mobbilja n.f., pl. -i, furniture.
mobbiljat aġġ. u p.p., furnished.
mobbiltà n.f., pl. -jiet, mobility.
mobbli n.pl., furniture.
mobbli aġġ., movable.
mod n.m., pl. -i, way, manner, mode.
moda n.f., pl. -i, mode, fashion, vogue.
modali aġġ., modal.
modalità n.f., pl. -jiet, modality, way, formality, form, method.
modd n.m., pl. ***mdied;*** bushel.
moderat aġġ., moderate, temperate.
moderatur n.m., f. -a, pl. -i, moderator.
moderazzjoni n.f., pl. -jiet, moderation.
modern aġġ., modern.
modernament avv., modernly.
moderniżmu n.m., pl. -i, modernism.
modest aġġ., modest.
modestament avv., modestly.
modestja n.f., pl. -i, modesty.
modìfika n.f., pl. -i, modification, alteration.
modifikat aġġ., modified, altered, changed.
modifikazzjoni n.f., pl. -jiet, modification, alteration, change.
modista n.f., pl. -i, milliner.
modulat aġġ. u p.p., modulated.
modulazzjoni n.f., pl. -jiet, modulation.
moffa n.f., pl. ***mofof;*** mould, must.
mogħdija n.f., pl. -t, path, passage, transit, ironing.
mogħdrija n.f., pl. -t, compassion, commiseration, pity.
mogħġub aġġ. u p.p., pleased, delighted, liked.
mogħjien aġġ. u p.p., eyed, gazed upon.
mogħjub aġġ. u p.p., disappeared.
mogħmi aġġ. u p.p., blinded.
mogħni aġġ. u p.p., enriched.
mogħruk aġġ. u p.p., scrubbed, rubbed.
mogħti aġġ. u p.p., given, delivered, presented. ***~ għal;*** inclined, addicted, given to.
mogħtija n.f., pl. -t, donation, gift.
mogħud aġġ. u p.p., promised.
mogħwi aġġ. u p.p., instigated, incited.
mogħża n.f., koll. ***mogħoż;*** (żool.) goat. ***~ tal-baħar;*** (itt.) sheephead bream.
mogħżi aġġ. u p.p., goatish.
moħor n.m., pl. ***mħar;*** (żool.) colt.
moħba n.f., pl. -iet, hiding-place.
moħbi aġġ. u p.p., hidden, concealed. ***bil-~;*** secretly, privately.
moħfija n.f., pl. -iet, pan.
moħħ n.m., pl. ***mħuħ;*** intellect, judgement, (anat.) brain.
moħji aġġ. u p.p., revived.
moħli aġġ. u p.p., wasted, consumed, ruined.
moħlum aġġ. u p.p., dreamed, dreamt.
moħmi aġġ. u p.p., baked.
moħqrien n.m., bla pl., oppression, vexation.
moħqrija n.f., pl. -t, oppression, vexation, cruelty.
moħràr aġġ. u p.p., acrid, barren.
moħriet n.m., pl. ***mħaret;*** plough.
moħrut aġġ. u p.p., ploughed.
moħsi aġġ. u p.p., gelded, castrated.
moħtàr aġġ. u p.p., elected, selected.
moħtuf aġġ. u p.p., snatched, wrested.
moħud ara **meħud**.
mokrum aġġ. u p.p., covetous.
mola n.f., pl. -i, millstone, grindstone, whetstone.
molèkula n.f., pl. -i, (fiż.) molecule.
molekulari aġġ., molecular.
molestat aġġ. u p.p., molested, troubled, annoyed, teased, vexed.
moll n.m., pl. -jiet, jetty, pier, mole, wharf.
molla n.f., pl. ***molol;*** spring.
molletta n.f., pl. -i, tongs.
mollusk n.m., pl. -i, (żool.) mollusc.
monakella n.f., pl. -i, (ornit.) little ringed plover.
monarka n.m., pl. -i, monarch.

monarkija n.f., pl. -i, monarchy.
monàrkiku aġġ., monarchic(al).
monasterju n.m., pl. -i, monastery, cloister, convent.
monàstiku aġġ., monastic.
mondan aġġ., worldly.
mondanità n.f., pl. -jiet, worldliness.
mondjali aġġ., world-wide.
monetarju aġġ., monetary.
mòngolu n.m., f. -a, pl. -i, mongol.
monodija n.f., pl. -i, monody.
monodramm n.m., pl. -i, monodrama.
monogamija n.f., pl. -i, monogamy.
monografija n.f., pl. -i, monography.
monogramm n.m., pl. -i, monogram.
monòkolu n.m., pl. -i, monocle, single-eye-glass.
monokròm n.m., pl. -i, monochrome.
monolìt n.m., pl. -i, monolith.
monòlogu n.m., pl. -i, (teatr.) monologue.
monomanija n.f., pl. -i, (med.) monomania.
monomanìjaku n.m., pl. -i, (med.) monomaniac.
monopolizzat aġġ. u p.p., monopolized.
monopolizzazzjoni n.f., pl. -jiet, monopolization.
monopolju n.m., pl. -i, monopoly.
monosìllabu n.m., pl. -i, (gram.) monosyllable.
monotonija n.f., pl. -i, monotony.
monòtonu aġġ., monotonous.
monoverb n.m., pl. -i, (logħ.) one-word rebus.
monsinjur n.m., pl. -i, (ekkl.) monsignor, Your Lordship, Your Grace.
monsun n.m., pl. -i, (geog.) monsoon.
monstru ara **mostru**.
monti n.m., bla pl., pawnshop, market.
monument n.m., pl. -i, monument.
monumentali aġġ., monumental.
mopp n.m., pl. -ijiet, ***mopop;*** mop. ***~ tat-terra;*** powder-puff.
moqbejl avv., a short time ago, just now.
moqdi aġġ. u p.p., served.
moqdief n.m., pl. ***mqadef;*** oar.
moqli aġġ. u p.p., fried.
moqri aġġ. u p.p., read.
moqżież aġġ. u p.p., dirty, nasty, filthy, loathsome.
moral n.m., pl. -i, moral.
morali aġġ., moral(s).
moralist n.m., f. -a, pl. -i, moralist.
moralità n.f., pl. -jiet, morality.
moralizzazzjoni n.f., pl. -jiet, moralization.
moralment avv., morally.
mòrbidu aġġ., soft, tender.
mordent n.m., pl. -i, (artiġ.) mordent.
moresk aġġ., morrish.
morfina n.f., pl. -i, (kim.) morphia, morphine.
morfoloġija n.f., pl. -i, (gram.) morphology.
morfolòġiku aġġ., morphological.
morga n.f., bla pl., oil-dregs.
morganàtiku aġġ., morganatic.
moribond aġġ., moribund, dying.
morin n.m., pl. -i, (mil.) marine.
morina n.f., pl. -i, ***mrejjen;*** (itt.) moray.
morlin n.m., pl. -i, (itt.) ballan wrasse.
mormi aġġ. u p.p., thrown away, cast out.
mormorazzjoni n.f., pl. -jiet, murmur, murmuring.
morr aġġ. u p.p., bitter.
morr n.m., bla pl., myrrh.
morra n.f., bla pl., purslane, (logħ.) mor(r)a.
morruna n.f., pl. -i, -iet, (itt.) grey shark.
morsa n.f., pl. -i, (artiġ.) vice.
mortadella n.f., bla pl., mortadella, Bologna sausage, polony sausage.
mortali aġġ., mortal.
mortalità n.f., pl. -jiet, mortality.
mortalment avv., mortally.
mortifikat aġġ. u p.p., mortified, humiliated.
mortifikazzjoni n.f., pl. -jiet, mortification.
mortwarju n.m., pl. -i, mortuary.
moskea n.f., pl. -ej, mosque.
mossa n.f., pl. -i, move, movement, gesture.
most n.m., bla pl., must.
mostra n.f., pl. -i, show, exhibition.
mostru n.m., pl. -i, monster.
mota n.f., pl. -i, peal of bells, chime.
motiv n.m., pl. -i, motive, reason, cause.
mottu n.m., pl. -i, motto.
moviment n.m., pl. -i, movement.
moxa n.f., bla pl., moor, heath, barren land.
moxt n.m., pl. ***mxat;*** comb.
moxx aġġ., soft, tender, plabby.
mozzjoni n.f., pl. -jiet, (parl.) motion.
mpaċpaċ aġġ. u p.p., blabbed, tattled, gaggled.
mpar avv., of the same age, social condition.
mpartat aġġ. u p.p., bartered, exchanged.
mpatti aġġ. u p.p., requited.
mpeċpeċ aġġ. u p.p., blear-eyed.
mpejjep aġġ. u p.p., smoked.
mperper aġġ. u p.p., waving.
mperreċ aġġ. u p.p., displayed.

mpetpet aġġ. u p.p., twinkling.
mpinġi aġġ. u p.p., painted.
mpitter aġġ. u p.p., painted.
mpixxi aġġ. u p.p., pissed.
mpoġġi aġġ. u p.p., placed, put.
mqabbad aġġ. u p.p., tied, joined, fastened, rooted, kindled.
mqabbas aġġ. u p.p., kindled.
mqabbel aġġ. u p.p., adapted, compared, equalled, confronted, let out, hired, rhymed.
mqabbeż aġġ. u p.p., caused to jump, to leap, to skip.
mqaċċat aġġ. u p.p., cut off, lopped off, detached, separated. ~ ***barra.***
mqadded aġġ. u p.p., dried up, shrivelled, made lean, emaciated.
mqaddem aġġ. u p.p., made old.
mqaddes aġġ. u p.p., sanctified, made holy, canonized.
mqaħqaħ aġġ. u p.p., having a dry cough.
mqajjed aġġ. u p.p., fettered, manacled.
mqajjem aġġ. u p.p., raised, awakened.
mqalfat aġġ. u p.p., caulked.
mqalla' aġġ. u p.p., nauseatic, choppy.
mqallat aġġ. u p.p., despised, contemned.
mqalleb aġġ. u p.p., upset, choppy.
mqammat aġġ. u p.p., round with a rope.
mqammel aġġ. u p.p., lousy.
mqammes aġġ. u p.p., caused to jump, to skip, to hop.
mqanċeċ aġġ. u p.p., stinted.
mqandel aġġ. u p.p., conveyed or removed with much ado.
mqanqal aġġ. u p.p., moved, excited.
mqar avv., even, to be it, if only.
mqarar aġġ. u p.p., confessed.
mqarben aġġ. u p.p., communicated.
mqardax aġġ. u p.p., carded.
mqareb aġġ., troublesome, uneasy, unquiet, naughty.
mqarmeċ aġġ. u p.p., cracked, crackled.
mqarqaċ aġġ. u p.p., toasted brown, furious, irascible, hasty.
mqarqar aġġ. u p.p., rumbling.
mqarraħ aġġ. u p.p., irritated, exasperated.
mqarram aġġ. u p.p., gnawed away.
mqarran aġġ. u p.p., horned, cornuted, cuckolded.
mqarraq aġġ. u p.p., cheated, deceived.
mqarras aġġ. u p.p., soured. ***wiċċ ~;*** frown, scowl.
mqarreb aġġ. u p.p., brought closer, nearer, approached.
mqarrem ara **mqarram**.
mqarrun n.m.koll., macaroni.
mqartaf aġġ. u p.p., lopped off, cut off.
mqartas aġġ. u p.p., wrapped up in a paper.
mqarweż aġġ. u p.p., hair cut very short.
mqasqas aġġ. u p.p., scissored, cut with scissors.
mqass n.m., pl. -ijiet, scissors, shears. ~ ***tan-nar;*** fire-tongs.
mqassam aġġ. u p.p., parted, divided, distributed.
mqassar aġġ. u p.p., shortened, abridged.
mqassas aġġ. u p.p., snipped, slandered.
mqassat aġġ. u p.p., distributed, commented.
mqasses aġġ. u p.p., ordained priest.
mqat v.IX, ***jimqat;*** to be harsh, rude.
mqata n.f., pl. -iet, tartness, sourness.
mqatta' aġġ. u p.p., torn, lacerated.
mqattar aġġ. u p.p., dropped, distilled.
mqattet aġġ. u p.p., bound in bundles.
mqawwar aġġ. u p.p., orbicular, globular, spherical.
mqawwem aġġ. u p.p., raised or stirred up to a rebellion, raised or lifted from the ground, raised from the dead, awakened.
mqawwes aġġ. u p.p., arched, curved, crooked.
mqawwi aġġ. u p.p., corroborated, strengthened, fortified, invigorated, cured, healed.
mqaxlef aġġ. u p.p., dried up.
mqaxqax aġġ. u p.p., parched, gleaned.
mqaxxar aġġ. u p.p., barked, peeled, scaled, skinned.
mqażżeż aġġ. u p.p., nauseated.
mqejjem aġġ. u p.p., esteemed.
mqejjes aġġ. u p.p., measured, thrifty.
mqiegħed aġġ. u p.p., placed, settled.
mqietgħa n.f., pl. -t, task-work.
mqit aġġ., sharp, rough, harsh, austere, rustical.
mqolli aġġ. u p.p., fried.
mqorbija n.f., pl. -t, unquietness, restlessness, naughtiness.
mqorri aġġ. u p.p., caused to read, (muż.) solmisated.
mrabba' aġġ. u p.p., squared, quadruplicated.
mrabbat aġġ. u p.p., tied, bound, fastened.
mradd n.m., pl. -ijiet, handle, tiller.
mradda aġġ. u p.p., sucked, suckled.
mraddad aġġ. u p.p., caressed.
mradden aġġ. u p.p., spun.
mraġġa' aġġ. u p.p., made to come back, replaced, re-established, renewed.
mraħħam aġġ. u p.p., marbled, implored humbly.

mraħħas aġġ. u p.p., lowered in price, cheapened, budded, sprouted.
mrajden n.m., pl. -ijiet, spindle.
mrajjar aġġ. u p.p., rather tart, bitter.
mrajjed aġġ., sickly, weakly, infirm.
mramma n.f., pl. ***mramem;*** masterwall.
mrammel aġġ. u p.p., sandy, gravelled.
mrampel aġġ. u p.p., hooked, tolled.
mranġat aġġ. u p.p., rancid, ranked, staled.
mraqqad aġġ. u p.p., made or caused to sleep, humbled, humiliated, cast down.
mraqqa' aġġ. u p.p., patched, mended, repaired.
mraqqaq aġġ. u p.p., thinned, attenuated.
mrar v.IX, ***jimrar;*** to grow bitter.
mrar n.m., bla pl., bitterness.
mrassa aġġ. u p.p., compressed, squeezed, closed together, pressed tight.
mrattab aġġ. u p.p., softened, mollified, made soft, supple or tender.
mrawwem aġġ. u p.p., trained, accustomed.
mraxxax aġġ. u p.p., sprinkled.
mrażżan aġġ. u p.p., placated, calmed down, appeased, tamed, brought under control.
mrebbaħ aġġ. u p.p., caused to win.
mreddgħa n.f., pl. -t, wet-nurse.
mreddgħa aġġ. u p.p., suckled.
mrejjaq aġġ. u p.p., wet with spittle, breakfasted.
mrejjex aġġ. u p.p., unplumed, adorned or set with feathers.
mrekken aġġ. u p.p., put or set in a corner.
mressaq aġġ. u p.p., approached, accosted, brought nearer.
mrewħa n.f., pl. ***mriewaħ;*** fan.
mrewwaħ aġġ. u p.p., fanned, ventilated.
mreżżaħ aġġ. u p.p., shivering with cold, benumbed, frost-bitten.
mrieġi aġġ. u p.p., regulated, controlled, directed, administered.
mriegħed aġġ. u p.p., trembling, shivering, thundering, terrified, horrified.
mriegħex aġġ. u p.p., affronted, reproved, reproached.
mriffed aġġ. u p.p., well propped.
mrikkeb aġġ. u p.p., made to ride, mounted, ridden.
mrixtel aġġ. u p.p., carded.
mrobbi aġġ. u p.p., reared, brought up.
msabbar aġġ. u p.p., comforted, consoled.
msabbat aġġ. u p.p., banged, thrown violently on the ground.
msaddad aġġ. u p.p., patinated, rusty.
msaffar aġġ. u p.p., whistled, hissed, disapproved.
msaffi aġġ. u p.p., purified.
msaġġar aġġ. u p.p., planted or covered with trees.
msaħħab aġġ. u p.p., cloudy.
msaħħaħ aġġ. u p.p., fortified, corroborated, cured, healed.
msaħħan aġġ. u p.p., warmed, heated, instigated, provoked to anger.
msaħħar aġġ. u p.p., bewitched, charmed, enchanted.
msajjar aġġ. u p.p., cooked, matured, ripe.
msakkar aġġ. u p.p., shut, barred, padlocked, bolted, drunk, fuddled.
msallab aġġ. u p.p., crucified, crossed.
msaltan aġġ. u p.p., reigned, ruled, governed.
msammam aġġ. u p.p., hardened.
msammar aġġ. u p.p., nailed.
msamsar aġġ. u p.p., published, divulged, manifested.
msappap aġġ. u p.p., soaked.
msaqqaf aġġ. u p.p., roofed.
msaqqi aġġ. u p.p., watered, irrigated.
msarbat aġġ. u p.p., ranged, arrayed.
msarraf aġġ. u p.p., exchanged.
msarraġ aġġ. u p.p., saddled.
msarram aġġ. u p.p., muzzled.
msarsar aġġ. u p.p., darned.
msarwal aġġ. u p.p., embroiled, entangled, confounded.
msawwar aġġ. u p.p., devised, formed, shaped, fortified with bastions.
msawwat aġġ. u p.p., beaten, cudgelled.
msawweb aġġ. u p.p., pured, transfused.
msawwem aġġ. u p.p., caused to fast.
msebbaħ aġġ. u p.p., adorned, embellished.
msebbel aġġ. u p.p., running to seed.
mseddaq aġġ. u p.p., confirmed.
mseffaq aġġ. u p.p., thick.
mseffed aġġ. u p.p., thrusted.
msefsef aġġ. u p.p., whispered.
msefter aġġ. u p.p., served.
msejjaħ aġġ. u p.p., called.
msejjes aġġ. u p.p., founded.
msejken aġġ., poor, miserable, pitiful.
msekkek aġġ. u p.p., ploughed frequently.
msekken aġġ. u p.p., caused to feel internal pain.
mselħa n.f., pl. -t, ***msielaħ;*** broom, besom.
msella n.f., pl. ***mselel;*** bodkin, (itt.) garfish.
msellef aġġ. u p.p., borrowed, lent.
msellem aġġ. u p.p., greeted.

msellet aġġ. u p.p., frayed, unravelled, unwoven.
msemmem aġġ. u p.p., poisoned, envenomed.
msemmen aġġ. u p.p., fattened.
msemmi aġġ. u p.p., named, called, mentioned, famous, well-known.
msenna n.f., pl. -iet, whetstone.
msenneġ aġġ. u p.p., dry and hard. ***ħobż ~;*** stale bread.
msensel aġġ. u p.p., chained, linked, joined, strung together.
mserka n.f., pl. -t, ***msierek;*** quill, reel, bobbin.
mserraħ aġġ. u p.p., rested, relieved, relaxed.
mserrep aġġ. u p.p., zigzagged.
mserser aġġ. u p.p, chatted, prattled.
msettaħ aġġ. u p.p., spread.
msewwed aġġ. u p.p., blackened, blacked.
msewwef aġġ. u p.p., full of or covered with wool.
msewwes aġġ. u p.p., worm eaten, provoked.
msewwi aġġ. u p.p., adjusted, mended, patched, corrected, castrated.
msida n.f., pl. ***msejjed;*** fish pond, fish pool.
msiefer aġġ. u p.p., emigrated, gone abroad, departed.
msiehem aġġ. u p.p., taken into partnership, associated.
msieħeb aġġ. u p.p., accompanied, matched.
msieħet aġġ. u p.p., accused.
msiegħel v.III,***jimsiegħel;*** to cause cough.
msiewi aġġ., equal, alike, even.
msiħ n.m., bla pl., wiping, rubbing.
msikket aġġ. u p.p., appeased, silenced.
msoffi aġġ. u p.p., cleared up, purged, purified, sifted.
msoqqi aġġ. u p.p., watered, irrigated.
msoqsi aġġ. u p.p., demanded, interrogated, questioned.
mtabbab aġġ. u p.p., medicated.
mtabba' aġġ. u p.p., stained, spotted.
mtabtab aġġ. u p.p., tapped.
mtaffal aġġ. u p.p., covered with clay.
mtaffi aġġ. u p.p., mitigated, alleviated, relieved.
mtajjan aġġ. u p.p., muddy, full of mud.
mtajjar aġġ. u p.p., caused to fly.
mtallab aġġ. u p.p., asked, begged.
mtalla' aġġ. u p.p., raised, elevated.
mtaqqab aġġ. u p.p., bored, pierced.
mtaqqal aġġ. u p.p., made heavy, aggravated.
mtarbaċ aġġ. u p.p., made hydropathic.
mtarrab aġġ. u p.p., covered with dust.
mtarrad aġġ. u p.p., followed, pursued, chased.
mtarraf aġġ. u p.p., bounded, exiled, banished, narrated superficially.
mtarrax aġġ. u p.p., deafened.
mtarraż aġġ. u p.p., stripped, streaky.
mtarri aġġ. u p.p., mollified, softened.
mtawwal aġġ. u p.p., lengthened.
mtebbaq aġġ. u p.p., parted in two, pipartite.
mtebben aġġ. u p.p., reduced to straw.
mtedd v.VIII, ***jimtedd;*** to lie down, to sprawl. ***mar jimtedd fis-sodda għax ħassu ma jiflaħx;*** he went to lie in bed because he was feeling sick.
mteftef aġġ. u p.p., felt, handled or touched lightly.
mtejħna n.f., pl. -iet, little mill.
mtejjeb aġġ. u p.p., made better, improved.
mtejjeġ aġġ. u p.p., wedded, married.
mtektek aġġ. u p.p., struck or knocked lightly.
mtela v.VIII, ***jimtela;*** to fill, to be filled. ***il-barmil imtela bl-ilma u far;*** the bucket was filled with water and it spilled over.
mtellaq aġġ. u p.p., sent off.
mtellef aġġ. u p.p., caused to lose.
mtellet aġġ. u p.p., triplicated.
mtemmem aġġ. u p.p., consummated, finished, ended.
mtemtem aġġ. u p.p., stammered, stammering.
mtenfex aġġ. u p.p., made soft.
mtenni aġġ. u p.p., repeated, doubled.
mtenten aġġ. u p.p., tinkled.
mtentex aġġ. u p.p., unravelled.
mteptep aġġ. u p.p., twinkled.
mteqqel aġġ. u p.p., made heavy, aggravated.
mterqa n.f., pl. ***mtieraq;*** hatchet.
mterraq aġġ. u p.p., hammered, roved.
mterret aġġ. u p.p., watered, irrigated.
mtertaq aġġ. u p.p., shattered.
mterter aġġ. u p.p., shivered.
mtess v.VIII, ***jimtess;*** to be touched, to begin to spoil.
mtewwem aġġ. u p.p., twinned, born a twin, seasoned with garlic.
mtextex aġġ. u p.p., fizzy.
mtiegħeb aġġ. u p.p., abhorred, detested.
mtiegħem aġġ. u p.p., tasted, relished.
mtikkek aġġ. u p.p., dotted.
mudell n.m., pl. -i, model, pattern.

mudellat aġġ. u p.p., modelled, moulded, shaped.
mudellatur n.m., f. -a, pl. -i, modeller, moulder, pattern-maker.
mudellatura n.f., pl. -i, modelling, shaping.
mudjieq aġġ., narrow.
mudlam aġġ., dark.
mudullun n.m., pl. -i, (med.) marrow, pith.
mudwal aġġ. u p.p., lighted, luminous, bright, shining.
muftieħ n.m., pl. ***mfietaħ;*** key.
muġugħ aġġ. u p.p., afflicted, aching.
mugrana n.f., pl.-i, migraine.
mukożità n.f., pl. -jiet, (med.) mucosity.
Mulej n.Pr., Lord.
mulett n.m., pl. -i, (itt.) mullet. ***~ ta' l-inċarrat;*** thin-lipped grey mullet.
mulinell n.m., pl. -i, (mar.) windlass.
multa n.f., pl. -i, fine.
multiformi aġġ., multiform.
multilaterali aġġ., multilateral.
multimiljunarju n.m., f. -a, multi-millionaire.
multiplikat aġġ. u p.p., multiplied.
multiplikatur n.m., pl. -i, f. -a, -triċi, multiplier.
multiplikazzjoni n.f., pl. -jiet, multiplication.
multitudni n.f., pl. -jiet, multitude.
mument n.m., pl. -i, moment.
mumentanju aġġ., momentary.
mumja n.f., pl. -i, mummy.
muna n.f., pl. ***mwejjen;*** provision, victuals.
munġbell n.m., pl. -i, mountain, volcano.
muniċipali aġġ., municipal.
muniċipju n.m., pl. -i, municipality.
munifiċenza n.f., pl. -i, munificence.
munita n.f., pl. -i, coin. ***~ antika;*** old coin. ***~ falza;*** false coin.
munizzjon n.m., pl. -ijiet, (mil.) ammunition.
munqar n.m., pl. ***mnieqer;*** bill, beak.
munqara n.f., koll., (itt.) smare.
muntanja n.f., pl. -i, mountain.
muntanjuż aġġ., mountainous.
muntatura n.f., pl. -i, mounting.
muntun n.m., pl. -i, ***mtaten;*** (żool.) ram, mutton.
munxar n.m., pl. ***mnaxar;*** (artiġ.) compass-saw.
munzell n.m., pl. ***imniezel;*** mow, rick, stack, heap, pile. ***~ tiben;*** hay-stack.
mura n.f., pl. -i, (mar.) luff.
murata n.f., pl. -i, (mar.) bulwark.
muri aġġ. u p.p., shown, demonstrated, represented.
murina n.f., pl. ***mrejjen;*** (itt.) muray.
murliti ara **morliti**.
murruna n.f., pl. -i, (itt.) grey shark. ***~ sewda;*** darkie charlie. ***~ tax-xewk;*** spiny shark.
murtal n.m., pl. -i, (logħ.) mortar.
mus n.m., pl. ***mwies;*** folding-knife, clasp-knife. ***~ tal-leħja;*** razor.
musa n.f., pl. -i, (lett.) muse.
musbieħ n.m., pl. ***msiebaħ;*** earthen lamp. ***~ il-lejl;*** (żool.) glow-worm, fire-fly.
musfar aġġ. u p.p., pale.
musħab aġġ. u p.p., cloudy.
muskat aġġ., musky.
muskatell n.m., pl. -i, muscatel.
muskett n.m., pl. -i, (mil.) musket.
musketterija n.f., pl. -i, (mil.) musketry, (logħ.) fireworks.
muskettier n.m., pl. -i, (mil.) musketeer.
muskettiera n.f., pl. -i, mosquito-net.
muskolari aġġ., (med.) muscular.
muskolat aġġ., muscled.
muskolatura n.f., pl. -i, musculature.
mùskolu n.m., pl. -i, (med.) muscle.
musmar n.m., pl. ***msiemer;*** nail, (med.) boil. ***~ tal-ftila;*** thief. ***~ tal-qronfol;*** clove.
musrana n.f., pl. ***msaren;*** intestine, gut, bowel, entrails.
mustaċċ n.m., pl. -i, moustache, whisker.
mustarda n.f., pl. -i, (bot.) mustard.
mustardiera n.f., pl. -i, mustard-pot.
mustardina n.f., pl. -i, lozenge.
mustaxija n.f., pl. -i, veil, crape, mourning band.
musuf aġġ., hairy.
musulew n.m., pl. -ijiet, mausoleum. ***qisu ~;*** a tall man.
musulina n.f., pl. -i, muslin.
musulman n.m., f. -a, pl. -i, moslem.
muswaf aġġ., woolly, shaggy, hairy.
mutett n.m., pl. -i, odd gesture, (muż.) motet.
mutilat aġġ. u p.p., mutilated.
mutilazzjoni n.f., pl. -jiet, mutilation.
mutu aġġ., dumb, mute.
mutur n.m., pl. -i, motor, engine.
muturist n.m., f. -a, pl. -i, engineer, motorist.
muturizzat aġġ., motorized.
mutwalist n.m., pl. -i, (leg.) mutualist.
mutwu n.m., pl. -i, (leg.) loan of money.
muxa ara **moxa**.
muxgħar aġġ. u p.p., hairy.
muzzetta n.f., pl. -i, (ekkl.) cape.

mużajk n.m., bla pl., mosaic.
mużew n.m., pl. -ijiet, museum.
mùżika n.f., pl. -i, music. ***surmast tal-~;*** music master.
mużikali aġġ., musical.
mużikant n.m., pl. -i, musician.
mużikat aġġ. u p.p., put to music.
mvara aġġ. u p.p., (mar.) launched.
mvenven aġġ. u p.p., hurled, whinned.
mwaddab aġġ. u p.p., thrown, hurled, cast, flung.
mwaġġa' aġġ. u p.p., hurt, pained, afflicated, mortified.
mwaħħad aġġ. u p.p., unified.
mwaħħal aġġ. u p.p., fixed, stuck, joined.
mwaħħar aġġ. u p.p., belated.
mwaħħax aġġ. u p.p., frightened, fearful.
mwaqqaf aġġ. u p.p., stopped, raised, erected.
mwaqqa' aġġ. u p.p., fallen, overthrown, ruined.
mwaqqat aġġ. u p.p., prefixed, determined.
mwarrab aġġ. u p.p., put aside, removed.
mwarrad aġġ. u p.p., blossomed.
mwassa' aġġ. u p.p., widened, enlarged, dilated, amplified.
mwassal aġġ. u p.p., conveyed.
mwebbel aġġ. u p.p., instilled.
mwebbes aġġ. u p.p., hardened, ostinated, stubborn.
mwedwed aġġ. u p.p., echoed.
mweġġaħ aġġ. u p.p., honoured, respected, worshipped, glorified.
mwelled aġġ. u p.p., caused to bring forth.
mwemmen aġġ. u p.p., believed.
mwennes aġġ. u p.p., accompanied, courted.
mwerraq aġġ. u p.p., full of leaves, leafy.
mwerreċ aġġ. u p.p., rendered squint-eyed.
mwerrek aġġ. u p.p., limped, lame.
mwerwer aġġ. u p.p., frightened, terrified.
mwerżaq aġġ. u p.p., shrilled, shrieked.
mwettaq aġġ. u p.p., fortified, strengthened, confirmed.
mwiddeb aġġ. u p.p., admonished, warned, exhorted.
mwieġeb aġġ. u p.p., answered.
mwiegħed aġġ. u p.p., promised.
mwiegħer aġġ. u p.p., hindered, rendered difficult, confused.
mwieled aġġ. u p.p., born, begot.
mwieżen aġġ. u p.p., equilibrated, supported, sustained.
mwikkel aġġ. u p.p., fed.
mwikki aġġ. u p.p., imposed on.
mwilli aġġ. u p.p., renounced, forsaken, ceded.
mwissi aġġ. u p.p., commanded, ordered, charged, warned, advised, cautioned.
mwitti aġġ. u p.p., rendered plane, levelled.
mxabba' aġġ. u p.p., satiated, cloyed, surfeited, annoyed.
mxabbat aġġ. u p.p., climbed.
mxaħħam aġġ. u p.p., fattened, bribed.
mxaħħat aġġ. u p.p., deprived.
mxaħxaħ aġġ. u p.p., appeased, assuaged.
mxammar aġġ. u p.p., tucked up.
mxammem aġġ. u p.p., made to smell.
mxandar aġġ. u p.p., divulged, published.
mxappap ara **msappap**.
mxaqleb aġġ. u p.p., inclined, turned upset, slanted.
mxaqqaq aġġ. u p.p., cracked, split.
mxarrab aġġ. u p.p., wet, macerated.
mxarraf aġġ. u p.p., hardened.
mxarrax aġġ. u p.p., made to whey, wheyish.
mxattab aġġ. u p.p., harrowed.
mxattar aġġ. u p.p., cut unequal, uneven.
mxawwat aġġ. u p.p., scalded, svorched.
mxebbah aġġ. u p.p., compared, likened.
mxebbek aġġ. u p.p., ensared, entangled.
mxedd n.m., pl. -ijiet, girth.
mxeffer aġġ. u p.p., sharpened, edged.
mxejjaħ aġġ. u p.p., grown old.
mxejjef aġġ. u p.p., bored with an awl.
mxejjen aġġ. u p.p., annihilated, annulated.
mxejjer aġġ. u p.p., swung.
mxejjet aġġ. u p.p., carded.
mxekkek aġġ. u p.p., rambled, transported.
mxekkel aġġ. u p.p., shackled, fettered.
mxellef aġġ. u p.p., blunted.
mxellel aġġ. u p.p., basted.
mxemmex aġġ. u p.p., sunned.
mxemnaq aġġ. u p.p., despised, contemned.
mxengel aġġ. u p.p., tottered, staggered.
mxennaq aġġ. u p.p., longed for.
mxenxel aġġ. u p.p., full of shoots, of small bunches.
mxermed aġġ. u p.p., covered with blood.
mxerraħ aġġ. u p.p., anatomized.
mxerraq aġġ. u p.p., choked.
mxerred aġġ. u p.p., scattered, dispersed, published, divulged.
mxerref aġġ. u p.p., looking out.
mxerrek aġġ. u p.p., associated.
mxettel aġġ. u p.p., renewed, replanted.
mxewlaħ aġġ. u p.p., hurled, flung. ***~ ma' l-art;*** dashed to the ground.

mxewwaq aġġ. u p.p., longed, inspired with a wish.
mxewwek aġġ. u p.p., thorny, spiky. ***wajer ~;*** barbed wire.
mxewwel aġġ. u p.p., wandered, rambled.
mxewwex aġġ. u p.p., incited, instigated, revolted.
mxiebah aġġ. u p.p., likened, assimilated.
mxiebha n.f., pl. -iet, resemblance, likeness, parable, similitude.
mxiegħeb aġġ. u p.p., hindered.
mxiegħef aġġ. u p.p., caused to regret.
mxiegħel aġġ. u p.p., busy.
mxiegħer aġġ. u p.p., mixed with barley, cracked.
mxiehed aġġ. u p.p., required to give evidence.
mxieher aġġ. u p.p., banished, published.
mxierek aġġ. u p.p., associated.
mxija n.f., pl. -iet, epidemy, usage, vogue.
mxum aġġ., unhappy, miserable, poor.
mzappap aġġ. u p.p., maimed, lamed, crippled.
mżabbar aġġ. u p.p., pruned.
mżajjar aġġ. u p.p., visited frequently.
mżakkar aġġ. u p.p., jutting out.
mżambar aġġ. u p.p., drunk.
mżammar aġġ. u p.p., pipped.
mżanżan aġġ. u p.p., worn for the first time.
mżaqqaq aġġ. u p.p., big-bellied.
mżarġan aġġ. u p.p., arrogant.
mżarrad aġġ. u p.p., stranded, frayed.
mżattat aġġ. u p.p., conceited, presumptuous.
mżebbeġ aġġ. u p.p., globular.
mżebbel aġġ. u p.p., dunged, manured.
mżeblaħ aġġ. u p.p., despised, villified, scorned.
mżeffen aġġ. u p.p., made to dance.
mżeffet aġġ. u p.p., pitched.
mżeġġeġ aġġ. u p.p., goggle-eyed.
mżegleg aġġ. u p.p., wriggled, wriggling.
mżejjen aġġ. u p.p., adorned, embellished.
mżejjet aġġ. u p.p., oiled.
mżellaq aġġ. u p.p., slipped, slippery.
mżelleġ aġġ. u p.p., smeared.
mżemmel aġġ. u p.p., unbridled.
mżerżaq aġġ. u p.p., caused to slide, glided.
mżewwaq aġġ. u p.p., variegated, pied.
mżewweġ aġġ. u p.p., coupled, paired, matched, given in marriage.
mżużi aġġ., filthy, nasty, nauseous.

Nn

N, n ***it-tmintax-il ittra ta' l-alfabett Malti, l-erbatax-il waħda mill-konsonanti u r-raba' mil-likwidi;*** the eighteenth letter of the Maltese alphabet, the fourteenth of the consonants and the fourth of the liquids.
-na part. pron. pers., suff. ta' l-ewwel persuna, pl., of us, our.
nabba v.II, ***jnobbi;*** to prophetize, to foretell.
nabbar v.II, ***jnabbar;*** to display.
nabbàr n.m., f. u pl. -a, displayer of things.
nabi n.m., pl. ***nubjien;*** prophet, diviner, soothsayer.
nabra n.f., pl. -iet, display.
nadar v.I, ***jondor;*** to view, to watch.
naddaf v.II, ***jnaddaf;*** to clean, to cleanse, to furbish, to polish, to tidy, to refine. ***~ il-ħġieġ tat-twieqi;*** he cleaned the window-panes.
naddàf n.m., f. u pl. -a, cleaner, polisher, furbisher, cleanser.
naddafi aġġ., absergent.
naddar v.II, ***jnaddar;*** to make the barn-floor and thrush, to clean, to sweep.
naddàr n.m., f. u pl. -a, watchman, observer.
nadif aġġ., clean, tidy.
nafar v.I, ***jonfor;*** to take fright at, to be shy, to make one angry. ***~ fuq ħaġa ta' xejn;*** he got angry about a trifle.
naffa v.II, ***jnaffi;*** to exile, to banish, to deport.
naffad v.II, ***jnaffad;*** to rinse repeatedly.
naffàd n.m., f. u pl. -a, rinser.
naffar v.II, ***jnaffar;*** to startle, to frighten away, to scare away, to make one angry. ***jekk jogħġbok tnaffarnix bi kliemek;*** please do not make me angry with your words.
naffara ara **nuffara**.
naffari aġġ., shy, skittish.
nafra n.f., pl. -iet, a sudden flight for fear, a multitude of fugitives, any sign which indicates the propinquity of an enemy.
nafta n.f., pl. -i, (kim.) naphtha.
naftalina n.f., pl. -i, (kim.) naphthalene, naphthaline.
naftol n.m., bla pl., (kim.) naphthol.
naġar v.I, ***jonġor;*** to dress stones, to cut stones, to square stones.
naġġàr n.m., f. u pl. -a, stone cutter.
nagħa v.I, ***jingħi;*** to whimper, to neigh, to pule, to groan.
nagħaj n.m., f. u pl. -ja, whimperer.
nagħal n.m.koll., horseshoes, leather.
nagħas v.I, ***jongħos;*** to doze off, to slumber.
nagħġa n.f., pl -iet, koll. ***nagħaġ;*** sheep.
nagħġi aġġ., sheepish.
nagħla n.f., pl. -iet, horseshoe.
nagħma n.f., pl. -t, murmuring, whispering, (ornit.) ostrich.
nagħniegħ n.m., koll. (bot.) spearment, mint.
nagħsa n.f., pl. -iet, nap. ***ħadt ~;*** short sleep.
nagħsi aġġ., sleepy, drowsy. ***bdejt nongħos meta kont qiegħed nara t-televiżjoni;*** I began to doze off while I was watching television.
nahar v.I, ***jinhar;*** to dawn.
naħ v.I, ***jnuħ;*** to whimper, to wail, to whine, to mew.
naħa n.f., pl. -iet, ***nħawi;*** side, region, place.
naħaq v.I, ***jinħaq;*** to bray. ***il-ħmar beda jinħaq taħt it-tieqa tiegħi;*** the donkey began to bray under my window.
naħar v.I, ***jonħor;*** to snore. ***~ il-lejl kollu u ma ħallinix norqod;*** he snored all night and I could not go to sleep.
naħħàr n.m., f. u pl. -a, snorer.
naħla n.f., pl. -iet, koll. ***naħal;*** bee. ***~ bagħlija;*** drone, wasp.
naħli aġġ., belonging to bees.
naħnaħ v.kwad., ***jnaħnaħ;*** to speak from nasal manner.
naħqa n.f., pl. -iet, a bray.
naħra n.f., pl. -iet, a snoring.
najjada n.f., pl. -i, naiad.
najjar v.II, ***jnajjar;*** to inflame.
najjàr n.m., pl. -a, fireman, stoker.
najlon n.m., bla pl., nylon.

najobjum n.m., bla pl., (kim.) niobium.
najtdress n.f., pl. -is, night-dress.
nakkra n.f., pl. -i, (muż.) castanets, (żool.) sea-shell.
nam v.I, ***jnum;*** to sleep.
namra n.f., pl. -iet, attraction, fancy, love, affection, inclination, hobby, passion.
namrar n.act., falling in love.
namrat n.m., f. -a, pl. -i, lover, amorist, wooer.
namur n.m., bla pl., wooing.
nam ara **niem**.
nanna n.f., pl. -iet, grandmother.
nannu n.m., pl. -iet, grandfather.
nanu aġġ. u n.m., f. -ija, pl. -in, dwarf.
naqa v.I, ***jinqi;*** to polish, to clean, to weed.
naqab v.I, ***jonqob;*** to bore, to pierce.
naqa' v.I, ***jinqa';*** to macerate, to soak, to steep.
naqal n.m., bla pl., gravel.
naqar v.I, ***jonqor;*** to peck.
naqas v.I, ***jonqos;*** to fail, to want. ***tonqosx li tgħarrafni meta jiġi;*** do not fail to let me know when he comes.
naqax v.I, ***jonqox;*** to sculpture, to chisel, to carve, to scrape the soil. ***~ il-ħamrija wara li saqqa s-siġar tal-larinġ;*** he scraped the soil after he had watered the orange trees.
naqnaq v.kwad., ***jnaqnaq;*** to speak with a throaty voice.
naqqa v.II, ***jnaqqi;*** to weed out.
naqqab v.II, ***jnaqqab;*** to perforate, to pierce by repeated pecking.
naqqar v.II, ***jnaqqar;*** to peck.
naqqas v.II, ***jnaqqas;*** to diminish, to lessen, to curtail, to abate, to cut down. ***il-mara naqqset l-ispiża ta' kuljum;*** the housewife cut down the daily expenditure.
naqqàs n.m., f. u pl. -a, diminisher, abater.
naqqax v.II, ***jnaqqax;*** to sculpture, to chisel, to carve, to cut, to engrave, to arabesque. ***~ l-arma tal-familja fuq il-bieb;*** he sculptured the family's coat of arms over the door.
naqqàx n.m., f. u pl. -a, sculptor, engraver, chiseller.
naqqej n.m., f. u pl. -ja, cleanser, weeder.
naqra n.f., pl. -iet, ***nqaqar;*** mouthful, a bit, a little.
naqsa n.f., pl. -iet, diminution, want, lack.
naqxa n.f., pl. -iet, incision, cut.
nar n.m., pl. ***nirien;*** fire. ***~ bati;*** slow fire. ***~ ta' mħabba;*** affection, fire of love. ***~ tat-tiben;*** fire of straw. ***ħa n-~;*** to catch fire, to kindle.
narċis n.m.koll., (bot.) narcissus.
nard n.m.koll., lavander, spikenard.
narkosi n.f., bla pl., narcosis.
narkòtiku aġġ., (med.) narcotic.
narrattiv aġġ., narrative.
narratur n.m., f. -a, pl. -i, narrator, storyteller.
narrazzjoni n.f., pl. -jiet, narration.
nasab v.I, ***jonsob;*** to put, to place, to set, to spread nets, to fowl. ***mar jonsob fl-għalqa ta' missieru;*** he laid trap in his father's field.
nasba n.m., pl. -iet, ambush, trap.
naska n.f., bla pl., scent, smell.
naskata n.f., pl. -i, snuff.
naspla n.f., pl. -i, medlar.
nassa n.f., pl. -i, ***nases;*** fishing net, net, trap, snare.
nassàb n.m., f. u pl. -a, snarer.
nassar v.II, ***jnassar;*** to christianize.
nassàr n.m., f. u pl. -a, catechist.
nassas v.II, ***jnassas;*** to machinate, to plot, to hatch, to incite somebody against. ***tnassasx nies kontra tiegħi;*** do not incite people against me.
nassies n.m., f. u pl. -a, plotter.
nasturzju n.m., pl. -i, (bot.) nasturtium.
nataħ v.I, ***jintaħ;*** to butt.
nataq v.I, ***jitnaq;*** to separate a piece of land from the rest.
natba n.f., pl. -iet, narrow path, foot path.
natħa n.f., pl. -iet, a butt.
natkraker n.m., pl. -s, nut-cracker.
nattiv aġġ., native.
natura n.f., pl. -i, nature.
natural n.m., pl. -i, nature, disposition.
naturali aġġ., natural.
naturalista n.kom., pl. -i, naturalist.
naturalizzat aġġ., naturalized.
naturalizzazzjoni n.f., pl. -jiet, naturalization.
naturaliżmu n.m., pl. -i, naturalism.
naturalment avv., naturally, of course.
nava n.f., pl. -i, aisle, nave.
navali aġġ., naval. ***battalja ~;*** naval battle, sea battle.
navata n.f., pl. -i, (ark.) nave, aisle.
navi n.f., pl. -jiet, (mar.) sailing ship.
navigabbli aġġ., (mar.) navigable.
navigant n.m., f. -a, pl. -i, (mar.) navigator, voyager, passenger, sailor.
navigat aġġ. u p.p., navigated.
navigatur n.m., f. -a, pl. -i, navigator.
navigazzjoni n.f., pl. -jiet, navigation.
nawċier n.m., pl. -a, (mar.) boatswain.
nawfraġju n.m., pl. -i, shipwreck.
nàwfragu n.m., f. -a, pl. -i, shipwrecked person, fellow.

nawsja n.f., bla pl., nausea.
nàwtika n.f., bla pl., (mar.) nautical science.
nawwar v.II, ***jnawwar;*** effloresce, to bloom, to blossom, to grow musty. ***is-siġar tal-frott inawru fir-rebbiegħa;*** the fruit trees blossom in spring.
naxar v.I, ***jonxor;*** to display, to air clothes, to hang out, to saw. ***telgħet tonxor il-ħwejjeġ fuq il-bejt;*** she went to hang out the clothes outside. ***~ ma' l-art;*** to stretch on the ground.
naxra, n.f., pl. -iet, airing (of clothes), sawing.
naxxàr n.m., f. u pl. -a, he who displays, sawyer.
naxxita n.f., pl. -i, nativity.
Nazzarenu aġġ. u n.m., f. -a, pl. -i, Nazarene.
nazzjon n.m., pl. -ijiet, nation.
nazzjonali aġġ., national.
nazzjonalist n.m., f. -a, pl. -i, nationalist.
nazzjonalità n.f., pl. -jiet, nationality.
nazzjonalizzat aġġ. u p.p., nationalized.
nazzjonalizzazzjoni n.f., pl. -jiet, nationalization.
nazzjonaliżmu n.m., pl. -i, nationalism.
naża' v.I, ***jinża';*** to undress. ***kont qiegħed ninża' meta ċempiltli;*** I was undressing when you phoned me.
nażali aġġ., nasal.
nażi n.kom., Nazi.
nażist n.m., pl. -i, Nazi.
nażiżmu n.m., bla pl., nazism.
nażża' v.II, ***jnażża';*** to undress, to strip, to divest, to despoil. ***is-suldati neżżgħu lil Ġesù u flaġellawh;*** the soldiers stripped Jesus and scourged him.
nbagħad v.VII, ***jinbagħad;*** to be hated, to be disliked. ***għad jinbagħad għal il-sienu;*** he will be hated for what he says.
nbagħat v.VII, ***jinbagħat;*** to be sent.
nbala' v.VII, ***jinbala';*** to be swallowed, to be dumbfounded. ***kif rani quddiem wiċċu ~;*** when he saw me before him, he was dumbfounded.
nbarad v.VII, ***jinbarad;*** to be filed.
nbaram v.VII, ***jinbaram;*** to be twisted.
nbarax v.VII, ***jinbarax;*** to be scratched, scraped. ***dan il-ħajt i~ kollu;*** this wall is scraped all over.
nbasar v.VII, ***jinbasar;*** to be guessed.
nbeda v.VII, ***jinbeda;*** to be commenced. ***il-bieraħ ~ x-xogħol ta' triq ġdida;*** yesterday the work in a new street was commenced.
nbeka v.VII, ***jinbeka;*** to be mourned.
nbena v.VII, ***jinbena;*** to be built, erected.
nbexx v.VII, ***jinbexx;*** to be sprinkled.
nbeżaq v.VII, ***jinbeżaq;*** to be spat out.
nbid n.m., pl. ***nbejjed;*** wine.
nbidel v.VII, to be changed, exchanged, to be transformed, to be turned. ***il-ferħ tiegħu ~ fi mrar;*** his joy was turned into bitterness.
nbiegħ v.VII, ***jinbiegħ;*** to be sold. ***dik il-pittura nbiegħet bi rkant;*** that picture was sold by auction.
nbies v.VII, ***jinbies;*** to be kissed.
nbieta n.f., pl. ***nbiet;*** bud, sprout.
nbiħ n.m., bla pl., barking.
nbix n.m., bla pl., provocation, teasing, incitement, irritation.
nċaħad v.VII, ***jinċaħad;*** to be denied.
ndaf v.IX, ***jindaf;*** to become clean, natty. ***is-siġar indafu bix-xita l-bieraħ;*** the trees were cleaned with yesterday's rain.
ndafa n.f., bla pl., cleanliness, neatness, tidiness, spuceness.
ndaħal v.VII, ***jindaħal;*** to interfere, to intermiddle, to interpose. ***qed jindaħal dejjem fi ħwejjeġ ħaddieħor;*** he always wants to interfere in other people's business.
ndamm v.VII, ***jindamm;*** to be strung together.
ndaq v.VII, ***jindaq;*** to be tasted.
ndaqq v.VII, ***jindaqq;*** to be played, sounded. ***dan l-innu kien i~ l-ewwel darba fil-misraħ;*** this hymn was played for the first time in the square.
ndaqs avv., equal, equally.
ndar v.VII, ***jindar;*** to be mocked, taken for granted.
ndara v.VII, ***jindara;*** to get accustomed to. ***maż-żmien kollox jindara;*** in the long run one gets accustomed to anything.
ndarab v.VII, ***jindarab;*** to be wounded, struck. ***~ fi driegħu tal-lemin;*** he was wounded in his right arm.
ndehen v.VII, ***jindehen;*** to be anointed.
ndehes v.VII, ***jindehes;*** to creep in.
ndehex v.VII, ***jindehex;*** to startle, to be startled.
ndell v.VII, ***jindell;*** to grow lean.
ndewa v.VII, ***jindewa;*** to be echoed.
ndewwa n.f., bla pl., humidity, dampness, moisture, moistness.
ndħil n.m., bla pl., interference.
ndiehex v.VII, ***jindiehex;*** to be startled, to be shaken with fear.
ndiema n.f., bla pl., contrition, repentance.

ndifen v.VII, *jindifen;* to be buried, to bury oneself. ***ried jindifen fil-qabar ta' missieru;*** he wanted to be buried in his father's grave.
ndilek v.VII, *jindilek;* to grease oneself, to anoint oneself, to smear oneself, to be anointed.
ndires v.VII, *jindires;* to be threshed.
nebaħ v.I, *jinbaħ;* to bark, to bay, to yelp. ***kelb li jinbaħ ma jigdimx;*** a barking dog seldom bites.
nebbaħ v.II, *jnebbaħ;* to cause to bark, to awake, to arouse, to inspire.
nebbieħ n.m., f. u pl. -i, barker, inspirer.
nebbieħa n.f., pl. -iet, alarm bell.
nebħ n.m., bla pl., inspiration.
nebħa n.f., pl. -iet, a bark.
nèbula n.f., pl. -i, (astro.) nebula.
nebulożità aġġ., nebulosity.
neċessarjament avv., necessarily.
neċessarju aġġ., necessary.
neċessità n.f., pl. -jiet, necessity, need.
neddej n.m., pl. -ja, town-crier.
nefaħ v.I, *jonfoħ;* to blow, to inflate. ***isma' x'jonfoħ ir-riħ;*** hark, how the wind blows.
nefaq v.I, *jonfoq;* to spend. ***~ għajnejh;*** to spend lavishly.
neffaħ v.II, *jneffaħ;* to put up, to tumify.
neffieħ n.m., f. u pl. -a, blower, flatterer.
neffieq n.m., f. u pl. -a, spender.
nefħa n.f., pl. -iet, puff, inflation. ***~ riħ;*** gust.
nefqa n.f., pl. -iet, expenditure, expense, cost, charges.
nefrite n.f., bla pl., (med.) nephritis.
nefrìtiku aġġ., (med.) nephritic.
negattiv aġġ., negative.
negattivament avv., negatively.
negazzjoni n.f., pl. -jiet, negation, denying.
negliġenti aġġ., negligent.
negliġenza n.f., pl. -i, negligence, carelessness.
negliġibbli aġġ., negligible.
negozjabbli aġġ., negotiable.
negozjant n.m., f. -a, pl. -i, tradesman, dealer, merchant, business man.
negozju n.m., pl. -i, business, bargain, transaction.
negru aġġ. u n.m., f. -a, pl. -i, negro.
neħħa v.II, *jneħħi;* to take away, to remove, to abolish, to annul, to abrogate, to take off, to divest, to vomit. ***neħħi dawk il-kotba minn fuq il-mejda;*** remove those books from the table.
nej aġġ., raw, unripe, green.
nejba n.f., pl. -iet, eye-tooth, canine tooth.
nejjeb v.II, *jnejjeb;* to cut eye-teeth.
nejjem v.II, *jnejjem;* to sleep, to take a nap.
nejjes v.II, *jnejjes;* to damage very badly.
neka v.I, *jinki;* to tease.
nekroloġija n.f., pl. -i, necrology.
nekromanzija n.f., pl. -i, necromancy.
nekròpoli n.f.pl., necropolis.
nekrosi n.f., bla pl., necrosis.
nekroskopija n.f., pl. -i, (med.) necroscopy.
nektar n.m., bla pl., nectar.
nemes n.m., pl. *inmsa;* (żool.) ferret.
nemex n.m.koll., frecles.
nemla n.f., pl. -iet, koll. *nemel;* (żool.) ant. ***timxi pass ta' ~;*** to walk at a snail's pace.
nemlun n.m., pl. -i, (żool.) big ant.
nemmel v.II, *jnemmel;* to swarm.
nemmelija n.f., pl. -i, ant hill.
nemmes v.II, *jnemmes;* to hunt with the ferret.
nemmex v.II, *jnemmex;* to freckle.
nemnem v.kwad., *jnemnem;* to flicker, to be weak, feeble. ***id-dawl tal-lampa qiegħed inemnem;*** the light of the lamp is flickering.
nemusa n.f., pl. -iet, koll. *nemus;* mosquito, gnat. ***~ tal-baħar;*** (itt.) silvery pout.
neòfita n.kom., pl. -i, neophite.
neokolonjali aġġ., neocolonial.
neokolonjaliżmu n.m., pl. -i, neocolonialism.
neolatin aġġ. u n.m., f. -a, pl. -i, neolatin, romance.
neolìtiku aġġ., neolithic.
neoloġiżmu n.m., pl. -i, neologism.
neon n.m., bla pl., neon.
neoplażma n.f., pl. -i (med.) neoplasm.
neputi n.m., f. -ja, pl. -jiet, nephew.
neputija n.f., pl. -jiet, niece.
neputiżmu n.m., pl. -i, nepotism.
nerejdi n.f., pl. -jiet, nereid, sea nymph.
nerf n.m., pl. -ijiet, cudgel, flog.
ners n.kom., pl. -is, nurse.
nerv n.m., pl. -i, (med.) nerve. ***~ ta' l-azzar;*** iron nerve.
nervitura n.f., pl. -i, (anat.) nervous system, (bot.) nervation.
nervożiżmu n.m., pl. -i, nervousness.
nervożità n.f., bla pl., nervousness.
nesa v.I, *jinsa;* to forget. ***ma ninsa qatt dak li għamilt għalija;*** I shall never forget what you have done for me.
nessa v.II, *jnessi;* to make to forget, to cause to forget. ***nessieni dak il-ktieb li***

kont sliftu; he made me forget the book I lent him.
nett n.f., pl. -jiet, net.
nett avv., completely, entirely.
nevew n.m.koll., pl. -ej, (bot.) turnip, rape.
nevralġija n.f., pl. -i, (med.) neuralgia.
nevràlġiku aġġ., (med.) neuralgic.
nevrastenija n.f., pl. -i, (med.) neurastheny, nevrasteny.
nevrastèniku aġġ., neurasthenic.
nevrosi n.f., bla pl., (med.) neurosis.
nevròtiku n.m., f. -a, pl. -i, (med.) neurotic.
newba n.f., pl. ***nwieb;*** turn, change, opportunity, occasion. ***bin-~;*** in turn, alternately.
newħa n.f., pl. -t, groan, groaning, lamentation.
newl n.m., pl. ***nwiel;*** loom.
newma n.f., pl. -iet, (muż.) neum, nauma.
newnem v.kwad., ***jnewnem;*** to flicker.
newtrali aġġ., neutral.
newtralità n.f., bla pl., neutrality.
newtralizzat aġġ. u p.p., neutralized.
newtralizzazzjoni n.f., pl. -jiet, neutralization.
newtru aġġ., (gram) neuter.
newwaħ v.II, ***jnewwaħ;*** to whimper, to pule, to howl, to mew. ***il-qattus beda jnewwaħ;*** the cat began to mew.
newweb v.II, ***jnewweb;*** to do by turns, to alternate, to succeed each other, to invigilate, to watch, to superintend, to bud, to put out buds.
newwel v.II, ***jnewwel;*** to work the loom, to reach, to present, to hand, to deliver, to give, to transfer. ***jekk jogħġbok newwilli dak il-ktieb;*** please, give me that book.
newwem v.II, ***jnewwem;*** to doze.
newwieħ n.m., f. u pl. -a, whimperer, wailer, whiner, mourner.
newwiel n.m., f.. u pl. -a, porter, reacher, he who presents or gives.
neża' v.I, ***jinża';*** to undress (oneself).
neżgħa n.f., pl. -t, stripping, despoilment, denudation.
neżża' v.II, ***jneżża';*** to undress, to divest.
neżżiegħ n.m., f. u pl. -a, despoiler.
nfada v.VII, ***jinfada;*** to be trusted.
nfaġar v.VII, ***jinfaġar;*** to bleed at the nose.
nfaqa' v.VII, ***jinfaqa';*** to be burst. ***nfaqgħet bid-daħk kif ratu liebes hekk;*** she burst out laughing when she saw him dressed in that manner.
nfasad v.VII, ***jinfasad;*** to be bled.
nfatam v.VII, ***jinfatam;*** to be weaned.
nfeda v.VII, ***jinfeda;*** to be redeemed.
nfela v.VII, ***jinfela;*** to be deloused.
nfena v.VII, ***jinfena;*** to pine away. ***~ jisma' aħbarijiet ħżiena fuq ibnu;*** he pined away hearing bad news about his son.
nferaħ v.VII, ***jinferaħ;*** to become enchanted, to be bewitched.
nferaq v.VII, ***jinferaq;*** to be separated, divided, parted.
nfesa v.VII, ***jinfesa;*** to be farted.
nfetaħ v.VII, ***jinfetaħ;*** to be opened. ***kif ħabbatt il-bieb ~ mill-ewwel;*** as soon as I knocked the door it was opened immediately.
nfetaq v.VII, ***jinfetaq;*** to be unstitched, unsewed, to be hernious or raptured.
nfexx v.VII, ***jinfexx;*** to give vent. ***~ jibki bħal tarbija;*** he gave vent to his crying like a child.
nfexxa n.f., pl. -t, revenge, vengeance.
nfid n.m., bla pl., piercing, penetration.
nfiħ n.m., bla pl., blowing, puffing.
nfileġ v.VII, ***jinfileġ;*** to be or become paralyzed.
nfiq n.m., bla pl., spending, expense, charges.
nfired v.VII, ***jinfired;*** to be separated, divided, parted. ***issa jinħtieġli ninfired minnkom;*** now I must part from you.
nfirex v.VII, ***jinfirex;*** to be spread or dilated. ***il-ħaxix i~ mal-ġnien kollu;*** the grass spread out through the whole garden.
nfitel v.VII, ***jinfitel;*** to be twisted, to twist oneself.
nfixel v.VII, ***jinfixel;*** to be or become confused. ***ħassejtni ninfixel minn daqshekk ħlewwa;*** I was quite confused by so much kindness.
nftehem v.VII, ***jinftehem;*** to be understood, to be agreed (upon.).
nġabar v.VII, ***jinġabar;*** to be gathered, collected, to be mended, restored. ***il-flus inġabru minn fost il-ħaddiema;*** the money was collected from among the workers.
nġama' v.VII, ***jinġama';*** to be collected, assembled, gathered. ***folla kbira nġemgħet quddiem daru;*** a big crowd gathered in front of his house.
nġarr v.VII, ***jinġarr;*** to be transported, to be carried, to be taken away.
nġeraħ v.VII, ***jinġeraħ;*** to gall.
nġezz v.VII, ***jinġezz;*** to be shorn.

nġeżż v.VII, ***jinġeżż;*** to grow lean, to be attenuated.

nġibed v.VII, ***jinġibed;*** to be drawn, pulled, to be attracted to. ***~ lejn xi ħadd;*** to be fond of, to become attracted to.

nġieb v.VII, ***jinġieb;*** to be brought, to be liked, to be esteemed. ***~ il-qorti mill-pulizija;*** he was brought to court by the police.

ngidem v.VII, ***jingidem;*** to be bitten.

ngiref v.VII, ***jingiref;*** to be scratched. ***it-tifel ~ mill-qattus;*** the boy was scratched by the cat.

ngħad v.VII, ***jingħad;*** to be said. ***jingħad li fi tfulitu kien marid ħafna;*** it is said that in his childhood he was very ill.

ngħadd v.VII, ***jingħadd;*** to be counted, numbered, reckoned. ***dan għandu jingħadd magħhom ukoll;*** this must be counted also with them.

ngħafas v.VII, ***jingħafas;*** to be pressed, squeezed. ***dak it-tifel se jingħafas mill-folla;*** that boy is going to be squeezed in the crowd.

ngħaġen v.VII, ***jingħaġen;*** to be kneaded.

ngħakes v.VII, ***jingħakes;*** to be oppressed.

ngħalaq v.VII, ***jingħalaq;*** to be shut, closed. ***ħarġet mid-dar u ngħalqet barra;*** she left the house and was shut out.

ngħaleb v.VII, ***jingħaleb;*** to be overcome, subdued, conquered.

ngħalef v.VII, ***jingħalef;*** to be fed, to bait.

ngħama n.f., pl. ***ngħam;*** (żool.), ostrich.

ngħamel v.VII, ***jingħamel;*** to be made, to be done.

ngħameż v.VII, ***jingħameż;*** to be winked.

ngħaqad v.VII, ***jingħaqad;*** to be joined, to associate oneself, to unite oneself. ***mar jingħaqad ma' ħuh l-Amerka;*** he went to join his brother in America.

ngħaqar v.VII, ***jingħaqar;*** to be covered with sores.

ngħaraf v.VII, ***jingħaraf;*** to be recognized, to be known. ***se jingħaraf minn leħnu;*** he will be recognized by his voice.

ngħarax v.VII, ***jingħarax;*** to be tickled.

ngħas n.m., bla pl., somnolency, drowsiness, sleepy, (anat.) temple.

ngħasar v.VII, ***jingħasar;*** to be pressed, to be squeezed.

ngħass v.VII, ***jingħass;*** to be watched, guarded.

ngħata v.VII, ***jingħata;*** to be given, conceded.

ngħatta v.VII, ***jingħatta;*** to be covered.

ngħax v.VII, ***jingħax;*** to be lived.

ngħażaq v.VII, ***jingħażaq;*** to be dug or tilled.

ngħażel v.VII, ***jingħażel;*** to be separated, divided, parted, to be chosen, selected, elected, to be spun. ***Pawlu ~ mill-klassi kollha;*** Paul was chosen from all the whole class.

ngħażż v.VII, ***jingħażż;*** to be appreciated.

ngħeleb v.VII, ***jingħeleb;*** to be overcome, overwhelmed.

ngħex ara **ngħax**.

ngħoġob v.VII, ***jingħoġob;*** to be liked, to be favoured. ***kemm jingħoġob il-logħob tan-nar;*** fireworks are liked very much.

ngħorok v.VII, ***jingħorok;*** to be rubbed or chafed.

nhar n.m., pl. -ijiet, day.

nhemeż v.VII, ***jinhemeż;*** to be pinned.

nheres v.VII, ***jinheres;*** to be pounded.

nħabat v.VII, ***jinħabat;*** to be beaten, struck.

nħabb v.VII, ***jinħabb;*** to be loved.

nħabes v.VII, ***jinħabes;*** to be imprisoned.

nħabeż v.VII, ***jinħabeż;*** to be baked.

nħadem v.VII, ***jinħadem;*** to be wrought, worked.

nħafen v.VII, ***jinħafen;*** to be seized, to be grasped.

nħafer v.VII, ***jinħafer;*** to be forgiven. ***id-dnub jinħafer meta tqerru;*** sins are forgiven when you confess them.

nħaġeb v.VII, ***jinħaġeb;*** to retire.

nħakem v.VII, ***jinħakem;*** to be dominated, governed, ruled. ***~ mill-vizzju tat-tipjip;*** he was dominated by the vice of smoking.

nħakk v.VII, ***jinħakk;*** to be rubbed, to be grated.

nħalaq v.VII, ***jinħalaq;*** to be created.

nħaleb v.VII, ***jinħaleb;*** to be milked.

nħalef v.VII, ***jinħalef;*** to be sworn.

nħaleġ v.VII, ***jinħaleġ;*** to be separated from the seed.

nħall v.VII, ***jinħall;*** to be untied, loosened, to be dissolved, melted. ***is-sagrament taż-żiweġ ma jistax jinħall;*** the Sacrament of matrimony cannot be dissolved.

nħamel v.VII, ***jinħamel;*** to be tolerated.

nħan v.VII, ***jinħan;*** to be deluded, to delude oneself.

nħanaq v.VII, ***jinħanaq;*** to be strangled, suffocated, choked, to become hoarse. ***leħnu ~ bl-għajat;*** his voice became hoarse because of his shouting.

nħaqar v.VII, ***jinħaqar;*** to be oppressed.

nħarab v.VII, ***jinħarab;*** to be flown away, to be fled.
nħaraq v.VII, ***jinħaraq;*** to be burnt, kindled. ***il-librerija nħarqet fil-gwerra;*** the library was burnt during the war. ***~ bix-xemx;*** to become sunburnt.
nħarat v.VII, ***jinħarat;*** to be ploughed.
nħareġ v. VII, ***jinħareġ;*** to be brought out.
nħasa n.f., bla pl., chaldron, kettle, pot.
nħasad v.VII, ***jinħasad;*** to mown, to be reaped, harvested, to start, to be started. ***il-qamħ inħasad qabel ix-xita;*** the corn was harvested before the rainfall.
nħaseb v.VII, ***jinħaseb;*** to be thought, considered, pondered.
nħasel v.VII, ***jinħasel;*** to be washed, to wash oneself. ***mar jinħasel wara x-xogħol;*** he went to wash himself after work.
nħass v.VII, ***jinħass;*** to be felt. ***~ kemm jinħass in-nuqqas tiegħu;*** how much his absence is felt.
nħataf v.VII, ***jinħataf;*** to be seized.
nħatar v.VII, ***jinħatar;*** to be elected, chosen, nominated, appointed. ***~ surmast ġdid tal-banda;*** he was appointed as the new band-master.
nħatt v.VII, ***jinħatt;*** to be unloaded, disburdened, to be demolished. ***il-merkanzija kollha nħattet malajr;*** all the merchandize was quickly unloaded.
nħażen v.VII, ***jinħażen;*** to be stored. ***qabel il-gwerra l-muna nħażnet f'post żgur;*** before the war the provisions were stored in a safe place.
nħażż v.VII, ***jinħażż;*** to be marked, registered, scibbled, recorded.
nħeba v.VII, ***jinħeba;*** to be hidden, to hide oneself, to be concealed. ***inħbejna għand il-ħabib tagħna;*** we hid ourselves in our friend's house.
nħeja v.VII, ***jinħeja;*** to be revived, to be refreshed, to comfort oneself.
nħela v.VII, ***jinħela;*** to be wasted, to ruin oneself, to be consumed. ***ix-xema' malajr inħlew bir-riħ;*** the candles were quickly consumed fast in the draught.
nħeles v.VII, ***jinħeles;*** to free oneself, to be freed, liberated, to be set free. ***kien iebes għall-ilsiera biex jinħelsu;*** it was very difficult for the slaves to be set free.
nħema v.VII, ***jinħema;*** to be baked.
nħiet v.VII, ***jinħiet;*** to be sewn.
nħiq n.m., bla pl., braying.
nħir n.m., bla pl., snoring.
nħolom v.VII, ***jinħolom;*** to be dreamt.
nħoloq v.VII, ***jinħoloq;*** to be created.
nħotob v.VII, ***jinħotob;*** to be asked in marriage.
nħtieġ v.VII, ***jinħtieġ;*** to be needed, necessary. ***jinħtieġ li titlob maħfra;*** it is necessary to ask pardon.
nibbet v.II, ***jnibbet;*** to spring up, to cause to spring.
nibbex v.II, ***jnibbex;*** to cause to provoke.
nibbiex n.m., f. u pl. -a, teaser, banter.
nibet v.I, ***jinbet;*** sprout, to spring up, to germinate. ***il-ħaxix beda jinbet fil-ġnien;*** the weeds began to sprout in the garden.
nibex v.I, ***jinbex;*** to tease, to banter.
nibi ara **nabi**.
nibta n.f., pl. -iet, sprout.
nibxa n.f., pl. -iet, provocation, lease.
niċċa n.f., pl. ***niċeċ;*** niche.
nida n.f., bla pl., dew. ***~ magħquda;*** white frost, hoar-frost.
nidda v.II, ***jniddi;*** to humidify, to moisten.
niddem v.II, ***jniddem;*** to make one repent, to cause one's repentance.
nidem v.I, ***jindem;*** to repent, to be sorry, to be contrite. ***minn xiex għandkom tindmu?;*** what have you to repent of?
nieda v.III, ***jniedi;*** to publish banns.
niedem aġġ., repentent.
niedi aġġ., humid, moist, damp, wet.
niegħa ara **nagħa**.
niegħel v.III, ***jniegħel;*** to shoe (a horse). ***mar iniegħel iż-żiemel;*** he went to shoe the horse.
niegħes v.III, ***jniegħes;*** to cause to sleep, to drowse.
niehed v.III, ***jniehed;*** to cause to sigh, to groan.
nien v.I, ***jnin;*** to pine away, to languish.
nieqa n.f., pl. ***nwieqi;*** cradle.
nieqes aġġ. u p.preż., defective, deficient.
nies n.pl.koll., people, nation.
niesi aġġ. u p.preż., forgetful, oblivious.
niexef aġġ. u p.preż., dry, lean.
nieżel aġġ. u p.preż., going down, descending, declining.
nifda n.f., pl. -iet, transfixion, passage, crossing.
nifed v.I, ***jinfed;*** to pierce, to transpierce, to transfix. ***il-balla nifditlu qalbu;*** the bullet pierced his heart.
nifel n.m., koll. (bot.) lucern.
nifex v.I, ***jinfex;*** to enlarge, to extend, to stretch.
niffed v.II, ***jniffed;*** to adjoin rooms.
niffied n.m., f. u pl. -a, one who transfixes.

nifs n.m., pl. -jiet, breath, respiration.
niġem n.m., koll. (bot.) couch-grass.
niġġes v.II, ***jniġġes;*** to pollute, to profane, to infect.
niggeż v.II, ***jniggeż;*** to prick, to goad, to sting.
niggież n.m., f. u pl. -a, picker, stinger.
niggieża n.f., pl. -iet, goad.
niggieżi aġġ., pungent, stinging, prickly.
nigża n.f., pl. -iet, prick.
nikba n.f., pl. -iet, bend.
nikeb v.I, ***jinkeb;*** to break off direction.
niker n.m., pl. -s, knickers.
niket n.m., bla pl., grief, sorrow, sadness, mourning.
nikil n.m., bla pl., (miner.) nickel.
nikkalopija n.f., pl. -i (med.) nyctalope.
nikker v.II, ***jnikker;*** to cause slowness, to cause to be slow.
nikket v.II, ***jnikket;*** to sadden, to grieve, to afflict, to punctuate, to point, to spot. ***l-aħbar tal-mewt ta' sieħbu nikktet lil ommu;*** the news of the death of his friend grieved his mother.
nikkiet n.m., f. u pl. -a, he who causes grief, he who makes points.
nikkier n.m., f. u pl. -a, sluggard.
nikotina n.f., pl. -i (kim.) nicotine.
nikta n.v., pl. -iet, point, dot, spot, stain.
ninfa n.f., pl. -i, nymph.
nini, nini (inter.) hushaby.
nir n.m., koll., (bot.) indigo. ***ikħal ~;*** indigo blue.
nisa n.f., pl. ta' ***mara;*** women.
niseġ v.I, ***jinseġ;*** to weave, to twill, to compose, to deliver. ***il-kappillan ~ priedka tassew sabiħa;*** the parish priest delivered a very beautiful sermon.
nisel n.m., pl. ***insla;*** generation, progeny, origin.
nisġa n.f., pl. -iet, texture, weaving, plot.
nisja n.f., pl. -iet, forgetfulness, oblivion.
niskata ara **naskata**.
nisrani aġġ. u n.m., f. -ja, pl. ***nsara;*** christian.
nissa ara **nessa**.
nisseġ v.II, ***jnisseġ;*** to weave.
nissel v.II, ***jnissel;*** to generate, to procreate, to beget, to give origin.
nissieġ n.m., f. u pl. -a, weaver.
nissiel n.m., f. u pl. -a, generator, procreator, originator.
nitef v.I, ***jintef;*** to pluck, to strip off feathers.
niten v.I, ***jinten;*** to stink, to putrefy.
nitfa n.f., pl. -iet, plucking, a little.
nitrat n.m., pl. -i, (kim.) nitrate.
nìtriku aġġ., (kim.) nitric. ***aċidu ~;*** nitric acid.
nitròġenu n.m., pl. -i, (kim.) nitrogen.
nitru n.m., pl. -i, nitre.
nittef v.II, ***jnittef;*** to pluck feathers, to pull off hair.
nitten v.II, ***jnitten;*** to dirty, to soil, to make dirty, to render stinking or fetid.
nittief n.m., f. u pl. -a, plucker.
nittien n.m., f. u pl. -a, he who causes stench or fector.
nittiena n.f., pl. -in, slut.
nixef v.I, ***jinxef;*** to become dry, to dry up, to wither. ***il-fjuri nixfu fil-ġnien bin-nuqqas ta' ilma;*** the flowers withered in the garden because of the lack of water.
nixfa n.f., pl. -iet, dryness, siccity, draught, leanness, thinness.
nixja n.f., pl. -iet, ooze.
nixxa v.II, ***jnixxi;*** to ooze, to exude, to percolate, to leak. ***l-ilma qiegħed inixxi mis-saqaf;*** the water is leaking from the ceiling.
nixxef v.II, ***jnixxef;*** to dry, to wither.
nixxief n.m., f. u pl. -a, one who dries.
nixxiefi aġġ., drying agent.
nixxiegħa n.f., pl. -t, spring.
niżel v.I, ***jinżel;*** to descend, to go down. ***stennieni, dalwaqt ninżel;*** wait for me, I am coming down soon.
niżla n.f., pl. -iet, descent, slope, declivity.
niżżel v.II, ***jniżżel;*** to cause to come down, to bring down, to lower, to diminish, to abate. ***il-barklor ~ id-dgħajsa l-baħar;*** the boat-man lowered the boat into the sea.
niżżiel n.m., f. u pl. -a, he who brings down.
njam ara **injam**.
nkarab v.VII, ***jinkarab;*** to be uttered a groan.
nkedd v.VII, ***jinkedd;*** to fatigue oneself, to be vexed, annoyed. ***~ ħafna biex sewwa l-mutur;*** he fatigued himself to repair the engine.
nkeff v.VII, ***jinkeff;*** to be hemmed, to be bordered.
nkejja n.f., pl. -i, vexation, teasing.
nkejjuż aġġ., annoying, spiteful.
nkera v.VII, ***jinkera;*** to be rented. ***id-dar inkriet biex tintuża bħala każin;*** the house was rented out as a club.
nkesa v.VII, ***jinkesa;*** to be covered, to cover oneself.
nkewa v.VII, ***jinkewa;*** to become red-hot.
nkifes v.VII, ***jinkifes;*** to be eclipsed.
nkines v.VII, ***jinkines;*** to be swept.
nkiseb v.VII, ***jinkiseb;*** to be obtained.
nkiser v.VII, ***jinkiser;*** to be broken, to be embarrassed. ***ma nafx meta nkisret din***

it-tazza; I don't know when this glass was broken.
nkiteb v.VII, ***jinkiteb;*** to be written, to be enrolled, to enroll oneself. ***mar jinkiteb fl-armata;*** he went to enroll himself in the army.
nkixef v.VII, ***jinkixef;*** to be uncovered, to discover oneself. ***il-komplott inkixef malajr;*** the conspiracy was uncovered soon.
nobbiltà n.f., pl. -iet, nobility.
nobbli aġġ., noble.
nofs n.m., pl. -jiet, ***nfas;*** half, middle.
nofsi aġġ., medial.
nofsiegħa n.f., pl. ***nofsigħat;*** half-hour.
nofsillejl n.m., pl. -jiet, midnight.
nofsinhar n.m., pl. -jiet, midday.
nogħra n.f., pl. -iet, (kim.) red lead, minium.
noħħ n.m., bla pl., marrow.
nojjuż aġġ., tedious.
nokkla n.f., pl. -i, curl, lock.
nòktula n.f., pl. -i, (żool.) noctule.
nol n.m., pl. -ijiet, fare, (mar.) freight.
noliġġ n.m., pl. -i, (mar.) freight.
noliġġatur n.m., f. -a, pl. -i, freighter.
nom n.m., pl. -i, name, (gram.) noun.
nômadu aġġ. u n., f. -a, pl. -i, nomad.
nomenklatura n.f., pl. -i, nomenclature.
nòmina n.f., pl. -i, appointment.
nominali aġġ., nominal.
nominalment avv., nominally.
nominattiv aġġ., (gram.) nominative.
nominazzjoni n.f., pl. -jiet, nomination.
noqba n.f., pl. -iet, chit of a girl.
noqd n.m., ready money.
noqsàr aġġ. u p.preż., abridging, shortening.
nord n.m., bla pl., north.
nòrdiku aġġ., northern.
norma n.f., pl. -i, norm, rule.
normali aġġ., normal.
normalità n.f., pl. -jiet, normality.
normalizzat aġġ. u p.p., normalized.
normalizzazzjoni n.f., pl. -jiet, normalization.
normalment avv., normally.
nostalġija n.f., pl. -i, (med.) homesickness, nostalgia.
nostàlġiku aġġ. u n.m., f. -a, pl. -ċi, nostalgic.
nostronomu n.m., pl. -i, (mar.) boatswain, coxswain.
nota n.f., pl. -i, note.
notazzjoni n.f., pl. -jiet, notation.
notìfika n.f., pl. -i, notification.
notifikat aġġ. u p.p., notified.
notifikazzjoni n.f., pl. -jiet, notification.
notizzja n.f., pl. -i, news.
notizzjarju n.m., pl. -i, news, news bullettin.
novazzjoni n.f., pl. -jiet, (leg.) novation.
novell n.m., pl. -i, new. ***saċerdot ~;*** newly ordained priest.
novella n.f., pl. -i, story, tale, short story.
Novembru n.m.Pr., November.
novena n.f., pl. -i, novena.
novìssmi n.m.pl., novissima, the four last things.
novità n.f., pl. -jiet, innovation, novelty.
novizz n.m., f. -a, pl. -i, novice.
novizzjat n.m., pl. -i, noviciate.
nqabad v.VII, ***jinqabad;*** to be caught, to be captured. ***~ jisraq fil-ħin;*** he was caught stealing red-handed.
nqabeż v.VII, ***jinqabeż;*** to be omitted, to be skipped.
nqafel v.VII, ***jinqafel;*** to be shut, locked, to lock oneself. ***~ f'kamartu u ma ried jara lil ħadd;*** he locked himself in his room and did not want to see anyone.
nqal ara **ntqal**.
nqala' v.VII, ***jinqala';*** to be moved or displayed, to get detatched, to be talented, able, skilful. ***jinqala' ħafna għat-tpinġija;*** he is very talented for drawing.
nqaleb v.VII, ***jinqaleb;*** to be overturned. ***id-dgħajsa nqalbet u għerqet;*** the boat was overturned and sank.
nqara v.VII, ***jinqara;*** to be read. ***meta nqrat is-sentenza kien hemm skiet kbir;*** when the sentence was read out great silence prevailed.
nqaras v.VII, ***jinqaras;*** to be pinched.
nqasam v.VII, ***jinqasam;*** to be divided, partitioned, shared, to be cracked, burst, fissured. ***~ bid-daħk;*** he burst out laughing.
nqata' v.VII, ***jinqata';*** to be cut.
nqatel v.VII, ***jinqatel;*** to be killed, to be slain, to kill oneself. ***missieru ~ fil-gwerra;*** his father was killed during the war.
nqeda v.VII, ***jinqeda;*** to be served.
nqela v.VII, ***jinqela;*** to be fried.
nqered v.VII, ***jinqered;*** to be destroyed or ruined, to be perished. ***kollox inqered bix-xita;*** everything was destroyed by the rain.
nqies ara **ntqies**.
nsab v.VII, ***jinsab;*** to be found. ***iċ-ċavetta nstabet fil-kexxun;*** the key was found in the drawer.
nsadd v.VII, ***jinsadd;*** to be plugged.

nsaħaq v.VII, ***jinsaħaq;*** to be pounded.
nsama' v.VII, ***jinsama';*** to be heared, listened.
nsamat v.VII, ***jinsamat;*** to be scalded.
nsann v.VII, ***jinsann;*** to be sharpened, whetted.
nsaq v.VII, ***jinsaq;*** to be driven.
nsaqq v.VII, ***jinsaqq;*** to be watered, irrigated.
nsaram v.VII, ***jinsaram;*** to be confused.
nsarr v.VII, ***jinsarr;*** to be packed up, to be bundled.
nsatar v.VII, ***jinsatar;*** to be hidden, concealed, covered.
nsebaq v.VII, ***jinsebaq;*** to be outstripped, surpassed.
nseff v.VII, ***jinseff;*** to be sucked.
nseħet v.VII, ***jinseħet;*** to be accursed.
nselaħ v.VII, ***jinselaħ;*** to be skinned, flayed.
nsenn ara **nsann**.
nseqa v.VII, ***jinseqa;*** to be watered.
nseraq v.VII, ***jinseraq;*** to be stolen, to be robbed. ***il-lapes i~ minn taħt għajnejja;*** the pencil was stolen under my eyes.
nsibek v.VII, ***jinsibek;*** to be stripped off leaves, to attenuate.
nsiġ n.m.koll., bla pl., twill, weaving.
nsilef v.VII, ***jinsilef;*** to be lent.
nsilet v.VII, ***jinsilet;*** to be unsheathed, to be unravelled.
nstab ara **nsab**.
nstabat ara **stabat**.
nstadd ara **nsadd**.
nstama' v.VII, ***jinstama';*** to be heared. ***jinstama' ħafna għajat fil-bogħod;*** a lot of shouting is heard from far away.
nstamat ara **nsamat**.
nstaram ara **nsaram**.
nsteħet ara **nseħet**.
nstelaħ ara **nselaħ**.
nsteraq ara **nseraq**.
nstilet ara **nsilet**.
ntafa' v.VII, ***jintafa';*** to be thrown, to fling oneself.
ntaġar v.VII, ***jintaġar;*** to be dressed (stones).
ntaħar v.VII, ***jintaħar;*** to be injured.
ntaħan v.VII, ***jintaħan;*** to be grounded.
ntalab v.VII, ***jintalab;*** to be asked for, to be required.
ntala' v.VII, ***jintala';*** to amount.
ntama' v.VII, ***jintama';*** to be fed.
ntaqab v.VII, ***jintaqab;*** to be drilled, holed, pierced.
ntaqax v.VII, ***jintaqax;*** to be sculpted.
ntara v.VII, ***jintara;*** to be seen.
ntarax v.VII, ***jintarax;*** to grow deaf, to be deafened.
ntasab v.VII, ***jintasab;*** to place oneself, to prepare oneself, to present oneself.
ntaxar v.VII, ***jintaxar;*** to be hung out (washing).
ntaża' v.VII, ***jintaża';*** to undress or strip oneself.
ntbagħat v.VII, ***jintbagħat;*** to be sent.
ntbasar ara **nbasar**.
ntbell v.VII, ***jintbell;*** to be wet, to become wet.
ntbexx v.VII, ***jintbexx;*** to be sprinkled, sprayed.
ntbeżaq v.VII, ***jintbeżaq;*** to be spitted.
ntbies ara **nbies**.
ntebaq v.VII, ***jintebaq;*** to be closed, shut.
ntefa v.VII, ***jintefa;*** to be extinguished.
ntefaħ v.VIII, ***jintefaħ;*** to be swollen, to be puffed up, to tumefy, to pride oneself, to be proud.
ntefaq v.VIII, ***jintefaq;*** to be spent.
ntelaq v.VII, ***jintelaq;*** to give oneself up, to lop, to abandon oneself, to lose strength, to grow languid.
ntemm v.VII, ***jintemm;*** to be finished, to be consumed, to die.
ntena v.VII, ***jintena;*** to be folded.
nteraħ v.VII, ***jinteraħ;*** to be stretched, to be dissolved, melted.
ntesa v.VIII, ***jintesa;*** to be forgotten.
ntgħad ara **ngħad**.
ntgħadd ara **ngħadd**.
ntgħafas ara **ngħafas**.
ntgħaġen ara **ngħaġen**.
ntgħalaq ara **ngħalaq**.
ntgħaleb ara **ngħaleb**.
ntgħalef ara **ngħalef**.
ntgħamel ara **ngħamel**.
ntgħaqad ara **ngħaqad**.
ntgħaqar ara **ngħaqar**.
ntgħaraf ara **ngħaraf**.
ntgħasar ara **ngħasar**.
ntgħass ara **ngħass**.
ntgħata ara **ngħata**.
ntgħażaq ara **ngħażaq**.
ntgħażel ara **ngħażel**.
ntgħewa ara **ngħewa**.
ntgħex ara **ngħex**.
ntgħoġob ara **ngħoġob**.
ntgħorok ara **ngħorok**.
ntibek v.VII, ***jintibek;*** to be finely grounded or powdered.
ntiena n.f., pl. ***ntejjen;*** stink, stench.
ntifed v.VII, ***jintifed;*** to be penetrated, pierced.

ntifex v.VII, *jintifex;* to be dilated, expanded.
ntilef v.VII, *jintilef;* to be lost, to lose oneself, to faint. ***il-vapur u l-ekwipaġġ kollu ntilfu;*** the ship and the whole crew went lost.
ntiret v.VII, *jintiret;* to be inherited.
ntiseġ v.VIII, *jintiseġ;* to be woven.
ntiżen v.VII, *jintiżen;* to be balanced, weighed, to weigh oneself.
ntlagħab v.VII, *jintlagħab;* to be played.
ntlagħaq v.VII, *jintlagħaq;* to be licked, to be lapped up.
ntlaħaq v.VII, *jintlaħaq;* to be reached.
ntlaqa' v.VII, *jintlaqa';* to be stopped, to meet oneself, to be received, accepted, welcomed.
ntlaqat v.VII, *jintlaqat;* to be struck or hit.
ntleff v.VII, *jintleff;* to be wrapped up, to be cloaked or mantled.
ntlemaħ v.VII, *jintlemaħ;* to be seen, to be observed.
ntlewa v.VII, *jintlewa;* to be bent, twisted, contorted, convolved.
ntlibes v.VII, *jintlibes;* to be worn, dressed.
ntmedd v.VII, *jintmedd;* to lie down.
ntmesaħ v.VII, *jintmesaħ;* to be wiped.
ntmess v.VII, *jintmess;* to be touched.
ntnaġar ara **ntaġar**.
ntnasab ara **ntasab**.
ntnaxar ara **ntaxar**.
ntnaża' ara **ntaża'**.
ntnebaħ ara **ntebaħ**.
ntnefaħ ara **ntefaħ**.
ntnefaq ara **ntefaq**.
ntnesa ara **ntesa**.
ntqal v.VII, *jintqal;* to be said, told.
ntqies v.VII, *jintqies;* to be measured.
ntrabat v.VII, *jintrabat;* to be tied or bound.
ntradam v.VII, *jintradam;* to be buried under the debris, to be buried. ***~ waqt attakk mill-ajru;*** he was buried under the debris during an air raid.
ntradd v.VII, *jintradd;* to be returned, to be restored, to be given back.
ntrafa' v.VII, *jintrafa';* to be relieved, to be raised, to raise oneself.
ntrahan v.VII, *jintrahan;* to be pawned.
ntrass v.VII, *jintrass;* to be pressed, squeezed, to squeeze oneself, to throng, to crowd. ***toqgħodx tintrass fil-folla;*** don't squeeze yourself in the crowd.
ntrebaħ v.VII, *jintrebaħ;* to be won. ***l-ewwel premju ~ minn sajjied;*** the first prize was won by a fisherman.
ntreħa v.VII, *jintreħa;* to slacken, to abandon oneself, to rely, to surrender, to give oneself up.
ntrema v.VII, *jintrema;* to be cast or thrown away.
ntrifed v.VII, *jintrifed;* to sustain oneself, to nourish oneself, to be propped, supported.
ntrifes v.VII, *jintrifes;* to be trodden or trampled upon.
ntrikeb v.VII, *jintrikeb;* to be ridden.
ntuża v.VII, *jintuża;* to be used.
ntwera v.VII, *jintwera;* to be shown, exhibited, to show oneself.
ntwieġeb v.VII, *jintwieġeb;* to be answered.
nuċċali n.m., pl. -jiet, spectacles, glasses. ***~ tax-xemx;*** sun glasses, goggles.
nuċimuskata n.f., pl. -i, (bot.) nutmeg.
nuċiprisk ara **anċiprisk**.
nud aġġ. u n.m., pl. -i, nude. ***in-~;*** the nude.
nudiżmu n.m., pl. -i, nudism.
nuffara n.f., pl. -i, *nfafar;* scarecrow.
nuffata n.f., pl. *nfafet;* blister, blain, wheal, papule.
nugrufun ara **nigrufun**.
nuħħala n.f., pl. *nħaħel;* bran.
nuklju n.m., pl. -i, nucleus, group.
null aġġ., (leg.) null, void.
nullità n.f., pl. -jiet, (leg.) nullity.
numeratur n.m., pl. -i, numerator.
numerazzjoni n.f., pl. -jiet, numeration.
numèriku aġġ., numerical.
numeruż aġġ., numerous.
numismàtika n.f., bla pl., numismatics.
numismàtiku aġġ., numismatic.
numismatiku n.m., f. -a, pl. -iċi, numismatist.
numru n.m., pl. -i, number.
nunzjatura n.f., pl. -i, (ekkl.) nunciature, nuncio's residence.
nunzju n.m., pl. -i, (ekkl.) nuncio.
nuqqas n.m., pl. -jiet, want, need, imperfection, penury.
nutar n.m., f. -a, pl. -i, notary, notary public.
nutriment n.m., pl. -i, food, nourishment, aliment.
nutrittiv aġġ., nutritious, nutritive, nourishing.
nvell n.m., pl. -i, level.
nwar n.m.koll., blossoms, mould, must.
nwera ara **ntwera**.
nwieħ n.m., bla pl., groan, lamentation, howl, whinning, mewing.
nxamm v.VII, *jinxamm;* to be smelt.

nxaqq v.VII, ***jinxaqq;*** to be split, cracked.

nxedd v.VII, ***jinxedd;*** to be worn or dressed.

nxegħel v.VII, ***jinxegħel;*** to be lightened, kindled, lit, inflamed.

nxeħet v.VII, ***jinxeħet;*** to be thrown, to throw oneself down.

nxekk v.VII, ***jinxekk;*** to be pierced, penetrated.

nxewa v.VII, ***jinxewa;*** to be roasted.

nxief n.m., bla pl., aridity, dryness, skinniness.

nxir n.act., airing (of clothes).

nxorob ara **nxtorob**.

nxtamm ara **nxamm**.

nxtaq v.VII, ***jinxtaq;*** to be desired.

nxtara v.VII, ***jinxtara;*** to be bought or purchased. ***din id-dar inxtrat għalja ħafna;*** this house was purchased too expensive.

nxtegħel ara **nxegħel**.

nxteħet ara **nxeħet**.

nxtered v.VII, ***jinxtered;*** to be scattered.

nxtewa ara **nxewa**.

nxtorob v.VII, ***jinxtorob;*** to be absorbed, to be shrunk, shrunken.

nxufija n.f., bla pl., dryness, aridity, thinness.

nżabar v.VII, ***jinżabar;*** to be pruned.

nżamm v.VII, ***jinżamm;*** to be kept, held, retained. ***i~ l-għassa mill-pulizija għall-istħarriġ tagħhom;*** he was detained by the police for their investigation.

nżar v.VII, ***jinżar;*** to be visited.

nżebagħ v.VII, ***jinżebagħ;*** to be painted, to be dyed.

nżegħed v.VII, ***jinżegħed;*** to abound, to be numerous.

nżara' v.VII, ***jinżara';*** to be sown.

nżied v.VII, ***jinżied;*** to be increased, added.

nżifen v.VII, ***jinżifen;*** to be danced.

nżigħ n.act., despoilment, undressing.

nżul n.m., bla pl., the act of descending. ***~ ix-xemx;*** sunset.

Oo

O,o ***id-dsatax-il ittra ta' l-alfabett Malti u r-raba' waħda mill-vokali;*** the nineteenth letter of the Maltese alphabet and the fourth of the vowels.
o inter. oh.
oasi n.m., pl. -jiet, (ġeog.) oasis.
obbedjent aġġ., obedient.
obbedjenza n.f., pl. -i, obedience.
obbjetta v.t., ***jobbjetta;*** to object.
obbjezzjoni n.f., pl. -jiet, objection.
obbliga v.t., ***jobbliga;*** to oblige. ***jien obbligat ħafna lejk;*** I am much obliged to you.
obbligat aġġ. u p.p., obliged.
obbligatorju n.m., pl. -i, obligatory.
obbligazzjoni n.f., pl. -jiet, obligation.
obbligu n.m., pl. -i, obligation, duty.
obda v.t., ***jobdi;*** to obey. ***it-tifel ~ lil missieru;*** the boy obeyed his father.
obdut aġġ. u p.p., obeyed.
obelisk n.m., pl. -i, obelisk.
obeżità n.f., pl. -jiet, (med.) obesity.
obitwarju n.m., pl. -i, obituary.
objezzjoni n.f., pl. -jiet, objection.
oblat n.m., f., -a, pl. -i, oblate.
oblikwu aġġ., oblique.
oblu n.m., pl. -i, obolus. ***l-~ ta' San Pietru;*** St. Peter's Pence.
oblung n.m., pl. -i, obling.
obrox n.m., pl. ***borox;*** (ornit.) black-headed wagtail.
obwe n.m., pl. -jiet, (muż.) oboe, hautboy.
obwista n.kom., pl. -i, (muż.) oboist.
oċċident n.m., pl. -i, west.
oċċidentali aġġ., (ġeog.) western.
oċċipite n.m., pl. -i, (anat.) occiput.
oċean n.m., pl. -i, ocean.
oċeaniku aġġ., oceanic.
odaliska n.f., pl. -i, odalisque.
ode n.f., pl. -jiet, (lett.) ode.
odja v.t., ***jodja;*** to hate.
odjat aġġ., hated.
odju n.m., pl. -i, hate.
odjuż aġġ., hateful.
odontoloġija n.f., pl. -i, odontology.
offenda v.t., ***joffendi;*** to offend, to insult. ***jisgħob bija li offendejtek;*** I am sorry that I have offended you.
offendut aġġ. u p.p., offended.
offensiv aġġ., offensive.
offensiva n.f., pl. -i, (mil.) offensive.
offerta n.f., pl. -i, offer, (ekkl.) offering, oblation.
offertorju n.m., pl. -i, (ekkl.) offertory.
uffiċċju n.m., pl. -i, office.
offiċina n.f., pl. -i, working place or office.
offiċjuż aġġ., officious.
offiż aġġ., offended.
offiża n.f., pl. -i, offence.
offra v.t., ***joffri;*** to offer. ***offrieli l-għajnuna tiegħu;*** he offered me his help.
offsajd avv., (logħ.) offside.
offsett n.m., bla pl., (artiġ.) offset.
oftalmija n.f., pl. -i, (med.) ophthalmy.
oftalmoloġija n.f., pl. -i, (med.) ophthalmology.
oftalmologu n.m., f. -a, pl. -i, ophthalmologist.
oftalmoskopju n.m., pl. -i, ophthalmoscope.
oġġett n.m., pl. -i, object.
oġġettiv aġġ., objective.
oġġettivament avv., objectively.
oġġettività n.f., pl. -jiet, objectivity.
oġġezzjona v.t., ***joġġezzjona;*** to object.
oġġezzjoni n.f., pl. -jiet, objection.
oġiva n.f., pl. -i, (ark.) ogive.
oġivali aġġ., (ark.) ogival.
ogħla aġġ.kom., dearer, more expensive, higher.
ogħna aġġ.komp., richer, wealthier.
oħla aġġ.komp., sweeter.
oħra pron. u aġġ., other, another. ***la waħda u lanqas l-~;*** neither the one nor the other. ***darb'~;*** another time.
oħt n.f., pl. ***aħwa;*** sister.
oħxon aġġ., fat, thick, gross. ***leħen ~;*** thick voice.
oj inter., ho there, holla.
okarina n.f., pl. -i, (muż.) ocarina.
okkażżjonali aġġ., occasionally.
okkażżjonalment avv., occasionally.
okkażżjoni n.f., pl. -jiet, occasion.
okkiera n.f., pl. -i, (med.) eye-bath, eye-cup.

okkorrenza n.f., pl. -i, occurrence.
okkult aġġ., occult.
okkulista n.kom., pl. -i, occulist.
okkultiżmu n.m., pl. -i, occultism.
okkupa v.t., ***jokkupa;*** to occupy, to keep busy, to employ.
okkupat aġġ. u p.p., occupied, busy.
okkupazzjoni n.f., pl. -jiet, occupation.
okra n.f., bla pl., (min.) ochre.
okulari aġġ., ocular.
okulista n.kom., pl. -i, oculist, eye specialist.
oleandru n.m., pl. -i, (bot.) oleander.
oleastru n.m., pl. -i, (bot.) wild olive.
oligarka n.f., pl. -i, oligarch.
oligarkija n.f., pl. -i, oligarchy.
oligarkiku aġġ., oligarchic(al).
olimpijadi n.f., pl. id., (logħ.) Olympiad.
olimpiku aġġ., (logħ.) Olympic.
olja v.i., ***jolja;*** (mek.) to oil.
oljandru n.m., pl. -i, (bot.) oleander.
oljat aġġ., oiled.
oljatur n.m., pl. -i, oil-can, oiler.
oljiera n.f., pl. -i, oil, cruet-stand.
olmu n.m., pl. -i, (bot.) elm, elm-tree.
olografu n.m., pl. -i, (leg.) holograph.
olokawstu n.m., pl. -i, holocaust.
oltri prep., besides.
olza v.t., ***jolza;*** to luff.
olza n.f., pl. -i, (mar.) bowline.
omaġġ n.m., pl. -i, homage.
ombra n.f., pl. -i, shade, shadow.
ombra v.t., ***jombra;*** to shade.
ombrat aġġ. u p.p., shaded.
ombratura n.f., pl. -i, shading.
Omega n.Pr., Omega.
omelija n.f., pl. -i, (ekkl.) homily.
omeopatija n.f., pl. -i, (med.) homoeopathy.
omiċida n.kom., pl. -i, (leg.) homicide.
omiċidju n.m., pl. -i, (leg.) homicide.
omlett n.m., pl. -s, omelet, omelette.
omm n.f., pl. -jiet, mother.
ommetta v.t., ***jommetti;*** to omit, to leave out.
ommissjoni n.f., pl. -jiet, omission.
omnibus n.m., pl. -ijiet, omnibus, bus.
omnipotenti aġġ., omnipotent.
omnipotenza n.f., pl. -i, omnipotence.
omoġenità n.f., pl. -jiet, homogeneity, homogeneousness.
omoġenju aġġ., homogeneous.
omolongazzjoni n.f., pl. -jiet, (leg.) homologation.
omòniku aġġ., homonymous.
omònimu n.m., f. -a pl. -i, homonym.
omosesswali aġġ., homosexual.
omosesswalità n.f., pl. -jiet, homosexuality.
ònagru n.m., pl. -i, (żool.) onager.
onaniżmu n.m., pl. -i, (med.) onanism.
onċa n.f., pl. -i, ounce.
ondra v.Sq., ***jondra;*** to kannel, to hide, to conceal.
onest aġġ., honest.
onestà n.f., pl. -jiet, honesty.
onestament avv., honestly.
òniċi n.m., bla pl., (min.) onyx.
onomastiku aġġ., onomastic.
onomatopea n.f., pl. -i, onomatopoeia.
onomatopejku aġġ., onomatopoeic.
onora v.t., ***jonora;*** to honour. ***ried jonorani bil-preżenza tiegħu;*** he wanted to honour me with his presence.
onorabbilment avv., honourably.
onorabbli aġġ., honourable.
onorarju n.m., pl. -i, honorary. ***president ~;*** honorary president.
onorat aġġ. u p.p., honoured.
onorefiċenza n.f., pl. -i, honour, decoration, dignity. ***~ tal-gwerra;*** war decoration.
onorevoli aġġ., honourable.
opak aġġ., opaque.
opal n.m., pl. -i, (min.) opal.
opera n.f., pl. -i, (muż.) opera.
opera v.t., ***jopera;*** to operate.
operabbli aġġ., (med.) operable.
operat aġġ. u p.p., operated.
operatur n.m., f. -a, -triċi, operator.
operazzjoni n.f., pl. -jiet, operation.
operejter n.m., pl. -s, telephone operator.
operetta n.f., pl. -i, (teatr.) operetta, musical comedy.
operista n.m., pl. -i, (teatr.) composer of operas.
opinjoni n.f., pl. -jiet, opinion.
oppju ara **loppju**.
oppona v.t., ***jopponi;*** to oppose, to object to. ***ma għandi xejn għalxiex nopponi;*** I have nothing to object to.
opportun aġġ., opportune, timely, well-timed.
opportunist n.m., f. -a, pl. -i, opportunist.
opportunità n.f., pl. -jiet, opportunity.
opportuniżmu n.m., pl. -i, opportunism.
oppost aġġ. u p.p., opposed, opposite.
oppożizzjoni n.f., pl. -jiet, opposition.
oppress aġġ., oppressed.
oppressjoni n.f., pl. -jiet, oppression.
oppressur n.m., f. -a, pl. -i, oppressor.
opprima v.t., ***jopprimi;*** to oppress.
opra n.f., pl. -i, work, action, performance, (treatr.) opera.
opra v.t., ***jopra;*** to operate.

opramorta n.f., pl. -i, parapet, battlement.
oprat aġġ. u p.p., operated.
opta v.t., ***jopta;*** (leg.) to opt, to choose.
opzjoni n.f., pl. -jiet, (leg.) option.
oragàn n.m., pl. -i, hurricane.
oraklu n.m., pl. -i, oracle.
oral n.m., pl. -i, oral.
orali aġġ., oral.
orangutan n.m., pl. -i, (żool.) orang-outang.
orarju n.m., pl. -i, timetable.
orata n.f., pl. -i, (itt.) gilthead goldfish.
oratorja n.f., pl. -i, oratory, eloquence.
oratorju n.m., pl. -i, (ekkl.) oratory, (muż.) oratorio.
oratur n.m., f. -a, pl. -i, orator.
orazzjoni n.f., pl. -jiet, prayer, oration.
òrbita n.f., pl. -i, orbit.
orbitali aġġ., orbital.
ordev n.m., pl. -s, hors-d'oeuvre.
ordinali aġġ., (gram.) ordinal.
ordinanza n.f., pl. -i, (leg.) ordinance.
ordinarjament avv., ordinarily.
ordinarju aġġ., ordinary.
ordinazzjoni n.f., pl. -jiet, (ekkl.) ordination.
ordna v.t., ***jordna;*** to order, to command. ***hu ordnali li nagħmel hekk;*** he ordered me to do so.
ordnat aġġ. u p.p., ordered, commanded.
ordni n.m., pl. -jiet, order. ***~ alfabetiku;*** alphabetical order. ***~ kronoloġiku;*** chronological order. ***~ pubbliku;*** public order.
orfanatrofju n.m., pl. -i, orphanage.
orfni n.kom., pl. -jiet, orphan.
orġja n.f., pl. -i, orgy.
organdin n.m., bla pl., organdie.
organett n.m., pl. -i, (muż.) hand organ.
orgàniku aġġ., organic.
organista n.kom., pl. -i, (muż.) organist.
organizza v.t., ***jorganizza;*** to organize.
organizzat aġġ. u p.p., organized.
organizzatur n.m., f. -atriċi, organizer.
organizzazzjoni n.f., pl. -jiet, organization.
organiżmu n.m., pl. -i, organism.
òrganu n.m., pl. -i, organ.
organza n.f., pl. -i, braid.
orgni n.m., pl. -jiet, (muż.) organ.
orgoljuż aġġ., proud.
orħos aġġ.komp., cheaper.
orifjamma n.f., pl. -i, oriflamme.
oriġinal n.m., pl. -i, original.
oriġinali aġġ., original.
oriġinalità n.f., pl. -jiet, originality.
oriġini n.m., bla pl., origin.
orizzont n.m., pl. -i, horizon.
orizzontali aġġ., horizontal.
orizzontalment avv., horizontally.
orjent n.m., bla pl., (ġeog.) east, orient.
orjenta v.t., ***jorjenta;*** to orient oneself, to find (to get) one's bearings. ***ħallini norjenta ruħi xi ftit;*** let me take my bearings.
orjentali aġġ., eastern, oriental.
orka n.f., pl. -i, (żool.) orc.
orkestra n.f., pl. -i, (muż.) orchestra.
orkestrali aġġ., (muż.) orchestral.
orkestrazzjoni n.f., pl. -jiet, (muż.) orchestration.
orkestrina n.f., pl. -i, (muż.) orchestrina.
orkidea n.f., pl. -j, (bot.) orchid.
orkite n.f., pl. -ijiet, (med.) orchitis.
orku n.m., pl. -i, ogre.
orlatura n.f., pl. -i, hemming, rimming, edging.
orlu n.m., pl. -jiet, hem.
ormajn ara **armajn**.
ormiġġa ara **rmiġġa**.
ormòn n.m., pl. -i, hormone.
orna v.t., ***jorna;*** to ornament, to adorn.
ornament n.m., pl. -i, ornament.
ornat aġġ. u p.p., ornate.
ornitoloġija n.f., pl. -i, ornithology.
ornitoloġiku aġġ., ornithological.
ornitòlogu n.m., f. -a, pl. -i, ornithologist.
orografija n.f., pl. -i, orography.
oroskopija n.f., pl. -i, horoscopy.
oroskòpiku aġġ., horoscopic(al).
oròskopu n.m., pl. -i, (astro.) horoscope.
orpiment n.m., pl. -i, (kim.) orpiment.
orrajt avv., all right.
orribbilment avv., horribly.
orribbli aġġ., horrible.
orrur n.m., pl. -i, horror.
ors n.m., pl. -ijiet, (żool.) bear. ***~ abjad;*** polar bear.
ort n.m., pl. -ijiet, garden.
ortensja n.f., pl. -i, (bot.) hydrangea.
ortikarja n.f., pl. -i, (med.) nettle-rash.
ortikoltura n.f., pl. -i, horticulture.
ortodoss aġġ., orthodox.
ortodossija n.f., pl. -i, orthodoxy.
ortofonija n.f., pl. -i, (gram.) orthophony.
ortofòniku aġġ., (gram.) orthophonic.
ortografija n.f., pl. -i, (gram.) orthography.
ortogràfiku aġġ., (gram.) orthographic(al).
ortopedija n.f., pl. -i, (med.) orthopaedy.
ortopèdiku aġġ., (med.) orthopaedic(al).
ortolan n.m., pl. -i, (ornit.) ortolan.
orza ara **olza**.
osanna ara **hosanna**.

òskulu n.m., pl. -i, osculation.
oskur aġġ., obscure.
oskura v.t., *joskura;* to darken, to obscure, to dim.
oskurantiżmu n.m., pl. -i, obscurantism.
oskurità n.f., pl. -jiet, obscurity.
ospitalità n.f., pl. -jiet, hospitality.
ospiti n.kom., s. u pl., host, (f. hostess).
ospizju n.m., pl. -i, asylum, hospice, almshouse.
ossarju n.m., pl. -i, ossuary.
osserva v.t., *josserva;* to observe, to notice, to watch, to look at, to twig.
osservabbli aġġ., observable.
osservant n.m., f. -a, pl. -i, observant.
osservanza n.f., pl. -i, observance.
osservat aġġ. u p.p., observed.
osservatorju n.m., pl. -i, observatory.
osservatur n.m., f. -atriċi, pl. -i, observer.
osservazzjoni n.f., pl. -jiet, observation.
ossessjoni n.f., pl. -jiet, obsession.
ossida v.t., *jossida;* to oxidize.
òssidu n.m., pl. -i, (kim.) oxide.
ossiġenat aġġ., (kim.) oxygenated. ***akkwa ossiġenata;*** hydrogen peroxide.
ossìġenu n.m., pl. -i, (kim.) oxygen.
ossija konġ., or, or rather, that is to say, in other words.
osta n.f., pl. -i, (mar.) backstay.
ostaġġ n.m., pl. -i, hostage.
ostâklu n.m., pl. -i, obstacle, hindrance.
ostàkola v.t., *jostakola;* to hinder, to impede.
ostakolat aġġ., hindered.
ostensorju n.m., pl. -i, (ekkl.) ostensory, monstance.
ostentazzjoni n.f., pl. -jiet, ostentation.
osterija n.f., pl. -i, inn, tavern.
ostetriċja n.f., pl. -i, (med.) obstetrics, midwifery.
ostètriku n.m., pl. -ki (med.) obstetrician.
ostìli aġġ., hostile.
ostilità n.f., pl. -jiet, hostility.
ostinazzjoni n.f., pl. -jiet, obstinancy.
ostja n.f., pl. -i, (ekkl.) host.
ostjarju n.m., pl. -i, (ekkl.) door-keeper.
ostraċiżmu n.m., pl. -i, obstracism.
ostraċizza v.t., *jostraċizza;* to ostracize.
òstrika n.f., pl. -i, (żool) oyster.
ostruzzjoni n.f., pl. -jiet, obstruction.
ostruzzjonist n.m., f. -a, pl. -i, obstructionist.
ostruzzjoniżmu n.m., pl. -i, obstructionism.
otite n.f., pl. -jiet, (med.) otitis.
otoskopju n.m., pl. -i, (med.) otoscope.
ottagonali aġġ., octagonal.
ottàgonu n.m., pl. -i, octagon.
ottangulari aġġ., octangular.
ottattiv n.m., pl. -i, (gram.) optative.
ottava n.f., pl. -i, octave. ***~ ta' l-Għid;*** the octave of Easter.
ottavarju n.m., pl. -i, (ekkl.) octave.
ottavin n.m., pl. -i, (muż.) octave-flute.
òttika n.f., bla pl., optics.
òttiku aġġ., optic, optical.
òttiku n.m., pl. -i, optician.
ottimista n.m., pl. -i, optimist.
ottimiżmu n.m., pl. -i, optimism.
òttimu aġġ., best, excellent.
ottjena v.t., *jottjeni;* to obtain.
ottoman n.m., pl. -i, ottoman.
ottonarju n.m., pl. -i, (lett.) octosyllabic.
Ottubru n.Pr., October.
òttuplu aġġ., octuple.
ottuż aġġ., obtuse.
ovali aġġ., oval.
ovazzjoni n.f., pl. -jiet, ovation.
overoll n.m., pl. -jiet, overall.
oviera n.f., pl. -i, egg-cup.
ovvjament avv., obviously.
ovvju aġġ., obvious, clear.
owk n.m., pl. -s, (bot.) oak.
owkey avv., all right.
oxxen aġġ., obscene.
oxxenità n.f., pl. -jiet, obscenity.
oxxilla v.t., *joxxilla;* to oscillate.
oxxillatur n.m., pl. -i, (tek.) oscillator.
oxxillazzjoni n.f., pl. -jiet, oscillation.
ozju n.m., pl. -i, idleness, laziness.
ozjuż aġġ., idle, lazy.
ożon n.m., pl. -i, (kim.) ozone.

Pp

P, p ***il-għoxrin ittra ta' l-alfabett Malti, is-sittax-il waħda mill-konsonanti;*** the twenteeth letter of the Maltese alphabet and the sixteenth of the consonants.
pa n.m., pl. -jiet, father.
paċa v.t., ***jpaċi;*** to pacify.
paċenzja n.f., pl. -i, patience.
paċenzjuż aġġ., patient.
paċi n.f., bla pl., peace.
paċier n.m., f. -a, pl. -i, peacemaker.
paċifikat aġġ. u p.p., pacified.
paċifikatur n.m., f. -a, pl. -i, peace-maker.
paċifikazzjoni n.f., pl. -jiet, pacification.
paċìfiku aġġ., peaceful. (ġeogr.) ***l-Oċean ~;*** Pacific Ocean.
paċifist n.f., f. -a, pl. -i, pacifist.
paċifiżmu n.m., pl. -i, pacifism.
paċoċċ aġġ. u n.m., f. -a, pl. -i, silly, silly person.
paċpaċ v.kwad., ***jpaċpaċ;*** to chatter, to tattle, to blab, to gaggle. ***dik it-tifla dejjem tpaċpaċ;*** that girl always tattles.
padella n.f., pl. -i, bedpan, (anat.) knee-cap.
padiljun n.m., pl. -i, pavilion.
padrun n.m., f. -a, pl. -i, master, landlord, owner, proprietor.
paġama ara **piġama**.
paġella n.f., koll. ***paġell;*** (itt.) sea bream.
paġella n.f., pl. -i, (ekkl.) official document.
paġent n.m., pl. -s, pageant.
paġġ n.m., pl. -i, page, footboy.
paġġatur n.m., pl. -i, gallery, passage, corridor.
paġna n.f., pl. -i, page.
paga n.f., pl. -i, pay, wage(s), salary.
pagabbli aġġ., payable.
pagament n.m., pl. -i, payment. ***avviż ta' ~;*** notice of payment.
pagan n.m., f. -a, pl. -i, pagan.
paganiżmu n.m., pl. -i, paganism.
pagatur n.m., f. -a, pl. -i, payer.
pagna n.f., pl. -i, ***pwagen;*** pan.
pagòda n.f., pl. -i, pagoda.
pagru n.m., pl. -i, (itt.) sea bream.
pagun n.m., f. -a, pl. -i, (ornit.) peacock.
pagunazz aġġ., peacock-blue.
paħpaħ v.kwad., ***jpaħpaħ;*** to speak with a stifled voice, to make tender.
paj n.m., pl. -s, meat pie.
pajjiż n.m., pl. -i, country.
pajnapil n.f., pl. -s, (bot.) pineapple.
pajp n.m., pl. -ijiet, pipe.
pajpli n.m., pl. -jiet, pipeclay.
pajsaġġ n.m., pl. -i, landscape.
pajunier n.m., pl. -i, pioneer.
pajżan n.m., pl. -i, fellow countryman. ***liebes ~;*** dressed civilian.
pakat aġġ., placid, calm, quiet.
pakiderm n.m., (żool.) pachyderm.
pakk n.m., pl. -i, parcel, pack.
pakkett n.m., pl. -i, packet.
pakkutilja n.f., pl. -i, shoddy goods.
pal n.m., pl. -i, pole, stake, post. ***~ tal-forn;*** peel. ***~ ta' l-id;*** palm. ***~ ta' moqdief;*** oar-blade.
paladin n.m., pl. -i, paladin.
palamit n.m., pl. -i, (itt.) skip-jack.
palanka n.f., pl. -i, tackle.
palat n.m., pl. -i, taste, (anat.) palate.
palata n.f., pl. -i, row, help, shovelful.
palatali aġġ., paratel.
palazz n.m., pl. -i, palace.
palella n.f., pl. -i, (mar.) paddle, oar-blade.
palelli avv., openly, publicly.
paleografija n.f., pl. -i, paleography.
paleogràfiku aġġ., paleographic.
paleògrafu n.m., f. -a, pl. -i, paleographer.
paleolìtiku aġġ., paleolithic.
paleontoloġija n.f., pl. -i, paleontology.
paleontoloġiku aġġ., paleontological.
paleontòlogu n.m., f. -a, pl. -i, paleontologist.
paleożòjku aġġ., paleozoic.
palestra n.f., pl. -i, palestra, gymnasium.
paletta n.f., pl. -i, pallet, pallette-knife, (ornit.) spoonbill.
pallettuna n.f., pl. -i, shoveler.
palik n.m., pl. -ijiet, toothpick.
palindrom n.m., pl. -i, (lett.) palindrome.
palinġènesi n.f., pl. -jiet, (fil.) palingenesis.
palinsest n.m., pl. -i, (lett.) palinsest.

palizzata n.f., pl. -i, palisade.
palja n.f., bla pl., straw. ***basket tal-~;*** straw basket.
paljaċċata n.f., pl. -i, foolish act.
paljaċċu n.m., pl. -i, clown, buffoon.
paljazza n.f., pl. -i, clout.
paljett n.m., pl. -i, mat.
paljol n.m., pl. -i, dunnage.
palju n.m., pl. -i, banner, fan.
palk n.m., pl. -jiet, stage, platform. ***~ tal-banda;*** band stand.
palkett n.m., pl. -i, (teatr.) theatre box.
palla n.f., pl. ***palel;*** (ekkl.) pall.
pàllidu aġġ., pale, pallid.
pallju n.m., pl. -i, (ekkl.) pallium.
palma n.f., pl. u koll. ***palm;*** (bot.) palm. ***Ħadd il-Palm;*** Palm Sunday.
palmìpedu aġġ., palmiped, palmipede.
palomba n.f., pl. -i, siren, hooter.
palpabbli aġġ., palpable.
palpebra n.f., pl. -i, eyelid.
palpitazzjoni n.f., pl. -jiet, palpitation.
palptu n.m., bla pl., throb, beat.
palumbella n.f., pl. -i, (ornit.) stock-dove.
pamflet n.m., pl. -s, pamphlet.
pampier n.m., pl. -i, (itt.) piper.
panaċèa n.f., pl. -ej, panacea.
pànama n.m., bla pl., panama hat.
panċer n.m., pl. -s, puncture. ***ħa ~;*** the tyre is punctured.
panċiera n.f., pl. -i, corset.
panda n.f., pl. -i, (żool.) panda.
pandemonju n.m., pl. -i, pandemonium, extreme confusion.
panedispanja n.f., pl. -i, sponge-cake.
paneġierku n.m., pl. -i, (ekkl.) panegyric.
paneġirist n.m., pl. -i, panegyrist.
panel n.m., pl. -s, panel.
panew n.m., pl. -ijiet, panel.
pàniku n.m., bla pl., panic.
panil n.m., pl. -s, panel.
panjol n.m., pl. -i, (itt.) greeneye.
pankrazju n.m., pl. -i, (bot.) squill.
pànkreas n.f., bla pl., (anat.) pancreas.
panna n.f., pl. -i, cream.
pannarizz n.m., pl. -i, (med.) whitlow.
pannell n.m., pl. -i, pack-saddle.
pannella n.f., pl. -i, (artiġ.) tinsel.
pannu n.m., pl. -i, woollen cloth.
panorama n.f., pl. -i, panorama.
pantalun n.m., pl. -i, pantaloon.
pantàr n.m., pl. -i, bog, fen.
panteist n.m., f. -a, pl. -i, pantheist.
panteiżmu n.m., pl. -i, pantheism.
pantera n.f., pl. -i, (żool.) panthera.
panti n.m., pl. -s, panties.
pantoffla n.f., -i, slipper.
pantomina n.f., pl. -i, (teatr.) pantomime.
pantòr n.m., pl. ***pnatar;*** flounce.
pantri n.m., pl. -jiet, pantry, larder.
Papa n.m., pl. -iet, Pope.
papà n.m., pl. -jiet, daddy, father, dad, papa.
papabbli aġġ., elegible to the papacy.
papali aġġ., papal.
papalina n.f., pl. -i, skull-cap.
papàs n.m., pl. -jiet, (ekkl.) papas.
papat n.m., pl. -i, papacy.
papavru n.m., pl. -i, (bot.) poppy.
papìru n.m., pl. -i, (bot.) papyrus.
papoċċa n.f., pl. -i, slipper.
papoċċi n.f., koll. (bot.) anapdragon.
pappafik n.m., pl. -i, (mar.) top gallant mast.
pappagall n.m., pl. -i, (ornit.) parrot.
pappamosk n.m., pl. -i, (żool.) fly-catcher.
papra n.f., pl. -i, (żool.) duck. ***~ tal-barr;*** mallard.
paqpaq v.kwad., ***jpaqpaq;*** to hoot.
par n.m., pl. -i, pair.
paràbbola n.f., pl. -i, parable, parabola.
paradìgma n.f., pl. -i, (gram.) paradigm.
paradoss n.m., pl. -i, paradox.
paradossali aġġ., paradoxical.
parafangu n.m., pl. -i, mudguard.
parafernalja n.f., pl. -i, (leg.) paraphernalia.
parafin n.m., pl. -i, (kim.) paraffin.
parafoku n.m., pl. -i, fire screen.
paràfrasi n.f., pl. -jiet, paraphrase.
parafùlmini n.f., pl. -jiet, lightning-conductor, lightning-rod.
paragoġi n.f., bla pl., (gram.) paragoge.
paràgrafu n.m., pl. -i, paragraph.
paragun n.m., pl. -i, comparison.
paragunabbli aġġ., comparable.
paragunat aġġ. u p.p., compared (with).
parakkwa n.f., pl. -i, weather-board.
Paràklitu n.m., bla pl., (teol.) Paraclete.
paralisi n.f., pl. -jiet, (med.) paralysis.
paralìtiku aġġ. u n.m., f. -a, pl. -i, paralytic.
paralizzat aġġ. u p.p., paralysed.
parallèl aġġ. u n.m., pl. -i, parallel.
paralleliżmu n.m., pl. -i, parallelism.
parallelogram n.m., pl. -i, parallelogram.
paralum n.m., pl. -i, lamp-shade.
parament n.m., pl. -i, ornament. ***paramenti sagri;*** (ekkl.) ecclesiastical vestments.
paràmetru n.m., pl. -i, parameter.
paramezzal n.m., pl. -i, (mar.) keelson.
parank n.m., pl. -i, (mar.) purchase, tackle, pulley.

paranojja n.f., pl. -i, (med.) paranoia.
paranza n.f., pl. -i, (mar.) fishing smack, fishing boat.
parapatta avv., tit-for-tat.
parapett n.m., pl. -i, parapet.
parapleġija n.f., pl. -i, (med.) paraplegia.
parasòl n.m., pl. -i, parasol.
parassita n.m., pl. -i, parasite.
parastatali aġġ., parastatal.
parata n.f., pl. -i, (mil.) parade, review.
paraventu n.m., pl. -i, screen.
paraxut n.m., pl. -s, (tekn.) parachute.
paraxutist n.m., f. -a, pl. -i, parachutist.
parċmina n.f., pl. -i, parchment, sheepskin.
parentela n.f., pl. -i, relationship.
parèntesi n.f., pl. -jiet, parenthesis.
parenza n.f., pl. -i, appearance, show.
pareżi n.f., pl. -jiet, (med.) paresis.
pari aġġ., equal.
pariġġ n.m., pl., equalization.
pariġġat aġġ. u p.p., compared.
parilja n.f., pl. -i, pair of horses.
parir n.m., pl. -i, advice, counsel.
parit n.m., pl. -i, trammel.
parjetali aġġ., (anat.) parietal.
parjol ara **paljol**.
park n.m., pl. -ijiet, park.
parkè n.m., pl. -jiet, parquet.
parla v.t., *jparla;* to indulge in idle talk.
parlament n.m., pl. -i, parliament. ***membru tal-~;*** member of Parliament (MP).
parlamentari aġġ., parliamentary.
parlata n.f., pl. -i, idle talk, speech.
parlatorju n.m., pl. -i, parlour.
parmiġġan aġġ., parmesan. ***ġobon ~;*** parmesan cheese.
paroċċi n.m., pl., blinkers.
parodija n.f., pl. -i, (lett.) parody.
parodist n.kom., pl. -i, parodist.
paronomasija n.f., pl. -i, (gram.) paronomasia.
parotide n.f., pl. -i, (med.) parotitis.
parpanjol n.m., pl. -i, (itt.) cuckoo-wrasse.
parpar v.kwad., *jparpar;* to run away, to go away. ***hu ~ minn hawn;*** he went away from here.
parriċida n.m., pl. -i, (leg.) parricide.
parriċidju n.m., pl. -i, parricide.
parrinu n.m., pl. -i, god-father, sponsor.
parroċċa n.f., pl. -i, (ekkl.) parish, parish church.
parrokka n.f., pl. -i, wig, periwig, peruke.
parrokkjali aġġ., parochial. ***knisja ~;*** parish church.
parruċċan n.m., pl. -i, parishioner, customer.
parrukkett n.m., pl. -i, (ornit.) paroque, (mar.) fore-top sail.
parrukkier n.m., f. u pl. -a, barber, hairdresser.
parsimonja n.f., pl. -i, parsimony.
parsott n.m., pl. -i, (bot.) violet fig.
parta v.t., *jparti;* to depart, to leave, to go away.
partajm n.m., bla pl., part time.
partat v.kwad., *jpartat;* to barter, to exchange, to permute, to swap, to swop. ***~ din il-ġiżirana ma' ċurkett;*** he exchanged this necklace for a ring.
parteċipant n.m., partecipant.
parteċipant aġġ. u p.preż., partaking, sharing.
parteċipat aġġ. u p.p., partaker.
parteċipazzjoni n.f., pl. -jiet, participation.
partenza n.f., pl. -i, departure.
parterr n.m., bla pl., (teatr.) parterre.
parti n.m., pl. -jiet, part, share, (teatr.) role.
parti n.m., bla pl., party.
partiċella n.f., pl. -i, (gram.) particle.
partiċipjali aġġ., participial.
partiċipju n.m., pl. -i, (gram.) participle.
partiġjan n.m., f. -a, pl. -i, partisan.
partiġjanerija n.f., pl. -i, partisanship.
partìkola n.f., pl. -i, (ekkl.) host.
partikulari aġġ., particular.
partikularità n.f., pl. -jiet, particularity.
partikularment avv., particularly.
partit n.m., pl. -i, party.
partita n.f., pl. -i, match, game.
partitarju n.m., f. -a, pl. -i, partisan.
partitura n.f., pl. -i, (muż.) score.
partner n.kom., pl. -s, partner.
partun n.m., pl. -i, (itt.) brill.
parzjali aġġ., partial. ***ekklissi ~;*** partial eclipse.
parzjalità n.f., pl. -jiet, partiality.
parzjalment avv., partially.
Paskwa n.f., bla pl., Easter.
paskwali aġġ., paschual.
paspar v.kwad., *jpaspar;* to forge.
pass n.m., pl. -i, pace, step.
passa n.f., bla pl., outbreak of diseases.
passa v.t., *jpassi;* to pass.
passabbli aġġ., passable.
passaġġ n.m., pl. -i, passage.
passaport n.m., pl. -i, passport.
passat n.m., pl. -i, past.
passata n.f., pl. -i, coating.
passatemp n.m., pl. -i, pastime, hobby.
passatur n.m., pl. -i, colander, cullender, strainer. ***~ tat-tè;*** tea strainer.

passiflora n.f., pl. -i, (bot.) passion-flower.
passiġġata n.f., pl. -i, a walk, stroll, promenade.
passiġġier n.m., f. -a, pl. -i, passenger.
passiġġiera n.f., pl., perch.
passiv aġġ., (gram.) passive.
passivament avv., passively.
passività n.f., pl. -jiet, passivity.
passjonali aġġ., passional.
passjoni n.f., pl. -jiet, passion. ***Ġimgħa tal-~;*** Passion Week. ***warda tal-~;*** passion-flower.
passjonist n.m., pl. -i, passionist.
passju n.m., pl. -i, (ekkl.) the Passion.
passolina n.f., pl. -i, currant.
past n.m., pl. -i, meal, food, aliment, course.
pastard n.m.koll., (bot.) cauliflower.
pastardella n.f., pl. -i, (itt.) spear-fish.
pastaż n.m., pl. -i, porter, villain, cross-beam.
pastell n.m., pl. -i, (art.) pastel.
pastellist n.m., f. -a, pl. -i, pastellist.
pastilja n.f., pl. -i, pastil.
pastizz n.m., pl. -i, cheesecake.
pastizzar n.m., f. u pl. -a, pastry-cook.
pastizzerija n.f., pl. -i, pastry-shop.
pastizzott n.m., pl. -i, little pie.
pastoral n.m., pl. -i, (ekkl.) crossier, pastoral staff, bishop's staff.
pastorali aġġ. u n.m., pl. -i, bishop's pastoral letter, pastoral. ***ittra ~;*** pastoral letter. ***poeżija ~;*** pastoral poetry.
pastorizzat aġġ. u p.p., pasteurised.
pastorizzazzjoni n.f., pl. -jiet, pasteurization.
pastur n.m., pl. -i, figurine.
patafjun n.m., pl. -i, copiousness.
patalott n.m., pl. -i, paint can.
patata n.f.koll., (bot.) potato. ***~ maxx;*** mashed potatoes. ***~ mgħollija;*** boiled potatoes. ***~ moqlija;*** crips.
patella ara **padella**.
patena n.f., pl. -i, (ekkl.) paten.
patenta n.f., pl. -i, certificate, diploma.
paternali aġġ., paternal.
paternità n.f., pl. -jiet, paternity.
patetikament avv., pathetically.
patètiku aġġ., pathetic.
patìbolu n.m., pl. -i, (leg.) gallows, scaffold.
patoġèniku aġġ., pathogenic.
patoloġija n.f., pl. -i, (med.) pathology.
patolòġiku n.m., pl. -i, pathological.
patòlogu n.m., pl. -i, pathologist.
patri n.m., pl. -jiet, monk, frair.
patrija n.f., pl. -i, native country.
patrijarka n.m., pl. -i, patriarch.
patrijarkali aġġ., patriarchal. ***dehra ~;*** patriarchal look. ***knisja ~;*** patriarchal church.
patrijarkat n.m., pl. -i, patriarchism.
patrijott n.m., pl. -i, patriot.
patrijottiku aġġ., patriotic.
patrijottiżmu n.m., pl. -i, patriotism.
patrimonjali aġġ., (leg.) patrimonial.
patrimonju n.m., pl. -i, patrimony.
patrìstiku aġġ., (ekkl.) patristic.
patroċinju n.m., pl. -i, patronage.
patroloġija n.f., pl. -i, (ekkl.) patristics, patristic studies.
patronìmiku aġġ. u n.m., f. -a, pl. -i, patronymic.
patrun n.m., f. -a, pl. -i, patron, master, owner. ***qaddis ~;*** patron saint.
patrunanza n.f., pl. -i, mastery, command.
patrunat n.m., pl. -i, (leg.) patronage.
patt n.m., pl. -i, pact, agreement, condition.
patta v.t., ***jpatti;*** to be quits, to atone for, to be avenged. ***para ~;*** tit for tat.
patta n.f., pl. -i, (mar.) fluke.
pattulja n.f., pl. -i, (mil.) patrol.
pavaljun n.m., pl. -i, valance flaps, (mar.) rigging.
pavana n.f., pl. -i, (muż.) pavana.
paviment n.m., pl. -i, pavement.
pavru n.m., pl. -i, lapel.
pavunazz aġġ., peacock blue, purple.
pawsa n.f., pl. -i, pause.
paxà n.m., pl. -jiet, pasha.
paxxa v.Sq., ***jpaxxi;*** to delight, to content, to please, to satisfy.
paxxut aġġ., delighted, pleased, contented.
pazjent n.m., f. -a, pl. -i, patient.
peċlaq v.kwad., ***jpeċlaq;*** to talk indiscreetly.
peċpeċ v.kwad., ***jpeċpeċ;*** to blink, to half-shut the eyes, to spin uneven.
pedaġġ n.m., pl. -i, gratuity, remuneration.
pedagoġija n.f., pl. -i, pedagogy.
pedagòġiku aġġ., pedagogic(al).
pedagoġist n.m., f. -a, pl. -i, pedagogist.
pedàgogu n.m., pl. -i, pedagogue.
pedala n.f., pl. -i, pedal, foot lever. ***~ ta' l-orgni;*** foot-key. ***makna bil-~;*** treadle machine.
pedament n.m., pl. -i, foundations, base.
pedana n.f., pl. -i, footrest, footboard, platform.
pedanterija n.f., pl. -i, pedantry.

pedanti aġġ., pedant.
pedantiku aġġ., pedantic.
pedata n.f., pl. -i, footprint.
pederasta n.f., pl. -i, pederast, sodomite.
pederasterija n.f., pl. -i, (leg.) sodomy, homosexuality.
pedidalwett n.m., pl. -i, (bot.) larkspur.
pedikjur n.m., bla pl., pedicure, chiropodist.
pediluvju n.m., pl. -i, (med.) pediluvium, foot-bath.
pedina n.f., pl. -i, pawn, man.
pedinat aġġ. u p.p., followed.
pedistall n.m., pl. -i, pedestal.
pedjatra n.m., pl. -i, paediatrician.
pedjatrija n.f., pl. -i, (med.) paediatrics, pediatry.
pedòmetru n.m., pl. -i, pedometer.
peduna n.f., pl., sock.
peġġorament n.m., pl. -i, worsening, aggravation.
peġġorattiv aġġ., pejorative.
pejjep v.II, *jpejjep;* to smoke.
pejjeż v.II, *jpejjeż;* to peep.
pejjiep n.m., f. -a, pl. -a, smoker.
pejperbakk n.m., pl. -s, paper-back.
pekulat n.m., pl. -i, (leg.) peculation.
pekuljari aġġ., peculiar.
pekuljarità n.f., pl. -jiet, peculiarity.
pekuljarment avv., peculiarly.
pellegrin n.m., f. -a, pl. -i, pilgrim.
pellegrina n.f., pl. -i, pelegrine.
pellegrinaġġ n.m., pl. -i, pilgrimage.
pellikan n.m., pl. -i, (ornit.) pelican.
pellikola n.f., pl. -i, pellicle, membrane, film.
peluż aġġ., hairy.
pelvi n.f., bla pl., (anat.) pelvis.
penali aġġ., (leg.) penal. ***kawża ~;*** criminal suit. ***liġi ~;*** penal law, criminal law.
penalità n.f., pl. -jiet, penalty.
pènalti n.f., pl. -s, (logħ.) penalty.
pendent n.m., pl. -i, pendent.
pendenti aġġ., pending.
pendenza n.f., pl. -i, (leg.) pendency.
pendil n.m., pl. -i, slope slant.
pendlu n.m., pl. -i, pendulum.
pendulin n.m., pl. -i, (ornit.) penduline.
penetrabbli aġġ., penetrable.
penetranti aġġ. u p.preż., penetrating.
penetrat aġġ. u p.p., penetrated.
penetrattiv aġġ., penetrating.
penetrazzjoni n.f., pl. -jiet, penetration.
penisilin n.m., bla pl., (med.) penecillin.
penìt n.m., pl., barley sugar.
penitent n.m., f. -a, pl. -i, penitent.
penitenza n.f., pl. -i, penance.
penitenzerija n.f., pl. -i, (ekkl.) penitentiary.
penitenzier n.m., pl. -i, (ekkl.) penitentiary.
penìżola n.f., pl. -i, (ġeog.) peninsula.
peniżolari aġġ., (ġeog.) peninsular.
pennina n.f., pl., nib.
pensier n.m., pl. -i, (bot.) pansy.
pensjonabbli aġġ., pensionable.
pensjonant n.m., f. -a, pl. -i, pensioner.
pensjonat aġġ. u p.p., pensioned.
pensjoni n.f., pl. -jiet, pension. ***~ tax-xjuħ;*** old age pension.
pentagonali aġġ., pentagonal.
pentagonu n.m., pl. -i, pentagon.
pentàkolu n.m., pl. -i, pentacle, pentagram.
pentàmetru n.m., pl. -i, (lett.) pentameter.
pentatewku n.m., bla pl., (ekkl.) pentateuch.
Pentekoste n.m., pl. -jiet, (ekkl.) Pentecost, Whitsunday.
pentiment n.m., pl. -i, repentance.
penuż aġġ., painful.
penz n.m., pl. -jiet, (mil.) chevron.
peperment n.m., pl. -s, peppermint.
peprin n.m.koll., (bot.) poppy.
pepsina n.f., bla pl., (kim.) pepsin.
perċimes n.m., bla pl., ring leader.
perenni aġġ., (fil.) perennial, everlasting.
perentorju n.m., pl. -i, (leg.) peremptory.
peress avv., as, since, on account of.
pereżempju avv., for instance.
perfett aġġ., perfect.
perfettament avv., perfectly.
perfettibbli aġġ., perfectible.
perfezzjonament n.m., pl. -i, perfecting, improvement.
perfezzjonat aġġ. u p.p., perfected, improved.
perfezzjoni n.f., pl. -jiet, perfection.
perfidja n.f., pl. -i, perfidiousness, perfidy, wickedness.
pèrfidu aġġ., perfidious, wicked.
perforat aġġ. u p.p., perforated.
perforatur n.m., pl. -i, perforator, piercer, borer.
perforazzjoni n.f., pl. -jiet, perforation.
pergamena n.f., pl. -i, parchment.
pergla n.f., pl. -i, pergola, arbour.
perglu n.m., pl. -i, pulpit.
pergolat n.m., pl. -i, trellis.
periànt n.m., pl. -i, (bot.) perianth.
periferija n.f., pl. -i, perifery.
perifèriku aġġ., peripheric, peripherical.
perìfrasi n.f., pl. -jiet, (lett.) periphrasis.
periġew n.m., pl. -ej, (astro.) perigee.

periħelju n.m., pl. -i, (astro.) perihelion.
perijant n.m., pl. -i, (bot.) perianth.
per(i)jodu n.m., pl. -i, period.
perikardju n.m., pl. -i, (anat.) pericardium.
perikarpju n.m., pl. -i, (bot.) pericarp.
periklu n.m., pl. -i, danger, peril, hazard.
perikoluż aġġ., dangerous, perilous. (logħ.) ***logħob ~;*** perilous game.
perìmetru n.m., pl. -i, perimeter.
perinew n.m., pl. -ej, (anat.) perineum.
periskopju n.m., pl. -i, periscope.
peristilju n.m., pl. -i, (ark.) peristyle.
perit n.m., pl. -i, architect, expert.
peritonew n.m., pl. -ej, (anat.) peritoneum.
peritonite n.f., pl. -jiet, (med.) peritonitis.
perizja n.f., pl. -i, (leg.) appraisement.
perjodikament avv., periodically.
perjodiku aġġ., periodic, periodical.
perkaċċi n.m.pl., tips.
perkażu avv., for instance.
perklorat n.m., pl. -i, (kim.) perchlorate.
perkussjoni n.f., pl. -ijiet, percussion.
perkwiżizzjoni n.f., pl. -jiet, (leg.) perquisiton, search.
perla n.f., pl. -i, pearl.
perlina n.f., pl. -i, sugar almond, comfit.
permanenti aġġ., permanent.
permanenza n.f., pl. -i, permanence.
permanganat n.f., pl. -i, (kim.) permanganate.
permeabbli aġġ., permeable.
permess n.m., pl. -i, permit, permission, licence.
permezz avv., through, by means of.
permissibbli aġġ., permissable.
permissjoni n.f., pl. -jiet, permission.
pèrmuta n.f., pl. -i, (leg.) permutation, change.
permutazzjoni n.f., pl. -jiet, change, transposition.
pern n.m., pl. -ijiet, pivot, hinge, axis.
perniċi n.f., pl. -jiet, (ornit.) patridge.
perniċotta n.f., pl. -i, (ornit.) common pratincole.
però konġ., but, however, nevertheless.
pernosopra n.f., bla pl., (bot.) pernosopra.
perorazzjoni n.f., pl. -jiet, peroration.
peròssidu n.m., bla pl., (kim.) peroxide.
perpendikulari aġġ., perpendicular.
perper v.kwad., *jperper;* to flaut, to wave, to fly. ***il-bandiera Maltija kienet qiegħda tperper fuq il-bejt;*** the Maltese flag was flying on the roof.
perpetwament avv., perpetually.
perpetwu aġġ., perpetual.
perpless aġġ., perplexed.
perplessità n.f., pl. -jiet, perplexity.
perpura n.f., pl. -i, ***prieper;*** scarecrow.
perreċ v.II, *jperreċ;* to weather, to display, to disclose.
persegwitat aġġ. u p.p., persecuted.
persekutur n.m., f. -a, pl. -i, persecutor.
persekuzzjoni n.f., pl. -jiet, persecution.
persentaġġ n.m., pl. -i, percentage.
perseveranti aġġ., persevering.
perseveranza n.f., pl. -i, perseverance.
persistenti aġġ., persistent.
persistenza n.f., pl. -i, persistence.
persjana n.f., pl. -i, persienne, window-shutter, window-blind.
personaġġ n.m., pl. -i, personage.
personal n.m., bla pl., staff.
personali aġġ., personal.
personalità n.f., pl. -jiet, personality.
personalment avv., personally.
personifikat aġġ. u p.p., personified.
personifikazzjoni n.f., pl. -jiet, personification.
perspikaċi aġġ., perspicacious.
persuna n.f., pl. -i, person.
persunaġġ ara **personaġġ**.
persważ aġġ. u p.p., persuaded.
persważiv aġġ., persuasive.
persważiva n.f., pl. -i, persuasiveness.
persważjoni n.f., pl. -jiet, persuasion.
pervdu aġġ., perfidious.
perżut n.m., pl. ***prieżet;*** ham.
pesatur n.m., pl. -i, wiegher.
peskerija ara **pixkerija**.
pespes v.kwad., ***jpespes;*** to pip, to peep, to twitter.
pespus aġġ., delicate, thin, slender.
pespus n.m., pl. ***psiepes;*** (ornit.) meadow lark. ~ ***aħmar;*** red-throated pipit. ~ ***tal-baħar;*** wood sandpiper.
pessimist n.m., f. -a, pl. -i, pessimist.
pessimiżmu n.m., pl. -i, pessimism.
pessmu aġġ., very bad.
pest n.m., pl. -jiet, pest.
pesta n.f., pl. -i, plague, pest.
pestilenza n.f., pl. -i, pestilence.
pètala n.f., pl. -i, (bot.) petal.
petìtu aġġ., fribble, foppish.
petizzjoni n.f., pl. -jiet, petition.
petpet v.kwad., ***jpetpet;*** to blink, to twinkle. ***toqgħodx tpetpet għajnejk;*** don't blink your eyes.
petrarkjan aġġ., petrarchian.
petriċa n.f., pl. -i, (itt.) angler fish.
petrifikat aġġ. u p.p., petrified.
petrifikazzjoni n.f., pl. -jiet, petrification.
petrol n.m., bla pl., petrol.
pett n.m., pl. -ijiet, sole.

pettnatur n.m., f. -a, pl. -i, hairdresser, hair stylist.
pettnatura n.f., pl. -i, hair combing.
pettne n.m., pl. -ijiet, comb.
pettoral n.m., pl. -i, (ekkl.) pectoral.
petulanti aġġ., petulant.
petunja n.f., pl. -i, (bot.) petunia.
pexpex v.kwad., ***jpexpex;*** to piss, to urinate.
pexxun n.m., pl. ***pxiexen;*** calf.
pezza n.f., pl. ***pezez;*** piece of cloth.
piċċitadu n.m., pl. -i, (logħ.) teetotum.
pidalwett n.m.koll., (bot.) larkspur.
pied n.m., pl. -i, foot-ruler.
pieg n.m., pl. -i, pleat, crease, fold.
piena n.f., pl. -i, ***pwieni;*** grief, suffering, punishment, penalty. ***~ tal-mewt;*** capital punishment.
piġama n.f., pl. -i, pyjamas.
pigment n.m., pl. -i, pigment.
pigmew n.m., pl. -ej, pygmy, dwarf.
pijemija n.f., pl. -i, (med.) py(a)emia.
pijorrea n.f., bla pl., (med.) pyorrhoea.
pijunier n.m., pl. -i, pioneer.
pik n.m., pl. -i, (mar.) peak.
pika n.f., pl. -i, emulation, pique. ***daħal fil-~;*** prompted by emulation.
pikador n.m., pl. -i, bull-fighter, picador.
pikapp n.m., pl. -ijiet, pick-up.
pikè n.m., bla pl., pique.
piket n.m., pl. -ijiet, (logħ.) pique.
pikkant aġġ., piquant.
pikles n.m.pl., pickles. ***basal tal-~;*** pickled onions.
piknik n.f., pl. -s, picnic.
pikuż aġġ., stubborn, testy.
pil n.m.koll., hair.
pilandra ara **piramda**.
pilastru n.m., pl. -i, (ark.) pillar, pier.
pìllola n.f., pl. -i, pill.
piloru n.m., pl. -i, (anat.) pylorus.
pilota n.m., pl. -i, pilot.
pilotaġġ n.m., pl. -i, pilotage.
piluż aġġ., hairy, pilose, pilous.
piment n.m., pl. -i, pimento.
pimpinella n.f., pl. -i, (bot.) pimpernel.
pin n.m., pl. -jiet, (bot.) pine.
pinġa v.t., ***jpinġi;*** to paint.
pinġut aġġ. u p.p., painted, depicted.
pingpong n.m., bla pl., (logħ.) ping-pong.
pingwin n.m., pl. -i, (ornit.) penguin.
pinna n.f., pl. -en, pen.
pinnaċċ n.m., pl. -i, plume.
pinnur n.m., pl. -i, ***pniener;*** weathercock, pennon, vane, streamer.
pinta n.f., pl. ***pinet;*** pint.
pinzell n.m., pl. ***pniezel;*** paint brush.
pinzetta n.f., pl. -i, tweezer, pincers.
pipa n.f., pl. -i, pipe.
pipì n.f., bla pl., urine.
pipistrell n.m., pl. -i, (żool.) pippistrel(le).
piramida n.f., pl. -i, pyramid.
pirata n.m., pl. -i, pirate.
piraterija n.f., pl. -i, piracy.
pirċissjoni ara **proċessjoni**.
pîrjid n.m., pl. -s, period, menstruation.
pirjol n.m., pl. -i, prior.
pirjorat n.m., pl. -i, priory.
pirjorat aġġ., priorship.
pirkaċċi n.m.pl., tips.
pispisell n.m., pl. -i, (ornit.) sanderling.
pissidi n.m., pl. -jiet, (ekkl.) pyx, ciborium.
pistaċċa n.f., pl. -i, (bot.) pistacchio.
pistill n.m., pl. -i, (bot.) pistil.
pistola n.f., pl. -i, pistol.
pistun n.m., pl. -i, (muż.) piston.
pitarra n.f., pl. -i, (ornit.) little bustard.
pitarrun n.m., pl. -i, (ornit.) great bustard.
pitazz n.m., pl. -i, copybook, exercise-book.
pitgħada avv., the day after tomorrow.
pitirross n.m., pl. -i, (ornit.) robin, continental redbreast.
pitrava n.f., pl. -i, (bot.) beet, beet-root.
pitrolju n.m., pl. -i, petroleum, kerosene.
pitter v.II, ***jpitter;*** to paint.
pittma n.f., pl. -i, bore, (bot.) dodder.
pittur n.m., f. ***pittriċi,*** pl. -i, painter.
pittura n.f., pl. -i, painting, picture.
pitturesk aġġ., picturesque.
pivjal n.m., pl. -i, (ekkl.) cope, pluvial.
pixka v.Sq., ***jpixka;*** to float.
pixkerija n.f., pl. -i, fish market.
pixkiera n.f., pl. -i, fish-pond, fish-pool.
pixxa v.Sq., ***jpixxi;*** to piss, to urinate.
pixxa n.f., bla pl., piss, urine.
pixxatur n.m., pl. -i, urinal.
pixxiàjkla n.f., pl. -i, (itt.) eagle ray.
pixxibandiera n.f., pl. -i, (itt.) scabbard fish.
pixxigatt n.f., pl. -i, (itt.) cat-fish.
pixxikornuta n.f., pl. -i, (itt.) sea-rocket.
pixxiluna n.f., pl. -i, (itt.) ray's bream.
pixxina n.f., pl. -i, piscine, swimming pool.
pixxiplamtu n.f., pl. -i, (itt.) porbeagle shark.
pixxiporku n.f., pl. -i, (itt.) angular rough shark.
pixxispat n.f., pl. -i, (itt.) sword-fish.
pixxitondu n.f., pl. -i, (itt.) mackerel shark.
pixxitrumbetta n.f., pl. -i, (itt.) snipe-fish.
pixxivolpi n.f., bla pl., (itt.) thresher shark.

pizza n.f., pl. ***pizez;*** pizza.
pizzikat n.m., pl. -i, (muż.) pissicato.
piż n.m., pl. -ijiet, weight. **~ *nett;*** net weight. **~ *speċifiku;*** specific gravity.
piżanti aġġ., heavy, weighty.
piżatur n.m., pl. -i, weigher.
piżella n.f., pl. -i, (bot.) pea.
pjaċevoli aġġ., pleasant.
pjaċir n.m., pl. -i, pleasure, delight, joy, favour, kindness. ***għandi ~;*** pleased to meet you.
pjaga n.f., pl. -i, wound, sore.
pjan n.m., pl. -i, plane, level, floor, flat, storey, project, scheme, plan, idea.
pjanċa n.f., pl. -i, metal plate, sheet-iron.
pjaneta n.f., pl. -i, (astro.) planet, (ekkl.) chasuble.
pjanġenti n.f., bla pl., (bot.) weeping mallow.
pjanista n.kom., pl. -i, (muż.) pianist.
pjanta n.f., pl. -i, plant, plan.
pjanterran n.m., pl. -i, groundfloor.
pjanu n.m., pl. -ijiet, (muż.) piano, pianoforte.
pjanuforti ara **pjanu**.
pjanura n.f., pl. -i, plane.
pjastrun n.m., pl. -i, plastron.
pjazza n.f., pl. ***pjazez;*** square, pension.
pjazzant n.m., f. -a, pl. -i, pensioner.
pjazzist n.m., pl. -i, agent.
pjen aġġ., full up.
pjerott n.m., pl. -i, pierrot.
pjetà n.f., bla pl., piety.
pjetożament avv., piteously, compassionately.
pjetuż aġġ., compassionate, merciful, piteous.
pjeżòmetru n.m., pl. -i, piezometer.
pjieg ara **pieg**.
pjombaġni n.f., pl. -jiet, plumbago, blacklead.
pjoti n.m.pl., sod, turf.
pjuma n.f., pl. -i, plume.
pjuttost avv., rather.
plaċenta n.f., pl. -i, (anat.) placenta.
plàċtu aġġ., placid.
plaġjarju n.m., pl. -i, plagiarist.
plaġju n.m., pl. -i, plagiarism, plagiary.
plagg n.m., pl. -ijiet, (eletr.) plug.
plajja n.f., pl. -iet, littoral, coast, seashore, shore.
plakat aġġ., appeased.
plakka n.f., pl. -i, plate, plaque.
plàmer n.m., pl. -s, plumber.
plamtu n.m., pl. -i, (itt.) Atlantic bonito.
plančier n.m., pl. -i, bandstand.
planetarju n.m., pl. -i, (astro.) planetarium.
planetarju aġġ., planetary.
planimetrija n.f., pl. -i, planimetry.
planka n.f., pl. ***planek;*** plank.
plastiċità n.f., plasticity.
plastik n.m., bla pl., plastic.
plastikament avv., plastically.
plastikserġeri n.m., pl. -s, (med.) plastic surgery.
plàstiku aġġ., plastic.
platèa n.f., bla pl., (teatr.) pit.
plàtinu n.m., bla pl., (min.) platinum.
platòniku aġġ., platonic.
platt n.m., pl. -i, plate, dish. **~ *fond;*** soup plate. **~ *tad-diżerta;*** dessert plate. **~ *tal-fajjenza;*** platter.
platti n.m.pl., (muż.) cymbal(s).
plattina n.f., pl. -i, saucer.
plattun n.m., pl. -i, large dish.
platun n.m., pl. -i, platoon.
plaxx n.m., bla pl., plush.
plażma n.f., pl. -i, (bot.) plasma.
plebixxit n.m., pl. -i, plebiscite.
pleġġ n.m., pl. -ijiet, surety, bail, pledge, guarantee, bondsman.
plej n.m., pl. -s, (teatr.) play.
plejer n.m., pl. -s, player.
plejju n.m.koll., (bot.) pennyroyal.
plejn aġġ., plain.
plejtu n.m., bla pl., fuss.
plenarju aġġ., plenary.
plenipotenzjarju aġġ., plenipotentiary.
pleonàstiku aġġ., pleonastic.
pleonażmu n.m., pl. -i, (gram.) pleonasm.
plettru n.m., pl. -i, (muż.) plectrum.
plewra n.f., pl. -i, (anat.) pleura.
plewrite n.f., pl. -jiet, (anat.) pleurisy.
plier n.m., pl. -i, pillar, pilaster, obelisk.
plott n.m., pl. -s, plot (of a story), plot (for building).
plural n.m., pl. -i, (gram.) plural.
pluralità n.f., pl. -jiet, plurality.
pluraliżmu n.m., pl. -i, pluralism.
plutokrazija n.f., pl. -i, plutocracy.
pluviera n.f., pl. -i, (ornit.) golden plover. **~ *pastarda;*** grey plover. **~ *żgħira;*** asiatic golden plover.
pluvirott n.m., pl. -i, (ornit.) redshank. **~ *ta' denbu;*** bartran's plover.
pluvjòmetru n.m., pl. -i, pluviometer, rain-gauge.
pnewmàtiku aġġ., pneumatic.
pnewmatoloġija n.f., pl. -i, pneumatology.
pnewmotoraċi n.f., bla pl., (med.) pneumothorax.
podju n.m., pl. -i, (muż.) podium, conductor's platform.
poema n.f., pl. -i, (lett.) poem.

poeta n.f., f. -essa, pl. -i, poet. ~ ***tal-ħabba;*** poetaster.
poetastru n.m., f. -a, pl. -i, poetaster.
poetika n.f., bla pl., poetics.
poetikament avv., poetically.
poetiku aġġ., poetic(al).
poetizzat aġġ. u p.p., poetized.
poetizzazzjoni n.f., pl. -jiet, poeticising.
poeżija n.f., pl. -i, poem, poetry.
poġġa v.t., ***jpoġġi;*** to sit down, to put, to place.
poġġaman n.m., pl. -i, handrail.
poġġut aġġ. u p.p., located.
pòkit n.m., pl. -s, (logħ.) pocket.
pol n.m., pl. -i, (astro.) pole.
polari aġġ., polar. ***stilla ~;*** North star.
polarità n.f., pl. -jiet, polarity.
polèmika n.f., pl. -i, polemics.
polèmiku aġġ., polemic.
polifonija n.f., pl. -i, (muż.) polyphony.
polifòniku aġġ., (muż.) polyphonic.
poligamija n.f., pl. -i, polygamy.
polìgamu n.m., f. -a, pl. -i, polygamist.
polìgamu aġġ., polygamous.
poliglotta n.f., pl. -i, polyglot.
polìgonu n.m., pl. -i, polygon.
poliklinika n.f., pl. -i, polyclinic.
polikromija n.f., pl. -i, polychromy.
polikromu aġġ., polychrome, polychromous.
polinomju n.m., pl. -i, polynomial.
pòlipu n.m., pl. -i, polypus, (żool.) polyp.
polisillabu n.m., pl. -i, (gram.) polysyllable.
polisìndetu n.m., pl. -i, (lett.) polysyndeton.
politèkniku n.m., f. -a, pl. -i, polytechnic school, polytechnic institute.
politèkniku aġġ., polytechnic.
polìtika n.f., bla pl., politics.
politikament avv., politically.
politikant n.m., f. -a, pl. -i, politician, dabbler in politics.
polìtiku n.m., pl. -i, politician.
polìtiku aġġ., political.
poljo n.f., bla pl., (med.) poliomyelitis, polio.
poljomijelite ara **poljo**.
polka n.f., pl. -i, watch chain, (muż.) polka.
polpa n.f., pl. -i, pulp, flesh.
polvri ara **porvri**.
polz n.m., pl. -i, pulse, wrist.
polza n.f., pl. -i, ***poloz;*** policy. ~ ***ta' l-assikurazzjoni;*** insurance policy. ~ ***tad-dwana;*** bill of landing.
pomata n.f., pl. -i, pomade, pomatum.
pomp n.m., pl. -ijiet, water tap.
pompa n.f., pl. -i, pump, pomp. ~ ***tal-petrol;*** petrol station.
pompier n.m., pl. -i, fireman.
pompożità n.f., bla pl., pomposity.
pompuż aġġ., pompous.
ponċ n.m., pl. -ijiet, punch.
pòni n.m., pl. -jiet, (żool.) pony.
ponn n.m., pl. -jiet, fist, punch.
pont n.m., pl. -ijiet, (ark.) bridge.
pont n.m., pl. -i, point, full stop, stitch.
ponta n.f., pl. ***ponot;*** point, pimple, pustle. ***fuq il-~ ta' lsienu;*** on the tip of the tongue. ***il-~ ta' mnieħru;*** the tip of the nose. ***bil-~ tas-sejf;*** with the sword point. ***kappell bi tliet ponot;*** three-cornered hat.
ponta aġġ., little, somewhat.
pontifikal n.m., pl. -i, (ekkl.) pontifical.
pontifikali aġġ., (ekkl.) pontifical.
pontifikat n.m., pl. -i, (ekkl.) pontificate.
pontun n.m., pl. -i, (mar.) pontoon.
pòplin n.m., bla pl., poplin.
poplu n.m., pl. -i, people.
popolament n.m., pl. -i, peopling.
popolari aġġ., popular.
popolarità n.f., bla pl., popularity.
popolarizzazzjoni n.f., pl. -jiet, popularization.
popolarment avv., popularly.
popolat ara **ippopolat**.
popolazzjoni n.f., pl. -ijiet, population.
popolìn n.m., bla pl., common people.
popoluż aġġ., populous.
poppa n.f., pl. -i, (mar.) stern, poop. ***riħ impoppa;*** everything is going well.
poppier ara **puppier**.
por n.m., pl. -i, (anat.) pore.
porċellana n.f., pl. -i, porcelain.
porfir n.m., pl. -i, purple cloth, (min.) porphyry.
porga n.f., pl. ***porog;*** (med.) purge.
porkerija n.f., pl. -i, dirt, filth, obscenity.
porku n.m., bla pl., (żool.) pork, pig.
porkuspin n.m., pl. -i, (żool.) hedgehog, porcupine.
pornografija n.f., pl. -i, pornography.
pornogràfiku aġġ., pornographic.
porożità n.f., pl. -jiet, (fiż.) porosity.
porporat n.m., pl. -i, cardinal.
porporina n.f., pl. -i, (kim.) purpurin.
porpra n.f., pl. -i, purple robe.
port n.m., pl. -ijiet, (mar.) harbour, port, haven. ~ ***frank;*** free port. ~ ***tal-mistrieħ;*** haven of rest. ***fanal tal-~;*** lighthouse. ***ħlas tal-~;*** harbour duty. ***kaptan tal-~;*** harbour master.

portabbli aġġ., portable.
portafoll n.m., pl. -i, portfolio.
portatur n.m., f. -a, pl. -i, bearer, messenger.
portatura n.f., pl. -i, portage.
portavuċi n.f., pl. -jiet, megaphone. *il-~;* spokesman, mouthpiece.
pòrtiku n.m., pl. -ċi, (ark.) portico, porch, colonnade.
portmoni n.m., pl. -jiet, purse.
portulan n.m., pl. -i, (mar.) sailing directions.
portwajn n.m., bla pl., port.
poruż aġġ., porous.
porvli n.m., bla pl., gunpowder, vulcan powder.
porvlina n.f., pl. -i, (bot.) yellow vetchling.
porvlista n.f., pl. -i, (mil.) powder magazine.
porzjon n.m., pl. -ijiet, portion, part, share.
posponiment n.m., pl. -i, (leg.) postponement.
pospost aġġ. u p.p., (leg. u parl.) postponed.
possediment n.m., pl. -i, possession.
possedut aġġ. u p.p., possessed.
possess ara **pussess**.
possessiv aġġ., possessive.
possessur n.m., f. -a, pl. -i, possessor.
possibbilment avv., possibly.
possibbiltà n.f., pl. -jiet, possibility.
possibbli aġġ., possible.
possident n.m., f. -a, pl. -i, land-owner, proprietor, owner.
post n.m., pl. -ijiet, place, room, site, job, employment, vacancy.
posta n.f., pl. -i, booth, post office, mail.
postaġġ n.m., pl. -i, postage.
postali aġġ., postal. *kartolina ~;* postcard. *uffiċċju ~;* post office.
postiema n.f., pl. -i, (med.) aposteme, abscess.
postiljun n.m., pl. -i, postilion.
postilla n.f., pl. -i, marginal note, (leg.) postil.
postludju n.m., pl. -i, (muż.) postlude.
postmaster n.m., pl. -s, postmaster.
postulant n.m., f. -a, pl. -i, (ekkl.) postulant.
postulantat n.f., pl. -i, (ekkl.) postulancy.
postulat n.m., pl. -i, (fil.) postulate.
postulatur n.m., pl. -i, (ekkl.) postulator.
postulazzjoni n.f., pl. -jiet, (ekkl.) postulation.
pòstumu n.m., f. -a, pl. -i, posthumous.
potassa n.f., bla pl., (kim.) potash.
potassju n.m., pl. -i, (min.) potassium.
potenti aġġ., powerful, mighty.
potenza n.f., pl. -i, power, might.
poter n.m., pl. -i, power, authority.
potestà n.f., bla pl., power, authority.
povertà n.f., pl. -jiet, poverty.
povru aġġ., poor.
povru n.m., f. -a, pl. -i, poor man, beggar, pauper, mendicant.
powster n.m., pl. -s, poster.
poża n.f., pl. -i, pose, posture.
pożapjanu n.m., pl. -i, slowcoach.
pożata ara **pużata**.
pożittiv aġġ., positive.
pożittivament avv., positively.
pożizzjoni n.f., pl. -jiet, position.
praċett n.m., pl. -i, precept, First Holy Communion.
praktis n.m., bla pl., practice.
pramm n.f., pl. -ijiet, pram.
prammàtika n.f., pl. -i, custom.
pranzu n.m., pl. -ijiet, lunch, dinner, banquet.
prasepju n.m., pl. -i, Christmas crib.
praspura n.f., pl. -i, lark.
prassi n.f., bla pl., praxis, practice.
pratka n.f., pl. -i, (mar.) pratique.
pràttika n.f., bla pl., practice.
prattikabbli aġġ. u p.preż., practicable.
prattikant n.m., pl. -i, apprentice.
prattikat aġġ. u p.p., practised.
pràttiku aġġ., practical, experienced.
preàmbolu n.m., pl. -i, preamble, preface.
prebenda n.f., pl. -i, (ekkl.) prebend.
prebendarju n.m., pl. -i, (ekkl.) prebendary.
preċedent n.m., pl. -i, precedent.
preċedenza n.f., pl. -i, precedence.
preċett ara **praċett**.
preċettur n.m., f. -a, pl. -i, preceptor, teacher.
preċipitat n.m., pl. -i, precipitate.
preċipitazzjoni n.f., pl. -jiet, precipitancy, precipitation.
preċipizzju n.m., pl. -i, precipice.
preċiż aġġ., precise, exact, punctual.
preċiżament avv., precisely, exactly.
preċiżjoni n.f., pl. -jiet, precision, exactness.
predeċessur n.m., pl. -i, predecessor.
predestinat aġġ., predestinated.
predestinazzjoni n.f., pl. -jiet, predestination.
predikatur n.m., pl. -i, preacher.
predikazzjoni n.f., pl. -jiet, preaching, predication.

predominanti aġġ., predominant.
predominju n.m., pl. -i, predominance, supremacy.
prefazju n.m., pl. -i, (ekkl.) preface.
prefazzjoni n.f., pl. -jiet, preface.
preferenza n.f., pl. -i, preference.
preferibbli aġġ., preferable.
preferut aġġ. u p.p., preferred, favourite.
prefett n.m., pl. -i, prefect.
prefettura n.f., pl. -i, prefecture.
prefiss n.m., pl. -i, (gram.) prefix.
preġju n.m., pl. -i, value, esteem.
preġudikat aġġ. u p.p., (leg.) prejudicated.
preġudizzjali aġġ., (leg.) prejudicial.
preġudizzju n.m., pl. -i, (leg.) prejudice.
pregjiera n.f., pl. -i, (ekkl.) prayer.
preìstoriku aġġ., prehistorical.
preìstorja n.f., bla pl., prehistory.
prekarju aġġ., precarious.
prekawzjoni n.f., pl. -jiet, precaution.
prekoċi aġġ., precocious.
prekursur n.m., pl. -i, (ekkl.) precursor.
prelat n.m., pl. -i, (ekkl.) prelate.
prelatura n.f., pl. -i, (ekkl.) prelature.
prelazzjoni n.f., pl. -jiet, (leg.) pre-emption.
preliminari aġġ., preliminary.
preludju n.m., pl. -i, (muż.) prelude.
prematur aġġ., premature.
premeditat aġġ., premeditated.
premeditazzjoni n.f., pl. -jiet, premeditation, (leg.) wilful.
premessa n.f., pl. -i, (fil.) premise.
premjazzjoni n.f., pl. -jiet, prize distribution.
premju n.m., pl. -jiet, prize, reward, premium.
premura n.f., pl. -i, urgency, solicitude, eagerness.
prenotazzjoni n.f., pl. -jiet, booking.
preokkupat aġġ., preoccupied.
preokkupazzjoni n.f., pl. -jiet, preoccupation.
preparament n.m., pl. -i, preparation.
preparat aġġ. u p.p., prepared.
preparatorju n.m., pl. -i, preparatory.
preparazzjoni n.f., pl. -jiet, preparation.
prepostu ara **propostu**.
prepotenti aġġ., overbearing (fellow), insolent, oppressive, arrogant.
prepotenza n.f., pl. -i, prepotency, insolence.
prerogativa n.f., pl. -i, prerogative.
presaġju n.m., pl. -i, presage, omen.
prebìte aġġ., (med.) long-sighted, presbyopic.
presbiterat n.m., pl. -i, (ekkl.) priesthood, presbiterate.
presbiterju n.m., pl. -i, (ekkl.) presbitery.
presbìteru n.m., pl. -i, (ekkl.) presbyter, priest.
presentiment n.m., pl. -i, presentiment.
presepju n.m., pl. -i, crib.
preservat aġġ. u p.p., preserved.
preservattiv aġġ., preservative.
preservazzjoni n.f., pl. -jiet, preservation.
president n.m., pl. -i, president, chairman.
presidenza n.f., pl. -i, presidency.
presidenzjali aġġ., presidential.
preskrizzjoni n.f., pl. -jiet, (leg.) prescription.
pressa n.f., pl. ***preses;*** press, pressure.
pressappoku avv., approximately, about, nearly so.
pressjoni n.f., pl. -jiet, pressure. ***~ baxxa;*** low blood pressure. ***~ għolja;*** high blood pressure.
prestazzjoni n.f., pl. -jiet, (leg.) services.
prestiġjatur n.m., pl. -i, prestidigitator, juggler, conjurer.
prestiġju n.m., pl. -i, prestige.
pretendent n.m., pl. -i, pretender. ***~ għat-tron;*** pretender to the throne.
pretensjoni n.f., pl. -jiet, pretention.
pretenzjuż aġġ., pretentious.
preterintenzjonali aġġ., unintentional.
pretèritu n.m., pl. -i, (gram.) preterite.
pretest n.m., pl. -i, (leg.) pretext, pretence, excuse.
pretur n.m., pl. -i, praetor.
prevedut aġġ. u p.p., foreseen.
previżjoni n.f., pl. -jiet, prevision.
prexxa n.f., bla pl., haste, (mil.) breach. ***~ tan-nies;*** throng, crowd.
prezz n.m., pl. -ijiet, price, value.
prezzatur n.m., f. -a, pl. -i, valuer, appraiser.
prezzatura n.f., pl. -i, appraisal, valuation, estimation.
prezzjuż aġġ., precious.
preżent n.m., bla pl., present.
preżentabbli aġġ., presentable.
preżentat aġġ. u p.p., presented.
preżentatur n.m., f. -a, -triċi, pl. -i, presenter, introducer, (teatr.) compère.
preżentazzjoni n.f., pl. -jiet, presentation, introduction, (teatr.) performance.
preżentement avv., at present, now.
preżenti aġġ., present.
preżenza n.f., pl. -i, presence.
priedka n.f., pl. -i, sermon, talk.
priġunerija n.f., pl. -i, imprisonment.
priġunier n.m., f. -a, pl. -i, prisoner.

prijur ara **pirjol**.
prim aġġ., first, of the highest quality.
prim n.m., pl. ***prejjem;*** (mar.) keel.
primarju aġġ., primary. ***skola primarja;*** primary school.
primat n.m., pl. -i, primate.
primavera n.f., pl. -i, (ornit.) blue tit.
primìpara n.f., pl. -i, (med.) primipara.
primittiv aġġ., primitive.
primizzal n.m., pl. -i, keelson, kelson.
primoġènitu aġġ. u n.m., f. -a, pl. -i, first born.
primoġenitura n.f., pl. -i, (leg.) primogeniture.
prìmula n.f., pl. -i, (bot.) primrose, cowslip.
prinċep n.m., pl. ***prinċpijiet;*** prince.
prinċipal n.m., pl. -i, principal, boss.
prinċipali aġġ., principal, main.
prinċipalment aġġ., principally, mainly.
prinċipat n.m., pl. -i, princedom, principality.
prinċipesk aġġ., princely.
prinċipessa n.f., pl. -i, princess.
prinċipjant n.m., pl. -i, beginner.
prinċipju n.m., pl. -i, principle.
prinjola n.f., pl. -iet, (bot.) pine. ~ ***salvaġġa;*** pinaster. ***miżwet tal-~;*** pinecone.
printes n.m., pl. -ijiet, apprentice.
priv aġġ., deprived, devoid, destitute.
privat aġġ., private.
privatament avv., privately.
privazzjoni n.f., pl. -jiet, deprivation, privation.
priviledġ n.m., pl. -i, privilege.
priviledġat aġġ., privileged.
priża n.f., pl. -i, ***prejjeż;*** prey.
priżma n.f., pl. -i, prism.
probabbilment avv., probably.
probabbiltà n.f., pl. -jiet, probability.
probabbli aġġ., probable.
probejxin n.f., pl. -s, probation.
problema n.f., pl. -i, problem.
problemàtiku aġġ., problematic(al).
probòxxidi n.f., pl. -ijiet, (żool.) trunk (of elephants), proboscis (of insects).
proċedura n.f., pl. -i, (leg.) procedure.
proċess n.f., pl. -i, process, law suit, trial.
proċessjoni n.f., pl. -jiet, procession.
prodgu aġġ., prodigal, lavish.
prodott aġġ. u p.p., produced.
prodott n.m., pl. -i, produce, product.
produttiv aġġ., productive.
produttività n.f., pl. -jiet, productivity, productiveness.
produttur n.m., f. -a, pl. -i, producer.
produzzjoni n.f., pl. -jiet, production.
profan aġġ., profane.
profanat aġġ. u p.p., profaned.
profanatur n.m., f. -atriċi, pl. -i, profaner.
profanazzjoni n.f., pl. -jiet, profanation.
profanità n.f., pl. -jiet, profanity.
profess aġġ., professed.
professjonali aġġ., professional.
professjoni n.f., pl. -jiet, profession.
professjonist n.m., f. -a, pl. -i, professional man.
professorat n.m., pl. -i, professorship.
professur n.m., f. -essa, pl. -i, professor.
profeta n.m., f. -essa, pl. -i, prophet.
profètiku aġġ., prophetic.
profetizzat aġġ. u p.p., prophetized.
profezija n.f., pl. -i, prophecy.
profil n.m., pl. -i, profile, outline.
profilassi n.f., bla pl., (med.) prophylaxis.
profitt n.m., pl. -i, profit, gain, advantage.
profittatur n.m., f. -a, pl. -i, profiteer.
profond aġġ., deep, profound.
profondament avv., deeply, profoundly.
profondità n.f., pl. -jiet, profundity, depth, deepness.
profum n.m., pl. -i, perfume, fragrance, scent.
profumat ara **ipprofumat**.
profumerija n.f., pl. -i, perfumery, perfumery's shop.
proġett n.m., pl. -i, project.
proġettist n.m., f. -a, pl. -i, designer, projector, planner, schemer.
programm n.m., pl. -i, programme.
programmatur n.m., f. -atriċi, pl. -i, programmer.
programmazzjoni n.f., pl. -jiet, programming.
progrediment n.m., pl. -i, advance, progressing.
progress n.m., pl. -i, progress, development.
progressiv aġġ., progressive.
progressivament avv., progressively.
progressjoni n.m., pl. -jiet, progression. ~ ***aritmetika;*** arithmetical progression. ~ ***ġeometrika;*** geometrical progression.
projbit aġġ. u p.p., forbidden, prohibited.
projbizzjoni n.f., pl. -i, prohibition.
proklama n.f., pl. -i, proclamation.
proklamat aġġ. u p.p., proclaimed.
proklamazzjoni n.f., pl. -jiet, proclamation.
prokura n.f., pl. -i, (leg.) power of attorney, proxy.
prokurat aġġ. u p.p., procured, acquired.
prokuratur n.m., f. -atriċi, pl. -i, bursar, procurator, attorney.

prolass n.m., pl. -i, (med.) prolapse, prolapsus.
proletarjat n.m., pl. -i, proletariat.
proletarju aġġ., proletarian.
proliss aġġ., prolix.
prolissità n.f., pl. -jiet, prolixity.
pròlogu n.m., pl. -i, (lett.) prologue.
prolungament n.m., pl. -i, prolungation.
promessa n.f., pl. -i, promise.
promettenti aġġ., promising, hopeful.
prominenti aġġ., prominent.
prominenza n.f., pl. -i, prominence.
promissorju aġġ., (leg.) promissory.
promontorju n.m., pl. -i, (ġeog.) promontory.
promoss aġġ., promoted.
promotur n.m., pl. -i, promoter.
promozzjoni n.f., pl. -jiet, promotion.
proneputi n.m., f. -ja, pl. -jiet, grandnephew.
pronjożi n.f., pl. -jiet, (med.) prognosis.
pronom n.m., pl. -i, (gram.) pronoun.
pronominali aġġ., (gram.) pronominal.
pronostku n.m., pl. -i, prognostic.
pront aġġ., ready.
prontezza n.f., pl. -i, readiness, promptness, quickness.
pronunzja n.f., pl. -i, pronunciation.
pronunzjat aġġ. u p.p., pronounced.
propaganda n.f., pl. -i, propaganda, advertizing.
propagandist n.m., f. -a, pl. -i, propagandist.
propagazzjoni n.f., pl. -jiet, propagation.
propizju aġġ., propitious, favourable.
propjament avv., properly, really.
propjetà ara **proprjetà**.
propju ara **proprju**.
proponent n.m., pl. -i, (parl.) proposer.
proponiment n.m., pl. -i, resolution.
proporzjon n.f., pl. -ijiet, proportion.
proporzjonali aġġ., proportional.
proporzjonalment avv., proportionally.
proporzjonat aġġ., proportionate, proportioned.
propost aġġ. u p.p., proposed.
proposta n.f., pl. -i, proposal.
propostu n.m., pl. -i, propost.
proprjetà n.f., pl. -jiet, property. *~ **letterarja;*** copyright. *~ **privata;*** ownership.
preprjetarju n.m., f. -a, pl. -i, proprietor, owner.
proprju aġġ., proper. *~ **issa;*** just now.
pròroga n.f., pl. -i, prorogation, postponement, delay, respite, (parl.) adjournment.
prorogabbli aġġ., capable of deferment.
prorogat aġġ. u p.p., delayed, postponed, extended.
prosekutur n.m., pl. -i, (leg.) prosecutor, pursuer.
prosekuzzjoni n.f., pl. -jiet, (leg.) prosecution.
prosodija n.f., pl. -i, prosody.
prosopopea n.f., bla pl., prosopopea. ***għandu ~;*** to be very haughty.
prosperità n.f., bla pl., prosperity.
prospett n.m., pl. -i, prospect, view.
prospettiva n.f., pl. -i, perspective, view, prospect.
prossimu aġġ., proximate.
pròstata n.f., pl. -i, (anat.) prostate.
prostituta n.f., pl. -i, prostitute, whore.
prostituzzjoni n.f., pl. -jiet, prostitution.
protagonista n.kom., pl. -i, (teatr.) protagonist.
pròtasi n.f., pl. -jiet, (gram.) protasis.
pròtesi n.f., pl. -jiet, (gram.) prosthesis, prothesis.
protest n.m., pl. -i, (leg.) protest.
protesta n.f., pl. -i, protest, remonstrance.
protestant n.m., f. -a, pl. -i, protestant.
protestantiżmu n.m., pl. -i, protestantism.
protestat aġġ. u p.p., protested.
protett aġġ. u p.p., protected.
protettiv aġġ., protective.
protettur n.m., f. -triċi, pl. -i, protector.
protetturat n.m., pl. -i, protectorship, protectorate.
protezzjoni n.f., pl. -jiet, protection.
protokoll n.m., pl. -i, protocol.
protomartri n.m., bla pl., protomartyr.
protonotarju n.m., f. -a, pl. -i, (ekkl.) protonotary. *~ **appostoliku;*** Apostolic(al) protonotary.
protoplażma n.f., pl. -i, protoplasm.
prototip n.m., pl. -i, prototype.
protożoa n.f., pl. -j, protozoa.
protożoali aġġ., protozoal.
protu n.m., pl. -i, foreman.
prova n.f., pl. -i, proof, trial, evidence.
provdiment n.m., pl. -i, provision, measure.
provditur n.m., f. -a, pl. -i, proveditor, purveyor.
provdut aġġ. u p.p., provided.
provenjenza n.f., pl. -i, provenance, provenience, (leg.) origin, source.
provenz n.m., pl. -ijiet, rainy weather.
proverbjali aġġ., proverbial.
proverbju n.m., pl. -i, proverb, adage.
providenza n.f., pl. -i, providence.
providenzjali aġġ., providential.

provinċja n.f., pl. -i, province.
provinċjal n.m., pl. -i, (ekkl.) provincial.
provinċjali aġġ., provincial.
provinċjaliżmu n.m., pl. -i, provincialism.
provista n.f., pl. -i, supply.
proviżjon n.m., pl. -ijiet, provision, victuals, supply, proviant.
proviżorjament avv., provisionally, temporarily.
proviżorju n.m., pl. -i, temporary, provisional.
provokanti aġġ., provoking, provocative.
provokat aġġ., provoked.
provokatur n.m., f. -a, pl. -i, provoker.
provokazzjoni n.f., pl. -jiet, provocation.
provvediment ara **provdiment**.
provveditur ara **provditur**.
provvidenza ara **providenza**.
provvidenzjali ara **providenzjali**.
proxenju n.m., bla pl., (teatr.) proscenium.
proxxmu n.kom., bla pl., neighbour, fellow creature.
proziju n.m., f. -a, pl. -i, great-uncle.
proża n.f., bla pl., prose.
prożajk aġġ., prosaic.
prożatur n.m., f. -a, pl. -i, prose writer.
prudenti aġġ., prudent, cautious, wise.
prudenza n.f., bla pl., prudence.
pruna n.f., pl. -iet, koll. ***prun;*** (bot.) prune.
pruvat aġġ. u p.p., proved, tested.
pruwa n.f., pl. -i, (mar.) prow, bow, stem. ***mill-~ sal-poppa;*** from stem to stern.
prużuntuż aġġ., presumptuous.
prużunzjoni n.f., pl. -jiet, presumption.
psalterju n.m., pl. -i, (lett.) psalter.
psewdònomu n.m., pl. -i, pseudonomy.
psikanalista n.kom., pl. -i, (med.) psychoanalyst.
psikanaliżi n.f., pl. -jiet, (med.) psychoanalysis.
psike n.f., pl. -i, psyche.
psìkiku aġġ., psyche, psychical.
psikjàtra n.kom., pl. -i, (med.) psychiatrist.
psikjatrija n.f., bla pl., (med.) psychiatry.
psikoloġija n.f., pl. -i, psychology.
psikoloġikament avv., psychologically.
psikolòġiku aġġ., psychological.
psikòlogu n.m., f. -a, pl. -i, psychologist.
psikopatija n.f., pl. -i, psychopathy.
psikopàtiku aġġ., (med.) psychopathic.
psikożi n.f., pl. -jiet, (med.) psychosis.
psorìjasi n.f., bla pl., (med.) psoriasis.
ptanza n.f., pl. -i, pittance.
pubbliċist n.m., f. -a, pl. -i, publicist.
pubbliċità n.f., pl. -jiet, publicity.
pubblikament avv., publicly, in public.
pubblikan n.m., pl. -i, publican.
pubblikat aġġ. u p.p., published.
pubblikatur n.m., f. -a, pl. -i, publisher.
pubblikazzjoni n.f., pl. -ijiet, publication.
pubbliku aġġ. u n.m., f. -a, pl. -i, public.
pubertà n.f., bla pl., puberty.
pubexxenza n.f., bla pl., (med.) pubescence.
puċpieċa n.f., pl. -iet, koll. ***puċpieċ;*** hen louse.
pudija n.f., pl. -i, selvage, selvedge.
pûdil n.m., pl. -s, poodle.
pudina n.f., pl. -i, pudding. ***~ tar-ross;*** rice pudding. ***~ tal-Milied;*** Christmas pudding.
pudur n.m., bla pl., (leg.) decency.
puerìli aġġ., puerile, childish.
puerilità n.f., pl. -jiet, puerility, childishness.
puġilista n.m., pl. -i, (logħ.) pugilist, boxer.
pulċinell n.m., f. -a, pl. -i, punch, Jack-pudding.
pulena n.f., pl. -i, rostrum, figurehead.
pulenta n.f., pl. -i, hominy, gruel, polenta.
pulikarja n.f., bla pl., fearlessness, (bot.) flea-bane.
pulikarja aġġ., Jack-a-dandy, beau.
pulit aġġ., polite, neat.
pulitizza n.f., pl. -i, politeness, cleanliness.
pulizija n.f., bla pl., policeman.
pullagra n.f., pl. -i, (med.) gout, podagra.
pullman n.f., pl. -s, coach, pullman.
pulmonarja n.f., pl. -i, (bot.) lung-worth.
pulmonèa ara **pulmonite**.
pulmonite n.f., pl. -i, (med.) pneumonia, pneumonitis.
pulmun n.m., pl. -i, (anat.) lung.
pulowver n.m., pl. -s, pullover, sweater, cardigan.
pulpetta n.f., pl. -i, croquette.
pulptu n.m., pl. -i, pulpit.
pulsazzjoni n.f., pl. -jiet, pulsation, beat, throb.
pultruna n.f., pl. -i, armchair.
pulzier n.m., pl. -i, wristband, cuff, cufflink, stud, inch.
pum n.m., pl. -i, knob.
puma n.f., pl. -i, (żool.) puma, cougar.
pumakannella n.f., pl. -i, (bot.) sweet sorb.
pumpjatur n.m., pl. -i, pumper.
punent n.m., bla pl., west.
punġenti aġġ., pungent.
pùniku aġġ., Punic.

punittiv aġġ., punitive.
punizzjoni n.f., pl. -jiet, punishment, chastisement.
punt n.m., pl. -i, point, mark.
puntal n.m., pl. -i, pile, strut, prop, dragon-beam, stanchion.
puntata n.f., pl. -i, part, number, issue.
punteġġ n.m., pl. -i, dotting, marking, score, points.
punteġġjatura n.f., pl. -i, punctuation.
puntelli n.m., pl. -i, punch.
puntiljuż aġġ., punctilious.
puntill n.m., pl. -i, punctilio, spite, pique, point of honour.
puntini n.m., pl., dots.
puntlor n.m., pl. -i, bodkin.
puntun n.m., pl. -i, (mar.) pontoon.
puntwali aġġ., punctual.
puntwalità n.f., pl. -jiet, punctuality.
puntwalment avv., punctually.
punzun n.m., pl. -i, punch.
pupa n.f., pl. -i, doll.
pupilla n.f., pl. -i, (anat.) pupil.
puplesija n.f., pl. -i, (med.) apoplexy.
puplètiku aġġ., (med.) apopletic.
puppier n.m., pl. -i, (mar.) stern rower.
pupress n.m., pl. -i, (mar.) bowsprit.
pupu n.m., f. -a, pl. -i, puppet.
pur aġġ., pure.
purament avv., purely.
purċissjoni n.f., pl. -jiet, procession.
purè n.m., bla pl., purèe.
purezza n.f., bla pl., pureness, clarity, chastity.
purfun n.m., bla pl., disinfectant.
purgant n.m., pl. -i, purge.
purganti aġġ., (med.) laxative.
purgatorju n.m., pl. -i, (ekkl.) purgatory.
purgattiv aġġ., purgative, laxative.
purifikat aġġ. u p.p., purified.
purifikatur n.m., pl. -i, purificatory, (ekkl.) purificator.
purifikazzjoni n.f., pl. -jiet, purification. *festa tal~;* Candlemas.
purist n.m., f. -a, pl. -i, purist.
purità n.f., bla pl., purity.
puritan n.m., f. -a, pl. -i, puritan.
puriżmu n.m., pl. -i, purism.
purtant n.m., bla pl., amble.
purtata n.f., pl. -i, load.
purtella n.f., pl. -i, pane.
purtier n.m., pl. -i, door-keeper.
purtiera n.f., pl. -i, curtain. ***~ tal-qasab;*** bamboo curtain.
purtinar n.m., f. -a, pl. -i, porter, door-keeper.
purtinerija n.f., pl. -i, porter's lodge.
puss n.m., bla pl., (med.) pus.
pussess n.m., pl. -i, possession.
pustaġġ ara **postaġġ**.
pustier n.m., pl. -i, postman.
pustumetta n.f., pl. -i, (med.) pustule.
putarga ara **buttarga**.
putassa ara **potassa**.
putattiv aġġ., putative.
putent aġġ., mighty, powerful.
putrefazzjoni n.f., pl. -jiet, (med.) putrefaction.
putruna ara **pultruna**.
puxċer n.m., pl. -s, push-chair.
pużata n.f., pl. -i, cover (knife, fork and spoon).
pxima ara **bxima**.
pxula ara **bxula**.

Qq

Q, q ***il-wieħed u għoxrin ittra ta' l-alfabett Malti, it-tielet waħda mill-gutturali u s-sbatax-il waħda mill-konsonanti;*** the twenty first letter of the Maltese alphabet, the third of the gutturals and the seventeenth of the consonants.

qabad v.I, ***jaqbad;*** to take, to hold, to keep, to seize, to sequester, to confiscate, to begin, to kindle, to take fire, to perceive, to understand, to take root. ***is-suldati qabdu l-fortizza;*** the soldiers seized the fortress. ***din id-dar qabdet il-bieraħ;*** this house caught fire yesterday. ***~ bis-snien;*** to catch with the teeth. ***~ fih;*** to assault, to assail. ***~ fil-kelma;*** to take one at his word. ***~ filwaqt;*** to surprise, to catch. ***~ ix-xogħol;*** to begin to work. ***~ l-art;*** to come to shore.

qabar n.m., pl. ***oqbra;*** grave, tomb. ***blata ta' ~;*** grave-stone, tomb-stone.

qabb n.m., pl. ***qbub;*** doublet, frock.

qabba n.f., pl. -iet, mother-in-law.

qabbad v.II, ***jqabbad;*** to tie, to bind, to fasten, to cause, to undertake, to employ, to provoke, to light, to kindle. ***dak it-tifel ~ il-ħuġġieġa;*** that boy lit the bonfire. ***~ in-nar;*** to light fire. ***~ it-triq;*** to put one in the way, to direct, to show.

qabbadi aġġ., combustible, inflammable.

qabbar v.II, ***jqabbar;*** to dig graves.

qabbàr n.m., pl. -a, grave digger.

qabbas v.II, ***jqabbas;*** to set on fire.

qabbel v.II, ***jqabbel;*** to adapt, to fit, to compare, to equalize, to match, to confront, to ryhme, to harmonize, to let out a ground. ***~ għalqa għal għaxar snin;*** he let out a field for ten years.

qabbeż v.II, ***jqabbeż;*** to make one jump.

qabbiel n.m., f. u pl. -a, versifier, rhymer.

qabbieli aġġ., comparable.

qabbież n.m., f. u pl. -a, jumper, leaper.

qabbieżi aġġ., quick, brisk, active.

qabda n.f., pl. -iet, capture, handful, grip, catch.

qabel v.I, ***jaqbel;*** to accord, to tally, to suit, to agree, to be in rhyme. ***ma setgħux jaqblu bejniethom;*** they could not agree.

qabel avv., before, first. ***~ il-waqt;*** before the time. ***~ l-ikel;*** before dinner. ***~ ma;*** before that. ***~ xejn;*** first of all. ***~ ftit;*** just now. ***minn ~;*** at first, from the beginning.

qabeż v.I, ***jaqbeż;*** to leap, to jump, to bound, to omit, to leave out. ***~ bil-ferħ għal dik l-aħbar li tajtu;*** he jumped with joy for the news you gave him.

qabla n.f., pl. ***qwiebel;*** midwife.

qabras v.kwad., to frolic.

qabru n.m., pl. ***qwabar;*** (żool.) crab, (astro.) Cancer.

qabs n.m., pl. ***qbies;*** firewood.

qabża n.f., pl. -iet, leap, jump, bound.

qaċċat v.II, ***jqaċċat;*** to prune, to blunt, to cut off, to separate, to uproot, to eradicate. ***~ 'il barra;*** to expel, to drive out.

qâda n.f., bla pl., misery, misfortune, fate, destiny.

qadar v.I, ***jaqdar;*** to dare.

qadd n.m., pl. ***qdud;*** waist. ***~ irqiq ħafna;*** wasp waist. ***qam fuq qaddu;*** courageous, daring.

qaddam v.II, ***jqaddam;*** to advance, to hew with an adze.

qaddeb v.II, ***jqaddeb;*** to whip, to lash, to flog.

qadded v.II, ***jqadded;*** to dry up, to make lean, to emaciate, to detain, to keep waiting.

qaddej n.m., f. u pl. -a, servant, waiter.

qaddem v.II, ***jqaddem;*** to make old.

qaddes v.II, ***jqaddes;*** to sanctify, to canonize, to say Mass.

qaddief n.m., f. u pl. -a, rower, oarsman, oarswoman.

qaddies n.m., pl. -a, sanctifier, officiating priest.

qaddis aġġ. u n.m., f. -a, pl. -in, holy, saint, pious, religious. ***bil-~;*** password.

qadef v.I, ***jaqdef;*** to row. ***mar jaqdef ma' tlieta oħra;*** he went to row with three other persons.

qadfa n.f., pl. -iet, row, rowing.

qadi n.m., bla pl., serving, service.
qadib n.m., pl. ***qodbien;*** branch, bough, twig, switch, rod, wand.
qadim aġġ., old, ancient.
qadja n.f., pl. -iet, affair, service, errand.
qaduma n.f., pl. ***qdajjem;*** adze, adz.
qafas n.m., pl. ***oqfsa;*** cage, aviary. ***~ tas-sider;*** thorax, chest. ***~ ta' bastiment;*** carcass.
qafel v.I, ***jaqfel;*** to lock, to shut, to close, to hasp, to button, to buckle, to tie.
qaffas v.II, ***jqaffas;*** to make cages.
qaffàs n.m., f. u pl. -a, cage-maker.
qafiż n.m., pl. ***qofża;*** half a barrel.
qafla n.f., pl. ***qfieli;*** boot lace, string.
qafqaf v.kwad., ***jqafqaf;*** to make wicker baskets.
qafqàf n.m., f. u pl. -a, wicker basket maker.
qagħad v.I, ***joqgħod;*** to stand, to stop, to stay, to content, to please, to consent, to admit, to allow, to sit down, to remain, to abide. ***ma felaħx joqgħod bil-wieqfa;*** he was too weak to remain standing. ***~ bil-wieqfa;*** to stand up. ***~ fuq il-bajd;*** to incubate. ***~ fuq il-mejda;*** to sit down at table. ***~ għalih;*** to live, to dwell. ***~ għarkobbtejh;*** to kneel (down). ***~ ma';*** to cohabit, to dwell together.
qagħda n.f., pl. -iet, position, posture, abode, residence, stay. ***~ fuq il-bajd;*** incubation.
qagħqa ara **kagħka**.
qagħwara ara **kagħwara**.
qagħweġ ara **kagħweġ**.
qaħba n.f., pl. ***qħab;*** prostitute, whore.
qaħħab v.II, ***jqaħħab;*** to prostitute.
qaħħàb n.m., pl. -a, pimp.
qaħħat v.II, ***jqaħħat;*** to bring or cause scarsity.
qaħqaħ v.kwad., ***jqaħqaħ;*** to hack.
qaħta ara **qoħta**.
qajd n.m., pl. ***qjud, qjad;*** fetter, shackle. ***~ ta' l-idejn;*** manacle.
qajjar v.II, ***jqajjar;*** to make or cause to get dry.
qajjed v.II, ***jqajjed;*** to shackle, to put in fetters.
qajjel v.II, ***jqajjel;*** to pen.
qajjem v.II, ***jqajjem;*** to lift up, to rear up, to raise up, to awake, to wake up, to arouse, to excite, to incite to rebellion. ***l-omm qajmet lil binha kmieni biex jistudja;*** the mother woke her son up early to study.
qajjes v.II, ***jqajjes;*** to measure.
qajl n.m., bla pl., rest, break from work.
qajla avv., slowly, gently. ***bil-~ l-qajla;*** softly softly, very gently.
qajsuma n.f., pl. ***qajsum;*** (bot.) lavander cotton.
qajżu n.m., pl. -jiet, small pig.
qal v.irr., ***jgħid;*** to say, to tell, to talk, to relate. ***għidli ma' min tagħmilha u ngħidlek x'int;*** tell me who your friends are, and I will tell you what you are.
qala n.f., pl. -iet, (mar.) inlet, cove, armlet.
qala' v.I, ***jaqla';*** to gain, to earn, to pull off, to draw off, to vomit. ***hu jaqla' mitt lira Maltija fix-xahar;*** he earns one hundred Maltese liri a month. ***~ mill-art;*** to pull up. ***~ minn għand;*** to acquire, to gain. ***~ mill-għerq;*** to root up. ***~ minn taħt l-art;*** to unbury. ***~ minn xi mkien;*** to remove. ***~ qlajja';*** to lie. ***~ sinna;*** to draw out a tooth.
qala' n.m., pl. ***qlugħ;*** (mar.) sail. ***~ tal-gabja;*** the main top sail. ***~ tal-kontra pappafik;*** the main top galant royal. ***~ tal-latin;*** latin sail. ***~ tal-majjistra;*** the main sail. ***~ tal-mezzana;*** the mizen. ***~ tal-pappafik;*** the main top gallant sail. ***~ tal-quddimin;*** the fore sail. ***~ tat-trinkett;*** the fore sail. ***~ tal-parrukkett;*** the fore top gallant sail. ***għandu r-riħ fil-~;*** the wind is in his favour.
qalb n.f., pl. ***qlub;*** (anat.) heart. ***~ ħażina;*** evil-hearted. ***~ iebsa;*** heart of stone, hard-hearted, flint hearted. ***~ sewda;*** heavy-hearted. ***~ tajba;*** good-hearted. ***bil-~;*** cordially, heartily. ***bla ~;*** heartless. ***fuq il-~;*** unwillingly. ***għal qalbu;*** to the top of one's best. ***tal-~;*** cordial, affectionate.
qalb prep., between, among, amongst, in.
qalba n.f., pl. ***qlub, qliebi;*** tendril, heart, midst, kernel.
qalba n.f., pl. -iet, a turning.
qalbieni aġġ., courageous, magnanimous, brave.
qaleb v.I, ***jaqleb;*** to turn, to overturn, to overthrow, to subvert, to upset, to dissuade, to ladle out, to spill. ***~ il-folji tal-ktieb;*** he turned over the pages of the book.
qâleb n.m., pl. ***qwieleb;*** wicker-basket.
qalfat v.kwad., to caulk.
qalfàt n.m., pl. -a, caulker, (itt.) lamprey.
qalgħa n.f., pl. -iet, plucking, pulling, removal, dislogation, attainment, acquisition, gain.
qalgħa n.f., pl. ***qlajja';*** calumny, fable.
qali n.m., bla pl., frying.

qalil aġġ., rigid, severe, fierce, cruel, inhuman, hard.
qalja n.f., pl. -iet, fry.
qalla v.II, ***jqalli;*** to fry lightly.
qalla' v.II, ***jqalla';*** to cause disgust, to cause to vomit, to trouble, to make muddy, to give or cause profit.
qallat v.II, ***jqallat;*** to leap, to produce turds.
qalleb v.II, ***jqalleb;*** to trouble, to disturb, to confound, to put into disorder or confusion. **~ *il-ktieb;*** to turn over the pages of a book. **~ *in-nar;*** to stir up the fire. **~ *moħħu;*** to revolve in one's mind.
qallej n.m., f. u pl. -a, he who fries, traitor.
qallel v.II, ***jqallel;*** to arouse or provoke fierceness.
qallieb n.m., f. u pl. -a, he that overturns.
qalliebi aġġ., fickle, inconstant, mutable.
qallieġħ n.m., f. u pl. -a, digger, excavator.
qallut n.m., pl. ***qlalet;*** turd.
qalqajl avv., slowly.
qalziet n.m., pl. ***qliezet;*** trousers.
qam v.I, ***jqum;*** to rise, to get up, to stand up, to awake, to cost. ***Kristu ~ mill-imwiet;*** Christ rose from the dead. **~ *kmieni;*** to get up early in the morning.
qâma n.f., pl. -iet, ***qjiem;*** fathom.
qamar n.m., pl. ***oqmra, qmura;*** moon. **~ *ġdid;*** new moon. **~ *kwinta;*** full moon. **~ *fin-noqsar;*** waning moon. ***nofs ~;*** semilunar. ***ta' kull ~;*** monthly. ***mard tal-~;*** epilepsy.
qamas ara **qames**.
qambra ara **qanbra**.
qames v.I, ***joqmos;*** to kick, to jump, to caper, to hop.
qamħ n.m., pl. -iet; koll. ***qmuħ;*** corn, wheat. **~ *ir-Rum;*** maize, Indian corn.
qamħa n.f., pl. -iet, koll. ***qamħ;*** grain.
qamħi aġġ., brunette.
qamla n.f., pl. -iet, ***qmul,*** koll. ***qamel;*** (żool.) louse.
qammar v.II, ***jqammar;*** to be agitated.
qammàr n.m., f. u pl. -a, lunatic.
qammas ara **qammes**.
qammat v.II, ***jqammat;*** to clog, to handcuff, to shackle, to fetter.
qammel v.II, ***jqammel;*** to fill with lice.
qammes v.II, ***jqammes;*** to cause to jump, to caper, to incite, to kick.
qammies n.m., f. u pl. -a, jumper, hopper.
qammiesi aġġ., jumping, hopping.
qammilta ara **kammilta**.
qamqam v.kwad., to grumble.
qamri aġġ., lunar.
qamsa n.f., pl. -iet, leap, skip, jump.
qana n.f., pl. ***qonja;*** kennel, canal, gutter.
qanba n.f., pl. -iet, (bot.) hemp.
qanbi aġġ., hempen.
qanbra n.f., pl. ***qnabar;*** (ornit.) lark.
qanċeċ v.kwad., ***jqanċeċ;*** to be stingy, to live thriftily.
qanċieċ n.f., f. u pl. -a, miser.
qanċieċi aġġ., niggard, stingy.
qandel v.kwad., ***jqandel;*** to move or carry heavy objects.
qandul n.m., pl. ***qniedel;*** trinket, pendant.
qandula n.f., pl. -iet, wattle.
qanfed v.kwad., ***jqanfed;*** to ruffle, to rumple.
qanfud n.m., pl. ***qniefed;*** (żool.) hedgehog, urchin.
qanfus ara **ħanfus**.
qanja n.f., pl. -iet, dust-hole, ashes hole.
qanna' v.II, ***jqanna';*** to constrain one to acquiesce against his inclination.
qannata n.f., pl. ***qnanet;*** pitcher, ewer.
qannbi aġġ., hempen.
qanneb n.koll.m., hemp.
qannebusa n.f., pl. -iet, hemp-seed.
qannew n.m., bla pl., (bot.) betony.
qanniċ n.m., pl. ***qnieneċ;*** cheese-hurdle, hedge made of reeds.
qannuba n.f., pl. -iet, (anat.) clitoris.
qanpiena n.f., pl. ***qniepen;*** bell. **~ *ta' bugħaddas;*** diving-bell. **~ *tal-ħalq;*** uvula. **~ *tal-ħġieġ;*** glass bell. ***ħabel tal-~;*** bell-pull, bell-rope. ***ilsien ta' ~;*** bell-clapper.
qanqal v.kwad., ***jqanqal;*** to displace, to move, to stir trouble, to stir.
qantar v.kwad., ***jqantar;*** to be heavy, to be weighty.
qantàr n.m., pl. ***qnatar;*** quintal, hundred kilos.
qanun n.m., pl. ***qwienen;*** canon, document, rent.
qanżaħ v.kwad., ***jqanżaħ;*** to bungle.
qanżħa n.f., pl. -iet, gizzard.
qanżħa aġġ., fastidious, disdainful.
qâqa v.III, ***jqaqi;*** to cackle.
qaqoċċa n.f., pl. -iet, koll. ***qaqoċċ;*** (bot.) artichoke.
qara v.I, ***jaqra;*** to read. ***hu jaqra l-gazzetta kuljum;*** he reads the paper daily. **~ *mill-ġdid;*** to read again. **~ *x-xorti;*** to divine, to guess.
qarabagħlija n.f., pl. ***qarabagħliet,*** koll. ***qarabagħli;*** (bot.) marrow.
qaraboċċa n.f., pl. -iet, koll. ***qaraboċċ;*** (bot.) millet.
qarad v.I, ***joqrod;*** to remove stains from.
qaragoss n.m., pl. -ijiet, wooden puppet.

qaraħ v.I, ***jaqraħ;*** to flay.
qarar v.III, ***jqarar;*** to hear confession.
qaras v.I, ***joqros;*** to pinch.
qarba n.f., pl. -iet, approach.
qarben v.kwad., ***jqarben;*** to give holy communion, to communicate. ***is-saċer-dot mar iqarben il-morda;*** the priest went to give holy communion to the sick.
qardax v.kwad., ***jqardax;*** to card.
qardàx n.m., f. u pl. -a, carder.
qarden v.kwad., ***jqarden;*** to card.
qardiena n.f., pl. -iet, (bot.) castor-oil plant.
qares n.m.koll., (bot.) sorrel, wood sorrel.
qares aġġ. u p.preż., sour, tart, acid, harsh. ***~ ħall;*** very sour. ***~ tal-lumi;*** lemon-juice.
qargħa n.f., pl. -iet, (bot.) gourd, pamkin. ***ras ~;*** empty headedness.
qargħi aġġ., bald, hairless.
qarħa n.f., pl. -iet, scratch, excoriation.
qari n.m., bla pl., reading.
qarib aġġ., near, kindred, related, imminent.
qarib n.m., f. -a, pl. ***qraba;*** kin. ***l-eqreb demm;*** next of kin.
qarja n.f., pl. -iet, perusal.
qarmeċ v.kwad., ***jqarmeċ;*** to crunch, to craunch.
qarmuċ n.m., pl. ***qrameċ;*** rusk.
qarmuċa n.f., pl. -iet, (anat.) cartilage, gristle.
qarn n.m., pl. ***qrun;*** horn, antler.
qarnanqliċ n.m., pl. -ijiet, (ornit.) roller, jay.
qarnas v.kwad., ***jqarnas;*** to grow the first feathers.
qarni aġġ., horny.
qarnita n.f., pl. -iet, koll. ***qarnit;*** (żool.) octopus, cuttle-fish.
qarnuna n.f., pl. -iet, ***qranen;*** corner of a sack.
qarqaċ v.kwad., ***jqarqaċ;*** to scotch, to over cook, to brown, to roast.
qarqar v.kwad., ***jqarqar;*** to gurgle, to rumble.
qarquċa n.f., pl. -iet, koll. ***qarquċ;*** fatty meat, to be rendered down for lard.
qarr v.I, ***jqerr;*** to confess.
qarra v.II, ***jqarri;*** to cause to read.
qarraba n.f., pl. -iet, ***qrareb;*** phial, (itt.) fry.
qarrad v.II, ***jqarrad;*** to scratch the skin.
qarraf v.II, ***jqarraf;*** to pick fruit.
qarraħ v.II, ***jqarraħ;*** to treat roughly a wound.
qarram v.II, ***jqarram;*** to crop.
qarraq v.II, ***jqarraq;*** to deceive, to cheat, to delude, to hoodwink, to swindle, to beguile. ***int qarraqt bija;*** you have deceived me.
qarràr n.m., pl. -a, confessor.
qarras v.II, ***jqarras;*** to sour, to make sour, to embitter, to acerbate. ***~ wiċċu;*** to browbeat.
qarreb v.II, ***jqarreb;*** to approach, to bring nearer to. ***~ lejn il-belt;*** he approached the city.
qarrej n.m., f. u pl. -a, reader.
qarrej aġġ., readable, legible.
qarrem v.II, ***jqarrem;*** to crob.
qarrieb n.m., f. u pl. -a, approacher.
qarrieq n.m., f. u pl. -a, cheater, deceiver.
qarrieqi aġġ., deceitful, fallacious, delusive.
qarsa n.f., pl. -iet, pinch, (bot.) oxalis.
qartaf v.kwad., ***jqartaf;*** to lop off, to cut off tops of trees.
qartalla n.f., pl. ***qratel;*** hamper.
qartam v.kwad., ***jqartam;*** to cut off the tops of plants.
qartas v.kwad., ***jqartas;*** to wrap up.
qartàs n.m., pl. ***qratas;*** cornet.
qarwana ara **karwana**.
qarweż v.kwad., ***jqarweż;*** to shear.
qarwież n.m., f. u pl. -a, hair-cutter.
qarżut n.m., bla pl., strong wind.
qas ara **qies**.
qasam n.m., pl. ***oqsma;*** farm, tenure, realm, estate.
qasam v.I, ***jaqsam;*** to cleave, to split, to break, to divide, to cross, to pass, to traverse, to go through.
qasba n.f., pl. -iet, koll. ***qasab;*** rod, cane. (anat.) ***~ tas-sieq;*** shin-bone, shin, tibia.
qasbija n.f.koll., stubble.
qasdar v.kwad., ***jqasdar;*** to burnish.
qasdàr n.m., f. u pl. -a, polisher.
qasir aġġ., short, brief, compendious, concise. ***fil-~;*** shortly, briefly.
qasma n.f., pl. -iet, slit, cleft, crack, division, partition, portion, share, part. ***~ ta' qalb;*** heart-breaking.
qasqas v.kwad., ***jqasqas;*** to scissor.
qasquż ara **qażquż**.
qasrija n.f., pl. ***qsari;*** flower-pot.
qass v.I, ***jqoss;*** to shear, to cut with scissors.
qassab v.II, ***jqassab;*** to reed, to trellis.
qassam v.II, ***jqassam;*** to distribute, to divide, to share, to dispose, to order, to arrange, to classify. ***hu ~ somma flus lill-fqar;*** he distributed a sum of money among the poor.

qassàm n.f., f. u pl. -a, divider, distributor, disposer, orderer, classifier.
qassar v.II, ***jqassar;*** to shorten, to cut short, to abridge, to abbreviate, to curtail. ~ ***id-diskors li kellu jagħmel;*** he abbreviated the speech which he had to deliver.
qassàr n.m., f. u pl. -a, shorter, abbreviator, abridger.
qassas v.II, ***jqassas;*** to clip, to snip, to slander, to detract, to backbite. ~ ***bil-pizzi;*** to jag.
qassat v.II, ***jqassat;*** to distribute, to comment. ~ ***ir-Rużarju;*** to recite the rosary.
qassata n.f., pl. -t, round cheese cake.
qassies n.m., f. u pl. -a, gossiper.
qassis n.m., pl. -in, priest.
qastna n.f., pl. -iet, koll. ***qastan;*** chestnut. ~ ***mixwija;*** roasted chestnut. ~ ***mgħol-lija;*** boiled chestnut.
qastni aġġ., bay, chestnut-coloured.
qata' v.I, ***jaqta';*** to cut, to cut off, to decide, to determine, to resolve, to deduct, to deduce, to begin to spoil. ***qatagħha li jmur Londra;*** he decided to go to London. ~ ***barra;*** to get rid. ~ ***d-drawwa;*** to dishabituate. ~ ***jiesu;*** to despair. ~ ***l-għatx;*** to quench your thirst. ~ ***l-kliem;*** to cut short. ~ ***n-nifs;*** to be out of breath. ~ ***r-ras;*** to behead, to decapitate. ~ ***qalbu;*** to despond, to lose courage. ~ ***qalb xi ħadd;*** to discourage.
qatar v.I, ***joqtor;*** to drop, to drip.
qatel v.I, ***joqtol;*** to kill, to murder, to slay. ***żewġha ġie maqtul fil-gwerra;*** her husband was killed during the war. ~ ***bil-ġuħ;*** to starve. ~ ***ruħu b'idejh;*** to kill oneself, to commit suicide.
qatgħa n.f., pl. -iet, ***qtajja';*** cut, part, share, portion, fright, shock.
qatigħ avv., much, many, abundance, myriad. ***ilu ~;*** much time, a long time.
qatla n.f., pl. -iet, slaughter, murder.
qatra n.f., pl. -iet, koll. ***qtar;*** drop. ***bil-~ l-~;*** drop by drop, by drops. ~ ***ilma;*** drop of water.
qatran v.kwad., ***jqatran;*** to tar.
qatràn n.m., bla pl., tar, pitch.
qatt avv., never. ***jekk ~;*** if by chance.
qatta n.f., pl. -iet, ***qatet;*** truss, bunch, bundle. ~ ***ċwievet;*** bunch of keys. ~ ***tiben;*** bundle of straw.
qatta' v.II, ***jqatta';*** to tear, to lacerate, to rip, to cut, to mince. ~ ***l-ittra f'ħafna biċċiet;*** he tore the letter to pieces.
qattanija n.f., pl. -iet, fray, row, uproar.
qattar v.II, ***jqattar;*** to drip, to drop, to trickle. ***il-vit qiegħed iqattar;*** the tap is dripping.
qattara n.f., pl. -iet, gutter, spout, dropping-tube, (med.) gonorrhoea.
qattari aġġ., dripping, dropping.
qattat ara **qattet**.
qattel v.II, ***jqattel;*** to slay, to murder, to kill.
qattet v.II, ***jqattet;*** to bundle, to sheat.
qattiegħ n.m., f. u pl. -a, cutter. ~ ***il-ġebel;*** picker, stone-cutter.
qattiel n.m., f. u pl. -a, killer, murderer. ~ ***ta' ħuh;*** fratricide. ~ ***ta' martu;*** uxoricide, wife-killer. ~ ***ta' missieru;*** parricide. ~ ***ta' ommu;*** matricide. ~ ***ta' re;*** regicide. ~ ***ta' tarbija;*** infanticide. ~ ***tiegħu nnifsu;*** suicide.
qattieli aġġ., mortal, poisonous.
qattus n.m., f. -a, pl. ***qtates;*** (żool.) cat.
qawbi aġġ., squat. ***qagħad la qawbija;*** to squat.
qawl n.m., pl. ***qwiel;*** proverb.
qawma n.f., pl. -iet, rising, awakening. ~ ***mill-mewt;*** resurrection. ~ ***tan-nies;*** revolt, rebellion, rising, sedition.
qawmien n.m., bla pl., rising, awakening, revival, resurrection.
qawqeb v.kwad., to hoof.
qawra n.f., pl. ***qwar;*** circle, sphere.
qawri aġġ., circular, orbicular, globular, spherical, round.
qaws n.m., pl. ***qwas;*** bow, arch, semicircle.
qawsalla n.f., pl. ***qawsalel;*** rainbow.
qawwa v.II, ***jqawwi;*** to strengthen, to fat, to fatten, to cure, to heal, to confirm, to corroborate.
qawwa n.f., pl. -iet, strength, force, power, constancy, firmness, fatness.
qawwàb n.m., pl. ***qwieqeb;*** wooden slipper, sandal, soliped.
qawwar v.II, ***jqawwar;*** to round.
qawwara n.f., pl. ***qwawar;*** halo, circle, compass, circumference, pad.
qawwas ara **qawwes**.
qawwàs n.m., pl. -a, archer.
qawwel, v.II, ***jqawwel;*** to talk at length.
qawwem v.II, ***jqawwem;*** to awake, to stand up.
qawwes v.II, ***jqawwes;*** to bow, to curve, to bend, to dart.
qawwi aġġ., fat, plump. strong, stout, lusty, healthy, sane, constant, steadfast, firm, hard, sound. ~ ***u sħiħ;*** safe and sound.
qawwieli aġġ., loquacious.

qawwiem n.m., f. u pl. -a, awakener.
qawwies ara **qawwàs**.
qaxlef v.kwad. *jqaxlef;* to harden, to become hard. to dry up.
qaxqax v.kwad. *jqaxqax;* to strip the meat from the bone, to drain (of money).
qaxxar v.II, *jqaxxar;* to bark, to peel, to skin, to flay, to plunder, to fleece. *~ it-tuffieħa;* he peeled the apple.
qaxxàr n.m., f. u pl. -a, barker, peeler, flayer, fleecer.
qażdar v.kwad., *jqażdar;* to shape copper.
qażdir n.m., bla pl., burnishing.
qażqajża n.f., pl. -iet, (bot.) bladder common.
qażqaż v.kwad., *jqażqaż;* to grunt.
qażquż n.m., pl. *qżieqeż;* (zool.) pig, hog.
qażżeż v.II, *jqażżeż;* to nauseate, to disgust.
qbid n.m., bla pl., taking, catching, holding, beginning, kindling, (leg.) sequestration, confiscation, seizure.
qbiela n.f., pl. *qbejjel;* rent.
qbil n.m., bla pl., agreement, comparison, adaptation.
qbiż n.m., bla pl., jumping, leaping, skipping. *~ għal xi ħadd;* protection, aid, support.
qdieħ n.m., pl. *qduħ;* goblet.
qdiem v.IX, *jeqdiem;* to grow old, to become ancient. *dan il-par żarbun qiegħed jeqdiem;* this pair of shoes is becoming old.
qdif n.m., bla pl., rowing.
qdumija n.f., pl. -jiet, antiquity, oldness.
qdusija n.f., pl. -jiet, holiness, sanctity.
qeba v.I, *jaqbi;* to bow.
qeċċ n.m., pl. -ijiet, (mar.) skiff.
qeda v.I, *jaqdi;* to serve. *għandek tinqeda dejjem bid-dizzjunarju;* you must always use the dictionary.
qedem n.m., bla pl., ancientness, ancient times.
qejjes v.II, *jqejjes;* to measure.
qejjiem n.m., f. u pl. -a, worshipper.
qejjies n.m., f. u pl. -a, measurer. *~ ir-raba';* land surveyor.
qela v.I, *jaqli;* to fry.
qelel v.I, *jeqlel;* to be restless.
qell n.m., bla pl., fierceness.
qellel v.II, *jqellel;* to aggravate fierceness.
qeraħ v.I, *jeqraħ;* to grace, to abrade.
qerċma n.f., pl. *qrieċem;* rabble.
qerda n.f., pl. -iet, destruction, ruin.
qered v.I, *jeqred;* to destroy, to exterminate, to ruin.
qereq v.I, *jeqreq;* to brood.
qerq n.m., bla pl., fraud, deceit, illusion.
qerni aġġ., dwarf, pigmy.
qerr v.I, *jqerr;* to confess one's sins to a priest, to go to confess.
qerra n.f., pl. *qerer;* frost.
qerred v.II, *jqerred;* to whimper, to grumble.
qerried n.m., f. u pl. -a, destroyer.
qfil n.m., bla pl., shutting, closing, locking, buttoning.
qgħad n.m., bla pl., unemployment.
qibla n.f., bla pl., south wind.
qiċċ n.m., pl. -ijiet, (mar.) skiff.
qiegħ n.m., pl. *qigħan;* bottom. *~ tal-vapur;* bottom of the ship.
qiegħa n.f., pl. -t, floor, threshing-floor.
qiegħed v.III, *jqiegħed;* to place, to situate, to put, to settle, to lay, to seat.
qiel v.I, *jqil;* to seek a sheltered place.
qiem v.I, *jqim;* to honour, to venerate, to reverence, to respect.
qieraħ aġġ. u p.preż., sharp, inclement. *~ tas-sajf;* the height of summer. *~ tax-xitwa;* midwinter, winter solstice.
qies v.I, *jqis;* to measure, to consider.
qies n.m., pl. *qisien;* measure, dimension, moderation, rule. *bil-~;* moderately. **bla ~;** immoderately.
qîla n.f., bla pl., a short rest from work.
qileq v.I, *jiqleq;* to be restless.
qilla n.f., pl. -iet, fierceness, cruelty, arrogance, pride.
qima n.f., -iet, adoration, worship, veneration, respectfulness, submission.
qirda ara **qerda**.
qireq ara **qereq**.
qirew n.m., pl. -ijiet, refreshment, bonus, gratuity.
qirra n.f., pl. id., frost.
qlajja' n.f., pl. ta' *qalgħa;* calumnies.
qlib n.m., bla pl., overthrowing, translating.
qligħ n.m., bla pl., pulling or plucking, gain, profit, earning.
qluqi aġġ., courageous, bold, stout, valiant.
qlubija n.f., bla pl., spunk.
qlugħ n.pl. ta' *qala';* (mar.) sail, yacht.
qluqi aġġ., inconstant, mutable, changeable, volatile.
qmis n.f., pl. *qomos;* shirt.
qmis n.m., bla pl., kicking.
qobla n.f., pl. *qbajjel;* cattle.
qodos n.m., bla pl., holiness, sanctity. ***Ruħ il-~;*** Holy Spirit.
qoffa n.f., pl. *qfief;* wicker basket, (mar.) top.
qofol n.m., bla pl., locking, shutting.

qofol n.m., pl. ***oqfla;*** lock.
qoħob v.I, ***joqħob;*** to prostitute.
qoħta n.f., bla pl., scarcity, extreme poverty.
qolla n.f., pl. -iet, ***qolol;*** hill.
qolla n.f., pl. ***qliel;*** pitcher. ***~ tan-naħal;*** hive, beehive.
qolliba n.f., pl. -iet, koll. ***qollieb;*** scab, crust.
qomos v.I, ***joqmos;*** to kick.
qoràn n.m., pl. -i, koran.
qorbien n.m., bla pl., approach, approaching.
qorgħan n.m., bla pl., skull, cranium.
qorob v.I, ***joqrob;*** to approach, to come near, to be imminent. ***ix-xitwa qiegħda toqrob;*** winter is coming.
qorq n.m., pl. ***qrieq;*** sandal.
qorr n.m., pl. (żool.) frog.
qorriegħa n.f., pl. -t, top, skull.
qorti n.m., pl. ***qrati;*** court of justice. ***~ ta' l-appell;*** court of Appeal. ***~ t'Isfel;*** police court. (mil.) ***~ marzjali;*** court marshal.
qosor n.m., bla pl., shortness, brevity.
qoton n.m.koll., (bot.) cotton.
qotor ara **qatar**.
qoxqox aġġ., perched.
qoxra n.f., pl. -iet, koll. ***qxur;*** bark, husk, shell, rind, peel, skin.
qrab v.IX, ***jeqrab;*** to approach, to get near.
qrada n.f., pl. -iet, abscess in the sole of the foot.
qrara n.f., pl. -iet, confession.
qras v.IX, ***jiqras;*** to become sour.
qrempuċa n.f., pl. -iet, koll. ***qrempuċ;*** (bot.) esculent bird's foot trefoil.
qrib avv., near, by.
qrid n.m., bla pl., scratching, extirpation, extermination.
qriegħ v.IX, ***jiqriegħ;*** to become bald. ***missieri ~ meta kien għadu żgħir;*** my father became bald when he was young.
qris n.m., bla pl., pricking.
qrolla n.f., pl. -iet, koll. ***qroll;*** (bot.) coral.
qrolli aġġ., coraline.
qronfla n.f., pl. -iet, koll. ***qronfol;*** (bot.) carnation, clove-pink. ***musmar tal-qronfol;*** clove.
qroqqa n.f., pl. ***qrejjaq;*** (żool.) broody hen.
qrubija n.f., pl. -iet, relationship, consanguinity.
qrusa n.f., bla pl., acidity, sourness.
qsar v.IX, ***jiqsar;*** to become short, to shorten.
qsim n.m., bla pl., division, partition.
qsurija n.f., bla pl., shortness.
qsusija n.f., bla pl., priesthood.
qtigħ n.m., bla pl., cutting, decision, interruption, suspension.
qtil n.m., bla pl., killing, murder, slaughter, assassination.
qtugħ n.m., bla pl., cutting.
qubbajt n.m.koll., nougat.
quċċata n.f., pl. ***qċaċet;*** summit, top, height.
quċċieda n.f., pl. -iet, koll. ***quċċied;*** (żool.) nit.
quddiem prep. u avv., before, in front of, in the presence of, opposite to. ***'l ~;*** forward.
quddiemi aġġ., anterior, foremost.
quddiesa n.f., pl. -iet, mass.
qurdiena n.f., pl. -iet, koll. ***qurdien;*** (żool.) tick.
qużqajża ara **qażqajża**.
qżież n.m., bla pl., nastiness.
qżużi aġġ., filthy, dirty.
qżużija n.f., pl. -t, nastiness.

Rr

R, r ***it-tnejn u għoxrin ittra ta' l-alfabett Malti u l-ħames waħda mil-likwidi;*** the twenty second letter of the Maltese alphabet and the fifth of the liquids.
ra v.I, irreg. ***jara;*** to see. ***ili ma narah ix-xhur;*** I have not seen him for months.
raba' n.m., pl. ***rbugħa;*** fields, ground, land, soil.
raba' aġġ.num., fourth.
rabarbru n.m., pl. -i, (bot.) rhubarb.
rabat v.I, ***jorbot;*** to tie, to bind, to fasten, to oblige. ***hu rabatni li ma ngħid xejn;*** he obliged me not to say a word.
rabba v.II, ***jrabbi;*** to bring up, to rear. ***hu jrabbi l-bhejjem;*** he rears cattle.
rabbàb n.m., f. u pl. -a, bagpiper, fifer, piper.
rabbaba n.f., pl. -i, (muż.) fife.
rabbat v.II, ***jrabbat;*** to tie frequently.
rabbàt n.m., f. u pl. -a, binder.
rabbi n.m., pl. -n, rabbi.
rabbinat n.m., pl. -i, rabbinate.
rabbiniżmu n.m., pl. -i, rabbinism.
rabesk ara **arabesk**.
rabja n.f., pl. -i, rage, anger.
rabjatura n.f., pl. -i, raging, fury.
rabott n.m., pl. -i, (tekn.) plane.
rabta n.f., pl. -iet, tie, band, ligature, league, alliance, obligation, contract, bond.
raċanċ n.m.koll., oddments, rubbish, rags, faggot.
rada n.f., pl. -i, (mar.) anchorage, roads, roadstead.
rada' v.I, ***jarda';*** to suck. ***kellu l-vizzju jerda' sebgħu;*** he had the bad habit of sucking his finger.
radam v.I, ***jordom;*** to bury, to overwhelm, to inter. ***qatel qattus u radmu fil-ġnien;*** he killed a cat and buried it in the garden.
radam n.m., bla pl., debris, dumping place.
radanċa n.f., pl. -i, (mar.) thimble, washer.
radar n.m., pl. -s, (tek.) radar.
radazza n.f., pl. -i, (mar.) swab.
radd v.I, ***jrodd;*** to give back, to return, to restore. ***jekk jogħġbok roddli dak il-ktieb lura;*** please, return that book. ~ ***il-ħajr;*** to thank. ~ ***is-salib;*** to cross oneself, to make the sign of the cross.
radda n.f., pl. -iet, restitution. ~ ***ta' bastiment;*** furrow, wake. ~ ***ta' moħriet;*** furrow, drill.
radda' v.II, ***jradda';*** to suckle, to give suck to, to nurse.
raddad v.II, ***jraddad;*** to caress, to fondle.
radden ara **redden**.
raddiena n.f., pl. ***rdieden;*** spinning wheel. ~ ***tal-ħalġ;*** cotton-gin. ~ ***tal-ġiġġifogu;*** Catherine wheel.
radgħa n.f., pl. -iet, a suck.
radìka n.f., pl. -i, genealogy.
radikali aġġ., radical.
radikaliżmu n.m., pl. -i, radicalism.
radikalment avv., radically.
radjatur n.m., pl. -i, radiator.
radjazzjoni n.f., pl. -jiet, radiation.
radjoattiv aġġ., radioactive.
radjoattività n.f., pl. -jiet, radioactivity.
radjofonija n.f., pl. -i, radiophony.
radjogonjòmetru n.m., pl. -i, radiogoniometer.
radjografija n.f., pl. -i, radiography, X-ray.
radjografiku aġġ., radiographic.
radjogramm n.m., pl. -i, radiogram, wireless message.
radjoloġija n.f., pl. -i, (med.) radiology.
radjolòġiku aġġ., radiological.
radjometrija n.f., pl. -i, radiometry.
radjòmetru n.m., pl. -i, radiometer.
radjoskopija n.f., pl. -i, (med.) radioscopy.
radjoskòpiku aġġ., radioscopic.
radjoterapèwtika n.f., pl. -i, radiotherapeutics.
radjoterapèwtiku aġġ., radiotherapeutic.
radjoterapija n.f., pl. -i, (med.) radiotherapy.
radju n.m., pl. -ijiet, radio.
radju n.m., pl. -i, radius, (min.) radium.
rafa' v.I, ***jarfa';*** to raise, to lift, to rear up, to preserve, to store, to cook. ~ ***għajnejh lejn is-sema;*** he raised his eyes to heaven.

rafanella n.f., pl. -iet, koll. ***rafanell;*** radish.
raff n.m., pl. ***rfuf;*** garret.
raff aġġ., rough.
raffinerija n.f., pl. -i, refinery.
raffja n.f., bla pl., (bot.) raffia.
raġa' v.I, ***jarġa';*** to return, to repeat, to do again, to come back. ***Pawlu qatt ma ~ lura d-dar;*** Paul never returned home.
raġel n.m., pl. ***rġiel;*** man, husband, gentleman. ***~ magħmul;*** a grown-up man. ***~ tal-kelma;*** man of his word. ***~ tar-ruħ;*** religious man, pious man.
raġġ n.m., pl. -i, ray, beam.
raġġ n.m., bla pl., horse-play.
raġġa' v.II, ***jraġġa';*** to return, to send back, to cause to return. ***~ lura;*** to drive back.
raġġiera n.f., pl. -i, aureola, halo.
raġun n.m., bla pl., right, reason, justice, equity. ***bir-~;*** justly, with good reason.
raġunament n.m., pl. -i, argument, reasoning, reason.
raġunat aġġ. u p.p., logical, rational.
raġunevoli aġġ., reasonable.
raġuni n.f., bla pl., reason.
ragadi n.f.pl., (med.) rhagades.
ragbi n.m., bla pl., (logħ.) rugby.
raggruppament n.m., pl. -i, grouping.
ràglan n.m., bla pl., raglan coat.
ragù n.m., bla pl., ragout.
ragħa v.I, ***jirgħa;*** to pasture, to graze, to spume, to foam. ***mar jirgħa n-nagħaġ l-għalqa;*** he went to pasture the sheep in the field.
ragħad n.m.koll., claps of thunder.
ragħaj n.m., f. u pl. -a, shepherd. ***~ il-baqar;*** cowherd. ***~ il-ħnieżer;*** swineherd. ***~ il-mogħoż;*** goatherd. ***~ in-nagħaġ;*** shepherd.
ragħax v.I, ***jirgħax;*** to blush, to be ashamed.
ragħda n.f., pl. -iet, koll. ***ragħad;*** thunder.
ragħja n.f., pl. -iet, pasture, pasturage.
ragħwa n.f., pl. -iet, spume, foam. ***~ tal-birra;*** froth. ***~ ta' l-inbid;*** froth. ***~ tas-sapun;*** soap-studs.
ragħxa ara **regħxa**.
rahab v.I, ***jarhab;*** to become a friar.
rahan v.I, ***jirhan;*** to pawn. ***~ iċ-ċurkett tat-tieġ ta' martu;*** he pawned his wife's wedding-ring.
rahan n.m., pl. ***rhun;*** pawn, pledge, token, earnest, hostage, bond.
rahàn n.m., f. u pl. -a, pawnbroker.
rahba n.f. ta' ***raheb;*** pl. -iet, nun, (żool.) beetle.
raheb n.m., pl. ***rhieb;*** monk, hermit, friar, recluse.
raħal n.m., pl. ***rħula;*** village, hamlet.
raħħàl n.m., f. u pl. -a, herdsman, peasant, countryman.
raħħal v.II, ***jraħħal;*** to tend sheep, to form, construct a village. ***il-gvern beda jraħħal fuq art moxa;*** the government began to construct a village on barren land.
raħħam v.II, ***jraħħam;*** to implore mercy, clemency, to marble.
raħħàm n.m., f. u pl. -a, implorer, worker in marble.
raħħas v.II, ***jraħħas;*** to lower in price, to cheapen, to bud, to sprout, to pullulate. ***illum tal-ħaxix ~ il-prezz tat-tuffieħ;*** today the greengrocer lowered the price of the apples.
raħħàs n.m., f. u pl. -a, who reduces a price.
raħli n.m., pl. -n, villager.
raħma n.f., pl. -iet, mercy.
raħs n.m., pl. ***rħus;*** germination.
raj n.m., bla pl., opinion, judgement. ***bla ~;*** unthinkingly. ***minn rajh;*** spontaneously, voluntarily.
rajja n.f., pl. -iet, (itt.) thornback. ***~ tal-fosos;*** thornback ray. ***~ tal-kwiekeb;*** starry ray. ***~ tal-lixxa;*** brown ray. ***~ tal-petruza;*** shagreen ray. ***~ tar-ramel;*** rough ray.
rajjeb n.m., f. -a, pl. -in, rascal, rogue, knave.
rajjes n.m., f. ***rajsa;*** pl. -iet, captain, leader, head.
rajma n.f., pl. -iet, (mek.) rimer, broach.
rakad ara **rakat**.
rakas v.I, ***jorkos;*** to be thrifty, frugal, economical.
rakat v.I, ***jorkot;*** to stop or slow down work.
ràket n.m., pl. -s, (logħ.) racket.
rakìtiku aġġ., (med.) rachety.
rakitiżmu n.m., pl. -i, (med.) rachitism.
rakkàn n.m., f. u pl. -a, shabbily dressed.
rakkas n.m., f. u pl. -a, thrifty.
rakkmar n.m., bla pl., embroidery.
rakkmatur n.m., f. -atriċi, pl. -i, embroiderer.
rakkmu n.m., pl. -i, embroidery.
rakkomandazzjoni n.f., pl. -jiet, recommendation.
rakkont n.m., pl. -i, story, tale, novel.
rakkun n.m., pl. -i, (żool.) raccoon, racoon.
ràli n.m., pl. -s, rally.
ralinga n.f., pl. -i, (mar.) bolt-rope.

rallu n.m., pl. -i, (ornit.) rail.
ram v.I, ***jrum;*** to get attached to, to be accustomed, to endear oneself.
ram n.m., pl. -ijiet, (min.) copper. ***~ isfar;*** brass. ***ħaddiem fir-~;*** coppersmith.
rama v.Sq., ***jarma;*** to arm, to equip.
ramatiżmu ara **rewmatiżmu**.
rambel v.kwad., ***jrambel;*** to roll out dough.
ramel n.m., pl. id, ***irmla;*** sand.
ramla n.f., pl. -iet, sandy beach.
ramli aġġ., sandy.
rammal ara **rammel**.
rammel v.II, ***jrammel;*** to sand, to cover with sand, to granulate, to widow.
rammolliment n.m., pl. -i, (med.) softening. ***~ ċerebrali;*** softening of the brain.
ramnu n.m., pl. -i, (bot.) hartshorn, buckthorn.
rampa n.f., pl. -iet, steep, acclivity.
rampel v.kwad., ***jrampel;*** to hook.
rampil n.m., pl. -i, grapnel, grapple, hook.
ranċis ara **narċis**.
randa n.f., pl. -iet, koll. ***rand;*** (bot.) laurel.
randa n.f., pl. -i, (mar.) boom-sail.
randan n.m., pl. -ijiet, lent. ***Ras ir-~;*** Ash Wednesday.
ranġament n.m., pl. -i, arrangement, adjustment.
ranġat v.Sq., ***jranġat;*** to grow rancid.
rank n.m., pl. -ijiet, rank, degree.
ranunklu n.m., pl. -i, (bot.) ranunculus.
ranwej n.m., pl. -s, runway.
ràpidu aġġ., rapid, swift, quick.
rapiment n.m., pl. -i, (teol.) rapture, ecstasy, kidnapping, rape, abduction.
rapport n.m., pl. -i, report, statement.
rappreżentant n.m., f. -a, pl. -i, agent, representative, delegate.
rappreżentanza n.f., pl. -i, representation. ***~ proporzjonali;*** proportional representation.
rappreżentat aġġ. u p.p., represented.
rappreżentattiv aġġ., representative.
rappreżentazzjoni n.f., pl. -jiet, representation, (teatr.) performance.
rappurtat ara **irrappurtat**.
rapsodija n.f., pl. -i, (muż.) rhapsody.
raq v.I, ***jruq;*** to emit saliva.
raqad v.I, ***jorqod;*** to sleep, to fall asleep, to abate, to be benumbed. ***ma stajtx norqod dal-lejl;*** I could not sleep this night.
raqam v.I, ***jorqom;*** to ornament, to embellish, to decorate.
raqas v.I, ***jorqos;*** to limp, to halt, to hobble, to lame.
raqba n.f., pl. ***rqabi;*** nape.
raqda n.f., sleep, slumber, rest, repose.
raqq v.I, ***jirqaq;*** to grow thin.
raqqa' v.II, ***jraqqa';*** to patch, to repair, to mend, to piece.
raqqad v.II, ***jraqqad;*** to put to sleep, to send to sleep, to layer.
raqqàd n.m., f. u pl. -a, one who puts to sleep, hypnotizer.
raqqad aġġ., somniferous, soporific, narcotic.
raqqaq v.II, ***jraqqaq;*** to make thin.
raqqiegħ n.m., f. u pl. -a, patcher, repairer.
raqquq n.m., f. u pl. -a, shallow.
rarament avv., seldom, rarely.
rari aġġ., rare.
rarità n.f., pl. -jiet, rarity, rareness.
ras n.f., pl. ***rjus;*** head, origin, wit, brains. ***~ bla ħsieb;*** negligent fellow. ***~ iebsa;*** obstinate, wilful, stubborn. ***~ il-għajn;*** well spring, origin. ***~ qargħa;*** bad head, blockhead. ***ksur ir-~;*** bore. ***rasu iebsa;*** fractory.
raskjament n.m., pl. -i, (med.) scraping.
rasla n.f., pl. -iet, mission.
raspa n.f., pl. -i, (artiġ.) rasp.
rass v.I, ***jross;*** to press, to squeeze, to strain, to constrain, to force, to oblige, to crowd, to throng.
rass n.m., bla pl., compression, force, constraint, violence.
rassa n.f., pl. -iet, crowd, throng.
rassas v.II, ***jrassas;*** to press often.
rassenja n.f., pl. -i, attendance sheet.
rassenjament n.f., pl. -i, resignation.
rassenjat aġġ. u pp., resigned.
rassenjazzjoni n.f., pl. -jiet, resignation.
rasta n.f., pl. -i, bunch of fish. ***~ ta' basal;*** string of onions.
rasùl n.m., pl. ***rsiel;*** apostle.
rata n.f., pl. -i, rate, instalment.
ratab v.I, ***jortob;*** to soften.
ratafja n.f., bla pl., ratafia, ratafee.
ratal n.m., pl. ***rtal;*** rotolo.
ratba aġġ., soft, tender.
ratifika n.f., pl. -i, (parl.) ratification.
rattab v.II, ***jrattab;*** to soften, to mollify, to make soft, to make tender, to render slow, sluggish, lazy.
rattàb n.m., f. u pl. -a, softener.
rattabi aġġ., emollient.
rattal v.II, ***jrattal;*** to sing and play at the same time.
ravanella ara **rafanella**.
ravellin ara **rivvellin**.
ravjula n.f., pl. -iet, koll. ***ravjul;*** raviolo.
rawnd n.f., pl. -s, (logħ.) round.
rawndebawt n.f., pl. -s, roundabout.
rawta n.f., pl. -iet, dung.

rawwam v.II, ***jrawwam;*** to rear, to raise.
rawwem v.II, ***jrawwem;*** to accustom, to inure.
rawwiem n.m., f. u pl. -a, (bot.) trainer.
raxin n.m., pl. -s, ration.
raxkament ara **raskament**.
raxketta n.f., pl. -i, erasing-knife.
raxx v.I, ***jroxx;*** to sprinkle, to spray.
raxx n.m., pl. -ijiet, (med.) rash. ***~ tat-tajn;*** splash of mud. ***~ tax-xita;*** drizzling rain.
raxxa n.f., pl. -iet, sprinkle.
raxxax v.II, ***jraxxax;*** to mizzle, to drizzle.
raxxiexa n.f., pl. -iet, muffineer, sprayer. ***~ tal-bżar;*** pepper box.
razza n.f., pl. ***razez;*** race, family, breed.
razzett n.m., pl. ***rziezet;*** farm-house.
razzjon n.m., pl. -ijiet, ration.
razzjonali aġġ., rational.
razzjonaliżmu n.m., pl. -i, rationalism.
razzjonalist n.m., f. -a, pl. -i, rationalist.
razzjonalistiku aġġ., rationalistic.
razzjonament n.m., pl. -i, rationing.
razzjonat aġġ. u p.p., rationed.
raża n.f., pl. -i, resin. ***~ ħamra;*** dragon blood.
rażan n.m., bla pl., control, curb.
rażan v.I, ***jirżan;*** to check, restrain, humble, abase oneself.
rażla n.f., pl. -iet, strinckle.
rażna n.f., pl. -iet, butteris.
rażòla ara **rażla**.
rażżan v.II, ***jrażżan;*** to repress, to restrain, to stem, to check. ***~ id-dagħdigħa li kellu;*** he repressed his anger.
rażżàn n.m., f. u pl. -a, repressor.
rbat n.m.koll., string, tie, band, bend.
rbatta v.Sq., ***jirribatti;*** to rivet, to clench, to clinch.
rbattitur n.m., pl. -i, riverter.
rbattitura n.f., pl. -i, clinching, riverting.
rbattut aġġ. u p.p., clinched.
rbib n.m., f. -a, pl. ***rbieb;*** step-son.
rbit n.m., bla pl., binding, tying, tie, (anat.) ligament.
rbomba v.t., ***jirbomba;*** to resound, to reverberate, to boom. ***l-isparar tal-kanun ~ kullimkien;*** the cannon resounded everywhere.
rbus n.m., bla pl., punch.
rċeviment n.m., pl. -i, reception.
rċevitur n.m., f. -a, pl. -i, receiver.
rċevut aġġ. u p.p., received.
rċevuta n.f., pl. -i, receipt.
rċieva v.t., ***jirċievi;*** to receive, to welcome. ***~ ittra mingħand ħuh;*** he received a letter from his brother.
rċipp n.m., pl. -ijiet, a bunch of grapes produced late in the season.
rdigħ n.m., bla pl., breast feeding, sucking.
rdim n.m., bla pl., burying, burial.
rdoppja v.t., ***jirdoppja;*** to double, to duplicate.
rdoss n.m., bla pl., shelter screen, (mar.) lee.
rdossa v.t., ***jirdossa;*** to take shelter, to be screened, to shelter.
rdum n.m., pl. -ijiet, ravine, crag, cliff, slip, precipice.
rdumi aġġ., precipitous, steep.
rduppjat aġġ. u p.p., doubled.
rdussat aġġ. u p.p., sheltered.
re n.m., f. ***reġina,*** pl. -ijiet, king, monarch, sovereign.
reali aġġ., real, royal.
realist n.m., f. -a, pl. -i, realist, royalist.
realistiku aġġ., realistic.
realizzabbli aġġ., realisable.
realizzat aġġ. u p.p., realised.
realizzazzjoni n.f., pl. -jiet, realization.
realiżmu n.m., pl. -i, realism, royalism.
realment avv., really, indeed, in fact.
realtà n.f., pl. -jiet, reality.
reat n.m., pl. -i, (leg.) crime.
reattiv aġġ., (kim.) reagent.
reattur n.m., pl. -i, reactor.
reazzjonarju n.m., f. -a, pl. -i, reactioner.
reazzjoni n.f., pl. -jiet, reaction.
rebaħ v.I, ***jirbaħ;*** to win, to overcome, to conquer, to surmount, to surpass. ***~ l-ewwel premju fit-tellieqa tal-qlugħ;*** he won the first prize in the yacht race.
rebbaħ v.II, ***jrebbaħ;*** to cause or help one to win, to make one win.
rebbiegħa n.f., pl. -i, spring.
rebbiegħi aġġ., vernal.
rebbieħ n.m., f. u pl. -a, winner, conquerer.
rebbieħi aġġ., victorious.
rebekkin n.m., pl. -i, (muż.) rebeck, (artiġ.) brace, (itt.) flapper skate.
rebħa n.f., pl. -iet, victory, conquest, win.
rebus n.m., pl. -ijiet, rebus, conundrum, riddle.
reċensjoni n.f., pl. -jiet, review.
reċensur n.m., f. -a, pl. -i, reviewer.
reċentement avv., recently.
reċenti aġġ., recent.
reċessjoni n.f., pl. -jiet, recession.
reċidiv n.m., f. -a, pl. -i, recidivist, relapser.
reċidiv aġġ., recidivous.
reċidiva n.f., pl. -i, (leg.) relapse into crime.
reċipjent n.m., pl. -i, vessel.

reċiproċità n.f., pl. -jiet, reciprocity.
reċiprokament avv., reciprocally.
reċìproku aġġ., reciprocal, mutual.
reċit n.m., pl. -s, ratchet. ***rota bir-~;*** ratchet-wheel.
reċitattiv aġġ., recitative.
reċitazzjoni n.f., pl. -jiet, (teatr.) recitation, recital.
reċta n.f., pl. -i, (teatr.) performance.
redazzjoni n.f., pl. -jiet, redaction.
reddem ara **redden**.
redden v.II, ***jredden;*** to spin cotton, to mutter, to chatter, to grumble.
reddiegħ n.m., f. u pl. -a, sucker, sponger.
reddien n.m., f. u pl. -a, spinner, grumbler.
redentur n.m., f. -triċi, pl. -i, redeemer.
redenzjoni n.f., pl. -jiet, redemption.
redgħa n.f., pl. -t, breast-feeding, suck.
redjejter n.m., pl. -s, radiator.
refa' ara **rafa'**.
referendarju n.m., pl. -i, referendary.
referendum n.m., pl. -i, -a, referendum.
referenza n.f., pl. -i, reference.
referì n.m., pl. -s, (logħ.) referee.
referta n.f., pl. -i, (leg.) report, relation, information.
refettorju n.m., pl. -i, refectory.
reffiegħ n.m., pl. -i, coffin, statue bearer.
refrexerkors n.m., pl. -is, refresher course.
refriġerejter n.m., pl. -s, refrigerator.
refuġjat n.m., f. -a, pl. -i, refugee.
refuġju n.m., pl. -i, refuge, shelter.
refurtiva n.f., pl. -i, (leg.) stolen property.
refutazzjoni n.f., pl. -jiet, refutation.
reġa' ara **raġa'**.
reġġent n.m., pl. -i, regent.
reġġenza n.f., pl. -i, regency.
reġġipett n.m., pl. -i, brassiere, bra.
reġgħa n.f., pl. -t, turning or coming back, reiteration, repetition.
reġiċida n.m., pl. -i, regicide.
reġiċidju n.m., pl. -i, regicide.
reġija n.f., pl. -i, direction, administration, management.
reġim n.m., pl. -i, regime, government.
reġimentazzjoni n.m., pl. -jiet, regimentation.
reġina n.f., pl. ***rġejjen;*** queen.
reġista n.m., pl. -i, (teatr.) stage-manager, producer, director.
reġistrat aġġ. u p.p., registered.
reġistratur n.m., pl. -i, registrar.
reġistrazzjoni n.f., pl. -jiet, registration.
reġistru n.m., pl. -i, register, ledger, roll.
reġjonali aġġ., regional.
reġjoni n.f., pl. -jiet, region, district.
regatta n.f., pl. -i, boat-race, regatta.
regettier ara **rigattier**.
règola n.f., pl. -i, rule.
regolament n.m., pl. -i, regulation.
regolamentari aġġ., regulation, regular.
regolari aġġ., regular.
regolarità n.f., pl. -jiet, regularity.
regolarment avv., regularly.
regolat aġġ. u p.p., regulated.
regolatur n.m., pl. -i, regulator.
regħba n.f., pl. -t, greed, avarice.
regħeb v.I, ***jirgħeb;*** to covet, to be covetous, to be or become greedy.
regħex v.I, ***jirgħex;*** to blush, to be ashamed.
regħxa n.f., pl. -iet, shame, confusion, affront.
reħa v.I, ***jerħi;*** to let go, to quit, to leave, to yield up, to lower or lessen in price, to render dissolute, to enfeeble, to weaken.
reħi n.m., bla pl., relaxation, feebleness, slackness, leaving, forsaking.
reħja n.f., pl. -iet, leaving, forsaking.
reħma n.f., pl. -iet, mercy, pity, compassion.
reħwa n.f., pl. -t, lassitude.
reità n.f., pl. -jiet, guilt.
rejd n.m., pl. -s, -ijiet, raid. ***errejd;*** air raid.
rejjaħ aġġ., quiet, at rest.
rejjaħ v.II, ***jrejjaħ;*** to stink, to become stinking.
rejjaq v.II, ***jrejjaq;*** to wet with spittle, to bestow, to give breakfast to.
rejjex v.II, ***jrejjex;*** to feather, to adorn or set off with feather, to strip off feathers, to occupy oneself in trifles, to fish with a feathered bait.
rejjieħi aġġ., putrescent.
rejnkowt n.m., pl. -s, -ijiet, rain coat.
rejp n.m., pl. -jiet, rape.
rekken v.II, ***jrekken;*** to put or set in a corner, to lay by, to amass, to hoard, to accumulate. ***~ il-flus;*** to amass money.
rekkien n.m., f. u pl. -a, hoarder, accumulator.
reklam n.m., pl. -i, advertisement, publicity.
reklamat aġġ. u p.p., claimed, advertised.
reklamazzjoni n.f., pl. -jiet, reclamation.
rekluta n.m., pl. -i, (mil.) recruit.
rekord n.m., pl. -s, (mużż) record. ***~ plejer;*** record player.
rekorder n.m., pl. -s, recorder.
rekordjat aġġ. u p.p., recorded.
rekwiżit n.m., pl. -i, requisite, qualification.

rekwiżitorja n.f., pl. -i, (leg.) address by the prosecution.
rekwiżizzjonat aġġ. u p.p., requisitioned.
rekwiżizzjoni n.f., pl. -jiet, requisition.
relattiv aġġ., relative.
relattivament avv., relatively, in respect to.
relattività n.f., pl. -jiet, relativeness.
relatur n.m., f. -a, -triċi, pl. -i, reporter.
relazzjoni n.f., pl. -jiet, relation.
reli n.m., pl. -s, rally.
reliġjon n.f., pl. -ijiet, religion. ~ ***nisranija;*** Christian religion.
reliġjożament avv., religiously.
reliġjożità n.f., pl. -jiet, religiousness, religiosity.
reliġjuż n.m., f. -a, pl. -i, member of a religious order.
reliġjuż aġġ., religious.
relikwa n.f., pl. -i, (ekkl.) relic.
relikwarju n.m., pl. -i, (ekkl.) reliquary.
rema v.I, *jarmi;* to throw away, to cast out, to bud, to blossom.
reminixxenza n.f., pl. -i, reminiscence.
remissa n.f., pl. -i, shed, carriage-house.
remissjoni n.f., pl. -jiet, remission.
remittenti aġġ., (med.) remittent.
remiżolji n.m.pl., oddments.
rèmora n.f., pl. -i, (itt.) shark-sucker.
remot aġġ., remote.
remotament avv., remotely.
renda v.t., ***jirrendi;*** to yield. ***il-kapital jirrendi ħafna mgħax;*** the capital yields a lot of interest.
rendikont n.m., pl. -ijiet, statement of assets.
rendiment n.m., pl. -i, yield, rendering.
renella n.f., pl. -i, (med.) gravel.
renjant n.m., f. -a, pl. -i, sovereign, monarch, ruler.
renju n.m., pl. -i, kingdom, reign, monarchy.
renna n.f., pl. -iet, (żool.) reindeer.
renta n.f., pl. -i, revenue, income, rental.
repart n.m., pl. -i, department, division.
repert n.m., pl. -i, (leg.) what has been found.
repertorju n.m., pl. -i, (teatr.) repertory.
rèplika n.f., pl. -i, (leg.) rejoinder, repetition, (teatr.) repeat performance.
replikat aġġ. u p.p., repeated.
repò n.m., pl. -jiet, refreshment.
reporter ara **riporter**.
reprensjoni n.f., pl. -jiet, (leg.) reprehension.
repressjoni n.f., pl. -jiet, repression.
repubblika n.f., pl. -i, republic.
repubblikan aġġ., republican.
reputazzjoni n.f., pl. -jiet, reputation.
reqa v.I, ***jirqi;*** to care or heal jaundice.
reqem ara **raqam**.
reqq ara **raqq**.
reqqa n.f., pl. -t, sharpness, subtlety, fineness, strictness, exactness, avarice, thinness, slenderness.
resaq v.I, ***jersaq;*** to come near, to approach. ***il-lejl qed jersaq;*** the night is approaching. ~ ***ma' l-art;*** to come to shore.
resedan n.m., pl. -i, (bot.) mignonette.
reserċwerk n.m., pl. -s, research work.
resident n.m., f. -a, pl. -i, resident.
residenza n.f., pl. -i, residence.
residenzjali aġġ., residential.
residwarju aġġ., (leg.) residuary.
residwu n.m., pl. -i, residue.
reskritt n.m., pl. -i, (leg. u ekkl.) rescript.
respint aġġ., rejected.
respir n.m., pl. -i, (med.) breathing, breath.
respirabbli aġġ., breathable.
respiratorju n.m., pl. -i, respiratory.
respiratur n.m., pl. -i, (med.) respirator.
respirazzjoni n.f., pl. -jiet, (med.) respiration, breathing.
respons n.m., bla pl., response.
responsabbiltà n.f., pl. -jiet, responsibility.
responsabbli aġġ., responsable.
responsorjali aġġ., responsorial.
responsorju n.m., pl. -i, (ekkl.) responsory.
resqa n.f., pl. -iet, approach.
ressaq v.II, ***jressaq;*** to bring near, to draw near, to approach.
ressieq n.m., f. u pl. -a, approacher.
restawr n.m., pl. -i, restoration.
restawrat aġġ. u p.p., restored.
restawratur n.m., f. -a, -triċi, pl. -i, restorer.
restawrazzjoni n.f., pl. -jiet, restoration.
restituzzjoni n.f., pl. -jiet, restitution, return.
restitwibbli aġġ., returnable, repayable.
restitwit aġġ. u p.p., returned, handed back, given back.
restorant n.m., pl. -i, restaurant.
restrittiv aġġ., (leg.) restrictive.
restrizzjoni n.f., pl. -jiet, restriction, limitation.
resurrezzjoni n.f., pl. -jiet, resurrection.
retaħ v.I, ***jirtaħ;*** to shiver with cold.
retiċenti aġġ., reticent.
retiċenza n.f., pl. -i, reticence.

rètina n.f., pl. -i, (anat.) retina.
retinìte n.f., pl. -i, (med.) retinitis.
retribuzzjoni n.f., pl. -jiet, reward, pay, retribution.
retroattiv aġġ., (parl. u leg.) retroactive. ***liġi retroattiva;*** retroactive law.
retroattività n.f., pl. -jiet, retroactivity.
retroċessjoni n.f., pl. -jiet, retrocession.
retrògradu n.m., pl. -i, retrograde.
retrospettiv aġġ., retrospective.
retroxena n.f., pl. -i, (teatr.) back-stage.
rett aġġ., upright, honest, just, right.
retta n.f., bla pl., attention. ***ta ~ lil;*** to listen to, to mind.
rettanglu n.m., pl. -i, rectangle.
rettangulari aġġ., rectangular.
rettìfika n.f., pl. -i, rectification, correction, adjustment.
rettifikat aġġ. u p.p., amended, adjusted, rectified.
rettifikatur n.m., f. -atriċi, pl. -i, rectifier.
rettifikazzjoni n.f., pl. -jiet, rectification, correction.
rèttili n.m., s. u pl., (żool.) reptile.
rettilinju aġġ., rectilined.
rettitudini n.f., pl. -jiet, rectitude, uprightness, straightforwardness, honesty.
rettòrika n.f., pl. -i, rhetoric.
rettorikament avv., rhetorically.
rettòriku aġġ., rhetorical.
rettur n.m., f. -triċi, pl. -i, rector.
retturat n.m., pl. -i, rectorship, rectorate.
reverendissimu aġġ., (ekkl.) most reverend, right reverend.
reverendu n.m., pl. -i, reverend, priest, clergyman, reverend gentleman.
reversibbli aġġ., reversible.
reviżjoni n.f., pl. -jiet, revision.
reviżur n.m., f. -a, pl. -i, reviser.
rèvoka n.f., pl. -i, (leg.) revocation, repeal.
revokabbli aġġ., (leg.) revocable, repealable.
revokat aġġ. u p.p., revoked, repealed.
revolver n.m., pl. -s, revolver.
rewmàtiku aġġ., (med.) rheumatic.
rewmatiżmu n.m., pl. -i, (med.) rheumatism.
rewwaħ v.II, ***jrewwaħ;*** to fan, to ventilate.
rewwieħ n.m., f. u pl. -a, fan holder.
rewwieħa n.f., pl. -t, ***rwiewaħ;*** fan, ventilator.
rewwixta n.f., pl. -i, revolt, uproar.
rexaq v.I, ***jerxaq;*** to strike off the overmeasure of corn.
rexindibbli aġġ., rescindible.
rexissjoni n.f., pl. -jiet, (leg.) rescission, annulment.
reżaħ v.I, ***jirżaħ;*** to be benumbed, to get chilled. ***dak ix-xiħ ~ bil-bard;*** that old man was benumbed with cold.
reżħa n.f., pl. -iet, chill, chillness, cold, numbness, algidity.
reżistenti aġġ., resistant, resisting, strong, tough.
reżistenza n.f., pl. -i, resistence, endurance.
reżżaħ v.II, ***jreżżaħ;*** to chill, to benumb, to freeze.
rfid n.m., bla pl., support.
rfigħ n.m., bla pl., rising, lifting, bearing, carrying, conservation. ***~ mix-xogħol;*** ceasing from work.
rfina v.Sq., ***jirfina;*** to refine, to be refined.
rfinitur n.m., f. -a, pl. -i, refiner.
rfinitura n.f., pl. -i, refining.
rfinut aġġ. u p.p., refined.
rfis n.m., bla pl., footing, trampling, trading.
rfus (bi) avv., abundantly, in great quantity.
rġigħ n.m., bla pl., reiteration, repetition.
rġugħ n.m., bla pl., returning or coming back.
rġulija n.f., bla pl., virility, manfulness, masculineness, masculinity.
rgħib aġġ., covetous, eager, greedy.
rhin n.m., bla pl., pawning.
rhubija n.f., pl. -iet, monastic life, monachism.
rħama n.f., pl. -iet, koll. ***rħam;*** marble.
rħami aġġ., marmoreal, marble-like.
rħis n.m., bla pl., cheap.
riabilitazzjoni n.f., pl. -jiet, rehabilitation.
riazzjonarju n.m., f. -a, pl. -i, reactionary.
ribalta n.f., pl. -i, (teatr.) footlights.
ribass n.m., pl. -i, discount, reduction, fall in prices.
ribell n.m., pl. -i, rebel. ***truppi ribelli;*** rebel troops.
ribelljoni n.f., pl. -jiet, rebellion, revolt.
ribes n.m., bla pl., (bot.) gooseberry, ribes.
ribrezz n.m., bla pl., disgust.
ributtanti aġġ., disgusting, repugnant.
riċerka n.f., pl. -i, research, investigation.
riċetta n.f., pl. -i, recipe, (med.) prescription.
riċeviment ara **rċeviment**.
riċevitur n.m., f. -a, pl. -i, receiver.
riċnu ara **riġnu**.
ridikolaġni n.f., bla pl., ridiculousness.
ridìkolu aġġ., ridiculous.
ridott aġġ. u p.p., reduced.
riduzzjoni n.f., pl. -jiet, reduction.
rieb n.m., pl. id., ***rjub;*** doubt.

riebi aġġ., doubtful.
ried v.I, ***jrid;*** to will, to be willing, to require. ***Alla jrid li l-bniedem ikun hieni;*** God wills man to be happy.
rieda n.f., pl. -iet, will.
riedna n.f., pl. -i, rein.
riefnu n.m., pl. ***rwiefen;*** whirlwind, squall, gust.
rieġa v.III, ***jrieġi;*** to direct, to control, to guide, to lead, to govern, to rule.
riegħeb v.III, ***jriegħeb;*** to render covetous.
riegħed v.III, ***jriegħed;*** to thunder, to shake, to cause to tremble.
riegħex v.III, ***jriegħex;*** to affront, to offend.
riegħi aġġ. u p.preż., pasturing, grazing, foaming.
rieħ v.I, ***jruħ;*** to stink, to deviate.
rieħi aġġ., windy.
riekeb aġġ., riding.
riemi aġġ. u p.preż., budding, spouting.
rieqed aġġ. u p.preż., asleep, sleeping.
riesaq aġġ. u p.preż., approaching.
rieżaħ aġġ. u p.preż., cold, chilled.
rifda n.f., pl. -iet, prop, support.
rifed v.I, ***jirfed;*** to support, to prop.
riferenza n.f., pl. -i, reference.
riferiment n.m., pl. -i, reference.
riferut aġġ. u p.p., referred.
rifes v.I, ***jirfes;*** to foot, to beat, to trample on, to tread on.
riffed v.II, ***jriffed;*** to prop well.
riffes v.II, ***jriffes;*** to tread on repeatedly.
riffied n.m., f. u pl. -a, prop, support.
riffieda n.f., pl. -i, prop, fulcrum, dragon-beam, buttress, chock.
riffies n.m., f. u pl. -a, treader.
rifitt n.m., pl. -s, refit.
rifjut n.m., pl. -i, refusal, refuse.
rifjutat aġġ. u p.p., refused.
rifless n.m., pl. -i, reflex, reflection.
riflessiv aġġ., (gram.) reflexive.
riflessjoni n.f., pl. -jiet, reflection.
riflettenti aġġ. u p.preż., reflecting.
riflettur n.m., pl. -i, reflector.
riforma n.f., pl. -i, reform.
riformat aġġ. u p.p., reformed.
riformatorju n.m., pl. -i, reformatory.
riformattiv aġġ., reformative.
riformatur n.m., f. -triċi, pl. -i, reformer.
riformazzjoni n.f., pl. -jiet, reformation.
rifreskanti aġġ., cooling, refreshing.
rifront n., pl. -i, affront, reproach.
rifs n.m., pl. -ijiet, treadle.
rifsa n.f., pl. -iet, tread. **~ *ta' sieq;*** footprint.
rifuġjat ara **refuġjat**.
rifuġju ara **refuġju**.
riġel n.m., pl. ***rġul;*** (anat.) leg, foot.
riġenerat aġġ. u p.p., regenerated.
riġenerazzjoni n.f., pl. -jiet, regeneration.
riġettat aġġ. u p.p., rejected, vomited.
riġġel v.II, ***jriġġel;*** to bind up with splints.
rìġidu aġġ., rigid, strict, stiff.
riġment n.m., pl. -i, (mil.) regiment.
riġnu n.m.koll., (bot.) ricinus. ***żejt tar-~;*** castor oil.
rig n.m., pl. -i, line.
riga n.f., pl. -i, ruler.
rigàl n.m., pl. -i, present, gift, donation.
rigattier n.m., f. -a, pl. -i, dealer in second hand articles.
rigen v.I, ***jirgen;*** to restrain.
rigoruż aġġ., rigorous.
rigward prep., concerning, regarding, as regards to, in this regard, in this respect.
riħ n.m., pl. ***rjieħ;*** wind, a cold. **~ *fuq;*** west-wind, north-west wind. **~ *isfel;*** east-wind, south-east wind. ***ħa ~;*** to take or catch a cold. ***ħa r-~;*** to grow bold. ***mitħna tar-~;*** windmill.
riħa n.f., pl. ***rwejjaħ;*** smell, odour. **~ *ta' għeluq;*** close smell.
riħana n.f., pl. ***riħan;*** (bot.) myrtle.
riħersal n.m., pl. s. (teatr.) rehearsal.
rijunjoni n.f., pl. -jiet, reunion.
rikaduta n.f., pl. -i, relapse.
rikapitulazzjoni n.f., pl. -jiet, recapitulation.
rikatt n.m., pl. -i, blackmail, extortion.
rikba n.f., pl. -iet, ride, riding.
rikeb v.I, ***jirkeb;*** to ride, to mount. ***dak it-tifel jirkeb tajjeb iż-żiemel;*** that boy mounts the horse well.
riken v.I, ***jirken;*** to prop, to support.
rikjesta n.f., pl. -i, request, demand, petition.
rikk aġġ., rich, wealthy.
rikkeb v.II, ***jrikkeb;*** to make one ride.
rikkezza n.f., pl. -i, wealth, richness.
rikkieb n.m., f. u pl. -a, rider.
rikkiebi aġġ., ridable.
rikkmandat aġġ. u p.p., recommended.
rikkmandazzjoni n.f., pl. -jiet, recommendation.
rikompensa n.f., pl. -i, recompense, compensation.
rikonċiljat aġġ. u p.p., reconciled.
rikonċiljazzjoni n.f., pl. -jiet, reconciliation.
rikonoxxenti aġġ., grateful.
rikonoxxenza n.f., pl. -i, gratitude.
rikonoxxibbli aġġ., recognizable.
rikonoxximent n.m., pl. -i, recognition, acknowledgement.

rikonoxxut aġġ. u p.p., grateful.
rikordju n.m., pl. -i, remembrance, souvenir.
rikorrent n.m., f. -a, pl. -i, petitioner.
rikorrenti aġġ., recurring, recurrent.
rikorrenza n.f., pl. -i, recurrence.
rikors n.m., pl. -i, (leg.) petition, claim, appeal.
rikostitwent n.m., pl. -i, (med.) reconstituent.
rikostitwit aġġ. u p.p., reconstituted.
rikostruzzjoni n.f., pl. -jiet, reconstruction.
rikotta ara **rkotta**.
rikòveru n.m., pl. -i, asylum, refuge.
rikreattiv aġġ., recreative, amusing, pleasant.
rikreazzjoni n.f., pl. -jiet, recreation, pastime.
rilassament n.m., pl. -i, relaxation.
rilevanti aġġ., relevant, important, considerable.
riliev n.m., pl. ***rlievi;*** (mar.) bearing.
rilîf n.m., bla pl., relief, social assistance.
riljiev n.m., pl. -i, relief. ***altu ~;*** high relief. ***bassu ~;*** low relief.
rima n.f., pl. -i, (lett.) rhyme, rime, (mar.) swell.
rimarju n.m., pl. -i, rhyming dictionary.
rimarka n.f., pl. -i, remark.
rimedju n.m., pl. -i, remedy, cure.
rimessa n.f., pl. -i, remittance.
rimi n.m., bla pl., throwing away.
rimiżolji ara **remiżolji**.
rimja n.f., pl. -iet, sprout, scion.
rimm n.m., pl. -ijiet, rim (of a wheel).
rimona n.f., pl. -iet, weight.
rimors n.m., pl. -i, remorse.
rimostranza n.f., pl. -i, remonstrance.
rimunerazzjoni n.f., pl. -jiet, remuneration.
rina n.f., pl. -i, sand.
rinaxximent n.m., pl. -i, renaissance. ***ir-~;*** the Renaissance.
rinella ara **renella**.
rinforz n.m., pl. -i, reinforcement.
rinfurzat aġġ. u p.p., strengthened, reinforced.
ringiela n.f., pl. -i, row, line, queue.
ringrazzjament n.m., pl. -i, thanksgiving.
rinnegat n.m., f. -a, pl. -i, renegade.
rinnovazzjoni n.f., pl. -jiet, renovation, renewal.
rinoċeronti n.m., pl. -jiet, (żool.) rhinoceros.
rinomat aġġ., well-known, famous, renowned.
rinunzja n.f., pl. -i, (leg.) renunciation, renouncement.
rinunzjarju n.m., f. -a, pl. -i, (leg.) renouncer.
rinunzjat aġġ. u p.p., renounced.
rinviju n.m., pl. -i, (leg.) dismissal, adjournment, postponement.
riorganizzazzjoni n.f., pl. -jiet, reorganization.
ripar n.m., pl. -i, shelter.
riparabbli aġġ., reparable.
riparazzjoni n.f., pl. -jiet, (leg.) reparation.
ripatrijazzjoni n.f., pl. -jiet, repatriation.
ripetizzjoni n.f., pl. -jiet, repetition.
ripetut aġġ. u p.p., repeated.
ripetutament avv., repeatedly.
riport n.m., pl. -i, amount to be carried or brought forward.
riporter n.m., pl. -s, reporter.
riprodott aġġ. u p.p., reproduced.
riproduttiv aġġ., reproductive.
riproduzzjoni n.f., pl. -jiet, reproduction.
riq n.m.koll., saliva, spittle.
riqem v.I, ***jirqem;*** to embellish, to ornament.
riserċwerk n.m., pl. -s, research work.
riserva n.f., pl. -i, reserve, reservation.
riservat aġġ. u p.p., reserved.
riservwar n.m., pl. -s, reservoir.
risk ara **riskju**.
riskatt n.m., pl. -i, ransom.
riskju n.m., pl. -i, risk.
riskjuż aġġ., risky.
risma ara **riżma**.
risonanza n.f., pl. -i, resonance.
risorġiment n.m., pl. -i, revival.
rispett n.m., pl. -i, respect, regard.
rispettabbiltà n.f., pl. -jiet, respectability.
rispettabbli aġġ., respectable.
rispettat aġġ. u p.p., respected.
rispettiv aġġ., respective.
rispettivament avv., respectively.
rispettuż aġġ., respectful.
risplendenti aġġ., resplendent.
risposta n.f., pl. -i, answer, reply.
risq ara **riżq**.
ristabilment n.m., pl. -i, re-establishment.
ristorant ara **restorant**.
ristrett aġġ. u p.p., restricted.
rit n.m., pl. -i, (ekkl.) rite, ceremony. ***~ Ambrosjan;*** Ambrosian rite. ***~ Ruman;*** Roman rite.
rita n.f., pl. -i, membrane.
ritaljazzjoni n.f., pl. -jiet, retaliation.
rìtmika n.f., bla pl., rhythmics.
ritmikament avv., rhythmically.

rìtmiku aġġ., rhythmic(al).
ritmu n.m., pl. -i, rhythm.
ritorn n.m., pl. -i, return.
ritornell n.m., pl. -i, (lett. u muż.) refrain, repetition.
ritratt n.m., pl. -i, photograph, photo, picture, portrait, likeness.
ritrattazzjoni n.f., pl. -jiet, retraction.
ritrattista n.kom., pl. -i, portrait-painter, portraitist.
ritwal n.m., pl. -i, (ekkl.) ritual, ceremonial.
ritwali aġġ., ritual.
ritwalist n.m., f. -a, pl. -i, ritualist.
rival n.m., f. -a, pl. -i, rival.
rivalità n.f., pl. -jiet, rivalry.
rivedut aġġ. u p.p., revised.
rivelat aġġ. u p.p., revealed.
rivelazzjoni n.f., pl. -jiet, revelation.
rivellin n.m., pl. -i, (mil.) ravelin.
rivèndika n.f., pl. -i, (leg.) claim.
rivendikazzjoni n.f., pl. -jiet, (leg.) rivendication.
rivendizzjoni n.f., pl. -jiet, resale.
riverenza n.f., pl. -i, reverence, bow.
riverenzjali aġġ., reverential.
rivers n.m., bla pl., reverse. ***bir-~;*** into reverse.
riversibilità n.f., pl. -jiet, reversibility.
rivinċita n.f., pl. -i, (logħ.) return match.
rivista n.f., pl. -i, review, magazine, (mil.) review, parade.
rìvit n.m., pl. -s, rivet.
rivjiera n.f., pl. -i, coast, seashore.
rivoluzzjonarju n.m., f. -a, pl. -i, revolutionary.
rivoluzzjoni n.f., pl. -jiet, (astro.) revolution.
rivolver ara **revolver**.
rixa n.f., pl. -iet, koll. ***rix;*** feather, piume, pen. ***mitraħ tar-rix;*** feather-bed.
rixtel v.kwad., ***jrixtel;*** to card, to scutch.
rixtellu n.m., pl. -i, rake, scuthcher, iron gate.
rixtiel n.m., f. u pl. -a, carder.
rizza n.f., pl. -i, (żool.) sea urchin.
riżenja n.f., pl. -i, resignation.
riżma n.f., pl. -i, ream.
riżolut aġġ. u p.p., resolute, determined.
riżolutament avv., resolutely.
riżoluttiv aġġ., resolutive.
riżoluzzjoni n.f., pl. -jiet, resolution.
riżoma n.f., pl. -i, (bot.) rhizoma.
riżorsa n.f., pl. -i, resource.
riżq n.m., pl. ***rżuq;*** fortune, luck. ***~ ħażin;*** ill-omen.
riżqan aġġ., lucky.
riżultanti aġġ. u p.preż., resultant.
riżultat n.m., pl. -i, result.
rjal aġġ., royal, generous, liberal.
rjali aġġ., royal.
rkada v.Sq., ***jirkadi;*** to fall ill again.
rkant n.m., pl. -ijiet, auction, auction sale.
rkantatur n.m., pl. -i, auctioneer.
rkapta v.Sq., ***jirkapta;*** to obtain, to acquire.
rkaptu n.m., pl. -i, raw material.
rkatta v.t, ***jirkatta;*** to blackmail.
rkib n.m., bla pl., riding.
rkobba ara **rkoppa**.
rkoċa v.Sq., ***jirkoċi;*** to anneal.
rkoppa n.f., pl. -i, (anat.) knee.
rkotta n.f., bla pl., butter-milk curd.
rkupra v.Sq., ***jirkupra;*** to recuperate.
rmedja v.t., ***jirmedja;*** to remedy, to find a remedy.
rmedju n.m., pl. -i, remedy.
rmied n.f.koll., ashes.
rmiedi aġġ., ash-coloured.
rmiedja v.t., ***jirmedja;*** to remedy.
rmiġġ n.m., pl. -i, (mar.) mooring.
rmiġġa v.Sq., ***jirmiġġa;*** to moor, to cast anchor.
rmiġġat aġġ. u p.p., anchored.
rmixk n.m.koll., rubbish, refuse, riff-raff.
rmixka v.Sq., ***jirmixka;*** (logħ.) to shuffle (the) cards.
rmonda v.t., ***jirmonda;*** to prune.
rmonk n.m., pl. -ijiet, (mar.) tow.
rmonka v.t., ***jirmonka;*** (mar.) to tow, to tug, to haul.
rmulija n.f., pl. -i, widowhood.
rmunkat aġġ. u p.p., towed.
rnexxa v.Sq., ***jirnexxi;*** to succeed, to be able. ***qatt ma jirnexxielkom tipperswaduh;*** you will never be able to persuade him.
rnexxitura n.f., pl. -i, success.
rnexxut aġġ. u p.p., succeeded.
robinja n.f., pl. -i, (bot.) locust tree.
rododendru n.m., pl. -i, (bot.) rhododendrum.
rogazzjoni n.f., pl. -jiet, (ekkl.) rogation.
rogħdam n.f., pl. -iet, tremble, quiver.
roħos v.I, ***jorħos;*** to become cheap, to fall in price.
roħs n.m., bla pl., cheapness, low price, abasement of prices.
rokit n.m., pl. -s, rocket.
rokkett n.m., pl. -i, (ekkl.) rocket.
rokna n.f., pl. ***rkejjen;*** corner, recess. ***f' ~;*** in a corner.
rokokò n.m., bla pl., rococo.
roll n.m., pl. -ijiet, roll.

romantiċiżmu n.m., pl. -i, romanticism.
romantikament avv., romantically.
romàntiku aġġ., romantic.
romanz n.m., pl. -i, romance, novel.
romanza n.f., pl. -i, (muż.) ballad, romance.
romanzier ara **rumanzier**.
romblu n.m., pl. -i, roll, roller. *~ tas-sodda;* bolster.
rombojd n.m., pl. -i, rhomboid.
rombojdali aġġ., rhomboidal.
rombu n.m., pl. -jiet, rhomb.
romitorju n.m., pl. -i, hermitage.
romol v.I, *jormol;* to become a widower.
ronċil n.m., pl. -i, pruning hook, spud.
ronda n.f., pl. -i, (mil.) rounds, round, patrol, watch. ***għamel ir-~;*** to patrol.
rondinella n.f., pl. -i, (itt.) flying fish.
rondò n.m., pl. -jiet, (muż.) rondo.
rondun n.m., pl. -i, (ornit.) swift. *~ ta' l-Asja;* needle-tailed swift. *~ kannella;* pallid swift. *~ ta' żaqqu bajda;* alpine swift. *~ żgħir;* white rumped or little swift.
ronka n.f., pl. *ronok;* pruning knife.
roqgħa n.f., pl. *rqajja';* patch, clout. *~ art;* plot of land. ***għamel ~;*** to mend, to patch up.
roqom v.I, *jorqom;* to ornament, to embellish.
rospu n.m., pl. -i, (żool.) toad.
ross n.m.koll., rice.
roster n.m., pl. -s, roster.
rota n.f., pl. -i, wheel, bicycle.
rotazzjoni n.f., pl. -jiet, rotation.
rotond aġġ., rotund.
rotta n.f., pl. *rotot;* course, route.
rovina n.f., pl. -i, ruin.
rowlipowli n.f., pl. -s, roly-poly.
rowż n.f., pl. -is, (bot.) rose.
rozz aġġ., uncouth, coarse.
roża aġġ., pink.
rożolin n.m., pl. -i, rosolio.
rpar n.m., pl. -i, bulwark, shelter.
rpara v.t., *jirpara;* to repair, to mend, to redress the wrong, to take shelter.
rpilja v.t., *jirpilja;* to recover. *qatt ma ~ mill-marda li kellu;* he never recovered from his illness.
rpoż n.m., bla pl., repose, quiescense.
rpoża v.t., *jirpoża;* to repose, to rest.
rpużat aġġ. u p.p., rested, relieved, quiet, placid.
rqad n.m., bla pl., sleep, sleeping.
rqaq v.IX, *jirqaq;* to grow thin, subtle.
rqaqat n.f., pl., trifles.
rqiq aġġ., delicate, slim, thin, slender. *wiċċ ~;* bashful face.
rquqija n.f., bla pl., thinness.
rsalta v.t., *jirsalta;* to stand out, to be prominent.
rasa n.m.koll., lead.
rsipla n.f., pl. -i, (med.) erysiplas.
rsir ara **lsir**.
rsolva v.t., *jirsolvi;* to resolve, to solve, to settle.
rsupra v.t., *jirsupra;* to overcome.
rtab v.IX, *jirtab;* to soften, to become soft.
rtabat v.VIII, *jirtabat;* to bind oneself, to be tied.
rtadam ara **ntradam**.
rtadd ara **ntradd**.
rtafa' ara **ntrafa'**.
rtahan ara **ntrahan**.
rtass ara **ntrass**.
rtebaħ ara **ntrebaħ**.
rtema ara **ntrema**.
rtenn n.m., pl. -ijiet, restraint.
rtiegħed ara **triegħed**.
rtifes ara **ntrifes**.
rtikeb ara **ntrikeb**.
rtir n.m., pl. -i, retreat, withdrawal.
rtira v.t., *jirtira;* to withdraw, to retract, to retire. *~ mix-xogħol il-bieraħ;* he retired from work yesterday.
rtirat aġġ. u p.p., retired, retracted.
rtirata n.f., pl. -i, retreat.
rtogħod v.VIII, *jirtogħod;* to shiver, to tremble, to shudder.
rtokk n.m., pl. -i, retouch.
rtokka v.t., *jirtokka;* to revise, (teatr.) to retouch.
rtub n.m., bla pl., softness, humidity, moisture.
rtuba n.f., pl. -t, softness, mellowness.
rtubi aġġ., malleable.
rtubija n.f., pl. -t, softness, mellowness, sluggishness.
rtukkat aġġ. u p.p., retouched, touched up, revised, corrected.
rtukkatura n.f., pl. -i, retouching.
rubakori n.kom., bla pl., lady-killer, charmer.
rubin n.m., pl. -i, ruby.
rublu n.m., pl. -i, rouble.
rubrika n.f., pl. -i, (ekkl.) rubric.
rudiment n.m., pl. -i, rudiment.
rudimentali aġġ., rudimentary.
ruġġata n.f., pl. -i, orgeat.
ruħ n.f., pl. *erwieħ;* soul, ghost, spirit, wit. *~ il-Qodos;* the Holy Spirit.
ruħani aġġ., witty.
rukkell n.m., pl. *rkiekel;* bobbin, reel.
rukkett ara **rokkett**.

rulett n.f., pl. -s, (logħ.) roulette.
rum n.m., bla pl., rum.
rumanz n.m., pl. -i, novel.
rumanzier n.m., f. -a, pl. -i, novelist.
rummiena n.f., pl. -iet, koll. ***rummien;*** pomegranate.
rumnell n.m., pl. -i, cord.
rundun ara **rondun**.
rùskus n.f., bla pl., (bot.) butcher's broom.
russett n.m., pl. -i, (ornit.) heron. ***~ abjad;*** great white egret. ***~ aħmar;*** purple heron. ***~ griż;*** grey heron.
Russu n.m., f. -a, pl. -i, Russian.
rùstiku aġġ., rustic.
rutella n.f., pl. -i, tape-measure.
ruttam n.m.koll., wax drippings.
ruvett n.m., pl. -i, (ornit.) scourer.
ruvlu n.m., pl. -i, (bot.) bay-oak.
ruxx n.m., bla pl., rouge.
ruxxmata n.f., pl. -i, large quantity, multitude.
rużarju n.m., pl. -i, rosary, chaplet. ***qal ir-~;*** to say the rosary.
rużell n.m.koll., (bot.) damask rose.
rużetta n.f., pl. -i, rosette or diamond ring, (itt.) cleaver wrasse.
rużinjol n.m., pl. -i, (ornit.) nightingale. ***~ ta' Barbarija;*** rufous warbler.
rużun n.m., pl. -i, rosace, (itt.) ornate wrasse.
rvell n.m., pl. -ijiet, rebellion.
rvella v.t., ***jirvella;*** to rebel, to rise against.
rvina v.t., ***jirvina;*** to ruin. ***irvinajt il-libsa l-ġdida tiegħi;*** I have ruined my new dress.
rvinat aġġ. u p.p., ruined.
rwol n.m., pl. -i, role.
rxiex n.m.koll., drizzle, drizzling rain.
rxoxta v.Sq., ***jirxoxta;*** to resuscitate, to rise from the dead, to revive.
rxuxtat aġġ. u p.p., resurrected, resuscitated.
rżana n.f., bla pl., modesty.
rżieħ n.m., bla pl., chillness, cold.
rżiħ ara **rżieħ**.
rżin aġġ., composed, quiet, tranquil, coy.
rżit aġġ., slender, thin, lean.

Ss

S, s ***it-tlieta u għoxrin ittra ta' l-alfabett Malti u d-dsatax-il waħda mill-konsonanti;*** the twenty third letter of the Maltese alphabet and the nineteenth of the consonants.
sa prep., till, until. ***~ barra;*** entirely. ***~ kemm;*** as long as.
sab v.I, ***jsib;*** to find, to meet, to discover, to invent. ***sibt ruħi f'nofs folla kbira;*** I found myself in the middle of a big crowd.
saba' n.m., pl. ***swaba';*** finger, toe. ***~ l-kbir;*** thumb. ***~ l-werrej;*** forefinger. ***~ tan-nofs;*** middle finger. ***~ tal-ħatem;*** annular or ring finger. ***~ ż-żgħir;*** little finger.
sabar v.I, ***jisbor;*** to bear with patience, to suffer, to tollerate.
sabar n.m., pl. ***osbra;*** patience, tollerance. ***tilef is-~;*** to lose patience.
sabara avv., thoroughly, completely.
sabb n.m., bla pl., dysentery. ***~ tad-demm;*** flux.
sabbar v.II, ***jsabbar;*** to comfort, to console. ***sabbarni fin-niket tiegħi;*** he consoled me in my distress.
sabbàr n.m., f. u pl. -a, comforter, consoler.
sabbara n.f., pl. -iet, (bot.) aloe.
sabbat v.II, ***jsabbat;*** to throw violently on the ground, to bang, to slam. ***ħareġ u ~ il-bieb warajh;*** he went out and banged the door behind him.
sabi n.m., pl. ***subien;*** boy.
sabiex konġ., that, in order that, so that.
sabiħ aġġ., beautiful, lovely, pretty, fine, fair.
saborra n.f., pl. -i, (mar.) ballast.
sabra n.f., pl. -iet, patience.
sabutaġġ n.m., pl. -i, sabotage.
sabwej n.m., pl. -s, subway.
saċerdot n.m., pl. -i, priest.
saċerdotali aġġ., priestly, sacerdotal.
saċerdotessa n.f., pl. -i, priestess.
saċerdozju n.m., pl. -i, priesthood.
saċil n.m., pl. -s, satchel.
sadattant avv., in the meantime.
sadd v.I, ***jsodd;*** to stop, to plug. ***~ widnejh;*** to stop one's ear, to turn a deaf ear.
sadda n.f., pl. -iet, stoppage, obstruction, nasal obstruction.
saddad v.II, ***jsaddad;*** to rust, to grow rusty, to make rusty, to be blighted, to persevere, to continue or be steadfast in a thing.
saddied n.m., pl. -a, stopper.
sadid n.m., bla pl., rust, blight, mildew.
sadiq aġġ., just.
sadista n.kom., pl. -i, sadist.
sadiżmu n.m., pl. -i, sadism.
safa v.I, ***jisfa;*** to clear up, to become serene, to grow fair, to grow limpid. ***is-sema qiegħed jisfa;*** the sky is clearing up.
safa n.f., bla pl., serenity, clearness, brightness, chastity, purity.
safa' v.I, ***jisfa';*** to become, to turn out, to remain, to be. ***~ waħdu d-dar wara l-mewt ta' ommu;*** he was left alone at home after the death of his mother.
safar n.m., bla pl., navigation.
safena n.f., pl. -i, (anat.) saphena.
saff n.m., pl. -i, layer, stratum.
saff ara **seff.**
saffa v.II, ***jsaffi;*** to clear, to make clear, to strain, to filter, to cleanse, to purify, to refine.
saffaf v.II, ***jsaffaf;*** to stratify, to dispose in layers.
saffal v.II, ***jsaffal;*** to abase, to lower.
saffar v.II, ***jsaffar;*** to make yellow or pale, to whistle, to whiz, to hiss. ***ir-referì ~ u l-partita bdiet;*** the referee whistled and the game began.
saffàr n.m., f. u pl. -a, whistler, hisser.
saffatur n.m., pl. -i, sifter.
saffel v.II, ***jsaffel;*** to lower, to humiliate.
sàffika n.f., pl. -i, sapphic.
safi aġġ., pure, clear, limpid, transparent, chaste.
safja n.f., bla pl., pureness, clearness.
saflaħħar avv., at last, finally.
saflieni aġġ., nether.
safra n.f., pl. -iet, voyage, journey.

safra aġġ., yellow, pale, squalid.
safran ara **żagħfran.**
safrani aġġ., yellowish, palish, squalid.
safsaf ara **żafżaf.**
saġar v.I, ***jisġar;*** to plant with trees.
saġġ n.m., pl. -i, (artiġ.) assay.
saġġar v.II, ***jsaġġar;*** to plant with trees, afforest. ***il-gvern ~ it-triq li tagħti għall-grawnd;*** the government planted trees along the road leading to the play ground.
saġġatur n.m., pl. -i, tester, assayer.
saġittarju n.m., pl. -i, archer.
sagrament n.m., pl. -i, (teol.) sacrament.
sagramentali aġġ., sacramental.
sagrarju n.m., pl. -i, (ekkl.) sacrarium, (pl.) sacraria, shrine.
sagrifiċċju n.m., pl. -i, sacrifice.
sagrifikat aġġ., sacrificed.
sagrileġġ n.m., pl. -i, (ekkl.) sacrilege.
sagrìlegu aġġ., sacrilegious.
sagristan n.m., f. -a, pl. -i, sacristan, sexton.
sagristija n.f., pl. -i, (ekkl.) sacresty, vestry.
sagru aġġ., sacred, holy.
sagħtar n.m.koll., (bot.) thyme.
sagħrija n.f.koll., (bot.) savory.
sahar v.I, ***jishar;*** to wake, to watch, to work overtime. ***il-lejla Toni se jishar sat-tmienja;*** Anthony this evening is going to work overtime until eight o'clock.
sahra n.f., pl. -iet, waking, watching, working overtime.
saħ ara **sieħ**.
saħa ara **seħa**.
saħa n.f., bla pl., serenity, the ceasing of rain.
saħan v.I, ***jisħon;*** to get warm, to become warm, to heat, to become hot, to grow angry. ***l-arja bdiet tisħon;*** the weather began to get warm.
saħansitra avv., even.
saħaq v.I, ***jisħaq;*** to pound, to bruise, to bray, to insist, to be persistent. ***~ it-tewm fil-mehrież;*** he brayed garlic in the mortar. ***~ fuq ibnu biex jistudja;*** he insisted upon his son to study.
saħħ ara **seħħ.**
saħħa n.f., pl. -iet, health, force, strength. ***bis-~;*** strongly, stoutly. ***bis-~ ta';*** to the health of. ***bla ~;*** strengthless.
saħħab v.II, ***jsaħħab;*** to obscure, to cover with clouds, to grow cloudy. ***is-sema beda jissaħħab;*** the sky began to grow cloudy.
saħħabi aġġ., gregarious.
saħħaħ v.II, ***jsaħħaħ;*** to heal, to make sound, to fortify, to strengthen. ***fil-gwerra s-suldati jsaħħu l-fortizza kuljum;*** during the war the soldiers strengthen the fortress every day.
saħħàħ n.m., f. u pl. -a, strengthener, fortifier, healer.
saħħaħi aġġ., sanative, healing, corroborative.
saħħam v.II, ***jsaħħam;*** to tumble one in the dirt.
saħħan v.II, ***jsaħħan;*** to warm, to heat, to provoke, to make angry. ***saħħnu l-kamra ta' missierhom għaliex kien marid;*** they heated their father's room because he was ill.
saħħàn n.m., f. u pl. -a, heater, exciter.
saħħaq v.II, ***jsaħħaq;*** to cause to pound.
saħħàq n.m., f. u pl. -a, pounder.
saħħar v.II, ***jsaħħar;*** to bewitch, to charm, to enchant, to fascinate. ***dik il-mużika saħħritni;*** that music enchanted me.
saħħàr n.m., pl. ***sħaħar;*** wizard, sorcerer, (f. witch, sorceress), enchanter..
saħħari aġġ., charming.
saħħieħi aġġ., salutary, salutiferous, healthful.
saħħieq n.m., f. u pl. -a, pounder.
saħna n.f., pl. -iet, fury, excitement, excitation.
saħqa n.f., pl. -iet, bruise. ***~ fit-taħdit;*** a long discussion. ***~ xita;*** a storm of rain.
saħta n.f., pl. -iet, curse, malediction.
sajbord n.m., pl. -ijiet, side board.
sajd n.m., bla pl., fishing. ***dgħajsa tas-~;*** fishing boat. ***industrija tas-~;*** fishing industry.
sajda n.f., pl. -iet, catch of fish.
sajdeffekt n.m., pl. -s, side effect.
sajf n.m., pl. ***sjuf;*** summer. ***~ ta' S. Martin;*** St. Martin's summer..
sajfi aġġ., estival.
sajjar v.II, ***jsajjar;*** to cook, to ripen, to mature, to make ripe, to digest. ***ix-xemx issajjar l-għeneb;*** the sun ripens the grapes.
sajjàr n.m., f. u pl. -a, cook.
sajjem v.II, ***jsajjem;*** to fast.
sajjem aġġ., fasting.
sajjetta n.f., pl. -i, thunderbolt, lightning, bolt. ***~ fil-bnazzi;*** a bolt from the blue.
sajjied n.m., f. u pl. -a, fisher, fisherman.
sajjiem n.m., f. u pl. -a, faster.
sajlenser n.m., pl. -s, silencer.
sajlo n.m., pl. -s, silo.
sajran n.m., bla pl., cooking, maturity, ripeness.

sajtun n.m., pl. -i, (bot.) carline.
sajż n.m., pl. -ijiet, size.
sakemm avv., until, till, as long as, how long?.
sakkar v.II, ***jsakkar;*** to shut, to close, to bar, to make drunk, to fuddle. ***fil-festa tar-raħal sħabu sakkruh;*** on the patron saint's day his friends fuddled him.
sakkàr n.m., f. u pl. -a, he who shuts, he who causes drunkenness.
sakkara n.f., pl. -iet, bar, bolt.
sakkarina n.f., pl. -i, saccarine.
sakkeġġ n.m., pl. -i, sack, loot.
sakra n.f., pl. -iet, drunkenness, fuddle.
sakranazz n.m., f. -a, pl. -i, drunkard, sot.
sala v.I, ***jisla;*** to estimate.
sala n.f., pl. ***swali;*** hall.
salab v.I, ***jislob;*** to crucify.
salaħħar avv., to the very last, to the very end.
salamandra n.f., pl. -i, (żool.) salamander.
salamun n.m.koll., (itt.) salmon.
salamur ara **salamun.**
salarju n.m., pl. -i, wages, pay, salary.
salba n.f., pl. -iet, crucifixion.
sald n.m., bla pl., balance of an account, settlement.
saldatur n.m., pl. -i, soldering bolt, soldering iron, coach box.
saldatura n.f., pl. -i, soldering.
saldu ara **sald.**
Sależjan n.m., pl. -i, (ekkl.) Salesian.
salib n.m., pl. ***slaleb;*** cross, affliction. ***radd is-~;*** to make the sign of the cross, to cross oneself. ***~ it-toroq;*** crossroad, cross way, cross roads.
saliċilat n.m., pl. -i, (kim.) salicylate.
saliċiliku aġġ., (kim.) salicylic. ***aċidu ~;*** salicydic acid.
salina n.f., pl. -i, saltern, salt-pan, salt-pit, brine-pan, salt mine.
saljatura n.f., pl. -i, corbel.
saljenti aġġ., salient, important, notable, jetting forth.
salla v.II, ***jsalli;*** to say one's prayer, to pray, to blaspheme.
sallab v.II, ***jsallab;*** to cross, to trasverse, to pass through, to crucify. ***il-Lhud sallbu 'l Ġesù;*** the Jews crucified Jesus.
sallàb n.m., f. u pl. -a, he who crosses, crucifier.
salliera n.f., pl. -i, salt-cellar.
sallura n.f., pl. -iet, koll. ***sallur;*** (itt.) common eel.
salm n.m., pl. -i, psalm.
salmastru aġġ., brackish, salty.
salmista n.m., pl. -i, psalmist.
salmodija n.f., pl. -i, psalmody.
salmòdiku aġġ., psalmodic.
salmura n.f., pl. -i, brine, pickle.
salnîtru n.m., pl. -i, (kim.) saltpetre, nitre.
salott n.m., pl. -i, drawing-room.
salpa v.t., ***jsalpa;*** to sail, to set sail, to weigh anchor. ***il-vapur se jsalpa għada;*** the ship will sail tomorrow.
salpinġi n.f., pl. -jiet, (anat.) salpinx.
salpinġite n.f., pl. -jiet, (med.) salpingitis.
salsafi n.m, pl. -jiet, (bot.) salsify.
salsaparija n.f., pl. -i, (bot.) salsaparilla, smilax.
salt n.m., pl. -i, bout, assault.
saltan v.kwad., ***jsaltan;*** to reign, to govern, to rule, to dominate. ***ir-re dam isaltan sitt snin;*** the king reigned for six years.
salterju n.m., pl. -i, psaltery, (ekkl.) psalter, book of psalms.
saltimbank n.m., pl. -i, mountebank, tumbler, juggler, acrobat.
saltna n.f., pl. -iet, reign, kingdom.
salun n.m., pl. -i, saloon.
salut n.m., pl. -i, salute.
salv aġġ., secure, safe.
salva v.t., ***jsalva;*** to save. ***dak il-baħri ~ tifel mill-għarqa;*** that sailor saved a boy from drowning.
salvaġġ aġġ., savage, wild.
salvat aġġ. u p.p., saved.
salvatur n.m., f. -triċi, pl. -i, rescuer, saviour, saver. ***is-~;*** the Saviour.
salvawomu n.m., pl. -i, (mar.) lifebuoy, life belt, life-jacket.
salvazzjoni n.f., pl. -jiet, salvation.
salvezza n.f., pl. -i, safety, salvation.
salvja n.f., pl. -i, (bot.) sage.
sam v.I, ***jsum;*** to fast.
sama' v.I, ***jisma';*** to hear, to listen. ***baqa' jisma' l-aħbarijiet minn fuq ir-radju;*** he remained listening to the news on the radio.
samaritan n.m., pl. -i, samaritan.
samat v.I, ***jismot;*** to scorch, to scald.
samm aġġ., massive, hard spot.
samma' v.II, ***jsamma';*** to cause one to hear, to relate, to refer, to tell.
sammam v.II, ***jsammam;*** to harden.
sammar v.II, ***jsammar;*** to nail, to fasten with nails.
samra aġġ., brown.
samrani, aġġ., brownish, swarthy.
samsam v.kwad., ***jsamsam;*** to procrastinate.
samsar v.kwad., ***jsamsar;*** to divulge, to publish, to act as broker.

samsàr n.m., f. u pl. -a, mediator, broker.
samsir n.m., bla pl., brokerage.
samta n.f., pl. -iet, scalding, burning, burn.
san aġġ., saint.
sanatorju n.m., pl. -i, sanatorium.
sandla n.f., pl. -i, sandal.
sandlu n.m., pl. -i, (bot.) sandal, sandalwood.
sandpejper n.m., pl. -s, sandpaper.
sandwiċċ n.m., pl. -is, sandwich.
sanġakk n.m., pl. -jiet, standard, strength.
sangilott n.m., pl. -i, highwayman.
sangisug n.m., pl. -i, leech, bloodsucker, (itt.) lamprey.
sangwinarju aġġ., sanguinary, bloody.
sanità n.f., bla pl., health. ***tas-~;*** health inspector.
sanitarju aġġ., sanitary.
sann ara **senn.**
sanna n.f., pl. -iet, a sharpening.
sannien n.m., f. u pl. -a, knife-grinder.
sanpagatu n.m., bla pl., pay day.
sansun n.m., pl. -i, strong and robust man.
santa n.f., pl. -i, holy picture.
santifikazzjoni n.f., pl. -jiet, sanctification.
santissimu aġġ., most holy, sacred. ***~ Sagrament;*** the Blessed Sacrament.
santità n.f., bla pl., holiness, sanctity.
santolina n.f., pl. -i, (bot.) southern-wood.
santonina n.f., pl. -i, santonin.
santu aġġ., holy. ***Spirtu s-~;*** Holy Spirit.
santwarju n.m., pl. -i, sanctuary.
sanzjoni n.f., pl. -jiet, sanction.
sapjent aġġ., sapient, wise.
sapjenza n.f., bla pl., wisdom.
sapnatura n.f., pl. -i, soaping.
sappap v.II, ***jsappap;*** to sop, to drench, to soak, to imbue.
sapport n.m., pl. -i, support.
sapuna n.f., pl. -iet, koll. ***sapun;*** soap. ***~ tal-leħja;*** shaving soap. ***ragħwa tas-~;*** soap-suds.
sapuniera n.f., pl. -i, soap-box.
saq v.I, ***jsuq;*** to drive. ***~ karozza bla liċenzja tas-sewqan;*** he drove a car without a driving licence.
saqa ara **seqa**.
saqaf n.m., pl. ***soqfa;*** ceiling, roof. ***~ il-ħalq;*** the palate.
saqqa v.II, ***jsaqqi;*** to water, to irrigate. ***mur saqqi l-ward tal-ġnien;*** go and water the flowers in the garden.
saqqaf v.II, ***jsaqqaf;*** to roof, to ceil.
saqqàf n.m., pl. -a, tiler, slater, roof maker.
saqqej n.m., f. u pl. -ja, irrigator, waterer.
saqqu n.m., pl. -ijiet, mattress.
saqsa v.irr., ***jsaqsi;*** to ask, to interrogate, to enquire. ***saqsieh meta jiġi l-iskola;*** ask him when he comes to school.
saqsieq n.m., f. u pl. -a, questioner.
saqwi aġġ., watered soil, irrigated land.
sar v.I, ***jsir;*** to become, to grow, to grow ripe, to ripen, to be cooked. ***~ bniedem;*** to take human flesh. ***~ il-lejl;*** to grow dark. ***~ għadma u ġilda;*** to grow skin and bones.
sarabanda n.f., pl. -i, (muż.) saraband, sarabande.
saraga n.f., pl. -i, (itt.) pilchard.
saram v.I, ***josrom;*** to embroil, to entangle.
saram n.m., pl. ***sriema;*** entanglement.
sarar n.m., bla pl., wrestling.
sarbat v.kwad., ***jsarbat;*** to array.
sarbit n.m., bla pl., ranks.
sarbut n.m., pl. ***sriebet;*** array, row, rank.
sardellina n.f., pl. -i, (itt.) pilchard.
sardina n.f., pl. -iet, koll. ***sardin;*** sprat.
sardinella n.f., pl. -i, (bot.) geranium.
sardonikament avv., sardonically.
sardoniku aġġ., sardonic.
sarġ n.m., pl. ***sruġ;*** saddle, serge.
sarġat v.kwad., ***jsarġat;*** to intertwine.
sargu n.m., pl. -i, (itt.) white bream.
sarima n.f., pl. -i, ***srajjem;*** muzzle.
saringa ara **siringa.**
sarjetta n.f., pl. -i, (bot.) summer savoxy.
sarkastikament avv., sarcastically.
sarkàstiku aġġ., sarcastic(al).
sarkażmu n.m., pl. -i, sarcasm.
sarkòfagu n.m., pl. -i, sarcophagus.
sarkoloġija n.f., pl. -i, sarcology.
sarkoloġista n.kom., pl. -i, sarcologist.
sarkoma n.f., pl. -i, (med.) sarcoma.
sarma n.f., pl. -iet, entanglement.
salpa n.f., pl. -iet, (itt.) salema.
sarr v.I, ***jsorr;*** to pack, to pack up, to bundle. ***~ ħwejġu u telaq;*** he packed up his clothes and left.***~ ġo fih;*** to keep secret.
sarr n.m., bla pl., packing.
sarraf v.II, ***jsarraf;*** to exchange money. ***mar isarraf ċekk il-bank;*** he went to exchange a cheque at the bank.
sarràf n.m., f. u pl. -a, money-changer.
sarraġ v.II, ***jsarraġ;*** to make saddle, to saddle.
sarràġ n.m., f. u pl. -a, saddle-maker, saddler.
sarram v.II, ***jsarram;*** to muzzle.
sarrar v.II, ***jsarrar;*** to pack up, to bundle up.
sarretta n.f., pl. -i, (mar.) grating.
sarsa n.f., pl. -i, (mar.) shroud.

sarsar v.kwad., *jsarsar;* darn, to prolong, to procrastinate, to delay.
sarsàr n.m., f. u pl. -a, darner, procrastinator.
sarsella n.f., pl. -iet, koll. *sarsell;* (ornit.) teal.
sarsir n.m., bla pl., darning, procrastination.
sarsur n.m., pl. *srasar;* (żool.) cricket.
sarvetta n.f., pl. *srievet;* napkin, serviette.
sarwal v.kwad., *jsarwal;* to embroil, to entangle, to lie.
sarwàl n.m., f. u pl. -a, he who embroils or entangles, liar.
sarwil n.m., bla pl., embroiling, entangling, to lie, falsehood.
saspender n.m., pl. -s, suspender.
sassla n.f., pl. -i, (mar.) scoop.
sata' v.I, *jista';* to be able, to be allowed, to be permitted, to be possible. ***intom tistgħu tgħinuni;*** you are able to help me.
satal n.m., pl. *stal, stali;* pail.
satar v.I, *jistor;* to cover, to veil, to hide, to conceal, to hush. ***l-omm satret id-delitt ta' binha;*** the mother concealed her son's crime.
satellita n.f., pl. -i, (astro.) satellite.
satin n.m., bla pl., satin.
sàtira n.f., pl. -i, satire.
satìriku aġġ., satiric(al).
satla n.f., pl. *stali;* (ekkl.) aspersorium.
satra n.f., pl. -iet, covering, concealment, secrecy.
sattàr n.m., f. u pl. -a, coverer, concealer.
sawm n.m., bla pl., fasting.
sawma n.f., pl. -iet, fast.
sawnd n.m., bla pl., sound.
sawra n.f., pl. -iet, image, figure.
sawran n.m., bla pl., formation.
sawrella n.f., pl. -iet, koll. *sawrell;* (itt.) scad. ~ ***imperjali;*** golden scad. ~ ***kaħla;*** horse-mackarel.
sawt n.m., pl. -iet, staff, lash, whip, (itt.) great weever.
sawtarella n.f., pl. -i, (artiġ.) bevel.
sawwab v.II, *jsawwab;* to pour, to bestow, to transfuse.
sawwàb n.m., f. u pl. -a, pourer.
sawwaf v.II, *jsawwaf;* to cover with wool.
sawwafi aġġ., wooly, wool bearing.
sawwar v.II, *jsawwar;* to shape, to form, to mould, to design, to delineate, to draw, to figure, to represent, to fortify. ***bi ftit tafal sawwarli pastur;*** from some clay he moulded a figurine for me.
sawwàr n.m., f. u pl. -a, designer, delineator, painter, liner, engineer.
sawwat v.II, *jsawwat;* to beat, to whip, to strike, to flog, to lash.
sawwàt n.m., f. u pl. -a, striker, hitter, beater.
sawweb v.II, *jsawweb;* to pour. ~ ***id-demm;*** to transfuse.
sawwem v.II, *jsawwem;* to make one fast.
sbatax adj.num., seventeen.
sbejjaħ aġġ., pretty, handsome.
sbieħ v.IX, *jisbieħ;* to become beautiful, fine, handsome. ***dik ix-xitla qiegħda tisbieħ;*** that sapling is growing fine.
sbiħ n.m., bla pl., dawn.
sbik n.m., bla pl., stripping.
sbilanċja v.t., *jisbilanċja;* to unbalance.
sbilanċjat aġġ. u p.p., unbalanced.
sbir n.m., bla pl., respite.
sbira n.f., pl. -iet, deferment of payment.
sbit n.m., bla pl., banging.
sbuħija n.f., bla pl., beauty, loveliness, handsomeness.
sbula n.f., pl. -iet, koll. *sbul;* ear of corn. ~ ***tal-qamħ ir-rum;*** ear of Indian corn.
seba v.I, *jisbi;* to enslave, to ruin.
seba' aġġ., num., seventh.
sebaħ v.I, *jisbaħ;* to dawn.
sebaq v.I, *jisboq;* to forerun, to overrun, to outstrip, to precede, to surpass, to excel, to exceed.
sebbaħ v.II, *jsebbaħ;* to remain till daybreak, to embellish, to adorn, to beautify. ***is-siġar isebbħu l-ambjent;*** the trees embellish the environment.
sebbej n.m., f. u pl. -a, plunderer.
sebbel v.II, *jsebbel;* to run to seed.
sebbella n.f., pl. -i, (żool.) ladybird.
sebbieħ n.m., f. u pl. -a, adorner, beautifier.
sebbieq n.m., f. u pl. -a, forerunner, precursor.
sebgħa aġġ., num., seven.
sebgħin aġġ., num., seventy.
sebħ n.m., bla pl., glory, dawn. ***mas-~;*** at peep of day.
sebq n.m., bla pl., outstripping. ***sebqet 'l ommha;*** (bot.) carline.
sebt n.m., pl. *sbut;* sceptre.
sebuqa n.f., pl. -iet, (bot.) elder.
seċessjoni n.f., pl. -jiet, secession.
sedaq v.I, *jisdaq;* to render just, upright and true.
sedattiv aġġ., (med.) sedative.
sedda n.f., pl. -iet, coryza.
seddaq v.II, *jseddaq;* to render just, upright and true.

sedentarju n.m., f. -a, pl. -i, sedentary.
sedil n.m., pl. -i, seat.
sediment n.m., pl. -i, sediment, dregs.
sedizzjoni n.f., pl. -jiet, sedition.
sedizzjuż aġġ., seditious.
sedja n.f., pl. -i, chair, seat.~ ***ġestatorja;*** gestatorial chair.
sedott aġġ., seduced.
sedq n.m., bla pl., veracity, sincerity.
sedqa n.f., pl. -iet, loyalty, fidelity.
seduċenti aġġ., seductive, tempting.
seduta n.f., pl. -i, sitting, session, meeting.
seduttur n.m., f. -triċi, pl. -i, seducer.
seduzzjoni n.f., pl. -jiet, seduction.
sefa ara **safa.**
sefaħ v.I, ***jisaħ;*** to be rocked.
sefaq v.I, ***jisfaq;*** to become thick, dense.
seff v.I, ***jsiff;*** to suck.
seffaq v.II, ***jseffaq;*** to make or render thick, dense. ~ ***il-wiċċ;*** to make a bold face.
seffed v.II, ***jseffed;*** to spit, to thrust, to drive in, to put on the spit.
seffied n.m., f. u pl. -a, he who spits, thrusts, drives in.
seffud n.m., pl. ***sfiefed;*** spit, broach.
sefħ n.m., bla pl., woof.
sefqa n.f., pl. -iet, denseness, thickness.
sefsef v.kwad., ***jsefsef;*** to whisper, to suck.
sefsief n.m., f. u pl. -a, one who sucks, one who murmurs.
sefsif n.m., bla pl., whispering, gossip in one's ear.
sefter v.kwad., ***jsefter;*** to serve one, to dredge. ***irid kulħadd iseftirlu;*** he wants everybody to serve him.
seftur n.m., f. -a, pl. -i, servant, (f. maid).
sega n.f., pl. -i, (artiġ.) saw, hacksaw.
segatura n.f., pl. -i, sawing.
segment n.m., pl. -i, segment.
segmentali aġġ., segmental.
segmentazzjoni n.f., pl. -jiet, segmentation.
segregat aġġ. u p.p., isolated, secluded.
segregazzjoni n.f., pl. -jiet, segregation, retirement, seclusion.
segretament avv., secretly.
segretarjat n.m., pl. -i, secretariat, secretaryship.
segretarju n.m., f. -a, pl. -i, secretary. ~ ***privat;*** private secretary. ~ ***ta' l-Istat;*** Secretary of State. ***Sottu ~;*** Under Secretary.
segreterija n.f., pl. -i, secretary's office.
segretezza n.f., pl. -i, secrecy.
segriet n.m., pl. -i, secret.
segu n.m., bla pl., sago.
segwa v.t., ***jsegwi;*** to follow, to come after. ***il-pulizija segwew il-ħalliel sakemm qabduh;*** the police followed the thief until they captured him.
segwaċi n.kom., follower.
segwit aġġ., followed.
sègwitu n.m., bla pl., retinue, train.
seha v.I, ***jisha;*** to distract oneself.
sehem n.m., pl. ***ishma;*** portion, share, allotment.
sehwa n.f., pl. -t, distraction, oversight, inadvertency.
sehwien aġġ. u p.preż., distracted.
seħa v.I, ***jisħa;*** to cease raining, to become fine, fair weather.
seħer n.m., pl. ***sħarijiet, isħra;*** enchantment, charm, sorcery, witchcraft.
seħet v.I, ***jisħet;*** to curse.
seħħ v.I, ***jseħħ;*** to be fulfilled, to be accomplished, to prove true. ***fl-aħħar seħħet il-ħolma tiegħi;*** at last my dream was fulfilled.
sejba n.f., pl. -iet, treasure-trove, find.
sejf n.m., pl. ***sjuf;*** sword.
sejf n.m., pl. -iet, safe.
sejftipinn n.m., pl. -s, safety-pin.
sejftirejżer n.f., pl. -s, safety-razor.
sejfti-valv n.f., pl. -s, safety-valve.
sejħa n.f., pl. -iet, call, calling.
sejjaħ v.II, ***jsejjaħ;*** to call. ~ ***lil ħuk biex tiġu tieklu;*** call your brother for dinner.
sejjeb v.II, ***jsejjeb;*** to sell at the first offer.
sejjef v.II, ***jsejjef;*** to pierce with a sword.
sejjes v.II, ***jsejjes;*** to lay the foundation, to ground.
sejjieb n.m., f. u pl. -a, finder.
sejjieħ n.m., f. u pl. -a, caller. ***ħajt tas-~;*** dry wall.
sejl n.m., pl. -s, sale.
sekkek v.II, ***jsekkek;*** to plough the surface soil, to spy upon.
sekken v.II, ***jsekken;*** to cut with a knife.
seklu n.m., pl. -i, century.
sekond aġġ., second.
sekonda n.f., pl. -i, second.
sekondant n.kom., pl. -i, seconder.
sekondarjament avv., secondly.
sekondarju aġġ., secondary.
sekondiera n.f., pl. -i, hand of a watch.
seksef v.kwad., ***jseksef;*** to inquire about.
seksek ara **seksef.**
seksi aġġ., sexy.
seksief n.m., f. u pl. -a, curious, inquisitive person.
seksik n.m., bla pl., curiosity, inquisitiveness, gossiping.
sekular n.m., pl. -i, layman, secular.

sekularizzazzjoni n.f., pl. -jiet, secularization.
sekwenza n.f., pl. -i, (ekkl.) sequence.
sekwenzjali aġġ., sequential.
sekwestrabbli aġġ., (leg.) liable to sequestration.
sekwestratarju n.m., pl. -i, (leg.) sequestrator.
sekwestru n.m., pl. -i, (leg.) sequestration, distraint, seizure.
sela v.I, ***jisli;*** to calculate.
selaħ v.I, ***jislaħ;*** to have a looseness, a diarrhea, to skin, to take the skin off, to flay, to excoriate, to fleece.
selettiv aġġ., selective.
selettività n.f., pl. -jiet, selectivity.
selezzjoni n.f., pl. -jiet, selection.
self n.m., bla pl., loan, lending, borrowing.
selfa n.f., pl. -iet, loan.
selfservis n.m., pl. -es, self service.
selħa n.f., pl. -iet, scratch, breach.
sella v.II, ***jselli;*** to greet, to give best wishes to.
sellef v.II, ***jsellef;*** to lend or loan frequently.
sellem v.II, ***jsellem;*** to salute, to greet. ***kull filgħodu t-tfal kif jidħlu l-iskola jsellmu lis-surmast;*** every morning the children, entering the school, greet the headmaster.
sellet v.II, ***jsellet;*** to unrevel, to fray, to unweaver.
sellief n.m., f. u pl. -a, money-lender.
sellieħ n.m., pl. -a, flayer.
selliet n.m., pl. -a, gladiator, frayer.
sellum n.m., pl. ***slielem;*** ladder.
selofejn n.m., pl. -s, sellophane.
selsel v.kwad., ***jselsel;*** to string, to chain.
selq n.m.koll., (bot.) beet.
selvaġġ n.m., f. -a, pl. -i, savage.
sema n.m., pl. ***smewwiet;*** sky, heaven.
semafor n.m., pl. -i, (mil.) semaphore.
sema' ara **sama'.**
semàntika n.f., bla pl., semantics.
semàntiku aġġ., semantic.
semen n.m., bla pl., butter.
semestrali aġġ., half-yearly, semi-annual.
seminarist n.m., pl. -i, seminarist.
seminarju n.m., pl. -i, seminary.
semìtiku aġġ., semitic.
semiton n.m., pl. -i, (muż.) semitone.
semm n.m., pl. ***smum;*** poison, venom.
semma v.II, ***jsemmi;*** to name, to nominate, to give a name to, to mention, to entitle, to give a title. ***semmewh Ġużeppi għal missieru;*** they named him Joseph for his father.
semma' ara **samma'**.
semmej n.m., f. u pl. -ja, nominator, he who gives a name, nemenclator.
semmem v.II, ***jsemmem;*** to poison, to envenom.
semmen v.II, ***jsemmen;*** to fatten, to make fat.
semmiegħ n.m., f. u pl. -a, auditor, listener, hearer.
semmiem n.m., f. u pl. -a, poisoner.
semmiemi aġġ., venomous, poisonous.
semmien n.m., f. u pl. -a, fattener.
semni aġġ., buttery.
sempliċement avv., simply.
sempliċi aġġ., simple.
sempliċità n.f., pl. -jiet, simplicity.
sempliċjott n.m., f. -a, pl. -i, simpleton.
semplifikazzjoni n.f., pl. -jiet, simplification.
sempreviva n.f., pl. -i, (bot.) everlasting plant.
sena n.f., pl. ***snin;*** year. ***l-ewwel tas-~;*** New Year's day. ***kull ~;*** every year, yearly. ***ta' kull ~;*** annual, yearly.
sena n.f., bla pl., (bot.) senna.
senaħ v.I, ***jisnaħ;*** to become rancid.
senapa n.f., pl. -i, (bot.) mustard.
senarju n.m., pl. -i, (lett.) verse of six syllables.
senat n.m., pl. -i, (parl.) senate.
senatorjali aġġ., senatorial.
senatur n.m., pl. -i, senator.
senduq n.m., pl. ***sniedaq;*** chest, trunk, travelling chest.
sengħa n.f., pl. ***snajja';*** trade, craft, art. ***bis-~;*** artfully, ingeniously. ***raġel tas-~;*** tradesman, artistan, artificer.
senn v.I, ***jsenn;*** to whet, to sharpen.
senneġ v.kwad., ***jsenneġ;*** to render hard, to overbake bread.
sennej n.m., f. u pl. -ja, knife grinder.
sennien n.m., f. u pl. -a, grinder.
sens n.m., pl. -i, sense.
sens n.m., bla pl., sense, signification, acceptation, judgement, understanding.
sensàl n.m., f. u pl. -a, broker, middleman.
sensazzjonali aġġ., sensational.
sensazzjoni n.f., pl. -jiet, sensation.
sensel v.kwad., to chain, to string, to unite together.
senserija n.f., pl. -i, brokerage.
sensibbli aġġ., sensible.
sensibilità n.f., pl. -jiet, sensibility.
sensiel n.m., f. u pl. -a, broker.
sensiela n.f., pl. -i, chain.
sensil n.m., bla pl., concatenation.
sensittiv aġġ., sensitive.
sensittività n.f., pl. -jiet, sensitivity.

sensja n.f., pl. -i, permission, licence, permit, discharge.*ta s-~;* to dismiss, to send away. ~ *ta' suldat;* to furlough.
senswali aġġ., sensual, sensuous.
senwalità n.f., pl. -jiet, sensuality.
sent n.m., pl. -s, cent.
sentenza n.f., pl. -i, (leg.) sentence, decree, decision.
sentenzjuż aġġ., sententious.
senter n.m., pl. *snieter, sentrijiet;* sporting gun, shot-gun, hunter's firearm.
sentiment n.m., pl. -i, judgement, understanding, knowledge, sentiment, feelings.
sentimentali aġġ., sentimental.
sentimentalità n.f., pl. -jiet, sentimentality.
sentimentaliżmu n.m., pl. -i, sentimentalism.
sentina n.f., pl. -i, (mar.) bilge.
sentinella n.f., pl. -i, (mil.) sentry, sentinel.
sepal n.m., pl. -ijiet, (bot.) sepal.
separabbli aġġ., separable.
separat aġġ., separate.
separatament avv., separately.
separazzjoni n.f., pl. -jiet, separation.
sepolkru n.m., pl. -i, sepulcre.
sepoltura n.f., pl. -i, sepulture.
seqa v.I, *jisqi;* to water, to give water to, to irrigate.
seqer n.m., pl. *isqra;* (ornit.) hawk, falcon.
seqi n.m., bla pl., chilblain. ~ *fil-għarqub;* kibe.
seràfiku aġġ., seraphic.
serafin n.m., pl. -i, seraph, (pl. seraphim).
seraq v.I, *jisraq;* to rob, to steal, to take away. *Napuljun ~ ħafna mit-teżori ta' Malta;* Napoleon stole many of Malta's treasures.
serata n.f., pl. -i, evening performance, show, soirée.
serbut ara **sarbut.**
serdaq v.kwad., to strut.
serduk n.m., pl. *sriedak;* (żool.) cock.
seren aġġ., serene, calm, tranquil.
serenata n.f., pl. -i, serenade.
serenità n.f., bla pl., serenity.
serħ n.m., bla pl., rest, quietness.
serjament avv., seriously.
serje n.f., pl. -jiet, serial, series.
serjetà n.f., bla pl., seriousness.
serju aġġ., serious.
serp n.m., pl. *sriep;* (żool.) serpent, snake. ~ *il-baħar;* serpent-eel.
serpent n.m., pl. -i, (żool.) snake.
serpentin n.m.koll., (ġeol.) ophite.
serpentina n.f., pl. -i, trap.
serpentun n.m., pl. -i, (muż.) serpent.
serq n.m., bla pl., theft, robbery, pillage.
serra n.f., pl. *serer;* greenhouse, hothouse, (itt.) leefish.
serraħ v.II, *jserraħ;* to give rest.
serrall n.m., pl. -i, harem.
serrana n.f., pl. *serràn;* (itt.) comber.
serratizz n.m., pl. -i, scantling.
serratura n.f., pl. -i, lock, saw dust.
serred v.II, *jserred;* to expose anything to the damps of the night air.
serreġ v.II, *jserreġ;* to dazzle, to shine.
serrek v.II, *jserrek;* to wind.
serrep v.II, *jserrep;* to wind, to meander to. *beda jsuq iserrep 'l hawn u 'l hemm;* while driving he was winding here and there. *it-triq isserrep;* the road wound round.
serried n.m., f. u pl. -a, he who exposes anything to the damps of the night.
serrieħ n.m., f. u pl. -a, he who gives repose.
serriepi aġġ., winding, meandering, tortuous, sinuous.
serrieq n.m., f. u pl. -a, thief, robber.
serrieq n.m., pl. *srieraq;* saw, handsaw. ~ *tad-dahar;* tenon saw.
serser v.kwad., *jserser;* to chat, to prattle, to talk idle.
sersir n.m., bla pl., chirping, prattling, chattering.
sersur n.m., pl. *srieser;* chatterbox, prater, chatter, (żool.) cricket.
serv n.m., pl. -i, servant.
serva n.f., pl. -i, maid.
serva v.t., *jservi;* to serve.
servili aġġ., servile.
serviliżmu n.m., pl. -i, servility.
servilment avv., servilely.
servitù n.m., bla pl., servitude, (leg.) easement.
servizz n.m., pl. -i, service, employment, duty.
sess n.m., pl. -i, sex.
sessjoni n.f., pl. -jiet, session.
sesswali aġġ., sexual.
sesswalità n.f., bla pl., sexuality.
seta n.f., bla pl., silk. ~ *kruda;* unbleached silk.
setaħ n.m., pl. *stieħi;* terrace, landing.
setgħa n.f., pl. -t, might, power, authority.
setgħan aġġ., powerful, mighty.
sett n.m., pl. -ijiet, set.
setta n.f., pl. *setet;* sect.
settaħ v.II, *jsettaħ;* to spread corn upon the plain.

settarju n.m., pl. -i, sectarian.
sette-bellezzi n.m., pl. dimples.
settembrina n.f., pl. -i, (bot.) Michaelmas daisy, aster.
Settembru n.m.Pr., September.
settenarju n.m., pl. -i, (lett.) septenary.
settentrijonali aġġ., ultramontane.
settorjali aġġ., sectorial.
settur n.m., pl. -i, sector.
sever aġġ., severe, strict.
severament avv., severely.
severità n.f., pl. -jiet, severity.
sew avv., precisely.
sewa v.I, ***jiswa;*** to cost, to be worth, to profit, to avail, to take advantage, to be active, to deserve. ***dak il-kwadru swielu xogħol bla qjies;*** that picture cost him infinite labour.
sewda aġġ., black. ***qalbu ~;*** sad, melancholy.
sewdieni aġġ., blackish, darkish, swarthy.
sewqan n.m., bla pl., driving.
sewsew avv., precisely.
sewwa v.II, ***jsewwi;*** to rectify, to correct, to mend, to piece, to patch, to repair, to pacify, to appease, to make peace, to geld, to castrate.
sewwa n.f., bla pl., truth, equity, justice, rectitude, uprightness.
sewwa avv., justly, faithfully.
sewwaq v.II, ***jsewwaq;*** to make canals for irrigation.
sewwed v.II, ***jsewwed;*** to blacken, to get blackish. ***in-nugrufun ~ il-ħajt kollu;*** the soot blackened the entire wall. ***~ il-qalb;*** to grieve, to sadden, to afflict. ***~ qalbu;*** to fret, to grieve, to be sad.
sewwef v.II, ***jsewwef;*** to cover with wool.
sewwej n.m., f. u pl. -ja, restorer, repairer, mender, corrector, pacifier, reconciler, peacemaker.
sewwes v.II, ***jsewwes;*** to be worm-eaten, to instigate, to provoke, to incite.
sewwieq n.m., f. u pl. -a, driver, drover.
sewwies n.m., f. u pl. -a, instigator, inciter.
sezzjoni n.f., pl. -jiet, section, division, department.
sfaċċatament avv., imprudently, shamelessly.
sfaċendat n.m., pl. -i, idler, loafer.
sfaġġ n.m., bla pl., ostentation, parade, show, luxury. ***~ ta' lbies;*** fashion show, dress parade.
sfajjar aġġ., yellowish, pallid.
sfaq v.IX, ***jisfaq;*** to become dense.
sfar v.IX, ***jisfar;*** to become yellow, to become pale. ***dik it-tifla sfaret bil-qatgħa;*** that girl turned pale with fright.
sfarġla n.f., pl. -iet, koll. ***sfarġel;*** (bot.) quince.
sfavorevoli aġġ., unfavourable.
sfavorevolment avv., unfavourably.
sfaxxa v.t., ***jisfaxxa;*** to unbandle, to fall to pieces.
sfaxxat aġġ. u p.p., unbound.
sfenojde n.m., pl. -i, (anat.) spheroid.
sfera n.f., pl. -i, sphere, globe, (ekkl.) ostensory.
sferra v.t., ***jisferra;*** to let loose.
sfiċċa n.f., pl. ***sfiċeċ;*** impetuous emotion, impetuous feelings.
sfida v.t., ***jisfida;*** to dare, to challenge. ***~ lil sħabu għall-ġlied;*** he challenged all his companions to a fight.
sfiduċja v.t., ***jisfiduċja;*** to discourage, to dishearten.
sfiduċjat aġġ. u p.p., mistrusted.
sfieq v.IX, ***jisfieq;*** to assume boldness, to become impudent, shameless, brazen faced.
sfigura v.t., ***jisfigura;*** to disfigure, to deform.
sfigurat aġġ. u p.p., disfigured, deformed.
sfila v.t., ***jisfila;*** to unthread, to defile.
sfilata n.f., pl. -i, march past, parade.
sfinġa n.f., pl. ***sfineġ;*** fritter.
sfinġi n.f., pl. -jiet, sphinx.
sfinit aġġ., exhausted.
sfinteru n.m., pl. -ijiet, (anat.) sphincter.
sfiq aġġ., thick, impudent, shameless, insolent.
sfissa v.t., ***jisfissa;*** to asphyxiate.
sflask n.m., pl. id., lint, waste.
sfoga v.t., ***jisfoga;*** to vent, to die out.
sfoka v.t., ***jisfoka;*** to put out of focus.
sfokat aġġ., out of focus.
sfolja v.t., ***jisfolja;*** to strip off leaves, to turn the pages (of a book).
sfoll n.m., pl. -i, light pastry, puff-paste.
sfolla v.t., ***jisfolla;*** to disperse (a crowd).
sfond n.m., pl. -i, background.
sfonda v.t., ***jisfonda;*** to break through, to burst open.
sforma v.t., ***jisforma;*** to disfigure, to deform.
sfortuna n.f., pl. -i, misfortune, bad luck.
sfortunat aġġ. u p.p., unfortunate, unlucky.
sfortunatament avv., unluckily, unfortunately.
sforz n.m., pl. -i, effort, attempt, exertion.
sforza v.t., ***jisforza;*** to force, to strain, to compel, to urge.
sfrakass n.m.koll., smashing.
sfrakassa v.t., ***jisfrakassa;*** to smash, to shatter.

sfratt n.m., bla pl., expulsion.
sfratta v.t., ***jisfratta;*** to turn over, off, out.
sfrattat aġġ. u p.p., undisciplined.
sfreġju n.m., pl. -i, disfigurement, gash, cut, scar.
sfrenat aġġ. u p.p., unbridled, unrestrained, loose, licentious, dissolute.
sfrutta v.t., ***jisfrutta;*** to exploit.
sfruttament n.m., pl. -i, exploitation.
sfruttatur n.m., f. -atriċi, pl. -i, exploiter.
sfuma v.t., ***jisfuma;*** to shade.
sfumat aġġ. u p.p., shaded.
sfumatura n.f., pl. -i, nuance.
sfura n.f., bla pl., yellowness, pallor.
sfurija n.f., bla pl., yellowness.
sfuż aġġ., loose, untied.
sgarra v.t., ***jisgarra;*** to go wrong, to be mistaken, to err.
sgiċċa v.t., ***jisgiċċa;*** to escape, to sneak, to slink.
sgombra v.t., ***jisgombra;*** to clear out, to evict.
sgorbja n.f., pl. -i, gouge, drill.
sgotta v.Sq., ***jisgotta;*** to bale, or bale out, a boat.
sgumbrament n.m., pl. -i, (leg.) eviction.
sgħil n.act., coughing.
shir n.act., watching.
sħaba n.f., pl. -iet, koll. ***sħab;*** cloud.
sħana n.f., pl. -t, warmth, heat.
sħiħ aġġ., sound, entire.
sħiq n.act., pounding, crushing.
sħit n.act., cursing.
sħubija n.f., bla pl., association, membership, partnership, subscription.
sħuħija n.f., bla pl., strength, robustness.
sħun aġġ., hot, warm, angry.
siba v.I, ***jisbi;*** to ravage, to plunder.
sibek v.I, ***jisbek;*** to browse.
sibel v.I, ***jisbel;*** to ear, to ruffle, to enrage.
siber v.I, ***jisber;*** to delay, to respite, to defer, to postpone.
sibi n.m., pl. -jiet, offshoot, scion, trifle, captivity, slavery, ruin, destruction.
sibilanti aġġ., (gram.) hissing.
sibja n.f., pl. -i, treasure trove, loot.
sibka n.f., pl. -t, stripping of leaves.
Sibt n.m., pl. -ijiet, Saturday.
siċċa n.f., pl. -iet, koll. ***siċċ;*** (itt.) cuttle fish.
sid n.m., pl. ***sidien;*** master, lord, proprietor, owner.
sider n.m., pl. ***isdra;*** (anat.) breast, chest, thorax.
sidra n.f., pl. -t, brisket.
sidrija n.f., pl. ***sdieri;*** waistcoat.
sidt f. ta' ***sid;*** pl. ***sidien;*** mistress, madam, lady.
sieb ara **sab**.
sieber aġġ., patient, enduring, suffering, resigned.
siefel aġġ., humble.
siefer v.III, ***jsiefer;*** to go abroad, to emigrate, to sail, to depart. ***huma se jsiefru l-ġimgħa d-dieħla;*** they are going abroad next week.
siega n.f., pl. -i, saw, back saw.
siegla n.f., pl. ***swiegel;*** lash.
siegħa n.f., pl. -t, hour.
siehem v.III, ***jsiehem;*** to associate.
sieħ v.I, ***jsieħ;*** to call.
sieħeb v.III, ***jsieħeb;*** to associate, to accompany, to match. ***~ 'l ibnu miegħu fl-intrapriża;*** he associated his son in the business.
sieħeb n.m., pl. ***sħab;*** partner, sharer, consort, husband or wife.
sieket aġġ., silent, still.
siel v.I, irr, ***jsiel;*** to be creditor.
sielem aġġ., peaceful.
sienja n.f., pl. ***swieni;*** chain-pump, water-wheel.
sieq n.f., pl. ***saqajn;*** (anat.) foot, leg. ***~ 'l hawn u 'l hemm;*** astride. ***~ il-ħamiema;*** (bot.) delphium peregrinum. ***daqqa ta' ~;*** a kick. ***ta bis-~;*** to hoof.
sieqja n.f., pl. ***swieqi;*** aqueduct.
sies v.I, irr., to insist, to be persistent. ***~ ħafna biex jiena nkun hemm;*** he insisted that I should be present.
sies n.m., pl. ***sisien;*** foundation, groundwork.
sifa n.m.koll., (bot.) awn.
sifilide n.f., pl. -ijiet, (med.) syphilis.
sifiliku aġġ., syphilitic.
sifja n.f., pl. -iet, beard of a corn.
sifja aġġ., slender, lean, thin.
siġġjola n.f., pl. -i, (mar.) binnacle.
siġġu n.m., pl. -ijiet, chair. ***~ tad-dirgħajn;*** arm-chair.
siġill n.m., pl. -i, seal.
siġra n.f., pl. -iet, koll. ***siġar;*** tree. ***siġret il-ġarab;*** oleander. ***siġret il-ħarir;*** celandine. ***siġret il-kalli;*** cotylendon. ***siġret il-virgi;*** chaste tree.
sigarett n.m., pl. -i, cigarette.
sigarriera n.f., pl. -i, cigar/cigarette case.
sigarru n.m., pl. -i, cigar.
sigla n.f., pl. -i, signature tune.
sigriet n.m., pl. -i, secret.
sigurtà n.f., pl. -jiet, security, insurance. ***~ nazzjonali;*** national insurance.
sija konġ., whether … or, either … or.
siker v.I, ***jisker;*** to get drunk, to get tipsy. ***dak ir-raġel malajr jisker;*** that man gets drunk easily.

siket v.I, ***jiskot;*** to be silent, to be quiet, to keep silent, to hush one's complaints, to be consoled. ***meta daħal l-għalliem fil-klassi kulħadd ~;*** when the teacher entered the class-room everybody kept silent.
sikka n.f., pl. ***sikek;*** ploughshare, reef.
sikkanti aġġ., boring.
sikkatura n.f., pl. -i, bother, annoyance. ***x'~!;*** botheration! **sikket** v.II, ***jsikket;*** to silence, to impose silence, to quiet, to still, to hush, to soothe, to console, to comfort, to appease, to calm.
sikkiet n.m., pl. -a, silencer.
sikkina n.f., pl. ***skieken;*** knife. ***~ tal-karti;*** paper-knife. ***~ ta' tabib;*** bistouray. ***għant ta' ~;*** sheath, knife-case.
sikma n.f., pl. -t, emanciation, leanness.
sikran aġġ., drunk, inebriated.
sikrana n.f., koll., (bot.) darnel.
sikta n.f., pl. -iet, silence.
sikwit avv., often, frequently, continuously.
sila n.m., bla pl., butter.
sila v.I, ***jisla;*** to repent.
silef v.I, ***jislef;*** to lend.
silek v.I, ***jislek;*** to slip, to slide off.
silem v.I, ***jislem;*** to enjoy peace.
silenzju n.m., pl. -ji, silence.
silenzjuż aġġ., silent.
silet v.I, ***jislet;*** to unsheath, to sharpen, to point. ***kif resaq lejh ~ ix-xabla;*** when he approached him he unsheathed the sword.
silf n.m., pl. ***slejjef;*** brother-in-law.
silfa n.f., pl. -iet, sylph.
silfkun n.m., pl. -i, (itt.) fierce shark.
silġ n.m.koll., snow, hail, ice.
sìlika n.f., pl. -i, (min.) silica.
silla n.f., pl. ***silel;*** (bot.) clover, trefoil.
sìllaba n.f., pl. -i, (gram.) syllable.
sillabarju n.m., pl. -i, syllabary.
sìllabu n.m., pl. -i, syllabus.
sillar n.m., pl. -a, saddler.
silloġiżmu n.m., pl. -i, (fil.) syllogism.
silofonist n.m., f. -a, pl. -i, (muż.) xylophonist.
silografija n.f., pl. -i, (artiġ.) xylography.
silografiku aġġ., xylographic.
silògrafu n.m., f. -a, pl. -i, xylographer.
silta n.f., pl. -iet, unsheathing, fight, duel, passage, extract. ***~ laħam;*** a slice of meat.
simàr n.m.koll., (bot.) rush, gorse.
simblu ara **simbolu.**
simbolikament avv., symbolically.
simbòliku aġġ., symbolic.
simboliżmu n.m., pl. -i, symbolism.
simboloġija n.f., pl. -i, symbology.
sìmbolu n.m., pl. -i, symbol.
simen v.I, ***jismen;*** to grow fat, to fatten.
siment n.m., pl. -ijiet, cement.
simetrija n.f., pl. -i, symmetry.
simètriku aġġ., symmetric(al).
sìmili aġġ., like, alike, such.
similitudni n.f., pl. -jiet, similitude, (lett.) simile.
similòr n.m., pl. -i, pinchbeck.
siminarju ara **seminarju.**
simna n.f., pl. -iet, fatness, obesity, stoutness.
simonija n.f., pl. -i, (ekkl.) simony.
simpatija n.f., pl. -i, sympathy.
simpàtiku aġġ., nice, lovable, likeable, sympathetic.
simposju n.m., pl. -i, symposium.
simulakru n.m., pl. -i, simulacrum, image.
simulazzjoni n.f., pl. -jiet, (leg.) simulation.
simultanjament avv., simultaneously.
simultanju aġġ., simultaneous.
sinagoga n.f., pl. -i, sinagogue.
sinċerament avv., sincerely.
sinċerità n.f., pl. -jiet, sincerity, frankness.
sinċier aġġ., sincere, honest, frank.
sindakabbli aġġ., (leg.) controllable.
sindikajr aġġ., inquisitive.
sindku n.m., f. -a, pl. -i, mayor.
sìndone n.f., bla pl., shroud.
sineġ v.I, ***jisneġ;*** to become very hard.
sinfonija n.f., pl. -i, (muż.) symphony.
sinfòniku aġġ., (muż.) symphonic.
sing n.m., pl. -i, ***snug;*** line.
singlu aġġ., single.
singolarità n.f., pl. -jiet, singularity.
singular n.m., pl. -i, (gram.) singular.
sinifikanti aġġ., significant.
sinifikat aġġ. u p.p., significated.
sinifikattiv aġġ., significant.
sinistra n.f., pl. -i, (mar.) port, left.
sinjal n.m., pl. -i, signal.
sinjora n.f., pl. -i, headmistress, schoolmistress.
sinjorina n.f., pl. -i, miss, young lady.
sinjur n.m., pl. -i, rich man, sir, lord.
sinjur aġġ., rich.
sinjura n.f., pl. -i, lady, madame, mistress.
sink n.m., pl. -jiet, wash basin.
sìnkope n.f., pl. -ijiet, (med.) syncope, sincopation.
sinkrotiżmu n.m., pl. -i, (fil.) syncrotism.
sinkromija n.f., pl. -i, (fiż.) synchromy.
sinkrotron n.m., pl. -i, (fiż.) synchrotron.

sinktib n.m., bla pl., shorthand, stenography.
sinna n.f., pl. *snien;* tooth, (pl. teeth). *~ tal-ħalib;* milk-tooth.*~ mħassra;* decayed tooth. *~ ta' quddiem;* front tooth. *~ ta' rota;* incisor. *~ tewm;* clove of garlic. *qala' ~;* have a tooth (pulled) out. *mhux ħobż għal snieni;* it's not my cup of tea.
sinodali aġġ., synodal.
sìnodu n.m., pl. -i, (ekkl.) synod.
sinònimija n.f., pl. -i, synonymy.
sinònimu n.m., pl. -i, synonym.
sinossi n.f., pl. -jiet, synopsis.
sinòttiku aġġ., synoptic(al).
sinovite n.f., bla pl., (med.) synovitis.
sinożite n.f., pl. -jiet, (med.) sinusitis.
sinsla n.f., pl. -iet, (anat.) backbone.
sintassi n.f., pl. -jiet, (gram.) syntax.
sintendi inter., that is to say, quite so, of course, naturally.
sìntesi n.f., pl. -jiet, synthesis.
sintètiku aġġ., synthetic.
sintomatoloġija n.f., pl. -i, (med.) symptomatology.
sìntomu n.m., pl. -i, (med.) symptom.
siparju n.m., pl. -i, (teatr.) curtain, drop curtain. *niżżel is-~;* to drop the curtain.
sipressat n.m., pl. -ijiet, kind of salami.
siqi n.act., irrigation.
sirda n.f., pl. -iet, damp of the night.
sired v.I, *jisred;* to become cold.
sireġ v.I, *jisreġ;* to shine strongly.
sirek v.I, *jisrek;* to wind, to twirl, to twine.
sirena n.f., pl. -i, hooter, siren, (mar.) mermaid, (mar.) foghorn.
siringa n.f., pl. -i, syringe.
sirju n.m., bla pl., (astron.) sirius.
sirrana n.f., pl. -i, (itt.) comber.
sisa n.f., pl. -i, excise, tax, surtax, levy.
sisija n.f., pl. -iet, begging, beggary.
sisimbriju n.m., pl. -i, (bot.) hedge mustard.
sìsmiku aġġ., seismic(al).
sismografija n.f., pl. -i, seismography.
sismògrafu n.m., pl. -i, seismographer.
sismoloġija n.f., pl. -i, seismology.
sismòlogu n.m., f. -a, pl. -i, seismologist.
sistema n.f., pl. -i, system.
sistematikament avv., systematically.
sistemàtiku aġġ., systematic.
sistemazzjoni n.f., pl. -jiet, systematization, arrangement.
sister n.f., pl. -s, hospital matron, sister, nun.
sìstoli n.f., pl. -jiet, (med.) systole.
sistoliku aġġ., (med.) systolic.
sit n.m., pl. -s, seat.
sitta n.num kard., six.
sittax n.num.kard., sixteen.
sittin n.num.kard., sixty.
sitwat aġġ., placed, situated.
sitwazzjoni n.f., pl. -jiet, situation.
siwi n.m., bla pl., price, value, worth.
siwja n.f., bla pl., evaluation, estimation.
sjat n.m.koll., spasm.
sjesta n.f., pl. -i, siesta, nap.
sjett n.m., pl. -i, dish, plate.
skabjuż aġġ., scabby, scabious.
skabruż aġġ., rough, difficult.
skada v.Sq.,*jiskadi;* to expire, to fall due, to mature. *il-kambjali tiegħek tiskadi għada;* your bill expires tomorrow.
skadenza n.f., pl. -i, maturity, expiry.
skadut aġġ., due, expired.
skaġunat aġġ., excused, justified.
skajġaker n.m., pl. -s, skyjacker.
skakk n.m., pl. -i, (logħ.) chess.
skakkiera n.f., pl. -i, (logħ.) chess-board.
skal n.m., pl. -i, (mar.) stocks.
skalapiża n.f., pl. -i, step ladder.
skalda n.f., pl. -iet, splinter.
skalenu n.m., pl. -i, scalene. *trijanglu ~;* scalene triangle.
skalm n.m., pl. -i, (mar.) thole, thole-pin, rowlock, (itt.) lizard fish.
skalora n.f., pl. -i, (bot.) canary seed.
skaluna n.f., pl. -i, rung.
skalz aġġ., barefooted. *Karmelitan ~;* Discalced Carmelite.
skambju n.m., pl. -i, exchange.
skampa v.t., *jiskampa;* to escape.
skamplu n.m., pl. -i, remnant.
skanalatura n.f., pl. -i, (artiġ.) flute.
skanċella v.t., *jiskanċella;* to cancel.
skanda v.t., (lett.) to scan.
skandalja v.t., *jiskandalja;* to sound, to fathom, to measure, to calculate, to examine carefully. *il-baħrin skandaljaw il-baħar;* the sailors fathomed the sea.
skandalizza v.t., *jiskandalizza;* to scandalize.
skandalizzat aġġ., scandalized.
skandall n.m., pl. -i, (mar.) sound-line, lead.
skandaluż aġġ., scandalous.
skandlu n.m., pl. -i, scandal.
skanètru n.m., pl. -i, skeleton.
skansa v.t.,*jiskansa;* to avoid, to shun, to parry. *~ daqqa ta' ponn fuq wiċċu;* he parried a blow on his face.
skansafaċendi n.m., bla pl., loafer, sluggard.
skansija n.f., pl. -i, bookcase, book-shelf.

skanta v.Sq., ***jiskanta;*** to amaze, to astonish, to surprise, to astound, to be amazed, to be astonished, to be surprised. ***qiegħed tiskantani bi kliemek;*** I am amazed at your words.
skappa v.t., ***jiskappa;*** to run away, to escape, to flee.
skappament n.m., pl. -i, escapement.
skappata n.f., pl. -i, flight, escapade.
skappriċċa v.t., ***jiskappriċċa;*** to indulge one's whim.
skapùla v.t., ***jiskapùla;*** to escape.
skapular n.m., pl. -i, (ekkl.) scapular.
skaranzija n.f., pl. -i, (med.) inflammation of the throat.
skarf n.m., pl. -s, scarf.
skarga v.t., ***jiskarga;*** to discharge. ***~ l-ixkubetta;*** to discharge a gun.
skariġġa v.t., ***jiskariġġa;*** to rove, to run about, to wander hither and thither.
skarlat aġġ., scarlet.
skarlatina n.f., bla pl., (med.) scarlet fever.
skarna v.t., ***jiskarna;*** to cut the throat of, to unflesh.
skarpan n.m., pl. ***skrapan;*** shoemaker.
skarpell n.m., pl. -i, (artiġ.) chisel.
skarpin n.m., pl. -i, dainty shoe.
skars aġġ., scanty, scarese.
skarsezza n.f., pl. -i, scarcity.
skart n.m., bla pl., off scourings, refuse, remains.
skarta v.t., ***jiskarta;*** to discard, to set aside, to reject. ***għaliex skartajtha dik il-qmis?;*** why have you discarded that shirt? ***~ mill-iskola;*** to play truant.
skartafaċċ n.m., pl. -i, scribbling book.
skartat aġġ. u p.p., discarded, laid out, rejected.
skartoċċ n.m., pl. ***skrataċ;*** cartridge, (ark.) cartoughe.
skassa v.t., ***jiskassa;*** to prise, to break open or in, to pick the lock of. ***tilfu ċ-ċavetta u skassaw il-bieb biex jidħlu;*** they lost the key and picked the lock of the door to get in.
skassatur n.m., pl. -i, pick-lock.
skassatura n.f., pl. -i, lock-picking.
skav n.m., pl. -i, excavation.
skava v.t., ***jiskava;*** to excavate.
skavalka v.t., ***jiskavalka;*** to slip a stitch.
skeċċ n.m., pl. ***skeċis;*** sketch.
skeda n.f., pl. -i, card, schedule. ***~ tal-votazzjoni;*** ballot, voting paper.
skedarju n.m., pl. -i, card-index, card-catalogue.
skejt n.m., pl. -s, skate.
skejtja v.i., ***jiskejtja;*** to skate.
skèletru n.m., pl. -i, skeleton.
skema n.f., pl. -i, scheme, outline.
skematiku aġġ., schematic.
skematizza v.t., ***jiskematizza;*** to schematize.
skerz n.m., pl. -i, joke, jest. ***~ tan-natura;*** freak of nature.
ski n.m., pl. -s, -jiet, ski.
skiddja v.i., ***jiskiddja;*** to skid.
skiet n.m., bla pl., silence.
skiff n.m., pl. -ijiet, (mar.) skiff.
skifuż aġġ., loathsome, disgusting.
skiżofrèniku aġġ., schizophrenic.
skiżofrenja n.f., pl. -i, (med.) schizophrenia.
skjariment n.m., pl. -i, clarification, elucidation.
skjav n.m., pl. -i, slave, captive.
skjavitù n.f., bla pl., slavery, captivity.
skjera v.t., ***jiskjera;*** to array, to draw up.
skjerament n.m., pl. -i, lining up.
skjett aġġ., frank.
skjettezza n.f., bla pl., frankness.
skjuma n.f., pl. -i, foam. ***~ tal-baħar;*** meerschaum.
sklama v.t., ***jisklama;*** to exclaim.
sklamazzjoni n.f., pl. -jiet, exclamation.
sklerosi n.f., pl. -ijiet, (med.) scleroma, sclerosis.
skluda v.t., ***jeskludi;*** to exclude.
skludut aġġ. u p.p., excluded.
skojjattlu n.m., pl. -i, (żool.) squirrel.
skola n.f., pl. ***skejjel;*** school. ***~ elementari;*** primary school. ***~ privata;*** private school. ***~ sekondarja;*** secondary school. ***~ ta' bil-lejl;*** night school.
skolastikament avv., scholastically.
skolastiku aġġ., scholastic. ***awla skolastika;*** class-room. ***filosofija skolastika;*** scholastic philosophy. ***sena skolastika;*** school year.
skoll n.m., pl. -ijiet, rock, reef, difficulty.
skolla v.t., ***jiskolla;*** to unglue, to unstick, to cut the neck-hole in.
skollatura n.f., pl. -i, baring one's neck.
skolpa v.t., ***jiskolpa;*** to exculpate, to excuse, to sculpture.
skolpit aġġ. u p.p., sculptured.
skolpixxa v.t., ***jiskolpixxi;*** to engrave.
skomda v.t., ***jiskomda;*** to inconvenience, to trouble, to disturb.
skomdu aġġ., uncomfortable, inconvenient.
skomùnika n.f., pl. -i, (ekkl.) excommunication.
skomùnika v.t., ***jiskomunika;*** to ruin, (ekkl.) to excommunicate.

skond avv., according to, in accordance with, in conformity with.
skonġra v.t., *jiskonġra;* to exorcise.
skonġura n.f., pl. -i, exorcism.
skonsilja v.t., *jiskonsilja;* to dissuade, to discourage.
skont n.m., pl. -i, discount, deduction.
skonta v.t., *jiskonta;* to discount, to expiate, to atone. *qiegħed jiskonta sentenza l-ħabs;* he is expiating a sentence in prison. *~ l-ħtija;* to expiate a fault.
skonvolġiment n.m., pl. -i, confusion.
skop n.m., pl. -ijiet, purpose, aim.
skoperta n.f., pl. -i, discovery.
skoppja v.t., *jiskoppja;* to break out, to explode.
skopra v.t., *jiskopri;* to discover.
skor n.m., pl. -s, (logħ.) score.
skoraġġiment n.m., pl. -i, discouragement.
skoraġġut aġġ. u p.p., discouraged, disheartened.
skorċa n.f., pl. -i, crust, thickening of skin.
skorda v.t., *jiskorda;* (muż.) to put out of tune.
skordatura n.f., pl. -i, (muż.) discordance.
skorfina n.f., pl. -i, nut.
skorfna n.f., pl. -iet, (itt.) rock fish.
skorja v.i., (logħ.) *skorja;* to score.
skornabekk n.m., pl. -i, (bot.) terebinth.
skorpjun n.m., pl. -i, (żool.) scorpion.
skorra v.t., *jiskorri;* to go beyond the limits, to surpass, to run through.
skorrett aġġ., incorrect, improper.
skorta v.t., *jiskorta;* to escort, to convey. *fil-gwerra l-krużers kienu jeskortaw il-vapuri;* during the war the cruisers escorted the ships.
skoss n.m., pl. -i, shake.
skotta n.f., pl. *skotot;* vand, sheet.
skredtu n.m., pl. -i, discredit.
skriba n.m., pl. -i, scribe.
skrin n.m., pl. -s, strong-box, money-box, jewel-box, screen.
skritt n.m., pl. -i, copybook.
skrittoj n.m., pl. -ijiet, desk, writing-desk.
skrittur n.m., f. *skrittriċi;* pl. -i, writer, author, (f. authoress).
skrittura n.f., pl. -i, document, deed, (teatr.) engagement. *l-Iskrittura;* the Holy Scripture, Bible. *~ doppja;* double entry.
skrivan n.m., pl. -i, clerk.
skrivanija n.f., pl. -i, desk, writing desk.
skrizzjoni n.f., pl. -jiet, inscription.
skròfula n.f., pl. -i, (med.) scrofula.
skrokkja v.t., *jiskrokkja;* to spounge (from), to scrounge.
skrotu n.m., pl. -i, (anat.) scrotum.
skrun n.m., pl. *skrejjen;* screw, propellor.
skrupla v.Sq., *jiskrupla;* to have scruple, to scruple to.
skruplu n.m., pl. -i, scruple, qualm.
skrupluż aġġ., scrupulous.
skrupolożament avv., scrupulously.
skrupolożità n.f., pl. -iet, scrupulousness.
skrutatur n.m., f. -a, pl. -i, scrutineer.
skrutina v.t., *jiskrutina;* to scrutinize.
skrutinju n.m., pl. -i, scrutiny.
skudett n.m., pl. -i, small shield, key-hole guard, scutcheon.
skudier n.m., pl. -i, equerry.
skufja n.f., pl. -i, coif, cap.
skular n.m., f. -a, pl. -i, scholar, student, pupil.
skullat aġġ., low-necked.
skullatura n.f., pl. -i, lowness of neck.
skultur n.m., pl. -i, sculptor.
skultura n.f., pl. -i, sculpture.
skumnikat aġġ., excommunicated, very naughty.
skumpanja v.t., *jiskumpanja;* to part, to separate.
skumpartiment n.m., pl. -i, compartment. *~ tar-rqad;* cubicle.
skuna n.f., pl. *skejjen;* (mar.) schooner.
skunċert n.m., pl. -i, disconcertment.
skunċerta v.t., *jiskonċerta;* to disconcert.
skuntent aġġ., discontent.
skuntentizza n.f., pl. -i, discontent.
skur aġġ., obscure.
skura v.t., *jiskura;* to darken.
skurdat aġġ., untuned, out of tune.
skurtat aġġ. u p.p., escorted.
skutella n.f., pl. -i, bowl, porriger. *~ tar-ras;* skull, cranium.
skuża v.t., *jiskuża;* to excuse, to pardon, to apologize.
skuża n.f., pl. -i, excuse, apology, pretext, plea. *talab ~;* to apologize.
skużabbli aġġ., excusable.
skwadra n.f., pl. -i, (mil.) squad.
skwadrun n.m., pl. -i, (mil.) squadron.
skwalìfika v.t., *jiskwalifika;* to disqualify.
skwalìfika n.f., pl. -i, disqualification.
skwalifikat aġġ. u p.p., disqualified.
skwerra n.f., pl. *skwerer;* square.
skwilibrat aġġ., unbalanced.
skwilibriju n.m., pl. -i, want of balance.
skwiżit aġġ., exquisite.
slajs n.m., pl. -is, slice. *~ ħobż;* a slice of bread.
sleali aġġ., disloyal.

slealtà n.f., pl. -jiet, disloyalty.
sliem n.m., bla pl., peace, bow, salutation, greeting.
sliema n.f., pl. -t, safety.
sliħ n.act., diarrhoea, excoriation.
sling n.m., pl. -s, sling.
slit n.act., unsheathing, fraying.
slitta n.f., pl. -i, ***slitet;*** sledge, sleigh, sled.
slogan n.m., pl. -s, slogan.
slopp n.m., pl. -ijiet, slop-pail.
slott n.m., pl. -ijiet, slot.
slugatura n.f., pl. -i, dislocation.
smajjar aġġ., brownish, swarthy.
smajtx n.m., pl. -ijiet, servant in soldiers' quarters.
smakk n.m., pl. -i, shame, disgrace.
smar v.IX, ***jismar;*** to grow dark, swarthy. ***kemm qiegħed jismar ibnek;*** how swarthy your child is becoming.
smerald n.m., pl. -i, (min.) smerald.
smid n.m., pl. ***smejjed;*** meal flower.
smida n.f., pl. -t, bran.
smigħ n.m., bla pl., hearing.
smin aġġ., obese, fat.
smit n.m., bla pl., scalding.
smowker n.m., pl. -s, smoker.
smowkskrin n.m., bla pl., smokescreen.
smugħi aġġ., audible.
smura n.f., bla pl., brownness, swarthiness.
smurija n.f., pl. -t, brownness, swarthiness.
snieħ v.IX, ***jisnieħ;*** to become rancid.
snobb n.m., pl. -s, snob.
sobrju aġġ., sober.
sobtu aġġ., sudden, subitaneous. ***mewt ~;*** sudden death.
soċjali aġġ., social. ***relazzjoni ~;*** social intercourse.
soċjalist n.m., f. -a, pl. -i, socialist.
soċjaliżmu n.m., pl. -i, socialism.
soċjalment avv., socially.
soċjetà n.f., pl. -jiet, society.
soċjevoli aġġ., sociable.
soċjoloġija n.f., pl. -i, sociology.
soċjolòġiku aġġ., sociological.
soċjòlogu n.m., f. -a, pl. -i, sociologist.
soċju n.m., f. -a, pl. -i, member, partner.
sod aġġ., solid, firm, hard. ***bis-~;*** in earnest.
soda n.f., bla pl., (kim.) soda.
sodalità n.f., pl. -jiet, sodality.
sodda n.f., pl. ***sodod;*** bed. ***~ ta' tnejn;*** double bed. ***~ bit-twavel;*** plank bed.
soddieda n.f., pl. -iet, stopple, stopper, cork, spigot.
soder n.m., pl. ***sodrijiet;*** caustic soda.
sodisfaċentement avv., satisfactorily.
sodisfaċenti aġġ., satisfactory.
sodisfatt aġġ., satisfied, pleased (with).
sodisfazzjon n.m., pl. -ijiet, satisfaction.
sodizza n.f., pl. -i, solidity, firmness, hardness.
sodju n.m., pl. -i, (kim.) sodium.
sodomija n.f., pl. -i, sodomy.
sodomìta n.m., pl. -i, sodomite.
sofferenza n.f., pl. -i, suffering.
soffitt n.m., pl. -i, garret, ceiling.
soffokazzjoni n.f., pl. -jiet, suffocation.
sofista n.kom., pl. -i, sophist.
sofistika n.f., pl. -i, sophistry.
sofistikament avv., sophistically.
sofistikerija n.f., pl. -i, sophistry, cavilling.
sofistiku aġġ., sophistic.
sofiżma n.f., pl. -i, sophism.
sofor aġġ., yellow, pale.
sofra v.t., ***jsofri;*** to suffer.
soġġett n.m., pl. -i, subject.
soġġettiv aġġ., subjective.
soġġettivament avv., subjectively.
soġġettiviżmu n.m., pl. -i, subjectivism.
soġġettività n.f., pl. -jiet, subjectivity.
soġġezzjoni n.f., pl. -jiet, subjection.
soġġuntiv aġġ., (gram.) subjunctive. ***mod ~;*** subjunctive mood.
soggolu n.m., pl. -i, wimple.
sogru n.m., pl. -i, risk, hazard.
sogħba n.f., pl. -iet, repentance, sorrow.
sogħbien aġġ., repentant, sorrowful, repented.
sogħda n.f., pl. -i, (bot.) sedge.
sogħla n.f., pl. -iet, cough. ***~ konvulsiva;*** whooping cough. ***~ fil-vojt;*** dry cough.
sogħob v.I, ***jisgħob;*** to repent, to be sorry.
sogħol v.I, ***jisgħol;*** to cough.
sokkjuż avv., ajar.
sokkors n.m., pl. -i, help, aid.
sokor n.m., bla pl., drunkenness, shutting, locking.
sokra n.f., pl. -iet, bolt.
solari aġġ., solar. ***sistema ~;*** solar system.
solennement avv., solemnly.
solenni aġġ., solemn.
solennità n.f., pl. -jiet, solemnity.
solennizzazzjoni n.f., pl. -jiet, solemnization.
solfeġġ n.m., pl. -i, (muż.) solmization.
solfòriku aġġ., sulphuric.
soliċiżmu n.m., pl. -i, solecism.
solidali aġġ., supporting.
solidarjetà n.f., pl. -jiet, solidarity.
solidità n.f., pl. -jiet, solidity, steadiness, firm(ness).

sòlidu aġġ., solid, strong.
solilòkwju n.m., pl. -i, soliloquy.
solist n.m., f. -a, pl. -i, (muż.) soloist.
solitarju aġġ., solitary, lonely, alone.
solitudni n.f., bla pl., solitude, loneliness.
soll n.m., pl. -ijiet, threshold.
solliev n.m., pl. -i, relief.
solstizjali aġġ., solstitial.
solstizju n.m., pl. -i, (astro.) solstice.
soltu aġġ., usual.
solubbli aġġ., soluble.
soluzzjoni n.f., pl. -jiet, solution.
solva v.t., ***jsolvi;*** to solve.
solvent aġġ., (kim.) solvent.
solvibbli aġġ., solvent.
solvut aġġ. u p.p., solved.
somma n.f., pl. ***somom;*** amount, sum, total.
sommarjament avv., summarily, briefly.
sommarju n.m., pl. -i, summary, abridgement, epitome.
sommu aġġ., highest, supreme. ***~ Pontefiċe;*** Supreme Pontifex.***~ Saċerdot;*** High Priest.
sonata n.f., pl. -i, (muż.) sonata.
sonbor aġġ., more than enough.
sonnabuliżmu n.m., pl. -i, somnabulism.
sonnàmbulu n.m., f. -a, pl. -i, sleepwalker.
sonnìferu aġġ., somniferous.
sonnìferu n.m., pl. -i, narcotic, sleeping draught.
sonża n.f., bla pl., hog's lard, grease.
sonżi aġġ., fat, greasy.
soppa n.f., pl. ***sopop;*** soup.
soppiera n.f., pl. -i, tureen.
sopportabbli aġġ., endurable.
soppress aġġ., suppressed.
soppressjoni n.f., pl. -jiet, suppression.
sopran n.f., pl. -i, soprano.
sopranaturali aġġ., supernatural.
sopranumru aġġ. u n.m., pl. -i, supernumerary.
soprataxxa n.f., pl. -i, surtax, additional tax.
soptu avv., suddenly.
sorba n.f., pl. -i, (bot.) sorb.
sofrolja n.f., pl. -i, (bot.) chervil, cicely.
sorġa v.t., ***jsorġi;*** (mar.) to anchor, to moor, to be at anchor. ***il-vapur ~ mal-moll;*** the ship anchored by the jetty.
sorġut aġġ. u p.p., riding at anchor.
sorgu n.m., pl. -i, (bot.) sorghum.
sorm n.m., pl. ***srum;*** arse, buttocks, bottom.
sorprendenti aġġ., astonishing, surprising.
sorpriż aġġ., surprised, astonished.
sorpriża n.f., pl. -i, surprise, astonishment.
sorra n.f., pl. ***sarar, soror;*** bundle, the flank of a tunny.
sortileġju n.m., pl. -i, sortilege.
sortita n.f., pl. -i, (mil.) sortie, sally.
soru n.f., pl. -ijiet, sister, nun.
sorveljant n.m., pl. -i, caretaker, watchman, inspector.
sorveljanza n.f., pl. -i, supervision, surveillance, inspection, watching.
sos n.m., bla pl., sauce.
sospensjoni n.f., pl. -jiet, suspension.
sospir n.m., pl. -i, sigh.
sospiż aġġ., suspended.
sostantiv n.m., pl. -i, substantive, noun.
sostanza n.f., pl. -i, substance.
sostanzjali aġġ., substantial.
sostanzjalment avv., substantially.
sostitut n.m., f. -a, pl. -i, substitute.
sostituzzjoni n.f., pl. -i, replacement, substitution.
sostna v.t., ***jsostni;*** to sustain, to assert, to nourish.
sotterran n.m., pl. -i, vault, dungeon.
sotterran aġġ., underground, subterranean.
sottìli aġġ., subtle.
sottintiż aġġ., understood.
sottomarin n.m., pl. -i, (mar.) submarine.
sottomess aġġ. u p.p., submissive.
sottomissjoni n.f., pl. -jiet, submission.
sottopassaġġ n.m., pl. -i, subway, underpass.
sottoskritt aġġ., undersigned.
sottoskrizzjoni n.f., pl. -jiet, signature, subscription.
sottosopra avv., upside down, topsy-turvy.
sottovoċi avv., in a low voice.
sovran n.m., f. -a, pl. -i, sovereign, king.
sovranità n.f., pl. -jiet, sovereignty, supremacy.
sovvenzjoni n.f., pl. -jiet, subvention, subsidy.
sovverżjoni n.f., pl. -jiet, subversion.
spaga n.f., koll. ***spag;*** string, cord, twine, pack thread.
spagetti n.m.koll., spaghetti.
spajs n.m., pl. -is, spice.
spalla n.f., pl. ***spalel;*** shoulder. ***ta ~;*** to lend a hand, to aid.
spalletta n.f., pl. -i, epaulette.
spalliera n.f., pl. -i, clothes peg, clothes-hanger.
spanda v.t., ***jespandi;*** to expand.

spandut aġġ. u p.p., expanded.
spaner n.m., pl. -s, spanner.
spanjulett n.m., pl. -i, (ornit.) kestrel.
spanjuletta n.f., pl. -i, sash-bolt, hasp.
spara v.t., ***jispara;*** to shoot, to fire, to discharge. ~ ***fuq għasfur u laqat raġel;*** he shot upon a bird and hit a man.
sparatura n.f., pl. -i, shot.
spariġġ n.m., pl. -i, disparity.
sparixxa v.t., ***jisparixxi;*** to disappear.
sparizzjoni n.f., pl. -jiet, disappearance.
spark n.m., pl. -s, (eletr.) spark.
sparkja v.i., ***jisparkja;*** (eletr.) to spark.
sparla v.t., ***jisparla;*** to speak ill (of).
sparlu n.m., pl. -i, (itt.) annular bream.
sparpalja v.t., ***jisparpalja;*** to scatter, to disperge.
sparpaljat aġġ. u p.p., scattered, dispersed.
spartiment n.m., pl. -i, partition, (mar.) bulkhead.
spartit n.m., pl. -i, (muż.) score.
spartu n.m., pl. -i, (bot.) esparto, esparto grass.
sparvier n.m., pl. -i, (ornit.) hawk.
spasmòdiku aġġ., spasmodic.
spassjonat aġġ. u p.p., dispassionate.
spastiċità n.f., bla pl., (med.) spasticity.
spàstiku aġġ., (med.) spastic.
spàtula n.f., pl. -i, (kim.) spatula, (ornit.) spoonbill.
spazjali aġġ., spatial.
spazju n.m., pl. -i, space.
spazja v.t., ***jispazja;*** to space.
spazjuż aġġ., spacious, wide, large.
spażmòdiku aġġ., spasmodic.
spażmu n.m., pl. -i, spasm.
speċi n.f., pl. -jiet, kind, sort.
speċìfika v.t., ***jispeċifika;*** to specify.
speċifikament avv., specifically.
speċifikatament avv., specifically.
speċifikazzjoni n.f., pl. -jiet, specification.
speċìfiku aġġ., specific.
speċill n.m., pl. -i, (med.) probe.
speċjali aġġ., special, peculiar.
speċjalista n.kom., pl. -i, specialist.
speċjalità n.f., pl. -jiet, speciality.
speċjalizza v.t., ***jispeċjalizza;*** to specialize.
speċjalizzazzjoni n.f., pl. -jiet, specialization.
speċjalment avv., especially.
spedalier n.m., pl. -i, hospitaller.
spedizzjoni n.f., pl. -jiet, expedition.
spèkula v.t., ***jispèkula;*** to speculate.
spekulattiv aġġ., speculative.
spekulatur n.m., f. -atriċi, pl. -i, speculator.
spekulazzjoni n.f., pl. -jiet, speculation.
spella v.i, ***jispelli;*** to spell.
spellizza n.f., pl. -i, (ekkl.) surplice.
spelta n.f., pl. -i, (bot.) spelt.
sper aġġ., spare. ~ ***parts;*** spare parts. ~ ***wil;*** spare wheel.
spera v.t., ***jispera;*** to hope, to expect.
speranza n.f., pl. -i, hope.
sperġur n.m., pl. -i, perjury.
speriment n.m., pl. -i, experiment.
sperimenta v.t., ***jisperimenta;*** to experiment, to try.
sperimentali aġġ., experimental.
sperimentazzjoni n.f., pl. -jiet, experimenting.
sperma n.f., pl. -i, sperm.
spermàtiku aġġ., spermatic.
spermaċeti n.pl., spermaceti.
spettafora n.f., pl. -iet, (bot.) spathe.
spettaklu n.m., pl. -i, spectacle, performance.
spettakoluż aġġ., spectacular.
spettatur n.m., f. -a, pl. -i, spectator.
spettrografija n.f., pl. -i, spectrography.
spettroskopija n.f., pl. -i, spectroscopy.
spettroskòpiku aġġ., spectroscopic.
spettroskopju n.m., pl. -i, spectroscope.
spettru n.m., pl. -i, spectre, (fiż.) spectrum.
spettur n.m., f. -triċi, pl. -i, inspector.
spezzjona v.t., ***jispezzjona;*** to inspect.
spezzjoni n.f., pl. -jiet, inspection.
spiċċa v.Sq., ***jispiċċa;*** to finish, to end. ***spiċċajt l-istudji tiegħi;*** I have finished my studies.
spid n.m., bla pl., speed.
spidbowt n.m., pl. -s, (mar.) speed-boat.
spidòmetru n.m., pl. -i, speedometer, tachometer.
spieda v.t., ***jispiedi;*** to come to an end, to finish.
spiera n.f., pl. -i, pit.
spiga n.f., pl. -i, (bot.) spike.
spija v.t., ***jispija;*** to spy upon.
spija n.kom., pl. -i, spy.
spika n.f., pl. -i, (bot.) lavander.
spiker n.m., pl. -s, speaker.
spikka v.t., ***jispikka;*** to stand out.
spinaċi n.f., pl. -jiet, (bot.) spinach.
spint aġġ., blunt.
spinta n.f., pl. -i, push.
spira v.t., ***jispira;*** to expire, to pass away.
spiral n.m., pl. -i, air-hole, vent-hole, spiral spring. ~ ***ta' arloġġ;*** hair-spring. ***taraġ ~;*** spiral staircase, winding staircase.
spiritiera n.f., pl. -i, stove.

spiritist n.f., f. -a, pl. -i, spiritist.
spiritiżmu n.m., pl. -i, spiritism.
spirituż aġġ., alcoholic, whitty, vivacious. ***xorb ~;*** spirits, alcoholic drinks.
spiritwali aġġ., spiritual.
spiritwalità n.f., pl. -jiet, spirituality.
spirtu n.m., pl. -i, spirit. ***~ s-Santu;*** Holy Spirit.
spiss avv., often, frequently.
spissja v.Sq., ***jispissja;*** to be or become frequent.
spiża n.f., pl. ***spejjeż;*** expense, expenditure, cost. ***~ ordinarja;*** recurring expense. ***~ pubblika;*** public expenditure. ***~ straordinarja;*** incidental expenses. ***~ tal-posta;*** postage expenses. ***~ tat-trasport;*** carriage expenses. ***~ tal-vjaġġ;***travelling expenses.
spiżerija n.f., pl. -i, dispensary, pharmacy.
spiżjar n.m., f. u pl. -a, chemist, apothecary.
spjaġġa n.f., pl. -i, shore, beach, seashore.
spjanata n.f., pl. -i, esplanade.
spjega v.t., ***jispjega;*** to explain. ***l-għalliem tagħna jispjega tajjeb il-lezzjoni tal-matematika;*** our teacher explains very well the mathematics lesson.
spjegabbli aġġ., explainable.
spjegazzjoni n.f., pl. -jiet, explanation.
spjetat aġġ., pitiless, merciless, ruthless.
spjun n.m., f. -a, pl. -i, spy.
spjuna v.t., ***jispjuna;*** to spy.
spjunaġġ n.m., pl. -i, espionage, spying.
splèndidu aġġ., splendid.
splengun n.m., pl. -i, hat-pin.
splenite n.f., pl. -ijiet, (med.) splenitis.
splenu n.m., pl. -i, (anat.) splenius.
splinter n.m., pl. -s, splinter.
sploda v.t., ***jisplodi;*** to explode, to burst, to blow up, to burst out.
splora v.t., ***jesplora;*** to explore.
splużiv aġġ., explosive.
splużjoni n.f., pl. -jiet, explosion.
spnar n.m., pl. ***spnajjar;*** wedge.
spnotta n.f., pl. -i, (itt.) bass. ***~ tat-tbajja';*** black-spotted bass.
spola n.f., pl. -i, spool.
spolpja v.t., ***jispolpja;*** to take the flesh from.
spona v.t., ***jisponi;*** to expose, to show.
sponser n.m., pl. -s, sponsor.
sponsorja v.i, ***jisponsorja;*** to sponsor.
sponsun n.m., pl. -i, (ornit.) chaffinch. ***~ selvaġġ;*** mountain finch.
sponta v.t., ***jisponta;*** to blunt, to sprout, to become sour.
spontanjament avv., spontaneously.
spontanju aġġ., spontaneous.
sponża n.f., pl. ***sponoż;*** sponge, drunkard, tipsy.
spora n.f., pl. -i, (bot.) spore.
sporġa v.t., ***jisporġi;*** to jut out, to put out.
sport n.m., pl. ***sports.***
sportiv aġġ., sportive.
sportivament avv., sportingly.
spossessa v.t., ***jispossessa;*** to dispossess.
sposta v.t., ***jisposta;*** to move, to shift, to displace.
spostament n.m., pl. -i, displacement.
spot n.m., pl. -ijiet, (logh.) spot.
spraga n.f., pl. -iet, koll. ***sprag;*** (bot.) asparagus.
sprall n.m., pl. -i, grating.
spreġudikat aġġ., unprejudiced.
sprezzanti aġġ., contemptuous.
sproporzjon n.m., pl. -ijiet, disproportion.
sproporzjonat aġġ., disporportioned.
sproporzjonatament avv., disproportionately.
sptar n.m., pl. -ijiet, hospital. ***~ tal-mard tal-moħħ;*** lunatic asylum, mental hospital.
spunt n.m., pl. -i, starting point.
spuntat aġġ. u p.p., blunt.
spurju aġġ., spurious.
spussessjoni n.f., pl. -jiet, (leg.) dispossession, disseision.
sqaq n.m., pl. -ijiet, ien, lane, alley, pathway.
sraba n.f., pl. -iet, dazzling.
sried n.m., bla pl., damp air, damp night air, night humidity.
srim n.act., entangling.
srir n.act., packing.
stabar v.VIII, ***jistabar;*** to have patience, to be comforted, to console oneself.
stabat v.VIII, ***jistabat;*** to throw oneself down.
stabbiliment n.m., pl. -i, establishment.
stabbilizza v.t., ***jistabbilizza;*** to stabilize.
stabbli aġġ., stable.
stabbilità n.f., pl. -jiet, stability.
stabbilixxa v.t., ***jistabbilixxi;*** to establish.
stad v.VIII, ***jistad;*** to fish, to go fishing, to hunt, to chase. ***mar jistad u ma qabad xejn;*** he went fishing and caught nothing.
stadju n.m., pl. -i, stadium, stage.
staff n.m., pl. -s, staff.
staffa n.f., pl. -i, ***stafef;*** stirrup.
staffier n.m., f. u pl. -a, groom, lackey, footman.
stafiloma n.f., pl. -i, (med.) staphyloma.
staġna v.t., ***jistaġna;*** to stagnate, to congeal, to freeze.

staġnat aġġ. u p.p., congealed, frozen, hardened.
staġun n.m., pl. -i, season, tide.
stagħdar v.X, ***jistagħdar;*** to stagnate.
stagħdir n.m., bla pl., stagnation.
stagħġeb v.X, ***jistagħġeb;*** to wonder, to be surprised, to be amazed, to be astonished.
stagħġib n.m., bla pl., fuss, amazement, stupor, astonishment.
stagħna v.X, ***jistagħna;*** to become rich, to become opulent, to become wealthy.
staħa v.X, ***jistħi;*** to coy, to be ashamed, to blush, to be shy. ***jistħi quddiem innies;*** he is shy of people.
staħba v.X, ***jistaħba;*** to hide oneself, to be hidden, to conceal oneself. ***mar jistaħba fil-ħanut ta' missieru;*** he went to hide himself in his father's shop.
staħja v.X, ***jistaħja;*** to be revived.
staħjel v.X, ***jistaħjel;*** to imagine.
staħreġ v.X, ***jistaħreġ;*** to investigate, to enquire.
staħriġ n.m., bla pl., investigation.
stakkament n.m., pl. -i, detachment.
stalab v.VIII, ***jistalab;*** to be crucified.
stalakmita n.f., pl. -i, (ġeol.) stalagmite.
stalaktita n.f., pl. -i, (ġeol.) stalactite.
stalja n.f., pl. -i, (mar.) lay-day.
stalla n.m., pl. -i, (teatr.) stall, seat.
stalla n.f., pl. ***stalel;*** stable.
stalla v.t., ***jistalla;*** to stop.
stallazzjoni n.f., pl. -jiet, installation.
stallett n.m., pl. -i, dagger, stiletto, dirk.
stama v.t., ***jistama;*** to esteem, to value, to prize.
stama' v.VIII, ***jistama';*** to be heard.
stamat v.VIII, ***jistamat;*** to be scalded.
stami n.m., pl. -jiet, (bot.) stamen.
stamina n.f., pl. -i, stamina.
stamnara n.f., pl. -i, (mar.) futtock.
stampa v.t., ***jistampa;*** to print, to stamp, to coin, to publish.
stampa n.f., pl. -i, picture, image.
stampat aġġ. u p.p., printed, stamped.
stampatur n.m., pl. -i, printer.
stamperija n.f., pl. -i, printing press.
stampier n.m., pl. -a, printer, coiner.
stampost n.m., pl. -i, (mar.) stern post.
stand n.m., pl. -s, -ijiet, stand.
standàrd n.m., pl. -i, standard, banner.
stanga n.f., pl. ***staneg;*** bar, cross-bar, bolt.
stangetta n.f., pl. -i, small bar.
stanja v.t., ***jistanja;*** to solder, to tin, to coat or cover with tin, to stagnate.
stanjata n.f., pl. -i, coffee-pot, tea-pot, kettle.
stann n.m., bla pl., solder, tin.
stantuff n.m., pl. -i, (mekk.) piston.
stanza n.f., pl. -i, room, (lett.) stanza.
staporta v.t., ***jistaporti;*** to bear.
staqsa v.X, ***jistaqsi;*** to ask, to demand, to enquire. ***staqsejt x'ħin jitlaq il-vapur;*** I enquired when the ship will sail.
star n.m., pl. -jiet, veil, curtain.
staram v.VIII, ***jistaram;*** to be confused.
starter n.m., pl. -s, (eletr.) starter.
startja v.i, ***jistartja;*** to start, to set going.
stasija n.f., pl. -i, steelyard.
stat n.m., pl. -i, state, condition. ***Segretarju ta' l-~;*** Secretary of State.
statali aġġ., statal.
stàtika n.f., bla pl., statics.
stàtiku aġġ., static(al).
statista n.kom., pl. -i, statesman.
statìstika n.f., pl. -i, statistics.
statìstiku aġġ., statistical.
statura n.f., pl. -i, stature, size, height.
statut n.m., pl. -i, statute, fundamental law, by-laws.
statwa n.f., pl. -i, statue. ***~ ta' raġel talġebel;*** telamon.
statwarju n.m., pl. -i, statuary.
stawroskopju n.m., pl. -i, (fiż.) stauroscope.
stazzjon n.m., pl. -ijiet, station. ***~ talferrovija;*** railway station.
stazzjonarju n.m., f. -a, pl. -i, stationary.
stearina n.f., pl. -i, (kim.) stearin.
stedina n.f., koll.
stedin; invitation.
stejġ n.m., pl. -is, stage, bus stop.
stejk n.m., pl. -ijiet, steak.
stejqer v.X, ***jistejqer;*** to recover one's senses, to come to oneself.
stekkat n.m., pl. -i, stockade.
stela n.f., pl. -i, (ark.) stele.
stelaħ v.VIII, ***jistelaħ;*** to be skinned, to be flayed.
stemma n.f., pl. -i, coat-of-arms.
stempra v.t., ***jistempra;*** to dilute, to dissolve.
stenbaħ v.X, ***jistenbaħ;*** to wake up.
stenbiħ n.m., bla pl., wakening.
stenda v.t., ***jistendi;*** to extend, to expand, to prolong, to enlarge, to stretch.
stendut aġġ. u p.p., extended.
stenna v.X, ***jistenna;*** to wait, to expect. ***~ u jgħaddi kollox b'wiċċ il-ġid;*** wait until the sun shines.
stennija n.f., bla pl., expectation, waiting.
stenògrafa v.t., ***jistenografa;*** to write shorthand, to take down in shorthand.
stenografija n.f., pl. -i, shorthand.

stenògrafu n.m., f. -a, pl. -i, shorthand writer, stenographer.
stensil n.m., pl. -s, stencil.
stensilja v.i.*jistensilja;* to stencil.
steraq v.VIII, *jisteraq;* to be stolen.
stereografija n.f., pl. -i, stereography.
stereogràfiku aġġ., stereographic.
stereometrija n.f., pl. -i, stereometry.
stereomètriku aġġ., stereometrical.
stereòmetru n.m., pl. -i, stereometer.
stereoskòpiku aġġ., stereoscopic(al).
stereoskopju n.m., pl. -i, stereoscope.
stereotipat aġġ., stereotyped.
stèriku aġġ., hysteric(al).
stèrili aġġ., sterile, barren.
sterilità n.f., bla pl., sterility.
sterilizza v.t., *jisterilizza;* to sterilize.
sterilizzazzjoni n.f., pl. -jiet, sterilization.
stering n.m., pl. -s, steering wheel.
steriżmu n.m., pl. -i, (med.) hysteria.
sterlina n.f., pl. -i, pound sterling.
stermina v.t., *jistermina;* to exterminate.
sternu n.m., pl. -i, (anat.) sternum, breastbone.
stess pron. u aġġ., same, self. ***aħna ~;*** ourselves.
stetoskopija n.f., pl. -i, (med.) stethoscopy.
stetoskòpiku aġġ., (med.) stethoscopic.
stetoskopju n.m., pl. -i, (med.) stethoscope.
steżura n.f., pl. -i, drawing up, drafting, draft. ***~ ta' kuntratt;*** draft of a contract.
stħajjel v.X, *jistħajjel;* to imagine, to fancy, to form an idea.
stħajjil n.m., bla pl., imagining, fancying.
stħaqq v.X, *jistħoqq;* to deserve, to merit, to be worthy of.
stħarreġ v.X, *jistħarreġ;* to investigate, to enquire.
stħarriġ n.m., bla pl., investigation, inquisition, exercise.
stieden v.X, *jistieden;* to invite. ***~ 'il ħbiebu kollha għall-ikla ta' filgħaxija;*** he invited all his friends for dinner.
stienes v.X, *jistienes;* to familiarize oneself, to grow accustomed to, to become familiar.
stierka n.f., bla pl., hysteria.
stigma n.f., pl. -i, stigma.
stìgmati n.m.pl., stigmata.
stigmatizza v.t., *jistigmatizza;* to stigmatize.
stikk n.m., bla pl., (med.) stick, stick-plaster.
stikka n.f., pl. -i, ***stikek;*** cue.
stikkadenti n.f., pl. -jiet, toothpick.
stikkja v.i, *jistikkja;* to stick, to tolerate, to endure.
stil n.m., pl. -jiet, style. ***~ barokk;*** Baroque style. ***~ gotiku;*** Gothic style.
stilet v.VIII, *jistilet;* to be unsheathed.
stilista n.kom., pl. -i, stylist.
stilìstiku aġġ., stylistic.
stilizza v.t., *jistilizza;* to stylize.
stilla n.f., pl. -i, ***stilel;*** star. ***~ polari;*** pole star.
stilliera n.f., pl. -i, (itt.) cross spine.
stim n.m., pl. -ijiet, steam. ***magna bl-i~;*** steam-engine. ***vapur bl-i~;*** steamship.
stima v.t., *jistima;* to esteem, to appreciate, to value, to estimate, to respect.
stimabbli aġġ., esteemable, respectable.
stimatur n.m., f. -a, pl. -i, appraiser, valuer.
stìmula v.t., *jistimula;* to stimulate.
stimulant aġġ., stimulating.
stimulazzjoni n.f., pl. -jiet, stimulation.
stina v.t., *jistina;* to grow obstinate, to be obstinate, to persist in, to insist on.
stinat aġġ. u p.p., obstinate, stubborn, refractory.
stinazzjoni n.f., pl. -jiet, obstination, stubbornness.
stink n.m., bla pl., effort, ado, labour, fatigue. ***bl-i~;*** with much difficulty, with much ado.
stinka v.Sq., *jistinka;* to toil, to drudge, to work hard.
stipendju n.m., pl. -i, stipend, salary.
stìpula v.t., *jistipula;* to stipulate.
stipulant n.m., pl. -i, stipulator.
stipulazzjoni n.f., pl. -jiet, stipulation.
stira v.t., *jistira;* to stretch.
stirjun n.m., f. -a, pl. -i, histrion.
stìtiku aġġ., constipated.
stitikezza n.f., pl. -i, constipation.
stiva v.t., *jistiva;* to stow.
stiva n.f., pl. -i, (mar.) hold.
stkenn v.X, *jistkenn;* to take shelter, to take refuge, to shelter.
stkerrah v.X, *jistkerrah;* to abhor, to loathe.
stkerrih n.m., bla pl., abhorrance.
stmat aġġ. u p.p., respected, esteemed.
stmell v.X, *jistmell;* to detest.
stmerr v.X, *jistmerr;* to disgust.
stmerrija n.f., pl. -i, repugnance.
stoċċ n.m., pl. -ijiet, needle-case, box, case.
stoffa n.f., pl. -i, ***stofof;*** stuff.
stokinett n.m., pl. -ijiet, stockinet.
stokk n.m., pl. -ijiet, putty,stucco, plaster.
stokk n.m., pl. -s, stock.
stokkafixx n.m., pl. -i, (itt.) stockfish.

stokkja v.t., ***jistokkja;*** to stock.
stola n.f., ***stejjel;*** (ekkl.) stole.
stomatite n.f., pl. -ijiet, (med.) stomatitis.
stomatoskopju n.m., pl. -i, (med.) stomatoscope.
stona v.t., ***jistona;*** to be out of tune.
stonatura n.f., pl. -i, false note.
stonazzjoni n.m., singing out of tune.
stonku n.m., pl. -ijiet, stomach.
stoppa n.f., pl. ***stopop;*** tow, oakum.
stor n.m., pl. -ijiet, store.
storbju n.m., pl. -i, roister, shouting, disorder.
storda v.t., ***jistordi;*** to stun.
stordut aġġ. u p.p., stunned, dazzled.
storikament avv., historically.
storiku aġġ., historical.
storiku n.m., pl. -i, historian.
storja n.f., pl. ***stejjer;*** history. ***~ antika;*** ancient history. ***~ medjevali;*** medieval history. ***~ moderna;*** modern history.
storja v.i, ***jistorja;*** to store.
storjografu n.m., f. -a, pl. -i, historiographer.
storkiper n.m., pl. -s, store-keeper.
stowker n.m., pl. -s, stoker.
stqarr v.X, ***jistqarr;*** to own up, to confess, to profess.
stqarrija n.f., pl. -i, declaration, confession.
strabiżmu n.m., pl. -i, (med.) strabismus, squint.
strada n.f., pl. -i, street.
stradika v.Sq., ***jistradika;*** to ruin, to destroy.
stradikatur n.m., f. -a, pl. -i, extirpator.
stradivarju n.m., pl. -i, (muż.) stradivarius.
strafuttent aġġ., indifferent to others.
straġi n.f., pl. -jiet, disaster, destruction, carnage, mess. ***għamel ~;*** to wreak havoc.
stragun n.m., pl. -i, (bot.) tarragon.
straħ ara **strieħ**.
strajk n.m., pl. -ijiet, strike.
strajkja v.i, ***jistrajkja;*** to strike.
strall n.m., pl. -i, (mar.) stay. ***~ tal-gabja;*** main-top-stay. ***~ tal-majjistral;*** main-stay. ***~ tal-pappafik;*** main-top-gallant-stay. ***~ tal-parrukkett;*** fore-top-stay. ***~ tat-trinkett;*** fore-stay.
stramb aġġ., strange, queer, uncouth, whimsical.
stramberija n.f., pl. -i, oddity, whimsically.
stramonju n.m., pl. -i, (bot.) stramonium.
stranġier n.m., f. -a, pl. -i, stranger, foreigner.
strangula v.t., ***jistrangula;*** to strangle, to suffocate, to throttle.
strangulament n.m., pl. -i, strangulation, suffocation.
strangulatur n.m., f. -a, pl. -i, strangulator.
straordinarjament avv., extraordinarily.
straordinarju aġġ., extraordinary.
strapazz n.m., pl. -i, fatigue, over work.
strapazza v.i, ***jistrapazza;*** to ill-use, to ill-treat, to over-work.
strapazzat aġġ. u p.p., tiring.
strapuntin n.m., pl. -i, small mattress.
strat n.m., pl. -i, layer, stratum.
strateġija n.f., pl. -i, strategy.
stratìfika v.t., ***jistratifika;*** to stratify.
stratifikazzjoni n.f., pl. -jiet, stratification.
stratosfera n.f., pl. -i, stratosphere.
stratosfèriku aġġ., stratospheric(al).
stravaganti aġġ., extravagant.
straxxna v.t., ***jistraxxna;*** to drag along.
streċer n.m., pl. -s, strecher.
streptu n.m., pl. -i, din, noise, uproar.
strett n.m., pl. -i, (ġeog.) strait.
strett aġġ., strict.
strettament avv., strictly, tightly.
strettezza n.f., pl. -i, strictness, narrowness.
strieħ v.X, ***jistrieħ;*** to rest, to take one's ease, to sleep, to go to rest.
strija n.f., pl. -i, stria, (pl. striae).
strilja n.f., pl. -iet, curry-comb, (itt.) pampano. ***~ bagħlija;*** pomfret.
strilja v.t., ***jistrilja;*** to curry-comb.
strimer n.m., pl. -s, streamer.
strina n.f., pl. ***strejjen;*** gift, present.
strinġa v.t., ***jistrinġi;*** to lighten, to press.
strinkina n.f., pl. -i, (kim.) strychnine.
strippa n.f., pl. -i, trestle.
strixxa n.f., pl. -i, stripe, strip.
strofa n.f., pl. -i, stanza, strophe.
strom aġġ., eccentric.
stromu n.m., pl. -i, (mar.) boatswain, coxswain.
stronk aġġ., crippled, maimed.
stropp n.m., pl. -ijiet, (mar.) grummet.
strument n.m., pl. -i, instrument, tool. ***~ tad-daqq;*** muscial instrument.
strumenta v.t., ***jistrumenta;*** (muż.) to instrument, to score.
strumentali aġġ., (muż.) instrumental.
strumentazzjoni n.f., pl. -jiet, (muż.) instrumentation.
struppjat aġġ. u p.p., crippled.
struttura n.f., pl. -i, structure.
student n.m., f. -essa, pl. -i, student.

studja v.t., *jistudja;* to study.
studjat aġġ., studied, prepared.
studju n.m., pl. -i, study, preparation, studio.
studjuż n.m., f. -a, pl. -i, scholar, student.
studjuż aġġ., studious.
stufa n.f., pl. -i, stove.
stuffat n.m., pl. -ijiet, stewed meat, stew.
stukkjat aġġ., plastered, covered with stucco.
stultìfika v.t., *jistultifika;* to stultify.
stultifikazzjoni n.f., pl. -jiet, stultification.
stunat aġġ., (muż.) out of tune.
stunatura n.f., pl. -i, (muż.) false note, dissonance.
stupend aġġ., stupendous.
stupidaġni n.f., pl. -jiet, foolishness.
stupidament avv., stupidly, sillily.
stupidità n.f., pl. -jiet, stupidity, dullness, silliness.
stùpidu n.m., f. -a, pl. -i, fool, blockhead, gull.
stùpidu aġġ., stupid.
stupra v.t., *jistupra;* to rape.
stupru n.m., pl. -i, rape.
sturdament n.m., pl. -i, giddiness, dizziness.
sturjun n.m., pl. -i, (itt.) sturgeon.
sturnell n.m., pl. -i, (ornit.) starling.
stus aġġ., astute, shrewd.
stuta n.f., pl. -i, candle-extinguisher.
stuż ara **stus**.
stuzzikadenti n.m.pl., toothpicks.
stvala n.f., pl. -i, boot.
stwiel n.m., pl. -i, -ijiet, spindle.
subasta n.f., pl. -i, (leg.) auction.
subborg n.m., pl. -i, suburb.
subiena n.f., pl. -iet, koll. ***subien;*** nit.
subkonxju aġġ., subconscious.
sublimat n.m., pl. -i, (kim.) sublimate.
sublimi aġġ., sublime.
sublimità n.f., pl. -jiet, sublimity.
sublokazzjoni n.f., pl. -jiet, (leg.) sublease, subletting.
subordinat aġġ., subordinate.
subordinatament avv., subordinately.
subordinazzjoni n.f., pl. -jiet, subordination.
suċċess n.m., pl. -i, success.
suċċessiv aġġ., successive, next, following.
suċċessivament avv., successively.
suċċessjoni n.f., pl. -jiet, succession.
suċċessur n.m., f. -a, pl. -i, successor.
suċċint aġġ., succinct, brief, short, concise.
sudarju n.m., pl. -i, (ekkl.) sudarium.
sudditanza n.f., pl. -i, citizenship.
sùdditu n.m., f. -a, pl. -i, subject.
suddiviżjoni n.f., pl. -jiet, subdivision.
suddjaknu n.m., pl. -i, (ekkl.) subdeacon.
suddjakonat n.m., pl. -i, (ekkl.) subdiaconate.
sudisfazzjon n.m., pl. -jiet, satisfaction.
suf n.m.koll., wool, fleece. **~ *tal-kalzetti;*** fingering.
sufan n.m., pl. -ijiet, sofa.
suffara n.f., pl. ***sfafar;*** whistle, flute, flageolet.
suffarell n.m., pl. -i, spark, sparkle, squib.
suffejra n.f., pl. -i, (med.) jaundice, (bot.) marigold.
suffiċjenti aġġ., sufficient, enough.
suffiċjenza n.m., pl. -i, sufficiency.
suffiss n.m., pl. -i, (gram.) suffix.
suffokazzjoni n.f., pl. -jiet, suffocation.
suffraġju n.m., pl. -i, (ekkl.) suffrage, prayer.
sufi aġġ., woolly, woollen.
sufra n.f., pl. -i, cork. ***sufri ta' l-għawm;*** cork jacket.
suġġeriment n.m., pl. -i, suggestion.
suġġeritur n.m., f. -a, pl. -i, suggester, (teatr.) prompter.
suġġéstiv aġġ., suggestive.
suġġestjoni n.f., pl. -jiet, suggestion.
suġġett ara **soġġett** u d-derivati tiegħu.
suġġetta n.f., pl. -i, sedan, sedan chair.
sugu n.m., pl. -i, juice.
suguż aġġ., juicy, sappy.
sukkara n.f., pl. -iet, bolt, bar.
sukkursal n.m., pl. -i, branch office.
sulamank avv., at least.
sular n.m., pl. -i, storey, floor.
suldat n.m., pl. -i, soldier. **~ *tal-fanterija;*** footman.
suletta n.f., pl. -i, insole, inner sole, cork sole.
sulfarina n.f., pl. -i, match.
sulfat n.m., pl. -i, (kim.) sulphate.
sulfòriku aġġ., sulphuric.
solliev n.m., bla pl., relief, comfort, alleviation.
sulluzzu n.m., pl. -i, hiccup, hiccough.
sultan n.m., f. -a, pl. ***slaten;*** king, (f. queen), sovereign, monarch.. **~ *iċ-ċawl;*** (ornit.) bearfless mullett. **~ *il-gamiem;*** (ornit.) common cuckoo. **~ *is-summien;*** (ornit.) wryneck.
sultana n.f., pl. ***slaten;*** queen.
sultana n.f.koll., sultana, raisin.
sultani aġġ., imperial, royal.
summiena n.f., pl. -iet, koll. ***summien;*** (ornit.) quail.

sunett n.m., pl. -i, sonnet. ~ ***bid-denb;*** sonnet with a tail.
sunnara n.f., pl. *snanar;* fishing hook.
sunt n.m., pl. -i, summary, abridgement.
superabbli aġġ., superable.
superfiċjali aġġ., superficial.
superfiċjalità n.f., pl. -jiet, superficiality.
superfiċjalment avv., superficially.
superfluwità n.f., pl. -jiet, superfluity.
superfluwu aġġ., superfluous.
superjorità n.f., pl. -jiet, superiority.
superjur n.m., f. -a, pl. -i, superior.
superjuri aġġ., superior, higher, upper.
superlattiv aġġ., (gram.) superlative.
supermarkit n.m., pl. -s, supermarket.
superstizzjoni n.f., pl. -jiet, superstition.
superstizzjuż aġġ., superstitious.
supin n.m., pl. -i, (gram.) supine.
supperv aġġ., proud, haughty, arrogant, superb.
suppervja n.f., pl. -i, pride, haughtiness.
suppiera n.f., pl. -i, tureen, tureen soup.
supplenti n.m., bla pl., substitute, deputy.
sùpplika n.f., pl. -i, licence, petition, supplication.
supplikant n.m., pl. -i, petitioner.
supplikant aġġ., supplicant.
suppliment n.m., pl. -i, suppliment.
supplimentari aġġ., supplimentary.
suppost aġġ., supposed.
suppożitorju n.m., pl. -i, (med.) suppository.
suppożizzjoni n.f., pl. -jiet, supposition.
sopraporta n.f., pl. -i, cornice pole.
suprastant n.m., pl. -i, overseer, inspector, chief, surveyor.
suprem aġġ., supreme.
supremazija n.f., pl. -i, supremacy.
supretendent n.m., pl. -i, superintendent.
suq n.m., pl. *swieq;* market.
sur n.m., pl. *swar;* bastion, bulwark, rampart.
sur n.m., mister, Mr.
sura n.f., pl. -iet, figure, form, image, picture.
surġent n.m., pl. -i, sergeant.
surmast n.m., pl. -ijiet, master, schoolmaster, head-master.
sùrroga n.f., pl. -i, (leg. u parl.) substitution, subrogation.
surrogazzjoni n.f., pl. -ijiet, substitution, surrogation.
surtun n.m., pl. *sraten;* tailcoat.
sus n.m., bla pl., liquorice.
susa n.f.koll., (żool.) wood worm.
susan n.m.koll., (bot.) white lily.
suspett n.m., pl. -i, suspicion, mistrust.
suspettabbli aġġ., suspectable.
suspettuż aġġ., suspicious.
sussegwentement avv., subsequently, successively.
sussegwenti aġġ., subsequent, successive, following.
sussidju n.m., pl. -i, subsidy, dole.
sussistenza n.f., pl. -i, subsistence.
sustanza n.f., pl. -i, substance, matter, gist.
sustanzjuż aġġ., nourishing, nutritious.
suttana n.f., pl. *staten;* cassock.
suttrazzjoni n.f., pl. -jiet, subtraction.
sutura n.f., pl. -i, (anat.) suture.
suvenir n.m., pl. -s, souvenir.
suwiċida n.kom., pl. -i, suicide.
suwiċidju n.m., pl. -ji, suicide.
suxxettibbli aġġ., susceptible.
swaf v.X, *jiswaf;* to grow woolly.
swarè n.f., bla pl., soiree, social evening.
swastika n.f., pl -i, swastica, fylfot.
swat n.m, bla pl., lash, whip, whipping.
sweter n.m., pl. -s, sweater.
swiċċ n.m., pl. -ijiet, ***swiċis;*** switch.
swidija n.f., bla pl., blackness.
swiming pul n.m., pl. -s, swimming pool.

Tt

T, t ***l-erbgħa u għoxrin ittra ta' l-alfabett Malti, l-għoxrin waħda mill-konsonanti u r-raba' mill-vokali;*** the twenty fourth letter of the Maltese alphabet, the twentieth of the consonants and the fourth of the vowels.
ta n.m., bla pl., dad, daddy, father.
ta v.irr., dif. ***jagħti;*** to give, to present, to donate, to offer, to bid. ***Pawlu tani dan iċ-ċurkett;*** Paul has given me this ring. ***~ bil-ħarta;*** to cuff. ***~ l-kelma;*** to promise, to give one's word. ***~ lsien;*** to revile, to insult, to abuse. ***~ r-riħ;*** to allow too much liberty.
ta' prep., of.
taba n.f., pl. ***twabi;*** plaster, salve.
taba' ara **tebgħa**.
tabakk n.m., bla pl., tobacco. ***~ ta' l-imnieħer;*** snuff.
tabakkar n.m., f. u pl. -a, tobacconist.
tabakkiera n.f., pl. -i, snuff-box.
tabal n.m., pl. ***otbla;*** drum.
tabarin n.m., pl. -i, night club.
tabbab v.II, ***jtabbab;*** to see a doctor frequently, to assist for medical attention. ***dam itabbab ħafna bil-ġerħa li kellu;*** he went to see a doctor frequently because of his wound.
tabbàb n.m., f. u pl. -a, medicator, healer.
tabbal v.II, to play or beat the drum.
tabbàl n.m., pl. -a, drummer.
tabba' v.II, ***jtabba';*** to stain, to soil, to maculate, to spot. ***din il-libsa tabbajtha biż-żejt;*** you stained this dress with oil.
tabella n.f., pl. -i, table, list.
tabernaklu n.m., pl. -i, tabernacle.
tabib n.m., pl. ***tobba;*** doctor, physician, doctor of medicine.
tabiberija n.f., pl. -i, medical profession.
tabilħaqq avv., certainly, surely, truly, indeed.
tablò n.m., pl. -jiet, tableau.
tabtab ara **taptap**.
tabtib ara **taptip**.
tabtil n.m., bla pl., emptying.
tabù n.m., pl. -jiet, taboo.
tabxa n.f., pl. -iet, trouble, entanglement.
taċċ n.m., pl. -i, small nail, tack.
taċitu aġġ., (leg.) tacit, not expressed.
tadama n.f., pl. -iet, koll. ***tadam;*** tomato.
tafa' v.I, ***jitfa';*** to push, to shove, to urge forward, to throw, to cast, to hurl. ***min joqgħod f'dar tal-ħġieġ m'għandux jitfa' ġebel;*** those who live in glass houses should not throw stones.
tafal n.m.koll., clay.
taffa v.II, ***jtaffi;*** to relieve, to mitigate, to assauge. ***din il-pillola ttaffi l-uġigħ;*** this pill relieves pain.
taffal v.II, ***jtaffal;*** to make crockery utensils.
taffej n.m., f. u pl. -a, mitigator.
tafja n.f., pl. -iet, extinction of fire or heat.
tafli aġġ., clayey, full of clay.
taftan n.m., pl. -i, tuffetta.
taġen n.m., pl. ***twaġen;*** frying-pan.
tagħbija n.f., pl. -iet, load, burden, charge, freight, cargo.
tagħbir n.act., dust covering, light digging.
tagħbix n.act., dazzling, stunning.
tagħdib n.act., getting sulky, punishing, punishment, chastisement.
tagħdid n.act., enumeration.
tagħdim n.act., ossification.
tagħdir n.act., pitying.
tagħdis n.act., immersion, plunging, dipping.
tagħem v.I, ***jitgħam;*** to nourish, to feed, to give food.
tagħfiġ n.act., crushing, pressing.
tagħfis n.act., pressing, squeezing.
tagħġib n.act., astonishment, surprise, amazement, admiration, exageration, amplification, portent.
tagħġil n.act., hastening, speeding.
tagħġiż n.act., ageing, growing old.
tagħha pron., her, hers.
tagħhom pron., their, theirs.
tagħxiex prep., avv., of what, for what.
tagħjib n.act., aping, mimicking, concealment, the setting down of the sun.
tagħjin n.act., bewitchment, gazing, staring.

tagħjir n.act., reviling, insulting, revilment, cloudiness.
tagħjit n.act., malevolence.
tagħkir n.act., viscosity, clamminess, stickiness.
tagħkis n.act., oppression, vexation, tyranny.
tagħkom pron., your, yours.
tagħlib n.act., slimming, attenuation.
tagħlif n.act., feeding.
tagħlija n.f., pl. -iet, raising, elevation, lifting.
tagħlik n.act., stickiness.
tagħlim n.act., teaching, learning, instruction. ~ ***nisrani;*** catechism.
tagħliq n.act., hanging.
tagħlit n.act., deceiving, cheating.
tagħma n.f., pl. -t, woof, weft.
tagħmid n.act., baptizing, blindfolding.
tagħmim n.act., obfuscation.
tagħmiq n.act., deepening.
tagħmir n.act., cohabitation.
tagħmis n.act., slight submersion under water.
tagħmix n.act., dazzling.
tagħmiż n.act., winking, twinkling.
tagħna pron., our, ours.
tagħniq n.act., embracing, embrace.
tagħnit n.act., quickness.
tagħqid n.act., knotting, congelation, freezing.
tagħqil n.act., getting or becoming wise, prudent, taming.
tagħqir n.act., ulceration.
tagħrif n.act., information, notification, declaration.
tagħriġ n.act., limping.
tagħrim n.act., heaping, stacking, indemnification.
tagħriq n.act., drowning, submersion.
tagħris n.act., betrothing.
tagħrix n.act., tickling, titillation, cloudiness.
tagħsid n.act., bungling.
tagħsil n.act., sweetening with honey.
tagħsir n.act., wringing of washed clothes.
tagħtib n.act., maiming.
tagħtija n.act., covering.
tagħtil n.act., scraping a ploughshare.
tagħtin n.act., crushing.
tagħtir n.act., stumbling.
tagħwib n.act., disappearing.
tagħwid n.act., repetition.
tagħwiġ n.act., bending, twisting.
tagħwim n.act., act of swimming.
tagħxiq n.act., act of experiencing delight, pleasure.
tagħxir n.act., tithing.
tagħxix n.act., nesting.
tagħżija n.act., condolence.
tagħżil n.act., spinning.
tagħżiq n.act., digging.
tagħżiż n.act., pressing, gnashing (of teeth).
taħan v.I, ***jitħan;*** to grind, to mill, to proud, to powder. ***meta kont żgħir kont nitħan il-kafè liz-zija;*** when I was young I used to ground coffee for my aunt.
taħar v.i, ***jitħar;*** to reproach, to scold, to rebuke, to abuse, to affront, to rage, to rave.
taħbib n.act., befriending, making friends.
taħbil n.act., entanglement, embroiling, confusion, disorder.
taħbir n.act., presage, prediction.
taħbit n.act., knocking, beating, troubling. ~ ***tal-bieb;*** knocking. ~ ***ta' l-idejn;*** applause, clapping. ~ ***tal-qalb;*** palpitation, heart throbbing.
taħbiż n.act., bread making.
taħdid n.act., binding up with iron.
taħdil n.act., numbing.
taħdim n.act., working.
taħdin n.act., embracing, embrace.
taħdir n.act., being or becoming green.
taħdit n.act., speech, talking.
taħfif n.act., getting or becoming light.
taħfir n.act., digging, ditching, excavating.
taħġiġ n.act., blazing, flaming.
taħġir n.act., stoning, lapidation.
taħħan v.II, ***jtaħħan;*** to grind.
taħħàn n.m., f. u pl. -a, miller.
taħħar v.II, ***jtaħħar;*** to circumcise.
taħħàr n.m., f. u pl. -a, one who argues in an angry and villainous manner.
taħħat v.II, ***jtaħħat;*** to subjugate.
taħħàt n.m., f. u pl. -a, one who subjects, mortifies, lowers.
taħjil n.act., imagining, imagination.
taħjir n.act., desiring, desire, inclination, choice.
taħjit n.act., threading, sewing.
taħkik n.act., rubbing, scratching, grating.
taħkim n.act., dominating.
taħlib n.act., milking.
taħlif n.act., swearing.
taħliġ n.act., separating the cotton from seeds.
taħlil n.act., robbing, loosening, sweetening.
taħlim n.act., dreaming.
taħlis n.act., paying, combing.
taħlit n.act., mixing, mingling.
taħlita n.f., pl. -iet, blend.

taħmiġ n.act., fouling.
taħmil n.act., cleaning, polishing.
taħmir n.act., blushing.
taħna n.f., pl. -iet, grinding, milling.
taħnin n.act., lullaby.
taħniq n.act., throttling.
taħqiq n.act., verification.
taħrib n.act., desolation, devastation, putting to flight.
taħrif n.act., recital of fables.
taħriġ n.act., training, exercising, exercise.
taħrik n.act., moving, motion, movement.
taħrika n.f., pl. -iet, citation, summons.
taħriq n.act., running of water.
taħris n.act., watching.
taħrix n.act., austerity, severity, strictness, making rough.
taħsil n.act., washing, acquiring, squashing, bruising.
taħsir n.act., corruption, commiseration.
taħsis n.act., sensing.
taħt avv. u prep., under, beneath, below, underneath. ***minn ~;*** secretly.
taħtani aġġ., inferior, secondary, subaltern.
taħtib n.act., crookedness.
taħtif n.act., seizing, grasping.
taħtim n.act., sealing (up).
taħtir n.act., election, choice.
taħrit n.act., drawing.
taħtnijiet avv., underhand, secretly, privately.
taħwid n.act., mingling, mixing, confusion.
taħwil n.act., planting.
taħwir n.act., seasoning.
taħxim n.act., plumpness, fatness.
taħżim n.act., girdling.
taħżima n.f., pl. -iet, band, binding, ligature.
taħżin n.act., deterioration.
taħżiq n.act., compression, pressing, squeezing between one's arms.
taħżiż n.act., scribbling, delineation.
tajba aġġ., good.
tajer n.m., pl. -s, tyre.
tajfa n.f., pl. -iet, people, family, nation, company, crew.
tajjan v.II, ***jtajjan;*** to cover with mud.
tajjar v.II, ***jtajjar;*** to cause to fly, to squander, to lavish, to spend prodigally. ***~ flusu fil-logħob ta' l-azzard;*** he squandered his money in games of chance. ***mar itajjar it-tajra minn fuq is-sur;*** he went on the bastion to fly the kite. ***~ mar-riħ;*** to lavish, to squander, to spend prodigally. ***~ ix-xrar;*** to sparkle.
tajjàr n.m.koll., cotton.
tajjàr n.m., f. u pl. -a, flyer.
tajjeb aġġ., good, excellent, proper, fit, apt, able.
tajjeb avv., well, right.
tajl n.m., pl. -s, tile.
tajn n.m., pl. ***tjun;*** mud, dirt, mire, slush, mortar.
tajpist n.m., f. -a, pl. -i, typist.
tajprajter n.f., pl. -s, typewriter.
tajra n.f., pl. -iet, koll. ***tajr;*** kite, fowl.
tajran n.act., flying.
tajts n.s; u pl., tights.
takamaħak n.m., bla pl., tacamahac.
takbir n.act., aggrandizing, enlargement.
takkalja n.f., pl. -i, garter.
takkan v.II, ***jtakkan;*** to heel.
takkuna n.f., pl. ***tkaken;*** heel.
takkwin n.m., pl. -i, notebook.
taksi n.m., pl. -s, taxi.
taktir n.act., increasing, multiplication, multiplying.
tal v.I, ***jtul;*** to become long, to be lengthened.
tal- prep., of the.
tala' ara **tela'**.
talab v.I, ***jitlob;*** to pray, to beg, to request, to ask, to require, to supplicate, to mendicate, to ask alms. ***~ 'l Alla għall-paċi;*** he prayed God for peace.
talanqas avv., at least.
talb n.act., praying, begging.
talba n.f., pl. -iet, prayer, request, supplication, petition.
talban aġġ., praying.
talent n.m., pl. -i, talent.
tali aġġ., such.
taliżman n.m., pl. -i, talisman.
talja n.f., pl. -i, tax, subsidy, fine, mulct, tally.
taljakarti n.f., bla pl., paper-knife.
taljamar n.m., pl. -i, (mar.) cutwater.
Taljan n.m., f. -a, pl. -i, Italian, Italic.
taljanizzat aġġ., italianized.
taljarini n.m.pl., ribbon-shaped pasta.
taljatur n.m., f. -a, pl. -i, cutter.
taljola n.f., pl. -i, pulley.
talla' v.I, ***jtalla';*** to raise, to lift up, to exault, to advance. ***il-missier ~'l ibnu fuq spallejh;*** the father lifted up his son on his shoulders.
tallàb n.m., f. u pl. -a, beggar, petitioner, supplicant.
talli avv., because of, of what, for what.
talljun n.m., pl. -i, (kim.) thallium.
tallu n.m., pl. -i, (bot.) thallus.
talment avv., to such a degree, so much, to such an extent, in such a way.

talpa n.f., pl. -i, (żool.) mole.
tama n.f., pl. -iet, hope.
tama v.I, ***jitma;*** to make one hope, to hope.
tama' v.I, ***jitma';*** to feed, to nourish, to give food. ***mur itma' 'l dak l-għasfur;*** go and feed that bird.
tamarindi n.m.koll., (bot.) tamarind.
tamarisk n.m., pl. -i, (bot.) tamarisk.
tamboċċ n.m., pl. -i, skylight.
tamburlin n.m., pl. -i, (muż.) drums.
tames n.m., pl. ***twames;*** rennet.
tamla n.f., pl. -iet, koll. ***tamal;*** date.
tamma v.II, ***jtamma;*** to give hope, to flatter with hopes.
tamma' v.II, ***jtamma';*** to make one eat forcibly.
tammar v.II, ***jtammar;*** to fructify.
tammari aġġ., fructiferous, fruitful.
tammas v.II, ***jtammas;*** to curdle.
tampun n.m., pl. -i, (med.) tampon.
tamra ara **tamla**.
tamtil n.act., dilatoriness in payment.
tanas v.I, ***jitnos;*** to persist.
tanbar v.kwad., ***jtanbar;*** to beat the drum, to drum, to roll. ***dejjaqni jtanbar fuq it-tanbur;*** he annoyed me beating the drum.
tanbir n.act., drumming.
tanbur n.m., pl., ***tnabar;*** (muż.) drum. ~ ***ta' l-arloġġ;*** barrel. ~ ***tar-rakkmu;*** tambour. ~ ***tas-suwed;*** kettle-drum. ***ġilda tat-~;*** drum head.
tanel n.m., pl. -s, tannel.
tanf n.m., bla pl., nasty smell.
tanġent n.m., pl. -i, tangent.
tanġibbli aġġ., tangible.
tank n.m., pl. -ijiet, tank.
tanker n.m., pl. -s, tanker.
tanniku aġġ., (kim.) tannic.
tannin n.m., pl. -i, (kim.) tannin.
tannuta n.f., pl. -i, (itt.) black bream.
tant aġġ., so much, so long.
tantatur n.m., f. -a, pl. -i, tempter.
taparsi avv., feignedly.
tapir n.m., pl. -i, (żool.) tapir.
tapit n.m., pl. -i, ***twapet;*** carpet. ~ ***ta' mejda;*** table cover. ~ ***tat-taraġ;*** stair carpet.
tapizzar n.m., f. u pl. -a, upholsterer.
tapizzarija n.f., pl. -i, tapestry.
tapjoka n.f., bla pl., tapioca.
tapp n.m., pl. -ijiet, bung, cork, stopper. ~ ***ta' bittija;*** vent-peg.
tappan v.II, ***jtappan;*** to make opaque, to press, to tread, to trample upon.
tappap v.II, ***jtappap;*** to plug.
tapsina n.f., pl. -i, bed-pan.
taptap v.kwad., ***jtaptap;*** to tap, to stroke, to touch lightly. ***taptapli fuq spallti;*** he tapped me on the shoulder.
taptip n.act., light tapping.
taptipa n.f., pl. -iet, tap, dressing.
tapxa n.f., pl. -iet, sum of money, fix, embarassment.
taq v.I, ***jtuq;*** to fag, to nourish, to strengthen, to invigorate.
taqab v.I, ***jitqob;*** to pierce, to make a hole, to bore.
taqbid n.act., fastening, joining, struggling.
taqbil n.act., adaptation, comparison, comparing, confronting, collating, rhyme.
taqbis n.act., kindling.
taqbiż n.act., leaping, jumping, skipping.
taqċit n.act., lopping.
taqdib n.act., whipping, lashing.
taqdid n.act., drying of fruit.
taqdim n.act., the growing old.
taqdir n.act., fatality, misfortune.
taqdis n.act., sanctifying.
taqfil n.act., locking.
taqfis n.act., encaging, constructing the body of a boat.
taqjid n.act., the putting in fetters.
taqjim n.act., awakening, raising.
taqjir n.act., drying.
taqjis n.act., measuring.
taqlib n.act., perturbation, disorder, confusion.
taqligħ n.act., getting turpid, queasiness.
taqliq n.act., restlessness.
taqlit n.act., leaping.
taqmil n.act., breeding of lice.
taqmis n.act., kicking, jumping, bounding.
taqmit n.act., the binding of the hands and feet, tightening of the dress.
taqqab v.II, ***jtaqqab;*** to bore, to pierce, to hole.
taqqàb n.m., f. u pl. -a, borer.
taqqal v.II, ***jtaqqal;*** to render heavy, to make heavy, to burden.
taqqàl n.m., f. u pl. -a, he that makes heavy.
taqrib n.act., approaching, approach.
taqrif n.act., irritation of a wound.
taqrim n.act., mutilation.
taqriq n.act., cheating, deceiving. ***bit-~;*** deceitfully.
taqris n.act., grimacing.
taqsim n.act., division, partition, distribution, sharing, dividing.

taqsima n.f., pl. -iet, chapter, section.
taqsir n.act., shortening, abridgement, compendium.
taqsis n.act., cutting with scissors, ordaining to holy orders, slandering.
taqsit n.act., contemplation, meditation.
taqtaq v.kwad., *jtaqtaq;* to croak, to chatter.
taqtigħ n.act., cutting.
taqtiq n.act., palpitation, throbbing.
taqtir n.act., dripping.
taqtira n.f., pl. -iet, drop, drip, dram.
taqwija n.act., invigoration.
taqwil n.act., chattering.
taqwim n.act., raising, rising, insurrection, rebellion, sedition.
taqwis n.act., bow-shooting.
taqxir n.act., skinning, barking, peeling.
taqżiż n.act., loathing. ***bit-~;*** disgusting.
tar v.I, *jtir;* to fly. ***l-għasfur ~ mill-gaġġa;*** the bird flew from the cage.
tara n.f., pl. -iet, tare, tret.
tarad v.I, *jitrod;* to chase, to pursue.
tarant n.m., pl. -i, trace.
tarantella n.f., pl. -i, tarantella, tarantelle.
tarax v.I, *jitrox;* to brush.
tarbija n.f., pl. *trabi;* baby, infant, child.
tarbit n.act., tying, attachment.
tarbux n.m., pl. *trabax;* tarboosh, fez.
tard aġġ., late.
tarf n.m., pl. *truf;* extremity, end, margin. ***~ ta' ġażra;*** thread of a skein. ***bla ~;*** endless. ***sab it-~;*** to find the clue.
tarfien n.act., exile.
tarġa n.f., koll. *taraġ;* step, stair. ***~ tal-bieb;*** threshold.
targit n.m., pl. -s, target.
tari aġġ., tender, soft, fresh.
tariffa n.f., pl. -i, tariff, rate, fare.
tarja n.f.koll., fibe paste.
tarjola n.f., pl. -i, pulley.
tarka n.f., pl. -i, shield, target, bucklet.
tarkett ara **tirkett**.
tarkija n.f., pl. *traki;* (mar.) spritsail.
tarlatà n.m., pl. -jiet, tarlatan.
tarlatur n.m., pl. -i, (żool.) wood-worm.
tarlatura n.f., pl. -i, worm-hole.
tarr v.I, *jtorr;* to lay eggs.
tarra v.II, *jtarri;* to soften, to make tender.
tarrab v.II, *jtarrab;* to cover with dust.
tarraf v.II, *jtarraf;* to exile, to banish, to confine, to limit, to relate, to narrate.
tarraġ v.II, *jtarraġ;* to divide into steps.
tarràġ n.m., f. u pl. -a, stair maker.
tarrax v.II, *jtarrax;* to deafen, to stun. ***dawn il-ħsejjes tarrxuni, ma nistax nisma' sewwa;*** these noises have deafened me, I can't hear well.
tarraxi aġġ., deafening.
tarraz v.II, *jtarraz;* to stripe, to streak, embroider.
tars n.m., pl. *trus;* (mil.) shield.
tartana n.f., pl. *tratan;* (mar.) tartan.
tartariku aġġ., tartaric.
tartarun n.m., pl. -i, (mar.) seine.
tartib n.act., softening, mollifying.
tartil n.act., playing and singing.
tartru n.m., pl. -i, tartar.
tartufa n.f., pl. -iet, slight sweeping.
tarxa n.f., pl. -iet, slight sweeping.
tarxien n.act., deafness.
tarzna n.f., pl. -i, dockyard, yard, arsenal.
tarznar n.f., pl. -i, arsenal.
tass n.m., pl. -ijiet, (artiġ.) goldsmith's anvil.
tassazzjoni n.f., pl. -jiet, taxation, assessment.
tassew avv., truthfully, truly, certainly, really.
tassimetru n.m., pl. -i, taximeter.
tast n.m., pl. -i, (muż.) key, keyboard.
tastatur n.m., pl. -i, (artiġ.) bevel.
tastiera n.f., pl. -i, (muż.) keyboard.
tatt n.m., pl. -i, tact.
tattika n.f., pl. -i, tactics.
tattikament avv., tactically.
tattiku aġġ., tactical.
taverna n.f., pl. -i, tavern.
tavla n.f., pl. *twavel;* plank, board. ***~ ta' l-abjad;*** deal.
tavlar n.act., wooden floor, plank floor.
tavlozza n.f., pl. -i, (artiġ.) palette.
tavlun n.m., pl. -i, thick board.
tawes n.m., pl. *twas;* (żool.) peacock. ***denb it-~;*** amaranth.
tawl n.act., prolongation, prolixity.
tawmaturgu n.m., f. -a, pl. -i, thaumaturge.
tawr n.m., pl. *twar;* (żool.) bull.
tawromakija n.f., pl. -i, tauromachy.
tawru n.m., pl. -i, (żool.) bull, (itt.) sand shark.
tawwab v.II, *jtawwab;* to fill with clods.
tawwal v.II, *jtawwal;* to lengthen, to stretch, to prolong, to defer, to delay, to procrastinate. ***kemm se jdum itawwal iż-żmien?;*** how much is he going to prolong the time?
tawwàl n.m., f. u pl. -a, he who lengthens.
tawwali aġġ., oval, oblong.
tawwar v.II, *jtawwar;* to plough by bull, to plough in large furrows.
tawwàr n.m., f. u pl. -a, one who ploughs in large furrows.
tawwat v.II, *jtawwat;* to toot.

tawweb v.II, ***jtawweb;*** to fill with clods.
taxxa n.f., pl. -i, tax, toll, duty, impost, excise.
taxxabbli aġġ., taxable, assessable.
taxxier n.m., f. u pl. -a, assessor.
tazza n.f., pl. -i, ***tazez;*** glass, tumbler.
tbaċċaċ v.V, ***jitbaċċaċ;*** to become chubby.
tbadbad v.V, ***jitbadbad;*** to become ill-mannered.
tbagħbas v.V, ***jitbagħbas;*** to be messed up, to be handled.
tbagħbis n.act., slight touching.
tbagħtar v.V, ***jitbagħtar;*** to become muddy.
tbahrad v.V, ***jitbahrad;*** to revel, to frolic, to frisk.
tbahrid n.act., high jinks.
tbaħbaħ v.V, ***jitbaħbaħ;*** to bespatter oneself with water.
tbaħbiħ n.act., rinsing.
tbaħħar v.V, ***jitbaħħar;*** to be navigated, to be fumigated.
tbaħħat v.V, ***jitbaħħat;*** to be slandered.
tbajjad v.V, ***jitbajjad;*** to be whitewashed. ***il-ħajt ilu li ~ madwar sena;*** the wall has been whitewashed about a year ago.
tbakkar v.V, ***jitbakkar;*** to get up early.
tbalbil n.act., babbling.
tballat v.V, ***jitballat;*** to be rammed.
tbandal v.V, ***jitbandal;*** to be rocked, to be rolled, to be swung. ***il-vapur beda jitbandal bil-mewġ;*** the ship began to be rolled by the waves.
tbandil n.act., swinging.
tbaqbaq v.V, ***jitbaqbaq;*** to seethe, to fume.
tbaqqan v.V, ***jitbaqqan;*** to be worked with a pickaxe.
tbaqqaq v.V, ***jitbaqqaq;*** to be infected with bugs.
tbaqqat v.V, ***jitbaqqat;*** to be curdled.
tbarqim n.act., cooing.
tbarra v.V, ***jitbarra;*** to be exempted, to be left out.
tbarraġ v.V, ***jitbarraġ;*** to be heaped up.
tbarram v.V, ***jitbarram;*** to be twisted.
tbarrax v.V, ***jitbarrax;*** to be scratched.
tbarrija n.f., pl. -iet, exemption.
tbarraż v.V, ***jitbarraż;*** to remain empty and full of wind.
tbarwiż n.act., bad sewing.
tbaskat v.V, ***jitbaskat;*** to be baked over again. ***~ bix-xemx;*** to become sun-tanned.
tbaskit n.act., the baking over again.
tbassar v.V, ***jitbassar;*** to be predicted.
tbatija n.act., suffering, hardship. ***xogħol ta' ~;*** drudgery.
tbattal v.V, to be emptied. ***il-bir ~ mill-ilma;*** the well has been emptied from water.
tbattam v.V, ***jitbattam;*** to be plastered.
tbattil n.act., evacuation.
tbaxxa v.V, ***jitbaxxa;*** to bend down, to lower oneself, to humble oneself, to humiliate oneself. ***kemm ~ quddiem kulħadd!;*** how much he humbled himself in front of everyone!
tbaxxar v.V, ***jitbaxxar;*** to be announced.
tbażwar v.V, ***jitbażwar;*** to become hernious or ruptured.
tbażża' v.V, ***jitbażża';*** to be frightened, to loose courage. ***toqgħodx ~ t-tifel b'din l-istorja;*** do not frighten the boy with this story.
tbażżar v.V, ***jitbażżar;*** to be peppered.
tbegħid n.act., allontanation.
tbejjen v.V, ***jitbejjen;*** to be interposed, to intermeddle, to interfere, to mediate.
tbejjin n.act., mediation.
tbekbek v.V, ***jitbekbek;*** to become drunk at a draught.
tbekbik n.act., guzzling.
tbekka v.V, ***jitbekka;*** to weep repeatedly, to lament.
tbelbel v.V, ***jitbelbel;*** to be flapped.
tbell v.V, ***jitbell;*** to be wet, to become wet.
tbellah v.V, ***jitbellah;*** to grow crazy, to lose one's wits. ***~ wara xi ħadd;*** to be passionately in love, to be infatuated.
tbelles v.V, ***jitbelles;*** to become velvety.
tbellet v.V, ***jitbellet;*** to become a town-dweller.
tbenġel v.V, ***jitbenġel;*** to become livid.
tbenġil n.act., lividity, lividness.
tbennen v.V, ***jitbennen;*** to be rocked, to be cradled, to grow savoury.
tbennin n.act., rocking, cradling.
tberbaq v.V, ***jitberbaq;*** to be squandered.
tberbiq n.act., profusion, lavishness, squandering ***bit-~;*** lavishly, profusely.
tberfel v.V, ***jitberfel;*** to be hemmed, to be trimmed.
tberfil n.act., hemming, trimming.
tberfila n.f., pl. -iet, hem.
tbergħed v.V, ***jitbergħed;*** to become full of fleas.
tbergħen v.V, ***jitbergħen;*** to become red with anger, to boil with anger, to flame up.
tberraħ v.V, ***jitberraħ;*** to be wide open.
tberred v.V, ***jitberred;*** to be cooled, to grow cold, to take or catch a cold, to be appeased.
tberren v.V, ***jitberren;*** to be bored or pierced with a gimlet.

tbettaħ v.V, ***jitbettaħ;*** to grow flaccid, to become flabby, to grow unhealthy.
tbewwaq v.V, ***jitbewwaq;*** to grow hallow, to become curved.
tbewwes v.V, ***jitbewwes;*** to kiss one another.
tbexbex v.V, ***jitbexbex;*** to be wet with a drizzling rain.
tbexbix n.act., drizzle, dawn.
tbexxaq v.V ***jitbexxaq;*** to be kept ajar, to be half opened.
tbexxex v.V, ***jitbexxex;*** to be sprayed repeatedly.
tbeżbeż v.V, ***jitbeżbeż;*** to be admonished, to be seized by the hair.
tbeżbiż n.act., the seizing of hair, admonition, reprimand.
tbeżlek v.V, ***jitbeżlek;*** to be sucked slightly.
tbeżlik n.act., light sucking.
tbeżża' ara **tbażża'**.
tbeżżaq v.V, ***jitbeżżaq;*** to be spat out repeatedly, to spit repeatedly.
tbeżżigħ n.act., dismay, dread.
tbeżżiq n.act., the act of spitting often.
tbiċċeċ v.V, ***jitbiċċeċ;*** to be reduced into pieces.
tbiċċer v.V, ***jitbiċċer;*** to be butchered, to be slaughtered.
tbidded v.V, ***jitbidded;*** to be shed.
tbiddel v.V, ***jitbiddel;*** to be changed or transformed. ***nittama li llum it-temp jitbiddel;*** I hope the weather will change today.
tbiegħed v.VI, ***jitbiegħed;*** to go far away, to move (oneself) to a distance.***tbiegħdu minn dan il-post;*** go away from this place.
tbieq v.IX, ***jitbieq;*** to become overcast.
tbierek v.VI, ***jitbierek;*** to be blessed. ***il-ġnien ~ mill-kappillan;*** the garden was blessed by the parish priest.
tbiġġel v.V, ***jitbiġġel;*** to be mitigated, to be defended, protected.
tbiġġil n.act., defence, protection.
tbigħ n.act., printing, impression.
tbikkem v.V, ***jitbikkem;*** to become dumb, to grow mute, to strike dumb. ***~ bil-biża';*** he was struck dumb with fear.
tbissem v.V, ***jitbissem;*** to smile. ***titbissem lil ħadd;*** do not smile at anyone.
tbissim n.act., smiling. ***bit-~;*** smilingly.
tbissima n.f., pl. -iet, a smile.
tbixkel v.V, ***jitbixkel;*** to be embroiled, to be intricated.
tbixkil n.act., disorder, entanglement.
tbiżżel v.V, ***jitbiżżel;*** to become active, diligent.
tbubija n.act., medical profession.
tè n.m., pl. -jiet, tea. ***~ ħafif;*** weak tea. ***~ qawwi;*** strong tea.
teatrali aġġ., theatrical.
teatralità n.f., pl. -jiet, theatricality.
teatrin n.m., pl. -i, theatricals.
teatru n.m., pl. -i, theatre, opera house.
tebagħ v.I, ***jitbogħ;*** to print, to stamp. ***dan il-ktieb ġie mitbugħ fl-istemperija tal-gvern;*** this book was printed in the government printing press.
tebaħ v.I, ***jitboħ;*** to cook, to dress food.
tebaq v.I, ***jitboq;*** to shut, to close.
tebba' ara **tabba'**.
tebbaq v.II, ***jtebbaq;*** to divide, to halve, to part into two.
tebben v.II, ***jtebben;*** to reduce to straw.
tebbiegħ n.m., f. u pl. -a, printer, typographer.
tebbieħ n.m., f. u pl. -a, male cook.
tebgħa n.f., pl. -t, ***tbajja';*** stain, spot, blur, blot. ***~ fil-ġieħ;*** taint, blotch. ***~ fil-ġilda;*** blotch. ***~ tas-sadid;*** iron mould.
tebqa n.f., pl. iet, one part equal to another.
tebut n.m., pl. ***twiebet;*** coffin.
tedjanti aġġ., tedious, tiresome, wearisome.
tedjuż aġġ., tedious, weary, irksome.
tefa v.I, ***jitfi;*** to extinguish, to switch off, to lose colour, to discolour, to grow pale or fade. ***il-lewn ta' din il-libsa ~;*** the colour of this dress faded away.
tefa' ara **tafa'**.
teffej n.m., f. u pl. -a, extinguisher.
teffiegħ n.m., f. u pl. -a, lancer, slinger.
tefgħa n.f., pl. -t, throw, cast, shot, push, shove. ***~ ta' azzarin;*** gun-shot. ***~ ta' ġebla;*** at a stone cast.
teftef v.kwad., to feel, to finger, to handle or touch lightly, to fumble, to grope, to nibble, to peck.
teftif n.act., feeling or handling lightly, groping, eating with reluctance, trifles.
tegħim n.act., tasting.
tegħlil n.act., weakening.
tegħlim n.act., signing, marking.
tehdid n.act., menacing, threatening.
tehdija n.act., calm, tranquillity.
tehjim n.act., the act of spoiling.
tehlil n.act., the act of praising, exalting.
tehmiż n.act., pinning, fastening with pins.
tehnija n.act., bliss.
tehrija n.act., spoiling.
tehriż n.act., act of crushing, pounding, crumbling.
tehżiż n.act., act of shaking.

teħbir n.act., premonition.
teħġiġ n.act., burning, setting on fire, flaming.
teħid n.act., act of taking.
teħlis n.act., liberation, setting free.
teħmid n.act., taciturnity.
teħmil n.act., cleaning up.
teħmir n.act., fermenting.
tejjeb v.II, ***jtejjeb;*** to improve, to ameliorate, to make good.
tejjeġ v.II, ***jtejjeġ;*** to wed, to marry, to celebrate nuptials, weddings. ***~ ftit jiem ilu;*** he married a few days ago.
tejjeż v.II, ***jtejjeż;*** to chop off.
tejp n.m., pl. -s, tape.
tejprikorder n.m., pl. -s, tape-recorder.
teka n.f., pl. -a, (ekkl.) theca.
tekil n.act., itching.
teknika n.f., pl. -i, technique.
teknikament avv., technically.
tekniku aġġ., technical.
teknoloġija n.f., pl. -i, technology.
teknoloġiku aġġ., technological.
teknòlogu n.m., f. -a, pl. -i, technologist.
tektek v.kwad., to tap, to knock gently, to peck.
tektik n.act., act of gentle knocking.
tela v.I, ***jitli;*** to varnish.
tela' v.I, ***jitla';*** to mount, to ascend, to go up, to climb up, to rise, to increase in price. ***~ ma' siġra u waqa';*** he climbed up a tree and fell down.
telaq v.I, ***jitlaq;*** to leave off, to abandon, to jilt, to foresake, to desert, to surrender, to yield up, to deliver up, to weaken, to enfeeble, to go forward, to go out, to set free. ***~ 'l barra bil-moħbi;*** he went out secretly.
telefonata n.f., pl. -i, telephone call.
telefonija n.f., pl. -i, telephony.
telefoniku aġġ., telephonic. ***apparat ~;*** telephone set. ***direttorju ~;*** telephone directory. ***gabina ~;*** telephone call-box, telephone kiosk.***sistema ~;*** telephone system. ***uffiċċju ~;*** telephone office.
telefonist n.m., f. -a, pl. -i, telephonist, telephone operator.
telefotografija n.f., pl. -i, telephoto(graphy).
telefown n.m., pl. -s, telephone.
telegraff n.m., pl. -i, telegraph.
telegrafija n.f., pl. -i, telegraphy.
telegrafiku aġġ., telegraphic. ***apparat ~;*** telegraphic set. ***arblu ~;*** telegraphic pole, telegraphic post. ***indirizz ~;*** telegraphic address. ***uffiċċju ~;*** telegraphic office.
telegrafist n.m., f. -a, pl. -i, telegrapher, telegraphist, telegraphic operator.
telegramm n.m., pl. -i, telegram. ***~ bi tweġiba;*** reply-paid telegram. ***~ express;*** express telegram. ***~ urġenti;*** urgent telegram.
telekomunikazzjoni n.f., pl. -jiet, telecommunication.
telepatija n.f., pl. -i, telepathy.
telepatiku aġġ., telepathic.
telepatista n.kom., pl. -i, telepathist.
teleskòpiku aġġ., telescopic(al).
teleskopju n.m., pl. -i, (astro.) telescope.
telespettatur n.m., f. -a, pl. -i, televiewer.
televiżjoni n.m., pl. -jiet, television.
telf n.act., loss, losing. ***~ tal-ġieħ;*** dishonour, ignominy. ***~ tar-ruħ;*** perdition, damnation. ***~ taż-żmien;*** loss of time, waste of time.
telfa n.f., pl. -iet, loss. ***~ tar-raġuni;*** excitement. ***~ ta' sabar;*** desperation.
telfien n.act., losing.
telgħa n.f., pl. -t, ***tlajja';*** hill, ascension, ascent.
tella' v.II, ***jtella';*** to raise, to elevate, to lift.
tellaq v.II, ***jtellaq;*** to start, to take part in a race, to race, to compete, to vie, to rival. ***mar itellaq bil-jott;*** he went to take part in the yacht race.
tellef v.II, ***jtellef;*** to make one lose, to cause one to lose. ***tellfu l-ajruplan bid-diskors fieragħ tiegħu;*** he caused him to miss the flight because of his idle talking.
tellerita n.f., pl. -i, (ornit.) stone-curtew, chatterbox.
tellet v.II, ***jtellet;*** to triple, to triplicate, to divide in three parts.
tellief n.m., f. u pl. -a, loser.
telliegħi (fix-xogħol) aġġ., expeditious, quick, active, laborious.
tellieq n.m., f. u pl. -a, runner, racer, he who leaves off.
tellieqa n.f., pl. ***tlielaq;*** race, competition.
tellieti n.act., trebling.
tellurju n.m., pl. -i, (kim.) tellurium.
telqa n.f., pl. -t, lassitude, departure, start(ing), derelict, leaving.
tema n.f., pl. -i, theme.
tema' ara **tama'**.
temerarju aġġ., rash, reckless. ***ġudizzju ~;*** rash judgement.
temerità n.f., pl. -jiet, temerity.
temm v.I, ***jtemm;*** to finish, to end, to close, to consume, to waste, to destroy. ***~ id-diskors tiegħu f'inqas minn siegħa;*** he finished his speech in less than one hour.

temma n.f., pl. -iet, fulfilment, termination, end, close.
temmem v.II, ***jtemmem;*** to finish.
temmiem n.m., f. u pl. -a, finisher.
temp n.m., pl. -ijiet, time, tense, weather. ***~ ikrah (ħażin);*** bad weather. ***~ sabiħ (tajjeb);*** fine weather. ***~ tax-xita;*** rainy weather, cloudy weather.
temperament n.m., pl. -i, disposition, temperament.
temperanza n.f., bla pl., temperance, moderation. ***~ fix-xorb;*** temperance in drinking.
temperatura n.f., pl. -i, temperature. ***~ baxxa;*** low temperature. ***~ għolja;*** high temperature. ***ħa t-~;*** to take one's temperature.
temperoża n.f., pl. -i, (bot.) tuberose.
tempesta n.f., pl. -i, storm, tempest. ***~ tas-silġ;*** hail storm.
tempestuż aġġ., tempestuous, stormy.
tempju n.m., pl. -i, temple.
temporal n.m., pl. -i, storm, foul weather.
temporali aġġ., temporal, transitory.
temporanjament avv., temporarily, transitory.
temporanju aġġ., temporary, transitory.
tempra n.f., pl. -i, temper, mood.
temprin n.m., pl. -i, penknife.
temtem v.kwad., to stammer, to stutter.
temtiem n.m., f. -a, pl. -in, stammerer, statterer.
temtim n.act., stammering, stuttering.
tena v.I, ***jitni;*** to fold, to plait.
tenaċeta n.f., pl. -i, (bot.) tansy.
tenaċi aġġ., tenacious.
tenaċità n.f., pl. -jiet, tenacity.
tendenza n.f., pl. -i, tendency, bent.
tendins n.f., pl. -i, curtain.
tenebruż aġġ., tenebrous.
tenent n.m., f. -a, pl. -i, lieutenent.
tèneru aġġ., tender.
tenerezza n.f., pl. -i, tenderness.
tenfex v.kwad., ***jtenfex;*** to soften, to make soft.
tenfix n.act., softening.
tengħut n.m.koll., pl. id., (bot.) spurge.
tenkel v.kwad., ***jtenkel;*** to strum.
tenkil n.act., strumming.
tenna v.II, ***jtenni;*** to repeat. ***~ t-talba tiegħu bosta drabi;*** he repeated his petition many times.
tennej n.m., f. u pl. -a, one who folds, folder.
tennis n.m., bla pl., (logħ.) tennis.
tensjoni n.f., pl. -jiet, tension.
tentatur n.m., f. -a, pl. -i, tempter.
tentattiv n.m., pl. -i, tentative.
tentazzjoni n.f., pl. -jiet, temptation.
tenten v.kwad., ***jtenten;*** to tinkle.
tentex v.kwad., ***jtentex;*** to fray.
tentin n.act., tinkling of bells.
tentix n.act., frayed threads.
tentuxa n.f., pl. -iet, frayed thread.
tenur n.m., pl. -i, (muż.) tenor.
teodolit n.m., pl. -i, (ark.) theodolite.
teoloġija n.f., pl. -i, theology.
teoloġikament avv., theologically.
teoloġiku aġġ., theological.
teologali aġġ., theological.
teologu n.m., pl. -i, theologian.
teorema n.f., pl. -i, theorem.
teorija n.f., pl. -i, theory.
teorikament avv., theoretically.
teòriku avv., theoretic.
teorista n.kom., pl. -i, theorist.
teptep v.kwad., ***jteptep;*** to wink, to twinkle, to blink. ***il-ħin kollu jteptep għajnejh;*** he continually blinks his eyes.
teptip n.act., twinkling, winking, blinking.
teqal v.I, ***jitqal;*** to become heavy.
teqel v.I, ***jitqel;*** to become heavy.
teqgħid n.act., placing, setting.
teqla n.f., pl. -t, weight, heaviness.
teraħ v.I, ***jitraħ;*** to melt, to dissolve, to bear forth prematurely, to enervate.
terapewtika n.f., pl. -i, therapeutics.
terapewtiku aġġ., therapeutic.
terapija n.f., (med.) therapy.
terapista n.kom., pl. -i, therapist.
teraq v.I, ***jitraq;*** to batter.
terbju n.m., pl. -i, (kim.) terbium.
terebint n.m., pl. -i, (bot.) terebinth.
terespin n.m., pl. -i, (bot.) barberry, berberry.
tereżjan n.m., f. -a, pl. -i, discalced carmelite, teresian.
terħa n.f., pl. -iet, ***trieħi;*** band, sash.
terminabbli aġġ., terminable.
terminal n.m., pl. -s, terminal.
terminazzjoni n.f., pl. -jiet, termination.
terminoloġija n.f., pl. -i, terminology.
terminu n.m., pl. -i, term.
termòmetru n.m., pl. -i, thermometer.
termos n.m., pl. -ijiet, vacuum flask, thermos flask, thermos.
termoskopju n.m., pl. -i, thermoscope.
tern n.m., pl. -ijiet, tern.
ternarju aġġ., ternary.
terra n.f., pl. ***terer;*** face powder. ***kaxxa tat-~;*** powder box. ***moppa tat-~;*** powder puff.
terraċċju n.m., pl. -i, loam, mould.

terraferma n.f., pl. -i, mainland.
terraħ v.II, ***jterraħ;*** to throw corn on the thrashing floor, to open or spread nets.
terrakotta n.f., pl. -i, terracotta, baked clay.
terramaxka n.f., pl. -i, (muż.) barrel organ, street organ.
terrapien n.m.koll., debris.
terraq v.II, ***jterraq;*** to make or open a way, to roam, to go to and fro, to go, to hammer.
terrazzin n.m., pl. -i, small terrace, belvedere.
terremot n.m., pl. -i, earthquake.
terrestri aġġ., terrestrial.
terribbilment avv., terribly.
terribbli aġġ., terrible, dreadful, awful, frightful.
terrieħ n.m., f. u pl. -a, he who throws corn or barley on the thrashing floor, opener or spreader of the nets.
terrieħa n.f., pl. -iet, ***trieraħ;*** a cast-net, sweep net.
terrieq n.m., pl. -a, stone-cutter.
terrina n.f., pl. -i, terrine, salad-bowl.
territorjali aġġ., territorial.
territorju n.m., pl. -i, territory.
terrorista n.kom., pl. -i, terrorist.
terroriżmu n.m., pl. -i, terrorism.
terrur n.m., pl. -i, terror.
tertaq v.kwad., ***jtertaq;*** to smash, to break or split into pieces. ***il-bomba tertqet il-bieb għal kollox;*** the bomb smashed the door entirely.
terter v.kwad., ***jterter;*** to quake with cold, to shiver with cold. ***dak ix-xiħ qiegħed iterter bil-bard;*** that old man is shivering with cold.
tertex v.kwad., ***jtertex;*** to stammer.
tertiq n.act., crushing up, breaking.
tertir n.act., shivering (with cold).
tertix n.act., mumbling.
tertuqa n.f., pl. -t, film.
tertuxa n.f., pl. -iet, (ornit.) little stint. ~ ***griża;*** remminck's stint.
terz n.m., pl. ***triez, truz;*** one third.
terzana n.f., pl. -i, (med.) tertian fever.
terzett n.m., pl. -i, (muż.) triplet.
terzina n.f., pl. -i, (pros.) triplet.
terzjarju n.m., f. -a, pl. -i, tertiary.
tessera n.f., pl. -i, membership card, card.
tesserament n.m., pl. -i, enrolment, distribution of membership cards.
tesserat n.m., f. -a, pl. -i, enrolled member (of a party).
tessili aġġ., textile.
tessuti n.m.pl., fabrics.
test n.m., pl. -ijiet, text, test.
testamentarju n.m., f. -a, pl. -i, testamentary.
testatur n.m., f. ***testatriċi,*** pl. -i, testator, (f. testatrix).
testikolu n.m., pl. -i, (anat.) testicle.
testimonjal n.m., pl. -i, (leg.) testimonial.
testimonjanza n.f., pl. -i, evidence, testimony, witness.
testwali aġġ., textual.
testwalment avv., textually, word-for-word, verbatim.
tetnu n.m., pl. -i, (med.) tetanus.
tetraloġija n.f., pl. -i, (lett., muż.) tetralogy.
tetrarka n.m., pl. -i, tetrarch.
tettiera n.f., pl. -i, tea-pot.
tewa v.I, ***jitwi;*** to wrap up, to fold up, to tuck, to plait. ***~ l-karta u tefagħha fil-but;*** he folded the paper and put it in his pocket.
tewba n.f., pl. -iet, penance.
tewħil n.act., fixing.
tewħim n.act., longing, desiring.
tewħix n.act., terrifying.
tewma n.f., pl. -iet, koll. ***tewm;*** garlic. ***sinna tewm;*** clove of garlic.
tewmi aġġ., twin.
tewq n.m., pl. ***twieq;*** collar, ruff.
tewwak v.II, ***jtewwak;*** to sow here and there.
tewwaq v.II, ***jtewwaq;*** to make someone wear a collar.
tewweb v.II, ***jtewweb;*** to cause somebody to yawn.
tewwej n.m., f. u pl. -a, folder.
tewwem v.II, ***jtewwem;*** to bear twins, to season with garlic.
tewwet v.II, ***jtewwet;*** to speak idle talk.
textex v.kwad., ***jtextex;*** to sizzle, to fizz.
teżi n.f., pl. -jiet, thesis.
teżor n.m., pl. -i, treasure.
teżorerija n.f., pl. -i, treasury.
teżorier n.m., f. -a, pl. -i, treasurer.
tfaċċa v.Sq., ***jitfaċċa;*** to emerge, to appear suddenly.
tfaddal v.V, ***jitfaddal;*** to be saved, to be spared economically. ***dawn il-flus tfaddlu mill-ġbir.***
this money was saved from the collection.
tfaħħal v.V, ***jitfaħħal;*** to become debased.
tfaħħam v.V, ***jitfaħħam;*** to be carbonised.
tfaħħar v.V, ***jitfaħħar;*** to be praised, to praise oneself. ***din il-pittura tfaħħret minn kulħadd;*** this picture was praised by everyone.

tfaħħax v.V, ***jitfaħħax;*** to be made obscene.
tfajjar v.V, ***jitfajjar;*** to be hurled.
tfajjel n.m., pl. -iet, young boy.
tfajla n.f., pl. -iet, young girl.
tfakkar v.V, ***jitfakkar;*** to be reminded, to be commemorated. ***il-bieraħ tfakkret ir-rebħa ta' l-Assedju l-Kbir;*** yesterday the Victory of the Great Siege was commemorated.
tfallaz v.V, ***jitfallaz;*** to become falsified.
tfantas v.V, ***jitfantas;*** to sulk.
tfaqqa' v.V, ***jitfaqqa';*** to be exploded.
tfaqqar v.V, ***jitfaqqar;*** to become poor. ***kif ~ dak ir-raġel, kien hekk għani!;*** how poor has that man become, he was so rich!
tfaqqas v.V, ***jitfaqqas;*** to be hatched.
tfarfar v.V, ***jitfarfar;*** to shake dust from one's coat, to get rid of.
tfarrad v.V, ***jitfarrad;*** to be unpaired, to be unmatched.
tfarraġ v.V, ***jitfarraġ;*** to recreate or divert oneself, to be consoled.
tfarrak v.V, ***jitfarrak;*** to be smashed, splintered, crumbled, to break into pieces, to be dead tired. ***id-dgħajsa tfar-rket fuq il-blat.*** the boat was smashed on the rocks.
tfartas v.V, ***jitfartas;*** to become bald.
tfartis n.act., baldness.
tfarwad v.V, ***jitfarwad;*** to be flushed in the face.
tfassal v.V, ***jitfassal;*** to be cut by a dressmaker.
tfattar v.V, ***jitfattar;*** to be flattened.
tfawwar v.V, ***jitfawwar;*** to overflow.
tfażżar v.V, ***jitfażżar;*** to be notched.
tfeddel v.V, ***jitfeddel;*** to be domesticated, to be tamed.
tfejjaq v.V, ***jitfejjaq;*** to be cured.
tfekkek v.V, ***jitfekkek;*** to be sprained, to be dislocated.
tfekkik n.act., sprain.
tfelfel v.V, ***jitfelfel;*** to be frizzled.
tfelfil n.act., curling.
tfellek v.V, ***jitfellek;*** to deteriorate.
tfellel v.V, ***jitfellel;*** to cut into pieces, to become chapped, to break into fissures.
tfelles v.V, ***jitfelles;*** to sprout.
tferċaħ v.V, ***jitferċaħ;*** to dislocate one's hip.
tferfer v.V, ***jitferfer;*** to stir, move or wag the tail, to fret oneself.
tferfex v.V, ***jitferfex;*** to be disorientated, confused.
tferkex v.V, ***jitferkex;*** to become scraped.
tferneż v.V, ***jitferneż;*** to become furious.
tferniq n.act., blazing (of fire).
tferragħ v.V, ***jitferragħ;*** to be poured.
tferraħ v.V, ***jitferraħ;*** to be gladdened, to be made happy.
tferraq v.V, ***jitferraq;*** to be divided.
tferrex v.V, ***jitferrex;*** to be spread, to be scattered.
tfesdaq v.V, ***jitfesdaq;*** to be shelled.
tfesfes v.V, ***jitfesfes;*** to be whispered.
tfettaħ v.V, ***jitfettaħ;*** to be stretched, to be extended.
tfettaq v.V, ***jitfettaq;*** to be unstitched.
tfettel v.V, ***jitfettel;*** to be rubbed or rolled between the hands or fingers.
tfettet v.V, ***jitfettet;*** to be vexed, to be dunked.
tfewwaħ v.V, ***jitfewwaħ;*** to be perfumed.
tfewwaq v.V, ***jitfewwaq;*** to belch.
tfewweġ v.V, ***jitfewweġ;*** to be exposed to a breeze.
tfidded v.V, ***jitfidded;*** to be silver plated, to become silvery.
tfiefa n.f., pl. -iet, koll. ***tfief;*** (bot.) sow-thistle.
tfiehem v.VI, to be made to understand.
tfieraq v.VI, ***jitfieraq;*** to be separated.
tfigħ n.act., throwing.
tfisqa v.V, ***jitfisqa;*** to be swaddled.
tfisqija n.f., pl. -t, swaddling cloths.
tfissed v.V, ***jitfissed;*** to be pampered, to be spoiled, to be fondled. ***kemm jitfissed f'ħoġor ommu dak it-tifel;*** how that child is pampered in his mother's lap.
tfisser v.V, ***jitfisser;*** to be explained, to explain oneself.
tfittex v.V, ***jitfittex;*** to be sought (after), to look after. ***il-ħalliel qiegħed jitfittex mill-pulizija;*** the thief is being sought by the police. ***~ għad-danni;*** to be sued for damages.
tfittxija n.f., pl. -iet, search.
tfixkel v.V, ***jitfixkel;*** to be tripped, to be impeded, to stumble, to lose the thread of one's discourse. ***it-tifel ~ f'ġebla, waqa' u kiser siequ;*** the boy stumbled on a stone, fell down and broke his leg.
tfixkil n.act., stumbling, interruption, obstacle, hindrance.
tfuli aġġ., childish, boyish.
tfulija n.f., bla pl., puerility, childhood, boyishood.
tfur n.m.koll., siftings, chaff.
tgara v.V, ***jitgara;*** to be bowled.
tgargir n.act., rumbling.
tgawda v.V, ***jitgawda;*** to be enjoyed.
tgawdija n.act., enjoyment.

tgedded v.V, ***jitgedded;*** to become brawn.
tgeddem v.V, ***jitgeddem;*** to sulk.
tgeddes v.V, ***jitgeddes;*** to be heaped, to be piled up. ***~ ma';*** to cuddle.
tgeġwiġ n.act., chatter, clatter.
tgemgim n.act., grumbling.
tgennen v.V, ***jitgennen;*** to get a shelter, to put oneself under cover.
tgerbeb v.V, ***jitgerbeb;*** to be rolled, to roll oneself, to tumble.
tgerfex v.V, ***jitgerfex;*** to be confounded, to be mixed up.
tgerger v.V, ***jitgerger;*** to be grumbled about.
tgerges v.V, ***jitgerges;*** to be disgusted, to be offended.
tgermed v.V, ***jitgermed;*** to become dirty, to become sooty.
tgerrem v.V, ***jitgerrem;*** to be gnawed, to be nibbled.
tgerrex v.V, ***jitgerrex;*** to be scared, to be frightened, to grow shy, coy.
tgerrim n.act., gnawing, nibbling.
tgerwil n.act., babbling, chattering.
tgezzez v.V, ***jitgezzez;*** to huddle oneself, to wrap up, to be heaped up.
tgeżwer v.V, ***jitgeżwer;*** to be wrapped up, to be involved, to be lapped.
tgeżwir n.act., wrappage, twisting.
tgiddeb v.V, ***jitgiddeb;*** to be belied.
tgiddem v.V, to bite one another, to be bitten.
tgħabba v.V, ***jitgħabba;*** to be loaded.
tgħabbar v.V, ***jitgħabbar;*** to be counterpoised, to be covered with dust.
tgħabbex v.V, ***jitgħabbex;*** to become obfuscated.
tgħadda v.V, ***jitgħadda;*** to be transmitted, to be passed over, to be ironed.
tgħaddab v.V, ***jitgħaddab;*** to sulk, to get angry.
tgħaddam v.V, ***jitgħaddam;*** to become bony, to become ossified.
tgħaddar v.V, ***jitgħaddar;*** to become full of puddles.
tgħaddas v.V, ***jitgħaddas;*** to be plunged, to be submerged.
tgħaddeb v.V, ***jitgħaddeb;*** to be punished.
tgħadded v.V, ***jitgħadded;*** to be reckoned, to be counted.
tgħaffas v.V, ***jitgħaffas;*** to be squeezed or pressed with the hands.
tgħaffeġ v.V, ***jitgħaffeġ;*** to be crushed or squeezed.
tgħaġġeb v.V, ***jitgħaġġeb;*** to wonder, to be amazed, to be astonished.
tgħaġġel v.V, ***jitgħaġġel;*** hurried up.
tgħaġġeż v.V, ***jitgħaġġeż;*** to grow old.
tgħajja v.V, ***jitgħajja;*** to be overworked.
tgħajjar v.V, ***jitgħajjar;*** to be insulted, to grow cloudy.
tgħajjat v.V, ***jitgħajjat;*** to be shouted at, to be reproached.
tgħajjeb v.V, ***jitgħajjeb;*** to be overcast, to be ridiculed.
tgħajjen v.V, ***jitgħajjen;*** to be bewitched.
tgħajjex v.V, ***jitgħajjex;*** to be fed.
tgħakkar v.V, ***jitgħakkar;*** to be fouled with dregs, to grow lazy.
tgħakkes v.V, ***jitgħakkes;*** to be oppressed.
tgħakrek v.V, ***jitgħakrek;*** to loiter, to work very little and slowly.
tgħal n.m pl. ***tgħul;*** (żool.) fox.
tgħal v.IX, ***jitgħal;*** to become crafty.
tgħalla v.V, ***jitgħalla;*** to be boiled.
tgħallaq v.V, ***jitgħallaq;*** to be hanged, to get hanged, to hang oneself. ***mar ~ ma' siġra;*** he went to hang himself on a tree.
tgħallat v.V, ***jitgħallat;*** to be deceived, to deceive oneself.
tgħallel v.V, ***jitgħallel;*** to become desiesed.
tgħallem v.V, ***jitgħallem;*** to learn. ***issa ~ jaqra tajjeb;*** now he has learnt to read well.
tgħam n.m.koll., wheat, corn.
tgħammad v.V, ***jitgħammad;*** to be blindfolded.
tgħammaq v.V, ***jitgħammaq;*** to be deepened.
tgħammar v.V, ***jitgħammar;*** to be inhabited, to be furnished, to be equipped, to be made up into sheaves.
tgħammed v.V, ***jitgħammed;*** to be baptized, to be watered. ***~ qabel ma żżewweġ;*** he was baptized before he got married. ***dan l-inbid ~ qabel ma bbottiljawh;*** this wine was watered before it was bottled.
tgħammem v.V, ***jitgħammem;*** to grow dark.
tgħammex v.V, ***jitgħammex;*** to be dazzled.
tgħan n.m., pl. -ijiet, scimitar, sabre.
tgħanna v.V, ***jitgħanna;*** to be sung.
tgħannaq v.V, ***jitgħannaq;*** to be embraced.
tgħaqqad v.V, ***jitgħaqqad;*** to become knotted, knotty. ***il-ħajt tar-rukkell ~ kollu;*** the thread of the reel became all knotted.
tgħaqqal v.V, ***jitgħaqqal;*** to acquire sense or judgement, to grow wise, prudent, to become tame.

tgħaqqar v.V, ***jitgħaqqar;*** to become ulcerated.
tgħarbel v.V, ***jitgħarbel;*** to be sifted, to be sieved, to be examined, searched or enquired judicially.
tgħargħar v.V, ***jitgħargħar;*** to be flooded.
tgħargħax v.V, ***jitgħargħax;*** to be tickled, to feel titillation.
tgħargħix n.act., tickling, titillation.
tgħarrab v.V, ***jitgħarrab;*** to arabicize oneself, to become an Arab.
tgħarraf v.V, ***jitgħarraf;*** to be informed, notified, divulged, published.
tgħarram v.V, ***jitgħarram;*** to be heaped, to be made in stacks.
tgħarraq v.V, ***jitgħarraq;*** to be ruined, to be submerged.
tgħarras v.V, ***jitgħarras;*** to be engaged, to become engaged, to become betrothed, to be replanted. ***il-bieraħ Pawlu u Marija tgħarrsu;*** yesterday Paul and Mary were engaged.
tgħarrax v.V, ***jitgħarrax;*** to be tickled.
tgħarref v.V, ***jitgħarref;*** to become wise, to become learned.
tgħarrex v.V, ***jitgħarrex;*** to become cloudy, to become overcast.
tgħarwen v.V, ***jitgħarwen;*** to strip oneself naked.
tgħasfar v.V, ***jitgħasfar;*** to be full of birds.
tgħasleġ v.V, ***jitgħasleġ;*** to be stripped from leaves.
tgħassed v.V, ***jitgħassed;*** to be mixed.
tgħassel v.V, ***jitgħassel;*** to be sweetened with honey.
tgħasses v.V, ***jitgħasses;*** to be watched, to be guarded.
tgħatta v.V, ***jitgħatta;*** to be covered, to cover oneself.
tgħattan v.V, ***jitgħattan;*** to be crushed, to become squashed.
tgħattaq v.V, ***jitgħattaq;*** to grow young again.
tgħattel v.V, ***jitgħattel;*** to be scraped (ploughshare).
tgħawwar v.V, ***jitgħawwar;*** to become squint-eyed, to be dug up.
tgħawweb v.V, ***jitgħawweb;*** to disappear, to vanish, to go out of sight.
tgħawweġ v.V, ***jitgħawweġ;*** to wriggle, to be bent.
tgħawwem v.V, ***jitgħawwem;*** to float, to be bouyant.
tgħaxxa v.V, ***jitgħaxxa;*** to sup, to take supper.
tgħaxxaq v.V, ***jitgħaxxaq;*** to be delighted, to take pleasure in, to be enamoured. ***~ jisma' dik il-biċċa mużika;*** he was delighted to hear that piece of music.
tgħaxxar v.V, ***jitgħaxxar;*** to be subject to tithes.
tgħaxxex v.V, ***jitgħaxxex;*** to languish, to droop, to pine, to nestle. ***l-għasfur qiegħed jitgħaxxex;*** the bird is languishing.
tgħazza v.V, ***jitgħazza;*** to be comforted, to be condoled.
tgħażgħaż v.V, ***jitgħażgħaż;*** to grind one's teeth.
tgħażżel v.V, ***jitgħażżel;*** to be frayed, to become threadbare.
tgħażżen v.V, ***jitgħażżen;*** to grow lazy, to become lazy. ***qiegħed jitgħażżen wisq fix-xogħol;*** he is growing very lazy at work.
tgħażżeż v.V, ***jitgħażżeż;*** to gain one's friendship, to be held dear.
tgħierek v.VI, ***jitgħierek;*** to rub oneself.
tgħolla v.V, ***jitgħolla;*** to be raised, to be exalted, to be glorified.
thedda v.V, ***jithedda;*** to tranquillize oneself, to become calm, appeased, tranquil.
theddeb v.V, ***jitheddeb;*** to be wasted, to be destroyed.
thedded v.V, ***jithedded;*** to be threatened.
theddem v.V, ***jitheddem;*** to be cooked on a slow fire.
theġġem v.V, ***jitheġġem;*** to be devoured.
thellel v.V, ***jithellel;*** to be praised.
themmem v.V, ***jithemmem;*** to be worried.
themmeż v.V, ***jithemmeż;*** to be fastened with pins.
thendem v.V, ***jithendem;*** to be cooked slowly, to be on the verge, ruin.
thendwil n.act., frenzy, madness.
thenna v.V, ***jithenna;*** to be consoled, to be happy, to rejoice. ***ibqa' żgur li jithenna ħafna jisma' din l-aħbar;*** you may be sure he will be very happy to hear this news.
therra v.V, ***jitherra;*** to be rotten, to disintegrate.
therreż v.V, ***jitherreż;*** to be crumbled, to be pounded.
therwel v.V, ***jitherwel;*** to grow mad, to become insane.
thewden v.V, ***jithewden;*** to be delirious, to become insane. ***bdejt ~ ħafna bid-deni;*** you were very delirious because of your fever.
theżheż v.V, ***jitheżheż;*** to be shaken, to be vibrated.

theżhiża n.f., pl. -iet, a shake.
tħabat v.VI, ***jitħabat;*** to strain, to endeavour, to strive, to labour. ***toqgħodx titħabat għal xejn;*** don't strain yourself for nothing.
tħabbar v.V, ***jitħabbar;*** to be announced, to be divulged. ***ir-riżultat ~ il-bieraħ;*** the result was announced yesterday.
tħabbat v.V, ***jitħabbat;*** to be struck, to be beaten, to be tossed. ***~ il-bajd;*** to beat eggs.
tħabbeb v.V, ***jitħabbeb;*** to become friends, to contract a friendship. ***dawk iż-żewġt itfal reġgħu tħabbew mill-ġdid;*** those two boys became friends again.
tħabbel v.V, ***jitħabbel;*** get embroiled, to get entangled, to embroil oneself, to confound oneself, to be confused.
tħabbes v.V, ***jitħabbes;*** to be imprisoned.
tħabbeż v.V, ***jitħabbeż;*** to be baked.
tħabrik n.act., quickness, eagerness, diligence.
tħaddan v.V, ***jitħaddan;*** to be embraced.
tħaddar v.V, ***jitħaddar;*** to become green.
tħaddel v.V, ***jitħaddel;*** to be benumbed, to become paralysed.
tħaddem v.V, ***jitħaddem;*** to be employed.
tħaddet v.V, ***jitħaddet;*** to talk, to converse, to discourse. ***~ mas-superjur tiegħu fuq din il-biċċa;*** he talked with his superior about this matter.
tħaddit n.act., talking, conversing.
tħaffer v.V, ***jitħaffer;*** to be dug. ***dan il-gandott ~ il-bieraħ;*** this trench was dug yesterday.
tħaġġar v.V, ***jitħaġġar;*** to be stoned, to be lapidated, to become stoney, to be petrified.
tħajjar v.V, ***jitħajjar;*** to be enamoured of, to conceive a desire, to be inclined. ***~ jerġa' jmur l-Amerika;*** he was inclined to go to America again.
tħajjat v.V, ***jitħajjat;*** to be sewn.
tħajjel ara **stħajjel**.
tħajjem v.V, ***jitħajjem;*** to be caressed.
tħajjen v.V, ***jitħajjen;*** to grow cunning, to grow crafty.
tħakkek v.V, ***jitħakkek;*** to rub oneself.
tħâlaq v.VI, ***jitħâlaq;*** to joke, to banter, to be playful, to be in jest.
tħâlat v.VI, ***jitħâlat;*** to be mixed.
tħalla v.V, ***jitħalla;*** to be left, to be omitted, to be permitted. ***din is-sentenza tħalliet barra;*** this sentence was left out.
tħallas v.V, ***jitħallas;*** to be paid, to pay oneself, to be avenged. ***~ tajjeb għax-xogħol tiegħu;*** he was paid well for his work.
tħallat v.V, ***jitħallat;*** to marry into, to match, to get familiar, to be mixed, to be mingled.
tħalleb v.V, ***jitħalleb;*** to be milked.
tħallel v.V, ***jitħallel;*** to become vinegar.
tħallija n.f., pl. -at, omission.
tħambaq v.V, ***jitħambaq;*** to bawl.
tħamħam v.V, ***jitħamħam;*** to get waspish, to become angry (with), to fall into a passion.
tħammar v.V, ***jitħammar;*** to be reddened, to become red, to grow red.
tħammeġ v.V, ***jitħammeġ;*** to be dirtied, to foul oneself, to soil oneself.
tħammel v.V, ***jitħammel;*** to clean up.
tħammes v.V, ***jitħammes;*** to be quintuplicated.
tħandaq v.V, ***jitħandaq;*** to be entrenched, to entrench oneself.
tħanfes v.V, ***jitħanfes;*** to sulk.
tħannek v.V, ***jitħannek;*** to insinuate oneself.
tħannen v.V, ***jitħannen;*** to be caressed, to be fondled, to be moved to pity.
tħannex v.V, ***jitħannex;*** to become full of worms.
tħanxel v.V, ***jitħanxel;*** to take root.
tħanżer v.V, ***jitħanżer;*** to overeat, to glut oneself.
tħaqqaq v.V, ***jitħaqqaq;*** to be verified, to be ascertained.
tħarbat v.V, ***jitħarbat;*** to be destroyed, to be ruined, to be devastated, (mil.) to be disarrayed.
tħarbex v.V, ***jitħarbex;*** to be scraped, to be scratched.
tħâres v.VI, ***jitħâres;*** to be watched, to be guarded.
tħarfex v.V, ***jitħarfex;*** to be bungled, to be worked roughly.
tħarħar v.V, ***jitħarħar;*** to be rattled.
tħarħir n.act., death rattle.
tħarrab v.V, ***jitħarrab;*** to be made to flee.
tħarrar v.V, ***jitħarrar;*** to be parched.
tħarrax v.V, ***jitħarrax;*** to become exasperated.
tħarreb v.V, ***jitħarreb;*** to grow desolate, to be ruined.
tħarref v.V, ***jitħarref;*** to be invented.
tħarreġ v.V, ***jitħarreġ;*** to exercise oneself.
tħarrek v.V, ***jitħarrek;*** to be moved.
tħâseb v.VI, ***jitħâseb;*** to be thoughtful.
tħassar v.V, ***jitħassar;*** to be cancelled, to bewail, to be corrupted, to be rotten. ***dan it-tadam ~ kollu;*** these tomatoes are all rotten.

tħasseb v.V, ***jitħasseb;*** to reflect about, to be preoccupied. ***~ ħafna fuq li qallu;*** he reflected a lot about what he was told.
tħassel v.V, ***jitħassel;*** to be acquired or obtained.
tħasses v.V, ***jitħasses;*** to eavesdrop, to listen secretly.
tħâtaf v.VI, ***jitħâtaf;*** to be snatched.
tħâten v.VI, ***jitħâten;*** to become related by marriage, to marry into.
tħâter v.VI, ***jitħâter;*** to bet, to wager.
tħattab v.V, ***jitħattab;*** to become woody.
tħattam v.V, ***jitħattam;*** to be sealed.
tħattar v.V, ***jitħattar;*** to lay a wager, to be cudgelled, to be beaten.
tħatteb v.V, ***jitħatteb;*** to become hunch-backed. ***kif ~ in-nannu;*** how hunch-backed our grandfather became.
tħatten v.V, ***jitħatten;*** to be circumcised.
tħattet v.V, ***jitħattet;*** to be drawn.
tħawtil n.act., industry.
tħawwad v.V, ***jitħawwad;*** to be mixed, to be stirred, to be confused, to be con-founded.
tħawwar v.V, ***jitħawwar;*** to be spiced.
tħawwef v.V, ***jitħawwef;*** to grow lean, to be frightened.
tħawwel v.V, ***jitħawwel;*** to be planted.
tħaxken v.V, ***jitħaxken;*** to be pressed against, to huddle together.
tħaxlef v.V, ***jitħaxlef;*** to grow dry as hay, to be cobbled.
tħaxwex v.V, ***jitħaxwex;*** to be shaken out, to become soft, to grow supple.
tħaxxeb v.V, ***jitħaxxeb;*** to grow thick.
tħaxxen v.V, ***jitħaxxen;*** to become fat, thick.
tħaxxex v.V, ***jitħaxxex;*** to abound in grass.
tħâżar v.VI, ***jitħâżar;*** to fall into poverty.
tħażdiq n.act., pounding.
tħażżaq v.V, ***jitħażżaq;*** to be crushed, pounded.
tħażżem v.V, ***jitħażżem;*** to gird oneself.
tħażżen v.V, ***jitħażżen;*** to be provided with a supply for use as needed, to be stored, to grow wicked.
tħażżeż v.V, ***jitħażżeż;*** to be scribbled.
tħeddel v.V, ***jitħeddel;*** to be benumbed, paralysed.
tħeffef v.V, ***jitħeffef;*** to become light.
tħeġġeġ v.V, ***jitħeġġeġ;*** to become fer-vent, to be filled with fervour.
tħejja v.V, ***jitħejja;*** to prepare oneself.
tħejjeb v.V, ***jitħejjeb;*** to be assaulted, attacked.
tħemmel v.V, ***jitħemmel;*** to grow taciturn.
tħemmer v.V, ***jitħemmer;*** to be fermented.
tħin n.act., grinding.
tħir n.act., reprimand, haemorrhoids.
tħollija n.act., bequest.
tibċir n.act., butchering.
tibdid n.act., pouring out.
tibdil n.act., changing, mutation, transfor-mation.
tibek v.I, ***jitbek;*** to grind very fine.
tiben n.m.koll., straw. ***qatta ~;*** sheaf of straw.
tibġil n.act., leniency.
tibħir n.act., sailing, navigation, fumigation.
tibħit n.act., calumniating, slandering.
tibja n.f., pl. -iet, (anat.) tibia.
tibjid n.act., whitewashing.
tibjin n.act., interposition, interposing.
tibjit n.act., sowing.
tibkir n.act., early rising.
tibkit n.act., lashing, thrushing.
tibligħ n.act., swallowing.
tiblih n.act., foolishness.
tibnin n.act., becoming savoury.
tibqir n.act., breeding and fattening.
tibriġ n.act., heaping, piling up.
tibrim n.act., twisting.
tibrin n.act., boring.
tibriq n.act., flashing, staring.
tibrix n.act., scratching.
tibsir n.act., predicting, guessing.
tibtil n.act., emptying.
tibwiq n.act., vacuity, emptiness.
tibwis n.act., the kissing repeatedly.
tibxir n.act., announcing.
tibxix n.act., sprinkling.
tibżil n.act., being diligent.
tibżiq n.act., spitting frequently.
tibżir n.act., peppering.
tîċer n.kom., pl. -s, teacher.
tiċħid n.act., depriving, privation.
tiċkin n.act., diminishing.
tiċliq n.act., besmearing.
tiċlis n.act., smearing.
tiċpis n.act., daubing.
tiċrit n.act., tearing.
tidbiħ n.act., sacrificing.
tidbir n.act., ulceration, commission, earnest money.
tiddin n.act., cock-crowing.
tidfis n.act., thrusting.
tidhib n.act., gilding.
tidhix n.act., startling.
tidħil n.act., intrusion, interference.
tidħin n.act., fumigation.
tidjin n.act., credit.
tidjiq n.act., restricting, narrowing, weari-ness.

tidkir n.act., caprificating.
tidlik n.act., smearing, greasing, clamminess.
tidlil n.act., shading.
tidlim n.act., obscuring, darkening.
tidmigħ n.act., shedding tears.
tidmija n.act., shedding of blood, bloodshed.
tidmil n.act., manuring.
tidmim n.act., collecting, stringing, imbruing with blood.
tidnib n.act., joining, attaching.
tidnija n.act., suppuration, pus, purulent matter.
tidnis n.act., dimming, rendering opaque.
tidqiq n.act., pounding.
tidqis n.act., measuring.
tidrib n.act., wounding.
tidrija n.act., winnowing.
tidrik n.act., rising early.
tidris n.act., threshing.
tidwib n.act., melting, dissolving, liquefaction.
tidwija n.act., healing, curing.
tidwil n.act., lighting.
tidwim n.act., delaying, detaining, procrastination.
tidwiq n.act., tasting, relishing.
tidwir n.act., encircling, surrounding, turning round, whirling.
tidxix n.act., grinding coarsely.
tieb ara **tjieb**.
tieġ n.m., pl. -ien, -ijiet, wedding, nuptials, marriage. ***ċurkett tat-~;*** wedding ring.
tiegħeb v.III, ***jtiegħeb;*** to interrupt, to divert.
tiegħem v.III,***jtiegħem;*** to taste, to savour, to relish, to reflect upon, to consider.
tiegħi pron., my, mine.
tiegħu pron., his.
tieni n.m., pl. ***twieni;*** ram. ***it-Tieni (astron.)***.
the Ram, Aries.
tienja n.f., bla pl., (med.) ringworm.
tieq ara **taq**.
tieqa n.f., pl. ***twieqi;*** window. ***ħoġor it-~;*** windowsill.
tieri aġġ., tender, soft, fresh, mellow.
tiewi aġġ., fainting.
tiex? inter., of what?.
tifdid n.act., covering with silver.
tifdija n.act., redemption.
tifdil n.act., saving.
tifel n.m., f. ***tifla,*** pl. ***tfal;*** boy, child.
tifħil n.act., rearing.
tifħir n.act., praise, eulogy.
tifi n.act., extinction.
tifjid n.act., utilization.
tifjiq n.act., healing.
tifkik n.act., luxation, dislocation.
tifkir n.act., reminding, remembrance.
tifla n.f., pl. ***tfal;*** girl, lass.
tifli aġġ., childish, puerile.
tifliġ n.act., paralysing.
tiflil n.act., cutting into slices.
tifliq n.act., failing.
tiflis n.act., insertion of wedges, budding.
tiflis n.act., coinage, mintage.
tifojde n.f., pl. -jiet, (med.) typhoid.
tifqid n.act., inspection.
tifqigħ n.act., bursting, exploding.
tifqir n.act., impoverishing, impoverishment.
tifqis n.act., hatching.
tifrid n.act., separating, parting.
tifriġ n.act., recreation, solace, entertainment.
tifrigħ n.act., ramification, emptying, pouring.
tifriħ n.act., rejoicing.
tifriq n.act., distributing, separating.
tifrix n.act., spreading, scattering.
tifsid n.act., coddling.
tifsil n.act., cutting, shaping, modelling.
tisfiq n.act., swaddling.
tifsir n.act., explaining.
tiftiħ n.act., enlarging, dilating.
tiftil n.act., rubbing.
tiftiq n.act., unstiching.
tiftit n.act., slicing.
tiftix n.act., search, research.
tifu n.m., bla pl., (med.) typhus.
tifun n.m., pl. -i, typhoon.
tifwiġ n.act., gentle breeze.
tifwiħ n.act., perfume, scent.
tifwiq n.act., belching.
tifwir n.act., overflowing.
tifxil n.act., confusing.
tifżir n.act., notching.
tiġbid n.act., stretching, pulling, haggling.
tiġbil n.act., petrification.
tiġbis n.act., plastering, chalking.
tiġdid n.act., renewing, reforming, renovation.
tiġdim n.act., leprosy.
tiġdir n.act., pock-marks.
tiġgħid n.act., curling, crisping.
tiġgħil n.act., compulsion, constraint.
tiġieġa n.f., pl. -iet, koll. ***tiġieġ;*** (ornit.) hen. ***~ tal-baħar;*** (ornit.) coot. ***~ tat-toppu;*** (ornit.) crested coot.
tiġjif n.act., cowardice.
tiġmid n.act., covering with soot.

tiġmil n.act., embellishing, beautifying.
tiġmigħ n.act., gathering.
tiġmir n.act., burning.
tiġnit n.act., patching, mending.
tiġrib n.act., experiment, trying on, temptation.
tiġrif n.act., casting down, precipice.
tiġrigħ n.act., swallowing.
tiġriħ n.act., ulcerating.
tiġrija n.act., race. ~ ***tad-dgħajjes;*** regatta.
tiġsim n.act., embodiment, making corpulent.
tiġwif n.act., making a coward.
tiġwiħ n.act., feeling hungry.
tiġwiż n.act., thrift.
tigan n.m., pl. ***twagen;*** frying pan.
tigdim n.act., bitting.
tigdis n.act., heaping, piling.
tigra n.f., pl. -i (żool.) tiger.
tigrim n.act., gnawing.
tigrix n.act., putting to flight.
tigżiż n.act., heaping.
tihdija n.act., cessation.
tihrija n.act., corruption, putrefaction.
tiħjija n.act., preparation.
tiħkin n.act., act of governing.
tiħqir n.act., act of oppression.
tijatru n.m., pl. -i, theatre.
tikk n.m., bla pl., (bot.) teak.
tikbib n.act., involution.
tikbir n.act., growing.
tikbis n.act., kindling.
tikċija n.act., dismissal, expulsion.
tikfif n.act., hemming.
tikfis n.act., eclipsing.
tikħil n.act., plastering.
tikjil n.act., measuring, calculating.
tikjit n.act., indolence.
tikka n.f., pl. -iet, ***tikek;*** dot, point.
tikkek v.II, ***jtikkek;*** to dot.
tikketta n.f., pl. -i, label.
tikjil n.act., making wreaths.
tikmix n.act., wrinkling.
tikrih n.act., making ugly, grimacing.
tiksib n.act., acquisition, abtaining.
tiksiħ n.act., cooling.
tiksir n.act., breaking.
tiktif n.act., tightness.
tiktir n.act., increase.
tikula n.f., pl. -i, slate.
tikwis n.act., decanting.
tikxif n.act., uncovering, unveiling.
tila n.f., pl. -i, -iet, canvas.
tilar n.m., pl. -i, frame. ~ ***tar-rakkmu***. tabour, embroidery frame.
tilef v.I, ***jitlef;*** to lose. ~ ***il-kawża bl-ispejjeż;*** he lost the lawsuit having to pay all expenses. ~ ***il-ġieħ;*** to dishonour. ~ ***il-għaqal;*** to lose one's way. ~ ***moħħu (rasu);*** to grow mad. ~ ***ruħu;*** to damn oneself. ~ ***is-sabar;*** to lose patience, to become impatient.
tilħiq n.act., sobbing.
tilġim n.act., curbing.
tilgħin n.act., execration, malediction.
tilgħiq n.act., licking, lapping.
tilhiġ n.act., panting.
tilħim n.act., fattening.
tilħiq n.act., reaching, approaching.
tili n.act., varnishing.
tilliera n.f., pl. -i, -iet, (bot.) flea-bane.
tilqigħ n.act., meeting.
tilqim n.act., grafting., nicknaming.
tilqiq n.act., shining, gleaming.
tilqit n.act., gleaning, picking.
tilwiħ n.act., shovelling.
tilwim n.act., reproaching.
tilwin n.act., colouring.
tilżim n.act., constancy, steadiness.
tim n.m., pl. -ijiet, team. ~ ***tal-futbol;*** football team.
timbratura n.f., pl. -i, stamping, postmarking.
timbru n.m., pl. -i, stamp, (muż.) timbre.
timdid n.act., laying, placing.
timenza n.f., pl. -i, awe.
timgħid n.act., chewing.
timħit n.act., blowing one's nose often.
timidament avv., timidly.
timidezza n.f., bla pl., timidity.
timidu aġġ., timid.
timjil n.act., inclining, bending or leading down, inclination.
timliħ n.act., salting.
timlis n.act., smoothing, caressing.
timnigħ n.act., prohibiting, forbidding.
timnis n.act., taming, domesticating.
timpanist n.m., f. -a, pl. -i, (muż.) timpanist, kettle-drummer.
timpanite n.f., pl. -jiet, (med.) tympanites.
timpanu n.m., pl. -i, (muż.) kettle-drum.
timplor n.m., pl. -i, bodkin, awl.
timqit n.act., exasperation.
timriħ n.act., wandering, roaming, exultation, delight.
timrik n.act., cicatrization.
timriq n.act., juiceness.
timrir n.act., bitterness, embittering. ***bit-~;*** bitterly.
timwiġ n.act., waving, undulating.
timxit n.act., combing.
tina n.f., pl. -iet, koll. ***tin;*** (bot.) fig.
tinbiħ n.act., barking.
tinbija n.act., foretelling, prophecy.

tinbit n.act., sprouting.
tinbix n.act., continual teasing.
tinda n.f., pl. ***tined;*** tent, awning.
tindif n.act., cleaning.
tindim n.act., repenting.
tines v.I, ***jitnos;*** to groan, to moan, to whimper.
tinfid n.act., piercing.
tinfiħ n.act., tumefaction.
tinfis n.act., breathing, respiring.
tinfix n.act., enlarging, extending.
tinġir n.act., the cutting stones.
tinġis n.act., infection.
tingiż n.act., pricking.
tingħil n.act., horse shoeing.
tingħis n.act., slumbering, dozing.
tinħiq n.act., braying.
tinħir n.act., snoring.
tini n.act., folding.
tinja n.f., pl. -iet, crease.
tinkit n.act., sorrowing.
tinqija n.act., weeding.
tinqir n.act., pecking, knell.
tinqis n.act., reduction, deduction, diminishing, abatement.
tinqix n.act., engraving, carving.
tinsa n.act., whimper.
tinsib n.act., 1, bird-catching, invention, finding.
tinsiġ n.act., weaving.
tinsija n.act., forgetfulness.
tinsil n.act., procreation, generation, generating.
tintif n.act., plucking of feathers.
tintinabulu n.m., pl. -i, hand-bell.
tintura n.f., pl. -i, tincture.
tinwib n.act., alternation. ***bit-~;*** alternately, reciprocally, mutually.
tinwiħ n.act., whimpering, wailing.
tinwil n.act., handling.
tinwir n.act., blossoming, blooming, mustiness.
tinxif n.act., dryness.
tinżigħ n.act., stripping, undressing.
tinżil n.act., descending, going down.
tinżlor n.m., pl. -i, (mar.) reef.
tip n.m., pl. -i, type, specimen, sort, pattern, model.
tipa n.f., pl. -i, type.
tipikament avv., typically.
tipiku aġġ., typical.
tipjip n.act., smoking.
tipjiz n.act., peeping, chirping.
tipografija n.f., pl. -i, typography, printing-press.
tipografikament avv., typographically.
tipografiku aġġ., typographic(al).
tipografu n.m., f. -a, pl. -i, printer, typographer.
tipoloġija n.f., pl. -i, typology.
tipoloġiku aġġ., typological.
tîpot n.m., pl. -s, teapot.
tipp n.m., pl. -jiet, -s, tip.
tipriċ n.act., airing.
tiqjis n.act., measuring.
tir n.m., pl. -i, shot. ***~ tal-moħħ;*** intent, purpose.
tira n.f., bla pl., moistness of the soil.
tirabuxù n.m., pl. -jiet, cork-screw.
tirann n.m., pl. -i, tyrant, despot.
tiranniċida n.m., pl. -i, tyrannicide.
tiranniċidju n.m., pl. -i, turannicide.
tirannija n.f., pl. -i, tyranny.
tiranniku aġġ., tyrannical.
tiratur n.m., pl. -i, marksman.
tiratura n.f., pl. -i, printing.
tirbit n.act., binding, tying.
tirda n.f., pl. -iet, koll. ***tird;*** (itt.) green wrase.
tirdigħ n.act., sucking.
tirdim n.act., interment.
tirfid n.act., propping, supporting.
tirfis n.act., trampling.
tirġigħ n.act., returning or coming back, reiteration, repetition.
tirgħix n.act., blushing.
tirhib n.act., becoming a monk.
tirhin n.act., pawning, pledging.
tirħim n.act., imploring mercy, clemency.
tirħis n.act., lowering in price.
tirjaka n.f., pl. -iet, (med.) theriac.
tiroċinju n.m., pl. -i, apprenticeship, tirocium.
tirojde n.f., pl. -i, (anat.) thyroid.
tirqad n.act., making the sleep.
tirqigħ n.act., mending, patching.
tirqim n.act., embellishing.
tirqiq n.act., thinning, render slender.
tirsiq n.act., approaching, approach.
tirsis n.act., compression, pressing.
tirtib n.act., softening.
tirwiħ n.act., producing of wind.
tirwim n.act., endearment.
tirxix n.act., drizzling.
tirżiħ n.act., numb with cold.
tirżin n.act., curbing.
tisbiħ n.act., embellishing, beautifying.
tisbik n.act., stripping of leaves.
tisbil n.act., getting in ear.
tisbir n.act., patience.
tisbit n.act., banging.
tisdid n.act., stopping, blocking.
tisdiq n.act., making just, upright and true.
tisfid n.act., roasting.

tisfif n.act., stratifying.
tisfija n.act., purification.
tisfil n.act., lowering, abasement.
tisfiq n.act., thickness, density. ***~ tal-wiċċ;*** impudence, sauciness.
tisfir n.act., whistling.
tishim n.act., sharing.
tisħib n.act., becoming cloudy, becoming a partner.
tisħiħ n.act., strengthening.
tisħin n.act., warming.
tisħiq n.act., pounding.
tisħir n.act., witchcraft.
tisjib n.act., finding.
tisjir n.act., cooking.
tisjis n.act., foundation.
tiskir n.act., locking, shutting, drunkenness, inebriation.
tislib n.act., intersection, crucifixion.
tisliba n.f., pl. -iet, (logħ.) crossword puzzle.
tislif n.act., lending.
tisliħ n.act., flaying, skinning.
tislija n.f., pl. -t, greeting, salutation.
tislim n.act., salute, salutation. ***~ bix-xorb;*** toast.
tislit n.act., unravelling, unweaving.
tismija n.f., pl. -t, nomination, nomenclature.
tismim n.act., hardening, poisoning.
tismir n.act., nailing, tacking.
tismit n.act., scalding.
tisnin n.act., whetting.
tisqif n.act., roofing.
tisqija n.act., irrigation, watering.
tisrid n.act., dampness.
tisrif n.act., exchanging.
tisriħ n.act., rest, repose.
tisrik n.act., twisting.
tisrip n.act., meandering.
tisrir n.act., packing.
tiswib n.act., pouring.
tiswid n.act., blackening, darkening.
tiswif n.act., covering with wool.
tiswija n.act., mending, patching, restoring, reconciliation, correction.
tiswim n.act., fasting, fast.
tiswiq n.act., driving.
tiswir n.act., modelling, shaping.
tiswis n.act., warm-eating.
tiswit n.act., lashing, beating, striking.
titanju n.m., bla pl., (kim.) titanium.
titbigħ n.act., staining.
titbiq n.act., bipartition, bisection.
titgħib n.act., repugnance, abhorrence.
titħin n.act., grinding.
titħir n.act., circumcision.
titħit n.act., abasement, humiliation.
tìti n.f., pl. -jiet, dummy.
titjib n.act., making good.
titjiġ n.act., wedding.
titjir n.act., flying, flutter, flight. ***~ tat-tajn;*** splash of mud. ***~ tax-xrar;*** sparkling.
titlif n.act., loss, losing.
titligħ n.act., raising, going up, ascending, dentition, fermentation.
titlit n.act., triplicity.
titlu n.m., pl. -i, title.
titmir n.act., fructification.
titnija n.act., repetition, duplication.
titolu ara **titlu**.
titòtla n.m., pl. -i, teetotaller.
titqib n.act., piercing, boring.
titqil n.act., making heavy.
titrid n.act., vicissitude.
titrif n.act., relegation, banishment.
titriġ n.act., making of steps.
titrija n.act., softening.
titrix n.act., deafness.
titriż n.act., striping or streaking any stuff.
titubant aġġ., hesitant.
titubanza n.f., pl. -i, hesitancy.
titular n.m., pl. -i, titular.
titwib n.act., yawning.
titwil n.act., lengthening, looking, looking out of.
tiwi n.act., folding.
tixbigħ n.act., satiating.
tixbih n.act., likening, comparing, resemblance.
tixbit n.act., climbing.
tixgħib n.act., outburst of anger.
tixgħil n.act., lighting, kindling.
tixhib n.act., greying of hair.
tixhid n.act., giving evidence.
tixħim n.act., bribing.
tixħit n.act., throwing.
tixjin n.act., annihilating.
tixjir n.act., swinging.
tixjit n.act., carding.
tixju n.m., pl. -s, tissue paper.
tixkil n.act., obstructing, impediment.
tixlif n.act., blunting.
tixlija n.act., accusation.
tixlil n.act., basting, tacking.
tixmim n.act., smelling.
tixmir n.act., tucking up.
tixmix n.act., exposing to the sun, sunning.
tixniq n.act., coveting, longing.
tixrib n.act., wetting.
tixrid n.act., scattering, dispersing, spilling, divulging.
tixrif n.act., looking out.

tixriħ n.act., anatomy.
tixrik n.act., partnership.
tixriq n.act., choking.
tixtib n.act., harrowing.
tixtil n.act., replanting.
tixtir n.act., cutting or making uneven.
tixwil n.act., ramble, wandering.
tixwiq n.act., desiring.
tixwit n.act., burning, scalding, erythema.
tixwix n.act., incitement, instigation, incitation.
tizjiz n.act., chirping, peeping.
tizpip n.act., limping.
tiż n.m., pl. *tjież;* bottom, backside, buttocks.
tiż aġġ., tight, stretched, spread out.
tiżana n.f., pl. -i, infusion, (of herbs) decoction.
tiżbil n.act., manuring.
tiżbigħ n.act., painting, dyeing.
tiżbir n.act., pruning, lopping.
tiżdim n.act., stuffiness of the nose.
tiżfin n.act., act of dancing.
tiżfit n.act., pitching.
tiżhir n.act., florescence, flowering, blooming.
tiżi n.f., pl. -jiet, (med.) tuberculosis, phthisis.
tiżiku aġġ., tubercular, phthisical.
tiżjid n.act., increasing, increase.
tiżjin n.act., adorning, ornamenting.
tiżliġ n.act., smearing.
tiżlim n.act., entanglement of threads.
tiżliq n.act., slipping.
tiżmim n.act., holding, keeping.
tiżmir n.act., playing the fife.
tiżwiġ n.act., coupling, pairing.
tiżwil n.act., sending away, banishment, exilement.
tiżwiq n.act., variegating.
tiżija n.act., rendering of thanks.
tjara n.f., pl. -i, tiara.
tjassar v.V, *jitjassar;* to become a slave, to be enslaved.
tjassir n.act., captivity, slavery.
tjieb v.IX, to become good, to become better.
tjieba n.f., bla pl., goodness.
tjubija ara **tjieba**.
tkabbar v.V, *jitkabbar;* to become proud, haughty, to be cultivated.
tkabbaz v.V, *jitkabbaz;* to muffle up, to wrap oneself in a cloak.
tkabras v.V, *jitkabras;* to tumble (down), to overturn, to precipitate.
tkagħbar v.V, *jitkagħbar;* to bear hardship, to be harassed.
tkagħweġ v.V, *jitkagħweġ;* to crawl, to crankle.
tkaħħal v.V, *jitkaħħal;* to be plastered.
tkarkar v.V, *jitkarkar;* to be dragged, to drag oneself.
tkarkir n.act., dragging.
tkarmas v.V, *jitkarmas;* to become dry and wrinkled, to wither away.
tkarrab v.V, *jitkarrab;* to sigh for.
tkarwat v.V, *jitkarwat;* to be ground coarsely.
tkarwit n.act., rumbling, grinding coarsely.
tkasbar v.V, *jitkasbar;* to moil, to be vilified, to become dirty.
tkattar v.V, *jitkattar;* to be increased, augmented.
tkattir n.act., multiplication.
tkaxkar v.V, *jitkaxkar;* to be dragged, to crawl, to creep.
tkaxkir n.act., dragging.
tkebbeb v.V, *jitkebbeb;* to be wound, to coil oneself up.
tkeċċa v.V, *jitkeċċa;* to be expelled, to be turned out, to be sent away. ***~ mill-iskola;*** he was expelled from school.
tkeċnir n.act., (practice of) cooking.
tkeffef v.V, *jitkeffef;* to be hemmed.
tkeffen v.V, *jitkeffen;* to be shrouded.
tkeffer v.V, *jitkeffer;* to be cruel, to grow cruel.
tkejjel v.V, *jitkejjel;* to be measured.
tkejjen v.V, *jitkejjen;* to be humiliated, to humble oneself.
tkejjet v.V, *jitkejjet;* to be idle.
tkellel v.V, *jitkellel;* to be crowned, to crown oneself.
tkellem v.V, *jitkellem;* to speak, to talk.
tkemmex v.V, *jitkemmex;* to be wrinkled, to be creased.
tkennen v.V, *jitkennen;* to take shelter, to find refuge.
tkerċaħ v.V, *jitkerċaħ;* to be indebilitated.
tkerrah v.V, *jitkerrah;* to grow ugly, to be made ugly, to grimace.
tkeskes v.V, *jitkeskes;* to be instigated.
tkessaħ v.V, *jitkessaħ;* to be cooled, to grow cool.
tkewkeb v.V, *jitkewkeb;* to become starry.
tkewtil n.act., the making vain or insufficient excuses.
tkewwes v.V, *jitkewwes;* to be decanted.
tkexkex v.V, *jitkexkex;* to be shocked, to shiver with cold, to shudder with fear.
tkexkix n.act., shiver, shudder. ***~ bil-bard;*** shivering with cold. ***~ bil-biża';*** horror, shuddering with fear.

tkieteb v.VI, ***jitkieteb;*** to correspond.
tkiewa v.VI, ***jitkiewa;*** to wriggle in walking.
tkisseb v.V, ***jitkisseb;*** to be obtained, acquired.
tkisser v.V, ***jitkisser;*** to be broken, to get tired, exhausted. ***missieri ~ b'xogħol żejjed;*** my father got tired because of too much work.
tkittef v.V, ***jitkittef;*** to shrug up one's shoulders, to be conquered in a game.
tkixxef v.V, ***jitkixxef;*** to spy on, to observe or watch clandestinely, to seek out, to reconnoitre. ***l-għadu ~ fuq iċ-ċaqliq ta' l-eżerċtu tagħna.***
the enemy spied on the movement of our army.
tkompla v.V, ***jitkompla;*** to be completed, continued, finalized. ***ix-xogħol jitkompla għada;*** the work will be continued tomorrow.
tkopra v.V, ***jitkopra;*** to be covered.
tlabbar v.V, ***jitlabbar;*** to be fastened with pins.
tlablib n.act., loquacity.
tlaħħam v.V, ***jitlaħħam;*** to grow fat.
tlaħħaq v.V, ***jitlaħħaq;*** to be promoted.
tlaħlaħ v.V, ***jitlaħlaħ;*** to be rinsed.
tlajja v.V, ***jitlajja;*** to delay, to retard, to lop, to gad, to loiter about. ***qagħad jitlajja 'l hawn u 'l hinn sakemm wasal;*** he galled here and there until he arrived.
tlaqliq n.act., chattering, gossip.
tlaqqa' v.V, ***jitlaqqa';*** to be introduced to.
tlaqqam v.V, ***jitlaqqam;*** to be vaccinated, to be nicknamed, to be grafted, inoculated.
tlaqqat v.V, ***jitlaqqat;*** to be picked up, to be collected.
tlaqqax v.V, ***jitlaqqax;*** to be cut into chips.
tlebbet v.V, ***jitlebbet;*** to run very fast.
tlebleb v.V, ***jitlebleb;*** to covet, to wish eagerly, to flap.
tleffef v.V, ***jitleffef;*** to wrap oneself in clothes.
tleflef v.V, ***jitleflef;*** to be eaten up greedily.
tlegleg v.V, ***jitlegleg;*** to be quaffed.
tleħħen v.V, ***jitleħħen;*** to be uttered, pronounced.
tlellex v.V, ***jitlellex;*** to adorn or embellish oneself.
tlembeb v.V, ***jitlembeb;*** to be rolled.
tlesta v.V, ***jitlesta;*** to be finished.
tletin aġġ., num., thirty.
tlewwaħ v.V, ***jitlewwaħ;*** to be shoveled.
tlewwem v.V, ***jitlewwem;*** to quarrel, to reproach each other.
tlewwen v.V, ***jitlewwen;*** to be coloured.
tlewwes v.V, ***jitlewwes;*** to be full of almonds.
tlewwet v.V, ***jitlewwet;*** to get bespattered with mud.
tlib n.act., begging.
tlibbes v.V, ***jitlibbes;*** to be dressed, clothed.
tliegħeb v.VI, ***jitliegħeb;*** to play often, to dally.
tliegħaq v.VI, ***jitliegħaq;*** to be licked.
tlieta aġġ., num., three. ***it-T~ ta' qabel ir-Randan;*** Shrove Tuesday.
tligħ n.act., ascending, ascension, ascent, fermentation, leaven.
tliq n.act., abandonment, abandon, leaving, forsaking.
tlissen v.V, ***jitlissen;*** to be uttered.
tlettax aġġ., num., thirteen.
tlubi aġġ., demandable.
tlugħ n.act., ascension, ascent, rising. ***~ ix-xemx;*** sun rising.
tlugħi aġġ., steep, uphill.
tluq n.act., departure.
tmaħħa v.V, ***jitmaħħa;*** to be erased.
tmaħħat v.V, ***jitmaħħat;*** to blow one's nose frequently.
tmaħħir n.act., procrastinating.
tmallat v.V, ***jitmallat;*** to get dirty, to become soiled.
tmannas v.V, ***jitmannas;*** to be tamed, to grow mild.
tmantar v.V, ***jitmantar;*** to be weakened.
tmantna v.V, ***jitmantna;*** to be maintained.
tmaqdar v.V, ***jitmaqdar;*** to be despised.
tmaqdir n.act., despising. ***bit-~;*** contemptously.
tmaqqat v.V, ***jitmaqqat;*** to grow severe.
tmarmar v.V, ***jitmarmar;*** to crumble, to fall in pieces.
tmarmir n.act., grumbling.
tmarrad v.V, ***jitmarrad;*** to become ill, to feel ill, to grow sickly.
tmarrar v.V, ***jitmarrar;*** to become bitter.
tmartil n.act., hammering.
tmasħan v.V, ***jitmasħan;*** to get angry, to fly into a rage, to fume.
tmasħar v.V, ***jitmasħar;*** to be mocked, derided, ridiculed.
tmâtal v.VI, ***jitmâtal;*** to delay, to lag, to tarry.
tmattar v.V, ***jitmattar;*** to stretch oneself, to sprawl.
tmaxtar v.V, ***jitmaxtar;*** to be gorged.
tmaxxat v.V, ***jitmaxxat;*** to be carded.
tmaċliq n.act., smacking one's lips while eating.

tmedd v.V, ***jitmedd;*** to be stretched.
tmegħik n.act., wallowing, rolling over.
tmegħir n.act., vituperation.
tmehil n.act., retardation, delay.
tmejjel v.V, ***jitmejjel;*** to be inclined, to lean on one side.
tmejlaq v.V, ***jitmejlaq;*** to be honed.
tmekmik n.act., munching.
tmellaħ v.V, ***jitmellaħ;*** to be salted.
tmenin aġġ.num., eighty.
tmenżel v.V, ***jitmenżel;*** to be heaped.
tmerija n.act., contradiction, gainsaying.
tmermer v.V, ***jitmermer;*** to be moulded, to be corrupted.
tmerraq v.V, ***jitmerraq;*** to become juicy.
tmerżaq v.V, ***jitmerżaq;*** to emanate.
tmesken v.V, ***jitmesken;*** to become pitiable.
tmeslaħ v.V, ***jitmeslaħ;*** to be daubed.
tmesmes v.V, ***jitmesmes;*** to be touched here and there.
tmess v.VII, ***jitmess;*** to be touched.
tmessaħ v.V, ***jitmessaħ;*** to be wiped.
tmewwes v.V, ***jitmewwes;*** to be stabbed.
tmewwet v.V, ***jitmewwet;*** to languish.
tmexmex v.V ***jitmexmex;*** to be picked.
tmexxa v.V, ***jitmexxa;*** to be conducted, to be led, to be directed.
tmexxija n.act., conduct, management.
tmeżmeż v.V, ***jitmeżmeż;*** to loathe.
tmiegħed v.VI, ***jitmiegħed;*** to mumble.
tmiegħek v.VI, ***jitmiegħek;*** to wallow, to welter.
tmiegħer v.VI, ***jitmiegħer;*** to be criticized, to be contracted.
tmiegħex v.VI, ***jitmiegħex;*** to be gainful, to get lucre, to make a profit.
tmiehel v.VI, ***jitmiehel;*** to retard, to stay, to lag, to tarry, to linger, to delay, to meditate, to muse, to reflect.
tmiem n.act., end, termination, conclusion, finishing.
tmienja aġġ.num., eight.
tmiera v.VI, ***jitmiera;*** to be contradicted.
tmieraħ v.VI, ***jitmieraħ;*** to frisk, to romp.
tmigħ n.act., feeding.
tmintax aġġ.num., eighteen.
tmiżżeż v.V, ***jitmiżżeż;*** to become musty.
tmontox n.m., bla pl., tow.
tmun n.m., pl. ***tmien;*** (mar.) helm, rudder.
tmunier n.m., pl. -a, steerman, helmsman.
tnaddaf v.V, ***jitnaddaf;*** to be cleaned.
tnaffa v.V, ***jitnaffa;*** to be exiled, banished.
tnaffad v.V, ***jitnaffad;*** to be rinsed.
tnaffar v.V, ***jitnaffar;*** to be made to shy, to be displeased.
tnagħnigħ n.act., speaking through one's nose.
tnalja n.f., pl. -i, (artiġ.) pincers, tongs, pliers.
tnaqqa v.V, ***jitnaqqa;*** to be weeded out.
tnaqqab v.V, ***jitnaqqab;*** to be pierced.
tnaqqar v.V, ***jitnaqqar;*** to be pecked.
tnaqqas v.V, ***jitnaqqas;*** to be diminished, reduced, deducted.
tnaqqax v.V, ***jitnaqqax;*** to be sculpted, engraved, chiselled, to be variegated.
tnassar v.V, ***jitnassar;*** to become a christian.
tnassas v.V, ***jitnassas;*** to be machinated.
tnawwar v.V, ***jitnawwar;*** to blossom, to bloom, to be musty or mouldy.
tnax aġġ.num., twelve.
tnażża' v.V, ***jitnażża';*** to get undressed.
tnebbah v.V, ***jitnebbah;*** to become aware.
tnedija n.act., publication of banns.
tnehid n.act., sighing.
tneħħa v.V, ***jitneħħa;*** to be taken away, removed, to be abolished, annulled, omitted.
tnejn aġġ.num., two. ***it-~;*** both. ***it-~;*** Monday.
tnell n.m., pl. -i, washing-tub.
tnemmel v.V, ***jitnemmel;*** to abound in ants.
tnemmes v.V, ***jitnemmes;*** to be ferreted.
tnemmex v.V, ***jitnemmex;*** to be freckled.
tnemnim n.act., flickering of light.
tnesa v.V, ***jitnesa;*** to be forgotten.
tnewnem v.V, ***jitnewnem;*** to flicker.
tnewweb v.V, ***jitnewweb;*** to be altered.
tnewwel v.V, ***jitnewwel;*** to be delivered, to be handed.
tnewwiħ n.act., whining.
tnewwil n.act., weaving.
tneżża' v.V, ***jitneżża';*** to be disrobed, to be undressed.
tnibbex v.V, ***jitnibbex;*** to be teased.
tnidda v.V, ***jitnidda;*** to become moistened, to become moist, to become damp.
tniddem v.V, ***jitniddem;*** to be made to repent.
tnieda v.VI, ***jitnieda;*** to be published.
tniegħa v.VI, ***jitniegħa;*** to groan.
tniegħel v.VI, ***jitniegħel;*** to be shod.
tniegħes v.VI, ***jitniegħes;*** to doze, to nap, to slumber, to nod.
tniehed v.V, ***jitniehed;*** to sigh.
tniffed v.V, ***jitniffed;*** to be pierced.
tniffes v.V, ***jitniffes;*** to breathe, to respire.
tniffex v.V, ***jitniffex;*** to expand, to dilate.
tniġġes v.V, ***jitniġġes;*** to be contaminated, to be infected.

tniggeż v.V, *jitniggeż;* to be goaded, to be pricked, to be stung.
tnikker v.V, *jitnikker;* to work slowly and carelessly, to linger, to loiter, to lag, to delay.
tnisseġ v.V, *jitnisseġ;* to be woven.
tnissel v.V, *jitnissel;* to be generated, to be originated, to proceed from.
tnittef v.V, *jitnittef;* to be plucked, to be stripped off hair or feathers.
tnitten v.V, *jitnitten;* to become stinking, fetid.
tnixxa v.V, *jitnixxa;* to be oozed, leaked.
tnixxef v.V, *jitnixxef;* to become dry, arid, to be dissicated, to become thin, emaciated.
tniżżel v.V, *jitniżżel;* to be brought down, to be lowered, to be descended, to be registered, to be recorded.
tòbi aġġ., tubby.
tobbija n.f., pl. -t, medicine.
tofija n.f., pl. -iet, toffee.
toga n.f., pl. -i, gown, toga.
togħlija n.act., elevation, exaltation, boiling.
togħma n.f., pl. -iet, taste, relish, savour, woof, weft.
toħlija n.f., pl. -iet, bequest.
tojlit n.m., pl. -s, toilet.
tokis n.m., pl. *toksijiet;* cinema.
tokk n.m., pl. -i, -ijiet, toll, stroke of a bell, the tingling of a bell, central place, public place.
tokka n.f., pl. *tokok;* penholder, touchstone.
tokkata n.f., pl. -i, (muż.) toccata.
tolboj n.m., pl. -s, tall-boy.
tollerabbli aġġ., tolerable.
tolleranti aġġ., tolerant.
tolleranza n.f., pl. -i, tolerance, endurance.
tom n.m., pl. -i, tome, volume.
tomba n.f., pl. -i, mound.
tombitombi n.m., pl. -jiet, (itt.) frigate-mackerel.
tombla n.f., pl. -i, (logħ.) tombola, bingo.
tomista n.kom., pl. -i, Thomist.
tomistiku aġġ., Thomistic(al).
tomiżmu n.m., bla pl., Thomism.
tomna n.f., pl. *tmien;* measure (of corn), top hat, silk hat, high hat, chimney top hat.
ton n.m., pl. -ijiet, tone, tune.
tonali aġġ., (muż.) tonal.
tonalità n.f., pl. -jiet, tonality.
tond aġġ., round, spheral, circular.
toniċità n.f., bla pl., tonicity.
toniku aġġ., tonic.
tònka n.f., pl. -i, *tonok;* (ekkl.) tunic, cowl.
tonna n.f., pl. -iet, koll. *tonn;* blue-fin tuna, tunny fish.
tonnina n.f., pl., (itt.) pickled tunny.
tonsilla n.f., pl. -i, (med.) tonsil.
tonsillite n.f., pl. -jiet, tonsillitis.
tonsura n.f., pl. -i, (ekkl.) tonsure.
tontina n.f., pl. -i, tontine.
tontu aġġ., stupid, silly.
topazju n.m., pl. -i, topaz.
topik n.m., pl. -i, topic.
tòpiku aġġ., topical.
topografija n.f., pl. -i, topography.
topografikament avv., topographically.
topografiku aġġ., topographic(al).
topografu n.m., pl. -i, topographer.
toponomastika n.f., pl. -i, toponymy.
toppu n.m., pl. -ijiet, bun, toupet.
toqba n.f., pl. -iet, koll. *toqob;* hole, opening.
toqlija n.act., sauce of onions fried with parsley etc.
toqol n.m., bla pl., heaviness.
toqqala n.f., pl. *tqaqel;* whorl, spindle-wheel, spindle-whorl.
toraċi n.m., pl. -jiet, (anat.) thorax.
torbija n.f., pl. -i, rearing.
torċ n.f., pl. -is, -ijiet, torch.
torgman n.m., pl. -i, interpreter.
torja aġġ., tender.
tork aġġ. u n.m., f. -a, pl. *Torok;* Turk.
torkju n.m., pl. -i, hand-press.
torkulier n.m., f. -a, pl. -i, pressman.
torn n.m., pl. -i, lathe, turning lathe, turner's wheel.
torna v.t., *jtorna;* to turn the lathe.
tornavit ara **turnavit.**
tornitur n.m., pl. -i, turner.
torri n.m., pl. -jiet, tower. *~ ta' l-avorju;* ivory tower.
torsina n.f., pl. -iet, koll. *torsin;* (bot.) parsley*; torsin il-bir;* maiden-hair.
tort n.m., pl. -ijiet, wrong, fault, blame, injury.
torta n.f., pl. -i, pie, tart. *~ tal-ħelu;* tart.
tortura n.f., pl. -i, torture.
toru n.m., pl. -ijiet, (żool.) bull.
tosku n.m., pl. -i, poison.
tossikoloġija n.f., pl. -i, toxicology.
tossikologu n.m., f. -a, pl. -i, toxicologist.
tossiku aġġ., toxic.
tost aġġ., impudent. *b'wiċċ ~;* impudently, shamelessly.
total n.m., pl. -i, total.
totali aġġ., total. *ekklissi ~;* total eclipse.

totalità n.f., pl. -jiet, totality, entirety.
totalitarju aġġ., totalitarian.
totalizzatur n.m., pl. -i, totalizator.
totalizzazzjoni n.f., pl. -jiet, totalization.
totalment avv., totally, entirely, wholly.
totlu n.m., pl. -i, (itt.) cuttlefish.
towst n.m., pl. -s, toast.
towster n.f., pl. -s, toaster.
tpaċpiċ n.act., idle talk.
tpaħpaħ v.V, ***jitpaħpaħ;*** to grow flabby.
tpaqpiq n.act., hooting.
tparpir n.act., abrupt departure.
tpartat v.V, ***jitpartat;*** to be exchanged, to be bartered.
tpastaż v.V, ***jitpastaż;*** to act impolitely.
tpatta v.V, ***jitpatta;*** to be quits.
tpaxxa v.V, ***jitpaxxa;*** to be delighted (with), to be pleased (with), to take pleasure or delight in.
tpejjep v.V, ***jitpejjep;*** to be smoked.
tperper v.V, ***jitperper;*** to be flapped.
tperreċ v.V, ***jitperreċ;*** to expose oneself to a draught.
tpetpit n.act., blinking (of eyes).
tpezpiz n.act., chirping, peeping.
tpinġa v.V, ***jitpinġa;*** to be painted.
tpitter v.V, ***jitpitter;*** to be painted.
tpoġġa v.V, ***jitpoġġa;*** to be placed, to be deposited.
tqabad v.VI, ***jitqabad;*** to struggle, to come to blows, to engage in a fight, to fight.
tqabbad v.V, ***jitqabbad;*** to be joined.
tqabbel v.V, ***jitqabbel;*** to be leased, to be compared, matched, to be rhymed.
tqabbeż v.V, ***jitqabbeż;*** to be promoted before others.
tqâbeż v.VI, ***jitqabeż;*** to hop, to skip, to frisk.
tqaċċat v.V***; jitqaċċat;*** to be lopped, to be cut down.
tqaddam v.V, ***jitqaddam;*** to present oneself, to bring oneself forward.
tqaddeb v.V, ***jitqaddeb;*** to abound in twigs.
tqadded v.V, ***jitqadded;*** to be dried, to become emanciated.
tqaddes v.V, ***jitqaddes;*** to be sanctified, to be made holy, to be celebrated.
tqagħwex v.V, ***jiqagħwex;*** to whirl about, to roll about.
tqaħħab v.V, ***jitqaħħab;*** to prostitute oneself.
tqaħqiħ n.act., coughing.
tqajjar v.V, ***jitqajjar;*** to be dried.
tqajjad v.V, ***jitqajjad;*** to be manacled.
tqajjem v.V, ***jitqajjem;*** to be aroused, to be awakened.
tqal v.IX, ***jitqal;*** to grow heavy.
tqala n.f., pl. -iet, pregnancy.
tqalfat v.V, ***jitqalfat;*** to be caulked.
tqalla v.V, ***jitqalla;*** to be fried.
tqalla' v.V, ***jitqalla';*** to be nauseated, to be choppy, to be disgusted.
tqalleb v.V, ***jitqalleb;*** to be turned, to be tossed about, to topsy-turvy, to be overturned, to get perturbed or disturbed, to be agitated. ***beda jitqalleb 'l hawn u 'l hemm u ma setax jorqod;*** he began to turn from side to side, but he couldn't sleep. ***~ (l-ajru);*** to grow cloudy, to be overcast.
tqâmas v.VI, ***jitqâmas;*** to kick.
tqammel v.V, ***jitqammel;*** to become lousy, to become filthy.
tqanċeċ v.V, ***jitqanċeċ;*** to be skimped.
tqandel v.V, ***jitqandel;*** to be carried with an effort.
tqanfed v.V, ***jitqanfed;*** to be ruffled.
tqanna' v.V, ***jitqanna';*** to put up something unpleasant reluctantly.
tqanqal v.V, ***jitqanqal;*** to be moved. ***~ mill-post;*** to be shifted.
tqanżaħ v.V, ***jitqanżaħ;*** to shuffle, to strain.
tqârar v.VI, ***jitqârar;*** to comunicate mutually and confidentially, to have one's confession heard.
tqarben v.V, ***jitqarben;*** to receive Holy Communion, to communicate.
tqarċel v.V, ***jitqarċel;*** to curl one's hair.
tqardax v.V, ***jitqardax;*** to be carded.
tqâreb v.VI, ***jitqâreb;*** to become restless.
tqarmeċ v.V, ***jitqarmeċ;*** to be crunched.
tqarqaċ v.V, ***jitqarqaċ;*** to be toasted, to be scorched, to become too lively, perky.
tqarqir n.act., rumbling.
tqarra' v.V, ***jitqarra';*** to become bald.
tqarraf v.V, ***jitqarraf;*** to be picked.
tqarraħ v.V, ***jitqarraħ;*** to be bruised, to bruise oneself.
tqarraq v.V, ***jitqarraq;*** to be cheated, deceived, deluded, mistaken.
tqarras v.V, ***jitqarras;*** to grimace.
tqarreb v.V, ***jitqarreb;*** to be brought near, to get near.
tqarrif n.act., picking of fruit before others.
tqartam v.V, ***jitqartam;*** to be lopped off.
tqartas v.V, ***jitqartas;*** to be wrapped in paper.
tqartis n.act., wrapping in paper.
tqarweż v.V, ***jitqarweż;*** to have one's hair cut, like shearing.
tqarwiż n.act., shearing.
tqasqas v.V, ***jitqasqas;*** to be cut with a pair of scissors.

tqassam v.V, *jitqassam;* to be distributed, shared.
tqassar v.V, *jitqassar;* to be shortened.
tqassas v.V, *jitqassas;* to be cut with a pair of scissors. *tqassas fuq in-nies;* to gossip.
tqasses v.V, *jitqasses;* to be ordained (priest).
tqâtel v.VI, *jitqâtel;* to kill one another.
tqatta' v.V, *jitqatta';* to be cut to pieces, to be massacred, to become ragged.
tqattar v.V, *jitqattar;* to fall in drips.
tqawwa v.V, *jitqawwa;* to grow fat, to fatten, to recover one's health, to become strong, powerful.
tqawwas v.V, *jitqawwas;* to be arched, to be curved.
tqawwem v.V, *jitqawwem;* to be aroused.
tqawwija n.act., strengthening.
tqaxlef v.V, *jitqaxlef;* to become dry.
tqaxqax v.V, *jitqaxqax;* to be gnawed, eaten, lapped up.
tqaxxar v.V, *jitqaxxar;* to be peeled, to be barked, to get flayed, to be skinned.
tqażżeż v.V, *jitqażżeż;* to loathe, to disgust.
tqegħid n.act., putting, setting.
tqejjem v.V, *jitqejjem;* to be venerated.
tqejjes v.V, *jitqejjes;* to be measured.
tqellel v.V, *jitqellel;* to grow fierce.
tqib n.act., boring.
tqiegħed v.VI, *jitqiegħed;* to be placed.
tqil aġġ., heavy, difficult, hard.
trab n.m.koll., dust.
trabakklu n.m., pl. -i, (mar.) trawler, lugger, vehicle.
trabba v.V, *jitrabba;* to be brought up, to grow.
trabbat v.V, *jitrabbat;* to be tied, to be bound.
trabil n.m., bla pl., trouble.
trabokk n.m., pl. -i, gin, snare, pitfall.
traċċja n.f., pl. -i, trace, mark.
traċna n.f., pl. -i, (med.) carbuncle, (itt.) spotted weaver.
tradiment n.m., pl. -i, treason, betrayal, treachery.
traditur n.m., f. -a, pl. -i, traitor, betrayer.
tradizzjonali aġġ., traditional.
tradizzjonalista n.kom., pl. -i, traditionalist.
tradizzjonaliżmu n.m., pl. -i, traditionalism.
tradizzjonalment avv., traditionally.
tradizzjoni n.f., pl. -jiet, tradition.
tradott aġġ. u p.p., translated.
traduċibbli aġġ., translatable.
traduttur n.m., f. -a, pl. -i. translator.
traduzzjoni n.f., pl. -jiet, translation.
traffikabbli aġġ., negotiable.
traffikant n.m., pl. -i, dealer, trader.
traffiku n.m., pl. -i, traffic.
traġedja n.f., pl. -i, tragedy.
traġġa' v.V, *jitraġġa';* to go or draw back, to be returned.
traġġel v.V, *jitraġġel;* to become a man.
traġiċità n.f., pl. -jiet, tragicalness.
traġikament avv., tragically.
traġikomiku aġġ., tragicomic.
traġiku aġġ., tragic(al).
traġikummiedja n.f., pl. -i, tragicomedy.
traġitt n.m., pl. -i journey, trip.
trahab v.VI, *jitrahab;* to become a monk or friar.
trahhab v.V, *jitrahhab;* to become a monk or friar.
traħħal v.V, *jitraħħal;* to become a villager.
traħħam v.V, *jitraħħam;* to be solicited, to be marbled.
traħħas v.V, *jitraħħas;* to be cheapened, to be lowered in price.
trajbu n.m., pl. -i, puppet, bolster. ~ *tal-bizzilla;* lace pillow.
trajditur n.m., f. -a, pl. -i, traitor.
trajja n.f., bla pl., (astro.), the Pleiades, Hydes.
trajjax aġġ., hard of hearing, rather deaf, somewhat deaf.
trajju aġġ., rather tender.
trajsikil n.f., pl. -s. tricycle.
trakat v.VI, *jitrakat;* to sag with weight.
trakea n.f., pl. -ej, (anat.) trachea, windpipe.
trakeite n.f., pl. -jiet, (med.) tracheitis.
trakeotomija n.f., pl. -i, (med.) tracheotomy.
trakite n.f., pl. *trakit;* (min.) trachyte.
trakk n.m., pl. -ijiet, truck.
trakoma n.f., pl. -i (med.) trachoma.
trakter n.m., pl. -s, tractor.
trama n.f., pl. -i, intrigue, (lett.) plot of play.
trambel v.V, *jitrambel;* to be rolled.
tram n.m., pl. -s, -ijiet, tram.
trammel v.V, *jitrammel;* to become granulated.
trampa n.f., pl. -i, a deceitful action.
trampel v.V, to be hooked.
trampolin n.m., pl. -i, spring-board.
tramuntana n.f., pl. -i, north wind, north, boreus.
tranġat v.V, *jitranġat;* to grow rancid.
tranja n.f., pl. -i, (mar.) wake.

trankwill aġġ., tranquil, quiet, peaceful, calm.
trankwillament avv., tranquilly, calmly, quietly.
trankwillità n.f., bla pl., tranquillity, peacefulness.
transatlantiku aġġ., transatlantic.
transazzjoni n.f., pl. -jiet, (leg.) transaction.
transfer n.m., pl. -s, transfer.
transformer n.m., pl. -s, transformer.
transister n.m., pl. -s, (eletr.) transistor.
transitorjament avv., transitorily.
transitorju aġġ., transitory.
transittiv aġġ., (gram.) transitive.
transittivament avv., transitively.
transizzjoni n.f., pl. -jiet, transition. ***perijodu ta' ~;*** transition period.
transulazzjoni n.f., pl. -jiet, translation.
transunt n.m., pl. -i (leg.) abstract, extract.
trasustanzjazzjoni, n.f., pl. -jiet, transubstantiation.
trapan n.m., pl. -i, ***trapan;*** auger, drill, drilling machine.
trapezjojdali aġġ., trapezoidal.
trapezju n.m, pl. -i, trapezium, trapeze.
trapezojdi aġġ., trapezoid.
trapiż n.m., pl. -i, trapeze.
trapjant n.m., pl. -i, transplant.
trappista n.kom., pl. -i, (m.) trappist, (f. trappistine).
traqqa' v.V, ***jitraqqa';*** to be potched.
traqqad v.V ***jitraqqad;*** to be drowsy, to be made to feel sleepy.
traqqaq v.V, ***jistraqqaq;*** to be thinned, to grow thin.
traqqas v.V, ***jitraqqas;*** to walk lamely.
trasbord n.m., pl. -i, transhipment.
trasferibbli aġġ., transferable.
trasferiment n.m., pl. -i, removal, transfer, change.
trasfigurazzjoni n.f., pl. -jiet, transfiguration.
trasformabbli aġġ., transformable.
trasformatur n.m., f. -a, pl. -i, one who transforms, (eletr.) transformer.
trasformazzjoni n.f., pl. -jiet, transformation.
trasformist n.m., f. -a, pl. -i, transformist.
trasformiżmu n.m., pl. -i, transformism.
trasfużjoni n.f., pl. -jiet, (med.) transfusion. ***~ tad-demm;*** blood transfusion.
trasgressjoni n.f., pl. -jiet, (leg.) transgression.
trasgressur, n.m., n.m., pl. -i, transgressor.
traskrittur n.m., f. -a, -triċi, pl. -jiet, transcriber.
traskrizzjoni n.f., pl. -jiet, transcription.
traskurabbli aġġ., negligible.
traskuraġni n.f., pl. -jiet, carelessness.
traskurat aġġ., careless, negligent.
traslazzjoni n.f., pl. -jiet, (ekkl.) translation.
trasmess aġġ. u p.p., transmitted.
trasmettitur n.m., f. -a, -triċi, pl. -i, transmitter.
trasmigrazzjoni n.f., pl. -jiet, transmigration.
trasmissjoni n.f., pl. -jiet, transmission, broadcasting.
trasparenti aġġ., transparent, clear, apparent.
trasparenza n.f., pl. -i, transparency.
trasport n.m., pl. -i, transport.
trasportatur n.m., f. -f, atriċi, pl. -i, transporter, carrier.
trasportazzjoni n.f., pl. -jiet, transportation.
traspurtat aġġ., transported.
trassas v.V, ***jitrassas;*** to huddle together.
trattab v.V, ***jitrattab;*** to be softened, to render soft, to grow soft.
trattabbli aġġ., tractable, reasonable.
trattament n.m., pl. -i, treat, treatment, reception, entertainment. ***~ ħażin;*** ill treatment.
trattat n.m., pl. -i, treaty, tract, treatise. ***~ tal-paċi;*** peace treaty.
trattativa n.f., pl. -i, negotiation.
trattazzjoni n.f., pl. -jiet, treatment.
travers n.m., pl. -i, traverse.
traversa n.f., pl. -i, cross-piece, cross-bar.
traversali aġġ., transversal.
traversata n.f., pl. -i, crossing, passage.
travertin n.m.koll., (ġeol.) traverine.
travestiment n.m., pl. -i, travesty.
travu n.m., pl. -i, beam, rafter. ***~ tal-ħadid;*** iron beam. ***~ ta' l-injam;*** wooden beam.
trawma n.f., pl. -i, (med.) trauma. ***~ emozzjonali;*** shock, emotional trauma. ***~ psikoloġika;*** psychological trauma.
trawmatiku aġġ., traumatic.
trawmatiżmu n.m., pl. -i, traumatism.
trawwem v.V, ***jitrawwem;*** to inure oneself, to accustom oneself.
traxendentali aġġ., transcendental.
traxendentaliżmu n.m., pl. -i, (fil.) transcendentalism.
traxendenti aġġ., (fil.) transcendent.
traxendenza n.f., pl. -i, transcendency.
traxxax v.V, ***jitraxxax;*** to be sprinkled, to be drizzled.
trażżan v.V, ***jitrażżan;*** to be restrained, to

refrain (from), to control oneself, to restrain (oneself).
trebbaħ v.V, ***jitrebbaħ;*** to be made to win.
tredda' v.V, ***jitredda';*** to be sucked.
treddin n.act., mumbling.
treġġa' ara **traġġa'**.
tregħid n.act., trembling, quaking, shivering. **~ *bil-biża';*** dread, fright, horror.
tregwa n.f., pl. -i, truce.
trej n.m., pl. -s, -ijiet, tray.
trejdfer n.f., pl. -s, trade fair.
trejdunjin n.f., pl. -s, -ijiet, trade union.
trejdunjonist n.m., f. -a, pl. -i, trade-unionist.
trejdunjonistiku aġġ., trade-unionistic.
trejdunjoniżmu n.m., pl. -i, trade-unionism.
trejjaħ v.V, ***jitrejjaħ;*** to become rancid.
trejjaq v.V, ***jitrejjaq;*** to take breakfast, to take a snack.
trejjex v.V, ***jitrejjex;*** to be covered with feathers.
trejler n.m., pl. -s, trailer.
trejn n.m., pl. -ijiet, train.
trejner n.m., pl. -ers, trainer.
trejning n.m., pl. -id, training.
trekken v.V, ***jitrekken;*** to hide oneself in a corner.
tremarella n.f., pl. -i, shivers.
trembel v.V, ***jitrembel;*** to be rolled.
tremend aġġ., tremendous, fearful, awful.
tremendament avv., tremendously.
trementina n.f., pl. -i, (artiġ.) turpentine.
tremolu n.m., pl. -i, (muż.) tremolo, quavering.
trepidazzjoni n.f., pl. -jiet, trepidation.
tressaq v.V, ***jitressaq;*** to be presented.
trewwaħ v.V, ***jitrewwaħ;*** to be fanned, to be aired.
treżżaħ v.V, ***jitreżżaħ;*** to feel chilled and shiver.
tribù n.m., pl. -jiet, tribe.
tribulat aġġ., afflicted, distressed.
tribulazzjoni n.f., pl. -jiet, tribulation.
tribun n.m., pl. -i, tribune.
tribuna n.f., pl. -s, tribune, stand.
tribunal n.m., pl. -i, tribunal, court of justice. **~ *amministrativ;*** (leg.) administrative tribunal.
tribut n.m., pl. -i, tribute, tax, duty.
tributarju n.m., pl. -i, tributary.
trident n.m., pl. -i, hay-fork, (mar.) triden.
tridentin aġġ., tridentine.
tridu n.m., pl. -i, (ekkl.) triduum, triduo.
trieġa v.VI, ***jitrieġa;*** to be supported, guided, directed, governed.
triegħed v.VI, ***jitriegħed;*** to tremble, to shiver, to shake, to quake.
triegħex v.VI, ***jitriegħex;*** to be hurt, offended.
triffed v.V, ***jitriffed;*** to be propped.
triffes v.V, ***jitriffes;*** to be trampled.
trigonometrija n.f., pl. -i, trigonometry.
trigonometriku aġġ., trigonometric(al).
trigonometru n.m., pl. -i, trigonometer.
trijade n.f., pl. -i, triad.
trijanglu n.m., pl. -i, triangle.
trijangolari aġġ., triangular.
trijonf n.m., pl. -i, triumph.
trijonfali aġġ., triumphal. ***ark ~;*** triumphal arch. ***karru ~;*** triumphal car.
trijonfalment avv., triumphantly, triumphally.
trijunfant aġġ., triumphant, victorious.
trijunfatur n.m., f. -a, pl. -i, victor, conqueror.
triju n.m., pl. -i, (muż.) trio.
trijumvir n.m., pl. -i, triumvir.
trijumvirali aġġ., triumviral.
trijumvirat n.m., pl. -i, triumvirate.
trikk n.f., pl. -s, trick, knack.
trikkeb v.V, ***jitrikkeb;*** to be given a ride, to ride on.
trikkitrakk n.m., pl. -i, fire cracker.
trilaterali aġġ., trilateral.
trilja n.f., koll. u pl. ***trill;*** (itt.) red mullet. **~ *tal-ħama;*** stripped mullet.
triljun n.m., pl. -i, trillion.
trill n.m., pl. -i, (muż.) trill, shake.
triloġija n.f., pl. -i, trilogy.
trinċett n.m., pl. -i, (artiġ.) shoemaker's knife, paring knife.
trinità n.f., pl. -jiet, trinity. ***T~ Mqaddsa;*** the Holy Trinity.
trinka n.f., pl. ***trinek;*** trench, groove, (mar.) gammon.
trinkett n.m., pl. -i, (mar.) foremast, foresail.
tripied n.m., pl. -i, trivet, tripod.
triplaj n.m.koll., three ply wood.
triplikat aġġ. u p.p., triplicated, trebled.
triplu aġġ., triple.
tripp n.m., pl. -s, -ijiet, trip, journey, voyage.
triq n.f., pl. ***toroq, triqat;*** street, road. **~ *magħluqa;*** no thoroughfare.
trirenju n.m., pl. -i, triple crown, tiara.
trist aġġ., sad, grieved.
tristezza n.f., bla pl., sadness, sorrow, gloominess.
trivjali aġġ., trivial.
trivjalità n.f., pl. -jiet, triviality.
trixtel v.V, ***jitrixtel;*** to be harrowed.

trizza n.f., pl. -i, tress, plait.
trobbija n.f., pl. -i, upbringing, nuture, rearing, education.
trofew n.m., pl. -ej, trophy.
troffa n.f., pl. ***trofof;*** tuft.
troglodita n.f., pl. -i, troglodyte.
trogloditiku aġġ., troglodytic.
trokew n.m., pl. -ej, (pros.) trochee.
trokajk aġġ., (pros.) trochaic.
tròli n.m., pl. -s, trolley.
troll n.m., pl. -i, (arkit.) barrel vault.
tromba n.f., pl. -i, spying-glass, (muż.) trumpet. ***~ ta' l-ilma;*** pump. ***~ ta' l-iljunfant;*** trunk. ***~ tat-taraġ;*** the well of the staircase.
trombożi n.f., pl. -jiet, (med.) trombosis.
trombun n.m., pl. -i, (muż.) trombone.
tromometru n.m., pl. -i, tromometer.
tron n.m., pl. -i, throne.
tronġa n.f., pl. -iet, koll. ***tronġ;*** (bot.) citron.
tropikali aġġ., (ġeog.) tropical.
tropiku n.m., pl. -i, (astro.) tropic.
tropoloġija n.f., pl. -i, tropology.
tropoloġiku aġġ., tropological.
troppu avv., too much.
trott n.m., pl. -iet, trot. ***bit-~;*** at a trot.
trumbetta n.f., (muż.) bugle, trumpet.
trumbettier n.m., pl. -i, trumpeter, (ornit.) trumpeter bullfinch.
trunċiera n.f., pl. -i, trench.
trunċett n.m., pl. -i, leather-knife.
truppa n.f., pl. -i, ***tropop***. (mil.) troops.
trux aġġ., deaf.
truxija n.f., pl. -t, surdity, deafness.
tuba n.f., pl. u koll., tub clod, sod.
tuberkolu n.m., pl. -i, tubercular.
tuberkolari aġġ., tubercular.
tuberkulożi n.m., bla pl., (med.) tuberculosis.
tuberoża n.f., pl. -i, (bot.) tuberose.
tubu n.m., pl. -i, tube, pipe. ***~ tal-gass;*** gas pipe. ***~ tan-neon;*** neon tube.
tudun n.m., pl. -i, (ornit.) wood pigeon. ***~ tal-ġebel;*** rock dove. ***~ tas-siġar;*** stock dove.
tuffieħa n.f., pl. -iet, koll. ***tuffieħ;*** (bot.) apple.
tugurju n.m., pl. -i, hovel.
tukan n.m., pl. -i, (ornit.) toucan.
tul n.m., pl. -ijiet, length, prolixity, procrastination.
tulija n.act., cession, renouncing.
tulipan n.m., pl. -i, (bot.) tulip.
tull n.m., pl. -ijiet, tulle.
tumbarell n.m., pl. -i, padded cap.
tumbrell n.m., pl. -i, (itt.) frigate-mackerel.
tumpun n.m., pl. -i, (med.) tampon.
tumur n.m., pl. -i, (med.) tumour, abscess.
tungstenu n.m., pl. -i, (min.) tungsten.
tuniċella n.f., pl. -i, (ekkl.) dalmatic, tunicle.
tunika n.f., pl. -i, tunic.
tunnara n.f., pl. -i, tunny-fish ground.
tunnellaġġ n.m., pl. -i, tonnage.
tunnellata n.f., pl. -i, ton.
tupazju n.m., pl. -i, topaz.
turbant n.m., pl. -i, turban.
turbina n.f., pl. -i, (mekk.) turbine.
turfien n.act., exile.
turibulu n.m., pl. -i, censer, thurible.
turija n.f., pl. -t, demonstation, manifestation, example, pattern, model.
turist n.m., f. -a, pl. -i, tourist.
turistiku aġġ., touring.
turiżmu n.m., pl. -i, tourism.
turment n.m., pl. -i, torment, pain.
turmentat aġġ., tormented.
turnament n.m., pl. -i, tournament.
turnavit n.m., pl. -i, screw-driver.
turnjatur n.m., pl. -i, turner.
turrent n.m., pl. -i, torrent.
turretta n.f., pl. -i, turret.
tursina ara **torsina**.
turtiera n.f., pl. -i, tart-pan, pie-dish, take-pan.
turufnament n.m., pl. -i, exile.
turufnat aġġ., exiled.
turxien n.act., deafness.
tusigħ n.act., enlargement, widening, broadening.
tusija n.act., commandment, precept, order, warning.
tustaġni n.f., bla pl., impudence.
tuta n.f., pl. -iet, koll. ***tut;*** (bot.) mulberry.
tutela n.f., pl. -i, (leg.) tutelage, guardianship, protection.
tutiq n.act., firmness, steadiness, perseverance, constancy.
tutriċi n.f., pl. id., tutoress.
tutur n.m., pl. -i, tutor, guardian, protector.
tużell n.m., pl. -i, canopy, baldacchin.
tużurier n.m., pl. -i, (ornit.) bastard greenfinch.
tużżana n.f., pl. -i, dozen.
tvalja n.f., pl. -i, table-cloth.
tvara v.V, ***jitvara;*** to be launched.
tvarja v.V, ***jitvarja;*** to be varied.
tverna n.f., pl. ***tvieren;*** tavern.
tvernar n.f., pl. -a, innkeeper, tavern keeper.
tvinċa v.V, ***jitvinċa;*** to be conquered, to be overpowered.

twaddab v.V, ***jitwaddab;*** to be thrown, to ruch open, to throw oneself on, to hurl oneself upon.
twaġġa' v.V, ***jitwaġġa';*** to be offended, to hurt one.
twaħħad v.V, ***jitwaħħad;*** to be unified, to withdraw oneself.
twaġġa' v.V, ***jitwaġġa';*** to be hurt, to be offended.
twaħħal v.V, ***jitwaħħal;*** to be fixed.
twaħħam v.V, ***jitwaħħam;*** to crave, to long for, to desire eagerly.
twaħħar v.V, ***jitwaħħar;*** to be delayed, to be retarded, to lag, to tarry.
twaħħax v.V, ***jitwaħħax;*** to be horrified, to shudder.
twaħħil n.act., sticking.
twaħħir n.act., procrastination, delay, dilatoriness.
twaħwiħ n.act., howling with pain.
twajjeb aġġ., somewhat good, pretty good.
twal v.IX, ***jitwal;*** to become long/tall, to grow long.
twaletta n.f., pl. -i, dressing table, toilet table.
twaqqaf v.V, ***jitwaqqaf;*** to be stopped, to be erected, to be set up.
twaqqa' v.V, ***jitwaqqa';*** to be demolished.
twaqqat v.V, ***jitwaqqat;*** to be timed.
twarrab v.V, ***jitwarrab;*** to stand aside, to move away, to get out of the way.
twarrad v.V, ***jitwarrad;*** to become full of flowers, of blossoms.
twassa' v.V, ***jitwassa';*** to be widened.
twassal v.V, ***jitwassal;*** to be accompanied to a place.
twebbel v.V, ***jitwebbel;*** to fancy (a thing).
twebbes v.V, ***jitwebbes;*** to be hardened.
twebbis n.act., hardness. ***~ tar-ras;*** obstinacy, stubborness. ***~ tal-qalb;*** hardness of heart.
tweġġa' ara **twaġġa'**.
tweġġaħ v.V, ***jitweġġaħ;*** to be honoured, respected, to glorify oneself.
tweġġiħ n.act., honour, respect, reverence, veneration, glorification.
tweġiba n.act., answer.
twelid n.act., birth, nativity.
twella v.V, ***jitwella;*** to be ceded, given up, renounced, quitted, foresaken.
twelled v.V, ***jitwelled;*** to be given birth, to be begotten.
twemmen v.V, ***jitwemmen;*** to be believed.
twemmin n.act., belief, faith. ***bit-~;*** credibly.
twennes v.V, ***jitwennes;*** to be accompanied.
twerdin n.act., whirring.
twerija n.act., manifestation.
twerraq v.V, ***jitwerraq;*** to become leafy.
twerreċ v.V, ***jitwerreċ;*** to become squint-eyed.
twerrek v.V, ***jitwerrek;*** to dislocate one's thighs.
twerret v.V, ***jitwerret;*** to be made heir.
twerrex v.V, ***jitwerrex;*** to be slapped.
twerwer v.V, ***jitwerwer;*** to be appalled, to be frightened.
twerwir n.act., fright, terror.
twerżiq n.act., screaming, shriek, screech.
twessaq v.V, ***jitwessaq;*** to be increased.
twetija n.act., benefit.
twettaq v.V, ***jitwettaq;*** to be confirmed, to be approved, to get strong.
tweżweż v.V, ***jitweżweż;*** to be whispered.
twiddeb v.V, ***jitwiddeb;*** to be warned, to be admonished.
twidden v.V, ***jitwidden;*** to be overheard.
twieġeb v.VI, ***jitwieġeb;*** to be answered.
twiegħed v.VI, ***jitwiegħed;*** to be promised.
twieled v.VI, ***jitwieled;*** to be born.
twieżen v.VI, ***jitwieżen;*** to lean on, to rest on, to be supported, to be balanced.
twil aġġ., long, tall.
twissa v.V, ***jitwissa;*** to be admonished.
twissija n.act., admonition, advice, warning.
twitta v.V, ***jitwitta;*** to become plane, to be levelled.
twittija n.act., levelling.

Uu

U, u *il-ħamsa u għoxrin ittra ta' l-alfabet Malti u s-sitt waħda mill-vokali;* the twenty fifth letter of the Maltese alphabet and the sixth of the vowels.
u kong., and.
ubbidjent ara **obbidjent**.
ubbidjenza ara **obbidjenza**.
ubikwità n.f., bla pl., ubiquity, omnipresence.
uċċelliera n.f., pl. -i, aviary, bird cage.
udit n.m., bla pl., (muż.) hearing.
uditorju n.m., pl. -i, audience.
uditur n.m., f. -a, pl. -i, hearer, listener, auditor.
udjenza n.f., pl. -i, audience.
udòmetru n.m., pl. -i, udometer, raingauge.
uff inter., what a bore.
uffiċċju n.m., pl. -i, office, duty. *~ ta' l-informazzjoni;* bureau office.
uffiċina n.f., pl. -i, workship.
uffiċjal n.m., pl. -i, officer.
uffiċjali aġġ., official.
uffiċjaliżmu n.m., pl. -i, officialism.
uffiċjalment avv., officially.
uffizzjatura n.f., pl. -i, office.
uffizzju n.m., pl. -i, (ekkl.) office.
uġġett ara **oġġett**.
uġigħ n.m., bla pl., pain, ache. *~ tal-ħlas;* birth pains, throes. *~ ta' ras;* headache.
ugwali aġġ., equal.
ugwalità n.f., pl. -jiet, equality.
ugwaljanza n.f., pl. -i, equality.
ugwalment avv., equally.
ukoll avv., also, too, even.
ulċera n.f., pl. -i, (med.) ulcer.
ulmina n.f., pl. -i, (kim.) ulmin.
ulmu n.m., pl. -i, (bot.) elm.
ultimatum n.m., pl. -i, ultimatum.
uman aġġ., human.
umanament avv., humanly.
umanista n.kom., pl. -i, humanist.
umanità n.f., pl. -jiet, humanity.
umanitarjaniżmu n.m., pl. -i, humanitarism.
umanitarju aġġ., humanitarian.
umanizza v.t., ***jumanizza;*** to humanize.
umbelliferu aġġ., umbelliferous.
umbrella n.f., pl. ***umbrelel.***
umbrellina n.f., pl. -i, parasol.
umdità n.f., pl. -jiet, dampness, humidity, moisture.
umdu n.m., bla pl., dampness, moisture.
umdu aġġ., damp, moist, wet, humid. ***riħ ~;*** damp wind.
umilja v.t., ***jumilja;*** to humiliate.
umiljanti aġġ., humiliating.
umiljat aġġ., humbled, mortified.
umiljazzjoni n.f., pl. -jiet, humiliation, mortification.
umilment avv., humbly.
umiltà n.f., pl. -jiet, humility, humbleness.
umli aġġ., humble.
umorista n.kom., pl. -i, humorist.
umoristiku aġġ., humoristic, humerous. ***ġurnal ~;*** comic paper. ***kittieb ~;*** humorous writer. ***rakkont ~;*** humorous story, funny story.
umur n.m., pl. -i, humour, mood, temper.
unanimament avv., unanimously.
unanimità n.f., pl. -jiet, unanimity.
unanimu aġġ., unanimous.
ungwent n.m., pl. -i, ointment, unguent, salve.
unifika v.t., ***junifika;*** to unify.
unifikabbli aġġ., that can be unified.
unifikazzjoni n.f., pl. -jiet, unification.
uniformi n.f., pl. -jiet, uniform.
uniformi aġġ., uniform.
uniformità n.f., pl. -jiet, uniformity.
uniġenitu aġġ., unigenital.
unikament avv., uniquely, solely, only.
uniku aġġ., sole, unique, single.
unilaterali aġġ., unilateral, one-sided.
unit aġġ., united.
unità n.f., pl. -jiet, unity.
unitariżmu n.m., pl. -i, (ekkl.) unitarianism.
unitarju aġġ., unitarian.
univers n.m., pl. -i, universe.
universali aġġ., univeral. ***eredi ~;*** universal legatee, sole heir. ***ġudizzju ~;*** the Last Judgement.
universalità n.f., pl. -jiet, universality.

universalizzazzjoni n.f., pl. -jiet, universalization.
università n.f., pl. -jiet, university.
unixxa v.t., ***junixxi;*** to unite, to join.
unjoni n.f., pl. -iet, union.
unjonista n.kom., pl. -i, unionist.
unjoniżmu n.m., pl. -i, unionism.
unur n.m., pl. -i, honour.
unura v.t., ***junura;*** to honour.
unvjatura n.f., pl. -i, smoothing.
uqija n.f., pl. -iet, ounce.
ura prep., behind, after.
uragan n.m., pl. -i, hurricane, gale, storm.
uranju n.m., pl. -i, (min.) uranium.
uranografija n.f., pl. -i, uranography.
uranu n.m., pl. -i, (astro.) uranus.
urbaniżmu n.m., pl. -i, urbanism.
uremija n.f., pl. -i, (med.) uraemia.
uretra n.f., pl. -i, (anat.) urethra.
urġenti aġġ., urgent.
urġenza n.f., pl. -i, urgency.
uriċemija n.f., pl. -i, (med.) uricaemia.
uriku aġġ., (med.) uric. ***aċidu ~;*** uric acid.
urina n.f., pl. -i, urine.
urna n.f., pl. -i, urn.
urrà inter., hurrah.
urta v.t., ***jurta;*** to hurt, to offend.
urtikarja n.f., pl. -i, (med.) nettle-rash.
usà aġġ.kom., wider.
ussarju n.m., pl. -i, (mil.) hussar.
utajja n.f., pl. ***utajjet;*** saddle-cloth.
utaq aġġ.komp., stronger, firmer.
utilità n.f., pl. -jiet, utility, usefulness.
utilizza v.t., ***jutilizza;*** to utilize.
utli aġġ., useful.
utru n.m., pl. -i, (anatom.) uterus, womb.
uvaspina n.f., pl. -i, (bot.) gooseberry.
uviera n.f., pl. -i, egg-cup.
uxxier n.m., pl. -i, usher, doorkeeper.
uża v.t., ***juża;*** to use, to make use of.
użanza n.f., pl. -i, usage, custom.
użin n.m., pl. -ijiet, weight, ponderation.
użufrutt n.m., pl. -i, (leg.) usufruct.
użufruttwarju n.m., pl. -i, (leg.) usufructuary.
użura n.f., pl. -i, usury.
użurju n.f., pl. -i, usurer, money-lender.
użurpa v.t., ***jużurpa;*** to usurp.

V v

V, v ***is-sitta u għoxrin ittra ta' l-alfabett Malti u l-wieħed u għoxrin waħda mill-konsonanti;*** the twenty sixth letter of the Maltese alphabet and the twenty first of the consonants.
vaċċin n.m., pl. -i, vaccine.
vadrappa ara **faldrappa**.
vaġina n.f., pl. -i, (anatom.) vagina.
vaġinali aġġ., vaginal.
vaġinalite n.f., bla pl., (med.) vaginalitis.
vag aġġ., vague.
vaga v.t., ***jvaga;*** to be vacated, to become vacant.
vagabond n.m., pl. -i, vagabond, vagrant, tramp.
vagabondaġġ n.m., pl. -i, vagrancy.
vaganza n.f., pl. -i, holiday.
vagun n.m., pl. -i, wag(g)on, railway carriage, railway truck.
vajlora n.f., pl. -i, ferrule.
vakant aġġ., vacant.
vakanti aġġ., vacant.
valanga n.f., pl. -i, avalanche.
valdrappa ara **faldrappa**.
valent aġġ., active.
valerjana n.f., pl. -i, (bot.) valerian.
validament avv., validly, effectively.
validità n.f., (leg.) validity.
validu aġġ., (leg.) valid.
valiġġa n.f., pl. -i, mail, suit-case, trunk, valise.
vallata n.f., pl. -i, dale.
valoruż aġġ., brave, valorous, valiant.
valur n.m., pl. -i, value, valour, worth. **~ *nominali;*** nominal value. **~ *reali;*** real value.
valuta n.f., pl. -i, currency, money.
valutabbli aġġ., assessable.
valutazzjoni n.f., pl. -jiet, valuation, estimation, evaluation.
valv n.m., pl. -ijiet, (tek.) valve.
valvassur n.m., pl. -i, vavasour.
valvolari aġġ., valvular.
valvula n.f., pl. -i, valve.
valz n.m., pl. -i, (muż.) waltz.
vampa n.f., pl. -i, flame. **~ *waħda;*** aflame.
vampir n.m., pl. -i, vampire.
vampiriżmu n.m., pl. -i, vampirism.
van aġġ., vain, inane.
vanaglorja n.f., pl. -i, vainglory.
vandaliżmu n.m., pl. -i, vandalism.
vandalu n.m., pl. -i, vandal.
vanġelu n.m., pl. -i, gospel.
vanilja n.f., pl. -i, vanilla, (bot.) heliotrope.
vanità n.f., pl. -jiet, vanity.
vanituż aġġ., vain, conceited.
vann n.m., pl. -ijiet, van.
vantaġġ n.m., pl. -i, advantage.
vantaġġjuż aġġ., advantageous, favourable.
vapur n.m., pl. -i, steamer, ship. **~ *merkantili;*** merchant ship. **~ *sptar;*** hospital ship. **~ *ta' l-art;*** train. **~ *tal-gwerra;*** battleship. **~ *tat-tagħbija;*** cargo ship.
vara v.t., ***jvara;*** to launch.
vara n.f., pl. -i, statue.
variċella n.f., pl. -i, (med.) chicken-pox.
variċi n.f.pl., (med.) varix.
varikuż aġġ., varicose.
varja v.t., ***jvarja;*** to vary.
varjabbli aġġ., variable, changeable.
varjabilità n.f., pl. -jiet, variability.
varjazzjoni n.f., pl. -jiet, variation.
varjetà n.f., pl. -jiet, variety.
varju aġġ., various, varied.
varloppa n.f., pl. -i, plane.
vaska n.f., pl. -i, basin, pond. **~ *tal-ħut;*** fish-pond.
vaskulari aġġ., (anat.) vascular.
vassall n.m., pl. -i, vassal.
vast aġġ., vast, huge, wide, large, broad.
vastità n.f., pl. -jiet, vastness.
vat n.m., bla pl., value added tax (V.A.T.)
vavalor n.m., pl. -i, bib.
vavata n.f., pl. -i, childishness.
vawċer n.m., pl. -s, voucher.
vaż n.m., pl. -jiet, chamber pot.
vażelina n.f., pl. -i, (med.) vaseline.
vażett n.m., pl. -i, small vase.
vażun n.m., pl. -i, vase.
veduta n.f, pl. -i, view, sight.
veġetali aġġ., vegetal.
veġġent n.m., pl. -i, prophet.

velenożità n.f., bla pl., poisonousness.
velenu n.m., pl. -i, poison.
velenuż aġġ., poisonous.
velier n.m., pl. -i, (mar.) sailing-ship.
velja n.f., pl. -i, wake, vigil, (nocturnal devotion).
veljun n.m., pl. -i, masked ball.
veloċement avv., swiftly, quickly, rapidly.
veloċi aġġ., quick, rapid, swift, fast, speedy.
veloċipied n.m., pl. -i, velocipede, cycle, bicycle.
veloċità n.f., pl. -jiet, velocity, speed, swiftness, rapidity.
velu n.f., pl. -jiet, veil. ***ħadet il-~;*** to take the veil, to become a nun.
venali aġġ., venal.
venalità n.f., pl. -jiet, venality.
venda n.f., pl. -i, turn of work, bus terminus.
vendetta n.f., pl. -i, revenge, vengeance.
vendikattiv aġġ., vindicative, revengeful.
vendita n.f., pl. -i, (leg.) sale.
venditur n.m., f. -a, pl. -i, seller.
venerabbiltà n.f., bla pl., venerability.
venerabbli aġġ., (ekkl.) venerable.
venerat aġġ. u p.p., venerated, worshipped.
venerazzjoni n.f., pl. -jiet, veneration, worship.
venerju aġġ., (med.) venereal.
venewwa n.f., pl. -i, (ornit.) lapwing.
venjal n.m., pl. -i, (teol.) venial.
venjalità n.f., pl. -jiet, veniality.
vent n.m., pl. -i, guy.
ventalora n.f., pl. -i, weather-cook, fire-fan.
ventartal n.m., pl. -i, (ekkl.) altar-frontal.
ventilat aġġ., ventilated.
ventilatur n.m., pl. -i, ventilator.
ventilazzjoni n.f., pl. -jiet, ventilation.
ventriera n.f., pl. -i, belly-band, abdominal belt, body-belt.
ventriklu n.m., pl. -i, (anat.) ventricle.
ventrikulari aġġ., ventricular.
ventrilokwista n.kom., pl. -i, ventriloquist.
ventrilokwju n.m., pl. -i, ventriloquism.
ventrisk ara **puntal**.
ventura n.f., pl. -i, fortune.
venven v.kwad., ***jvenven;*** to hurl, to whiz, to shoot, to fling, to throw, to vibrate, to blow. ***isma' x-xita u xi jvenven ir-riħ;*** hear how the rain is falling and the wind is blowing.
venvin n.act., hurling, blustering.
verament avv., truly, really, certainly, indeed.
veranda n.f., pl. -i, veranda.
verb n.m., pl. -i, verb.
verbal n.m., pl. -i, (leg.) verbal.
verbalment avv., verbally.
verbena n.f., pl. -i, (bot.) verbain, verbena.
verbożità n.f., pl. -jiet, verbosity.
verbuż aġġ., verbose.
verdemar n.m., pl. -i, sea-green.
verdett n.m., pl. -i, (leg.) verdict.
verdirram n.m., bla pl., copper green colour, (kim.) verdigris.
verdun n.m., pl. -i, (ornit.) greenfinch, green linnet.
verġinali aġġ., virginal, maidenly.
verġinità n.f., bla pl., virginity.
verġni n.f., pl. id., virgin. ***il-~ Mqaddsa;*** the Blessed Virgin. ***art ~;*** virgin soil.
vergonja n.f., pl. -i, shame, disgrace.
verifika n.f., pl. -i, inspection, examination, verification.
verifikabbli aġġ., verificable.
verifikatur n.m., f. -a, -atriċi, pl. -i, verifier.
verifikazzjoni n.f., pl. -jiet, verification.
verità n.f., pl. -jiet, truth.
verme n.m., bla pl., (żool.) worm.
vermilju aġġ., vermilior.
vermiljun n.m., pl. -i, (kim.) vermilion.
vermut n.m., bla pl., vermouth.
vernakulu n.m., pl. -i, vernacular.
verniċ n.m., bla pl., varnish. ***ta l-~;*** to varnish. ***mogħti l-~;*** varnished.
vers n.m., pl. -i, ***vrus, vrejjes;*** verse, line.
versall n.m., pl. -i, target.
versett n.m., pl. -i, versicle.
versu prep., toward(s).
vèrtebra n.f., pl. -i, vertebra.
vertebrali aġġ., vertebral.
vertebrat aġġ., vertebrate.
vertiġni n.f., bla pl., (med.) giddiness, vertigo, dizziness.
vertikali aġġ., vertical.
vertikalment avv., vertically.
veru aġġ., true, real.
verulinju n.m., bla pl., the true cross (of Christ).
verżjoni n.f., pl. -jiet, version.
veskovat n.m., pl. -i, episcopate.
veskovili aġġ., episcopal.
vespertin n.m., pl. -i, (ornit.) kestrel.
vespri n.m., pl. (ekkl.) vespers, Evening Prayer.
vessatorju aġġ., (leg.) vexatious.
vessazzjoni n.f., pl. -jiet, vexation, oppression, imposition.
vestali aġġ. u n.f.pl., vestals. ***il-~;*** the vestal virgins.
vestibolu n.m., pl. -i, vestibule.

vestizzjoni n.f., pl. -jiet, (ekkl.) investiture (ceremony of taking the religious habit).
vestwarju n.m., pl. -i, vesture, clothes.
veteran n.m., pl. -i, veteran.
veterenarju n.m., pl. -i, veterinary surgeon, veterinary.
veto n.m., bla pl., veto.
vetrata n.f., pl. -i, glass window.
vetrina n.f., pl. -i, show window.
vettura n.f., pl. -i, vehicle, carriage.
vezzeġġattiv aġġ., (gram.) fondling.
vġili n.m., pl. id., eve, vigil.
vibrazzjoni n.f., pl. -jiet, vibration.
viċi n.kom., pl. -jiet, vice. ~ ***armirall;*** Vice-Admiral. ~ ***direttur;*** assistant manager. ~ ***ġerent;*** vice-gerent. ~ ***kanċillier;*** vice-chancellor. ~ ***parroku;*** assistant parish priest. ~ ***konslu;*** vice-consul. ~ ***legat;*** deputy legate. ~ ***patrijarka;*** vice-patriarch. ~ ***prefett;*** sub-prefect. ~ ***president;*** vice-president, vice chairperson. ~ ***re;*** viceroy. ~ ***reġġent;*** vice-regent. ~ ***rettur;*** vice-rector. ~ ***segretarju;*** under secretary.
viċin aġġ., near, nearby.
viċinanza n.f., pl. -i, nearness, closeness, vicinity.
viġenti aġġ., (leg.) in force. ***liġi ~;*** existing law.
viġilant aġġ., vigilant.
viġilatur n.m., f. -atriċi, pl. -i, vigilator.
viġilanza n.f., pl. -i, vigilance.
vigarjat n.m., pl. -i, vicariate, vicar's office.
vigarju n.m., pl. -i, (ekkl.) vicar.
vigoruż aġġ., vigorous.
vijabbli aġġ., viable.
vikolu n.m., pl. -i, lane, alley.
vili aġġ., mean, vile, villainous.
viljakk aġġ., sly, cunning, cowardly, bastard.
viljakkerija n.f., pl. -i, cowardice, vileness.
villa n.f., pl. ***vilel;*** villa.
villaġġ n.m., pl. -i, village.
villan n.m., pl. -i, villain.
villeġġant n.m., pl. -i, holiday maker, summer maker, summer visitor.
villeġġjatura n.f., pl. -i, seaside resort, summer resort.
vilment avv., vilely.
viltà n.f., pl. -jiet, meanness, cowardice.
vina n.f., pl. -i, (med.) vein.
vinatura n.f., pl. -i, veining.
venuż aġġ., venous.
vinċa v.t., ***jvinċi;*** to overcome.
vinċibbli aġġ., conquerable, vanquishable, vincible.
vinja n.f., pl. -i, grapery, vineyard.
vìpera n.f., pl. -i, (żool.) adder, viper.
vira v.t., ***jvira;*** (mar.) to tack, to heave.
virata n.f., pl. -i, (mar.) tacking.
virdun ara **verdun**.
virga n.f., pl. ***vireg;*** rod, bar, cane, stick. ~ ***maġika;*** magician's wand.
virgola n.f., pl. -i, comma.
virili aġġ., manly, virile.
virilità n.f., bla pl., manliness, virility.
virtù n.f., pl. -jiet, virtue. ~ ***kardinali;*** cardinal virtue. ~ ***teologali;*** theological virtue.
virtuż aġġ., virtuous.
virtwali aġġ., virtual.
virtwalment avv., virtually.
visk n.m., pl. -i, viscose.
viskonti n.m., f. -essa, pl. -jiet, viscount.
viskożità n.f., pl. -ijiet, viscosity.
vista n.f., pl. -i, sight, eyesight, visit. ~ ***tajba;*** good sight. ~ ***qasira;*** short sight.
vistu n.m., pl. -i, mourning.
vistuż aġġ., in mourning, in mourning clothes.
vit n.m., pl. -i, -ien, -ijiet, screw. ~ ***ta' l-ilma;*** water tap, cock.
vitali aġġ., vital.
vitalizju aġġ., (leg.) life long, life annuity.
vitamina n.m., pl. -i, vitamin.
vitamoloġija n.f., pl. -i, vitamology.
vitella n.f., pl. -i, (żool.) veal, calf. ***laħam tal-~;*** veal.
vitellin n.m., pl. -i, calf leather, cowhide.
vitrar n.m., f. u pl. -a, glass-maker, glass-blower, glass manufacturer, glazier, glass-dealer.
vitrijol n.m., pl. -i, (kim.) vitriol.
vittma n.f., pl. -i, victim.
vittorja n.f., pl. -i, victory.
vittorjuż aġġ., victorious.
viva inter., long live, hurrah.
vivaċi aġġ., lively, brisk, sprightly, vivacious.
vivaċità n.f., bla pl., liveliness, briskness, vivacity.
vivandier n.m., f. u pl. -a, sutler, canteen-keeper.
viviparu n.m., pl. -i, (żool.) viviparous.
vixxri n.m.pl., (med.) viscera, intestines, bowels.
vizzjat aġġ., vicious, immoral, depraved.
vizzju n.m., pl. -i, vice, depravity, bad habit.
vizzjuż aġġ., corrupt, depraved, vicious.
viża n.f., pl. -i, visa.
viżibbli aġġ., visible.
viżibilju n.m., bla pl., great number.

viżibilment avv., visibly.
viżibiltà n.f., pl. -jiet, visibility.
viżiera n.f., pl. -i, visor, vizor, beaver.
viżikant n.m., pl. -i, (med.) vesicant, blistering plaster.
viżir n.m., pl. -i, vizier.
viżita ara **vista**.
viżitatur n.m., f. -a, pl. -i, visitor.
viżitazzjoni n.f., pl. -jiet, visitation. ***~ tal-Madonna;*** the Visitation.
viżjonarju n.m., f. -a, pl. -i, visionary.
viżjoni n.f., pl. -jiet, vision.
viżta n.f., pl. -i, visit. (ara "vista" wkoll) ***biljett-~;*** visiting card.
viżwali aġġ., visual.
viżwalment avv., visually.
vjadott n.m., pl. -i, viaduct.
vjaġġ n.m., pl. -i, journey, voyage, trip.
vjaġġatur n.m., pl. -i, traveller, passenger.
vjal n.m., pl. -i, avenue.
vjatku n.m., pl. -i, (ekkl.) viaticum.
vjeġġ n.m., pl. -i, cartage.
vjola n.f., (muż.) viola, (bot.) violet.
vjolabbli aġġ., violable.
vjolabilità n.f., bla pl., violability.
vjolazzjoni n.f., pl. -jiet, violation.
vjolenti aġġ., violent.
vjolenza n.f., pl. -i, violence.
vjolin n.m., pl. -i, (muż.) violin, (itt.) guitar-fish.
vjolinċell n.m., pl. -i, (muż.) cello.
vjolinċellist n.kom., pl. -i, violincellist.
vjolinista n.kom., pl. -i, violinist.
vleġġa n.f., pl. ***vleġeġ;*** arrow, dart.
vlontin n.m., pl. -i, twine.
vodvill ara **vudvill**.
voga n.f., bla pl., vogue. ***in ~;*** in vogue.
vogavant n.m., pl. -i, bow oar of a galley.
vojt n.m., bla pl., emptiness.
vojt aġġ., empty, void, vacant.
vojtizza n.f., bla pl., inanity.
vokabblu n.m., pl. -i, vocable.
vokabbolarista n.kom., pl. -i, lexicographer.
vokabbolarju n.m., pl. -i, vocabulary, dictionary.
vokali n.f., pl. id., vowel, vocal.
vokaliku aġġ., vocalic.
vokalizzazzjoni n.f., pl. -jiet, vocalization.
vokalment avv., vocally, orally.
vokat aġġ., having a religious vocation.
vokattiv aġġ., (gram.) vocative.
vokazzjoni n.f., pl. -jiet, vocation, call.
volja n.f., pl. -i, will, desire, wish.
volontà n.f., pl. -jiet, will, volition.
volontarjament avv., voluntarily, willingly.
volontarju aġġ. u n.m., f. -a, pl. -i, volontary.
volontier n.m., f. -a, pl. -i, volunteer.
volpi n.m., pl. -jiet, (żool.) fox.
volt n.m., pl. -s, (eletr.) volt.
volta n.f., pl. -i, turn.
voltaġġ n.m., pl. -i, (eletr.) voltage.
voltmetru n.m., pl. -i, (eletr.) voltmeter.
volubbiltà n.f., pl. -jiet, inconstancy, fickleness.
volubbli aġġ., inconstant, flighty, fickle.
volum n.m., pl. -i, volume.
volumetriku aġġ., volumetric.
volumetru n.m., pl. -i, volumeter.
voluminuż aġġ., voluminous.
voluntier ara **volontier**.
voluta n.f., pl. -i, (ark.) volute, scroll.
voluttà n.f., pl. -jiet, voluptuousness, sensuality.
voluttwarju n.m., f. -a, pl. -i, voluptuary.
vomitatur n.m., f. -a, pl. -i, vomiter.
vomitorju aġġ., vomitory.
vomittiv aġġ., (med.) emetic.
vomtu n.m., pl. -i, vomit.
vopa n.f., pl. -iet, pl. -i, (itt.) bogue.
vot n.m., pl. -i, vote, suffrage, vow. ***kaxxa tal-voti;*** ballot-box.
votant n.m., pl. -i, voter.
votat aġġ. u p.p., approved, voted on.
votazzjoni n.f., pl. -jiet, voting, polling.
votiv aġġ., votive.
vroma n.f., pl. -i, complete failure, utter failure.
vuċi n.f., pl. -jiet, voice.
vudvill n.m., pl. -i, vaudeville.
vulgari aġġ., vulgar.
vulgarità n.f., pl. -jiet, vulgarity.
Vulgata n.f., bla pl., (ekkl.) Vulgate.
vulkan n.m., pl. -i, (ġeol.) volcano.
vulkaniku aġġ., volcanic.
vulkanista n.kom., pl. -i, vulcanist.
vulkanizzatur n.m., pl. -i, vulcanizer.
vulkanizzazzjoni n.f., pl. -jiet, vulcanization.
vulnerabbilità n.f., bla pl., vulnerability.
vulnerabbli aġġ., vulnerable.
vulva n.f., pl. -i, (anat.) vulva.
vulvarju n.m., pl. -i, vulvar.
vulvite n.f., bla pl., (med.) vulvitis.

W, w ***is-sebgħa u għoxrin ittra ta' l-alfabet Malti u t-tnejn u għoxrin waħda mill-konsonanti;*** the twenty seventh letter of the Maltese alphabet and the twenty second of the consonants.
wadab n.m., pl. ***udab;*** sling.
waddab v.II, ***jwaddab;*** to sling, to fling, to throw, to cast, to hurl.
waddàb n.m., f. u pl. -a, slinger.
waġa' v.I, ***juġa';*** to ache.
waġġa' v.II, ***jwaġġa';*** to inflict pain, to hurt someone, to mortify, to offend, to afflict, to hurt oneself. ***kliemu waġġagħni;*** his words hurt me.
waħam n.m., pl. ***waħmiet;*** longing, earnest desire.
waħd aġġ., alone.
waħda aġġ., one. ~ ***waħda;*** one by one.
waħda aġġ., only, unique, sole.
waħda, waħdek, waħdu aġġ., alone, lonely.
waħdanija aġġ., singularity, unity.
waħdien aġġ., singular, only, solitary, retired, lonely.
waħħad v.II, ***jwaħħad;*** to unify, to render single, to join together.
waħħàd n.m., pl. -a, unifier.
waħħal v.II, ***jwaħħal;*** to stick, to fix to, to unite, to join together. ~ ***fi;*** to inculpate, to blame.
waħħàl n.m., f. u pl. -a, one who joins or unites.
waħħàl aġġ., sticky, clammy, viscous.
waħħar v.II, ***jwaħħar;*** to be slow, to delay, to do something late, to procrastinate, to put off or differ.
waħħar n.m., f. u pl. -a, procrastinator.
waħħari aġġ., tardy, slow, late, lingering, backward.
waħħax v.II, ***jwaħħax;*** to terrify, to excite horror.
waħħaxi aġġ., timorous, dreadful.
waħwaħ v.kwad., ***jwaħwaħ;*** to howl with pain, to speak hoarsely, to utter.
waħwiħ n.act., hoarseness, howling, groaning.
waħx n.m., pl. ***uħux;*** ogre.
waħxa aġġ., terrifying.
wajer n.m., pl. -s, wire.
wajper n.m., pl. -s, wiper.
waqa' v.I, ***jaqa';*** to fall. ~ ***f'nassa;*** to fall into a snare. ~ ***fil-ġenn;*** to go mad. ~ ***f'idejn;*** to fall into one's hands, to fall into someone's power, influence. ~ ***fuq;*** to inherit, to succeed to. ~ ***fuq xi ħadd;*** to have recourse to. ~ ***għalih;*** to submit. ~ ***kobba;*** to fall flat on one's face. ~ ***marid;*** to fall sick.
waqaf v.I, ***jieqaf;*** to stand up, to get up, to stop, to stay. ~ ***lil;*** to oppose, to object to. ~ ***ma';*** to help, to assist.
waqfa n.f., pl. -iet, rest, stop, pause.
waqgħa n.f., pl. -t, fall, falling.
waqqaf v.II, ***jwaqqaf;*** to set up, to raise, to erect, to stop.
waqqâf n.m., f. u pl. -a, raiser, erector, helper, protector.
waqqa' v.II, ***jwaqqa';*** to precipitate, to throw down, to fling headlong, to overthrow. ~ ***fid-dnub;***to cause one to sin.
waqt n.m., pl. -iet, instant, point, time. ***dal ~;*** now, just, just now. ***fil-~;*** in due time. ***ġie ~;*** sometimes.
waqwaq v.kwad., ***jwaqwaq;*** to gaggle.
wara prep. u avv., behind, after, afterwards. ~ ***li;*** when, after.
waranijiet avv., backwards, back.
warant n.m., pl. -s, warrant.
warda n.f., pl. -iet, koll. ***ward;*** rose, flower. ~ ***tal-passjoni;*** passion flower. ~ ***tax-xemx;*** sunflower.
wardi aġġ., rosy, flowery, rose-coloured, roseate.
wardija n.f., pl. -iet, guard.
warrab v.II, ***jwarrab;*** to make room, to give place, to withdraw, to remove oneself, to lay aside.
warrad v.II, ***jwarrad;*** to flower, to blossom, to bloom.
warrâd n.m., f. u pl. -a, florist.
warrani aġġ., posterior. ***il-~;*** the past.
wasa' v.I, ***jasa';*** to contain, to hold.
wasa' aġġ., ample, large, wide.
wasa' n.f., bla pl., space.

wasal v.I, *jasal;* to arrive, to reach, to come to. *~ il-bieraħ minn Londra;* he arrived yesterday from London.
wasla n.f., pl. -iet, arrival, coming. *~ ta' moħriet;* pole, plough-beam.
wassa' v.II, *jwassa';* to widen, to broaden, to enlarge, to amplify, to dilate.
wassal v.II, *jwassal;* to convey, to lead, to conduct, to escort. *it-toroq kollha jwasslu għal Ruma;* all roads lead to Rome.
wassâl n.m., f. u pl. -a, leader, guide, deliverer. *~ l-aħbarijiet;* reporter, relator.
watar n.m., pl. *utar;* catgut.
wati aġġ., plain, even.
watta n.f., pl. -iet, cotton wadding, padding.
watwat v.kwad., *jwatwat;* to hoot.
ważab v.I, *jażab;* to flow down.
ważi n.m., pl. -jiet, oasis.
webbel v.II, *jwebbel;* to prompt, to suggest.
webben v.II, *jwebben;* to adopt.
webbes v.II, *jwebbes;* to harden. *~ rasu;* to grow obstinate, to be obstinate, to be stubborn.
wedwed v.kwad., *jwedwed;* to echo.
weġġaħ v.II, *jweġġaħ;* honour, to venerate, to glorify.
weġġieħ n.m., f. u pl. -a, he that honours glorifier.
weġgħa n.f., pl. -t, pain.
weġgħan aġġ., f. u pl. -in, grieved, sorrowful, doleful, afflicted.
wegħda n.f., pl. -iet, vow, promise.
wegħied n.m., f. u pl. -a, promiser.
weħel v.I, *jeħel;* to be joined, to get stuck.
weħla n.f., pl. -iet, sticking, fixing to, a delaying.
wejla n.f., pl. -iet, (mar.) whaler.
wejter n.m., waiter, (f. waitress).
wekka v.II, *jwikki;* to saddle.
welder n.m., pl. -s, welder.
wella v.II, *jwilli;* to renounce, to cede, to turn over, to give up possession (of).
welled v.II, *jwelled;* to assist a woman in childbirth.
wellieda n.f., bla pl., midwife.
wemmen v.II, *jwemmen;* to make one believe.
wemmien n.m., f. u pl. -a, believer.
wennes v.II, *jwennes;* to keep one company.
wennies n.m., f. u pl. -a, companion.
wens n.m., bla pl., company.
wensi aġġ., inhabited, a frequented place.
wera v.IV, *juri;* to show, to demonstrate. *b'għemilu ~ kif għandha tkun l-imġiba tajba;* by his deeds he demonstrated what good behaviour should be. *~ ħaġa b'oħra;* to dissimulate. *~ ruħu;* to show oneself, to present oneself. *~ snienu;* to be daring.
werċ aġġ., squint-eyed.
werden v.kwad., *jwerden;* to hum, to grumble, to mutter, to grow full of beetles.
werqa n.f., pl. -iet, koll. *weraq;* (bot.) leaf, foliage.
werraq v.II, *jwerraq;* to come into leaf, to break into leaf, to bear leaves.
werreċ v.II, *jwerreċ;* to make one squint-eyed.
werrej n.m., f. u pl. -ja, demonstrator, table of contents, index.
werrek v.II, *jwerrek;* to walk lame, to break the thigh.
werret v.II, *jwerret;* to bequeath, to cause one to inherit.
werrex v.II, *jwerrex;* to slap.
werrieqi aġġ., leafy.
werriet n.m., f. u pl. -a, heir.
werwer v.kwad., *jwerwer;* to terrify, to shrill, to whiz, to dumbfound.
werżaq v.kwad., *jwerżaq;* to scream, to shrill, to whiz, to creak.
werżieq n.m., pl. *wrieżaq;* (żool.) cricket. *~ ta' binhar;* cicada.
werżieqi aġġ., shrill.
wessiegħ n.m., f. u pl. -a, enlarger.
weswes v.kwad., *jweswes;* to speak in a low voice.
wetqa n.f., pl. -iet, firmness, steadiness, confirmation.
wett n.m., pl. *wtut;* (żool.) ram.
wettaq v.II, *jwettaq;* to strengthen, to fortify, to invigorate, to confirm, to implement.
wettieq n.m., f. u pl. -a, fortifier, confirmer.
wexwex ara **weswes**.
weżweż v.kwad., *jweżweż;* to say one's prayers aloud.
weżwieq n.m., f. u pl. -a, bigot, hypocrite, devotee.
wħajdiet n.f., bla pl., (logħ.) hide and seek.
wiċċ n.m., pl. *uċuħ;* face. *~ bil-buri;* long face. *~ bil-geddum;* long face. *~ ikrah;* ugly face. *~ tost;* saucy.
wiċċa n.f., pl. *wiċeċ;* mask.
widaħ n.m., bla pl., ear-wax.
widba n.f., pl. -iet, admonition, admonishment.
widdeb v.II, *jwiddeb;* to admonish, to warn, to advise.

widden v.II, ***jwidden;*** to eavesdrop.
widdieb n.m., f. u pl. -a, admonisher, monitor, mentor.
widdien n.m., pl. -a, muezzin.
widek n.m., bla pl., corruption, pus, rot, fat or greasy substance.
widen n.act., hearing. ***ta ~;*** to hearken, to give ear to, to listen to.
widna n.f., pl. ***widnejn;*** ear. ***widnet il-ġurdien;*** (bot.) scorpion-grass.
wied n.m., pl. ***widien;*** valley, torrente.
wieġeb v.III, ***jwieġeb;*** to answer.
wiegħed v.III, ***jwiegħed;*** to promise, to give hope.
wiegħer v.III, ***jwiegħer;*** to make hard, to make difficult, to hinder, to disturb, to create confusion.
wieħed aġġ., one.
wieħed n.m., bla pl., some, somebody, individual. ***l-istess ~;*** the same. ***kull ~;*** everyone. ***wieħed ~;*** one by one.
wieled v.III, ***jwieled;*** to give birth.
wieqaf aġġ., right, standing, straight, upright, erect, still, stopped, acclivous.
wiesa' aġġ., wide.
wieta v.III, ***jwieti;*** to benefit.
wieżen v.III, ***jwieżen;*** to support, to prop.
wikka ara **wekka**.
wikkel v.II, ***jwikkel;*** to make one eat.
wikkiel n.m., f. u pl. -a, glutton, gormandizer.
wild n.m., f. -t, pl. ***ulied;*** son, child, birth, offspring.
wilda n.f., pl. -iet, delivery, birth, litter.
wiled v.I, ***jiled;*** to beget, to give birth to, to litter.
wilġa n.f., pl. -iet, a large field, a large tract of land.
willa ara **wella**.
winċ n.m., pl. -ijiet, winch.
windskrin n.m., pl. -s, windscrren.
wirdiena n.f., pl. -iet, koll. ***wirdien;*** (żool.) beetle, cockroach.
wiret v.I, ***jiret;*** to inherit.
wiri n.act., showing, demonstration, exhibition. ***bil-~;*** openly.
wirja n.f., pl. -iet, show, demonstration, exhibition. ***~ ta' l-arti;*** art exhibition. ***~ tal-fjuri;*** flower show.
wirk n.m., pl. ***uriek;*** thigh.
wirt n.act., inheritance, heritage.
wisa' n.f., pl. -t, wideness, largeness, extension, extent.
wiski n.m., pl. -s, whisky.
wisq aġġ. u avv., too much, too many, greatly. ***bil-~;*** very much, greatly.
wissa v.II, ***jwissi;*** to command, to order, to charge, to admonish, to advise, to warn, to reprimand.
wissej n.m., f. u pl. -a, admonisher.
wistani aġġ., middle, middling.
wita n.f., pl. -t, a plain.
wited n.m., pl. ***utied;*** peg.
witi n.m., bla pl., levelling, benefit, relief.
witta v.II, ***jwitti;*** to level.
witwet n.m., pl. ***wtiewet;*** (żool.) he goat.
wixx n.m., bla pl., prosperity.
wiżeb v.I, ***jiżeb;*** to flow down.
wiżen v.I, ***jiżen;*** to weigh, to ponder, to examine attentively, to consider attentively.
wiżgħa n.f., pl. -t, (żool.) gecho. ***~ tal-baħar;*** spotted dragonet.
wiżna n.f., pl. -iet, a weight of five rotoli.
wiżża n.f., pl. -iet, koll. ***wiżż;*** goose.
wiżżien n.m., f. u pl. -a, weigher.
woċmen n.m., pl. -s, watchman.
wott n.m., pl. -s, (eletr.) watt.
woxer n.m., pl. -s, washer.

X,x ***it-tmienja u għoxrin ittra ta' l-alfabett Malti u t-tlieta u għoxrin waħda mill-konsonanti;*** the twenty eighth letter of the Maltese alphabet and the twenty third of the consonants.
x', xi part., what?
xaba' v.I, ***jixba';*** to satiate oneself, to be fed up, to annoy. ***malajr nixba' bil-ħobż;*** I am soon satiated with bread. ~ ***ġej u sejjer għand it-tabib;*** he got fed up going frequently to the doctor.
xaba' n.act., satiety, abundance. ***bix-~;*** in abundance, abudantly. ***bla ~;*** insatiable.
xabba' v.II, ***jxabba';*** to satiate, to fed up, to abound, to be plentiful, to be weary, to annoy, to bore. ***xebbagħni nisma' l-kliem fieragħ tiegħu;*** he bored me to death with his foolish talk.
xabbat v.II, ***jxabbat;*** to cause to climb, to creep up.
xabbât n.m., f. u pl. -a, climber.
xabla n.f., pl. ***xwabel;*** sabre, sword, (itt.) scabbard-fish.
xablott n.m., pl. -i, (mil.) dirk, dagger, cutlass.
xabò n.m., pl. -jiet, frill.
xadin n.m., pl. -i, (żool.) monkey, ape.
xaffar v.II, ***jxaffar;*** to sharpen.
xafra n.f., pl. ***xfafar;*** blade.
xaft n.m., pl. -s, shaft.
xagurat aġġ., unlucky.
xagħat n.m., pl. ***xgħat;*** (żool.) caterpillar.
xagħba n.f., pl. -iet, murmur, whispering, sussuration, rumour.
xagħra n.f., pl. -iet, koll. ***xagħar;*** hair, heath, moor, barren land.
xagħri aġġ., hairy, heathy, capillary.
xagħtra n.f., pl. -iet, koll. ***xagħtar;*** (bot.) St John's wort.
xagħtri aġġ., barren, sterile.
xahar n.m., pl. ***xhur;*** month.
xahri aġġ., monthly.
xaħam n.m., f. -a, pl. -iet, koll. ***xħum;*** lard, fat, grease, bribery. ~ ***tad-dam;*** tallow.
xaħat v.I, ***jixħat;*** to damage, to ruin.
xaħħ v.I, ***jxeħħ;*** to be stingy, niggardly.
xaħħaħ v.II, ***jxaħħaħ;*** to be very parsimonious.
xaħħam v.II, ***jxaħħam;*** to grease, to bribe, to oil one's hand.
xaħħâm n.m., f. u pl. -a, greaser, briber.
xaħħat v.II, ***jxaħħat;*** to becreave..
xaħħieħ n.m., f. u pl. -a, he who spends thriftily.
xaħma n.m., pl. -iet, a piece of lard, of fat.
xaħma aġġ., slow, lingering.
xaħmet l-art n.m., bla pl., (żool.) skink.
xaħmi aġġ., fatty.
xaħta n.f., pl. -iet, desolation, dearth, scarsity, penury.
xaħxaħ v.kwad., ***jxaħxaħ;*** to appease, to make one drowsy.
xaħxieħ n.m., f. u pl. -a, he who makes one feel drowsy.
xaħxieħa n.f., pl. -iet, koll. ***xaħxieħ;*** (bot.) poppy.
xaħxiħ n.act., drowsiness, sleepiness.
xajjaħ aġġ., greedy.
xajtan v.kwad., ***jxajtan;*** to invoke the devil in swearing.
xakall n.m., pl. -i, (żool.) jackal.
xakkatura n.f., pl. -iet, stringing.
xal ara **xiel**.
xalar n.act., amusement, merry making.
xalata n.f., pl. -i, picnic.
xalatura n.m., f. -a, pl. -i, reveller.
xall n.f., pl. -ijiet, shawl.
xaluppa n.f., pl. -i, (mar.) shallop.
xama' n.m.koll., wax.
xambekk n.m., pl. ***xniebek;*** (mar.) xabek.
xamm v.I, ***jxomm;*** to smell, to have a presentment.
xamm n.act., the smelling, the act of smelling.
xamma n.f., pl. -iet, hint, presentment.
xammar v.II, ***jxammar;*** to tuck, to lap. ~ ***il-kmiem;*** to tuck up one's sleeves.
xammem v.II, ***jxammem;*** to cause one to smell.
xammej n.m., f. u pl. -ja, smeller.
xampanja n.f., pl. -i, champagne.
xampù n.m., pl. -s, shampoo.
xana' v.I, ***jixna';*** to defame, to calumniate.

xandar v.kwad., ***jxandar;*** to divulge, to publish, to broadcast, to spread news.
xandâr n.m., f. u pl. -a, divulger, publisher, broadcaster, announcer.
xandir n.act., broadcasting, publication, transmission.
xappap v.II, ***jxappap;*** to dip.
xaq v.I, ***jxuq;*** to wish.
xaqfa n.f., pl. -iet, chamber pot.
xaqleb v.kwad., ***jxaqleb;*** to divert.
xaqliba n.f., pl. -iet, slope, declivity.
xaqq v.I, ***jxoqq;*** to cut, to incise, to cleave, to slit, to split. ***~ il-għaraq;*** to sweat, to perspire.
xaqq n.m., pl. ***xquq;*** crevice, slit, cleft, rift, fissure. ***~ ta' tama;*** a ray of hope.
xaqqaq v.II, ***jxaqqaq;*** to cut, to make an incision, to weave cloth.
xaqqufa n.f., pl. -iet, koll. ***xaqquf;*** potsherd.
xaqra aġġ., ruddy.
xarabank n.m., pl. -s, charabanc.
xarada n.f., pl. -i, charade.
xarba n.f., pl. -iet, drink, drinking bout, draught.
xarbitelli n.m.pl., trifles, implements.
xarja n.f., pl. -iet, brawl, squabble, quarrel. ***għamel ~;*** to brawl, to squabble, to quarrel.
xarpner n.m., pl. -s, pencil-sharpener.
xarrab v.II, ***jxarrab;*** to macerate, to soak, to steep, to wet, to drench.
xarrâb n.m., f. u pl. -a, drencher, heavy drinker.
xarraf v.II, ***jxarraf;*** to harden.
xarrax v.II, ***jxarrax;*** to make whey.
xarruba n.f., pl. -iet, soup.
xarxar v.kwad., to flow.
xatar aġġ., uneven.
xatba n.f., pl. ***xtabi;*** harrow, drag, gate.
xater n.m., pl. -s, shutter.
xatka n.f., bla pl., (med.) sciatica.
xatra aġġ., unevenness.
xatt n.m., pl. ***xtut;*** shore, sea coast, strand. ***~ ta' xmara;*** river bank. ***max-~ ix-~;*** along the shore.
xattab v.II, ***jxattab;*** to harrow.
xattàb n.m., f. u pl. -a, harrower.
xattar v.II, ***jxattar;*** to make unequal.
xattdawn aġġ., shut down.
xawer n.m., pl. -s, shower-bath.
xawwat v.II, ***jxawwat;*** to scorch, to singe, to scald.
xawwel v.II, ***jxawwel;*** to wander.
xawwiel n.m., f. u pl. -a, wanderer.
xażi n.m., pl. -s, -ijiet, chassis.
xbejba n.f., pl. -iet, maiden, virgin.
xbieha n.f., pl. ***xbihat;*** image, resemblance, likeness, portrait, similitude.
xbiek n.m., pl. ta' ***xibka;*** fowling net.
xbin n.m., pl. ***xbejjen;*** godfather.
xbint n.f., pl. ***xbejjen;*** godmother.
xbubi aġġ., virginal, virgin.
xbubija n.f., bla pl., adolescence, youth, virginity.
xdedija n.f., bla pl., costiveness, constipation.
xdid aġġ., costive, thick, close-fisted, niggard, covetous.
xdidi aġġ., costive, astringent, styptic.
xdidija n.f., pl. -t, costiveness.
xebah v.I, ***jixbah;*** to resemble, to be like.
xebb aġġ., unmarried, single.
xebb n.m., f. -a, pl. ***xbub;*** youth.
xebb n.m.koll., (min.) alum. ***~ il-ġmiel;*** (min.) rock alum.
xebba n.f., pl. -iet, maiden, girl, virgin.
xebba aġġ., nubile, marriageable.
xebba' ara **xabba'**.
xebbeh v.II, ***jxebbeh;*** to liken, to compare.
xebbek v.II, ***jxebbek;*** to mesh, to lay or spread nets.
xebbieh n.m., f. u pl. -a, he who compares, portrait-painter.
xebbiehi aġġ., comparable.
xebbiek n.m., f. u pl. -a, net maker.
xebeh v.I, ***jixbeh;*** to resemble, to be like.
xebh n.act., resemblance, likeness, comparison, similitude.
xebgħa n.f., pl. -t, satiety, abundance, plenty, a blow with a stick.
xebgħan aġġ., satiated, satisfied. ***~ minn;*** tired, weary.
xeblek v.kwad., ***jxeblek;*** to contort, to twist, to twine, to intertwine.
xeblik n.act., twining, twisting.
xedaq n.m., pl. ***ixdqa, xdieq;*** jaw, maxilla. ***tax-~;*** maxillary.
xedd v.I, ***jxidd;*** to saddle, to dress, to clothe, to render costive, to corroborate, to strengthen, to dress oneself, to become hard. ***xeddet libsa ġdida;*** she wore a new dress.
xedd n.act., dressing, dress.
xedda n.f., pl. -t, constipation, costiveness.
xedded v.II, ***jxedded;*** to put on clothes.
xefaq n.m., pl. ***xfieq;*** horizon.
xeff n.m., pl. -ijiet, chef, head-cook.
xeffef v.II, ***jxeffef;*** to pout.
xeffer v.II, ***jxeffer;*** to sharpen, to whet.
xefqi aġġ., horizontal.
xegħeb v.I, ***jixgħeb;*** to stun. ***kif smajt din l-aħbar ħażina ħassejtni mixgħub;***

when I heard the bad news I was stunned.
xegħel v.I, ***jixgħel;*** to kindle, to light, to illume, to illuminate, to switch on, to raise or stir up a rebellion, to take fire, to grow warm, to boil with anger, to rebel, to rise (against). ***~ id-dawl tas-sala;*** he switched on the hall lights.
xegħil n.act., kindling, occupation, employment.
xegħta n.f., pl. -t, aridity, dryness, drought.
xeha v.I, ***jixhi;*** to desire, to wish.
xehba aġġ., grey.
xehda n.f., pl. -iet, comb, honeycomb.
xehed v.I, ***jixhed;*** to testify, to give evidence, to depose. ***kien imsejjaħ biex jixhed;*** he was summoned to testify.
xeher v.I, ***jixher;*** to cry aloud, to divulge, to publish.
xehja n.f., pl. -iet, desire, will.
xehra n.f., pl. -iet, shrill cry, noisy cry.
xehwa n.f., pl. -iet, longing, birthmark, mole.
xeħet v.I, ***jixħet;*** to throw, to cast, to fling, to shed. ***dan il-kliem ~ ftit dawl fuq il-każ;*** these words shed some light on the matter.
xeħħa n.act., avarice, greediness.
xeħta n.f., pl. -iet, thrown, cast.
xejb n.act., grey hair, senescence, old age.
xejbieni aġġ., senile, hoary.
xejd n.m., pl. -s, -ijiet, shade.
xejjaħ v.II, ***jxejjaħ;*** to cause one to grow old.
xejjef v.II, ***jxejjef;*** to bore with an awl.
xejjen v.II, ***jxejjen;*** to annihilate, to reduce to nothing.
xejjer v.II, ***jxejjer;*** to swing, to wave, to vibrate. ***~ il-maktur bħala merħba;*** he waved his handkerchief as a sign of welcome.
xejjet v.II, ***jxejjet;*** to card.
xejjien n.m., f. u pl. -a, annihilator.
xejn n.m., u avv., nothing.
xejp n.m., pl. -s, -ijiet, shape.
xeħta n.f., pl. -iet, appearance.
xelter n.m., pl. -s, shelter.
xekk v.I, ***jxikk;*** to thrust into, to examine minutely.
xekkek v.II, ***jxekkek;*** to pierce with an awl, to wander about.
xekkel v.II, ***jxekkel;*** to shackle, to fetter, to hinder, to stop, to impede.
xekkiek n.m., f. u pl. -a, vagabond, vagrant, wanderer, rambler.
xekkiel n.m., f. u pl. -a, shackler, hinderer.
xela v.I, ***jixli;*** to accuse, to spy, to indict.
xelin n.m., pl. -i, shilling.
xellef v.II, ***jxellef;*** to notch, to blunt.
xellej n.m., f. u pl. -a, accuser, spy.
xellel v.I, ***jxellel;*** to tack, to baste.
xelleraġni n.f., bla pl., wickedness.
xellerat aġġ., flagitious, evil, wicked, cruel.
xellug aġġ. u n.m., pl. -in, left.
xellugi aġġ., left-handed.
xelt aġġ., (well) chosen, selected.
xelter n.m., pl. -s, shelter.
xema' n.m.koll., candles, wax.
xemaq v.I, ***jixmoq;*** to scrounge.
xemgħa n.m., pl. -t, candle, candle-stick.
xemmex v.II, ***jxemmex;*** to insolate, to sun, to expose to the sun.
xemmiegħ n., f. u pl. -a, chandler.
xemmiex n.m., f. u pl. -a, one who dries in the sun.
xemnaq v.kwad., ***jxemnaq;*** to despise, to undervalue, to debase the value.
xemnieq n.m., f. u pl. -a, despiser.
xempju n.m., pl. -i, sample, model, exemplar.
xemx n.f., pl. ***xmux;*** sun. ***ħaditu x-~;*** sunburned.
xemxata n.f., pl. -i, sunstroke.
xemxi aġġ., sunny, solar.
xena v.I, ***jixni;*** to hate.
xena n.f., pl. -i, scene.
xenarju n.m., pl. -i, stage, scenary.
xenata n.f., pl. -i, row.
xendi n.m., f. -ja, pl. -in, dwarf, pygmy.
xengel v.kwad., ***jxengel;*** to joggle, to noddle, to topple, to cause to totter or reel.
xenguli aġġ., tottering, noddling.
xennaq v.II, ***jxennaq;*** to incite a desire, to arouse a longing, to allure.
xenografija n.f., pl. -i, scenography.
xenografiku aġġ., scenographic.
xenografu n.m., pl. -i, scenographer.
xenxel v.kwad., ***jxenxel;*** to root.
xenxul n.m., pl. ***xniexel;*** radicle, fibril. ***~ għeneb;*** cluster of grapes, bunch of grapes.
xeraħ v.I, ***jixraħ;*** to cut lengthwise, to dissect, to anatomize.
xeraq v.I, ***jixraq;*** to beseem, to choke (liquid), to suit.
xerda n.f., pl. -iet, dispersion.
xeri n.m., bla pl., sherry.
xerif n.m., pl. -i, sheriff, shereef.
xeriff n.m., pl. -s, sheriff.
xermed v.kwad., ***jxermed;*** to stain with blood.
xerq n.m., bla pl., the east.
xerqa n.f., pl. -t, a choking in drinking.

xerraq v.II, *jxerraq;* to cause to choke in drinking.
xerred v.II, *jxerred;* to scatter, to spread, to disperse, to divulge, to publish.
xerref v.II, *jxerref;* to lean out of a window, to harden.
xerrej n.m., f. u pl. -ja, buyer, purchaser.
xerrek v.II, *jxerrek;* to associate, to affiliate, to partner.
xerried n.m., f. u pl. -a, spreader.
xerrieħ n.m., f. u pl. -a, anatomizer.
xerriek n.m., f. u pl. -a, he who unites in a company.
xerrieki aġġ., companionable, sociable.
xirru n.m., pl. -jiet, (med.) scirrhus.
xettel v.II, *jxettel;* to plant. *~ il-fjuri fil-ġnien tiegħu;* he planted flowers in his garden.
xettiel n.m., f. u pl. -a, planter.
xetticiżmu n.m., pl. -i, scepticism.
xèttiku aġġ., sceptical.
xettru n.m., pl. -i, sceptre.
xewa v.I, *jixwi;* to roast, to parch, to toast.
xewka n.f., pl. -iet, koll. *xewk;* thorn.
xewki aġġ., thorny, spiny.
xewla n.f., pl. -iet, a roving, wandering.
xewlaħ v.kwad., *jxewlaħ;* to throw away, to hurl.
xewlieħ n.m., f. u pl. -a, lancer, flinger.
xewlien n.act., vagabondage.
xewqa n.f., pl. -t, desire, wish.
xewqan aġġ., desirous, wishful.
xewwaq v.II, *jxewwaq;* to excite desire.
xewwek v.II, *jxewwek;* to make soil abound in thorns, to pierce with thorns.
xewwel v.II, *jxewwel;* to wander, to gad.
xewwex v.II, *jxewwex;* to provoke, to incite, to foment.
xewwiel n.m., f. u pl. -a, wanderer, rambler, vagabond, gadabout.
xewwiex n.m., f. u pl. -a, provoker, inciter, mutineer.
xgħil n.act., kindling, lighting.
xgħira n.f., koll. *xgħir;* barley, corn.
xgħuli aġġ., combustible, inflammable.
xhid n.act., attestation, testimony, deposition.
xhieb v.IX, *jixhieb;* to grow hoarsy, to grow grey.
xieher v.III, *jxieher;* to divulge.
xhud n.m., pl. ta' *xiehed;* witness.
xħiħ aġġ., greedy, niggard, avaricious.
xħit n.act., a throw, throwing, desolation, destruction.
xi pron. u aġġ., some. *~ darba;* some times, one day. *~ ħadd;* somebody, anybody, someone, anyone. *~ wieħed;* someone, somebody.
xiber n.m., pl. *xbar;* span.
xibka n., net, snare, trap. *~ tax-xagħar;* net.
xidi n.m.koll., wooden gate-latch.
xidja n.f., pl. -iet, (żool.) gadfly, horse-fly.
xiegħeb v.III, *jxiegħeb;* to avert from, to divert from.
xiegħef v.III, *jxiegħef;* to cause one to repent.
xiegħel v.III, *jxiegħel;* to give work, to keep busy, to employ.
xiegħer v.III, *jxiegħer;* to crack.
xiegħet v.III, *jxiegħet;* to produce caterpillars.
xiehed v.III, *jxiehed;* to make or produce witness.
xieher v.III, *jxieher;* to banish, to publish, to divulge.
xieher aġġ., crying.
xiel v.I, *jxul;* to ramble, to stroll, to rove.
xieraq aġġ., allowable, permitted, just, right.
xieref aġġ., tough, hard, old.
xierek v.III, *jxierek;* to associate.
xifa n.m., pl. *xwejjef;* awl.
xifer n.m., pl. *xfar;* edge, brim, border, limb. *~ ta' l-għajn;* eyelid.
xifri aġġ., marginal.
xift n.m., pl. -s, shift. *bix-~;* shiftwork, on shift.
xifxifa n.f., pl. -iet, koll. *xifxief;* (bot.) St. John's wort.
xiħ n.m., f. -a, pl. *xjuħ;* old man.
xiħ aġġ., old, ancient.
xija n.f., pl. -i, (mar.) wake.
xikel n.m., pl. *xkiel, ixkla;* foot-shackle.
xila ara **xela**.
xili n.act., spying, accusing.
xilpa n.f., pl. -iet, koll. *xilep;* (itt.) salema.
xilxieni aġġ., reciprocal, mutual.
ximek v.I, *jixmek;* to snatch.
ximitarra n.f., pl. -i, (mil.) scimitar.
ximjott n.m., pl. -i, (żool.) young monkey.
ximpanżi n.m., bla pl., (żool.) chimpanzee.
xini n.m., pl. *xwieni;* (mar.) galley.
xipli aġġ., lean, thin, slender, weak.
xiprajt n.m., pl. -s, shipwright.
xiref v.I, *jixref;* to look out of, to step up to, to present or show oneself, to project.
xirek v.I, *jixrek;* to associate in business.
xirfa n.m., pl. -iet, a look out of.
xirgien n.m., pl. *xriegan;* (itt.) two-banded bream.
xiri n.act., buying, purchase, bargain.
xirka n.f., pl. -iet, society, community, communion.

xirru n.m., pl. -ijiet, (med.) schirru.
xissjoni n.f., pl. -jiet, scession.
xita n.m., bla pl., rain. **~ *ħafifa;*** light shower, drizzling rain. **~ *qawwija;*** heavy rain. **~ *bil-qliel;*** to rain in torrents. ***temp tax-~;*** threatening to rain.
xitan n.m., f. -a, pl. ***xjaten;*** devil.
xitla n.f., pl. -iet, ***xtieli, xtul;*** plant, sapling.
xitli aġġ., new, green, of a plantation.
xittel v.II, ***jxittel;*** to plant.
xitwa n.f., pl. ***xtiewi;*** winter. ***l-eqqel tax-~;*** the thick of winter. ***il-qieraħ tax-~;*** the thick of winter.
xitwi aġġ., wintry.
xixa n.act., roast meat, roast beef.
xiwi n.act., roasting, grilling.
xiżma n.f., pl. -i, schism.
xiżmatikament avv., schismatically.
xiżmatiku aġġ., schismatic.
xjaħ ara **xjieħ**.
xjatika n.f., pl. -i, (med.) sciatica, hipgout.
xjentement avv., (leg.) knowingly, wittingly.
xjentifiku aġġ., scientific.
xjenza n.f., pl. -i, science.
xjenzat n.m., f. -a, pl. -i, scientist.
xjieħ v.IX, ***jixjieħ;*** to grow or get old.
xjuħija n.act., old age, oldness, hoar age.
xkaffa n.f., pl. ***xkafef;*** shelf, ledge.
xkak n.m., pl. ***skajjak;*** sheet of paper.
xkana v.I, ***jixkana;*** to levigate, to carry away.
xkatla v.kwad., ***jixkatla;*** to smoothen wood.
xkatlu n.m., pl. -i, (itt.) angel shark.
xkatta v.Sq., ***jixkatta;*** to burst, to explode.
xkiel n.m., bla pl., hobble, shackle, fetter, obstacle, hindrance.
xkomp n.m.koll., acid lemon.
xkora n.f., pl. ***xkejjer;*** sack, bag, poke.
xkubetta n.f., pl. -i, (mil.) gun, rifle, musket.
xkubettja v.Sq., ***jixkubettja;*** to shoot.
xkuma n.f., pl. -i, spume, froth, foam, meringue.
xkumatur n.m., pl. -i, skimmer.
xkumvata n.f., koll. ***xkumvat;*** fritter.
xkupa n.f., pl. -i, broom, besom.
xkupilja n.f., pl. -i, brush.
xkupilja v.Sq., ***jixkupilja;*** to brush.
xlief n.m., pl. ***xolfa;*** fishing-line.
xlieqa n.f., pl. -i, exulceration.
xlokk n.m., pl. -ijiet, south east (wind).
xmara n.f., pl. ***xmajjar;*** river.
xmiel n.m., pl. -ijiet, north (wind).
xniegħa n.f., pl. -t, rumour.
xnien n.m.koll., (bot.) shamrock.
xoffa n.f., pl. ***xfuf;*** lip, brim.
xogħfa n.f., pl. -iet, repentance.
xogħfa aġġ., repentant.
xogħof v.I, ***jixgħof;*** to repent, to be sorry.
xogħol n.m., pl. ***xogħlijiet;*** affair, employment, work, labour. **~ *ta' mgħallem;*** masterpiece. ***ħwejjeġ tax-~;*** working clothes.
xolja v.I, ***jxolji;*** to dissolve.
xoljiment n.act., dissolution, dissolvement. **~ *tal-parlament;*** dissolution of parliament.
xolt aġġ. u p.p., dissolved.
xoqqa n.f., pl. ***xaqaq;*** cloth, linen. **~ *ta' l-għażel;*** linen cloth. **~ *samra;*** brown holland.
xorb n.act., drinking, drink, spirits.
xorban aġġ., tipsy, half seas over.
xorob v.I, ***jixrob;*** to drink, to blot.
xorrafa n.f., pl. -t, excoriation.
xorrox n.m., bla pl., serum, whey, buttermilk.
xort n.m., bla pl., (eletr.) short-circuit.
xorta n.f., pl. -i, sort, kind, species.
xorta avv., in the same way, equal, all the same, like.
xorti n.f., bla pl., luck, fate, fortune, destiny, chance. ***b'~ ħażina;*** unfortunately, unluckily. ***b'~ tajba;*** fortunately, luckily.
xort'oħra avv., diversely, differently.
xorts n.m., pl. -ijiet, shorts.
xott n., dry, (logħ.) shot.
xpakka v.Sq., ***jixpakka;*** to split.
xpakkatura n.f., pl. -i, fissure.
xprun n.m., pl. -i, spur.
xprunara n.f., pl. -i, (mar.) small row boat.
xqajri n.m., pl. -jiet, linen cloth.
xqar v.IX, ***jixqar;*** to grow ruddy.
xqura n.f., bla pl., ruddiness.
xqurija n.f., bla pl., ruddiness.
xraba n.act., wet.
xraf v.IX, ***jixraf;*** to become stale.
xrara n.f., pl. -iet, koll. ***xrar;*** spark.
xriek n.m., pl. ***xorok;*** slab, stone-bench.
xrif n.act., the looking out of.
xrik n.m., pl. ***xorka;*** partner, sharer.
xrika n.f., bla pl., (bot.) a species of doggrass.
xropp n.m., bla pl., syrup.
xrufija n.act., hardness.
xtajta n.f., pl. -iet, beach, strand.
xtara v.VIII, to buy, to purchase, to bribe.

xtarr v.VIII, *jixtarr;* to ruminate, to chew the cud, to muse, to ponder.
xtarra n.f., pl. -iet, rumination, chewing the cud, reflection.
xtedd v.VIII, *jixtedd;* to be dressed.
xtegħel v.VIII, *jixtgħel;* to be lit.
xteha v.VIII, *jixthi;* to long for.
xtered v.VIII, *jixtered;* to be dispersed, scattered.
xtewa v.VIII, *jixtewa;* to be roasted, to be grilled.
xtiebah v.VIII, *jixtiebah;* to be alike.
xtieq v.VIII, *jixtieq;* to desire, to wish.
xtilliera n.f., pl. -i, plate rack. *~ tal-kpiepel;* hat stand. *~ ta' l-iskarpan;* shoemaker's rack.
xtorob v.VIII, *jixtorob;* to be drunk.
xufier n.m., f. u pl. -a, driver, chauffeur.
xuga n.f., pl. -i, blotting-paper.
xugaman n.m., pl. -i, towel.
xulliefa n.f., pl. -iet, koll. *xullief;* agnail.
xulliela n.f., pl. -iet, koll. *xulliel;* stone for building.
xulxin avv., each other, one another, reciprocally, mutually.
xummiema ara **xammiema**.
xurban ara **xorban**.
xurtjat ara **ixxurtjat**.
xutt n.m., pl. -ijiet, (logħ.) shot.
xuxa n.f., pl. -id., hair.
xuxa aġġ., bare-headed.
xuxan aġġ., having long hair.
xuxxarell n.m., pl. -i, blow-pipe.
xuxxatur n.m., f. -a, pl. -i, instigator, trouble-maker.
xwejjaħ aġġ., elderly.

Zz

Z, z id-disgħa u għoxrin ittra ta' l-alfabet Malti, u l-erbgħa u għoxrin waħda mill-konsonanti; the twenty ninth letter of the Maltese alphabet, and the twenty fourth of the consonants.

zakak n.m., pl. ***zokzka, zikzka;*** (ornit.) white wagtail.

zakkarina n.f., pl. -i, saccharine, artificial sweetener.

zalliera n.f., pl. -i, salt-cellar.

zalza n.f., pl. ***zlazi;*** sauce. ***~ bajda;*** white sauce. ***~ pikkanti;*** sauce tartare. ***~ tad-tadam;*** tomato sauce.

zalzetta n.f., pl. u koll. ***zalzett;*** sausage.

zannura n.f., pl. -iet, koll. ***zannur;*** (bot.) cardoon.

zappap v.II, ***jzappap;*** to maim, to lame, to cripple, to go lame, to limp. ***minn meta waqa' baqa' jzappap;*** since his fall, he is still limping.

zappin n.m., pl. -i, (bot.) spruce.

zappun n.m., pl. ***zpapan;*** hoe, mattock.

zejjez v.II, ***jzejjez;*** to chirp, to peep.

zekka n.f., pl. -i, mint.

zekkin n.m., pl. -i sequin.

zekzek v.kwad., ***jzekzek;*** to hiss.

zekzik n.act., hissing.

zfunnarija n.f., pl. -i, (bot.) carrot.

zija n.f., pl. -i, aunt.

ziju n.m., pl. -i, uncle.

zokk n.m., pl. ***zkuk;*** stalk, stem, trunk.

zokklatura n.f., pl. -i, plinth, socle, podium, dado.

zokklu n.m., pl. -i, plinth, dado. ***~ ta' l-injam;*** wainscot.

zokkor n.m., koll., sugar. ***~ taċ-ċangatura;*** lump sugar. ***raġel taz-~;*** a gentle and amiable person.

zopp aġġ., lame.

zukkariera n.f., pl. -i, sugar-basin.

zuntier n.m., pl. -i, churchyard.

Żż

***Ż, ż** it-tletin ittra ta' l-alfabet Malti, u l-ħamsa u għoxrin waħda mill-konsonanti;* the thirtieth letter of the Maltese alphabet, and the twenty fifth of the consonants.

żabar v.I, ***jiżbor;*** to lop, to prune. ***~ id-dielja u s-siġar tal-larinġ;*** he pruned the vines and the orange trees.

żabbàr n.m., f. u pl. -a, pruner, lopper.

żabbara n.f., pl. -iet, (bot.) aloe.

żabbettina n.f., pl. -iet, (żool.) ladybird.

żabikott n.f., pl. -i, fop.

żabra n.f., pl. -iet, pruning, lopping.

żaddam v.II, ***jżaddam;*** to cause a cold and stuffing in the nose.

żafir n.m., pl. -i, (ġeol.) sapphire.

żaftura n.f., pl. u koll. ***żaftur;*** glue used to close the holes of beehives.

żafżafa n.f., pl. -iet, koll. ***żafżaf;*** (bot.) willow.

żagarella n.f., pl. -i, ribbon.

żażag v.kwad., ***jżagżag;*** to strut.

żagħba n.m., pl. -iet, a worthless person.

żagħbel v.kwad., ***jżagħbel;*** to disport.

żagħbir n.act., disport.

żagħfar v.kwad., ***jżagħfar;*** to season with saffron.

żagħfran n.m.koll., saffron.

żagħfrani aġġ., saffrony.

żagħka n.kom., pl. -iet, rogue, rascal.

żagħruna n.f., pl. -iet, koll. ***żagħrun;*** (bot.) hawthorn.

żagħżigħa n.f., pl. -iet, koll. ***żagħżiegħ;*** (bot.) samphire.

żagħżugħ n.f., f. -a, pl. ***żgħażagħ;*** young man, lad.

żahar v.I, ***jiżhar;*** to blossom, to bloom, to effloresce.

żahra n.f., pl. -iet, koll. ***żahar;*** blossom, bloom.

żahri aġġ., floriferous.

żahrija n.f., bla pl., (astro.) evening star, Venus.

żajbar v.kwad., ***jżajbar;*** to produce soft hair.

żajbra n.f., pl. -iet, soft hair.

żajbri aġġ., downy.

żajjar v.II, ***jżajjar;*** to frequent or visit often.

żajjar n.m., f. u pl. -a, visitor.

żajran n.act., visiting, visitation.

żakkar v.II, ***jżakkar;*** to protrude.

żal v.I, ***jżul;*** to move away, to go from.

żambuka n.f., pl. -iet, (bot.) elder.

żambur n.m., bla pl., anisette.

żamm v.I, ***jżomm;*** to hold, to support, to obtain, to keep, to keep waiting, to repress, to keep within bounds, to preserve, to maintain. to save, to guard. ***~ il-flus f'butu;*** he kept the money in his pocket. ***~ iebes;*** to hold firm, to resist, to persist. ***~ f'qalbu;*** to keep in mind.

żamm n.act., stopping, staying.

żamma n.f., pl. -iet, composure.

żammam v.II, ***jżammam;*** to hold frequently.

żammar v.II, ***jżammar;*** to play the reed, the fife, the pipe.

żammàr n.m., pl. -a, fifer, piper.

żammiem n.m., f. u pl. -a, keeper, holder.

żanżan v.kwad., ***jżanżan;*** to wear etc. for the first time, to buzz, to hum.. ***dik il-libsa żanżnitha llum;*** she wore that dress for the first time today.

żanżarell n.m., pl. -i, (ornit.) dragon-fly.

żanżariera n.f., pl. -i, mosquito-net.

żanżin n.act., the first use of anything new, humming, buzzing..

żaqq v.I, ***jżoqq;*** to feed, to spoon-feed, to feed young birds.

żaqq n.f., pl. ***żquq;*** belly, bagpipe.

żaqqieq n.m., f. u pl. -a, glutton, gormandizer.

żaqżaq v.kwad., ***jżaqżaq;*** to creak.

żaqżiq n.act., creaking.

żar v.I, ***jżur;*** to visit. ***mar iżur lil ħabibu l-isptar;*** he went to visit his friend in hospital.

żara' v.I, ***jiżra';*** to sow, to disseminate, to propagate, to scatter, to spread. ***~ l-għalqa bil-qamħ;*** he sowed the field with corn.

żarà n.m., bla pl., sown field.

żarbuna n.f., pl. ***żraben;*** shoe, boot. ***qiegħ ta' ~;*** sole. ***wiċċ ta' ~;*** vamp.

żarġan v.kwad., *jżarġan;* to produce twigs.
żarġun n.m., pl. *żraġen;* vine-shoot.
żarma v.t., *jżarma;* to dismantle, to break up.
żarmuġ n.m., pl. *żrameġ;* (żool.) cony.
żarrad v.II, *jżarrad;* to fray out.
żarra' v.II, *jżarra';* to produce seeds, to go to seed, to run to seed.
żarżar v.kwad., *jżarżar;* to clang, to blare.
żarżir n.act., blare.
żarżur n.f., pl. *żrażar;* spindle.
żatat aġġ., a presumptuous person.
żattat v.II, *jżattat;* to interpose.
żawra n.f., pl. -iet, visit.
żawran n.act., visiting, visitation.
żawwal v.II, *jżawwal;* to remove, to drive away.
żawwal aġġ., despicable, contemptible.
żbalja v.t., *jiżbalja;* to make a mistake, to err.
żbaljat aġġ., wrong, mistaken.
żball n.m, pl. *żbalji;* mistake, error.
żbanda v.t., *jiżbanda;* to disband.
żbandola n.f., pl. -i, sling.
żbandut n.m., f. -a, pl. -i, scoundrel, outlaw.
żbanka v.t., *jiżbanka;* to withdraw money from a bank.
żbanka v.t., *jiżbanka;* to withdraw money from a bank, (logħ.) to break the bank.
żbarazza v.t., *jiżbarazza;* to disencumber, to clear away, to clear (the table).
żbark n.m., pl. -i, disembarkation, landing.
żbarka v.t., *jiżbarka;* to disembark, to land, to put ashore.
żbarra n.f., pl. -i, (leg.) bar.
żbiba n.f., pl. -iet, koll. *żbib;* raisin.
żbigħ n.act., dyeing, painting, colouring.
żbilanċ n.m., pl. -i, unbalance.
żbilanċja v.t., *jiżbilanċja;* to unbalance.
żbilanċjat aġġ., unbalanced.
żbir n.act., pruning, lobbing.
żbirr n.m., pl. -i, (stor.) policeman.
żbokk n.m., pl. -i, outlet, opening.
żbokka v.t., *jiżbokka;* to fall into, to flow into.
żbornja n.f., pl. -i, drunkenness.
żborża v.t., *jiżborża;* to disburse.
żborżament n.m., pl. -i, dibursement.
żboxxla v.Sq., *jiżboxxla;* to derange one's mind.
żbozz aġġ., awkward, rough, uncouth.
żbrana v.t., *jiżbrana;* to tear to pieces.
żbranat aġġ. u p.p., torn to pieces.
żbriga n.f., pl. -i, kneading trough.
żbroff n.f., pl. -i, eruption.
żbroffa v.t., *jiżbroffa;* to erupt.
żbula ara **sbula**.
żdied v.VIII, *jiżdied;* to increase, to augment.
żding n.m., bla pl., neglect.
żdinga v.Sq., *jiżdinga;* to neglect.
żdingat aġġ., careless.
żebagħ v.I, *jiżbogħ;* to paint, to dye, to colour.
żebbed v.II, *jżebbed;* to make butter.
żebbeġ v.II, *jżebbeġ;* to tell one's beads, to look with half-shut eyes.
żebbel v.II, *jżebbel;* to manure, to dung.
żebbiegħ n.m., f. u pl. -a, painter, dyer.
żebbiel n.m., f. u pl. -a, dustman, scavenger.
żebbuġa n.f., pl. -iet, koll. *żebbuġ;* olive. *ġnien taż-żebbuġ;* olive grove.
żebbuġi aġġ., olive-coloured.
żebgħa n.f., koll., paint, dye.
żeblaħ v.kwad., *jżeblaħ;* to despise, to insult, to scorn, to vilify.
żeblieħ n.m., f. u pl. -a, contemner, despiser.
żebliħ n.act., despising, vilifying, vilification.
żebra n.f., pl. -i, (żool.) zebra.
żeffen v.II, *jżeffen;* to make one dance.
żeffet v.II, *jżeffet;* to coat with pitch.
żeffien n.m., f. u pl. -a, dancer.
żeġġ v.I, *jżiġġ;* to slide.
żeġġa n.f., pl. -iet, sliding.
żeġġeġ v.II, *jżeġġeġ;* to open the eyes wide.
żegleg v.kwad., *jżegleg;* to wriggle.
żeglieg n.m., f. u pl. -a, he who wriggles in walking.
żegħed v.I, *jiżgħed;* to increase, to abound.
żegħel v.I, *jiżgħel;* to caress, to fondle.
żegħid n.act., increase.
żegħil n.act., caresses.
żehem v.I, *jiżhem;* to stink.
żeher v.I, *jiżher;* to neigh, to whinny.
żehir n.act., neighing, whinning.
żejjed aġġ., excess, excessive.
żejjen v.II, *jżejjen;* to adorn, to decorate, to embellish.
żejjet v.II, *jżejjet;* to anoint, to oil.
żejjeż v.II, *jżejjeż;* to chirp.
żejjied n.m., f. u pl. -a, increaser.
żejjien n.m., f. u pl. -a, decorator.
żejjiet n.m., f. u pl. -a, oil-seller.
żejt n.m., pl. *żjut;* oil. *~ tal-ħut;* cod-liver oil. *~ tal-kittien;* lint oil. *~ ir-riġnu;* castor oil. *~ taż-żebbuġa;* olive oil.

żejti aġġ., oily, oleaginous.
żejża n.f., pl. -iet, (woman's) breast. *ras iż-~;* teat, nipple.
żelanti aġġ., zealous, fervent, ardent.
żelaq v.I, *jiżloq;* to slide, to slip, to err, to mistake, to escape.
żellaq v.II, *jżellaq;* to cause one to slip, to lubricate.
żelleġ v.II, *jżelleġ;* to smear.
żellem v.II, *jżellem;* to become twisted.
żellieqi aġġ., slippery.
żelluma n.f., pl. *żlielem;* twist.
żelqa n.f., pl. -t, -iet, slip, mistake, error.
żelu n.m., bla pl., zeal.
żemmel v.II, *jżemmel;* to be unbridled, to become loose.
żemmiel n.m., f. u pl. -a, horseman.
żena v.I, *jiżni;* to commit adultery.
żenbaq n.f., pl. *żniebaq;* (bot.) Arabian jasmine.
żenġel v.kwad., *jżengel;* to rock, to swing.
żenġil n.act., rocking.
żenguli aġġ., oblong.
żenit n.m., bla pl., zenith.
żennen v.II, *jżennen;* to spurt.
żennuna n.f., pl. *żnienen;* nozzle.
żenqa n.f., pl. *żenaq;* narrow truck, lane.
żeppellin n.m., pl. -i, zeppellin.
żeqem v.I, *jożqom;* to grow lean or emaciated.
żera' v.I, *jiżra';* to sow.
żerbinott n.m., pl. -i, dandy.
żergħa n.f., pl. -t, seed.
żergħi aġġ., seminal.
żernaq v.kwad., *jżernaq;* to dawn.
żerniq n.act., dawn.
żero n.m., pl. -ijiet, cipher, zero, naught, nothing.
żerqa aġġ., blue, azure.
żerra' v.II, *jżerra';* to produce seeds, to grow to seed, to run to seed.
żerriegħ n.m., f. u pl. -a, sower.
żerriegħa n.f., pl. -t, seed, kernel. *~ tal-ħniex;* (bot.) coralline.
żerżaq v.kwad., *jżerżaq;* to cause to slide or glide.
żerżieqi aġġ., sliding, gliding.
żerżur n.m., pl. *żrieżer;* (ornit.) hedge sparrow.
żewġ n.m., pl. *żwieġ;* pair. *~ il-bint;* son-in-law. *~ l-omm;* step-father. *ta biż-~;* to kick.
żewgma n.f., pl. -t, (gram.) zeugma.
żewgmatiku aġġ., zeugmatic.
żewwaq v.II, *jżewwaq;* to variate, to mottle.
żewweġ v.II, *jżewweġ;* to marry, to give in marriage, to match, to pair.
żewwel ara **żawwal**.
żfin n.act., dancing, dance, ball.
żġieġa n.f., pl. -iet, koll., *żġieġ;* glass.
żgajja v.t., *jiżgajja;* to reproach.
żgamirru n.m., pl. -i, (itt.) bastard mackarel.
żganċja v.t., *jiżganċja;* to unhook.
żgangat aġġ., loose-jointed.
żgangilla n.f., pl. -i, affection, toy.
żgassa v.t., *jiżgassa;* to break open.
żgiċċa v.t., *jiżgiċċa;* to escape.
żgombra v.t., *jiżgombra;* to evict, to clear out.
żgorbja n.f., pl. -i, gouge, drill.
żgur aġġ., certain, sure, safe.
żgura v.t., *jiżgura;* to assure, to make sure.
żgħar v.IX, *jiżgħar;* to grow or become less.
żgħir aġġ., little, small.
żgħożija n.f., bla pl., youth, adolescence.
żgħurija n.f., bla pl., childhood.
żhir n.act., neighing, whinnying.
żibda n.f., pl. -iet, butter.
żibel n.m.koll., rubbish, dung, manure, litter for cattle.
żibġa n.f., pl. -iet, koll. *żibeġ;* bead.
żied v.I, *jżid;* to increase, to augment, to add to.
żieda n.f., pl. -iet, increase.
żiegħed v.III, *jżiegħed;* to prolificate.
żiehel v.III, *jżiehel;* to caress, to fondle.
żiemel n.m., pl. *żwiemel;* (żool.) horse. *~ tal-baħar;* (itt.) seahorse. *~ bil-ġwienaħ;* pegasus. *~ tat-tiġrija;* race-horse.
żien v.I, *jżin;* to damage, to do harm.
żieni aġġ., lecherous, libidinous.
żifen v.I, *jiżfen;* to dance.
żiffa n.f., pl. -iet, breeze, zephyr.
żifna n.f., pl. -iet, dance.
żift n.m., bla pl., pitch, tar.
żigarella ara **żagarella**.
żigżag n.m., pl. -ijiet, zigzag.
żimarra n.f., pl. -i, long robe.
żina n.act., fornication, adultery.
żina n.act., ornament.
żinġla n.f., pl. *żnieġel;* churn.
żingaru n.m., f. -a, pl. -i, gypsy.
żingu n.m., pl. -ijiet, (min.) zinc.
żinja n.f., pl. -t, fornication, adultery.
żinnja n.f., pl. -i, (bot.) zinnia.
żinżla n.f., pl. -iet, koll. *żinżel;* (bot.) jujube.
żinżill n.m., f. -a, pl. -i, lad.
żipp n.m., pl. -ijiet, zip.
żir n.m., pl. *żjar;* pitcher.
żirma n.f., pl. -iet, wen.

żjara n.f., pl. -t, *żjajjar;* visit, visitation.
żjieda ara **żieda**.
żleali aġġ., disloyal.
żlealtà n.f., pl. -iet, disloyalty.
żlieġa n.f., pl. -iet, dimness, film, varnish.
żlieq n.act., slipping.
żliem n.act., erring.
żloga v.t., *jiżloga;* to dislocate.
żmaga v.t., *jiżmaga;* to become barmy.
żmajtx ara **smajtx**.
żmakk n.m., bla pl., shame, disgrace.
żmalda v.t., *jiżmalda;* to dissipate, to squander, to lavish.
żmalditur n.m., f. -a, pl. -i, dissipator, spendthrift.
żmalt n.m., pl. -i, enamel, glaze.
żmalta v.t., *jiżmalta;* to enamel, to glaze.
żmanġa v.t., *jiżmanġa;* to corrode, to wear away.
żmarġass n.m., f. -a, pl. -i, braggart.
żmarr aġġ., rustic.
żmarratur n.m., pl. -i, quarryman.
żmatta v.t., *jiżmatta;* to derange.
żmerald n.m., pl. -i, (min.) emerald.
żmerċ avv., awry, obliquely, aslant.
żmerill n.m., pl. -i, (min.) emery.
żmien n.m., pl. -ijiet, time, age. *fiż-~;* anciently.
żmien n.m., pl. *iżmna;* season.
żmilitarizza v.t., *jiżmilitarizza;* to demilitarise.
żmoderat aġġ., immoderate.
żmonta v.t., *jiżmonta;* to dismount.
żmontor n.m., bla pl., tinsel.
żnell aġġ., slim, slender.
żnied n.m.pl., flint.
żnuber n.m., pl. *żnieber;* (bot.) pine fir.
żofżfa n.f., pl. -i, (bot.) bitter vetch.
żogħod v.I, *jożgħod;* to increase.
żogħor n.m., bla pl., childhood. *miż-~;* from one's childhood.
żokra n.f., pl. -iet, *żokor;* navel.
żolfina n.f., pl. -i, -iet, (żool.) clouded sulphur butterfly.
żolfu n.m., bla pl., sulphur.
żombrell ara **żumbrell**.
żona n.f., pl. -i, (ġeog.) zone, region.
żondu n.m., pl. -i, (itt.) star-gazer.
żonqor n.m., f. -a, pl. -iet, hard stone.
żooloġija n.f., pl. -i, zoology.
żooloġiku aġġ., zoological. *ġnien ~;* zoological garden, zoo.
żoologu n.m., pl. -i, zoologist.
żorba n.f., bla pl., (bot.) sorb-apple.
żorr aġġ., harsh, rigid, stern, rude.
żotku aġġ., boorish.
żqaq v.IX, *jiżqaq;* to become paunchy.
żqaq n.m., pl. -ijiet, lane.
żrafa n.f., pl. -i, *żriefi;* (żool.) giraffe, camelopard.
żrara n.f., pl. -iet, koll. *żrar;* small stone.
żrieq v.IX, *jiżrieq;* to become blue or azure.
żrigħ n.act., sowing.
żrinġ n.m., pl. -iet, (żool.) frog.
żu n.m., pl. -ijiet, zoo, zoological garden.
żuf n.m.koll., hyssop.
żugraga n.f., pl. *żgagar;* top, spinning top.
żumbrell n.m., pl. -i, (itt.) large-scaled gurnard.
żummara n.f., pl. *żmamar;* reed, fife, pipe.
żunżan n.m., pl. *żnażan;* (żool.) wasp. ~ *bagħal;* hornet.
żurżieqa n.f., pl. *żrieżaq;* cant, declivity.
żvaluta v.t., *jiżvaluta;* to devalue.
żvalutazzjoni n.f., pl. -jiet, devaluation.
żvanixxa v.t., *jiżvanixxa;* to vanish, to disappear.
żvantaġġ n.m., pl. -i, disadvantage.
żvantaġġjuż aġġ., unfavourable, disadvantageous.
żvela v.t., *jiżvela;* to reveal, to disclose.
żveljarin n.m., pl. -i, alarm clock.
żvelt aġġ., lively, swift.
żveltizza n.f., pl. -i, liveliness, quickness.
żventura n.f., pl. -i, misfortune.
żventurat aġġ., unfortunate.
żventuratament avv., unfortunately.
żverġna v.t., *jiżverġna;* to deflower, to ravish.
żviena v.t., *jiżviena;* to faint, to swoon.
żvilupp n.m., pl. -i, development, growth.
żviluppa v.t., *jiżviluppa;* to develop.
żvina v.t., *jiżvina;* to open one's veins, to bleed.
żvinta v.t., *jiżvinta;* to evaporate.
żvista n.f., pl. -i, oversight. *bi ~;* through an oversight.
żvita v.t., *jiżvita;* to unscrew.
żvojta v.t., *jiżvojta;* to empty.
żvolġa v.t., *jiżvolġi;* to develop.
żvolġiment n.m., pl. -i, development.
żwieġ n.m., pl. -ijiet, marriage, matrimony, nuptials, wedding.

ABBREVIATIONS

adj.	adjective	leg.	legal
adv.	adverb	liter.	leterature
anat.	anatomy	mar.	maritime
arch.	architecture	mechan.	mechanical
archeol.	archeology	med.	medicine
art.	article	met.	metal
artis.	artisan	mil.	military
asc.	ascetics	min.	minerology
astro.	astronomy	mus.	musik
ban.	bank	myth.	mythology
bot.	botany	n.	noun
chem.	chemistry	nav.	naval
coll.	collectively	num.	number
com.	common	ornith.	ornithology
comm.	commerce	p.p.	past participle
comp.	comparative	parl.	parliament
conj.	conjunction	pers.	personal
def.	defective.	pers.pron.	personal pronoun
dipl.	diplomacy	phil.	philosophy
eccl.	ecclesiastical	phys.	physics
elect.	electricity	pl.	plural
fem.	feminine	pr.	proper
g.	games	prep.	preposition
geog.	geography	pres.	present
geol.	geology	pron.	pronoun
gram.	grammar	pros.	prosodyic
hist.	history	s.	singular
ichth.	ichthyoloty (fish)	techn.	technical
imp. v.	imperative verb	theatr.	theatre
indet.	indeterminate	theol.	theology
interj.	interjection	v.	verb
irr.	irregular	zool.	zoology (animals)

ENGLISH – MALTESE

Aa

abacus n., abaku.
abandon n., abbandun, tliq.
abandon v., abbanduna, telaq.
abandon (oneself) v., ntreħa.
abandoned adj. & p.p., abbandunat, mitluq.
abandonment n., abbandun, tliq.
abase v., saffâl.
abase (oneself) v., ražan.
abased adj. & p.p., mċekken.
abasement n., tisfil, titħit.
abashed adj. & p.p., mirgħux.
abashment n., mistħija.
abate v., naqqas, niżżel, raqad.
abatement n., tinqis.
abater n., naqqàs.
abattoir n., biċċerija, maqtel.
abbacy n., abbazija.
abbess n., abbatissa, badessa.
abbey n., abbatija, abbazija.
abbot n., abbati.
abbreviate v., qassar. ***he ~d the speech which he had to deliver;*** qassar id-diskors li kellu jagħmel.
abbreviation n., abbrevjazzjoni.
abbreviator n., qassàr.
abdicate v., abdika.
abdication n., abdikazzjoni.
abdomen n., (anat.) addome.
abdominal belt n., ventriera.
abduction n., rapiment.
(in) abeyance adv., (leg.) ġjaċenti.
abhor v., abborra, mell, stkerrah.
abhorrance n., stkerrih.
abhorred adj. & p.p., mistkerrah, mistmerr, mtiegħeb.
abhorrence n., abborriment, dirra, titgħib.
abide v., qagħad.
ability n., abbiltà, almu, kapaċità, maestrija, ħila.
abject adj. & p.p., abbjett.
abject adj., mġewwef, ġifa, ġigna.
abjectness n., ġifaġni.
abjuration n., abjura, abjurazzjoni.
abjure v., abjura. ***he ~d the faith;*** abjura l-fidi.
ablative n., (gram.) abblattiv.
able adj., abbli, kapaċi, tajjeb, ħili. ***to be ~;*** rnexxa, sata'. ***you will never be ~ to persuade him;*** qatt ma jirnexxielkom tipperswaduh. ***you are ~ to help me;*** intom tistgħu tgħinuni.
ablution n., ħasil.
abnormal adj., anormali.
abnormality n., anormalità.
abode n., abitazzjoni, qagħda.
abolish v., abolixxa, neħħa.
abolished adj. & p.p., abolut, mneħħi.
abolition n., abolizzjoni.
abominable adj., esekrabbli.
abomination n., dirra, mibegħda.
aborigines adj. & n., aboriġni.
abortion n., (med.) abort.
abound v., abbonda, kotor/katar, xabba'/xebba', żegħed. ***this book ~s in quotations;*** dan il-ktieb jabbonda biċ-ċitazzjonijiet.
abounding adj., miżgħud.
about adv. & prep., madwar.
about adv., ċirka, dwar, inċirka, pressappoku, ħdejn. ***just ~;*** appik.
about n., dwar.
about prep., bejn wieħed u ieħor.
above adj., 'il/'l fuq. ***~ mentioned, said;*** imsemmi fuq. ***from ~,*** minn fuq.
abrade v., qeraħ.
abridge v., qassar.
abridged adj. & p.p., mqassar.
abridgement n., kompendju, sommarju, sunt, taqsir.
abridger n., qassàr.
abridging adj. & p.pres., noqsàr.
abroad (to go) siefer. ***gone ~;*** msiefer. ***they are going ~ next week;*** huma se jsiefru l-ġimgħa d-dieħla.
abrogate v., (leg.) àbroga, neħħa.
abrogated adj. & p.p., abolut, mneħħi, (leg.) abrogat.
abrogation n., (leg.) abrogazzjoni, dèroga.
abruse adj., astruż.
abscess n., demla, (med.) axxess, postiema, tumur.
absence n., assenza, mankanza.
absent adj., assenti.

absent (oneself) v., falla. ~ ***oneself (from);*** assenta.
absent-minded adj. & p.p., aljenat, distratt.
absent-mindedness n., distrazzjoni.
absergent adj., naddafi.
absinth n., (bot.) absint.
absolute adj., assolut.
absolutely adv., assolutament.
absolution n., assoluzzjoni, ħalla.
absolutism n., assolutiżmu.
absolutist adj. & n., assolutist.
absolve v., (eccl.) assolva, ħall. ***the priest ~d him;*** il-qassis ħallu minn dnubietu.
absolved adj., (leg.) assolt.
absorb v., assorbixxa, ġerragħ.
absorbed adj. & p.p., mixrub.
absorption n., assorbiment.
abstain (from) v. astjena.
abstemious adj., astemju.
abstensionist n., astensjonist.
abstention n., astensjoni.
abstentionism n., astensjoniżmu.
abstinence n., astinenza.
abstract adj., astratt.
abstract n., (leg.) transunt.
abstraction n., astrazzjoni.
abstractly adv., astrattament.
abstructed adj. & p.p., dehwien, mitluf fil-ħsieb.
abstruse adj., iebes.
absurd adj., assurd.
absurdity n., assurdità.
absurdly adv., assurdament.
abundance adv., qatigħ.
abundance n., abbundanza, xaba', xebgħa. ***in ~;*** bix-xaba'.
abundant adj., abbundanti.
abundantly adv., faġun, bix-xaba', rfus bi.
abuse n., abbuż.
abuse v., abbuża, kagħbar, ta lsien, taħar.
abusive adj., (leg.) inġurjuż.
abusively adv., abbużivament.
abysmal adj., għammieq.
abyss n., abbiss, hewwa.
acacia n., (bot.) gazzi.
academic(al) adj., akkademiku.
academically adv., akkademikament.
academy n., akkademja.
acanthus bear's breech n., (bot.) ħannewija.
accelerator n., (mechan.) aċċelleratur.
accent n., aċċent.
accent v., aċċenta.
accented adj. & p.p., aċċentat.
accentuate v., aċċentwa.
accentuated adj. & p.p., aċċentwat.
accept v., aċċetta, laqa', ħa. ***he ~ed an invitation to a wedding;*** aċċetta stedina għal tieġ. ***~ted willingly;*** meħud bil-qalb.
acceptable adj., aċċettabbli.
acceptance n., aċċettazzjoni.
acceptation n., aċċettazzjoni, sens.
accepted adj. & p.p., aċċettat.
access n., aċċess.
accessible adj., aċċessibbli.
accessory n., aċċessorju.
accetous adj. & p.p., mħallel.
accident n., aċċident, diżgrazzja, inċident, każ.
accidental adj., inċidentali.
accidentally adv., inċidentalment.
acclamation n., (parl.) akklamazzjoni.
acclimatize v., ambjenta, .
acclivity n., rampa.
acclivous adj., wieqaf.
accommodate v., ikkomda.
accommodation n., akkomodazzjoni.
accompanied adj. & p.p., mistienes, msieħeb, mwennes.
accompaniment n., akkompanjament.
accompany v., akkompanja/ikkumpanja, sieħeb, .
accomplice n., kompliċi.
accomplish v., kompla.
accomplished adj. & p.p., komplut. ~ ***work;*** xogħol komplut.
accord n., akkordju.
accord v., ftiehem, qabel.
according (to) adv., skond.
accordion n., (mus.) akkordjin, fisàrmonika.
accosted adj. & p.p., mressaq.
account n., kont. ***balance of an ~;*** sald/saldu. ***joint ~;*** ġojnt akkawnt. ***on ~ of;*** minħabba, peress. ***on ~;*** akkont. ***turn to ~;*** miegħex.
accountant n., għaddied, komputist.
accounted (for) adj. & p.p., magħdud.
accredit v., akkredita.
accredited adj., (dipl.) akkreditat.
accumulate v., faddal, geddes, rekken.
accumulated adj. & p.p., mġamma'.
accumulator n., geddies, rekkien, (mechan.) akkumulatur.
accuracy n., akkuratezza.
accurate adj., akkurat.
accusable adj., (leg.) akkużabbli.
accusation n., gawża, gażja, tixlija, (leg.) akkuża.
accusative n., (gram.) akkużattiv.
accuse v., gaża, inkolpa, xela/xila, (leg.) akkuża.

accused adj. & p.p., akkużat, gżat, mixli, msieħet.
accused n., (leg.) imputat.
accuser n., gażżaj, xellej, (leg.) akkużatur.
accusing n., gżar, xili.
accustom v., darra, rawwem.
accustom (oneself) v., iddarra, trawwem.
accustomed adj. & p.p., mdorri, mrawwem. ***be ~;*** dara. ***to grow ~ to;*** stienes. ***to grow ~ to the ways and habits of a place;*** ambjenta ruħu.
ace n., (g.) ass.
acerbate v., qarras.
acetate n., (chem.) aċetat.
acetylene n., (chem.) aċitilena.
ache n., uġigħ. ***head~;*** uġigħ ta' ras.
ache v., waġa'.
aching adj. & p.p., muġugħ.
acid adj., qares. ***~ lemon;*** xkomp.
acid n., (chem.) aċidu.
acidity n., aċidità, qrusa.
acknowledge v., ikkonoxxa.
acknowledgement n., għarfien, rikonoxximent.
acolyte n., (eccl.) akkoltu.
acorn n., (bot.) ġandra.
acoustic adj., (phys.) akùstiku.
acoustics n., (phys.) akùstika.
acquest n., akkwist.
acquiesce v., issommetta.
acquire v., akkwista, iddobba, kiseb, qala' minn għand, rkapta, ħassel. ***my brother ~d a beautiful book;*** ħija ddobba ktieb sabiħ.
acquired adj. & p.p., akkwistat, mdabbar, mkisseb, prokurat.
acquirement n., akkwist.
acquiring n., ksib, taħsil.
acquisition n., akkwist, ksib, magħxa, qalgħa, tiksib.
acquit v., (eccl.) assolva.
acquittance n., (leg.) kwittanza.
acquitted adj., (leg.) assolt.
acrid adj., moħràr.
acrimony n., ħmewwa, ħrar.
acrobacy n., akrobazija.
acrobat n., akrobat, akrobatika, ekwilibrist, saltimbank.
acrobatic adj., akrobatiku.
acrobatically adv., akrobatikament.
act n., att.
act v., aġixxa, għamel. ***it is his duty to ~;*** hu dmir tiegħu li jaġixxi.
action n., att, azzjoni, għamla, opra.
active adj., attiv, ħarkien, lvent, qabbieżi, tellieghi (fix-xogħol), valent. ***make ~;*** biżżel. ***to be ~;*** sewa.
actively adv., attivament, ħafif.
activity n., attività, bżulija, ħidma.
actor n., attur. ***character ~;*** (theatr.) karatterist. ***comic ~;*** (theatr.) brillant. ***second leading actor;*** (theatr.) komprimarju.
actress n., attriċi.
actual adj., attwali. ***~ state;*** ħal.
actuality n., attwalità.
actually adv., attwalment.
actuary n., (leg.) attwarju.
adage n., proverbju.
adagio adv., (mus.) adagio.
adapt v., adatta/addatta, qabbel.
adaptation n., adattament/addattament, qbil, taqbil.
adapted adj. & p.p., adattat/addattat, mqabbel.
add (to) v., żied.
add (up) v., issomma.
added adj. & p.p., miżjud.
addenda n., addenda.
adder n., (zool.) vìpera.
addicted adj. & p.p., mogħti għal.
addition n., addenda, addizzjoni, għadd.
additional n., aċċessorju.
addled adj. & p.p., mifsud.
address n., indirizz. ***~ by the prosecution;*** (leg.) rekwiżitorja.
address v., indirizza.
addressed adj. & p.p., indirizzat.
addressee n., destinatarju.
adenoids n.pl., (med.) adenojdi.
adequate adj., adegwat.
adherence n., (leg.) adeżjoni.
adhesion n., (leg.) adeżjoni.
adjective n., (gram.) aġġettiv.
adjoin (rooms) v., niffed.
adjourn v., (parl.) aġġorna.
adjournment n., aġġornament, (leg.) differiment, rinviju, (parl.) pròroga.
adjust v., irranġa, issettja, iġġusta.
adjusted adj. & p.p., msewwi, rettifikat.
adjustment n., arranġament, ranġament, rettìfika.
adjutant n., (mil.) ajjutant.
administer v., amministra, ħakem.
administered adj. & p.p., amministrat, maħkum, mrieġi.
administration n., amministrazzjoni, reġija, ġestjoni, ħkim.
administrative adj., amministrattiv.
administratively adv., amministrattivament.
administrator n., amministratur, direttur, (leg.) kuratur.
admirable adj., ammirabbli, ammirevoli, tal-għaġeb.

admiral n., (mar.) armirall.
admiralty n., armiraljat/ammiraljat.
admiration n., ammirazzjoni, tagħġib.
admire v., ammira, għajjen.
admired adj. & p.p., ammirat, mgħaġġeb.
admirer n., ammiratur, għaġġieb.
admissable adj., lqugħi.
admission n., ammissjoni, intrata/entrata, (leg.) konfessjoni.
admit v., ammetta, qagħad. ***I ~ it is an excellent imitation;*** nammetti li hi kopja eċċellenti.
admittance n., ingress.
admitted adj. & p.p., ammess.
admonish v., ammonixxa, avverta, widdeb, wissa, ġibed il-widnejn.
admonished adj. & p.p., mbeżbeż, mwiddeb.
admonisher n., beżbież, widdieb, wissej.
admonishment n., ammonizzjoni, widba.
admonition n., ammonizzjoni, avvertiment, tbeżbiż, twissija, widba.
ado n., frattarija, stink. ***with much ~;*** blistink.
adolescence n., adolexxenza, xbubija, żgħożija.
adolescent adj., adolexxenti.
adopt v., adotta/addotta, webben.
adopted adj. & p.p., adottat/addottat.
adoption n., adozzjoni.
adorable adj., adorabbli.
adoration n., adorazzjoni, qima.
adore v., adura.
adored adj. & p.p., adurat.
adorer n., aduratur.
adorn v., iddekora, lellex, orna, sebbaħ, ġemmel, żejjen.
adorn (oneself) v., issebbaħ, iżżejjen.
adorned adj. & p.p., mirqum, mlellex, msebbaħ, mżejjen.
adorned adj., liebes.
adorner n., sebbieħ.
adorning n., tiżjin.
adornment n., abbelliment.
adulation n., adulazzjoni.
adulator n., hejjiem.
adult n., adult.
adulteration n., adulterazzjoni.
adulterer n., adùlteru.
adultery n., adulterju, żina, żinja. ***to commit ~;*** żena
adumbrate v., ħaġeb.
advance n., progrediment.
advance v., avanza, avvanza, għadda 'l quddiem, qaddam, talla'. ***the enemy was advancing every day;*** l-għadu kien qiegħed javvanza kuljum. ***in advance;*** antiċipat.
advanced (of money) adj. & p.p., antiċipat.
advanced adj. & p.p., avanzat.
advantage n., fejda, mgħax, profitt, vantaġġ.
advantage v., ivvantaġġja. ***take ~;*** sewa. ***to take ~ of;*** ipprofitta.
advantaged adj. & p.p., ivvantaġġjat.
advantageous adj., vantaġġjuż.
Advent n., (eccl.) avvent.
adventure n., avventura, każ.
adventurer n., avventurier.
adventurous adj., avventuruż.
adverb n., (gram.) avverb, avverbju.
adverbial adj., (gram.) avverbjali.
adverbially adv., (gram.) avverbjalment.
adversary n., avversarju, għadu.
adverse adj., avvers.
adverse n., kuntrarju.
adversity n., avversità.
advert v., avverta.
advertise v., irreklama. ***you did not sufficiently ~ your products;*** ma rreklamajtux biżżejjed il-prodotti tagħkom.
advertised adj. & p.p., reklamat.
advertisement n., avviż, reklam.
advertizing n., propaganda.
advice n., kunsill, parir, twissija. ***to take ~ of;*** ikkunsilja. ***he took ~ of this matter from his companions;*** ikkunsilja ruħu ma' sħabu fuq din il-ħaġa.
advise v., ikkunsilja, widdeb, wissa.
advised adj. & p.p., kunsiljat, mgħarraf, mwissi.
adviser n., konsultur, kunsulier.
advocate n., avukat.
adz n., qaduma.
adze n., qaduma.
aerial n., antenna, erjal.
aerodrome n., ajrudrom, mitjar.
aerogram n., ajrugramm.
aerometer n., ajrumetru.
aeronaut n., ajrunawta.
aeronautics n., ajrunawtika.
aeroplane n., ajruplan.
aerostat n., ajrustat, ballun ta' l-ajru.
aesthetic(al) adj., (liter.) estètiku.
aesthetically adv., (liter.) estetikament.
aesthetics n., (liter.) estètika.
affability n., ħlewwa.
affable adj., dħuli, fabbli, ħelu.
affair n., affari, qadja, xogħol.
affect v., ikkommova, mess. ***deeply ~ed;*** impressjonat. ***to be ~ed;*** għoxa wara xi ħadd.
affected adj., affettat, karikat. ***be ~;*** ikkommova.

affection n., affezzjoni, għożża, hejm, mħabba, namra, nar ta' mħabba, ġibda, żgangilla.
affectionate adj., affezzjonat, amoruż, għażiż.
affectionate adv., tal-qalb.
affidavit n., (leg.) affidavit.
affiliate v., xerrek.
affiliated adj., affiljat.
affiliation n., affiljazzjoni.
affinity n., affinità, ġebbieda.
affirm v., afferma.
affirmable adj., ħaqqieqi.
affirmation n., affermazzjoni.
affirmative adj., affermattiv.
affirmed adj. & p.p., affermat.
affix n., (gram.) affiss.
afflicated adj. & p.p., mwaġġa'.
afflict v., baqbaq, għalla, hemmem, nikket, sewwed il-qalb, waġġa'. ***to ~ a person;*** kiser il-qalb.
afflicted adj. & p.p., deżolat, mbaqbaq, mbikki, mdejjaq, mgħolli, muġugħ.
afflicted adj., tribulat, weġgħan.
affliction n., għomma, ksir il-qalb, salib.
afford v., affordja. ***I cannot ~ to buy this house;*** ma nistax naffordja li nixtri din id-dar.
afforest v., saġġar.
affront n., regħxa/ragħxa, rifront, (leg.) inġurja.
affront v., irrifronta, riegħex, taħar.
affronted adj. & p.p., mriegħex, (leg.) inġurjat.
aflame n., ħuġġieġa nar.
afraid adj., beżgħan. ***be ~;*** beża/baża'.
African n., Afrikan.
after adv., mbagħad.
after prep. & adv., wara, wara li.
after prep., ura.
after all interj., kos.
afterbirth n., (anat.) bxima/pxima.
afternoon n., għasar.
afterwards prep. & adv., mbagħad, wara.
against prep., għal, kontra.
agaric n., (bot.) faqqiegħ/foqqiegħ.
agata n., (min.) agata.
agave n., (bot.) àgave.
age n., età, evu, għomor, żmien. ***Middle A~s;*** Medju Evu. ***old ~;*** kobor, xejb.
ageing n., tagħġiż.
agency n., aġenzija.
agenda n., aġenda.
agent n., aġent, pjazzist, rappreżentant.
aggrandizing n., takbir.
aggravate v., aggrava/iggrava. ***~ the matter;*** żied id-doża.
aggravated adj. & p.p., iggravat, mtaqqal, mteqqel.
aggravation n., għamsa, peġġorament.
aggregated adj. & p.p., aggregat.
aggression n., aggressjoni.
aggressive adj., aggressiv.
aggressor n., aggressur.
agility n., ħeffa.
agio n., aġġju, (artis.) laġġu.
agitate v., aġita.
agitated adj. & p.p., aġitat, emozzjonat, ferfieri. ***to be ~;*** qammar, daqdaq. ***being ~;*** daqdiq.
agitation n., aġitazzjoni, emozzjoni, ferment, ħeżża.
agitator n., ferfier.
agnail n., xulliefa.
agony n., agunija.
agrarian adj., agrarju.
agree v., ftiehem, ippattja, qabel. ***he ~d on the price;*** dak ftiehem fuq il-prezz. ***they could not ~;*** ma setgħux jaqblu bejniethom.
agree (to) v., approva.
agreeable adj., lqugħi.
agreed adj. & p.p., miftiehem.
agreement n., akkordju, baqgħa, ftehim, konkordanza, konkordat, kunsens, patt, qbil. ***to come to an ~;*** ittransiġa, ikkorda.
agriculture n., agrikultura, biedja.
ah me! interj., ajma.
aid n., assistenza, daqqa ta' id, għajnuna, qbiż għal xi ħadd, sokkors. ***first ~;*** l-ewwel għajnuna.
aid v., ajjuta, ta spalla.
aided adj. & p.p., megħjun.
ailment n., għilla, għomma. ***full of ~s;*** magħlul.
aim (at/for) v., aspira.
aim (high) v., ambixxa.
aim n., fini, għan, mira, skop, (leg.) intent.
aim v., immira.
aimed (at/for) adj. & p.p., aspirat.
air n., arja, awra, bixra, hewwa. ***~ clothes;*** naxar. ***~ person;*** avjatur. ***expose to the cold ~, stay out in the cold ~;*** ixxoxxa.
air-conditioner n., erkondixxiner.
air-hole n., spiral.
air-raid n., errejd.
aircraft n., ajruplan.
airing (of clothes) n., naxra, nxir.
airing n., tipriċ.
airplane n., ajruplan. ***jet-plane;*** ajruplan tal-ġett; ***spying plane; reconnaissance plane;*** ajruplan tat-tkixxif;
airport n., ajrudrom, ajruport, mitjar.
airy adj., arjuż.

aisle n., nava, (arch.) navata.
ajar adj., mbexxaq. ***leave ~;*** bexxaq.
ajar adv., sokkjuż.
akin adj., (leg.) konsangwinju.
alabaster n., (min.) alabastru.
alarm n., allarm.
alarmed adj. & p.p., allarmat.
alarming adj., allarmanti.
alas interj., deh, jaħasra, ajma.
alb n., (eccl.) alba, kamżu.
albacore n., (ichth.) alonga, alalunga.
albinism n., albiniżmu.
albino adj. & n., albin.
album n., album.
albumen n., abjad tal-bajd, (med.) albumina.
alburum n., (bot.) albornu.
alchemist n., alkimist.
alchemy n., alkimija.
alcohol n., (chem.) alkoħol, spirtu.
alcoholic adj., alkoħoliku. ***~ drinks;*** xorb spirituż.
alcove n., alkova, arkova.
ale n., birra.
alembic n., lampik.
alga n., (bot.) alga, alka.
algebra n., (mechan.) alġebra.
algebraic(al) adj., alġebrajku.
algebraically adv., alġebrajkament.
algidity n., reżħa.
alibi n., (leg.) alibi.
alignment n., allinjament.
alike adj., msiewi, sìmili.
aliment n., aliment, għajxien, ikel, nutriment, past.
alimentary adj., alimentari.
alimony n., (leg.) aliment.
alive adj., ħaj.
alkali n., (chem.) alkàl.
all pron., kollha, kollox, kollu, lkoll. ***above ~;*** fuq kollox.
allegation n., allegazzjoni.
allege v., allega.
alleged adj. & p.p., allegat.
allegoric(al) adj., allegòriku.
allegorically adv., allegorikament.
allegory n., allegorija.
allegretto n., (mus.) allegretto.
allegro n., (mus.) allegro.
allergic adj., (med.) allerġiku.
allergy n., (med.) allerġija.
alleviate v., ħaffef.
alleviated adj. & p.p., mtaffi.
alleviation n., solliev.
alley n., sqaq, vikolu.
alliance n., alleanza, rabta.
allied adj. & n., alleat.
alligator n., (zool.) alligatur, kukkudrill.
alliteration n., (liter.) alliterazzjoni.
allocate v., alloka.
allocation n., allokazzjoni.
allocution n., allokuzzjoni.
allontanation n., tbegħid.
allot v., assenja.
allotment n., sehem.
allow v., assenja, ħalla, illawdja, ippermetta, qagħad, (leg. & parl.) ikkonċeda. ***they have ~ed him 100 pounds sterling a year;*** assenjawlu 100 lira sterlina fissena. ***~ me to talk;*** ippermettili nitkellem. ***to be ~ed;*** sata'.
allowable adj., xieraq.
alloy n., liga.
allude v., alluda. ***this was ~d to in his letter;*** alluda għal din fl-ittra tiegħu.
allude (to) v., aċċenna.
alluded adj. & p.p., aċċennat.
allure v., xennaq, ħajjar.
allured adj., mħajjar.
allurement n., attrattiva, ħajr, ħajran, lixkata.
allusion n., aċċenn, allużjoni.
alluvial adj., alluvjali.
almanac n., almanakk, kalendarju, lunarju.
Almighty (the) n., Alla.
almond n., lewża. ***bitter ~;*** lewża morra. ***~ sweetmeal;*** kurkanta. ***sugar ~;*** perlina. ***full with ~s;*** mlewweż.
almoner n., almonier, (eccl.) elemożinier.
almost adv., bilkemm, kważi.
almost prep., bejn wieħed u ieħor.
alms n., elemożina ***collection of ~;*** ċirka. ***to ask ~;*** talab.
almshouse n., ospizju.
aloe n., (bot.) sabbara, żabbara.
alone adj., solitarju, waħd, waħda, waħdek, waħdu.
along adv., mintul.
along prep., matul. ***to get ~side;*** (mar.) ittrakka.
aloof adv., bgħid.
alpaca n., (zool.) alpaka.
alphabet n., alfabett.
alphabetic adj., alfabetiku.
alpina n., (bot.) alpinja.
alpinist n., alpinist.
already adv., diġà, ġa.
also adv., anki, ukoll.
altar boy n., abbati.
altar n., midbaħ/madbaħ, (eccl.) artal/altar. ***high ~;*** artal maġġur.
altar-frontal n., (eccl.) ventartal.
alter v., biddel.
alterable adj., (leg.) alterabbli.

alteration n., modìfika, modifikazzjoni.
altercate v., illìtika, ħaqqaq.
altercation n., battibekk.
altered adj. & p.p., mibdul, modifikat.
alternate adj., alternat.
alternate v., newweb.
alternately adv., bin-newba, bit-tinwib.
alternation n., alterazzjoni, tinwib.
alternative adj., alternattiv(a)
althea n., (bot.) altea.
although adv., għadilli.
although conj., allavolja, għalkemm.
altimeter n., (mechan.) altimetru.
altruist n., altruwist.
alum n., (min.) xebb, (chem.) allumi. ***rock ~;*** (min.) xebb il-ġmiel.
aluminium n., (met.) aluminju.
always adv., dejjem.
amalgamate v., amàlgama.
amalgamated adj. & p.p., amalgamat.
amalgamation n., amalgamazzjoni.
amaranth n., denb it-tawes, (bot.) amarant, bellusa.
amaryllis n., (bot.) amarilli.
amass v., barraġ, gezzez, għarram, rekken. ***to ~ money;*** rekken il-flus.
amassed adj. & p.p., mgeddes, mgezzez.
amateur n., dilettant.
amaurotic adj., agħma iżraq.
amaze v., bellaħ, għaġġeb, immeravilja, skanta. ***I am ~d at your words;*** qiegħed tiskantani bi kliemek. ***to be ~d;*** tgħaġġeb, stagħġeb.
amazement n., għaġeb, stagħġib, tagħġib.
ambassador n., (dipl.) ambaxxatur, ħabbâr.
amber jack n., (ichth.) aċċola.
ambiguity n., ambigwità.
ambiguous adj., ambigwu, bejn ħalltejn.
ambition n., ambizzjoni.
ambitious adj., ambizzjuż.
ambivalent n., ambivalenti.
amble n., purtant.
ambo n., (eccl.) ambone, (g.) għanbu.
ambrosia n., (bot.) ambrosja.
Ambrosian adj., (eccl.) Ambrożjan. ***the ~ hymn, the Te Deum;*** innu Ambrożjan. ***~ chant;*** kant Ambrożjan.
ambulance n., ambulanza.
ambulatory n., (arch.) ambulakru.
ambush n., nasba, (mil.) imbuskata.
ameliorate v., immiljora, tejjeb.
amelioration n., avanz/avvanz.
amen interj., ammen, amen.
amend v., .
amend v., (leg.) amenda/emenda, immin-da. ***the government ~ed this law;*** il-gvern emenda din il-liġi.
amended adj. & p.p., immindat, rettifikat.
amendment n., (parl.) emendament.
amethyst n., (met.) ametist.
amiable adj., amabbli.
amiant(h)us n., (min.) amjantu.
amice n., (eccl.) amittu.
ammass v., geddes, ġamma'/ġemma' l-flus.
ammonia n., (chem.) ammonjàka.
ammonium n., (chem.) ammonju.
ammunition n., (mil.) munizzjon.
amnesty n., amnestija.
amnion n., borqom.
amoeba n., (med.) ameba.
amomum n., (bot.) amomu.
among prep., bejn, fost, qalb. ***from ~;*** minbejn.
amongst prep., fi, qalb.
amorist n., namrat.
amoroso adv., (mus.) amoroso.
amortization n., (leg.) ammortament.
amortize v., (leg.) ammortizza.
amount v., .
amount (to) v., ammonta, laħaq. ***his liabilities ~ one thousand pounds sterling;*** dak li għandu jagħti jammonta għal elf sterlina.
amount n., ammont, somma.
ampere n., (elect.) ampèr.
amphibious adj., anfibju.
amphitheatre n., anfiteatru.
amphora n., (hist.) ànfora.
ample adj., wasa'.
amplification n., tagħġib.
amplified adj. & p.p., mwassa'.
amplifier n., (elect.) amplifajer.
amplify v., fettaħ, kabbar, wassa'.
amputated adj. & p.p., maqtugħ.
amputation n., (med.) amputazzjoni.
amulet n., amulet.
amuse v., farraġ.
amuse (oneself) v., iddeverta.
amusement n., diversiv, divertiment, meravilja, xalar.
amuser n., għaxxieq.
amusing adj., divertenti, rikreattiv.
anachoret n., anakoreta.
anachorite n., anakoreta, eremit.
anachronism n., anakroniżmu.
anacreontic adj., anakreòntiku.
anaemia n., (med.) anemija.
anaemic adj., (med.) anèmiku.
anaesthesia n., (med.) anestesija.
anaesthetic adj., anestetiku.
anaesthetic n., (med.) anestetiku.
anaesthetist n., (med.) anestetișta.
anaesthetize v., (med.) anestetizza.

anagoge n., anagoġija.
anagogic(al) adj., anagoġiku.
anagram n., anagramma.
analeptic adj., (med.) analettiku.
analgesic adj., (med.) analġesiku.
analogically adv., analoġikament.
analogous adj., analògu.
analogue adj., analògu.
analogy n., analoġija.
analyse v., analizza.
analysed adj. & p.p., analizzat.
analysis n., analisi.
analyst n., analista.
analytic(al) adj., analìtiku. ***~ index;*** werrej analitiku.
anamorphosis n., anamòrfosi.
ananas n., (bot.) ananas.
anapdragon n., (bot.) papoċċi.
anarchic(al) adj., anàrkiku.
anarchist n., anarkiku.
anarchy n., anarkija.
anarole-tree n., (bot.) anżalora.
anathema n., (eccl.) anatema.
anatomic(al) adj., anatòmiku.
anatomize v., anatomizza, xeraħ.
anatomized adj. & p.p., anatomizzat, mxerraħ. ***to be ~;*** ixxerraħ.
anatomizer n., xerrieħ.
anatomy n., anatomija, tixriħ.
anber n., għanbra.
ancestor n., antenat.
ancestors n., axxendenza.
anchor n., (mar.) ankra. ***at ~;*** (mar.) ankrat. ***weigh ~;*** refa' l-ankra, salpa. ***cast ~;*** xeħet l-ankra, rmiġġa/ormiġġa. ***riding at ~;*** ankrat, sorġut.
anchor v., (mar.) ankra, sorġa. ***the ship ~ed by the jetty;*** (mar.) il-vapur sorġa mal-moll. ***come to ~;*** ankrat. ***to be at ~;*** sorġa.
anchor-ring n., (mar.) ċikala.
anchorage n., (mar.) ankraġġ rada.
anchored adj. & p.p., rmiġġat.
anchovy n., (ichth.) anċova/inċova.
anchylosis n., (med.) ankilożi.
ancient adj., antik, qadim, xiħ.
anciently adv., antikament, dari, fiż-żmien.
ancientness n., qedem.
and kong., u.
anecdote n., anedottu.
anemometer n., (phys.) anemòmetru.
anemone n., (bot.) anèmoni, kaħwiela. ***sea ~;*** (zool.) artikla.
aneroid n., anerojdi.
aneurysm n., (med.) anewriżmu.
angel n., anġlu. ***guardian ~;*** anġlu kustodju.
angelic adj., anġeliku.
angelica n., (bot.) anġelika.
anger n., għadba, kòllera, korla, rabja. ***great ~;*** dagħdigħ. ***inflamed with ~;*** mbergħen. ***outburst of ~;*** tixgħib. ***provoked to ~;*** msaħħan. ***to boil with ~;*** xegħel. ***to flash with ~;*** kibes.
anger v., bergħen, għaddab, irrabja, ħamħam, ħanfes.
angered adj. & p.p., mħanfes, mħarrax.
angina n., (med.) anġina.
angle n., angolu, kantuniera, koxxa, minkeb.
anglican adj. & n., anglikan.
angry adj. & p.p., inkurlat, misbul, immasħan, magħdub, mħamħam, sħun.
angry n., biċ-ciera. ***make one ~;*** nafar, naffar.
angry v., għabbar. ***be ~ with;*** għadab. ***get ~ with someone;*** għamel għalih, inkorla. ***he got ~ about a trifle;*** nafar fuq ħaġa ta' xejn. ***please do not make me ~ with your words;*** jekk jogħġbok tnaffarnix bi kliemek. ***to get ~;*** irrabja, tgħaddab. ***to grow ~;*** v., saħan. ***to make very ~;*** indemonja.
anguish n., diqa.
angular adj. & p.p., mnikkeb.
aniline n., (chem.) anilina.
animal n., annimal, bhima, dbiba. ***young ~;*** gellux. ***young of any ~;*** ferħ.
animalize v., biehem.
animation n., animazzjoni.
anise n., kemmun ħelu, (bot.) anisi.
anisette n., aniżett, żambur.
ankle n., (anat.) għaksa ta' sieq.
annalist n., annalista.
annals n., annali.
anneal v., rkoċa.
annexed adj., anness.
annihilate v., annikilixxa, xejjen.
annihilated adj. & p.p., mxejjen.
annihilating n., tixjin.
annihilator n., xejjien.
anniversary n., anniversarju. ***fiftieth ~;*** ċinkwantenarju.
annoint v., dilek.
annotate v., ikkummenta, innota.
annotation n., annotazzjoni.
announce v., annunzja, baxar, baxxar, ħabbar.
announced adj. & p.p., annunzjat, mbaxxar, mibxur, mħabbar.
announcement n., annunz, bxara.
announcer n., annunzjatur, xandâr, ħabbâr.
announcing n., tibxir.

annoy v., fantas, fena, iffitta, ikkontrarja, issikka, xaba', xabba'/xebba'. ***~ a person;*** kiser ras xi ħadd. ***to be or feel ~ed;*** iddejjaq, ħa għalih. ***he got ~ed hearing these words;*** iddejjaq jisma' dan il-kliem.
annoyance n., fastidju, sikkatura. ***to give ~ to;*** iffastidja.
annoyed adj. & p.p., molestat, mxabba'.
annoying adj., dejjieqi, nkejjuż.
annual adj., annwali, ta' kull sena.
annually adv., annwalment.
annuity n., annwalità.
annul v., neħħa, ħassar, (leg.) annulla.
annulated adj. & p.p., mxejjen.
annulled adj. & p.p., (leg.) annullat.
annulment n., (leg.) annullament, rexissjoni.
annunciation n., annunzjazzjoni.
anoint v., żejjet. ***~ing of the sick;*** (theol.) griżma tal-morda.
anointed adj. & p.p., midhun, midluk.
anointing n., dhin, dilka, dlik.
anomalous adj., anòmalu.
anomaly n., anomalija.
anonymous adj., anònimu.
anonymously adv., anonimament.
another pron. & adj., ieħor, oħra. ***~ time;*** darb'oħra. ***one ~;*** xulxin.
answer n., risposta, tweġiba.
answer v., wieġeb.
answered adj. & p.p., mwieġeb.
ant n., (zool.) nemla. ***big ~;*** (zool.) nemlun. ***~ hill;*** nemmelija.
ant-eater n., (zool.) bunemmiel.
antagonism n., antagoniżmu.
antagonist n., antagonist.
antartic adj., (geog.) antàrtiku.
antecedent adj. & n., anteċedent.
antediluvian adj., (hist.) antidilluvjan.
antelope n., (zool.) antilop.
anterior adj., anterjuri, quddiemi.
anteroom n., antikamera.
anthem n., innu, (eccl.) antìfona.
anther n., (bot.) antera.
anthology n., antoloġija.
anthracite n., antraċite.
anthrophagy n., antropòfaġija.
anthropologist n., antropologu.
anthropology n., antropoloġija.
anthropometry n., antropometrija.
anti-venene n., kontravelenu.
antichresis n., (leg.) antìkresi.
antichrist n., antikrist.
anticipate v., antìċipa.
anticipated adj. & p.p., antiċipat.
anticipation n., antiċipazzjoni. ***in ~;*** antiċipat.
anticlerical adj., antiklerikali.
antidote n., kontravelenu, (med.) antìdotu.
antimony n., (chem.) antimonju.
antipathetic adj., antipatiku.
antipathy n., antipatija.
antipenultimate adj., antipenùltimu.
antiphone n., (eccl.) antìfona.
antiphonial n., (eccl.) antifonarju.
antiphony n., (eccl.) antìfona.
antiphrase n., antifrażi.
antipodes n.pl., (geog.) antìpodi.
antipope n., (hist.) antipapa.
antiquary n., antikwarju.
antiquated adj. & p.p., antikwat.
antique n., antikità. ***worthless ~;*** antikalja.
antiquity n., antikità, qdumija.
antiseptic adj., (med.) antisèttiku.
antisocial adj., antisoċjali.
antithesis n., antìtesi.
antithetical adj., antitètiku.
antler n., qarn.
antonomasia n., antonomasja.
anvil n., (artis.) inkwina. ***goldsmith's ~;*** (artis.) tass.
anxiety n., ansjetà.
any pron. & adj., kulinkwa/kwalunkwe.
anybody n., xi ħadd. ***is there ~;*** hemm xi ħadd.
anyone n., xi ħadd.
aorist n., (gram.) awrist.
aorta n., (med.) aorta.
apart (from) adv., apparti. ***set ~;*** mġenneb.
apartment n., appartament.
apathetic adj., apatiku.
apathy n., apatija, flemma.
ape n., (zool.) gidmejmun, xadin.
ape v., għajjeb, ixxadinja, ixximjotta.
aperative n., aperitiv.
aperitive adj., fettieħi.
aperture n., apertura, fetħa.
apex n., appann.
aphonia n., (med.) afonija.
apiculture n., apikultura.
aping n., tagħjib.
Apocalypse n., (hist.) Apokalissi.
apocalyptic(al) adj., apokalittiku.
apocope n., (gram.) apòkope.
apocryphal adj., apòkrifu.
apogee n., (astro.) apoġew.
apogoge n., apogoġija.
apologetic(al) adj., apoloġetiku.
apologetics n., apoloġètika.
apologize v., talab skuża.
apologue n., apòlogu.
apology n., apoloġija, skuża.

apopletic adj., (med.) puplètiku.
apoplexy n., (med.) apoplesija, koċċla, puplesija.
apostasy n., apostasija.
apostate n., apòstata.
aposteme n., (med.) postiema.
apostle n., appostlu, rasùl.
apostleship n., appostolat/apostolat.
apostolate n., appostolat/apostolat.
apostolic adj., appostoliku.
apostrophe n., appostrofu.
apothecary n., spiżjar.
apotheosis n., apoteosi.
appanage n., appannaġġ.
apparatus n., apparat.
apparent adj., dieher, trasparenti.
apparition n., apparenza, apparizzjoni, dehra.
apparitor n., kurrier.
appeal n., (leg.) appell, rikors.
appeal (to) v., (leg.) appella.
appealable adj., (leg.) appellabbli.
appealed adj., (leg.) appellat.
appear v., deher, feġġ, iffaċċja. ***today the sun did not ~;*** illum ix-xemx xejn ma feġġet.
appearance n., apparenza., bixra, feġġa, parenza, xeħta.
appease v., ikkwieta, ipplaka, mannas, sewwa, sikket, xaħxaħ. ***to ~ a person;*** ipplaka lil xi ħadd.
appeased adj. & p.p., mberred, mbewwes, mheddi, mrażżan, msikket, mxaħxaħ, plakat.
appellant n., (leg.) appellant.
appellative adj., appellattiv.
appendicitis n., (med.) appendiċite, appendiks.
appendix n., addenda, appendiċi, (anat.) il-musrana l-għamja.
appetite n., aptit.
appetizer n., aperitiv, apitajżer.
appetizing adj., appetuż.
applaud v., applawda, ċapċap, ħabbat idejh.
applauded adj. & p.p., applawdut, mċapċap.
applause n., akklamazzjoni, applaws, ċapċip, taħbit ta' l-idejn.
apple n., (bot.) tuffieħa. ***Adam's ~;*** ġewża tal-għonq.
applicable adj., applikabbli.
applicant n., applikant.
application n., applikazzjoni, dehwa.
applied adj. & p.p., applikat;
apply v., applika, ikkonkorra. ***he applied for a government tenement;*** applika għal dar tal-gvern. ***~ oneself to;*** applika ruħu. ***there were many who applied for the examination of an inspector;*** kien hemm ħafna li kkonkorrew għall-eżami ta' spettur.
appogiatura n., (mus.) appoġġatura.
appoint v., laħħaq, ħatar.
appointed adj. & p.p., destinat.
appointment n., appojntment, appuntament, inkarigu, kàriga, nòmina.
apposition n., appożizzjoni.
appraisal n., prezzatura.
appraised adj. & p.p., miswi.
appraisement n., apprezzament, (leg.) perizja.
appraiser n., prezzatur, stimatur.
appreciable adj., apprezzabbli.
appreciate v., apprezza, għażż, stima.
appreciation n., apprezzament.
apprehend v., intuwixxa.
apprehension n., apprensjoni.
apprehensive adj., apprensiv.
apprentice n., alliev, apprentist, prattikant, printes.
apprenticeship n., apprentistat, tiroċinju.
approach n., qarba, qorbien, resqa, taqrib, tirsiq.
approach v., avviċina, qarreb, qorob, resaq, ressaq, approwċja. ***he ~ed the city;*** qarreb lejn il-belt. ***the night is ~ing;*** il-lejl qed jersaq. ***he ~ed his father not to let him go to the club any more;*** approwċja lil missieru biex ma jħallihx aktar imur il-klabb.
approached adj. & p.p., avviċinat, mqarreb, mressaq.
approacher n., qarrieb, ressieq.
approaching adj. & pres.p., riesaq.
approaching n., avviċinament, qorbien, taqrib, tilħiq, tirsiq.
approbation n., approvazzjoni.
appropriate v., (leg.) approprija.
appropriation n., (leg.) approprijazzjoni.
approval n., approvazzjoni.
approve v., approva, laqa'.
approved adj. & p.p., approvat, votat.
approximately adv., ċirka, pressappoku.
apricot n., (bot.) berquqa.
April n., April. ***all Fools' Day (first ~);*** l-ewwel ta' April.
apron n., fardàl. ***silk ~;*** (eccl.) grembjal.
apropos adv., appropositu.
apse n., (arch.) àpside/àbside.
apt adj., tajjeb.
aptitude n., almu.
aquafortis n., (chem.) akkwaforti.
aquaintance n., konoxxenza.

aquamarine n., (min.) akkwamarina.
aquarelle n., akkwarella.
aquarellist n., akkwarellist.
aquarium n., akkwarju.
aqueduct n., akkwidott, sieqja.
aqueous adj., milwiem.
aquiline adj., ajkulin.
Arab n., Għarbi.
arabesque n., arabesk.
arabesque v., naqqax.
Arabian n., Għarbi.
arabism n., arabiżmu.
aralia n., (bot.) aralja.
araucaria n., (bot.) awrikarja.
arbiter n., àrbitru.
arbitrarily adv., arbitrarjament.
arbitrary adj., arbitrarju.
arbitrate v., arbitra.
arbitration n., arbitraġġ.
arbour n., kannizzata, pergla.
arc n., (arch.) ħnejja.
arcade n., (arch.) arkata.
arcadian adj., arkadiku.
arch n., qaws, (arch.) ħnejja, ark. ***flat arch;*** (arch.) arkipjan.
archaic adj., arkajku.
archangel n., arkanġlu.
archbishop n., (eccl.) arċisqof.
archdeacon n., (eccl.) arċidjaknu.
archduke n., arċiduka.
arched adj. & p.p., mqawwes.
archeological adj., arkeolòġiku.
archeologist n., arkeologu.
archeology n., arkeoloġija.
archer n., qawwàs/qawwies, saġittarju, (hist.) arċier.
archiepiscopal adj., (eccl.) arċiveskovili.
archipelago n., (geog.) arċipèlagu.
architect n., arkitett, perit.
architectonic adj., arkitettoniku.
architectonical adj., arkitettoniku.
architecture n., arkitettura.
architrave n., (arch.) arkitrav.
archive(s) n., arkivju. ***keeper of ~s;*** arkivista. ***to place in the ~s;*** arkivja.
archivist n., arkivista.
archmanrite n., (eccl.) arkimadrita.
archpriest n., (eccl.) arċipriet.
arctic adj., (geog.) artiku.
ardent adj., ferventi, ħerqan, mħeġġeġ, żelanti.
ardour n., fervur, ħerqa, ħrara. ***produce ~;*** ħarraq.
area n., arja, erja.
arena n., arena.
areola n., (anat.) areola.
areopagus n., areopagu.
argentine n., (ichth.) kurunella.
argue v., argumenta, ikkustinja, ippilla.
argued adj. & p.p., argumentat, mitħaddet.
argument n., argument, raġunament.
argumentation n., argumentazzjoni.
aridity n., nxief, nxufija, xegħta.
aristocracy n., aristokrazija.
aristocratic adj. & n., aristokratiku.
arithmetic adj., aritmetiku.
arithmetics n., aritmetika.
ark n., arka.
arm n., driegħ. ***arm-in-arm;*** labranzetta.
arm v., arma, rama.
arm-pit n., abt.
arm-ring n., ċappetta ta' l-id.
armadietto n., loker.
armament n., armament.
armchair n., pultruna/putruna.
armed adj. & p.p., armat.
armful n., ħodon.
armistice n., (mil.) armistizju.
armlet n., braċċjal, (mar.) qala.
armour n., armatura, (mil.) korazza/kurazza.
armourer n., armier.
armoury n., armerija.
army n., armata, eżerċitu, milizzja.
aroma n., aroma, ħwar.
aromatic adj., aromatiku.
around adv., inġir.
arouse v., nebbaħ, qajjem. ***~ passion;*** appassjona.
arrange v., ikkumbina, irranġa, iġġusta, qassam. ***~ the flowers of that vase;*** irranġa l-fjuri ta' dak il-vażett.
arranged adj. & p.p., irranġat, mirqum.
arrangement n., arranġament, ranġament, sistemazzjoni.
arras n., arazza.
array n., sarbut/serbut.
array v., sarbat, skjera.
arrayed adj. & p.p., msarbat.
arrest n., arrest.
arrest v., arresta, ħabes. ***the policeman ~ed the thief;*** il-pulizija arrestat il-ħalliel.
arrested adj. & p.p., arrestat.
arrival n., miġja, wasla.
arrive v., wasal, ġie. ***~ in time;*** laħħaq. ***he ~d yesterday from London;*** wasal il-bieraħ minn Londra.
arrive (at) v., laħaq.
arrived adj. & p.p., milħuq.
arrogance n., ardir, arja, arroganza, qilla.
arrogant adj., arjuż, arroganti, gwapp, mżarġan, prepotenti, supperv.

arrow n., vleġġa.
arse n., sorm.
arsenal n., tarzna, tarznar.
arsenic adj. & n., arsèniku. ~ ***acid;*** aċidu arsèniku.
art n., arti, ħila, sengħa. ***~fully;*** bis-sengħa. ***art gallery;*** gallerija (ta' l-arti).
arterial adj., (anat.) arterjuż.
artery n., (anat.) arterja.
arthritic adj., (med.) artritiku.
arthritis n., (med.) artrite.
artichoke n., (bot.) artiċokks, qaqoċċa.
article n., (gram.) artiklu.
articulation n., artikolazzjoni.
artificer n., artiġjan, raġel tas-sengħa.
artificial adj., artifiċjali.
artificially adv., artifiċjalment.
artillery n., (mil.) artillerija.
artist n., artist.
artisan n., raġel tas-sengħa. ~ ***craftsman;*** artiġjan.
artistic(al) adj., artistiku.
artistically adv., artistikament.
arum n., (bot.) garni, għorgħas.
as adv., kif, peress. ~ ***usual;*** kif dari.
as if adv., bħallikieku.
as like adv., bħalma.
as long as adv., sakemm.
asafoetida n., (med.) assafètida.
asbestos n., (min.) asbèstos.
ascend v., tela'/tala'.
ascended adj. & p.p., mitlugħ.
ascendent n., axxendent.
ascending n., titligħ, tligħ.
Ascension pr.n., Lapsi.
ascension n., telgħa, tligħ, tlugħ.
ascent n., għolja, telgħa, tligħ, tlugħ.
ascertain v., iċċerta/aċċerta, ħaqqaq.
ascertained adj. & p.p., mħaqqaq.
ascetic(al); adj., (theol.) axxètiku.
ascetics n., (theol.) axxètika.
ascetism n., axxetiżmu.
ascites n., (med.) axxite.
ashes n., irmied. ***Ash Wednesday;*** Ras ir-randan. ***common ash;*** (bot.) fraxxnu.
ash-coloured adj., bebbuxi, rmiedi.
ashamed adj. & p.p., mirgħux. ***to be ~;*** staħa, ragħax.
ashamed adj., mistħi.
ashlar n., (arch.) bunja.
ashtray n., axtrej, marmad.
asiatic adj., asjatiku.
aside — ***set aside;*** mġieneb.
ask v., intèrroga, saqsa/staqsa, talab, (parl.) iddomanda. ~ ***him when he comes to school;*** saqsieh meta jiġi l-iskola. ~ ***continually;*** laħħ/leħħ.
asked adj. & p.p., interrogat, mistoqsi, mitlub, mtallab.
aslant adv., żmerċ.
asleep adj., rieqed. ***fall ~;*** ħadu n-ngħas, raqad.
asparagus n., (bot.) spraga.
aspect n., aspett, ċiera.
asperges n., (eccl.) asperġes.
aspergillum n., (eccl.) asperġes.
aspersed adj. & p.p., marxux.
aspersion n., bexxa.
aspersorium n., (eccl.) satla.
asphalt n., asfalt.
asphalt v., asfalta.
asphalted aġġ & p.p., asfaltat.
asphalting n., asfaltatura.
asphodel n., (bot.) asfodill, berwieq.
asphyxia n., (med.) asfissija.
asphyxiate v., sfissa, (med.) asfissja.
asphyxiated adj. & p.p., asfissjat.
asphyxy n., (med.) asfissija.
aspirated adj. & p.p., aspirat.
aspiration n., aspirazzjoni.
aspire v., aspira.
aspirin n., (med.) asperina/aspirina.
ass n., (zool.) ħmar.
assail v., qabad fih.
assailable adj., attakkabbli.
assailed adj. & p.p., attakkat.
assassin n., assassin.
assassinate v., assassna/issassna.
assassinated adj. & p.p., assassnat.
assassination n., assassinju, qtil.
assauge v., taffa.
assault n., aggressjoni, assalt, attakk, salt, ħbit.
assault v., aggredixxa, assalta, attakka, ħebb, issaltja, qabad fih, ħabat għal. ***he ~ed me;*** hu ħebb għalija.
assaulted adj. & p.p., assaltat.
assaulter n., aggressur.
assay n., assaġġ, (artis.) saġġ. ***to ~ gold or silver;*** (techn.) issaġġja.
assayable adj., (techn.) issaġġjat.
assayer n., saġġatur.
assemble v., iggruppa, laqqa', ġama'. ***he ~d all the soldiers in the square;*** ġama' s-suldati kollha fil-misraħ.
assembled adj. & p.p., iggruppat, miġmugħ.
assembly n., assemblea.
assembly n., kongregazzjoni, laqgħa, miġimgħa, ġemgħa.
assent n., (leg.) adeżjoni, kunsens.
assent v., ammetta.
assert v., sostna. ~ ***repeatedly;*** bannas.
assess v., assessja, intaxxa.

assessable adj., taxxabbli, valutabbli.
assessed adj. & p.p., assessjat, intaxxat.
assessment n., tassazzjoni.
assessor n., taxxier, (leg.) assessur.
assets n., (leg.) assi. ***statement of ~;*** rendikont.
assiduous adj., assidwu, lieżem. ***to be ~;*** liżem.
assiduously adv., assidwament.
assiduousness n., assidwità.
assign v., assenja.
assignation n., assenjazzjoni.
assignee n., (leg.) ċessjonarju.
assignment n., assenjazzjoni, (leg.) ċessjoni.
assimilate v., assimilja.
assimilated adj. & p.p., mxiebah.
assimilation n., assimilazzjoni.
assist v., assista, waqaf ma'.
assistance n., ajjut, assistenza, għajnuna. ***give ~;*** ajjuta. ***social ~;*** rilîf.
assistant n., ajjutant, assistent. ***~ manager;*** viċi direttur. ***~ parish priest;*** viċi parroku.
assize n., mieta.
associate v., assoċja/issoċja, siehem, sieħeb, xerrek, xierek. ***he ~d himself with all his companions against that law;*** assoċja ruħu ma' sħabu kollha kontra dik il-liġi. ***I ~ myself to all that he said;*** nassoċja ruħi ma' dak kollu li qal. ***he ~d his son in the business;*** sieħeb 'l ibnu miegħu fl-intrapriża.
associate (with) v., issieħeb, ixxerrek.
associated adj. & p.p., assoċjat, mixruk, msiehem, mxerrek, mxierek. ***to be ~;*** issieħeb, ixxierek.
association n., assoċjazzjoni, sħubija.
assonance n., assonanza.
assonant adj., assonanti.
assort v., issortja.
assorted adj., assortit.
assortment n., assortiment.
assuaged adj. & p.p., mxaħxaħ.
assume v., assuma, intraprenda. ***to ~ a learning air;*** iddottra.
assumed adj., assunt.
assumption n., assunzjoni. ***Assumption;*** l-Assunzjoni.
assurance n., assigurazzjoni.
assure v., assigura, iċċerta/aċċerta, żgura, ħaqqaq, (leg.) iċċerzjora. ***~ oneself;*** assigura ruħu. ***he ~d him of giving back the book;*** iċċertah se jagħtih lura l-ktieb.
aster n., (bot.) settembrina.
asterisk n., asterisk.
asterism n., (astro.) asteriżmu.
asteroid n., (astro.) asterojdi.
asthma n., (med.) ażma.
asthmatic adj. & n., (med.) ażmàtiku.
astigmatic adj., (med.) astigmatiku.
astigmatism n., (med.) astigmatiżmu.
astonish v., bellah, għaġġeb, immeravilja, issomma, skanta.
astonished adj. & p.p., mbellah, meraviljat/immeraviljat, mibluh, mistagħġeb. ***to be astonished;*** baqa' b'ħalqu miftuħ, tgħaġġeb, stagħġeb.
astonished adj., sorpriż.
astonishing adj., sorprendenti.
astonishment n., meravilja, sorpriża, stagħġib, tagħġib. ***sudden ~;*** ħasda.
astound v., għaġġeb, skanta.
astounded adj. & p.p., mistagħġeb.
astrakhan n., astrakan.
astride adv., sieq 'l hawn u 'l hemm.
astringent adj., astrinġenti, xdidi.
astrologer n., astròlogu.
astrologic(al) adj., astrolòġiku.
astrology n., astroloġija.
astronaut n., astronawta.
astronautics n., astronawtika.
astronomer n., astrònomu.
astronomic(al) adj., astronòmiku.
astronomy n., astronomija.
astute adj., astut/astuż, makakk, stus/stuż.
astuteness n., astuzja, makakkerija.
asylum n., maħrab, ospizju, rikòveru. ***grant ~;*** kennen. ***lunatic ~;*** manikomju, sptar tal-mard tal-moħħ.
at prep., għand.
at (all) adv., affattu. ***nothing ~, not ~;*** affattu xejn.
at (once) adv., bilġri, f'daqqa.
ataroxy n., (phil.) atarassija.
atavisc adj., (med.) atavistiku.
atavism n., (med.) ataviżmu.
athanasi n., (bot.) atanasja.
atheism n., ateiżmu.
atheist n., atew.
atheneum n., atenew.
athletic adj., atlètiku.
athlete n., atleta.
athletically adv., atletikament.
athletics n., atletika.
Atlantic (ocean) pr.n., (geog.) Atlàntiku.
atlas n., atlas.
atmosphere n., ajru, atmosfera, awra.
atmospheric(al) adj., atmosferiku.
atom n., àtomu.
atomel adj., (mus.) atomali.
atomic adj., atòmiku.
atomize v., atomizza.
atomized adj. & p.p., atomizzat.

atomizer n., atomizzatur.
atone v., skonta.
atone (for) v., patta.
atonic adj., (gram.) atoniku.
atony n., (med.) atonija.
atrium n., (arch.) atriju.
atrocious adj., atroċi.
atrocity n., atroċità.
atrophic adj., (med.) atròfiku.
atrophied adj. & p.p., (med.) atrofizzat.
atrophine n., (med.) atropina.
atrophy n., (med.) atrofija.
atrophy v., atrofizza (ruħu).
attach v., ittakka.
attached adj. & p.p., attakkat.
attached adj., anness. ***become ~ to;*** affezzjona.
attaching n., tidnib.
attachment n., attakkament, tarbit.
attack n., aggressjoni, assalt, attakk, ħbit.
attack v, aggredixxa, attakka, ħebb, għamel għalih, ħabat għal. ***we were unexpectedly ~ed;*** konna attakkati għal għarrieda.
attackable adj., attakkabbli.
attacked adj. & p.p., attakkat.
attainment n., lħiq, qalgħa.
attempt n., attentat, sforz.
attempt v., issajja, ittanta.
attend v., attenda.
attendance n., attendenza.
attention n., attenzjoni, deħwa, kas, retta. ***draw ~;*** attira.
attentive adj., attent, midhi.
attentively adv., attentament.
attenuate v., biġġel.
attenuated adj. & p.p., misbuk, mraqqaq.
attenuation n., tagħlib.
attestation n., xhid.
attire n., lbies.
attitude n., atteġġjament, attitudni.
attone v., (mus.) intona.
attorney n., prokuratur. ***power of attorney;*** (leg.) dèlega, prokura.
attract v., affezzjona, attira. ***he has the gift of ~ing people to him;*** għandu d-don li jaffezzjona n-nies lejh.
attracted adj. & p.p., attirat, miġbud.
attracted adj., attratt, mħajjar.
attraction n., attrattiva, attrazzjoni, namra, ġibda, ħajran.
attractive adj., affaxxinanti, attraenti.
attribute n., attribut.
attribute v., attribwixxa.
attributed adj. & p.p., attribwit.
attribution n., attribuzzjoni.
attributive adj., attributtiv.
au revoir interj., arriv.
auberge n., berġa.
aubergine n., (bot.) brinġiela.
auction n., bejgħ bi rkant, rkant, (leg.) subasta. ***sale by ~;*** (leg.) liċitazzjoni.
auctioneer n., rkantatur.
audacious adj., awdaċi, meħjiel.
audacity n., awdaċja.
audible adj., smugħi.
audience n., uditorju, udjenza.
audiometer n., (med.) awdjometru.
auditor n., awditur, semmiegħ, uditur.
auditorium n., awditorju.
auger n., trapan.
augment v., kabbar, kattar, kiber, żdied, żied.
augmentation n., kotra.
augmentative adj., (gram.) akkrexxittiv.
augmented adj. & p.p., miżjud, mkabbar, mkattar.
augmenting adj., kotràn.
augury n., awgurju.
August pr.n., Awissu.
Augustinian n., Agostinjan.
auk (little auk) n., (ornith.) blonġun tat-tempesti.
aunt n., għamt, zija.
aureola n., dijadema, raġġiera.
aureole n., awreola, dijadema.
auricular adj., awrikulari.
auspice n., awspiċju.
austere adj., mqit.
austerity n., awsterità, ħruxija, taħrix.
austerity n., .
austral adj., awstrali.
Australian adj. & n., Awstraljan.
Austrian adj. & n., Awstrijak.
authentic adj., (leg.) awtèntiku.
authenticate v., (leg.) awtèntika.
authenticated adj. & p.p., (leg.) awtentikat.
authentication n., (leg.) awtentikazzjoni.
author n., awtur, skrittur.
authoritarian adj., awtoritarju, awtorèvoli.
authoritative adj., awtoritarju.
authoritatively adv., awtorevolment.
authority n., awtorità, fakultà, kburija, poter, potestà, setgħa.
authorization n., awtorizzazzjoni.
authorize v., awtorizza.
authorized adj. & p.p., awtorizzat.
autobiographer n., awtobijògrafu.
autobiographic(al) adj., awtobijografiku.
autobiography n., awtobijografija.
autocracy n., awtokrazija.
autocrat n., awtòkrata.
autocratic(al) adj., awtokràtiku.

autocratically adv., awtokratikament.
autogiro n., awtoġiro.
autograph n., awtògrafu.
autograph v., awtògrafa.
autographed adj. & p.p., awtografat.
autogyro n., awtoġiro.
automatic adj., awtomàtiku.
automatically adv., awtomatikament.
automaton n., awtoma.
automobilism n., awtomobiliżmu.
autonomous adj., awtònomu.
autonomy n., awtonomija.
autopsy n., (med.) awtopsja.
autumn n., ħarifa.
auxiliary adj., awżiljarju.
avail v., sewa.
available adj., disponibbli.
avalanche n., valanga.
avarice n., regħba, reqqa, xeħħa.
avaricious (man) n., ħanżir, xħiħ.
ave interj., ave!. ***A~ Marija;*** avemarija.
avenge (be avenged) v., patta.
avenue n., avenju, vjal.
average n., averiġġ, medja.
averse adj., għalieni.
aversion n., avversjoni, mibegħda.
avert v., biegħed.
avert (from) v., xiegħeb.
aviary n., guva, qafas, uċċelliera.
aviation n., avjazzjoni.
aviator n., avjatur.
avid adj., lħiħ.
avidity n., avidità, klubija.
avocet n., (ornith.) avożet.
avoid v., èvita, skansa. ***I could not ~ speaking to him;*** ma stajtx nevita li ma nkellmux.
avoidable adj., evitabbli.
avoset n., (ornith.) avożet.
avowed adj. & p.p., mistqarr.
await v., ittenna, stenna.
awaited adj. & p.p., mistenni.
awake v., nebbaħ, qajjem, qam, qawwem.
awakened adj. & p.p., mistenbaħ, mnebbaħ, mqajjem, mqawwem.
awakener n., qawwiem.
awakening n., qawma, qawmien, taqjim.
award (a prize) v., ippremja. ***he was ~ a gold medal;*** kien ippremjat b'midalja tad-deheb.
awarded adj. & p.p., ippremjat.
aware (be aware of) v., induna. ***to become ~ of;*** v., ittenda.
awe n., timenza.
awesome adj., imponenti, tal-għaġeb.
awful adj., terribbli, tremend.
awkward adj., żbozz. ***to become ~;*** iggoffa.
awkwardness n., guffaġni.
awl n., timplor, xifa.
awn n., (bot.) sifa.
awning n., tinda.
awry adv., żmerċ.
axe n., lexxuna, mannara. ***to work with an ~;*** lexxen.
axiom n., assjoma.
axiomatic adj., assjomatiku.
axis n., pern.
axle n., fus. ***~ tree;*** fus ta' rota.
azure adj., ikħal, iżraq, żerqa.
azyme adj., ażżmu.

Bb

babble v., balbal, gerwel, irrieċpa, lablab.
babbling n., tbalbil, tgerwil.
babiana n., (bot.) babjana.
babirossa n., (zool.) babirussa.
baboon n., (zool.) babun.
baby n., bejbi, tarbija.
baby-sitter n., bejbisiter.
baccarat n., (g.) bakkarà.
bacchanalia n., bakkanalja.
bachelor n., baċillier, għażeb.
bachelorhood n., baċellerat.
bachelorship n., baċellerat.
bacillus n., baċillu.
back adv., lura, waranijiet. ***small ~;*** dhajjar.
back n., dahar. ***half ~;*** (g.) hafbekk.
back v., ibbakkja. ***he ~ed his friend by his words;*** ibbakkja lil ħabibu fi kliemu.
back-stage n., (theatr.) retroxena.
backbite v., qassas.
backbone n., (anat.) sinsla.
background n., bakgrawnd, sfond.
backsheesh n., boqxiex.
backside n., tiż.
backstay n., (mar.) osta.
backward adj., waħħari.
backwards adv., lura, waranijiet.
bacon n., bejken.
bacteriologic(al) adj., batterjolòġiku.
bacteriologist n., batterjòlogu.
bacteriology n., batterjoloġija.
bacterium n., (med.) batterju.
bad adj., ħażin. ***become ~;*** ħżien. ***made ~;*** mħażżen, ħażżen. ***very ~;*** pessmu.
badge n., baġġ, distintiv.
badly adv., malament.
badness n., ħżunija.
bag n., basket, borża, ċurniena, xkora, ħorġa. ***game ~;*** ċurniena tal-kaċċa. ***paper ~;*** kartoċċ.
bagatelle n., bagatella, (g.) bagatell.
bagpipe n., ċirimella, żaqq.
bagpiper n., daqqâq taż-żaqq, rabbàb, ċirimellier.
bail n., (leg.) kawzjoni, pleġġ.
bail v., għamel tajjeb, ingotta, ippleġġja.
bail (out) v., (mar.) iggotta. ***they ~ed out the water from the boat;*** igguttaw l-ilma mid-dgħajsa.
bailed adj. & p.p., igguttat.
bain-marie n., banju marija.
bait n., lixka.
bait v., illixka, lekkem.
baiting n., lixkata.
bake v., inforna, ħema. ***my mother ~d the pie;*** ommi ħmiet it-torta. ***~ (bread);*** ħabeż (il-ħobż). ***yesterday the baker ~d the bread;*** il-bieraħ il-furnar ħabeż il-ħobż.
baked adj. & p.p., maħbuż, moħmi. ***~ hard;*** mbaskat.
bakehouse n., forn.
baker n., furnar, ħabbież.
bakery n., forn, maħbeż.
bakhshish n., boqxiex.
baking n., ħami, ħbiż.
balance n., bilanċ, ekwilibrazzjoni, ekwilibriju, miżien. ***~ wheel;*** (mechan.) bilanċier.
balance v., ibbilanċja.
balanced adj. & p.p., miżun. ***well-~;*** ekwilibrat.
balanced adj., bilanċjat.
balancing n., ekwilibrazzjoni.
balcony n., gallarija.
bald adj., fartâs, qargħi, ġarda. ***to make ~;*** fartas. ***to become ~;*** qriegħ. ***my father became ~ when he was young;*** missieri qriegħ meta kien għadu żgħir.
baldacchin n., tużell.
balder comp.adj., èqregħ.
baldness n., tfartis.
bale n., balla.
bale v., imballa.
bale (out) v., sgotta.
baleen n., (ichth.) baliena.
baleful adj., mnikket.
ball n., ballabrott, ballu, ballun, festin, żfin. ***~ bearing;*** bolbering. ***fancy dress ~;*** ballu bil-kostum. ***masked ~;*** veljun.
ball-pen n., bajrow.
ballad n., (mus.) romanza, kanzunetta, (liter.) ballata.
ballan wrasse n., (ichth.) morlin.

ballast n., (mar.) saborra.
ballet n., (mus.) ballett.
balloon n., bużżieqa.
ballot-box n., kaxxa tal-voti.
balm n., balzmu, (bot.) melissa.
balsam n., balzmu.
Baltic adj. & n., (geog.) Baltiku.
baluster n., (arch.) balavostra.
balustrade n., (arch.) balavostrat.
bamboo n., (bot.) bambù.
bamboozle v., bambal, ibbamboċċa.
bamper n., bamper.
banal adj., banali.
banality n., banalità.
banana n., (bot.) banana, fikabanana.
band n., banda, ċinta, faxxa, għamad, rabta, rbat, taħżima, terħa. ***~-stand;*** palk (planċier) tal-banda. ***~ master;*** surmast tal-banda. ***~ player;*** bandist. ***mourning ~;*** mustaxija.
bandage n., faxxa.
bandage v., infaxxa.
bandaged adj. & p.p., infaxxat.
bandeau n., bandò.
banderol(e) n., bandalora.
bandit n., bandit.
bandoleer n., banduliera.
bandsman n., bandist.
bandstand n., planċier.
bang v., sabbat. ***he went out and ~ed the door behind him;*** ħareġ u sabbat il-bieb warajh.
banged adj. & p.p., msabbat. ***to be ~;*** issabbat.
banging n., sbit, tisbit.
banish v., eżilja, itturufna, naffa, tarraf, xieher.
banished adj. & p.p., eżiljat, mtarraf, mxieher.
banished adj., itturufnat.
banishment n., titrif, tiżwil.
banjo n., (mus.) banġu.
bank n., bank, mifles. ***blood-~;*** bank tad-demm. ***sand ~;*** bank tar-ramel. ***savings ~;*** bank. ***river ~;*** xatt ta' xmara. ***to break the ~;*** (g.) żbanka.
banker n., bankier.
banknote n., ċèdola tal-bank.
bankrupt adj., fallut, mfalli.
bankrupt n., falliment. ***become ~;*** falla.
bankruptcy n., bankarotta, falliment.
bann n., bandu.
banner n., gonfalun, palju, standàrd, ġakk.
banquet n., bankett, festin, ikla, pranzu.
banquet v., ibbanketta.
banter n., nibbiex.
banter v., nibex, tħâlaq, ġibed is-saqajn.
baptism n., magħmudija. ***~ of blood;*** magħmudija tad-demm.
baptistery n., (eccl.) battisteru.
baptistry n., (eccl.) battisteru.
baptize v., għammed; ***the parish priest ~d the baby;*** il-kappillan għammed it-tarbija. ***he was ~d before he got married;*** tgħammed qabel ma żżewweġ.
baptized adj. & p.p., mgħammed. ***to be ~;*** tgħammed.
baptizer n., għammied.
baptizing n., tagħmid.
bar n., sakkara, stanga, sukkara, virga, (mus.) battuta, (leg.) żbarra. ***club ~;*** bottegin. ***small ~;*** stangetta.
bar v., imbarra, sakkar.
barbarian adj., bàrbaru.
barbaric adj., bàrbaru.
barbarism n., barbariżmu.
barbarity n., kefrija;
barbecue n., barbikju.
barbecue-grill n., barbikju.
barber n., barbier, parrukkier.
barberry n., (bot.) terespin.
barbette n., (mil.) barbetta.
barbican n., (mil.) barbikan.
barcarolle n., (mus.) barkarola.
bard n., bardu.
bare adj., għarwien, mgħarwen.
bare v., għarwen, kixef. ***to ~ one's arms;*** ixxammar.
bare-headed adj., xuxa.
barefooted adj., skalz, ħafi. ***to be or become ~;*** ħefa.
barefootedness n., ħafa.
bareness n., kxif.
bargain n., negozju, xiri.
barge n., (mar.) barkun.
baritone adj., (mus.) baritonali.
baritone n., (mus.) baritonu.
barium n., (chem.) barju.
bark n., nebħa, qoxra, (mar.) bark. ***a ~ing dog seldom bites;*** kelb li jinbaħ ma jigdimx.
bark v., nebaħ, qaxxar. ***to cause to ~;*** nebbaħ.
barked adj. & p.p., minbuħ, mqaxxar.
barker n., nebbieħ, qaxxàr.
barking n., nbiħ, taqxir, tinbiħ.
barley n., barli, xgħira. ***~ sugar;*** penìt. ***to become or grow into ~;*** ixxiegħer. ***wall ~;*** (bot.) bunixxief.
barn n., matmura.
barn-owl n., (ornith.) barbaġann.
barometer n., (phys.) baròmetru.
barometric(al) adj., (phys.) baromètriku.
baron n., baruni.

baroness n., barunissa.
barony n., barunija.
baroque n., (arch.) barokk.
baroscope n., (phys.) baroskopju.
barouche n., biroċċ.
barque n., (mar.) bark.
barracks n., baraks, kwartier, (mil.) każerma.
barracuda n., (ichth.) lizz.
barred adj. & p.p., msakkar.
barrel n., bettija, tanbur ta' l-arloġġ. ***~ vault;*** (arch.) troll. ***~ organ;*** (mus.) terramaxka. ***small ~;*** kartell.
barren adj., moħràr, stèrili, xagħtri, ħawli.
barricade n., barrikata.
barricate v., imbarra.
barrier n., barriera.
barter v., partat.
bartered adj. & p.p., mibdul, mpartat.
bas-relief n., (arch.) bassoriliev.
basalt n., (min.) basalt.
base n., bażi, pedament.
base v., ibbaża. ***to ~ oneself on;*** issejjes.
based adj. & p.p., ibbażat.
bashful adj., mistħi, ġigna. ***~ face;*** wiċċ rqiq.
bashfulness n., mistħija.
basic adj., bażiku.
basil (sweet basil) n., (bot.) ħabaq.
basilica n., (eccl.) bażilika.
basilisk n., (zool.) bażilisk.
basin n., friskatur, vaska, (eccl.) baċil. ***~ of a fountain;*** lenbi. ***earthenware ~;*** mafrad. ***wash ~;*** sink. ***wash-hand ~;*** fliskatur.
basis n., bażi, fundament.
bask (in the sun) v., ixxemmex.
basket n., basket, ġuna. ***ferret ~;*** kajżella. ***large wicker ~;*** ċestun. ***shopping ~;*** ġewlaq. ***small ~;*** ċestin. ***wicker ~;*** bixkilla, kannestru, mezza, qoffa, ġewlaq.
basketball n., (g.) baskitbol.
bass n., (ichth.) lupu, spnotta. ***black-spotted ~;*** spnotta tat-tbajja'.
bassoon n., (mus.) fagott.
bassoonist n., (mus.) fagottist.
bast (be basted) v., ixxellel.
bastard adj. & n., bastard, viljakk.
baste v., xellel.
basted adj. & p.p., mxellel.
basting n., tixlil.
bastion n., bastjun, sur. ***fortified with ~s***; msawwar.
bat n., farfett il-lejl.
batch n., infurnata, maħbeż.
bath n., banju. ***hip ~, sit ~;*** banju bilqiegħda. ***hot ~;*** banju sħun. ***foot-~;*** fsada muta. ***mud ~;*** banju tat-tajn. ***sun ~;*** banju tax-xemx. ***~ room;*** kamra tal-banju. ***to take a ~;*** ħa banju. ***to ~;*** ta banju.
bathe v., ixxakkwa, ħa banju, ħasel.
bathing n., ħasil.
bathing tub n., banju.
baton n., lenbuba tal-pulizija, ħatar, (mus.) bakketta.
batswing n., bekk.
battalion n., (mil.) battaljun.
batter v., teraq.
battery n., (elect. & mil.) batterija.
battle n., battalja. ***sea ~;*** battalja navali.
battlement n., opramorta.
bawdy — *bawdy house;* burdell.
bawl v., għajjat, ħambaq.
bawler n., għajjât.
bay adj., bajju, qastni. ***a ~ horse;*** żiemel bajju.
bay n., bajja, marsa, nebaħ.
bay-oak n., (bot.) ruvlu.
bayonet n., bajjunetta.
bazaar n., bażàr.
be v., kien, safa'. ***there was a man;*** kien hemm raġel.
beach n., spjaġġa, xtajta.
bead n., żibġa. ***chapel, rosary ~s;*** kuruna tar-rużarju. ***to become like ~s;*** iżżebbeġ.
beak n., munqar.
beam n., merżuq, mitwa, raġġ, travu. ***iron ~;*** travu tal-ħadid. ***wooden ~;*** travu ta' l-injam. ***ship's ~;*** (mar.) balz.
bean n., (bot.) fula. ***dwarf bean;*** (bot.) favetta.
beans n., (bot.) fażola.
bear n., (zool.) debb, ors. ***the Great B~;*** Debb il-Kbir. ***the Little B~;*** Debb iż-Żgħir. ***polar ~;*** ors abjad.
bear v., idda, issaporta, staporta, ġerragħ, ġieb, ħamel. ***I cannot ~ him;*** ma nistax inġerrgħu. ***the document ~s your signature;*** id-dokument iġib il-firma tagħkom.
bearable adj., ġerrieġħi.
beard n., baffi, daqna, leħja.
bearded adj., daqni.
bearer n., portatur.
bearing n., mġiba, rfigħ, (mechan.) bronżina, (mar.) riliev. ***to find (to get) one's ~s;*** orjenta. ***let me take my ~s;*** ħallini norjenta ruħi xi ftit.
beast n., bestja, bhima, dbiba.
beastial adj., bestjali.
beat n., (mus.) battuta, bît, palptu, pulsazzjoni.

beat v., bekket, darab, għamel idejh fuq, hereż, ħabbat, kief, leff, rifes, sawwat, ħabat. ***~ against the wind;*** (mar.) ibbordja. ***to ~ the drum;*** tanbar. ***he annoyed me ~ing the drum;*** dejjaqni jtanbar fuq it-tanbur. ***to ~ cotton;*** daqq it-tajjar.
beaten adj. & p.p., maħbut, midquq, msawwat, mħabbat. ***to be ~;*** issawwat.
beater n., sawwàt, ħabbât.
beatific(al) adj., (eccl.) beatìfiku.
beatification n., (eccl.) beatifikazzjoni.
beatified adj. & p.p., (eccl.) beatifikat.
beatify v., ibbeatifika. ***yesterday the Pope beatified a Jewish nun;*** il-Papa l-bieraħ ibbeatifika soru Lhudija.
beating n., leffa, taħbit, tiswit, ħbit.
beatitude n., beatitudni.
beau adj., għandur, pulikarja.
beautician n., bjutixin.
beautified adj. & p.p., mġemmel.
beautifier n., sebbieħ.
beautiful adj., sabiħ. ***to become ~;*** sbieħ. ***to become more ~;*** issebbaħ.
beautify v., sebbaħ, ġemmel.
beautifying n., tisbiħ, tiġmil.
beauty n., sbuħija, ġmiel.
beaver n., viżiera, (zool.) kastur.
because adv., għaliex, għax.
because (of) adv., minħabba/mħabba, talli.
because (of) conj., billi.
becket n., (mar.) madaxxumi.
become v., safa', sar.
becreave v., xaħħat;
bed n., friex, marqad, mifrex, sodda. ***double ~;*** sodda ta' tnejn, sodda matrimonjali. ***plank ~;*** sodda bit-twavel. ***feather-~;*** mitraħ tar-rix. ***laid in ~;*** mixħut. ***nursery ~;*** mixtel/mixtla.
bedgown n., bedgawn.
bedouin n., bedwin.
bedpan n., padella/patella, tapsina.
bee n., (zool.) naħla. ***queen ~;*** (zool.) bunaħla. ***swarm of ~s;*** ferħ tan-naħal.
bee-hive n., bejta tan-naħal, duqqajs, qolla tan-naħal.
beech n., (bot.) fagu.
beef n., laħam taċ-ċanga. ***boiled ~;*** buljut. ***bully ~;*** bulibif/bullubif. ***corned~;*** bulibif/bullubif. ***roast ~;*** xixa.
beefsteak n., bifstikk, bistekka.
beeftea n., biftì.
Beelzebub pr.n., Belżebub.
beer n., birra.
beet n., (bot.) pitrava, selq.
beet-root n., (bot.) pitrava.
beetle n., (zool.) dliela, rahba, wirdiena. ***black-~;*** (zool.) ħanfus/qanfus. ***hairy ~;*** (zool.) busuf.
beetle n., ballata, marżebba.
beetle v., ballat, battam.
beetle-eyed adj., iġhar.
beetled adj. & p.p., mballat.
befall v., ġara.
befallen adj. & p.p., miġri.
befog v., ċajpar. ***the clouds began to ~ the sun;*** is-sħab beda jċajpar ix-xemx.
before adv., qabel. ***~ the time;*** qabel il-waqt. ***~ dinner;*** qabel l-ikel. ***~ that;*** qabel ma.
before prep. & adv., quddiem.
befriending n., taħbib.
beg v., issùpplika, ittallab, talab.
beget v., nissel, wiled.
begetter n., ġeneratur.
beggar n., kwestwant, mendikant, povru, tallàb.
beggary n., sisija.
begged adj. & p.p., mittallab, mtallab.
begging n., kwèstwa, sisija, talb, tlib.
begin v., beda, qabad. ***he ~s to do something;*** beda jagħmel xi ħaġa. ***to ~ to work;*** qabad ix-xogħol.
beginner n., prinċipjant.
beginning adj., biedi.
beginning n., bidja, bidu, eżordju, qbid. ***from the ~;*** minn qabel.
begonia n., (bot.) begonja.
begot adj. & p.p., mnissel, mwieled.
beguile v., għaddas, qarraq.
begun adj. & p.p., mibdi.
behave v., iddiporta. ***he ~d badly;*** iddiporta ruħu ħażin.
behaviour n., diportament, komportament, kondotta, mġiba.
behead v., qata' r-ras.
beheading n., dekolazzjoni.
behind prep. & adv., wara, ura.
behold adv., ekku.
being n., essri. ***~ again;*** ġedded.
belated adj. & p.p., mwaħħar.
belch n., dixxatura.
belch v., iddixxa, tfewwaq. ***make one ~;*** fewwaq.
belching n., tifwiq.
belie v., giddeb.
belied adj. & p.p., mgiddeb.
belief n., twemmin.
believe v., emmen, ikkreda. ***he ~d whatever his son told him;*** emmen kull ma qallu ibnu.
believed adj. & p.p., emmnut, mwemmen.
believer n., emmien, wemmien.
belittle v., maqdar.

bell n., qanpiena. ***diving-~;*** qanpiena ta' bugħaddas. ***glass ~;*** qanpiena tal-ħġieġ. ***~-pull, ~-rope;*** ħabel tal-qanpiena. ***~-clapper;*** ilsien ta' qanpiena. ***~ tower;*** kampnar. ***alarm ~;*** nebbieħa. ***harness-~;*** ġolġol. ***little ~;*** ċenċiela, ġaras. ***peal of ~s;*** dandin, mota. ***~-flower;*** (bot.) kampanula. ***~-ringer;*** dandàn.
bellicose adj., bellikuż.
belligerent n., belliġerant.
bellow v., gargar.
bellows n., minfaħ. ***~ fish;*** (ichth.) bekkaċċa.
belly n., żaqq. ***to become big-bellied;*** iżżaqqaq.
belly-band n., ventriera.
beloved adj. & p.p., għażiż, maħbub.
below adv. & prep., isfel, taħt.
belt n., ċintorin, ċintura, (eccl.) ċinglu.
belvedere n., terrazzin.
bemoaned adj. & p.p., mibki.
bench n., bank. ***joiner's ~;***bank ta' mastrudaxxa. ***big ~, carpenter's ~;*** bankun. ***stone ~;*** dikkiena.
bend n., kurva, nikba, rbat.
bend v., għawweġ, inklina, mejjel, qawwes/qawwas.
bend (down) v., tbaxxa.
bending (down) n., timjil.
bending n., kurvatura, tagħwiġ.
beneath adv. & prep., taħt.
benedictine n., benedittin.
benediction n., barka, (eccl.) benedizzjoni.
benefactor n., benefattur.
benefice n., benefiċċju.
beneficed adj., benefiċjat.
beneficence n., benefiċenza.
benefit adj. & n., benefikat.
benefit n., benefiċċju, twetija, witi, għamel il-ġid, wieta.
benefit v., (leg.) ibbenèfika. ***he will ~ greatly from the change;*** se jibbenefika ħafna mill-bidla.
benefited adj. & p.p., ibbenefikat.
benevolence n., benevolenza.
benight v., dallam.
benign adj., beninn.
benignant adj., beninn.
bent adj. & p.p., immejjel, mgħawweġ, milwi. ***to be ~;*** ltewa.
bent n., tendenza, ġibda.
benumb v., reżżaħ.
benumbed adj. & p.p., mreżżaħ, mħeddel/mħaddel. ***be ~;*** reżaħ. ***that old man was ~ with cold;*** dak ix-xiħ reżaħ bil-bard.
benzine n., benzina.
benzoline n., benzina.
bequeath v., werret, ħalla. ***she ~ed the house to her daughter;*** ħalliet id-dar lil bintha.
bequest n., toħlija, tħollija, (leg.) legat.
berberry n., (bot.) terespin.
bereavement n., luttu.
bergamot n., (bot.) bergamott.
berretta n., (eccl.) berrettin.
berth n., (mar.) kruċetta, kuċċetta.
beryl n., (min.) berill.
beryllium n., (chem.) berillju.
berzeline n., (min.) berżelin.
beseem v., xeraq.
besides prep., oltri.
besiege v., ħaxken.
besieger n., ħaxkien.
besmear v., ċellaq, dellek.
besmearing n., tiċliq.
besom n., mselħa, xkupa.
best adj., òttimu. ***the ~;*** il-fjur. ***to do one's ~;*** inġenja.
bester n., ċelu.
bestir (oneself) v., ħawtel.
bestly adj., bestjali.
bestow v., rejjaq, sawwab.
bestowal n., konferiment.
bestower n., dispensier.
bet n., mħatra.
bet v., tħâter, ħater.
betimes adv., bikri, kmieni. ***to rise ~;*** qam kmieni.
betoddle v., iċċaqlem.
betony n., (bot.) qannew, ħannew.
betray v., ittradixxa. ***with these words he ~ed his friend;*** b'dan il-kliem ittradixxa lil ħabibu.
betrayal n., tradiment.
betrayed adj. & p.p., ittradut, mibjugħ, midħuk.
betrayer n., traditur.
betrothe v., għarras. ***he ~d his daughter to John;*** hu għarras lil bintu ma' Ġanni.
betrothed adj. & p.p., mgħarras.
betrothed n., għarus.
betrothing n., tagħris.
betted adj. & p.p., milgħub.
better comp.adj., itjeb. ***grow ~;*** immiljora.
between prep., bejn, fi, fost, qalb. ***from ~;*** minbejn.
bevel n., (artis.) sawtarella, tastatur.
bevel v., immola.
bevy n., ġliba għasafar.
bewail v., gerrez.
bewailed adj. & p.p., mibki.
beware v., indokra.
bewitch v., saħħar.

bewitched adj. & p.p., mgħajjen, msaħħar. *to be ~;* issaħħar.
bewitcher n., għajjien.
bewitchment n., magħmul, tagħjin. *cause ~;* beżżel.
bewriggle v., iċċaqlem.
bezel n., ingast.
bib n., bavalor/vavalor.
Bible n., Bibbja, il-ktieb il-Kbir, l-Iskrittura.
biblical adj., bibliku.
bibliographer n., bibli(j)ògrafu.
bibliographic(al) adj., bibli(j)ogràfiku.
bibliography n., bibli(j)ografija.
bibliomania n., bibli(j)omanija.
bicameral adj., (parl.) bikamerali.
bicarbonate n., (chem.) bikarbonat. *sodium ~;* bikarbonat tas-soda.
bicefalous adj., biċèfalu.
bicycle n., bajsikil, rota, veloċipied.
bid v., ikkmanda, ta, ġiegħel/ġagħal.
bidet n., bidè.
biennal adj., bjennali.
bier n., katalett.
big adj., kbir.
big-bellied adj. & p.p., mżaqqaq.
bigamist n., bigamu.
bigamy n., (leg.) bigamija.
bigger comp.adj., ikbar. *to make ~;* ħaxxen.
bight n., koljatura.
bigness n., kobor.
bigot n., bażokk, bigott, weżwieq.
bigotry n., bażokkerija, bigottiżmu.
bilateral adj., bilaterali.
bile n., bila.
bilge n., (mar.) ċan, sentina.
bilingual adj., bilingwi.
bilious adj., biljuż.
bill n., kartellun, kont, munqar. *~ of exchange;* (ban.) kambjala. *~ of landing;* polza tad-dwana.
billed adj. & p.p., miżquq.
billiards n., (g.) biljard.
billion n., (num.) biljun.
billow n., ħalla baħar.
binate v., (eccl.) ibbina, rtabat. *yesterday the priest ~d;* il-bieraħ il-qassis ibbina.
bind v., illega, qabbad, rabat.
bind (oneself) v., impenja. *I bound myself to pay the expenses;* jien impenjajt ruħi li nħallas l-ispejjeż.
binder n., rabbàt.
binding n., rbit, taħżima, tirbit.
bindweed n., (bot.) leblieba.
bingo n., (g.) tombla.
binnacle n., (mar.) siġġjola, ġiżjola.
binocular(s) n., binoklu, kannokkjali.
binomial adj., binomju.
biochemistry n., bijokimika.
biogenesis n., bijoġènesi.
biographer n., bijògrafu.
biographic(al) adj., bijògrafiku.
biographically adv., bijografikament.
biography n., bijografija.
biologic(al) adj., bijolòġiku.
biologically adv., bijoloġikament.
biologist n., bijòlogu.
biology n., bijoloġija.
bioplasm n., bijoplażma.
bipartition n., titbiq.
biped adj., bìpedu.
bipedal adj., bìpedu.
birch n., (bot.) ġummar.
bird n., (ornith.) għasfur. *~ of paradise;* għasfur tal-ġenna. *~ of passage;* għasfur tal-passa. *decoy ~;* għasfur tat-tħarrik. *~ cage;* uċċelliera. *~-catching;* tinsib.
birth n., twelid, wild, wilda. *~ certificate;* fidi tal-magħmudija.
birthmark n., xehwa.
bis n., (theatr.) bis.
biscuit n., biskott, galetta, gallettina. *crumbs of ~s;*(mar.) mazzamorra. *hard ~;* biskuttell.
bisection n., titbiq.
bisextile adj., bisestil.
bishop n., isqof. *~'s staff;* (eccl.) pastoral.
bishopric n., isqfija.
bismuth n., (chem.) bismut.
bistle v., irrizza.
bistouray n., sikkina ta' tabib.
bistoury n., (med.) bisturin.
bit n., golja, lġiem, naqra. *~ by ~;* bil-lajma. *small ~;* farka.
bite n., gidma.
bite v., gidem. *a barking dog does not ~;* kelb li jinbaħ ma jigdimx. *~ frequently;* giddem.
biter n., giddiem.
biting n., gdim, tigdim.
bits n., frak.
bitt n., (mar.) bitta.
bitten adj. & p.p., mgiddem, migdum.
bitter adj., morr, mrajjar. *grow ~;* mrar.
bitterly adv., bil-ħruxija, bit-timrir.
bittern n., (ornith.) kappun imperjali. *little ~;* (ornith.) blonġos.
bitterness n., mrar, timrir.
bitumen n., bitum.
bituminous adj., bituminuż.
bivouac n., (mil.) bivakk.
bivouac v., ibbavakka.
bizarre adj., bizzarr.
blab n., lablàb.

blab v., paċpaċ.
blabbed adj. & p.p., mpaċpaċ.
blabber n., lablàb.
black adj., iswed, sewda. ~ ***market;*** blekmarkit. ~ ***out;*** blekawt. ***to become ~;*** issewwed.
black-lead n., pjombaġni.
blackbird n., (ornith.) malvizz iswed.
blackboard n., blakbord.
blackcap n., (ornith.) kapinera.
blacked adj. & p.p., msewwed.
blacken v., germed, sewwed. ***the soot ~ed the entire wall;*** in-nugrufun sewwed il-ħajt kollu.
blackened adj. & p.p., msewwed.
blackening n., tiswid.
blackguard n., bestja.
blackish adj., sewdieni.
blacklead n., blakledd, grafit.
blackmail n., blakmejl, rikatt.
blackmail v., irrikatta, rkatta.
blackness n., swidija.
blacksmith n., ħaddied.
blade n., lama, xafra.
blain n., nuffata.
blame n., tort.
blame v., inkolpa, miegħer, waħħal fi.
blamed adj., immaqdar, (parl.) deplorat.
blameworthy adj., (parl.) deplorevoli.
blank adj., bjank, inbjank. ~ ***paper;*** karta bjanka. ~ ***cheque;*** ċekk inbjank.
blanket n., gverta/kverta, kutra.
blare n., żarżir.
blare v., żarżar.
blaspheme v., dagħa, fergħen, kafar, salla.
blasphemer adj. & p.p., midgħi.
blasphemer n., dagħaj, kaffâr.
blasphemy n., dagħwa, ħalfa.
blaze n., fjamma, fjammata.
blaze v., fernaq, ħeġġeġ.
blaze (up) v., illampja, ivvampja.
blazed (up) adj. & p.p., ivvampjat.
blazer n., blejżer.
blazing (of fire) n., tferniq.
blazing adj., mfernaq.
blazing n., taħġiġ.
blazon n., blażun.
bleach v., bajjad, bjad.
bleacher n., bajjâd.
blear adj., mċajpar.
blear v., ċajpar, għammex.
blear-eyed adj. & p.p., mgħammex, mpeċpeċ.
bleared adj. & p.p., mċefċaq, mdaħħan.
bleat v., maqmaq.
bled adj. & p.p., mifsud.
bleed v., żvina. ***bleed at the nose;*** (med.) faġar, mifġur, faġra, farġa, fġir.
bleeding adj., demmi.
blend n., taħlita.
blend v., ħallat.
blenny n., (ornith.) budakkra tal-qawwi. ***rock ~;*** budakkra. ***butterfly ~;*** budakkra tal-għajn. ***red-speckled ~;*** budakkra ħamra. ***black-faced ~;*** budakkra bżarija.
bless v., bierek, għamel idu fuq ir-ras. ***God ~ you;*** Alla jbierkek.
blessed adj. & n., (eccl.) beatu. ***the B~ Sacrament;*** Santissimu Sagrament.
blessed adj. & p.p., mbierek.
blessed adj., beatissimu.
blessing n., (eccl.) benedizzjoni, barka.
blight n., sadid.
blighted adj. & p.p., mimsus mid-dud.
blind adj., għamja. ***to become ~;*** għema.
blinded adj. & p.p., mogħmi.
blindfold v., għammad. ***blindfolded;*** mgħammad. ***to go ~;*** mar b'għajnejh magħluqa.
blindfolding n., tagħmid.
blindness n., għama.
blink v., għammex, peċpeċ, petpet, teptep. ***don't ~ your eyes;*** toqgħodx tpetpet għajnejk.
blinkers n., paroċċi.
blinking n., teptip, tpetpit.
bliss n., gawdju, teħnija.
blister n., nuffata.
bloc-pulley n., (mar.) buzzell.
block n., blokk, ċangun. ~ ***of houses;*** blokk bini.
block v., għalaq it-triq, imblokka, ħaxken. ***mitre ~;*** (techn.) inglett.
block-maker n., buzzellar.
blockade n., imblokk.
blockade v., imblokka.
blocked (up) adj. & p.p., imblukkat, imbarrat.
blockhead adj., ebete.
blockhead n., stùpidu.
blockhouse n., (mil.) fortina.
blocking n., tisdid.
blond adj., bjond.
blood n., demm. ~ ***letting;*** fasda/fisda, fsada. ~ ***pudding;*** mazzita. ~ ***transfusion;*** dripp. ***covered with ~;*** mxermed. ***dragon ~;*** raża ħamra. ***imbue with ~;*** demmem. ***stained with ~, covered with ~;*** mdemmem. ***to make ~;*** demmem.
bloodshed n., dmija, tidmija.
bloodsucker n., sangisug.
bloody adj., demmi, sangwinarju. ***to become ~;*** iddemmem.

bloom n., żahra.
bloom v., nawwar, tnawwar, warrad, ġelben, żahar.
blooming n., tinwir, tiżhir.
blossom n., żahra.
blossom v., berkel, iffjorixxa, nawwar, rema, tnawwar, warrad, żahar. ***the fruit trees ~ in spring;*** is-siġar tal-frott inawru fir-rebbiegħa.
blossomed adj. & p.p., mnawwar, mwarrad.
blossoming n., fjoritura, tinwir.
blossoms n., nwar.
blot n., tebgħa/taba'.
blot v., ixxuga, xorob.
blotch n., tebgħa/taba' fil-ġieħ, tebgħa/taba' fil-ġilda.
blotted adj. & p.p., ixxugat.
blotting-paper n., xuga.
blouse n., blaws, bluża.
blow n., daqqa, kolp, mazzata, ħabta. ***a ~;*** daqqa ta' ħarta. ***a ~ with a stone;*** daqqa ta' ġebla. ***~-pipe;*** xuxxarell. ***to give ~s;*** lekkem. ***to come to ~s;*** ġie fl-idejn.
blow v., issoffja, nefaħ, venven. ***hark, how the wind ~s;*** isma' x'jonfoħ ir-riħ. ***hear how the rain is falling and the wind is ~ing;*** isma' x-xita u xi jvenven ir-riħ. ***~ lightly;*** fewweġ. ***~ one's nose;*** maħat, ixxoxxa mnieħru.
blow (up) v., sploda.
blower n., neffieħ.
blowing n., nfiħ.
blown adj. & p.p., minfuħ, mneffaħ.
blue adj., blu, ikħal, iżraq, żerqa. ***~ Peter;*** blupiter. ***light ~;*** ċelesti. ***peacock ~;*** brinġieli, pavunazz. ***to become ~;*** kħal.
bluebell n., (bot.) kampanella.
blueness n., kħula.
bluish adj., bluni, kaħlani.
bluishness n., kħula.
blunder n., żball. ***make a ~;*** ħa granċ.
blunt adj., spint, spuntat.
blunt v., qaċċat, sponta, xellef. ***to become ~;*** ixxellef.
blunted adj. & p.p., mxellef.
blunting n., tixlif.
bluntly n., bil-herra.
blur n., għajb, tebgħa/taba'.
blur v., ċajpar, għammem, ippanna.
blured adj. & p.p., ippannat.
blush v., ragħax, regħex, staħa, ħammar, ħmar. ***he made him ~ with shame;*** ħammarlu wiċċu bil-mistħija. ***he ~ed for shame;*** hu ħmar bil-mistħija.
blushing n., taħmir, tirgħix.
bluster v., lanġas.
blustering adj., mlanġas.
blustering n., venvin.
boa n., (zool.) boa. ***feather boa;*** boa.
boar n., (zool.) ħanżir; ***wild ~;*** ċingjal, ħanżir selvaġġ.
boar-fish n., (ichth.) minfaħ.
board n., bord, tavla. ***thick ~;*** tavlun. ***on ~;*** abbord.
board v., ibbordja.
boast v., ftaħar, iffanfarunja.
boaster n., fanfarun.
boastful n., faħħâr.
boasting n., ftaħir.
boat n., (mar.) dgħajsa. ***fishing ~;*** dgħajsa tas-sajd, paranza. ***sailing ~;*** ferilla. ***clumsy slow ~;*** barkazza. ***old ~;*** barkazza. ***small row ~;*** xprunara.
boat-race n., regatta.
boatman n., barklor.
boatswain n., (mar.) nawċier, nostronomu, stromu.
bobbin n., ċombin, mserka, rukkell.
bode n., baqgħa.
bode v., ħeber/ħabar.
bodkin n., labra tal-vajjina, msella, puntlor, timplor.
body n., korp, ġisem. ***dead ~;*** ġisem mejjet, katavru, mejjet.
body-belt n., ventriera.
bog n., pantàr.
bogey man n., gadawdu.
bogue n., (ichth.) vopa.
boil n., (med.) musmar.
boil v., fawwar, għalla, għela; ***the pot is ~ing;*** il-borma qiegħda tagħli. ***boil over;*** far.
boiled adj. & p.p., mbaqbaq, mfawwar, mgħolli.
boiling n., fawra, għali, togħlija.
bojcott n., boykott.
bold adj., gwapp, qluqi. ***~ type;*** grassett. ***to grow ~;*** ħa r-riħ.
bolero n., bolero, (mus.) bolero.
boll n., fosdqa.
bollard n., (mar.) bitta, marbat.
bolshevism n., bolxeviżmu.
bolshevist n., bolxevist.
bolster n., mħadda, romblu tas-sodda, trajbu.
bolt n., bolt, firroll, katnazz, sajjetta, sakkara, sokra, stanga, sukkara, ġerrejja. ***a ~ from the blue;*** sajjetta fil-bnazzi. ***soldering ~;*** saldatur.
bolt v., bela'/balà, għarbel.
bolt-rope n., (mar.) grattin, ralinga.
bolted adj. & p.p., mgħarbel, msakkar.
bolter n., dulepp.

bomb n., bomba. ***atom ~;*** bomba atomika. ***hydrogen ~;*** bomba ta' l-indroġinu.
bomb v., (mil.) ibbumbarda, ibbombja. ***during the war the city was ~ed several times;*** fil-gwerra l-belt ġiet ibbumbardata bosta drabi.
bombard v., (mil.) ibbumbarda.
bombardier n., (mil.) bumbardier.
bombardment n., bumbardament.
bombardon n., (mus.) bumbardun.
bombardone n., (mus.) bumbardun.
bombastic adj., bombàstiku.
bombed adj. & p.p., ibbumbardat.
bomber n., bomer.
bombing n., bumbardament.
bond n., rabta, rahan.
bondage n., jasar.
bondsman n., pleġġ.
bone n., għadma.
bone v., iddissossa.
boned adj. & p.p., dissussat.
bonfire n., ħuġġieġa.
bonito (Atlantic bonito) n., (ichth.) plamtu.
bonnet n., bonit.
bonus n., bonus, qirew.
bony adj., għadmi, mgħaddam.
boo v., ibbuwja, (theatr.) iffiskja.
booby n., balalu.
book n., ktieb. ***prayer ~;*** ktieb tal-knisja. ***~ of patterns or samples;*** kampjunarju.
book v., ibbukkja, ipprenota. ***yesterday he went to ~ the flight;*** il-bieraħ mar jibbukkja l-ajruplan.
book-keeper n., komputist.
book-keeping n., bukkipink.
book-shelf n., skansija.
bookbinder n., legatur.
bookbinding n., legatura.
bookcase n., librerija, skansija.
booked adj. & p.p., ibbukkjat.
booking n., buking, prenotazzjoni.
booklet n., librett.
bookmark n., bukmark.
boom n., (mar.) boma.
boom v., rbomba.
boom-sail n., (mar.) randa.
boon adj., ferrieħi, hieni.
boor n., bifolk, ċakkar.
boorish adj., mgerrex, żotku.
boot n., but, stvala, żarbuna.
booth n., posta.
booze n., xorb.
booze v., bekbek/begbeg, legleg.
boozer n., leglieg.
bora n., bora.
borage n., (bot.) burraxa, fidloqqom.
borax n., (chem.) buraġ, burax. ***~ pot;*** buraġiera.
border n., bordura, konfini, xifer, ħażż.
border (on) v., ikkonfina.
bore n., fonqla, ksur ir-ras, pittma. ***what a ~!;*** għoff.
bore v., ittedja, naqab, taqab, taqqab, xabba'/xebba'. ***he ~d me to death with his foolish talk;*** xebbagħni nisma' l-kliem fieragħ tiegħu.
boreal adj., boreali. ***aurora ~is;*** awrora boreali.
bored adj. & p.p., ittedjat, mberren, mitqub, mtaqqab. ***to be ~;*** ittaqqab.
borer n., perforatur, taqqàb.
boreus n., tramuntana.
boric adj., (chem.) bòriku. ***~ acid;*** aċidu bòriku.
boring adj., sikkanti.
boring n., tibrin, titqib, tqib.
born adj. & p.p., milud, mitwieled, mwieled. ***prematurely born;*** ġeni.
borrow v., issellef. ***he went to ~ the money from his brother;*** mar jissellef il-flus mingħand ħuh.
borrowed adj. & p.p., missellef, msellef.
borrowing n., self.
bosom n., ħdan, ħobb, ħodon. ***in the ~ of the Church;*** fi ħdan il-knisja.
boss n., boss, ċif, prinċipal, (arch.) bunja.
botanic(al) adj., botaniku.
botanist n., botàniku.
botany n., botànika.
botargo n., buttarga/putarga.
botch v., ħaxlef.
botched adj. & p.p., mħarfex, mħaxlef.
both adj., it-tnejn.
bother n., sikkatura. ***~ation!;*** x'sikkatura!;
bother v., inkòmoda, inkwieta.
bottle n., flixkun; ***hot water ~;*** flixkun tas-sodda. ***feeding ~;*** flixkun tat-trabi. ***flask~;*** flixkun.
bottle v., ibbottilja.
bottled adj. & p.p., ibbottiljat.
bottom n., fond, qiegħ, sorm, tiż. ***~ of the ship;*** qiegħ tal-vapur.
boudoir n., budwar.
bougainvilla n., (bot.) buganvilla.
bough n., fergħa, qadib.
bought adj. & p.p., mixtri.
bounce v., faqqa'.
bound adj. & p.p., marbut, mrabbat, mħażżem, (artis.) illegat.
bound n., limitu, qabża, ħażż.
bound v., qabeż.
boundary n., fini, konfini.

bounded adj. & p.p., mtarraf.
bounding n., taqmis.
bourgeoisie n., borgeżija.
bout n., salt.
bouy n., (mar.) kavitell.
bow n., ċoff, inkin, qaws, riverenza, sliem, (mar.) pruwa.
bow v., mejjel, qawwes/qawwas, qeba. ***he ~ed his head and remained silent;*** mejjel rasu u ma tkellem xejn.
bow-shooting n., taqwis.
bowel n., musrana.
bowels n., il-ġewwieni, (med.) vixxri. ***relieve one's ~;*** ħara. ***to empty one's ~;*** ipporga.
bowl n., bieqja, boċċa, skutella, (eccl.) baċil. ***wooden ~;*** kavetta.
bowl (carefully) v., fenda.
bowline n., (mar.) burina, olza/orza.
bowling n., (g.) bawl.
bowsprit n., (mar.) pupress.
box n., garżella, kaxxa. ***ballot ~;*** boxxlu. ***coach box;*** saldatur. ***mitre ~;*** (techn.) inglett. ***post-office ~;*** garżella postali. ***puff ~;*** kaxxa tat-terra. ***small ~;*** kaxxetta. ***snuff-~;*** kaxxetta tat-tabakk. ***theatre ~;*** (theatr.) palkett. ***tool ~;*** kaxxa tal-għodda. ***wooden ~;*** buxxolott.
box v., inkaxxa, lekkem/likkem, (g.) ibboksja.
box-wood n., (bot.) bux.
boxed adj. & p.p., inkaxxat.
boxer n., ġellied, (g.) puġilista.
boy n., boj, sabi, tifel. ***to behave like a ~;*** itteffel. ***young ~;*** tfajjel.
boycott v., ibbojkottja.
boycotted adj. & p.p., bojkottjat/ibbojkottjat.
boyish adj., tfuli.
boyishhood n., tfulija.
bra n., bra, reġġipett.
brace n., kuxtbiena, (artis.) rebekkin.
bracelet n., brazzuletta, ċappetta ta' l-id.
braces n., ċingi.
bracket n., brakit, brazz.
brackish adj., salmastru.
brag v., ftaħar.
braggant n., fanfarun, ċaċċarun.
braggart n., żmarġass.
bragging n., ftaħir.
braid n., ganza, organza.
braid v., dafar.
brails n., (mar.) brolja.
brain n., (anat.) moħħ.
brains n., ras.
brake n., brejk, marżebba.
brake v., ibbrejka.
bramble n., (bot.) għolliqa.
bran n., granza, nuħħala, smida. ***fine ~;*** grixa.
branch n., fergħa, qadib.
brand n., bullata, ħatba.
brandreth n., ħerża.
brandy n., brandi, konjakk.
brass n., (min.) ram isfar. ***melter of ~;*** brunżar.
brassiere n., reġġipett.
brat n., fardàl, fisqija, ħarqa.
brave adj., kuraġġuż, qalbieni, valoruż, ħili.
brawl n., frattarija, xarja.
brawl v., għamel xarja.
bray n., naħqa.
bray v., naħaq, saħaq. ***the donkey began to ~ under my window;*** il-ħmar beda jinħaq taħt it-tieqa tiegħi. ***he ~ed garlic in the mortar;*** saħaq it-tewm fil-mehrież.
braying n., nħiq, tinħiq.
brazier n., braċiera, brunżar, maġmar.
breach n., breċċa, selħa, (mil.) prexxa.
bread n., ħobż. ***~-crumb;*** il-bieba tal-ħobż. ***brown ~;*** ħobż ta' l-oħxon. ***fresh ~;*** ħobż frisk. ***home-made ~;*** ħobż tad-dar. ***stale ~;*** ħobż iebesjew msenneġ. ***unleavened ~;*** ħobż bla ħmira, mġarżam. ***a slice of ~;*** kisra ħobż. ***~ crumbs;*** frak tal-ħobż. ***~ making;*** taħbiż. ***long thin roll of ~;*** grissin. ***roll of ~;*** bèzzun.
break n., brejk. ***break from work;*** qajl.
break v., kiser, qasam, tertaq. ***he broke our agreement;*** kiser il-ftehim ta' bejnietna. ***to ~ the eye of a needle;*** kiser għajn il-labra. ***to ~ the sleep;*** kiser ingħas. ***to ~ one's fast;*** kiser is-sawma. ***to change or ~ off the direction;*** kiser it-triq. ***~ into pieces;*** farrak, kisser. ***the sea broke the boat into pieces;*** il-baħar farrak id-dgħajsa. ***~ open, break in;*** skassa.
break (down) v., kisser.
break (out) v., skoppja.
break (through) v., sfonda.
break (up) v., żarma.
breakage n., ksur.
breakdown (nervous breakdown) n., (med.) eżawriment nervuż.
breakfast n., fatra, kalazzjon/kolazzjon. ***give ~;*** fattar. ***take ~;*** fatar; ***he had ~ early this morning;*** hu fatar kmieni dalgħodu.
breakfasted adj. & p.p., mrejjaq.
breaking n., kisra, ksir, tertiq, tiksir.

breakwater n., brejkwoter.
bream n. (ichth.) razza ta' ħut. ***— annular ~;*** n., sparlu. ***black ~;*** tannuta. ***bronze ~;*** bażuga. ***ray's ~;*** pixxiluna. ***saddled ~;*** kaħlija. ***sea ~;*** paġella. ***sheephead ~;*** mogħża tal-baħar. ***striped ~;*** minġuż. ***two-banded ~;*** xirgien. ***white ~;*** sargu.
breast n., (anat.) kustat, sider, żejża, ħdan, ħobb, ħodon.
breast-feeding n., rdigħ, redgħa.
breastbone n., (anat.) sternu.
breast ren n., kulra ta' l-ingravata.
breath n., nifs, (med.) respir. ***to be out of ~;*** qata' n-nifs.
breathable adj., respirabbli.
breathe v., irrespira, tniffes.
breathing n., (med.) respir, respirazzjoni, tinfis.
breech n., briċ, kulatta.
breed n., boton, razza.
breed v., batan.
breeding n., kirjanza. ***good ~;*** drawwa tajba.
breeze n., żiffa. ***gentle ~;*** tifwiġ. ***light ~;*** fewġa.
breezy adj., mfewweġ.
breve n., (eccl.) brevi tal-Papa.
brevet n., brevett.
breviary n., (eccl.) brevjar, djurn.
brevity n., qosor.
brewery n., birrerija.
bribe v., xaħħam, xtara, ħaxxen. ***to receive ~s;*** ixxaħħam.
bribed adj. & p.p., mixtri, mxaħħam.
briber n., xaħħâm.
bribery n., korruzzjoni, xaħam.
bribing n., tixħim.
brick n., brik, maduma.
bricks n., briks, ċlamit.
bride n., għarusa.
bridegroom n., għarus.
bridesmaid n., brajdsmejd.
bridge n., (mar.) dekk, (arch.) pont, briġġ.
bridle n., brilja, lġiem.
bridle v., liġġem.
bridled adj. & p.p., mliġġem.
brief adj., qasir, suċċint. ***~ly;*** fil-qasir.
brief n., (eccl.) brevi tal-Papa.
briefcase n., brifkejs.
briefly adv., fuq fuq, sommarjament.
brig n., (mar.) brigantin.
brigade n., (mil.) brigata.
brigadier n., (mil.) brigadier.
brigand n., brigant.
brigandage n., brigantaġġ.
brigandism n., brigantaġġ.
brigantine n., (mar.) brigantin.
bright adj. & p.p., middi.
bright adj., leqqieni, mdawwal, mudwal. ***to grow bright;*** dwal, iddawwal.
brighten v., dwal, iddawwal. ***his eyes ~ed with joy;*** għajnejh dwalu (iddawwlu) bil-ferħ.
brightness n., dawl, dija, safa/sefa.
brill n., (ichth.) partun.
brilliant adj., brillanti, leqqieni.
brilliant n., brillant.
brilliantine n., brillantina.
brim n., falda, xifer, xoffa. ***hat-~;*** falda ta' kappell.
brimstone n., kubrit.
brine n., salmura.
brine-pan n., salina.
bring v., idda, ġieb, ħamel. ***to ~ to perfection;*** ipperfezzjona.
bring (down) v., niżżel.
bring (near) v., ressaq.
bring (together) v., laqqa'.
bring (up) v., rabba, èduka; ***his mother brought him up very well in his childhood;*** ommu edukatu ħafna fi tfulitu.
briny adj., mielaħ.
brisk adj., qabbieżi, vivaċi, ħaj, ħarkien.
brisket n., sidra.
briskness n., vivaċità.
bristle n., lanżita. ***produce ~s;*** lanżat.
bristled adj. & p.p., mlanżat.
brittle adj., fraġli.
broach n., seffud, (mek.) rajma.
broad adj., vast.
broadcast v., xandar. ***to be ~ed;*** ixxandar. ***this news was ~ed yesterday;*** din l-aħbar ixxandret il-bieraħ.
broadcaster n., xandâr.
broadcasting n., trasmissjoni, xandir.
broaden v., wassa'.
broadening n., tusigħ.
brocade n., brukkat, imbrukkat.
broccoli n., (bot.) brokkla.
broil (oneself) v., ixxawwat.
broken adj. & p.p., maqsum, miksur, mkisser.
broken (out) adj. & p.p., minfexx.
broken-winded adj. & p.p., mlieheġ.
broker n., mezzan, samsàr, sensàl, sensiel, ħottab. ***to act as ~;*** samsar.
brokerage n., samsir, senserija, ħotba. ***make ~;*** ħotob.
bromate n., (chem.) bromat.
bromegrass n., (bot.) ħurtan.
bromide n., (chem.) bromur.
bronchi n., (anat.) bronki.
bronchial adj., (med.) bronkjali.
bronchitis n., (med.) bronkite.

bronchoscopic adj., (med.) bronkoskòpiku.
bronchoscopy n., (med.) bronkoskopija.
bronze n., (met.) bronż.
bronze v., (artis.) ibbronża.
bronzed adj. & p.p., (artis.) ibbronżat.
bronzing n., bronżatura.
bronzy adj., bronżin.
brood v., qereq/qireq.
broom n., mikinsa, mselħa, xkupa. ***~-stick;*** manku ta' xkupa. ***butcher's ~;*** (bot.) rùskus.
broomrape n., (bot.) budebbus.
broth n., brodu.
brothel n., burdell, dar fama, maqħab. ***to go to ~;*** ibburdella.
brother n., fra, ħi, ħu. ***guild-~;*** (eccl.) fratell. ***lay ~;*** (eccl.) konvers, fra, lajk. ***foster ~s;*** aħwa tal-ħalib.
brother-in-law n., silf, ħaten.
brothy adj., immerraq.
brougham n., brum.
brought adj. & p.p., miġjub.
brought (out) adj. & p.p., maħruġ.
brought (up) adj. & p.p., mkabbar, mrobbi.
broundsel n., kubrita.
browbeat v., bażża', qarras wiċċu.
brown adj., brawn, brun, ismar, kannella, samra. ***~ bread;*** brawn bread, ħobż ismar. ***~ holland;*** xoqqa samra. ***~ paper;*** brawn pejper. ***~ sugar;*** zokkor ismar.
brown v., qarqaċ.
brownish adj., samrani, smajjar.
brownness n., smura, smurija.
browse v., sibek, ħarat.
bruise n., makkatura, saħqa.
bruise v., benġel, hereż/hireż, immakka, saħaq. ***to ~ paste;*** daqq il-għaġina.
bruised adj. & p.p., immakkat, mherreż, misħuq.
bruising n., taħsil.
brunette adj., brunett, qamħi.
brush n., braxx, xkupilja. ***hard ~;*** broxk. ***paint~;*** pinzell.
brush v., farfar, tarax, xkupilja.
brushed adj. & p.p., mfarfar, mitrux.
brutal adj., brutali.
brutality n., brutalità.
brutally adv., brutalment.
brute n., bestja.
bubble n., bużżieqa.
bubble v., baqbaq;
bubo n., (med.) bubun.
bubonic adj., buboniku.
buccaneer n., (mar.) furban, kursàr.
buck n., (zool.) dajn.
bucket n., barmil, birjol, (mar.) baljol.
buckle v., ibbokkla, qafel.
bucklet n., tarka.
buckskin n., dant.
buckthorn n., (bot.) ramnu.
bud n., blanzun, ferħ ta' siġra, nbieta.
bud v., ferragħ, newweb, raħħas, rema, ġelben.
budded adj. & p.p., mraħħas, mġelben.
Buddha pr.n., Budda.
buddhism n., buddiżmu.
buddhist adj. & n., buddist.
budding adj. & pres.p., ferriegħi, riemi.
budding n., tiflis.
buffalo n., (zool.) buflu, gemus.
buffer n., (techn.) bafer.
buffet n., bufè.
buffoon n., buffu/buffun, paljaċċu.
buffoon v., ippurċinella, (theatr.) ibbuffunja.
buffoonery n., buffunata.
bug n., (zool.) baqqa. ***full of ~s;*** mbaqqaq.
bugaboo n., babaw.
bugbear n., babaw.
bugle n., bjuger, (mus.) trumbetta.
bugloss n., (bot.) lsien il-fart.
build v., bena, iffàbrika.
builder n., bennej, kostruttur.
building n., bini, erezzjoni. ***~ ground,*** sit fabbrikabbli.
built adj. & p.p., fabbrikat, mibni, (gram.) kostrutt.
built adj., fabbrikabbli.
bulb n., basla, bozza, lampa ta' l-elettriku.
bulbous adj., basli.
bulge v., iżżaqqaq.
bulimy n., lupa.
bulk n., imboll.
bulkhead n., (mar.) spartiment.
bulkiness n., ħxuna.
bull n., bolla tal-Papa, (zool.) barri, gendus, tawr, tawru, toru. ***collection of Pope's ~s;*** (eccl.) bullarju. ***~ fight;*** bulfajt.
bull ray n., (ichth.) għasfur tal-baħar.
bull-dowzer n., (mechan.) gaffa, buldowżer.
bull-fighter n., pikador.
bullarium n., (eccl.) bullarju.
bulldog n., (zool.) buldogg.
bullet n., balla.
bulletin n., komunikat, bulettin. ***war ~;*** komunikat tal-gwerra.
bullfinch (European bullfinch) n., (ornith.) bugeddum.
bullock n., (zool.) għoġol.
bully n., buli.

bulwark n., rpar, sur, (mar.) murata.
bump n., gundalla.
bun n., bezzun, toppu.
bunch n., faxx, għanqud, mazz, qatta. ***~ of grapes;*** għanqud għeneb. ***~ of keys;*** qatta ċwievet. ***bunch of garlic;*** dafra tewm. ***small bunch;*** mazzett.
bundle (up) v., sarrar.
bundle n., faxx, koll, mazz, qatta, sorra, ħemel. ***~ of straw;*** qatta tiben.
bundle v., qattet/qattat, sarr, ħemmel.
bundled (up) adj. & p.p., misrur. ***to be ~;*** issarrar.
bung n., tapp.
bung v., intappa.
bungle v., gerfex, qanżaħ, ħarbex, ħarfex, ħaxlef. ***the cat ~d us the game;*** il-qattus gerfxilna l-logħba.
bungled adj. & p.p., mferkex, mħanżer, mħaxlef.
bungler n., gerfiex, ħaxlief.
bungling n., tagħsid.
bunk n., (mar.) kruċetta, kuċċetta.
bunting (corn bunting) n., (ornith.) durrajsa. ***black-headed ~;*** durrajsa ta' rasha sewda. ***lapland ~;*** durrajsa tan-nord. ***little ~;*** durrajsa qerqnija. ***rustic ~;*** durrajsa qastnija. ***snow ~;*** durrajsa bajda. ***yellow ~;*** durrajsa safra.
buoy n., (mar.) gavitell, baga.
burden n., kief, tagħbija.
burden v., taqqal.
burdock n., (bot.) bardana.
bureau n., burò.
bureaucracy n., burokrazija.
bureaucrat n., buròkrata.
bureaucratic adj., burokràtiku.
bureaucratically adv., burokratikament.
bureaucratist n., buròkrata.
burette n., (chem.) buretta.
burgeon v., ġelben.
burgomaster n., borgumastru/burgomastru.
burial n., dfin, difna, rdim.
buried adj. & p.p., midfun, mirdum.
burine n., bulin.
burn n., samta, ħarqa.
burn v., ħaraq, ħaġġeġ. ***he ~ed his fingers with a match;*** ħaraq subgħajh bis-sulfarina. ***sun~ed;*** maħruq bix-xemx.
burn (up) v., iġġammar.
burner n., bekk, berner.
burning n., ħruq, samta, teħġiġ, tixwit, tiġmir. ***~ very hot;*** mikwi.
burnish v., qasdar, (techn.) imborna.. ***to be ~ed;*** iżżelleġ.
burnished adj. & p.p., (artis.) imbornut.
burnisher n., bornitur, (artis.) imbornitur.
burnishing n., qażdir, (artis.) imbornitura.
burnt adj. & p.p., maħruq, mismut. ***sun~;*** maħruq bix-xemx.
burrow n., bejta tal-fniek.
bursar n., ekònomu, prokuratur.
burst adj., mfaqqa', mifqugħ.
burst (forth) adj. & p.p., minfexx.
burst v., faqa', faqqa', sploda, xkatta. ***the river ~ its banks;*** ix-xmara faqgħet il-ħajt.
bursting n., tifqigħ.
bury v., difen, radam. ***he killed a cat and buried it in the garden;*** qatel qattus u radmu fil-ġnien.
burying n., dfin, rdim.
bus n., kàrozza, omnibus. ***~ terminus;*** venda.
bush n., buxx. ***to beat around the ~;*** idur mal-lewża.
bush-fighter n., gwerillier.
bushel n., modd.
busily adv., ħafif.
business n., negozju. ***~ man;*** negozjant.
bust n., bust, mezzubust.
bustard (great bustard) n., (ornith.) pitarrun. ***houbara ~;*** għubara. ***little ~;*** pitarra.
bustle n., ħoss kbir.
bustle v., ferfex, ħawtel.
busy adj. & p.p., mħabbat, mixgħul, mxiegħel, okkupat. ***keep ~;*** deha, okkupa.
busy (oneself) v., iffaċendja.
but adv., ħlief, 'ma, imma, iżda.
but conj., però, għajr.
butcher n., biċċier, debbieħ.
butcher v., biċċer.
butchered adj. & p.p., mbiċċer.
butchering n., tibċir.
butler n., maġġurdom.
butt n., natħa.
butt v., ittomba, nataħ.
butted adj. & p.p., ittumbat.
butter n., butir, semen, sila, żibda. ***to make ~;*** żebbed.
butter (the bread) v., dilek il-ħobż bil-butir.
butter-boat n., butiriera.
butter-jar n., butiriera.
buttercup n., (bot.) ċfolloq.
butterfly n., (zool.) farfett. ***cabbage-~;*** farfett tal-kromb. ***~ ray;*** (ichth.) farfett il-baħar. ***clouded sulphur ~;*** (zool.) żolfina.
butterine n., butirina.
butteris n., rażna.

buttermilk n., xorrox.
buttery adj., semni.
buttocks n., sorm, tiż.
button n., buttun, buttuna.
button v., qafel.
buttoned adj. & p.p., maqful.
buttoning n., qfil.
buttress n., riffieda, (ichth.) denfil.
buy v., xtara. ***to ~ on credit;*** iddejjen. .
buyer n., kompratur, xerrej.
buying n., xiri.
buzz v., żanżan.
buzzard (honey buzzard) n., (ornith.) kuċċarda.
buzzer n., fesfies.
buzzing n., żanżin.
by adv., qrib, ħada, ħdejn. ***~ means of;*** permezz.
by prep., bil-.
by-laws n., statut.
by-pass n., bajpass.
bye-bye interj., baj.

Cc

cab n., gabirjolin, karozzella, karozzin.
cabal n., konfoffa.
cabal v., ikkunfoffa.
cabaletta n., (mus.) kaballetta.
cabbage n., (bot.) kaboċċa.
cabin n., gabina/kabina.
cabinet n., gabinett.
cabinet-maker n., ebbenist.
cable n., kejbil.
cabman n., karozzier.
caboose n., (mar.) fgum.
cabotage n., (mar.) kabotaġġ.
cabriolet n., gabirjolin.
cacao n., kawkaw.
cackle v., qâqa.
cacophonous adj., kakofòniku.
cacophony n., kakofonija.
cactus n., (bot.) kaktus.
cadence n., (mus.) kadenza.
cadet n., gadett, (mil.) kadett.
cadmium n., (chem.) kadmju.
caesarian (operation) adj. & n., (med.) ċesarja.
caesura n., (pros.) ċeżura.
caffeine n., kafeìna.
caftan n., kaftan.
cage n., gabja, gaġġa, qafas. ***large ~;*** gabjun. ***small ~;*** gabjetta. ***to make ~s;*** qaffas.
cage-maker n., qaffàs.
caiman adj., (zool.) kajmàn.
caique n., (mar.) kajjikk.
cajole v., hejjem/hajjem.
cajoling n., hejm.
cake n., kejk. ***almond ~;*** intrita. ***ring-shaped ~;*** kagħka/qagħqa. ***honey ring ~;*** kagħka/qagħqa tal-għasel. ***round cheese ~;*** qassata.
calamine n., (min.) kalamina.
calamint n., (bot.) kammilta/qammilta.
calamity n., għaks.
calcium n., (chem.) kalċju.
calculate v., ikkalkula, sela, (mar.) skandalja.
calculated adj. & p.p., ikkalkulat, mkejjel.
calculating n., tikjil.
calculator n., kalkulatur.
calculus n., mard tal-ħaġra.
caldron n., kaldarun.
calendar n., almanakk, kalendarju, mangnu.
calesh n., kaless.
calf n., gellux, pexxun, (zool.) għoġol, vitella. ***sucking ~;*** erħa tal-ftam.
caliber n., kalibru.
calibre n., kalibru.
calk v., ikkopja.
call n., kjamata, sejħa, vokazzjoni, (leg.) appell.
call v., sejjaħ, sieħ/saħ. ***~ your brother for dinner;*** sejjaħ lil ħuk biex tiġu tieklu.
call (out) v., ikkjama.
called adj. & p.p., mgħajjat, misjuħ, msejjaħ, msemmi. ***to be ~;*** issèjjaħ.
caller n., sejjieħ.
calling n., sejħa.
callous (become callous) v., inkalla.
calm adj. & n., bnazzi.
calm adj., kalm, kiebi, mans, pakat, seren, trankwill.
calm n., kalma, kwiet, teħdija.
calm v., hedda, ipplaka, sikket, ħemmed. ***to become ~;*** bbnazza, ikkalma. ***today the weather became ~;*** illum l-ajru bbnazza. ***he became ~ after that rage;*** ikkalma ħafna wara dik id-dagħdigħa.
calm (oneself) v., heda/hida.
calmed (down) adj. & p.p., mrażżan.
calmed adj. & p.p., ikkalmat, mheddi.
calmly adv., trankwillament.
calmness adj. & n., bnazzi.
calmness n., heda/hida, hedu, kalma, kwiet, lajma.
calomel n., (med.) kalamilan, kàlomel.
calorie n., (phys.) kalorija.
calorimeter n., (phys.) kalorìmetru.
calotte n., kallotta.
calumniate v., ikkalunnja, xana'.
calumniated adj. & p.p., ikkalunnjat.
calumniating n., tibħit.
calumnies n., qlajja'.
calumny n., kalunnja, qalgħa. ***to exite a person against another calumniously;*** iżżunżinja.

calvary n., kalvarju. ***Mount C~;*** Il-Kalvarju.
cambric n., kalambrajn, kambrè.
camel n., (zool.) ġemel.
camelia n., (bot.) kamelja.
camelopard n., (zool.) żrafa.
cameo n., gamew.
camera n., kàmera.
camerlengo n., (eccl.) kamerlengu.
camomile n., (bot.) gamumilla, kamumella. ***wild ~;*** (bot.) bebuna.
camouflage n., (mil.) kamuflaġ.
camp n., akkampament.
camp v., akkampa/ikkampa.
campaign n., kampanja. ***electoral ~;*** kampanja elettorali.
campestral adj., bagħli.
camphor n., ganfra.
camping n., akkampament.
can n., bott. ***paint ~;*** patalott.
canal n., kanal, qana.
canary n., (ornith.) kanal, kanarin.
canasta n., (g.) kanasta.
cancel v., ikkanċella, ingassa, skanċella, ħassar, (leg.) annulla. ***he ~led the flight to Rome;*** ikkanċella t-titjira għal Ruma.
cancellation n., ingassatura.
cancelled adj. & p.p., (leg.) annullat, ingassat, mħassar.
Cancer n., (astro.) qabru.
cancer n., (med.) kanċer, kankru, kanser.
candid adj., kandidu.
candidate n., kandidat.
candidature n., kandidatura.
candidly adv., frankament.
candidness n., frankizza.
candied adj. & p.p., ikkunfettat.
candle n., xemgħa. ***pascal ~;*** (eccl.) blandun.
candle-extinguisher n., stuta.
Candlemas n., il-kandlora, festa tal-purifikazzjoni, gandlora.
candles n., xema'.
candlestick n., gandlier, kandelabru, kandlier, xemgħa. ***branched candlestick;*** gandilabru. ***flat ~;*** buġija.
candy v., ikkunfetta.
cane n., qasba, virga. ***rattan ~;*** kannadindja. ***sugar ~;*** (bot.) kannamiela.
cannibal n., antropofagu, kannibalu.
cannibalism n., antropòfaġija, kannibaliżmu.
cannon n., (mil.) kanun, (g.) karambòla.
canoe n., (mar.) kanott, kenura.
canon n., qanun, (eccl.) kanonku.
canonic(al) adj., kanòniku. ***~ law;*** dritt kanòniku.
canonically adv., kanonikament.
canonization n., kanonizzazzjoni.
canonize v., qaddes, (eccl.) ikkanonizza. ***last Sunday the Pope ~d two saints;*** il-Papa kkanonizza żewġ qaddisin nhar il-Hadd.
canonized adj. & p.p., kanonizzat, mqaddes.
canonry n., (eccl.) kanonikat.
canopy n., kanopew, kurtinaġġ, tużell, (eccl.) baldakkin.
cant n., żurżieqa.
cant v., (techn.) iċċanfrina.
cantabile adj., kantabbli.
canteen n., (mil.) kantìn.
canteen-keeper n., vivandier.
canticle n., kàntiku.
canton n., kantun.
cantor n., (eccl.) kantur.
canvas n., dokk, kanvas, luna, tila.
canvass v., ikkanvassja. ***he ~ed his friend to be elected;*** ikkanvassja lil sieħbu biex jiġi elett.
canvasser n., galoppin, kanvaser.
cap n., beritta, għata tar-ras, skufja, (eccl.) berrettin. ***large ~;*** berrittun. ***Turkish ~;*** fez. (eccl.) ***the Pope's cap;*** kamawru. ***padded ~;*** tumbarell.
capable adj., abbli, bravu, kapaċi, ħili.
capacity n., kapaċità, ħabta. ***in the ~ of;*** bħala.
caparison n., faldrappa/valdrappa/fadrappa.
cape n., kappa, mantâr, (eccl.) muzzetta.
caper n., gabirjola, (bot.) kappara.
caper v., qames/qamas, qammes/qammas.
capicsum n., bżar aħdar.
capillaire n., kappillier.
capillary adj., kapillari, xagħri.
capital n., fond, kapital, (arch.) kaptell/kapitell. ***sunk ~;*** kapital mejjet. ***~ city;*** belt kapitali.
capitalised adj., (bank.) kapitalizzat.
capitalism n., kapitaliżmu.
capitalist n., kapitalist.
capitalize v., (ban.) ikkapitalizza.
capitular adj., (eccl.) kapitulari.
capitulate v., (mil.) ikkapìtula.
capitulation n., (mil.) kapitulazzjoni.
capon n., ħasi.
caprice n., kapriċċ.
capricious adj., kapriċċuż.
Capricorn n., (astro.) il-gidi.
caprificate v., dakkar.
caprificated adj. & p.p., mdakkar. ***to be ~;*** iddakkar.
caprificating n., tidkir.
caprification n., dakra.

caprificator n., dakkàr.
capriole n., gabirjola.
capstan n., (mar.) argnu, (mechan.) krikk.
captain n., kaptan, rajjes, (mil.) kmandant.
captivate v., jassar.
captive n., skjav.
captivity n., jasar, sibi, skjavitù, tjassir.
capture n., arrest, qabda.
capuccino n., kafè kapuċċin.
capuchin n., kabuċċin/kapuċċin.
car n., kàrozza, mirkeb.
carabineer n., (mil.) karabinier.
carafe n., karaffa.
caramel n., karamella.
carat n., karàt.
caravan n., karavan, karovana.
caravel n., (mar.) karavella.
carbide n., (chem.) karbùr. ***calcium ~;*** karbùr tal-kalċju.
carbolic adj., (chem.) karbòliku. ***~ acid;*** aċidu karbòliku.
carbon n., (chem.) karbonju.
carbon-paper n., kàrbon.
carbonaceous adj., faħmi.
carbonate n., (chem.) karbonat.
carbonic adj., (chem.) karbòniku. ***~ acid;*** aċidu karbòniku.
carboniferous adj., karbonìferu. ***~ stratum;*** art karbonifera.
carbonised adj. & p.p., mfaħħam.
carbonize v., faħħam.
carbonized adj., karbonizzat.
carbuncle n., (med.) traċna.
carburation n., karburazzjoni.
carburettor n., (mechan.) karburatur.
carcase n., karkassa.
carcass n., ġifa, karkassa, qafas ta' bastiment.
carcinoma n., (med.) karċinoma.
card n., kartolina, skeda, tessera. ***identity ~;*** karta ta' l-identità. ***playing ~s;*** karti tal-logħob. ***to shuffle (the) ~s;*** ħawwad il-karti. ***thin card;*** kartonċina. ***handle cards;*** karrat.
card v., ċefa, qardax, qarden, rixtel, xejjet. ***to ~ cotton;*** ħaleġ.
card-catalogue n., skedarju.
card-index n., skedarju.
cardamom n., (bot.) kardamomu.
cardboard n., kartuna.
carded adj. & p.p., mqardax, mrixtel, mxejjet.
carder n., qardàx, rixtiel.
cardiac adj. & n., marid b'qalbu.
cardiac adj., (med.) kardìjaku.
cardigan n., kardigan, pulowver, ġersi.
cardinal adj., kardinali, porporat, (eccl.) kardinal. ***~ numbers;*** numri kardinali. ***~ points, winds;*** rjieħ kardinali. ***~ virtues;*** virtujiet kardinali. (eccl.) ***C~ Legate;*** Kardinal Legat.
cardinalate n., kardinalat.
carding n., tixjit.
cardiogram n., kardjogramma.
cardiograph n., kardjografu.
cardiography n., kardjografija.
cardiologist n., kardjòlogu.
cardiology n., kardjoloġija.
cardoon n., (bot.) kardun, zannura.
care n., kura. ***to take care of oneself;*** ikkura. ***to take care;*** fetaħ għajnejh, ibbada. ***to take care of;*** indokra.
cared (for) adj. & p.p., indukrat.
careen v., ta karina.
careenage n., (mar.) karinaġġ.
career n., karriera.
careful adj., attent, fitt, kuranti.
carefulness n., attenzjoni.
careless adj., traskurat, żdingat.
carelessly adv., ħorrox borrox.
carelessness n., negliġenza, traskuraġni.
caress n., karezza.
caress v., fissed, ħannen, ikkarezza, melles, raddad, żegħel, żiehel. ***he ~ed his daughter while she was crying;*** ikkarezza lil bintu waqt li kienet qiegħda tibki. ***he ~ed the girl before leaving;*** ħannen it-tifla qabel telqet. ***~ the children;*** farraġ lit-tfal.
caressed adj. & p.p., immelles, mdellel, mfissed, mhejjem, miżħul, mraddad, mħannen. ***to be caressed;*** iżżiehel.
caresses n., żegħil.
caressing n., timlis.
caret n., kjamata.
caretaker n., kertejker, sorveljant.
cargo n., tagħbija.
caricature n., karikatura.
caricaturist n., karikaturist.
caricurated adj., karikat.
carline n., (bot.) karlina, sajtun, sebqet 'l ommha.
Carmelite n., Karmelitan. ***Discalced ~;*** Karmelitan Skalz, Tereżjan.
carmine n., karminju.
carnage n., straġi.
carnal adj., karnali.
carnation n., (bot.) qronfla.
carnival n., karnival. ***~ revelry;*** karnìvalata.
carnivorous adj., karnivoru.
carob n., (bot.) ħarrubu.
carob-tree n., (bot.) ħarruba.

carotid n., (med.) karòtide.
carp n., (ichth.) karpjun.
carpenter n., karpentier, mastrudaxxa. ~ ***of ships;*** karpentier ta' abbord.
carpet n., għata ta' l-art, tapit. ***stair ~;*** tapit tat-taraġ.
carpus n., (anat.) karpu.
carriage n., kàrozza, mirkeb, vettura. ***heavy travelling ~;*** berlina.
carriage-house n., remissa.
carried adj. & p.p., miġjub, miġrur.
carried (away) adj. & p.p., miġrur.
carrier n., trasportatur, ġarrier.
carrion n., karonja, ġifa.
carrot n., (bot.) karotta/karrotta, zfunnarija.
carry v., ġarr, ġieb, idda. ***to ~ heavy objects;*** qandel.
carry (away) v., karkar, xkana. ***the torrent carried away everything with it;*** il-ħamla karkret kollox magħha.
carry (out) v., esegwixxa.
carrying n., rfigħ.
cart n., biroċċ, karretta, karrettun/karettun.
cartage n., vjeġġ.
carter n., karrettunar.
Carthusian n., (eccl.) ċertożin.
cartilage n., (anat.) kartilaġni, qarmuċa.
cartographer n., kartògrafu.
cartography n., kartografija.
cartomancy n., kartomanzija.
cartoons n., kartuns.
cartouche n., (arch.) skartoċċ.
cartridge n., skartoċċ.
carve v., iġġiżilla, naqax, naqqax, (artis.) intalja, (techn.) ittrinċja.
carved adj. & p.p., minqux, mnaqqax, (artis.) intaljat, (techn.) ittrinċjat.
carvel n., (mar.) karavella.
carver n., ġiżillatur, (artis.) intaljatur.
carving n., tinqix, (artis.) intall.
cascade n., ċarċara, kaskata.
cascara n., (med.) kaskara.
case n., garżella, kaxxa, każ. ***watch ~;*** kaxxa ta' l-arloġġ. ***in ~;*** fil-każ. ***cigar/ cigarette ~;*** sigarriera.
case-ending n., (gram.) deżinenza.
casein n., (chem.) każeina.
casemate n., (mil.) każamatta.
cash v., inkassa. ***to be ~ed;*** issarraf. ***this cheque cannot be ~ed;*** dan iċ-ċekk ma jissarrafx.
cashier n., daħħàl tal-flus, kaxxier, ġemmiegħ il-flus.
cashmere n., kaxmer.
cask n., bettija.
casket n., kofanett.
casket-bearer n., bekkamort.
casque n., (mil.) kaskett, mirjun.
cassation n., kassazzjoni.
cassette n., kasett.
cassia n., (bot.) kassja.
cassock n., libsa ta' qassis, suttana.
cast adj. & p.p., mwaddab.
cast (out) adj. & p.p., mormi.
cast (down) adj. & p.p., mraqqad.
cast n., kast, tefgħa, xeħta. ***at a stone ~;*** tefgħa ta' ġebla.
cast v., tafa'/tefa', waddab, xeħet. ***those who live in glass houses should not ~ stones;*** min joqgħod f'dar tal-ħġieġ m'għandux jitfa' ġebel. ***~ a shy glance;*** għajnas.
cast (out) v., rema.
casting (down) n., tiġrif. ***~ down headlong;*** kabras.
castanet n., (mus.) kastanjola.
castanets n., (mus.) nakkra.
caste n., kasta.
castle n., (arch.) kastell. ***governor of a ~;*** kastellan. ***small ~;*** kastellett.
castor n., (zool.) kastur.
castor oil n., żejt tar-riġnu.
castor-oil (plant) n., (bot.) qardiena.
castrate v., sewwa, ħesa, (techn.) ikkastra.
castrated adj. & p.p., moħsi, msewwi.
castration n., kastrazzjoni.
casual adj., każwali.
casualty n., diżgrazzja.
casuist n., każista.
cat n., (zool.) qattus.
cat thyme n., (bot.) amaros.
cataclysm n., katakliżma.
catacomb n., katakombi.
catafalque n., katafalk.
catalepsy n., (med.) katalessi.
catalogue n., elenku, katalgu.
catalogue v., ikkatàloga.
catalogued adj. & p.p., katalogat.
catamaran n., (mar.) katamaràn.
cataplasm n., (med.) kataplażma, ġbara.
catapult n., (mil.) katapulta.
cataract n., (med.) bjada, katarretta.
catarrh n., (med.) katarru.
catastral adj., katastrali.
catastrophe n., katàstrofi.
catastrophic(al) adj., katastròfiku.
catch n., qabda.
catch v., laqa', qabad filwaqt. ***to ~ a cold;*** ħa riħ. ***to ~ with the teeth;*** qabad bissnien.
catching n., qbid.
catechism n., katekiżmu, tagħlim nisrani.
catechist n., katekist, nassàr.

catechistic adj., katekìstiku.
catechumen n., katekùmenu.
categorical adj., kategòriku.
categorically adv., kategorikament.
category n., branka, kategorija.
caterpillar n., (mechan.) katerpìllar, (zool.) xagħat.
catgut n., kàtgat, watar.
catharsis n., (med.) katarsi.
cathedral n., katidral/katedral.
catheter n., (med.) kàteter.
Catholic n., kattòliku.
catholically adv., kattolikament.
catholicism n., kattoliċiżmu.
catholicity n., kattoliċità.
cattle n., bestjam, għanem, qobla.
cattle-shed n., mabqar.
cattlepen n., maqjel.
caught adj. & p.p., maqbud.
caul n., borqom, (anat.) mindil.
cauldron n., kaldarun.
cauliflower n., (bot.) kawlifjura, pastard.
caulk v., qalfat.
caulked adj. & p.p., mqalfat.
caulker n., qalfàt.
causative adj., (gram.) kawżattiv.
cause n., kawża, kaġun, motiv. ***he was the ~ of his death through his negligence;*** kien il-kaġun tal-mewt bit-traskuraġni tiegħu.
cause v., ġiegħel/ġagħal, ikkaġuna, ikkawża, qabbad. ***through his negligence he ~d the death of a girl;*** bit-traskuraġni tiegħu ikkaġuna l-mewt ta' tifla.
caused adj. & p.p., kawżàt.
cauterization n., (med.) kawterizzazzjoni.
cauterize v., kewa, (med.) ikkawterizza.
cauterized adj. & p.p., (med.) kawterizzat.
cautery n., (med.) kawterju.
caution n., attenzjoni, kawtela.
cautioned adj. & p.p., mwissi.
cautious adj., attent, kawt, prudenti.
cavalcade n., kavalkata.
cavalry n., kavallerija.
cavatina n., (mus.) kavatina.
cave n., grotta, għar, għorna, kaverna.
cavebdish n., kavebdix.
cavern n., kaverna.***little ~;*** guga.
caviare n., kavjàr.
cavil v., kewtel, (leg. & parl.) ikkavilla. ***the headmaster told him not to ~;*** issurmast qallu biex ma joqgħodx ikewtel.
cavilling n., sofistikerija.
cayman adj., (zool.) kajmàn.
cease v., heda/hida. ***at last the rain began to ~;*** sa fl-aħħar ix-xita bdiet tehda.
ceasing n., hedu.
cede v., ċeda/ċieda, wella/willa.
ceded adj. & p.p., mwilli.
ceil v., saqqaf.
ceiling n., saqaf, soffitt.
celandine n., siġret il-ħarir.
celebrant n., ċelebrant.
celebrate v., iċċelebra.
celebrated adj. & p.p., iċċelebrat.
celebration n., ċelebrazzjoni.
celebrity n., ċelebrità.
celery n., (bot.) karfusa.
celestial adj., ċelesti.
celibacy n., (eccl.) ċelibat.
cell n., ċella, ċellula.
cellar n., kantina.
cellaret n., likuriera.
cellist n., (mus.) ċellista.
cello n., (mus.) vjolinċell. ***~ player;*** (mus.) ċellista.
cellular adj., ċellulari.
celluloid n., ċellulojde.
cellulose n., ċelluloża.
cement n., siment.
cemetry n., ċimiterju, maqbar.
cenacle n., ċenaklu.
cenotaph n., ċenotaffju.
censer n., mabħra, turibulu, (eccl.) ċensier.
censor n., ċensur.
censored adj., ċensurat.
censorhip n., ċensura.
censurable adj., ċensurabbli.
censure n., ċensura.
censure v., iċċensura.
censured adj. & p.p., meqjus, mgħarbel.
census n., ċensiment.
cent n., ċenteżmu, sent.
centaur n., (myth) ċentawru.
centaurus n., (astr.) ċentawru.
centaury n., (bot.) ċentawrja.
centenary n., ċentinarju.
centesimal adj., ċenteżimali.
centigrade n., ċentigrad.
centigramme n., ċentigramm.
centilitre n., ċentilitru.
centimetre n., ċentimetru.
centipede n., (zool) ċentupied.
cento n., ċentun.
central adj., ċentrali.
centrality n., ċentralità.
centralization n., ċentralizzazzjoni.
centralize v., iċċentralizza.
centralized adj. & p.p., ċentralizzat.
centre n., ċentru. ***shopping ~;*** maħnat.
centre v., iċċentra.
centrifugal adj., ċentrifugu. ***~ force;*** forza ċentrifuga.

centripetal adj., ċentripetu.
centuple v., iċċentùplika.
centupled adj. & p.p., ċentuplikat.
centuplicate v., iċċentùplika.
centuplicated adj. & p.p., ċentuplikat.
centuplication n., ċentuplikazzjoni.
centurion n., (mil.) ċenturjun.
century n., seklu, (mil.) ċenturja.
cephalagy n., (med.) ċefalaġija.
ceramics n., ċeràmika.
ceramist n., ċeramist.
cereals n., ċereali.
cerebellum n., (anat.) ċervellett.
cerebral n., (med.) ċerebrali.
ceremonial adj., ċerimonjali.
ceremonial n., (eccl.) ċerimonjal, ritwal.
ceremonious adj., kumplimentuż.
ceremony n., ċerimonja, (eccl.) rit. ***master of ceremonies;*** (eccl.) ċerimonjier.
cerimonious adj., ċerimonjuż.
cerography n., ċerografija.
ceroplastics n., ċeroplàstika.
certain (person) n., flien.
certain adj., ċert, ċertu, żgur. ***to make ~;*** iċċerta/aċċerta.
certainly adv., ċertament, iva, tabilħaqq, tassew, verament.
certainly conj., immèla.
certainly interj., bans.
certainty n., ċertizza.
certificate n., ċèdola, ċertifikat, diploma, patenta, (leg.) attestat.
certify v., iċċertifika, iddikjara. ***the doctor has certified that he was sick;*** it-tabib iċċertifika li kien marid.
certitude n., ċertizza.
ceruse n., biruq.
cessation n., tihdija.
cession n., tulija.
cetacean n., ċetaċċ.
cetron n., (bot.) ċedru.
chafer n., (zool.) ħanfus/qanfus.
chaff n., ħliefa, karfa, tfur.
chaffinch n., (ornith.) sponsun.
chain n., katina, sensiela. ***watch-~;*** katina ta' l-arloġġ, polka.
chain v., inkâtna, selsel, sensel. ***to be chained;*** issensel.
chain-pump n., sienja.
chain-wale n., (mar.) barrasarsi.
chained adj. & p.p., inkatnat, msensel.
chair n., kàtedra, maqgħad, sedja, siġġu. ***gestatorial ~;*** sedja ġestatorja. ***arm ~;*** siġġu tad-dirgħajn. ***deck ~;*** dekċer. ***sedan ~;*** suġġetta.
chairman n., ċermen, president.
chalcedony n., kalċedonja.
chaldron n., nħasa.
chalice n., kalċi.
chalk n., ġibs. ***covered with ~;*** mġebbes.
chalk v., ġebbes, ġesses.
chalked adj., mġebbes.
chalking n., tiġbis.
chalky adj., ġibsi.
challenge n., ċalinġ.
challenge v., iċċalinġja, sfida. ***he ~d all his companions to a fight;*** sfida lil sħabu għall-ġlied.
challenged adj. & p.p., iċċalinġjat.
chamber n., kamra.
chamber pot n., važ, awrinar.
chamberlain n., ċambellan.
chameleon n., (zool.) kamaleònt.
chamfer n., (techn.) ċanfrin/ċamfrin.
chamfer v., (techn.) iċċanfrina.
chamois n., kamoxxa.
champagne n., xampanja.
champion n., ċampjin.
championship n., kampjonat.
chance n., ċans, każ, xorti. ***game of ~;*** logħob ta' l-ażżard. ***if by ~;*** jekk qatt.
chance v., iċċansja.
chancellor n., kanċillier.
chancery n., kanċellerija.
chandelier n., lampadarju, linfa.
chandler n., xemmiegħ.
change n., alterazzjoni, bdil, bidla, bqija, kambjament, modifikazzjoni, newba, permutazzjoni, trasferiment, (leg.) pèrmuta.
change v., biddel, bidel, kambja. ***to ~ colour;*** kanġa. ***this velvet ~s colour;*** dan il-bellus ikanġi.
changeable adj., qluqi, varjabbli.
changed adj. & p.p., mbiddel, mibdul, mitbiedel, modifikat. ***to be ~;*** issarraf.
changer n., biddiel.
changing n., tibdil.
channel n., kanal.
chant n., kant. ***Gregorian C~;*** kant Gregorjan. ***plain~;*** kant Gregorjan.
chant v., kanta.
chaos n., kaös.
chaotic adj., kaötiku.
chap n., kunsentura.
chap v., fellel.
chapel n., kappella.
chaplain n., kappillan.
chaplaincy n., kappellanija.
chaplet n., rużarju.
chapter n., kapîtlu, taqsima.
char-a-bank n., kàrozza.
charabanc n., xarabank.
character n., karattru.

characteristic adj., karatteristiku.
characteristic n., karatteristika.
characterize v., ikkaratterizza.
charade n., xarada.
charcoal n., faħam, faħam tal-ħaġra. ***~ dust;*** ċnisa. ***~ in sticks;*** karbonella.
charge (with) v., inkariga.
charge n., ċarġ, tagħbija, (leg.) akkuża. ***take ~ of;*** intriga.
charge v., iċċarġja, mela, wissa, (leg.) akkuża. ***to ~ a gun;*** ikkarga.
chargeable (with) adj., (leg.) akkużabbli.
charged (with) adj. & p.p., inkarigat.
charged adj. & p.p., mwissi.
charges n., nefqa, nfiq.
charism n., kariżma.
charisma n., kariżma.
charitable adj., karitattiv.
charity n., benefiċenza, elemożina, karità, (theol.) àgape.
charitably adv., bil-ħniena.
charlatan n., ċarlatan.
charm n., seħer, ġmiel.
charm v., saħħar.
charmed adj. & p.p., msaħħar. ***to be ~;*** issaħħar.
charmer n., rubakori.
charming adj., saħħari.
charnel-house n., kannierja.
chart n., ċart, mappa tal-baħar.
chase n., kaċċa.
chase v., stad, tarad.
chased adj. & p.p., mtarrad.
chassis n., xażi.
chaste adj., kast, safi.
chastised adj. & p.p., ikkastigat.
chastisement n., kastig, punizzjoni, tagħdib.
chastity n., kastità, purezza, safa/sefa.
chastize v., għaddeb, ikkastiga.
chasuble n., garżubbla, (eccl.) pjaneta.
chat n., diskursata.
chat v., serser.
chatted adj. & p.p, mserser.
chatter n., sersur, tgeġwiġ, ċaċċar.
chatter v., gerwel, lablab, lissen, paċpaċ, redden/radden, taqtaq. ***he always ~s uselessly;*** dejjem ilablab fil-vojt.
chattering n., ċaċċir.
chatterbox n., ċaċċarun, ċarku, gerwiel, lewwieq, sersur, tellerita.
chattering n., sersir, taqwil, tgerwil, tlaqliq.
chattles n., ħwejjeġ.
chauffeur n., xufier.
cheap n., rħis. ***to become ~;*** roħos.
cheapen v., raħħas.
cheapened adj. & p.p., mraħħas.
cheaper comp.adj., orħos, irħas.
cheapness n., roħs.
cheat n., kejd;
cheat v., berbex, gebbex, gidem, għabba, għallat, għaqqex, iggabba, imbrolja, kebbex, lagħab, qarraq, ħajjen.
cheated adj. & p.p., iggabbat, imbruljat, mgħallat, mgħobbi, mqarraq.
cheater n., berbiex, kebbiex, kejjied, qarrieq.
cheating n., tagħlit, taqriq.
check mate v., (g.) immattja.
check v., iċċekkja, rażan, rażżan. ***the police ~ed the passport;*** il-pulizija ċċekkjaw il-passaport.
checking n., kontroll.
checkmate n., ċekkmejt.
cheek n., ħadd, ħarta.
cheep v., ċejjaq.
cheer n., applaws.
cheer v., allegra, applawda.
cheered adj. & p.p., allegrat, applawdut.
cheerful adj. & pres.p., ferħa.
cheerful adj., allegru, ferrieħi.
cheerfully adv., bil-ferħa.
cheese n., ġobon. ***ewe-milk ~;*** ġbejna. ***grated ~ vessel;*** formaġġiera.
cheese-hurdle n., qanniċ.
cheesecake n., pastizz.
cheesy adj., ġobni.
chef n., xeff.
chemical adj., kìmiku.
chemically adv., kimikament.
chemist n., kimiku, spiżjar.
chemistry n., kìmika.
cheque n., ċekk.
cherish v., għażż. ***my son ~ed much your present;*** ibni għażż ħafna r-rigal tiegħek.
cherry n., (bot.) ċirasa. ***hard black ~;*** (bot.) amarena.
cherub n., kerubin.
chervil n., (bot.) maxxita, sofrolja.
chess n., (g.) ċess, skakk.
chess-board n., (g.) skakkiera.
chest n., kaxxa, senduq, (anat.) kustat, qafas tas-sider, sider. ***~ of drawers;*** gradenza. ***travelling ~;*** senduq.
chestnut n., qastna. ***roasted ~;*** qastna mixwija. ***boiled ~;*** qastna mgħollija, imbuljuta. ***horse ~;*** (bot.) marruna.
chestnut-coloured adj., qastni.
chevron n., (mil.) penz.
chew n., magħda.
chew v., magħad, miegħed. ***~ the food well so that you will not harm yourself;*** omgħod sewwa l-ikel għax jagħmillek id-deni.

chewed adj. & p.p., mimgħud.
chewer n., magħàd.
chewing n., mgħid, timgħid.
chick n., fellus, (zool) farruġ.
chick-pea n., (bot.) ċiċra.
chicken n., fellus, (zool) farruġ. ***~-hearted person;*** ċikin.
chicken-pox n., (med.) ġidri r-riħ, variċella.
chicory n., (bot.) ċikwejra.
chidden adj. & p.p., mċanfar.
chide v., beżbeż, gemgem, gerger, liem.
chief n., boss, ċif, suprastant, (mil.) kmandant.
chiefly adv., fuq kollox.
chilblain n., seqi.
child n., bambin, tarbija, tifel, wild. ***best loved ~;*** benjamin, figatell
childhood n., ċkunija, tfulija, żgħurija, żogħor. ***from one's ~;*** miż-żogħor.
childish adj., infantili, puerìli, tfuli, tifli.
childishness n., puerilità, vavata.
chill n., birda, bruda, kesħa, ksieħ, ksuħa, reżħa.
chill v., reżżaħ.
chilled adj. & p.p., mirżuħ. ***get ~;*** reżaħ.
chilled adj. & pres.p., biered, rieżaħ.
chilled adj., .
chilliness n., kesħa, reżħa, rżieħ/rżiħ.
chime n., dandin, daqq doblu, mota.
chimera n., kimera.
chimerical adj., kimèriku.
chimney n., ċumnija, ċumnija ta' fabbrika, midħna.
chimpanzee n., (zool.) ximpanżi.
chin n., lħit. ***double ~;*** għanqra. ***protruding ~;*** faqma.
chinaware n., kina.
chinchilla n., (zool.) ċinċilla.
chip n., laqxa.
chipped adj. & p.p., mlaqqax.
chirographer n., (leg.) kirògrafu.
chiromancy n., kiromanzija.
chiropodist n., kiropodist, pedikjur.
chirp v., ċejjaq, zejjez, żejjeż.
chirping n., sersir, tipjiz, tizjiz, tpezpiz.
chisel n., ċiżell, manqâx, (artis.) ġiżill, skarpell, (techn.) furmatur. ***small ~;*** (artis.) burin.
chisel v., iġġiżilla, naqax, naqqax.
chiseller n., naqqàx, ġiżillatur.
chisilled adj., ġiżillat.
chlorate n., (chem.) klorat.
chlorine n., (chem.) kloru.
chloroform n., (med.) klòroform.
chlorophyll n., klorofilla.
chlorosis n., (med.) klorosi.
chock n., kunjard, riffieda.
chocolate n., ċikkulata. ***~ plate;*** ċikkulatiera. ***~ pot;*** ċikkulatiera. ***~ square;*** ċikkulatina. ***drinking ~;*** kokotina.
choice n., għażla, taħjir, taħtir.
choir n., (mus.) kor.
choke v., issoffoka, xeraq.
choked adj. & p.p., maħnuq, mxerraq.
choking n., tixriq.
cholesterol n., (chem.) kolesterol.
choose v., għażel, ħatar, ħtar, (leg.) opta. ***make (one) ~;*** ħajjar.
choosy (be choosy) v., ħtar.
chop n., braġjola, ċafċifa, felli.
chop v., fettet, ikkapulja, laqqax. ***he ~ed the rusk in the coffee;*** fettet il-biskuttell fil-kafè.
chop (off) v., tejjeż.
chop-house n., dverna.
choppy adj., mċafċaf, mqalla', mqalleb.
chord n., (mus.) korda.
choreography n., koreografija.
chorister n., (eccl.) kantur, (mus.) korist.
chorographer n., korografu.
chorographic adj., korogràfiku.
chorography n., korografija.
chosen adj. & p.p., elett, magħżul, maħtur.
Christ pr.n., Kristu.
Christian adj. & n., nisrani, kristjan.
Christianity n., kristjaneżmu, kristjanità.
christianize v., nassar.
christianized adj. & p.p., mnassar.
Christianly adv., kristjanament.
Christmas pr.n., Milied.
christologic(al) adj., kristoloġiku.
christology n., kristoloġija.
chromatic adj., (mus.) kromàtiku. ***~ scale;*** skala kromatika.
chronic adj., kròniku.
chronicle n., krònaka.
chronicler n., kronista.
chronological adj., kronolòġiku.
chronology n., kronoloġija.
chronometer n., kronometru.
chronometric(al) adj., kronomètriku.
chrysanthemum n., (bot.) kriżantema.
chubby adj., bejżu, mbaċċaċ. ***make, grow, become ~;*** baċċaċ.
Church n., (eccl.) Dar t'Alla, knisja, maqdes. ***collegiate ~;*** (eccl.) kolleġġjata. ***parish ~;*** knisja parrokkjali, parroċċa.
church-yard n., maqbar, midfna, zuntier.
churl n., ċakkar.
churn n., mastella, żinġla.
ciborium n., (eccl.) ċiborju, pissidi.
cicada n., (zool.) werżieq ta' binhar.
cicatrix n., (med.) ċikatriċi.

cicatrization n., timrik.
cicatrize v., merrek.
cicatrized adj. & p.p., immerrek.
cicely n., (bot.) sofrolja.
cigar n., sigarru. ~ ***holder;*** bokkin.
cigarette n., fettul, sigarett ~ ***holder;*** bokkin.
cilice n., ċilizju.
cimorium n., (eccl.) konupew.
cinema n., ċine, ċinema, tokis, (techn.) ċinematografu.
cinematographic adj., ċinematografiku.
cinematography n., (techn.) ċinematografija.
cineraria n., (bot.) ċinerarja.
cinnamon n., kannella.
cipher n., ċifra, żero.
circle n., ċirku, qawra, qawwara. ***in a ~;*** inġir.
circuit n., (elect.) ċirkùwitu.
circular adj. & n., ċirkolari.
circular adj., qawri, tond.
circulate v., iċċirkola. ***the blood ~s through the veins;*** id-demm jiċċirkola fil-vini.
circulated adj. & p.p., miġri.
circulating adj. & n., ċirkolari.
circulating adj., ċirkolanti. ~ ***library;*** biblijoteka ċirkolanti.
circulation n., ċirkolazzjoni.
circumcise v., iċċirkonċida.
circumcise v., taħħar, ħaten, ħatten.
circumcised adj. & p.p., maħtun, (eccl.) ċirkonċiż.
circumcision n., ħatna, ħtin, titħir, (eccl.) ċirkonċiżjoni, magħmudija tal-Lhud.
circumference n., ċirkonferenza, dawwara, qawwara.
circumflex adj., (gram.) ċirkonfless.
circumfused (with) adj., ċirkonfuż.
circumscription n., ċirkonskrizzjoni.
circumsize v., għammed la Lhudija.
circumspect adj., ċirkospett.
circumspection n., ċirkospezzjoni.
circumstance n., ċirkostanza. ***suspicious ~s;*** (leg.) indizju.
circumstanced adj., (leg.) ċirkostanzjat.
circumstantial adj., (leg.) ċirkostanzjali.
circumvallation n., (mil.) ċirkonvallazzjoni.
circus n., (theatr.) ċirklu, il-kummiedja.
cirrhosis n., (med.) ċirrożi.
cirrus n., ċirru.
cistercian adj. & n., (eccl.) ċisterċens.
cistern n., bir, ċisterna, ġiebja, latnija.
citadel n., (mil.) ċittadella.
citation n., taħrika.
cite v., iċċita, ħarrek.
cited adj. & p.p., mħarrek.
citer n., ħarriek.
citizen n., belti, ċittadin. ***fellow ~;*** konċittadin.
citizenship n., ċittadinanza, sudditanza.
citric adj., (med.) ċitriku. ~ ***acid;*** aċidu ċitriku.
citron n., (bot.) ċitrat, tronġa.
citron-squash n., ċitrata.
citron-water n., ċitrata.
city n., belt.
civic adj., ċìviku.
civil adj., ċivili. ~ ***law;*** liġi ċivili. ~ ***marriage;*** żwieġ ċivili. ~ ***war;*** gwerra ċivili.
civil n., ċivil.
civilian n., liebes ta' pajżan.
civilization n., ċivilizzazzjoni, ċiviltà.
civilize v., iċċivilizza.
civilized adj., ċivilizzat.
civilizer adj & n., ċivilizzatur.
civilly adv., ċivilment.
clack v., ġelġel.
claim n., (leg.) domanda, rikors, rivèndika.
claim v., ikklejmja, irreklama.
claimed adj. & p.p., reklamat.
clamminess n., tagħkir, tidlik.
clammy adj., mgħallek, waħħàl.
clamorous adj., klamoruż.
clamour n., għajta, ġilba, ġlieba.
clamour v., għajjat.
clamp n., grappa, (techn.) davit.
clandestine adj., klandestin.
clandestinely adv., klandestinatament.
clang v., dandan, żarżar.
clap v., ċapċap, ħabbat idejh. ~ ***hands;*** applawda.
clapped adj. & p.p., mċapċap.
clapper n., lsien tal-qanpiena.
clapping n., taħbit ta' l-idejn.
claret adj., klaret.
clarification n., kjarifika, skjariment.
clarify v., ċara, ikkjarifika.
clarinet n., (mus.) klarinett. ***small ~;*** (mus.) kwartin.
clarinettist n., (mus.) klarinettist.
clarino-player n., (mus.) klarinettist.
clarionet n., (mus.) klarinett.
clarity adj., ċarizza, purezza.
clash n., klaxx, konflitt, ħbit.
clash v., ikklaxxja.
clasp n., ċirniera, fiminella. ***buckle ~;*** bokkla.
class n., branka, klassi. ***middle ~;*** borġeżija. ***upper ~;*** kbarat.
class-room n., awla skolastika.
classic adj., klàssiku.
classical adj., klàssiku.

classicist n., klassiċista.
classification n., klassìfika.
classified adj. & p.p., klassifikat.
classifier n., qassàm.
classify v., qassam.
classisism n., klassiċiżmu.
clatter n., tgeġwiġ.
clause n., (leg.) klàwsola.
claustral adj., klawstrali.
clavicle n., (anat.) klavìkola.
claw n., branka, difer ta' bhima, granf.
clay n., tafal. ***baked ~;*** fuħħar, terrakotta. ***covered with ~;*** mtaffal. ***to become ~ish;*** ittaffal.
clayey adj., tafli.
clean adj., kandidu, nadif.
clean v., ħammel, naddaf, naddar, naqa. ***he ~ed the window-panes;*** naddaf il-ħġieġ tat-twieqi.
cleaned adj. & p.p., mħammel, mnaddaf. ***to be cleaned;*** issaffa.
cleaned adj., minqi.
cleaner n., naddàf.
cleaning n., taħmil, tindif.
cleaning (up) n., teħmil.
cleanliness n., ndafa, pulitizza.
cleanse v., naddaf, saffa, ħammel.
cleansed adj. & p.p., mħammel, minqi, mnaddaf.
cleanser n., ħammiel, naddàf, naqqej.
clear adj., ċar, evidenti, misfi, ovvju, safi, trasparenti.
clear v., ikklerja, saffa. ***to make clear;*** ċara, iċċara. ***to become clear;*** iċċara. ***clear the table;*** ħarbat il-mejda. ***the sky began to ~;*** is-sema beda jiċċara.
clear (away) v., żbarazza.
clear (out) v., sgombra.
clear (up) v., safa/sefa ***the sky is ~ing up;*** is-sema qiegħed jisfa.
cleared (up) adj. & p.p., misħi, msoffi.
clearly adj., bid-dieher.
clearness adj., ċarizza, difa, evidenza, safa/sefa, safja.
cleave v., qasam, xaqq.
cleaver n., marlazz. ***butcher's ~;*** marlazz.
cleft n., dagħbien, qasma, xaqq, ħarq, (mus.) kjavi.
clemency n., klemenza. ***to implore ~;*** raħħam.
clench v., għalaq il-ponn, rbatta.
clepsydra n., ampulletta/impulletta, klessidra.
clergy (the) n., klerikat.
clergyman n., reverendu.
cleric n., (eccl.) kjeriku.
clerical adj., (eccl.) klerikali.
clerk n., kittieb, skrivan.
clery n., kleru.
clever adj., bravu, ġenjali.
clicker n., impaġnatur.
client n., klijent.
clientage n., klijentela.
cliff n., rdum.
climate n., klima.
climateric adj., klimatèriku.
climatology n., klimatoloġija.
climax n., klajmaks.
climb v., ixxabbat. ***he ~ed up a tree and fell down;*** ixxabbat ma' siġra u waqa'.
climb (up) v., tela'/tala'.
climbed adj. & p.p., mxabbat.
climber n., xabbât.
climbing n., tixbit.
clinch v., rbatta.
clinched adj. & p.p., rbattut.
clinching n., rbattitura.
cling v., għallek.
cling (to) v., iggranfa.
cling-fish n., (ichth.) buwaħħal.
clinic (public clinic) n., berġa.
clinic n., midwa, (med.) klìnika.
clinical adj., (med.) klìniku. ***~ physician;*** tabib klìniku. ***~ thermometer;*** termometru klìniku.
clinometer n., klinometru.
clip n., klipp.
clip v., qassas.
clipper n., ġelem, (mar.) klipper.
clique n., klikka.
clitoris n., (anat.) klitoride, qannuba.
cloak n., (eccl.) firjol.
cloak n., kabozza, kapott, mantâr, mantell, mleff. ***to be covered with a ~;*** lteff. ***to wrap oneself in a ~;*** ikkapottja.
clock n., arloġġ. ***water ~;*** arloġġ ta' l-ilma. ***alarm clock;*** żveljarin.
clod (fill with clods) n., tawweb.
clog v., qammat.
cloister n., kjostru, monasterju.
close adj., dejjaq.
close n., temma.
close (to) prep., maġenb. ***brought ~r to;*** mqarreb.
close v., djieq, għalaq, qafel, sakkar, tebaq, temm.
close-fisted adj., xdid.
closed adj. & p.p., magħluq, marsus, mdejjaq, mitbuq. ***to be ~;*** issakkar.
closeness n., viċinanza.
closet n., gabinett, kamrin.
closing n., qfil.
cloth n., drapp, xoqqa. ***floor ~;*** biċċa ta' l-art. ***piece of ~;*** pezza. ***purple ~;*** berfir,

porfir. ***table ~;*** mendil. ***to weave ~;*** xaqqaq. ***diagonal ~;*** djagunar. ***woollen ~;*** pannu.
clothe v., libbes, xedd. ***~ the naked;*** libbes il-għarwien.
clothed adj. & p.p., miksi, mlibbes.
clothes n., ħwejjeġ, lbies, vestwarju. ***working ~;*** ħwejjeġ tax-xogħol. ***with wide and large ~;*** ixxamplat.
clothes-hanger n., spalliera.
clothes-line n., ħabel ta' l-inxir.
cloud n., sħaba. ***to grow ~y;*** ċċajpar. ***spin-drift ~s;*** ħajbur.
cloudiness n., tagħjir, tagħrix.
cloudy adj., mgħajjar, mgħarrex, msaħħab, musħab. ***to become ~;*** issaħħab. ***the sky is becoming ~;*** is-sema beda jissaħħab. ***to grow ~;*** issaħħab, tgħajjar.
clout n., paljazza, roqgħa.
clove n., musmar tal-qronfol. ***~ of garlic;*** sinna tewm.
clove-pink n., (bot.) qronfla.
clover n., (bot.) silla.
clown n., arlekkin, buffu/buffun, klawn, paljaċċu. ***to play the ~;*** ippurċinella, iżżuffjetta.
cloyed adj. & p.p., mxabba'.
club n., każin, klabb, mazza.
clumsy adj., goff. ***to become ~;*** iggoffa.
cluster n., gods, mazz.
clutch n., klaċċ.
clutch v., iggranfa. ***he ~ed his face in the quarrel;*** fil-ġlieda ggranfalu wiċċu. ***in order not to drown he ~ed to the rock;*** biex ma jegħreqx iggranfa mal-blat. ***to fall into someone's ~es;*** waqa' taħt il-granf tiegħu.
clyster n., (med.) lavattiv.
co-cathedral n., (eccl.) konkatidral.
co-operate v., ikkoopera. ***he ~d with the police about that theft;*** ikkoopera mal-pulizija fuq dak is-serq.
co-operation n., koöperazzjoni.
co-operative adj., koöperattiv.
co-operator n., koöperatur.
co-ordinate adj. & p.p., koördinat.
co-ordinate v., ikkoòrdina.
coach n., kàrozza, karozzella, pullman. ***large ~;*** karozzun.
coach-maker n., karozzar.
coach-man n., kuċċier.
coadjutor n., (eccl.) koadjutur, kuġitur. ***~ bishop;*** isqof koadjutur.
coagulate v., baqat, baqqat, għaqqad, ikkoàgula.
coagulated adj. & p.p., magħqud, mbaqqat, mgħaqqad, mibqut, mġemmed.
coagulated adj., koagulat.
coagulation n., koagulazzjoni.
coagulator n., għaqqad.
coal n., faħam. ***burn coal;*** ġammar. ***burning ~; live ~;*** ġamra. ***~ bed;*** art karbonifera. ***dealer in ~;*** faħħâm.
coalie n., (ichth.) bakkaljaw.
coalman n., faħħâm.
coarse adj., rozz, ħoxni.
coarse (man) adj., ħamallu.
coast n., kosta, plajja, rivjiera. ***sea ~;*** xatt.
coat n., każakka, kowt. ***~ of arms;*** blażun. ***~ of mail;*** ġlekk tal-ħadid, ġjakk. ***dress ~;*** ġistakor. ***rainproof ~;*** makintoxx. ***tail-~;*** ġistakor.
coat-of-arms n., arma, stemma.
coating n., passata.
cobalt n., (chem.) kobalt.
cobble v., ħaxlef.
cobbler n., ċabattin.
cobra n., (zool.) kobra.
cobweb n., għanqbuta.
coca n., (bot.) koka.
cocaine n., kokaïna.
coccyx n., (anat.) koċċiġe.
cochineal n., (zool.) koċċinilja.
cock n., vit ta' l-ilma, (zool.) serduk.
cock-crowing n., tiddin.
cockade n., kukkarda.
cockaigne n., kukkanja.
cockboat n., (mar.) kajjikk.
cockerel n., kapuċċell.
cockle n., (zool.) arzella, gandoffla.
cockpit n., (tech.) karlinga.
cockrell n., (ichth.) minnula.
cockroach n., (zool.) kòkroċ, wirdiena.
cocktail n., koktejl.
cocoon n., fosdqa tad-dud tal-ħarir.
cod n., (ichth.) bakkaljaw.
coddling n., tifsid.
code n., (leg.) kòdiċi. ***civil ~;*** kòdiċi civili. ***criminal, penal ~;*** kòdiċi kriminali.
code n., ktieb tal-liġi.
codeine n., (chem.) kodeìna.
codicil n., (leg.) kodiċill.
coefficient n., koëffiċjent.
coenobite n., ċenobita.
coercion n., koërċizzjoni.
coetaneous adj., koëtanju.
coeval adj., koëtanju.
coexistent adj., koëżistenti.
coffee n., kafè. ***~ grounds;*** fond tal-kafè. ***coffee-house keeper;*** kafettier.
coffee-pot n., kafettiera, stanjata.
coffee-roaster n., inkaljatur.
coffer n., kaxxa.
coffin n., tebut, kaxxa tal-mejjet.

cogitation n., ħasba, ħsieb.
cogitative adj., ħusbien/ħosbien.
cognac n., konjakk.
cognation n., ħtiena.
cohabit v., qagħad ma'.
cohabitation n., tagħmir.
coherence n., koërenza.
cohesion n., koëżjoni.
coif n., skufja, bobin, (elect.) kojl.
coil v., (techn.) kolja.
coin n., munita. ***old ~;*** munita antika. ***false ~;*** munita falza.
coin v., felles, stampa.
coinage n., tiflis.
coincidence n., koinċidenza, kumbinazzjoni. ***what a ~;*** x'kumbinazzjoni.
coined adj., mfelles.
coiner n., fellies, stampier.
coins n., flus. ***old ~;*** flus antiki. ***false ~;*** flus foloz.
colander n., passatur.
cold adj., bardan, rieżaħ, kiesaħ.
cold n., bard, flissjoni, kesħa, ksieħ, reżħa, riħ, rżieħ/rżiħ, (med.) influwenza. ***to take or catch a ~;*** ħa, imbokka riħ. ***shivering with ~;*** mirżuħ, mreżżaħ. ***to become ~;*** sired. ***to shiver with ~;*** retaħ. ***to be numb with -;*** kerċaħ.
colder comp.adj., iksaħ.
coldly adv., bla ħeġġa.
coldness n., birda, bruda, kesħa, ksuħa.
colera n., (med.) kolèra.
colic n., (med.) kolika.
colitis n., (med.) kolite, mard ta' l-imsaren.
collaborate v., ikkollàbora.
collaboration n., kollaborazzjoni.
collaborator n., kollaboratur.
collapse n., kollass.
collapse v., ikkollassa, ikkrolla, iġġarraf.
collar n., kullar, maħnaq, tewq, (anat.) għonq. ***horse ~;*** maħanqa.
collar-bone n., (anat.) klavìkola.
collate v., (leg.) ikkollazzjona.
collateral adj., kollaterali.
collating n., taqbil.
collation n., (leg.) kollazzjoni.
colleague n., kollega.
collect n., (eccl.) kolletta.
collect v., faddal, ġabar/ġabbar (il-flus). ***he ~ed old coins;*** ġabar flus qodma. ***to ~ little by little;*** ġamma'/ġemma'.
collected adj. & p.p., miġbur, miġmugħ, mġamma'. ***to be ~ed;*** iġġamma'/iġġemma'.
collecting n., tidmim, ġbir.
collection n., damma, ġabra, ġbir tal-flus, ġemgħa, ġmigħ, kolletta.
collection n., kollezzjoni.
collectively adv., kollettivament.
collector n., dammiem, daħħàl tal-flus, ġabbâr, ġemmiegħ, kollettur, kollezzjonist. ***tax ~;*** kollettur tat-taxxi.
college n., kulleġġ. ***~ of music;*** konservatorju.
collegiality n., kolleġġjalità.
collide (with) v., ħabat, (mar.) investa. ***to ~ with the car;*** ħabat bil-karozza. ***to ~;*** ħabat ma'.
collimator n., kollimatur.
collision n., ħabta, ħbit, kolliżjoni.
collocate v., ikkòlloka.
collocation n., kollokazzjoni.
collodion n., (chem.) kollodju.
colloquium n., kollokju.
collyrium n., (med.) kollirju.
colon n., (anat.) kolon.
colonel n., (mil.) kurunell.
colonial adj., kolonjali.
colonization n., kolonizzazzjoni.
colonize v., ikkolonizza.
colonized adj. & p.p., kolonizzat.
colonnade n., kolonnat, (arch.) pòrtiku.
colony n., għamra, kolonja.
colossal adj., kolossali.
colossus n., koloss.
colostrum n., (med.) kolostru.
colour n., kulur, lewn. ***lose ~;*** tefa. ***ripen in ~;*** blieq.
colour v., ikkulura, lewwen, żebagħ. ***the grapes begin to ~;*** l-għeneb beda jiblieq. ***to ~ with azure;*** kaħħal.
coloured adj. & p.p., kulurit, mlewwen.
colouring n., tilwin, żbigħ.
colourist n., lewwien.
colt n., (zool.) felu, moħor.
columbine n., (bot.) akwileġja.
column n., għamuda, (arch.) kolonna.
coma n., (med.) kòma.
comb n., moxt, pettne, xehda.
comb v., ħallas, ippettna, maxat. ***you must ~ your hair before you go to school;*** għandek tomxot qabel tmur l-iskola. ***~ often;*** maxxat.
comb-maker n., ħallâs.
combat n., kumbattiment.
combat v., ikkumbatta.
combatant n., ġellied.
combed adj. & p.p., ippettnat, mimxut, mħallas.
comber n., maxxât, (ichth.) serrana, sirrana. ***painted ~;*** (ichth.) burqax.
combination n., kumbinazzjoni.
combine v., ikkombina/ikkumbina.
combing n., maxta, taħlis, timxit. ***hair ~;*** pettnatura.

combustible adj., qabbadi, xgħuli.
come v., ejja, ġie, laħaq. ***how ~ these words came to your head?;*** kif ġie f'rasek dan il-kliem?; ***to ~ to blows;*** ġie fl-idejn. ***~ after;*** segwa. ***to ~ to shore;*** resaq ma' l-art, qabad l-art. ***just as it came;*** kif ġie ġie. ***to ~ back;*** irritorna.
come (across) v., inkontra.
come (at) v., laħaq.
come (back) v., raġa'/reġa'.
come (near) v., resaq.
come (on) interj., isa.
come (out) v., ħareġ.
come (to) v., wasal.
comedian n., komiku.
comedy n., kummiedja. ***musical ~;*** (theatr.) operetta.
comet n., kewkba bid-denb, (astr.) kometa.
comfit n., kunfett, perlina.
comfort n., faraġ, hena, konfort, kumdità, solliev.
comfort v., henna, ikkonforta, issullieva, sabbar, sikket. ***take ~ in the love of your children;*** ikkunslaw bl-imħabba ta' wliedkom.
comfortable adj., kômdu, konfortabbli.
comforted adj. & p.p., ikkonfortat, ikkunslat, mfarraġ, mhenni, mistabar, msabbar. ***to be ~;*** stabar, issabbar.
comforter n., hennej, sabbàr.
comforting adj., farraġi.
comfrey n., (bot.) konsòlida.
comic adj., kòmiku.
comic (actor) n., komiku.
comical adj., kòmiku.
comicality n., komiċità.
comically adv., komikament.
coming adj. & pres.p., ġej.
coming n., avviċinament, miġja, wasla.
coming (back) n., rġugħ, tirġigħ.
comma n., koma, virgola.
command n., amâr, kmand, ħkim, patrunanza.
command v., amar, ħakem, ikkmanda, impona, ordna, wissa. ***what God ~s us to do;*** dak li Alla jamarna li nagħmlu.
commanded adj. & p.p., ikkmandat, kmandat, mamur, maħkum, mwissi, ordnat.
commander n., (mil.) kmandant.
commandment n., kmandament, tusija.
commemorate v., ikkommèmora.
commemorated adj. & p.p., kommemorat, mfakkar, miftakar.
commemoration n., kommemorazzjoni.
commence v., beda.
commenced adj. & p.p., mibdi.
commencement n., bidja, bidu.
commendam n., (eccl.) kommenda.
commendatore n., kommendatur.
commender n., kommendatur.
commensurable adj., kommensurabbli.
comment n., kumment.
comment v., fisser, ikkummenta, qassat.
commentary n., kummentarju. ***give a ~;*** ikkummenta.
commentator n., kummentatur.
commented adj. & p.p., mqassat.
commerce n., kummerċ. ***Chamber of C~;*** kamra tal-kummerċ.
commercial adj., kummerċjali, merkantil. ***~ house;*** ditta.
commiserate v., għader, ħenn.
commiserated adj. & p.p., magħdur, mitħassar.
commiseration n., mogħdrija, taħsir, ħasra.
commissariat n., (mil.) kummissarjat.
commission n., kummissjoni, tidbir.
commission v., debber, ikkummissjona.
commissioned adj. & p.p., mdebber.
commissioner n., kummissarju. ***C~ of Police;*** kummissarju tal-pulizija.
commissure n., kommensura.
commit v., (leg.) ikkommetta. ***he ~ted the same blunder as before;*** ikkommetta l-istess żball ta' qabel. ***to ~ a foul;*** (g.) iffawlja.
committee n., bord, kumitat.
common adj., komuni. ***~ eel;*** (ichth.) sallura. ***~ sole;*** (ichth.) lingwata.
commonly adv., komunement.
commotion n., kommossjoni.
commune n., komun.
communicable adj., komunikabbli.
communicate v., ikkomùnika, qarben.
communicated adj. & p.p., mqarben.
communicated adj., komunikat.
communication n., komunikat, komunikazzjoni/kumnikazzjoni.
communion n., xirka, (leg.) komunjoni. ***First Holy C~;*** praċett/preċett. ***give Holy C~*** qarben. ***the priest went to give Holy C~ to the sick;*** is-saċerdot mar iqarben il-morda. ***holy ~;*** komunjoni. ***to give holy ~ a dying person;*** ivvjâtka.
communique n., komunikat. ***war ~;*** komunikat tal-gwerra.
communism n., komunizmu.
communist n., komunist.
community n., ġmiegħa, komunità, xirka. ***of the ~;*** komunitarju. ***social ~;*** kollettività.
commutation n., (leg.) kommutazzjoni. ***~ of punishment;*** kommutazzjoni tal-piena.
commute v., (leg.) ikkommuta.

commuted adj. & p.p., kommutat.
compact adj., mimli.
companion n., kumpann, wennies.
companionable adj., xerrieki.
company n., ditta, ġmiegħa, komittiva, kumpanija, tajfa, wens. ***to keep one ~;*** wennes. ***to be in ~ with;*** issieħeb.
comparable adj., komparabbli, paragunabbli, qabbieli, xebbiehi.
comparative adj., komparattiv.
compare v., ikkompara, ikkonfronta, qabbel, xebbeh.
compare (with) v., ipparaguna. ***to ~ oneself with;*** iddaqqas.
compared adj. & p.p., komparat, mlaqqa', mqabbel, mxebbah, pariġġat.
compared (with) adj. & p.p., paragunat. ***to be ~ to;*** ixxebbah.
comparing n., taqbil, tixbih.
comparison n., konfront, paragun, qbil, taqbil, xebh.
compartment n., kompartiment, skumpartiment.
compass n., boxxla, kumpass, qawwara.
compass-saw n., (artis.) munxar.
compassion n., kumpassjoni, mogħdrija, reħma, ħniena. ***to have ~ for;*** ikkompatixxa.
compassionate adj., pjetuż, ħanin.
compassionate v., ikkumpatixxa, ħenn. ***to be ~;*** għader.
compassionated adj. & p.p., kompatut, kumpatut/ikkumpatut, magħdur.
compassionately adv., pjetożament, bilħniena.
compatible adj., konċiljabbli.
compel v., ikkostrinġa, sforza, ġiegħel/ ġagħal. ***to be ~led;*** iġġiegħel. ***he was ~led to go to London;*** kien imġiegħel li jmur Londra.
compelled adj. & p.p., kostrett.
compendious adj., qasir.
compendium n., kompendju, taqsir.
compensate v., ikkompensa/ikkumpensa. ***I will ~ you later for the trouble I have given you;*** 'il quddiem nirrikompensak ta' l-inkwiet li qlajtlek.
compensation n., kumpens, rikompensa.
compère n., (theatr.) preżentatur.
compete v., ikkompeta, ikkonkorra, tellaq. ***you cannot ~ with him;*** intom ma tistgħux tikkompetu miegħu.
competence n., àmbitu, kompetenza.
competent adj., kompetenti. ***~ authority;*** awtorità kompetenti.
competition n., gara, kompetizzjoni, konkorrenza, konkors, tellieqa.
competitor n., kompetitur, konkorrent.
compilation n., damma, (leg.) kompilazzjoni.
compile v., damm, ikkompila.
compiled adj. & p.p., kompilat.
complain v., garr, gemgem, lmenta. ***you have no reason to ~ of him;*** ma għandkom ebda raġuni li tgergru (tilmentaw) minnu.
complaint n., lment, (leg.) kwerela.
complaisance n., kompjaċenza.
complement n., (gram.) komplement.
complete adj., assolut.
complete v., ikkompleta, kompla. ***this painting was ~d by another painter;*** din il-pittura komplieha pittur ieħor.
completed adj. & p.p., komplit., komplut, meħlus.
completely adv., għalkollox, interament, kompletament, nett, sabara.
complex n., kompless.
complexion n., karnaġjon.
complicate v., ikkòmplika. ***he continued to ~ the case;*** kompla kkòmplika l-każ.
complicated adj. & p.p., komplikat.
complication n., komplikazzjoni.
complice n., kompliċi.
complicity n., kompliċità.
compliment n., kumpliment.
compliment v., ikkumplimenta, kompla.
complimentary adj., kumplimentuż.
compline n., (eccl.) kumpieta.
component n., komponent.
compose v., ikkompona, niseġ. ***he ~d many beautiful hymns;*** ikkompona ħafna innijiet sbieħ.
composed adj. & p.p., komponut, kompost, rżin.
composer n., kompożitur.
composition n., komponiment, kompożizzjoni.
composure n., żamma.
compound adj., kompost.
comprehend v., fehem.
comprehended adj. & p.p., mifhum.
comprehension n., komprensjoni.
comprehensive adj., komprensiv.
compressed adj. & p.p., mrassa.
compression n., rass, taħżiq, tirsis.
compressor n., (mechan.) kompressur.
comprised adj., kompriż.
compromise n., (leg.) kompromess.
compromise v., ikkomprometta.
compromising adj., kompromettenti.
compulsion n., tiġġħil, ġegħila, kostrinġiment.

computation n., għadda, (leg.) komputazzjoni.
computed adj. & p.p., magħdud.
computer n., għaddied, kompjuter.
concatenation n., sensil.
concave adj., kònkavu.
conceal v., ħeba/ħaba, ondra, satar. ***the mother ~ed her son's crime;*** l-omm satret id-delitt ta' binha. ***to ~ oneself;*** staħba.
concealed adj. & p.p., mistoħbi, mistur, moħbi.
concealer n., għattej, sattàr.
concealment n., mistoħbija, satra, tagħjib.
conceited adj., mżattat, vanituż.
conceive v., batan, ikkonċepixxa.
conceived adj. & p.p., ikkonċeput, mistħajjel.
concelebrant n., (eccl.) konċelebrant.
concelebration n., (eccl.) konċelebrazzjoni.
concentrate v., ikkonċentra.
concentrated adj. & p.p., applikat, konċentrat.
concentration n., konċentrament, konċentrazzjoni. ***~ camp;*** kamp ta' konċentrament.
concentric adj., konċentriku.
concept n., konċett.
conception n., konċepiment, konċett.
concern v., irrigwarda, (leg.) ikkonċerna.
concerned adj. & p.p., konċernat.
concerning prep., rigward.
concert n., (mus.) kunċert.
concert-player n., (mus.) kunċertist.
concerted adj. & p.p., (mus.) kunċertat. ***to be ~;*** ħebel.
concession n., konċessjoni.
concessionaire n., (leg.) konċessjonarju.
conch n., (zool.) dajna.
conciliar adj., (eccl.) konċiljari.
conciliate v., ikkonċilja.
conciliation n., (eccl.) konċiljazzjoni.
concise adj., konċiż, qasir, suċċint.
concisely adv., konċiżament.
conciseness n., konċiżjoni.
concistory n., (eccl.) konċistorju.
conclave n., (eccl.) konklàvi, konklavist.
conclude v., ikkonkluda.
concluded adj. & p.p., konkluż.
concluding adj., konkludenti.
conclusion n., konklużjoni, tmiem. ***in ~;*** insomma.
conclusive adj., deċiżiv.
concomitance n., konkomitanza.
concord v., (gram.) ikkonkorda.
concordance n., konkordanza.
concordat n., konkordat.
concourse n., konkorrenza, konkors.
concrete adj., konkrèt.
concrete n., konkrit. ***~ mixer;*** bajla.
concubine n., konkubina.
concupiscence n., konkupixxenza.
concurrance n., (leg.) konkors.
concussion n., (med.) konkussjoni. ***cerebral ~;*** konkussjoni ċerebrali.
condemn v., maqdar, (leg.) ikkundanna. ***he was ~ed to hard labour;*** kien ikkundannat għal xogħol iebes. ***to be ~ed;*** ħa l-mewt.
condemnation n., kundanna.
condemned adj. & p.p., kundannat/ikkundannat.
condensation n., kondensazzjoni.
condense v., ikkondensa, ġimed.
condensed adj. & p.p., kondensat, magħqud.
condenser n., kondenser.
condescend v., indenja.
condescension n., kondixxendenza.
condignness n., mistħoqqija.
condiment n., kondiment.
condiscend v., miel.
condition n., kondizzjoni, patt, stat, ħal.
condition v., ikkondizzjona.
conditional adj., kondizzjonali. ***~ mood;*** mod kondizzjonali.
conditioned adj. & p.p., kondizzjonat.
condole v., għaża, għażża.
condoled adj. & p.p., mħassar.
condolence n., kondoljanza, tagħżija.
condonation n., maħfra, ħafra.
condor n., (zool.) kòndor.
conduct n., kondotta, tmexxija.
conduct v., iddiriega, ikkonduċa, mexxa, wassal. ***my brother ~ed the theatre orchestra;*** ħija ddiriega l-orkestra tat-teatru. ***Moses ~ed the Israelites in the desert;*** Mosè mexxa l-poplu Iżraelit fid-deżert.
conducted adj. & p.p., immexxi.
conductor n., direttur ta' l-orkestra, konduttur, lîder, (mus.) kunċertatur..
cone n., kon.
coney n., (zool.) fenek.
confectioner n., dolċier, kunfettier.
confectionery n., dolċerija.
confederate adj., konfederat.
confederation n., għaqda, konfederazzjoni.
confer (on/upon) v., ikkonferixxa. ***~ a degree (on);*** illawrja.
conference n., konferenza.
conferment n., konferiment.
confess v., ikkonfessa, qarr, stqarr. ***he ~ed that he was the murderer;*** ikkonfessa li kien hu l-qattiel.

confessed adj. & p.p., konfessat, mistqarr, mqarar.
confession n., stqarrija, (eccl.) konfessjoni, qrara. ***to hear ~;*** qarar.
confessional n., (eccl.) konfessjonarju.
confessor n., (eccl.) konfessur, qarràr.
confide v., fada/afda.
confidence n., dħulija, fiduċja, kunfidenza.
confident adj., fiduċjuż.
confidential adj., kunfidenzjali.
configuration n., konfigurazzjoni.
confine v., tarraf.
confine (oneself) v., ittarraf.
confirm v., afferma, ikkonferma, ikkonvàlida, qawwa, wettaq. ***he ~ed what I have said;*** ikkonferma dak li għidt jien.
confirmation n., (theol.) griżma ta' l-Isqof, konferma, wetqa.
confirmed adj. & p.p., konfermat, msedddaq, mwettaq.
confirmer n., wettieq.
confiscate v., ħa, qabad, (leg.) ikkonfiska. ***the police ~d all his money;*** il-pulizija kkonfiskatlu l-flus kollha.
confiscated adj. & p.p., konfiskat, maqbud.
confiscation n., (leg.) konfiska, mandat, qbid.
conflict n., klaxx, konflitt.
conformation n., konformazzjoni.
conformity (in conformity with) n., skond.
confound v., fixkel, għassed, ikkonfonda, qalleb, ħawwad.
confound (oneself) v., tħabbel.
confounded adj. & p.p., ikkonfondut, mbixkel, mgerfex, msarwal, mħawwad.
confounding n., konfondiment.
confraternity n., (eccl.) fratellanza, konfraternità.
confront v., ikkonfronta, qabbel. ***do you want to be ~ed with him?;*** trid tikkonfronta miegħu?
confrontation n., konfront.
confronted adj. & p.p., mlaqqa', mqabbel.
confronting n., taqbil.
confuse v., fixel, ħabbel, ikkonfonda. ***he became ~d and could not speak;*** ikkonfonda u ma setax jitkellem.
confused adj. & p.p., ikkonfondut, imbruljat, konfuż, mgerfex, mifxul, misrum, mwiegħer, mħawwad. ***to be ~;*** staram. ***to become ~;*** ikkonfonda, ħebel.
confusing n., tifxil.
confusion n., balbuljata, diżordni, fixkla, fixla, ħabla, konfużjoni, regħxa/ragħxa, skonvolġiment, taħbil, taħwid, taqlib. ***extreme ~;*** pandemonju.
confutation n., konfutazzjoni.
confute v., ikkonfuta, irribatta.
congeal v., stagna, ġemmed, ġimed.
congealed adj. & p.p., iffriżat, magħqud, mgħaqqad, stagnat. ***to be ~;*** għaqad. ***to become ~;*** iġġela.
congelation n., tagħqid.
congenital adj., konġenitu.
conger-eel n., (ichth.) gringu.
congested adj. & p.p., mġemmed.
congestion n., (med.) konġestjoni.
conglomeration n., konglomerazzjoni.
congratulate v., ikkongràtula. ***he ~d the young man for his degree;*** ikkongràtula liż-żagħżugħ għal-lawrea li ħa.
congratulated adj. & p.p., mifruħ.
congratulations n., kongratulazzjoni.
congregation n., kongregazzjoni, laqgħa, miġimgħa, ġemgħa, ġmiegħa.
congress n., ġemgħa, kongress/kungress.
conical adj., koniku.
conjecture n., konġettura.
conjecture v., ikkonġettura.
conjugal adj., (leg.) konjugali.
conjugate v., (gram.) ikkònjuga.
conjugated adj. & p.p., (gram.) konjugat.
conjugation n., (gram.) konjugazzjoni.
conjunction n., (gram.) konġunzjoni.
conjunctive adj., (gram.) konġuntiv.
conjunctive n., (med.) konġuntiva.
conjunctivitis n., (med.) konġuntivite.
conjuncture n., konġintura.
conjurer n., bużullottist, prestiġjatur.
connatural adj., konnanturali.
connaturality n., konnaturalità.
connect v., ikkonnettja.
connected adj. & p.p., konness, mniffed.
connection n., konnessjoni.
connexion n., kollegament.
connoisseur n., konoxxitur.
connotation n., konnotazzjoni.
conquer v., għaleb, rebaħ, (mil.) ikkonkwista.
conquerable adj., vinċibbli.
conquered adj. & p.p., megħlub, meħud, mirbuħ.
conquering n., għalb.
conqueror n., konkwistatur, rebbieħ, trijunfatur.
conquest n., konkwista, rebħa.
consacrated adj., dedikat.
consacration n., dedikazzjoni.
consanguinity n., konsangwinità, qrubija, ġebbieda.
conscience n., ġewwenija, kuxjenza. ***a***

guilty, dirty ~; kuxjenza maħmuġa. *examination of ~;* eżami tal-kuxjenza. *sting of ~;* tingiż tal-kuxjenza.
conscientious adj., kunxjenzjuż.
conscientiously adv., kunxjenzjożament.
conscription n., (mil.) lieva.
consecrate v., (eccl.) ikkonsagra.
consecrated adj. & p.p., ikkonsagrat.
consecutive adj., konsekuttiv.
consegration n., konsagrazzjoni.
consensus n., kunsens.
consent n., beneplaċtu, (leg.) adeżjoni, kunsens.
consent v., ammetta, ikkunsenta, qagħad. *he ~ed to do something;* ikkunsenta li jagħmel xi ħaġa. *with one ~;* annuna.
consequence n., konsegwenza.
consequent adj., konsegwenzjali.
consequential adj., konsegwenzjali.
conservation n., konservazzjoni, rfigħ.
conservative adj., konservattiv.
consider v., ikkunsidra, qies/qas, tiegħem.
considerable adj., konsiderabbli, rilevanti.
consideration n., konsiderazzjoni. *to take into ~;* ħadha f'konsiderazzjoni. *to leave out of ~;* ipprexinda.
considered adj. & p.p., ikkunsidrat.
consign v., ikkunsinna.
consigned adj. & p.p., ikkunsinnat.
consignee n., (leg.) kunsinnatarju.
consignment n., konsenja.
consist v., ikkonsista.
consistency n., konsistenza.
consistent adj., konsistenti.
consisting (of, in) adj., konsistenti.
consolable adj., konfortabbli.
consolation n., faraġ, farġa, hena, konfort, konsolazzjoni.
console (oneself) v., stabar.
console v., farraġ, għażża, henna, ikkonsla, sabbar, sikket, (arch.) mensula. *he ~d people in their distress;* farraġ nies fin-niket tagħhom. *he ~d me in my distress;* sabbarni fin-niket tiegħi.
consoled adj. & p.p., ikkunslat, mfarraġ, mhenni, mistabar, msabbar. *to be ~;* siket.
consoler n., sabbàr.
consolidate v., ikkonsòlida.
consolidated adj. & p.p., issudat, konsolidat.
consoling adj., farraġi.
consonant n., (gram.) konsonanti.
consort n., sieħeb.
conspiracy n., komplott, konfoffa, konġura, kospirazzjoni.
conspiration n., kospirazzjoni.
conspirator n., konġurat.
conspire v., ikkonfoffa, ikkonġura, ikkunfoffa.
constable n., kuntistabbli.
constance n., kostanza.
constancy n., qawwa, tilżim, tutiq.
constant adj., kostanti, lieżem, qawwi. *to be ~;* liżem.
constellation n., (astro.) asteriżmu, kostellazzjoni.
constipated adj. & p.p., mixdud, stìtiku.
constipation n., kostipazzjoni, stitikezza, xdedija, xedda.
constituency n., kostitwenza.
constituent adj., kostitwenti.
constitute v., ikkostitwixxa.
constituted adj. & p.p., kostitwit.
constitution n., kostituzzjoni.
constitutional adj., kostituzzjonali.
constrain v., rass, ġiegħel/ġagħal.
constrained adj. & p.p., magħfus, marsus.
constraint n., kostrinġiment, rass, tiġgħil, ġegħila.
construct v., bena, iffàbrika, ikkostruwixxa.
constructed adj. & p.p., mibni, (gram.) kostrutt.
construction n., kostruzzjoni.
constructive adj., kostruttiv.
constructor n., kostruttur.
construe v., intèrpreta.
consul n., konslu.
consulate n., konsulat.
consult v., ikkonsulta. *he went to ~ a lawyer;* mar jikkonsulta ruħu ma' avukat.
consultant n., konsultur.
consultation n., konsulta, (leg.) konsultazzjoni.
consulter n., konsultur.
consume v., ħefa, ħela, ikkonsma, kiel, temm. *we ~ twelve boxes weekly;* nikkunsmaw tnax-il kaxxa fil-ġimgħa.
consumed adj. & p.p., ikkunsmat, moħli.
consumer n., konsumatur.
consummate v., ikkonsma.
consummated adj. & p.p., mtemmem.
consumption n., konsum, konsumazzjoni.
contact n., kuntatt, messa.
contact v., ikkuntenta, wasa'.
contagious adj., (med.) kuntaġġuż.
contagious adj., kontaġjuż.
contain v., wasa'.
container n., kontejner.
contaminate v., dennes.
contaminated adj. & p.p., mniġġes.
contamination n., kontaminazzjoni.

contemn v., miegħer.
contemned adj. & p.p., disprezzat, mqallat, mxemnaq.
contemner n., żeblieħ.
contemplate v., ikkontempla/ikkuntempla.
contemplated adj. & p.p., kontemplat, kuntemplat/ikkuntemplat.
contemplation n., kontemplazzjoni, taqsit.
contemplative adj., kontemplattiv.
contemporaneous adj., kontemporanju.
contemporaneously adv., kontemporanjament.
contemporary adj., kontemporanju.
contempt n., disprezz.
contempt v., ħaqar.
contemptible adj., maqdari, ġifa, żawwal/żewwel.
contemptously adv., bit-tmaqdir.
contemptuous adj., sprezzanti.
contend v., (leg.) ikkontenda.
contended adj. & p.p., miġġieled.
content adj., kuntent.
content v., paxxa, qagħad.
content(s) n., kontenut.
contented adj. & p.p., ikkuntentat, kuntent, paxxut.
contentment n., kuntentizza.
contest v., (leg) ikkontesta, impunja. ***the boy ~ed his father's will;*** it-tifel impunja t-testment ta' missieru. ***he ~ed the election for president;*** ikkontesta l-elezzjoni għall-president. ***to ~ an election;*** ikkontesta l-elezzjoni.
contestation n., (leg.) konstestazzjoni.
contested adj. & p.p. (leg.) kontestat.
context n., kuntest.
continence n., kontinenza.
continent n., (geog.) kontinent.
continental adj., (geog.) kontinentali.
contingency n., kontinġenza.
contingent n., kontinġent.
continual adj. & p.p., kontinwat.
continually adv., kontinwament.
continuation n., kontinwazzjoni.
continuator n., kontinwatur.
continue v., ikkontinwa, issokta.
continue v., kompla.
continued adj. & p.p., issuktat, kontinwat.
continuer n., kontinwatur.
continuity n., kontinwità.
continuous adj., kontinwu.
continuously adv., sikwit.
contorn v., baram.
contort v., għawweġ, lewa, xeblek. ***to be ~ed;*** ltewa.
contour n., kontorn.
contraband n., kutrabandu.
contrabando n., kuntrabandu.
contrabass n., (mus.) kuntrabaxx.
contraceptive n., kontraċettiv.
contract n., appalt, att, rabta, (leg.) kuntratt.
contract v., ikkuntratta.
contraction n., kontrazzjoni.
contractor n., appaltatur, imprenditur, kuntrattur.
contradict v., ikkontradixxa, ikkontrarja, miera.
contradicted adj. & p.p., immieri, merut.
contradicted adj., kontradett.
contradicting adj., kontradiċenti.
contradiction n., kontradizzjoni, tmerija.
contradictory adj., kontradittorju.
contradictous adj., meruż. ***how ~ is your brother;*** kemm iħobb imieri ħuk.
contralto n., (mus.) kontralt.
contrarily adv., kuntrarjament.
contrary adj., avvers. ***on the ~;*** bil-maqlub.
contrary n., kuntrarju.
contrast n., kuntrast.
contrast v., ikkontrasta.
contravene v., kiser il-liġi.
contravention n., kontravenzjoni.
contribute v., ikkollàbora, ikkonkorra, ikkontribwixxa. ***he ~d to a daily newspaper;*** ikkollàbora f'gazzetta ta' kuljum. ***I have ~d to this monument;*** ikkontribwejt għal dan il-monument.
contribution n., kontribut, kontribuzzjoni.
contributor n., kontributur.
contrition n., ndiema.
control n., kontroll, rażan. ***brought under ~***; mrażżan.
control v., ikkontrolla, rieġa.
control (oneself) v., trażżan.
controllable adj., (leg.) sindakabbli.
controlled adj. & p.p., kontrollat, mrieġi.
controller n., kontrollur.
controversy n., kontroversja.
contumacious adj., (leg.) kontumaċi.
contumacy n., (leg.) kontumaċja.
contuse v., għattan.
conundrum n., rebus, ħaġa moħġaġa.
convalescence n., (med.) konvalexxenza.
convalescent adj., (med.) konvalexxenti.
convalidate v., ikkonvàlida.
convene v., ikkonvoka.
convenience n., konvenjenza, kumdità.
convent n., dar il-bniet, dejr, dejr il-bniet, kunvent, marħab, monasterju.

convention n., konvenzjoni.
conventional adj., konvenzjonali.
conventionality n., konvenzjonalità.
conventual adj., (eccl.) kunventwali.
converge v., ħeser.
convergence n., konverġenza.
conversation n., abbokkament, djalogu, kollokju, konversazzjoni.
converse v., iddjaloga, ikkonversa, kellem, tħaddet.
conversing n., tħaddit.
conversion n., konverżjoni.
convert v., ikkonverta.
convert (into) v., bidel.
converted adj. & p.p., konvertit.
convex adj., konvess.
convey v., ittrasporta, skorta, wassal, ġarr.
conveyed adj. & p.p., mwassal. ***~ with much ado;*** mqandel.
conviction n., konvinzjoni.
convince v., ikkonvinċa, ipperswada.
convinced adj. & p.p., konvint.
convincing adj., konvinċenti.
convocation n., konvokazzjoni.
convoke v., ikkonvoka.
convoked adj. & p.p., konvokat.
convolved v., ltewa.
convoy n., (mar.) konvoj.
convulsion n., (med.) aċċessjoni, konvulżjoni.
convulsive adj., konvulżiv.
cony n., (zool.) żarmuġ.
coo v., barqam, garr.
cooing n., tbarqim.
cook n., kok, sajjàr. ***male ~;*** tebbieħ.
cook v., rafa'/refa', sajjar, tebaħ. ***to ~ on slow fire;*** heddem. ***over ~;*** qarqaċ.
cooked adj. & p.p., misjur, mitbuħ, msajjar. ***to be ~;*** sar, issajjar.
cooker n., kuker. ***pressure ~;*** prexer kuker.
cookery n., gastroloġija.
cooking n., sajran, tisjir.
cool adj., biered, frisk. ***~ wind;*** riħ frisk.
cool v., berred, bired, kesaħ, kessaħ. ***become, grow ~;*** bired.
cool (down) v., fitel.
cooled adj. & p.p., mberred, mibrud, mkessaħ.
cooler comp.adj., ibred.
cooler n., barrada, berried.
cooling adj., rifreskanti, tiksiħ.
coolness n., birda, bruda, flemma, friskizza.
cooper n., buttàr.
cooperate v., ħabrek.
cooperation n., koöperazzjoni. ***criminal ~;*** kompliċità.
coordination n., koördinazzjoni.
coordinator n., koördinatur.
coot n., (ornith.) tiġieġa tal-baħar. ***crested ~;*** tiġieġa tat-toppu.
copaiba n., (bot.) kupajba.
copaiva n., (bot.) kupajba.
cope n., (eccl.) pivjal.
copied adj. & p.p., ikkuppjat.
copiousness n., patafjun.
copper n., (min.) ram. ***~smith;*** ħaddiem fir-ram. ***to shape ~;*** qażdar. ***white ~;*** (met.) alpakka.
copper v., irrama.
coppered adj. & p.p., (techn.) irramat.
coppersmith n., kardaran, (artis.) kaldaràn.
copy n., kopja. ***exact ~;*** faksìmile.
copy v., ikkopja.
copy-book n., kwadern, pitazz, skritt.
copyist n., kopist.
copyright n., proprjetà letterarja.
coral adj., korali.
coral n., (bot.) qrolla.
coraline adj., qrolli.
coralline n., (bot.) korallina. żerriegħa tal-ħniex.
corb n., (ichth.) gurbell.
corbel n., saljatura.
corbels n., kileb.
cord n., ħabla, kurdun, rumnell, spaga.
cord-maker n., (artis.) kurdar.
cordial adj., kordjali.
cordial adv., tal-qalb.
cordial n., kordjal.
cordially adv., bil-qalb.
cordon n., kurdun militari; kurdun ta' sur.
cordovan n., (techn.) kurdwana.
cordwain n., (techn.) kurdwana.
coreographer n., koreògrafu.
coreographic adj., koreogràfiku.
coriander n., (bot.) kosbor. ***small ~;*** (bot.) bumnejħer.
cork n., soddieda, sufra, tapp. ***~ jacket;*** sufri ta' l-għawm.
cork v., intappa.
cork-screw n., tirabuxù.
cork-sole n., suletta.
corked adj. & p.p., intappat.
cormorant (asiatic cormorant) n., (ornith.) margun.
corn n., għaqra, kallu, qamħ, tgħam, xgħira. ***Indian ~;*** qamħ ir-Rum. ***beard of a ~;*** sifja. ***ear of ~;*** sbula/żbula. ***ear of Indian ~;*** sbula/żbula tal-qamħ ir-rum. ***green ~;*** (bot.) furrajna.
corn v., mellaħ.
cornea n., (anat.) kornea.
corner n., kantuniera, koxxa, minkeb,

rokna, (g.) korner. *in a ~;* f'rokna. *to put or set in a ~;* mrekken.
cornest n., (mus.) kurunettist.
cornet n., qartàs, (mus.) kurunetta.
cornet-player n., (mus.) kurunettist.
cornice n., gwarniċ.
cornuted adj. & p.p., mqarran.
corolla n., (bot.) korolla.
corollary n., korollarju.
coronary n., (anat.) koronarju.
coronation n., inkurunazzjoni.
corporal n., (mil.) kapural, (eccl.) korporal.
corporation n., korporazzjoni.
corporative adj., korporattiv.
corpse n., katavru, mejjet, ġisem mejjet.
corpulent adj., bejżu, bidni, mġissem. *to make ~;* ġissem, ħaxxen.
corpuscle n., (anat.) glòbulu, korpuskolu. *blood ~;* glòbulu tad-demm.
correct adj., korrett. *to be ~;* issewwa.
correct v., ikkoreġa, sewwa, (leg. & parl.) irrettìfika.
correct (oneself) v., imminda.
corrected adj. & p.p., msewwi, rtukkat.
correction n., korrezzjoni, rettìfika, rettifikazzjoni, tiswija.
correctly adv., korrettament.
correctness n., korrettizza.
corrector n., korrettur, sewwej.
correlative adj., (gram.) korrelattiv.
correspond v., ikkorrisponda, tkieteb.
correspondence n., karteġġ, korrispondenza.
correspondent n., korrispondent.
corridor n., kuritur, paġġatur. *~ in a catacomb;* (archeol.) ambulakru.
corroborate v., qawwa, xedd, (leg.) ikkorròbora.
corroborated adj. & p.p., mqawwi, msaħħaħ, (leg.) korroborat.
corroboration n., korroborazzjoni.
corroborative adj., saħħaħ.
corrode v., żmanġa.
corroded adj. & p.p., mikul, mittiekel.
corrugate v., kemmex.
corrugated adj. & p.p., mkemmex.
corrupt adj., korrott, vizzjuż.
corrupt v., herra, ikkorrompa, ħassar, ħażżen. *~ with bribes;* ħaxxen.
corrupted adj. & p.p., korrott, mherri, mittiefes, mitħassar, mħassar, mħażżen.
corrupter n., herrej, fisda, korrompitur.
corruption n., korrompiment, korruzzjoni, taħsir, tihrija, widek.
corsair n., (mar.) furban, kursàr.
corset n., kurpett, panċiera.
corvette n., (mar.) kurvetta.
corvine n., (ichth.) korvina.
coryza n., sedda.
cosmetic adj., kosmètiku.
cosmic adj., kòsmiku.
cosmographer n., (geog.) kosmògrafu.
cosmographic(al) adj., (geog.) kosmogràfiku.
cosmography n., (geog.) kosmografija.
cosmopolite n., (geog.) kosmopolita.
cosmorama n., kosmorama.
cosmos n., kosmu.
cost n., kost, nefqa, spiża.
cost v., laħaq, qam, sewa. *that picture ~ him infinite labour;* dak il-kwadru swielu xogħol bla qjies.
costernation n., dehxa.
costive adj., xdid, xdidi.
costiveness n., xdedija/xdidija, xedda.
costly adj., għali.
costume n., kostum. *bathing ~;* libsa tal-għawm, malja tal-għawm. *~ piece;* dramm bil-kostum.
cosy adj., kenni.
cot n., benniena.
cottage n., dwejra, girna, għarix.
cotton n., drill, tajjàr. (bot.) qoton. *spin ~;* redden/radden. *stuffed with ~;* ikkuttunat. *lavander ~;* (bot.) qajsuma.
cotton-dresser n., ħallieġ.
cotton-gin n., maħleġ, raddiena tal-ħalġ.
cotylendon n., siġret il-kalli.
couch n., kannapè, mifrex.
couch-grass n., (bot.) niġem.
cougar n., (zool.) kugar, puma.
cough n., sogħla. *whooping ~;* sogħla konvulsiva. *dry ~;* sogħla fil-vojt.
cough v., sogħol.
coughing n., sgħil, tqaħqiħ.
council n., konsulta, kunsill, (eccl.) konċilju. *ecumenical ~;* konċilju ekumeniku. *Cabinet C~;* kunsill tal-ministri. *C~ Chamber;* Sala tal-kunsill. *war ~;* kunsill tal-gwerra.
council v., ikkunsilja.
counsel n., kunsill, parir.
counseller n., konsultur, kunsulier.
count n., konti.
count v., għadd, ikkontja. *don't ~ chickens before they hatch;* tgħoddx il-flieles qabel ma jfaqqsu.
counter-attack n., (mil.) kontrattakk.
counter-evidence n., (leg.) kontraprova.
counter-offensive n., (mil.) kontroffensiva.
counter-order n., kontrordni.
counter-proof n., (leg.) kontraprova.

counter-proposal n., (leg.) kontraproposta.
counter-scarp n., (mil.) kontraskarpa.
counteract v., (med.) ikkontrattakka.
counterbalance n., kontrapiż.
counterbalance v., batar, għabbar.
counterfeit adj., falz.
counterfeiter adj., fallazi.
counterfeiter n., għajjieb.
countermand n., kontrordni.
counterpane n., kutra.
counterpoint n., (mus.) kontrapont.
counterpoise n., għabar, mażżra, kontrapiż.
counterpoise v., batar, għabbar.
counterpoised adj. & p.p., mgħabbar.
counterweight n., kontrapiż.
countess n., kontessa.
country n., kampanja, pajjiż.
countryman n., kampanjol, raħħàl.
coupè n., kupè.
couple n., koppja.
couple v., akkoppja.
coupled adj. & p.p., abbinat, mżewweġ.
couplet n., (pros.) distiku.
coupling n., akkoppjament, tiżwiġ.
coupon n., ċèdola, kupun.
courage interj., isa.
courage n., kuraġġ, ħila. ***lacking in ~;*** ċikin.
courageous adj., almuż, kuraġġuż, meħjiel, qalbieni, qluqi, qam fuq qaddu.
courier n., kurrier.
course n., filata, kors, past, rotta. ***refresher ~;*** refrexerkors. ***~ of studies;*** kurrìkulu ta' l-istudji.
court n., dar il-ħaqq. ***~ of justice;*** qorti, tribunal. ***~ of Appeal;*** qorti ta' l-appell. ***police ~;*** qorti t'Isfel. ***~ marshal;*** (leg.) marixxal, (mil.) qorti marzjali. ***to have recourse to the ~;*** iqqortja.
courted adj. & p.p., mwennes.
courteous adj., fabbli, galanti.
courteousness n., galanterija.
courtesy n., dħulija, ġentilezza, kortesija.
courtier n., kortiġjan.
courtyard n., bitħa.
cousin n., kuġin.
cove n., gavta, (mar.) qala.
covenant n., alleanza, baqgħa.
cover n., għata, kaver, kopertina. ***glass ~;*** bozza. ***the ~ of a book;*** kaver tal-ktieb.
cover (knife, fork and spoon) n., pużata/ pożata.
cover v., għatta, inforra, kaħħal, kesa, kopra, leff, satar. ***our neighbour ~ed the wall with marble;*** il-ġar kesa l-ħajt bl-irħam.
cover (oneself) v., tgħatta.
covered adj. & p.p., maħġub, mgħotti, miksi, mistur, mkaħħal. ***be ~ with clouds;*** għajjar.
covered adj., kopert.
coverer n., għattej, sattàr.
covering n., għata, kisi, kisja, satra, tagħtija, friex.
coverlet n., gverta/kverta, għata tas-sodda, karwata, kutra.
coverlid n., karwata.
covet v., ixxennaq, leheb, regħeb, tlebleb.
coveting n., tixniq.
covetous adj. & p.p. mirgħub, mokrum, rgħib, xdid.
cow n., (zool.) baqra.
cow v., bażża'.
coward adj., ġifa.
coward n., beżżiegħ.
cowardice n., ġifaġni, ġjufija, tiġjif, viljakkerija, viltà.
cowardly adj., kodard, viljakk.
cowardly n., bla ħila, ġejjief. ***to become ~;*** iġġejjef. ***to make one ~;*** ġejjef.
cowfish n., (ichth.) denfil.
cowherd n., ragħaj il-baqar.
cowhide n., vitellin.
cowl n., barnuż, kapoċċ, libsa ta' patri, (eccl.) ċoqqa, tònka.
cowrie n., (zool.) baħbuħa.
cowry n., (zool.) baħbuħa.
cowslip n., (bot.) prìmula.
coxswain n., (mar.) koksin, nostronomu, stromu.
coy adj., mistħi, rżin. ***to be ~;*** staħa.
cozen v., ibbamboċċa.
crab n., (zool.) granċ, qabru.
crack n., kunsentura, qasma, ħarq.
crack v., ċaqċaq, faqqa', fellel, xiegħer, ġelġel, ħass. ***the plaster began to ~;*** ittikhil beda jixxaqqaq.
cracked adj. & p.p., mċaqċaq, mfaqqa', mixquq, mqarmeċ, mxaqqaq, mxiegħer, mġelġel. ***to be ~;*** iġġellel, ixxaqqaq, ixxiegħer.
cracker n., kràker. ***fire ~;*** trikkitrakk
cracking n., ċaqċiq, ġelġil.
crackle v., fernaq.
crackled adj. & p.p., mċaqċaq, mqarmeċ.
cracle v., faqqa'.
cradle n., benniena, nieqa.
cradling n., tbennin.
craft n., sengħa.
craftiness n., ħżunija.
crafty adj., astut. ***made ~;*** mħażżen.
crag n., rdum.
crake n., (ornith.) gallozz.

cram v., balla', mela, ħawsel.
crammed adj. & p.p., mballa'.
cramp n., bugħawwieġ, (med.) kramp.
crane n., (mil.) krejn, (mar.) maċina, (ornith.) ajrun, għarnuq, grawwa. ***common ~;*** (ornith.) gru, gruwa. ***demoiselle ~;*** damiġella.
cranium n., qorgħan, skutella tar-ras, (anat.) kranju.
crankle v., tkagħweġ.
crape n., mustaxija.
crash n., kraxx. ***~ helmet;*** kraxxħelmit.
crash v., ikkraxxja. ***~ed;*** ikkraxxja (l-ajruplan).
crasis n., (gram.) krażi.
crater n., kratier, krejter.
craunch v., qarmeċ.
cravat n., ingravata.
crave n., leblieba.
crave v., lebleb, twaħħam.
craven adj., ġifa.
craw n., ħawsla.
crawfish n., (mar.) ċkala.
crawl v., tkagħweġ, tkaxkar.
crayfish n., (zool.) gamblu.
crayon n., krejon.
crazy adj., miġnun. ***to become ~;*** iffissa.
creak v., ċaqċaq, werżaq, żaqżaq.
creaking n., żaqżiq.
cream n., krema, panna.
crease n., kemxa, pieg/pjieg, tinja.
create v., ħalaq, ikkrea, kewwen. ***God ~d the world;*** Alla ħalaq id-dinja.
created adj. & p.p., ikkreat, maħluq.
creatin(e) n., (chem.) kreatina.
creation n., ħliq, ħolqien, kreazzjoni.
creative adj., kreattiv.
creator n., ħallieq, kreatur.
creature n., essri, ħliqa, kreatura. ***fellow ~;*** proxxmu.
credentials n., (dipl.) kredenzjali.
credible adj., kredibbli.
credibly adv., bit-twemmin.
credit n., kredtu, tidjin. ***to lose ~;*** tilef il-kredtu. ***he bought on ~;*** xtara bid-dejn.
credit v., dejjen, ikkredita.
creditor n., dejjien, kreditur.
creed n., kredu.
creep v., tkaxkar.
creep (up) v., xabbat.
cremate v., ikkrema. ***yesterday they ~d the corpse of the Indian;*** il-bieraħ ikkremaw il-katavru ta' l-Indjan.
cremated adj. & p.p., ikkremat.
cremation n., kremazzjoni.
crematorium n., krematorju.
creosote n., (chem.) kreożòt.
crepuscular adj., (liter.) krepuskolari.
crescendo n., (mus.) krexxendo.
cress (great Indian cress) n., (bot.) kaboċċina.
crest n., għalla.
cretin adj. & n., kretìn.
crevice n., dagħbien, xaqq.
crew n., ċorma, kru, tajfa, (mar.) ekwipaġġ.
crib n., maxtura, presepju. ***Christmas ~;*** presepju.
cricket n., (zool.) grillu, sarsur/sersur, werżieq, (g.) krikit.
crier n., għajjât. ***town ~;*** banditur.
crime n., bawxa, delitt, misfatt, (leg.) reat. ***relapse into ~;*** (leg.) reċidiva.
criminal n., (leg.) delinkwent, kriminal/kriminali.
criminalist n., kriminalist.
criminality n., (leg.) delinkwenza.
criminally adv., kriminalment.
criminology n., kriminoloġija.
crimson adj., kermeżin, krêmżi.
crinoline n., krinjolin.
cripple v., għattab, zappap.
crippled adj. & p.p., izzuppjat, magħtub, magħtur, mfelleġ, mgħattab, mifluġ, mzappap, struppjat.
crippled adj., agħraġ, stronk. ***to become ~;*** għotob.
crips n., patata moqlija.
crisis n., kriżi.
crisp v., ġiegħed.
crisping n., tiggħid, ġegħid.
criteria n., kriterju.
critic n., krìtiku.
critic(al) adj., kritiku.
criticised adj. & p.p., kritikat/ikkritikat, meqjus, mgħarbel.
criticism n., krìtika.
criticize v., ikkritika.
croak v., gerger, taqtaq.
croaked adj. & p.p., mlaqlaq.
crob v., qarrem.
crochet n., kroxè.
crocodile n., (zool.) kukkudrill.
crook n., għakkies.
crooked adj., immejjel, mgħawweġ, mqawwes.
crookedness n., għawġ, taħtib.
crop v., qarram, ħasad. ***to ~ one's hair;*** irrappa. ***the year's ~;*** annata. ***to produce a ~;*** għallel. ***with ~pped hair;*** irrappat.
croquette n., pulpetta.
crosier n., (eccl.) baklu.
cross n., kruċ, salib. ***the Holy C~;*** Santu Kruċ. ***Grand C~;*** Gran Kruċ. ***to make***

the sign of the ~, to ~ oneself; radd is-salib. ***~road, ~ way, ~ roads;*** salib it-toroq.
cross v., ikkrossja, ittraversa, qasam, sallab. ***~ed between;*** mbejjen.
cross-bar n., stanga, traversa.
cross-beam n., ġejża, pastaż.
cross-piece n., traversa.
cross-roads n., bivju.
cross-trees n., kruċetta.
crossbill n., (ornith.) kruċier.
crossed adj. & p.p., maqsum, msallab.
crossier n., (eccl.) pastoral.
crossing n., nifda, traversata.
crotchet n., (mus.) kroma.
croup n., groppa, (med.) krupp.
croupier n., (g.) krupier.
crow n., (ornith.) korvu. ***carrion ~;*** (ornith.) ċawlun.
crow v., idden. ***the cock ~ed early this morning;*** filgħodu s-serduk beda jidden kmieni.
crow-bar n., lieva.
crowd n., folla, ġeġwiġija, ġemgħa (nies), ġgajta, ġliba, kotra nies, pressa tan-nies, rassa.
crowd v., iffolla, rass, ħanaq bin-nies.
crowded adj., iffullat, maħnuq bin-nies.
crown n., kuruna. ***~ of martyrdom;*** kuruna tal-martirju. ***~ of thorns;*** kuruna tax-xewk. ***triple ~;*** trirenju.
crown v., inkuruna, kellel.
crowned adj. & p.p., inkurunat, mkellel.
crucible n., (artis.) griġjol.
crucified adj. & p.p., mislub, msallab.
crucified v., stalab. ***to be ~;*** issallab. ***Christ was ~ for our redemption;*** Kristu ssallab għall-fidwa tagħna.
crucifier n., sallàb.
crucifix n., kurċifiss.
crucifixion n., kruċifissjoni, salba, tislib.
crucify v., salab, sallab. ***the Jews crucified Jesus;*** il-Lhud sallbu 'l Ġesù.
cruel adj., aħrax, ġiefi, kattiv, kiefer, krudil, qalil, xellerat.
cruel (person) n., għafrit.
cruelty n., kefrija, klubija, krudeltà, moħqrija, qilla.
cruet n., ampulluzza, (eccl.) impulluzza
cruet-stand n., oljiera.
cruise n., kruż, (mar.) kruċiera.
cruiser n., (mar.) krużer.
crumb n., bieba tal-ħobż, farka ħobż, lbieba.
crumble v., dekkek, farrak, herreż, tmarmar.
crumbled adj. & p.p., mdekkek, mherreż. ***~ finely;*** mitbuk.
crumbling n., tehriż.
crumple v., kemmex il-libsa.
crunch v., qarmeċ.
crusade n., kruċjata.
crusader n., kruċjat.
cruse n., kunjett.
crush v., għaffeġ, għattan.
crushed adj. & p.p., mgħattan.
crushing n., sħiq, tagħfiġ, tagħtin.
crushing (up) n., tertiq.
crust n., qolliba, skorċa.
crustacean n., (zool.) krustaċju.
crutch n., krozza.
cry n., bikja, għajta. ***make one ~;*** bekka.
cry v., beka, għajjat. ***he cries bitter tears;*** jibki biki tad-demm. ***to begin to ~;*** id-dmugħ ġelben fil-għajnejn.
crying adj., għajjati, mbikki, xieher.
crying n., biki.
crypt n., kripta.
crystal n., (min.) kristall.
crystallization n., kristallizzazzjoni.
crystallize v., (chem.) ikkristallizza.
crystallized adj. & p.p., kristallizzat.
crytogama n., (bot.) krittògama.
cubature n., kubatura.
cube n., kubu.
cubic adj., kùbiku.
cubicle n., skumpartiment tar-rqad.
cubism n., kubiżmu.
cubist n., kubist.
cuckolded adj. & p.p., mkebbeż, mqarran.
cuckoo n., (ornith.) daqquqa, daqquqa kaħla, kukù. ***common ~;*** (ornith.) sultan il-gamiem. ***~-pint*** ġarnell. ***~-wrasse*** (ichth.) parpanjol.
cucumber n., (bot.) ħjar. ***squiring ~;*** faqqus il-ħmir.
cuddle v., għannaq, tgeddes ma'.
cuddy n., kabina.
cudgel n., għasa, kief, mazza, nerf.
cudgel v., ħattar. ***~ one's brains;*** ħabbel moħħu.
cudgelled adj. & p.p., msawwat. ***to be ~;*** issawwat.
cue n., stikka.
cuff n., pulzier.
cuff v., ta bil-ħarta.
cuff-link n., pulzier.
cuirassier n., kurazzier.
cullender n., passatur.
cult n., kult.
cultivable adj., kultivabbli.
cultivate v., ikkultiva.
cultivated adj. & p.p., kultivat, maħdum.
cultivation n., kultivazzjoni.
cultivator n., kultivatur.

cultural adj., kulturali.
culture n., kultura.
cultured adj., kolt.
cumin n., (bot.) kemmun.
cummin n., (bot.) kemmun.
cumulative adj., akkumulattiv.
cunning adj., makakk, ħażin, ħjiena/ħiena, viljakk. ***to make one ~;*** fetaħlu għajnejh.
cunning n., ħżunija. ***made ~;*** mħażżen, ħażżen.
cunningly adv., fin.
cunningness n., astuzja, makakkerija.
cup n., kikkra. ***wooden ~;*** buxxolott.
cupboard n., armarju.
cupel n., (artis.) kuppella. ***to ~ gold or silver;*** (techn.) issaġġja.
cupping-glass n., (med.) kuppetta.
curable adj., fejjieqi, kurabbli.
curate n., (eccl.) kurat.
curb n., barbazzal, lġiem, rażan.
curb v., liġġem.
curbing n., tilġim, tirżin.
curd n., baqta. ***butter-milk ~;*** rkotta/rikotta.
curdle v., baqat, tammas.
curdled adj. & p.p., mbaqqat. ***to be ~;*** ittammas.
cure n., dehwa, fejqa, kura, rimedju.
cure v., dewwa, fejjaq, ikkura, qawwa. ***who ~d you?;*** min ikkurak?.
cured adj. & p.p., ikkurat, mdewwi, mfejjaq, mqawwi, msaħħaħ. ***to be ~;*** iddewwa.
curfew n., kerfju.
curia n., (eccl.) kurja.
curing n., tidwija.
curiosity n., kurżità, seksik.
curious adj., kurjuż.
curious n., seksief.
curl n., felful, nokkla.
curl v., feldel, ġagħad, ġiegħed, innokkla.
curled adj. & p.p., innukklat, mfelfel.
curled adj., mġiegħed, ġegħiedi. ***to be ~;*** ġagħad/ġegħed, għaqad, iġġiegħed.
curler n., ġegħied.
curlew n., (ornit.) gurlin.
curling n., tfelfil, tiġgħid, ġegħid, ġegħida.
currant n., passolina.
currency n., valuta.
current adj., korrenti, ġieri, mexxej. ***~ account;*** kont korrenti.
current n., kurrent. ***the ~ of a river;*** korsija.
curriculum n., kurrìkulu.
curry n., kàri. ***rice with ~;*** ross bil-kàri.
curry-comb n., strilja.
curry-comb v., strilja.
curse n., saħta.
curse v., dagħa, kafar, legħen, seħet.
cursed adj. & p.p., midgħi, milgħun, misħut, mingħul.
cursing n., sħit.
cursiv adj., korsiv.
curst be interj., jaħraqdin.
curtail v., naqqas, qassar.
curtain n., kurtina, purtiera, star, tendins, (theatr.) siparju. ***bamboo ~;*** purtiera tal-qasab. ***bed-~;*** kurtinaġġ. ***drop ~***; siparju. ***to drop the ~;*** (theatr.) niżżel is-siparju.
curvature n., kurvatura.
curve n., kurva.
curve v., qawwes/qawwas.
curved adj. & p.p., mgħawweġ, mqawwes.
curving n., kurvatura.
cushion n., kuxin, kuxxin, mħadda. ***small ~;*** kuxxinett. ***pin-~;*** kuxxinett tal-labar.
custard n., kastard.
custodian n., konservatur, kustodju.
custody n., ħarsien, (leg.) kustodja. ***have in ~;*** ħares. ***take in ~;*** ħakem.
custom n., abitudni, drawwa, għada, kostum, prammàtika, użanza.
custom-house n., dwana.
customer n., klijent, parruċċan.
customs n., dwana. ***collector of ~;*** dwanier. ***~ agent;*** dwanier.
cut n., farrett, naqxa, qatgħa, sfreġju.
cut (out) adj., mfassal.
cut (off) adj. & p.p., maqtugħ, mqaċċat, mqartaf.
cut v., naqqax, qatta', xaqq, xaqqaq, ġeżż. ***~ facets on;*** iffaċċettja. ***~ in pieces;*** mbiċċeċ, biċċeċ. ***~ leaves;*** ġarad. ***~ out a suit;*** fassal. ***~ roughly;*** mħanxar. ***~ short;*** qassar. ***to be ~ off;*** (elect.) ix-xortja. ***to ~ eye-teeth;*** nejjeb. ***to ~ stones;*** naġar. ***to ~ with scissors;*** qass.
cut (down) v., naqqas. ***the housewife ~ the daily expenditure;*** il-mara naqqset l-ispiża ta' kuljum.
cut (off) v., qaċċat, qata'. ***to ~ short;*** qata' l-kliem.
cut (up) v., ittrinka.
cute adj., gustuż.
cutlass n., (mil.) xablott.
cutlet n., braġjola, kutuletta.
cutter n., fassâl, mewwies, qattiegħ, tal-jatur, (mar.) kater. ***stone-~;*** qattiegħ il-ġebel. ***marble ~;*** marmista.
cutting n., qtigħ/qtugħ, taqtigħ, tifsil.
cuttle fish n., (ichth.) siċċa, klamar, totlu, (zool.) qarnita.
cutwater n., (mar.) taljamar.
cyanic adj., (chem.) ċjàniku.

cyanide n., (chem.) ċjanur.
cyanogen n., (chem.) ċjanòġenu.
cyanosis n., (med.) ċjanożi.
cyclamen n., (bot.) ċiklami.
cycle n., ċiklu, veloċipied. ***lunar ~;*** ċiklu lunari (tal-qamar). ***solar ~;*** ċiklu solari (tax-xemx).
cyclic adj., (astro.) ċikliku.
cycling n., (g.) ċikliżmu.
cyclist n., ċiklista.
cyclone n., ċiklun.
cylinder n., ċilìndru.
cylindrical adj., ċilìndriku.
cymbal n., (mus.) ċimblu.
cymbal(s) n. (mus.) platti.
cymometer n., (elect.) ċimometru.
cynical adj., ċiniku.
cynically adv., ċinikament.
cynism n., ċiniżmu.
cypress n., ċipress.
cyst n., (med) ċiste/ċeste.
cystitis n., (med.) ċistite.

Dd

dabble v., ċafċaf.
dabbling n., ċafċif.
dactyl adj., dattiliku.
dactyl n., (pros.) dàttilu.
dad n., papà.
daddy n., papà.
dado n., zokklatura, zokklu.
dagger n., daga, stallett, (mil.) xablott.
daguerrotype n., dagerrotip, dagerrotipija.
dahlia n., (bot.) dalja.
daily adv., kull jum.
dainty adj., delikat.
daintyness n., delikatezza.
dairy n., maħleb.
dais n., bradella.
daisy n., (bot.) dejżi, margerita. ***African ~;*** (bot.) atanasja. ***Michaelmas ~;*** (bot.) settembrina.
dale n., vallata.
dally v., tliegħeb.
dalmatic n., (eccl.), dalmàtika, tuniċella.
dam n., diga.
damage n., dannu, detriment, ħsara. ***~ at sea;*** (mar.) avarija.
damage v., herra, ħassar, iddanniġġja, xaħat, żien. ***to ~ very badly;*** nejjes.
damaged adj. & p.p., iddanniġġjat, mittiefes, mħassar, avarjat.
damask n., damask.
damaskated adj., damaskat.
damn v., indanna.
damnation n., dannazzjoni, indannazzjoni, telf tar-ruħ.
damned adj. & p.p., indannat, mitluf. ***to be ~ed;*** indanna.
damp adj., niedi, umdu. ***~ wind;*** riħ umdu. ***~ air;*** sried. ***~ of the night;*** sirda.
damper n., damper.
dampness n., ndewwa, tisrid, umdità, umdu.
damson n., (bot.) damaskina, domaskina.
dance n., ballu, dans, danza, żfin, żifna. ***country ~;*** kuntradanza.
dance v., iżżeffen, żifen.
danced adj. & p.p., miżfun.
dancer n., ballarin, żeffien.
dancing n., żfin. ***fit for or suitable for ~;*** (mus.) ballabbli.
dandify v., ippulikarja.
dandle v., bandal.
dandruff n., brija.
dandy adj., għandur.
dandy n., damerin, żerbinott.
danger n., periklu. ***to be in ~;*** ipperìkola. ***to put in ~;*** ipperìkola.
dangerous (man) n., ksir il-għonq.
dangerous adj., perikoluż.
Dantesque adj., dantesk.
Dantist n., dantist.
dare v., ardixxa, illusìnga, issogra, qadar, sfida. ***~ you say so?;*** tardixxi tgħid hekk?
daring adj., ardit.
daring adv., qam fuq qaddu. ***to be ~;*** wera snienu.
dark adj., dagħmi, dlumi, karg, mudlam. ***~ red;*** aħmar karg. ***become or grow ~;*** dalam, issewwed. ***the sky is growing ~;*** l-ajru qed jiddallam.
darken v., dallam, għammem, kifes, oskura, skura.
darkened adj. & p.p., mdallam, mdaħħan. ***to be ~;*** iddallam.
darkening n., tidlim, tiswid.
darker (become darker) v., ikkoppa.
darkie charlie n., (ichth.) murruna sewda.
darkish adj., sewdieni.
darkness adj., dlumi.
darkness n., dalma, dgħuma, dlam. ***pitch ~;*** dlam ċappa. ***complete ~;*** blakawt.
darling n., benjamin, figatell, ġojja.
darn v., sarsar.
darned adj. & p.p., msarsar. ***to be ~;*** issarsar.
darnel n., (bot.) sikrana.
darner n., sarsàr.
darning n., sarsir.
dart n., dard/dart, vleġġa.
dart v., qawwes/qawwas.
dash n., daxx.
dash v., farrak, kisser.
dashed adj. & p.p., mitfugħ. ***~ to the ground;*** mxewlaħ ma' l-art.
datary n., (eccl.) datarju.
date n., appuntament, data, dejt, (bot.) tamla/tamra. ***bring up to ~;*** aġġorna. ***up to ~;*** aġġornu.

date v., iddata.
date-cake n., maqrut.
dated adj. & p.p., iddatat.
dative n., (gram.) dattiv.
datura n., (bot.) datura.
daub v., ċallas, kaħħal, kesa.
daubing n., tiċpis.
daughter n., bint. ***favoured ~;*** fissuda.
daughter-in-law n., kenna.
dauphin n., delfin.
davit n., (mar.) arganell, (techn.) davit.
dawn n., alba, awrora, ħajta dawl, sbiħ, sebħ, tbexbix, żerniq.
dawn v., bexbex, għabbex, nahar, sebaħ, żernaq.
dawned adj., mbexbex.
day n., jum, ġurnata, nhar. ***every~;*** kull jum. ***at peep of ~;*** mas-sebħ. ***by ~;*** binhar. ***in the ~ time;*** binhar. ***ordinary ~;*** (eccl.) ferja.
day-break n., alba, awrora. ***to remain till ~;*** sebbaħ. ***at ~;*** malli beda jbexbex.
day dream v., iffantàstika.
dazzle v., għabbex, għammex, serreġ.
dazzled adj. & p.p., mgħabbex, mgħammex, stordut.
dazzling adj., għammiexi.
dazzling n., sraba, tagħbix, tagħmix.
deacon n., (eccl.) djaknu.
deaconate n., (eccl.) djakonat.
deaconhood n., (eccl.) djakonat.
deaconship n., (eccl.) djakonat.
dead adj., mejjet.
dead-eye n., (mar.) bigotta.
deadly adj., letali.
deaf adj., trux. ***to grow ~;*** ittarrax. ***probably he grew ~ today;*** milli jidher illum ittarrax dan. ***to turn a ~ ear;*** sadd widnejh.
deafen v., tarrax. ***these noises have ~ed me, I can't hear well;*** dawn il-ħsejjes tarrxuni, ma nistax nisma' sewwa.
deafened adj. & p.p., mtarrax.
deafening adj., tarraxi.
deafer comp.adj., itrax.
deafness n., tarxien, titrix, truxija, turxien.
deal n., tavla ta' l-abjad.
deal v., ittràffika.
deal (with) v., ittratta.
deal-fish n., (ichth.) fjamma.
dealer n., negozjant, traffikant. ***~ in second hand articles;*** rigattier/regettier. ***wholesale ~;*** grossist.
dean n., (eccl.) dekan.
deanery n., dekanat.
deanship n., dekanat.
dear adj., għali, għażiż, meqjum. ***more ~;*** egħżeż. ***to grow ~;*** għola. ***today the vegetables grew ~;*** illum il-ħaxix għola ħafna. ***to hold ~;*** għażż.
dearer comp.adj., agħażż, egħżeż, ogħla.
dearth n., karestija, liġwa, xaħta.
death n., mewt, mewta ***cause ~;*** mewwet. ***painless ~;*** ewtanasja.
death-rattle n., ħurħara.
debarment n., (leg.) dekadenza.
debase v., miegħek, miegħer.
debase (oneself) v., issaffal.
debased adj. & p.p., avvilut.
debate n., (parl.) dibattiment, dibattitu.
debate v., ġelled, iddibatta.
debateable adj., dibattibbli.
debated adj. & p.p., dibattut, diskuss, disputat, mitħaddet.
debauch v., ħassar, ħażżen.
debaze v., avvilixxa.
debilitate v., kisser.
debitor n., debitur. ***joint ~;*** kondebitur.
debris n., radam, terrapien.
debt n., dèbitu, dejn. ***to run in ~;*** iddabbar, iddejjen. ***he ran into ~ to buy a car;*** iddejjen biex jixtri karozza. ***without liability for ~s exceeding assets;*** (leg.) bil-benefiċċju ta' l-inventarju.
debtor n., debitur.
debut n., (theatr.) debutt. ***to make one's ~;*** (theatr.) iddebutta.
debutant n., (theatr.) debuttant.
decadence n., dekadenza.
decadent adj., dekadenti.
decalogue n., dekàlogu.
decant v., kewwes.
decanter n., karaffa.
decanting n., tikwis.
decapitate v., qata' r-ras.
decapod n., (zool.) dekapodu.
decarbonization n., dekarbonizzazzjoni.
decasyllabic n., (pros.) dekasìllabu.
decay n., dekadenza.
decay v., għokos, iddekada, mermer.
decayed adj., dekadut.
deceased adj. & pres.p., mejjet.
deceit n., dgħul, ingann, kejd, qerq.
deceitful adj., qarrieqi.
deceitfully adv., bit-taqriq.
deceive (oneself) v., tgħallat.
deceive v., gidem, għabba, għaddas, għaqqex, ibbamboċċa, inganna, kebbex, lagħab, qarraq. ***you have ~d me with your words;*** ingannajtuni bi kliemkom. ***you have ~d me;*** int qarraqt bija. ***~ by stratagems or wiles;*** kejjed.
deceived adj. & p.p., ingannat, mgħaddas, mgħobbi, midħuk, milgħub, mkebbeż, mqarraq.

deceiver n., għabbej, ingannatur, kebbiex, kejjied, qarrieq.
deceiving n., tagħlit, taqriq.
December prop.n., Diċembru.
decency n., deċenza, (leg.) pudur.
decennial adj., deċennali.
decennium adj., deċennju.
decent adj., deċenti.
decently adv., deċentement.
deception n., ingann, (leg.) frodi.
decide v., iddeċieda, irriżolva, qata'. ***he ~d to go to London;*** qatagħha li jmur Londra.
decided adj. & p.p., deliberat, maqtugħ.
decigram(me) n., deċigramm.
decilitre n., deċilitru.
decimal adj., deċimali.
decimate v., għaxxar, iddèċima.
decimated adj., mgħaxxar.
decimation n., deċimazzjoni.
decipher v., iddeċifra.
decipherable adj., deċifrabbli.
decipherment n., deċifrazzjoni.
deciphrated adj., deċifrat.
decision n., deċiżjoni, determinazzjoni, qtigħ, (parl.) deliberazzjoni, (leg.) sentenza.
decisive adj., deċiżiv, determinattiv.
decisively adv., deċiżament, deċiżivament.
deck n., (mar.) dekk, gverta/kverta.
declaim v., iddeklama.
declaimed adj. & p.p., deklamat.
declaimer n., deklamatur.
declamation n., deklamazzjoni.
declaration n., dikjarazzjoni, stqarrija, tagħrif, (leg.) denunzja.
declare v., iddenunzja, iddikjara. ***he ~d himself for or against somebody;*** iddikjara ruħu favur jew kontra xi ħadd.
declared adj. & p.p., dikjarat.
declension n., deklinazzjoni.
declination n., (gram.) deklinazzjoni.
decline n., dekadenza.
decline v., għokos, iddeklina.
declined adj. & p.p., deklinat.
declining adj. & pres.p., nieżel.
declinometer n., deklinòmetru.
declivity n., niżla, xaqliba, żurżieqa.
decollation n., dekolazzjoni.
decolo(u)rizing adj., dekoloranti.
decolorant adj., dekoloranti.
decomposed adj., (med.) dekompost.
decomposition n., (med.) dekompożizzjoni.
decorate v., iddekora, lellex, raqam/reqem, żejjen.
decorated adj. & p.p., mlellex.
decorated adj., dekorat.
decoration n., dekorazzjoni, onorefiċenza. ***war ~;*** onorefiċenza tal-gwerra.
decorative adj., dekorattiv.
decorator n., dekoratur, żejjien.
decorous adj., dekoruż.
decorum n., dekor.
decree n., (leg.) sentenza.
decrepit adj., għakka.
decrepit n., għaġuż.
decrepit v., ħiereġ mid-dinja.
dedicant n., dedikant.
dedicate v., iddèdika. ***he ~d a book to his mother;*** iddèdika ktieb lil ommu.
dedicated adj., dedikat.
dedication n., dedika, dedikazzjoni, konsagrazzjoni.
deduce v., iddeduċa, qata'.
deduct v., qata'.
deduction n., deduzzjoni, skont, tinqis.
deed n., att, fatt, skrittura.
deem v., danna, iddanna.
deep adj., għamqi, karg, profond. ***very ~;*** għammieq.
deepen v., approfondixxa, fannad, għammeq, ipprofonda.
deepened adj. & p.p., mgħammaq.
deepening n., tagħmiq.
deeper comp.adj., afnad/ifnad.
deeply adv., profondament.
deepness n., profondità.
deer n., (zool.) ċerv, dajn.
deerskin n., dant.
defamation n., diffamazzjoni.
defame v., immalafama, infama, xana'.
defeat n., disfatta.
defecation n., gagata.
defect n., difett.
defective adj., difettuż, nieqes, (gram.) difettiv.
defence n., difiża, tbiġġil.
defend v., biġġel, ħama, iddefenda, ippერċieda, ippurċieda.
defendant n., (leg.) imputat, konvenut, kwerelat.
defended adj. & p.p., difiż, mbiġġel.
defender n., biġġiel, difensur.
defensive adj., difensiv.
defer v., mâtal, siber, tawwal.
deference n., deferenza.
deferential adj., deferenti.
deferment n., proroga. ***capable of ~;*** prorogabbli.
deficiency n., mankament.
deficient adj., nieqes.
deficit n., deficit.

defile v., lewwet, sfila.
defiler n., dennies.
definable adj., determinabbli.
define v., iddefinixxa. ***ten years ago the Pope ~d as dogma the Assumption of Our Lady;*** għaxar snin ilu l-Papa ddefinixxa bħala domma t-Tlugħ ta' Marija fis-Sema. ***to ~ exactly;*** ippreċiża.
definer n., definitur.
definite adj., (gram.) determinattiv.
definitely adv., definitivament.
definition n., definizzjoni.
definitive adj., definit, definitiv.
deflection n., deflezzjoni.
defloration n., deflorazzjoni.
deflower v., żverġna.
deform v., iddeforma, sfigura, sforma.
deformation n., deformazzjoni.
deformed adj. & p.p., deformat, deformi, sfigurat.
deformity n., deformità.
defraud v., iffroda. ***~ by stratagems or wiles;*** kejjed.
degenerate adj., deġenerat.
degenerate v., iddeġènera.
degeneration n., deġenerazzjoni.
deglutition n., bligħ, diglutizzjoni.
degradation n., degradazzjoni/digradazzjoni.
degrade v., avvilixxa, iddegrada. ***he ~d himself among his friends;*** avvilixxa ruħu ma' sħabu.
degraded adj. & p.p., avvilut, degradat.
degree n., diploma, grad, rank. ***~ of relationship;*** grad ta' parentela. ***academic ~;*** lawrja. ***to what ~;*** safejn.
deign v., indenja. ***he did not ~ to cast a glance at the bill;*** lanqas indenja ruħu li jħares lejn il-kont.
delay n., dawma/dewma, dewmien, pròroga, tmehil, twaħħir.
delay v., dam/diem, dewwem. ***he ~ed too long to answer him;*** dam ħafna ma wieġbu.
delay v., ġebbed, iddawwar, ittardja, karkar, sarsar, siber, tawwal, tlajja, tmâtal, tmiehel, tnikker, waħħar. ***why did you ~ so long to come?;*** għaliex iddawwart daqshekk ma ġejt?.
delayed adj. & p.p., mdewwem, mitmiehel, prorogat. ***to be ~;*** iddewwem.
delaying n., tidwim, weħla.
delectation n., għaxqa.
delegate n., deputat, rappreżentant, (leg.) delegat.
delegate v., (leg.) iddèlega.
delegated adj. & p.p., (leg.) delegat.
delegation n., (leg.) delegazzjoni.
delete v., ħassar.
deliberate adj., deliberat.
deliberate v., (parl.) iddelìbera.
deliberately adv., deliberatament.
deliberation n., (parl.) deliberazzjoni.
deliberative adj., (parl.) deliberattiv.
delicacy n., delikatezza.
delicate adj., delikat, dlieli, graċli, pespus, rqiq.
delicious adj., bnin, delizzjuż.
delict n., delitt.
delight n., għaxqa, għoġba, kuntentizza, pjaċir, timriħ. ***to take ~ in;*** iddiletta. ***turkish delight;*** lakumja.
delight v., għaxxaq, paxxa. ***he ~s in gardening;*** jitgħaxxaq jaħdem fil-ġnien. ***he was ~ed to hear that piece of music;*** tgħaxxaq jisma' dik il-biċċa mużika.
delighted adj. & p.p., mogħġub. ***to be ~;*** tgħaxxaq.
delighted adj., mgħaxxaq, paxxut.
delightful adj., delizzjuż, għaxqan.
delineate v., abbozza, ħażż, ħażżeż, sawwar. ***he ~d a nice design;*** ħażżeż disinn sabiħ.
delineated adj. & p.p., abbuzzat, maħżuż, mħattet, mħażżeż.
delineation n., taħżiż.
delineator n., ħażżież, sawwàr.
delinquency n., (leg.) delinkwenza.
delinquent n., (leg.) delinkwent.
delirious adj., mhewden. ***to be ~;*** hewden, iddelirja. ***the patient yesterday was very ~;*** il-bieraħ il-marid kien qiegħed jiddelirja.
delirium n., (med.) delirju.
deliver (up) v., telaq.
deliver v., ħallas, ikkunsinna, newwel, niseġ. ***we will ~ the goods next week;*** nikkunsinnaw il-merkanzija l-ġimgħa d-dieħla. ***the parish priest ~ed a very beautiful sermon;*** il-kappillan niseġ priedka tassew sabiħa.
delivered adj. & p.p., ikkunsinnat, meħlus, mnewwel, mogħti.
deliverer n., liberatur, wassâl.
delivery n., konsenja, wilda.
delphium peregrinum n., (bot.) sieq il-ħamiema.
delta n., delta.
deltoid n., (anat.) deltojde.
delude v., għaddas, iddiżappunta, kebbex, qarraq.
deluded adj. & p.p., mgħaddas, mgħobbi, mkebbeż.
deluge n., dilluvju/dulluvju, għargħar.

delusion n., delużjoni.
delusive adj., qarrieqi.
demagogic adj., demagoġiku.
demagogue n., demàgogu.
demagogy n., demagoġija.
demand n., rikjesta.
demand v., staqsa, (parl.) iddomanda. ~ ***importunately;*** laħħ/leħħ.
demandable adj., tlubi.
demanded adj. & p.p., mitlub, msoqsi.
demarcation n., demarkazzjoni. ***line of ~;*** linja ta' demarkazzjoni.
demented adj. & p.p., miġnun.
demi-semiquaver n., (mus.) biskroma.
demijohn n., damiġġjana.
demilitarise v., żmilitarizza.
democracy n., demokrazija.
democratic adj., demokràtiku.
democratically adv., demokratikament.
democratization n., demokratizzazzjoni.
democratize v., iddemokratizza.
demographic adj., demogràfiku.
demographically adv., demografikament.
demography n., demografija.
demolish v., ġarraf, heddeb, ħandem, ħatt, iddemolixxa. ***the house was ~ed during the war;***id-dar iġġarrfet fil-gwerra.
demolished adj. & p.p., maħtut, mhendem, mġarraf.
demolition n., demolizzjoni, ħatta.
demology n., demoloġija.
demon n., demonju/dimonju, għadu tal-bniedem.
demoniac adj., indemonjat.
demonize v., indemonja.
demonstrable adj., dimostrabbli.
demonstrant n., dimostrant.
demonstrate v., iddimostra, ipprova, wera. ***by his deeds he ~d what good behaviour should be;*** b'għemilu wera kif għandha tkun l-imġiba tajba.
demonstrated adj. & p.p., dimostrat, muri.
demonstration n., dimostrazzjoni, turija, wiri, wirja.
demonstrative adj., (gram.) dimostrattiv.
demonstrator n., dimostratur, werrej.
demoralization n., demoralizzazzjoni.
demoralize v., iddemoralizza.
demoralized adj. & p.p., demoralizzat.
den n., għar, kaverna.
denial n., ċaħda.
denied adj. & p.p., mċaħħad, miċħud.
denier n., ċaħħàd.
denigration n., denigrazzjoni.
denominate v., iddenòmina.
denomination n., denomizzazzjoni.
denominative adj., denominattiv.
denominator n., denominatur.
denounce v., iddenunzja.
dense adj., dens. ***to become ~;*** sefaq.
densely adv., densament.
denseness n., sefqa.
denser comp.adj., isfaq.
density n., densità, tisfiq.
dent v., għattan, immakka.
dental adj., dentali.
dentex n., (ichth.) denċi/dentiċi. ***large-eyed ~;*** denċi tal-għajn.
dentifrice n., dentifriċju.
dentil n., (arch.) dentell.
dentist n., dentist.
dentition n., dentizzjoni, titligħ.
denture n., dentatura.
denudation n., neżgħa.
denumb v., ħedded.
denunciation n., (leg.) denunzja.
deny v., ċaħad, ċaħħad, innega. ***he denied that he was the killer;*** ċaħad li kien hu l-qattiel. ***he denied having said those words;*** innega li qal dak il-kliem.
denying n., negazzjoni.
depart v., parta, siefer.
departed adj. & p.p., msiefer.
departimental adj., dipartimentali.
department n., dipartiment, repart, sezzjoni, partenza.
departure n., telqa, tluq. ***abrupt ~;*** tparpir.
depend v., iddipenda. ***he ~ed upon his mother for his living;*** iddipenda għall-għajxien tiegħu minn ommu.
dependence n., dipendenza.
dependent adj., dipendenti.
depicted adj. & p.p., pinġut.
deplorable adj., deplorabbli, (parl.) deplorevoli.
deplore v., (parl.) iddeplora.
deplored adj. & p.p., mixhur, (parl.) deplorat.
deponent adj., (gram.) deponent.
depopulated adj., diżabitat.
deport v., naffa, (leg.) iddeporta.
deportation n., deportazzjoni.
deported adj. & p.p., deportat.
deportment n., diportament, mġiba.
depose v., xehed, (leg.) iddepona.
deposit n., depost, depożitu.
deposit v., iddepòżita. ***I have ~ed my money with the bank;*** iddepożitajt flusi l-bank.
depositary n., depożitarju, depożitur.
deposited adj. & p.p., depożitat.
deposition n., depożizzjoni, xhid.

depositor n., (leg.) depożitant.
deprated adj. & p.p., mħassar.
depravation n., korruzzjoni.
deprave v., ħassar.
depraved adj., vizzjat, vizzjuż.
depravity n., vizzju.
depreciated adj. & p.p., deprezzat.
depreciation n., (leg.) deprezzament.
depreciative adj., (gram.) dispreġjattiv.
depressed adj., depress.
depression n., depressjoni.
deprevation n., ċaħda.
deprivation n., privazzjoni.
deprive v., ċaħħad, ippriva. ***do not ~ me of your company;*** tipprivanix mill-ħbiberija tiegħek.
deprive (oneself) v., iċċaħħad. ***he ~d himself of smoking all day;*** iċċaħħad milli jpejjep il-jum kollu.
deprived adj. & p.p., ipprivat, mċaħħad, mxaħħat. ***to be ~ of;*** ittellef.
deprived adj., priv.
depriver n., ċaħħàd.
depriving n., tiċħid.
depth n., fondoq, profondità.
deputation n., (parl.) deputazzjoni.
deputy n., supplenti, (parl.) deputat. ***~ legate;*** viċi legat.
derange v., żmatta.
derelict n., telqa.
deride v., iddieħek, ikkuljuna, masħar.
derivable adj., derivabbli.
derivation n., derivazzjoni.
derivative adj., derivat, derivattiv.
derive v., idderiva.
deriving adj. & pres.p., ġej.
dermatologist n., (med.) dermatòlogu.
dermatology n., (med.) dermatoloġija.
derogate (from) v., (parl. & leg.) iddèroga.
derogated (from) adj. & p.p. (leg.) derogat.
derogatory adj., (leg.) derogatorju.
derrick n., (techn.) derek.
descend v., niżel.
descendant n., dixxendent.
descended adj. & p.p., minżul.
descending adj. & pres.p., nieżel.
descending n., tinżil.
descent n., dixxendenza, niżla. ***D~ from the Cross;*** (eccl.) Id-depożizzjoni.
describable adj., deskrivibbli.
describe v., fisser, iddeskriva. ***he ~d sunset from the roof;*** iddeskriva nżul ix-xemx minn fuq il-bejt.
described adj., & p.p., deskritt.
description n., deskrizzjoni, espożizzjoni.
descriptive adj., deskrittiv.
descry v., lemaħ.
desert n., barr, deżert.
desert v., telaq, (mil.) iddiżerta.
deserted adj. & p.p., mitluq.
deserter n., (mil.) diżertur, maħrub.
deserve v., immèrita, sewa, stħaqq. ***he ~d a reward for his good behaviour;*** immèrita premju għall-imġiba tajba tiegħu.
deserved adj. & p.p., mistħoqq.
deserving adj., benemertu.
desiccated adj. & p.p., magħfun.
desiderative adj., (gram.) desiderattiv.
design n., disinn, ħsieb, iddisinja. ***floral ~;*** iffjurat.
design v., sawwar.
designate v.t. (parl.) innòmina.
designer n., disinjatur, proġettist, sawwàr.
desire n., ħajra, taħjir, volja, xehja, xewqa. ***raise a ~;*** ħajjar. ***strong ~;*** leblieba. ***to make ~;*** ixxewwaq.
desire v., ħorom, ixxewwaq, xeha, xtieq. ***~ ardently;*** lebleb. ***to ~ eagerly;*** ixxennaq.
desired adj. & p.p., mixhi, mixtieq. ***ardently ~;*** mlebleb.
desiring n., taħjir, tewħim, tixwiq.
desirous adj., mħajjar, xewqan, ħajran.
desk n., desk, skrittoj, skrivanija. ***reading ~;*** leġiju.
desolate adj., deżolat.
desolate v., iddèżola. ***made ~;*** mħarreb.
desolation n., deżolazzjoni, ħerba, ħrieb, taħrib, xaħta, xħit.
despair n., disperazzjoni, disprament.
despair v., iddispra, inkazza, qata' jiesu.
desperate adj., iddisprat, mitluf.
desperation n., disperazzjoni, disprament, telfa ta' sabar.
despicable adj., maqdari, żawwal/żewwel.
despise v., beżlaħ, ħaqar, iddisprezza, maqdar, xemnaq, żeblaħ. ***he ~d whatever I have done;*** iddisprezza dak kollu li għamilt jien. ***he that ~s intends to buy;*** min imaqdar irid jixtri.
despised adj. & p.p., disprezzat, immaqdar, immiegħer, mkasbar, mqallat, mxemnaq, mżeblaħ. ***to be ~;*** iżżeblaħ.
despiser n., xemnieq, żeblieħ.
despising n., tmaqdir, żebliħ.
despite n., dispett.
despiteful adj., dispettuż.
despoil v., għarwen, nażża'.
despoiler n., neżżiegħ.
despoilment n., neżgħa.
despond v., qata' qalbu.
despot adj., kiefer.
despot n., dèspota, tirann.

despotic adj., aħrax, despòtiku.
despotically adv., despotikament.
despotism n., despotiżmu, kefrija.
dessert n., deżerta.
destabilization n., destabilizzazzjoni.
destination n., destinazzjoni.
destine v., iddestina.
destined adj. & p.p., destinat, iddestinat.
destiny n., destin, qâda, xorti.
destitute adj., priv.
destroy v., heddeb, ħarbat, ħarreb, iddistruġġa, qered, stradika, temm.
destroyed adj. & p.p., distrutt, meqrud, mhendem, mħarbat.
destroyer n., distruttur, ġarrâf, ħarbât, heddiem, qerried, (mar.) destrojer.
destructer n., distruttur.
destruction n., devastazzjoni, distruzzjoni, qerda/qirda, sibi, straġi, xħit.
destructive adj., distruttiv, ħarbati.
detach v., (mil.) iddistakka.
detached adj. & p.p., distakkat, mqaċċat.
detachment n., distakk, (mil.) stakkament, distakkament.
detail n., dettall. ***in ~;*** dettaljatament.
detail v., iddettalja.
detailed adj. & p.p., dettaljat.
detain v., arresta, dewwem, qadded.
detained adj. & p.p., arrestat, mdewwem.
detaining n., tidwim.
detective n., detektiv/didektif/ditektiv.
detention n., arrest, (leg.) detenzjoni.
detergent n., deterġent/diterġent.
deteriorate v., ħażżen, ħżien, iddeterjora, tfellek.
deteriorated adj. & p.p., deterjorat.
deterioration n., deterjorament, taħżin.
determinable adj., determinabbli.
determinant adj., determinanti.
determinate adj., determinat.
determinate v., iddetèrmina.
determination n., determinazzjoni.
determinative adj., determinattiv.
determine v., iddetèrmina, qata'. ***they ~d their departure from Malta;*** iddeterminaw it-tluq tagħhom minn Malta.
determined adj. & p.p., maqtugħ, mwaqqat, riżolut.
determined adj., deċiż.
detest v., bagħad, stmell.
detestable adj., esekrabbli.
detestation n., dirra.
detested adj. & p.p., mibgħud, mtiegħeb.
detract v., qassas.
detriment n., detriment.
detrimental adj., detrimentali.
Deuteronomy prop.n., Dewteronomju.
devaluation n., devalutazzjoni, żvalutazzjoni.
devalue v., żvaluta.
devastate v., iddevasta.
devastated adj.,& p.p., devastat.
devastation n., devastazzjoni, taħrib.
devastator n., devastatur.
develop v., żviluppa, żvolġa.
development n., progress, żvilupp, żvolġiment.
deviate v., rieħ.
devil n., brejbes, demonju/dimonju, fergħun, għadu tal-bniedem, għafrit, xitan. ***possessed by the ~;*** invażat.
devil-fish n., (ichth.) djavlu, baqra.
devilish adj., dijaboliku.
devise v., inġenja, ipprinzipja.
devised adj. & p.p., msawwar.
devoid adj., priv.
devoted adj., dedikat.
devotee adj. & n., devot.
devotee n., weżwieq.
devotion n., devozzjoni. ***forty hours ~;*** koranturi.
devour v., dexxex, heġem, ħeġem, iddevora/iddivora, leflef.
devoured adj. & p.p., divorat, mehġum.
devourer n., belliegħ, dexxiex, divoratur, leflief.
devout adj. & n., devot.
devoutedness n., devozzjoni.
devoutly adv., devotament.
dew n., nida.
dewlap n., għanqra.
diabetes n., (med.) dijabete.
diabetic adj., (med.) dijabetiku.
diabolic adj., dijaboliku.
diabolical adj., dijaboliku.
diabolic(al) adj., djabòliku.
diadem n., dijadema.
diaeresis n., (gram.) dijèresi.
diagnosis n., (med.) djànjosi.
diagnostic n., (med.) djanjòstiku.
diagonal adj., djagonali. ***~ cloth;*** djagunar.
diagonally adv., djagonalment.
diagram n., dijagramma.
dial v., iddalja.
dial face n., kwadrant ta' arloġġ.
dialect n., djalett.
dialectal adj., djalettali.
dialectic adj., djalèttiku.
dialectic n., dijalettika.
dialectica n., dijalettika.
dialectical adj., djalèttiku.
dialectics n., (phil.) djalèttika.
dialectologist n., djalettòlogu.

dialectology n., djalettoloġija.
dialogue n., djalogu. ***hold a ~;*** iddjaloga.
dialysis n., (chem.) dijalisi.
diameter n., dijàmetru.
diametrally adv., dijametralment.
diamond n., brillant.
diamond (adamant) n., djamant.
diapason n., (mus.) djàpason.
diaphragm n., (anat., techn.) dijaframma.
diarchy n., dijarkija.
diarrhoea n., sliħ, (med.) dijarea, gargarella.
diary n., djarju.
diastole n., (med.) dijàstoli/djàstoli.
diatonic adj., (mus.) dijatòniku/djatòniku.
diatribe n., dijàtriba.
dibursement n., żborżament.
dictate v., iddetta. ***he ~d to him what to do;*** iddettalu x'għandu jagħmel.
dictated adj. & p.p., iddettat.
dictation n., dettatura, diċitura.
dictator n., dittatur.
dictatorial adj., dittatorjali.
dictatorship n., dittatura.
dictature n., dittatura.
diction n., dizzjoni.
dictionary n., damma ta' kliem, dizzjunarju, kalepin, ktieb il-kliem, vokabbolarju. ***rhyming ~;*** rimarju.
didactic adj., didattiku, għalliemi.
didacticism n., didattiċiżmu.
didactics n., didattika.
die (out) v., sfoga.
die n., (g.) (pl. *dice*) damma, dada.
die v., għalaq għajnejh, ħareġ mid-dinja, miet. ***Christ ~d on the Cross to redeem us;*** Kristu miet fuq is-salib biex jifdina.
diet n., dieta. ***lenten ~;*** magru.
dietetics n., (med.) dijetètika.
differ v., waħħar.
differ (from) v., (leg.) iddiferixxa.
difference n., avarija, differenza/divrenzja.
different adj., differenti, divers. ***in a ~ way;*** diversament.
differently adv., differentement, diversament, xort'oħra.
difficult adj., diffiċli, diffikultuż, skabruż, tqil.
difficulty n., bużillis, diffikultà, skoll.
diffidence n., diffidenza.
diffident adj., diffidenti.
diffusion n., diffużjoni.
dig v., għażaq, ħaffer. ***to ~ graves;*** qabbar.
dig (out) v., għawwar, ħafer.
digest v., sajjar, (leg.) diġest, (med.) iddiġerixxa.
digested adj. & p.p., diġerit, mġerragħ. ***to be ~;*** iġġerragħ.
digestible adj., diġeribbli.
digestion n., diġestjoni.
digestive adj., (med.) diġestiv.
digger n., baqqunier, għażżieq, qalliegħ, ħaffier. ***grave ~;*** qabbàr.
digging n., għażqa, tagħżiq, taħfir.
digital adj. & n., diġitali.
digitalin n., (chem.) diġitalina.
dignified adj., dinjituż.
dignitary n., (eccl.) dinjitarju.
dignity n., dekor, dinjità, onorefiċenza.
digression n., digressjoni.
dike n., diga.
dilapidate v., ħandem.
dilate v., kabbar, tniffex, wassa'.
dilated adj. & p.p., mfettaħ, mwassa'.
dilating n., tiftiħ.
dilatoriness n., twaħħir.
dilatory n., (leg.) dilatorju.
dilemma n., dilemma.
dilettantism n., dilettantiżmu.
diligence n., bżulija, diliġenza, ħabrik.
diligent adj., diliġenti, ħabrieki, lieżem, tbiżżel. ***to be ~;*** liżem.
dilute v., stempra.
dim v., ċajpar, għammem, iddimmja, ippanna, oskura.
dimension n., dimensjoni, qies/qas.
diminish v., ċekken, ċkien, naqqas, nizżel.
diminished adj. & p.p., mċekken, mnaqqas.
diminisher n., naqqàs.
diminishing n., tiċkin, tinqis.
diminution n., naqsa.
diminutive adj. & n., (gram.) diminuttiv.
dimmed adj. & p.p., ippannat.
dimming n., tidnis.
dimness n., ġhir, żlieġa.
dimples n., sette-bellezzi.
din n., streptu.
dine v., ippranza, kiel. ***where does your son usually ~?;*** fejn imur ibnek jiekol?
dinghi n., (mar.) dingi.
dingy n., (mar.) dingi.
dinner n., diner, fatra, pranzu. ***to have ~;*** ippranza.
dinosaur n., (zool.) dinosawru.
diocesan adj., djoċesan. ***~ bishop;*** (eccl.) Isqof djoċesan.
diocese n., djoċesi.
diorama n., dijorama.
dip v., bell, fettet, xappap. ***be ~ped***; btell.
diphtheria n., (med.) difterite.
diphtheritis n., (med.) difterite.
diphthong n., dittong.

diploma n., diploma, patenta.
diplomacy n., diplomazija.
diplomat n., diplomat, diplomàtiku.
diplomatic adj. & n., diplomatiku. *~ corps;* korp diplomatiku.
diplomatist n., diplomàtiku.
dipping n., tagħdis.
direct adj., dirett.
direct v., iddirieġa, rieġa.
directed adj. & p.p., mrieġi.
direction n., direzzjoni, reġija, (leg.) indirizz.
directive adj., direttiv.
directly adj., dritt.
directly adv., direttament, minnufih.
director n., amministratur, bejlikk, direttur, (theatr.) reġista. ***spiritual ~;*** direttur spiritwali.
directorship n., amministrazzjoni.
directory n., (leg.) direttorju. ***telephone ~;*** direttorju tat-telefon.
dirigible adj., diriġibbli.
dirk n., stallett, porkerija, (mil.) xablott.
dirt n., tajn, ħara.
dirtied adj. & p.p., mkasbar, mħammeġ.
dirtiness n., ħmieġ.
dirty adj., maħmuġ, moqżież, qżużi. ***to make ~;*** lewwet.
dirty v., ċellaq, kasbar, meslaħ, ħammeġ.
disabled adj. & p.p., immankat, inkapaċitat.
disabled adj., invàlidu.
disadvantage n., żvantaġġ.
disadvantageous adj., żvantaġġjuż.
disagreeable adj., antipatiku.
disagreement n., dissens.
disappear v., għab, għasfar, għosfor, ħtileġ, sparixxa, tgħawweb, żvanixxa. *~ clandestinely;* bawwax, bewweġ.
disappearance n., għajba, għawba, sparizzjoni.
disappeared adj. & p.p., mogħjub.
disappearing n., tagħwib.
disappoint v., gerges, iddiżappunta. ***the teacher was ~ed by the pupils' result;*** l-għalliem kien iddiżappuntat bir-riżultat tat-tfal tiegħu.
disappointed adj. & p.p., diżappuntat, kuntrarjat.
disappointment n., diżappunt.
disapprobation n., diżapprovazzjoni.
disapproval n., diżapprovazzjoni.
disapprove v., iddisapprova/iddiżapprova. ***he ~d whatever they were saying;*** iddiżapprova dak kollu li kienu qegħdin jgħidu.
disapproved adj. & p.p., diżapprovat, mgiddeb, msaffar.
disarm v., (mil.) iddiżarma. ***to be ~ed;*** iżżarma.
disarmament n., (mil.) diżarm.
disarray v., ħarbat.
disaster n., diżastru, straġi.
disastrous adj., diżastruż.
disavowed adj. & p.p., miċħud.
disband v., żbanda.
disburse v., żborża.
disc n., disk.
discalce v., skalza. ***D~d Carmelite;*** Karmelitan Skalz.
discard v., skarta. ***why have you ~ed that shirt?;*** għaliex skartajtha dik il-qmis?
discarded adj. & p.p., skartat.
discernment n., dixxerniment.
discharge n., disċarġ, fluss, sensja.
discharge v., fajjar, iddisċarġja, illiċenza, skarga, spara. ***to ~ a gun;*** skarga l-ixkubetta. ***to ~ from work;*** v., issensja. ***he ~d him from work because of his negligence;*** issensjah mix-xogħol minħabba t-traskuraġni tiegħu.
discharged adj. & p.p., disċarġjat.
discharged (from) adj. & p.p., mbiġġel.
discharging n., ħatta.
disciple n., (eccl.) dixxiplu.
discipline n., dixxiplina.
discipline v., iddixxiplina.
disciplined adj., dixxiplinat.
disclose v., esterna, perreċ, żvela.
disclosed adj. & p.p., mitkixxef, mkixxef.
discobolus n., diskobolu.
discolour v., tefa.
disconcert v., skunċerta.
disconcertment n., skunċert.
discontent adj., skuntent.
discontent n., skuntentizza.
discord n., (mus.) diżarmonija.
discordance n., (mus.) skordatura.
discount n., ribass, skont.
discount v., skonta.
discourage v., qata' qalb xi ħadd, sfiduċja., skonsilja.
discouraged adj. & p.p., immewwet, mġejjef, skoraġġut.
discouragement n., skoraġġiment.
discourse n., diskors.
discourse v., tħaddet.
discoursed adj. & p.p., mitħaddet.
discover v., induna, kixef, sab/sieb, skopra. ***Christopher Colombus ~ed America;*** Kristofru Colombo kixef l-Amerka.
discover (oneself) v., nkixef.
discovered adj. & p.p., mitkixxef, mkixxef.
discoverer n., kixxief.

discovery n., kixfa, kxif, skoperta.
discredit n., skredtu.
discreet adj., diskret.
discretion n., diskrezzjoni.
discriminate v., iddiskrimina.
discrimination n., diskriminazzjoni.
discuss v., iddiskuta. ***we need not ~ this case;*** mhux meħtieġ li niddiskutu dan il-każ.
discussed adj. & p.p., dibattut, diskuss, mitħaddet.
discussion n., diskussjoni, debate, (parl.) dibattiment.
disdainful adj., qanżħa.
disease adj., magħlul.
disease n., għilla, għomma, malann, mard, marda. ***outbreak of ~s;*** passa. ***to cause a ~;*** marrad. ***venereal ~;*** (med.) mard tan-nisa.
disembark v., żbarka.
disembarkation n., żbark.
disencumber v., żbarazza.
disfigure v., biċċer, sfigura, sforma.
disfigured adj. & p.p., deformat, sfigurat.
disfigured adj., .
disfigurement n., deformazzjoni, sfreġju.
disgrace n., disgrejs, għajb, smakk, vergonja, żmakk.
disgrace v., avvilixxa, iddiżonora.
disgraced adj. & p.p., avvilut, diżunurat.
disgraced adj., diżonorevoli.
disgraceful adj., infamanti.
disgust n., diżgust, għali, ribrezz.
disgust v., dardar, iddisgusta, iddiżgusta. ***he ~ed me with his words;*** iddisgustani bil-kliem tiegħu. ***we were all ~ed by his behaviour;*** ilkoll konna ddiżgustati kif kien qiegħed iġib ruħu.
disgust v., qażżeż, stmerr, tqażżeż.
disgusted adj. & p.p., diżgustat.
disgusted (with) adj. & p.p., mdardar. ***to be ~ with;*** iddardar.
disgusting adj., ributtanti, skifuż.
disgusting n., bit-taqżiż.
dish n., dixx, platt, sjett. ***large ~;*** plattun.
dishabituate v., qata' d-drawwa.
dishabituated adj. & p.p., miftum.
disharmony n., (mus.) diżarmonija.
dishearten v., sfiduċja.
disheartened adj. & p.p., skoraġġut.
dishonest adj., diżonest.
dishonesty n., diżonestà.
dishonour n., diżunur, għajb, telf tal-ġieħ.
dishonour v., iddiżonora, tilef il-ġieħ.
dishonourable adj., diżonest, diżonorevoli.
dishonoured adj. & p.p., diżunurat.
dishwasher n., dixxwoxer, makna għall-ħasil tal-platti.
disinfect v., ipprofuma/ippurfuma, (med.) iddisinfetta/iddiżinfetta.
disinfectant adj. & n., diżinfettant.
disinfectant n., purfun.
disinfected adj. & p.p., diżinfettat, ipprofumat/profumat.
disinfection n., (med.) diżinfezzjoni.
disinherit v., iddiżereda.
disinheritance n., (leg.) diżeredazzjoni.
disinherited adj. & p.p., (leg.) diżeredat.
disintegrate v., iddisintegra, therra.
disintegrated adj. & p.p., diżintegrat.
disintegrator n., diżintegratur.
disinterest v., iddiżinteressa.
disinterest (oneself) v., iddisinteressa ruħu.
disinterested adj. & p.p., diżinteressat.
disinterestedly adv., diżinteressatament.
disinterestedness n., diżinteress.
disjoined adj. & p.p., mifruq.
disjunction n., ferqa.
dislike v., mell.
disliked adj. & p.p., mibgħud.
dislocate v., fekkek, żloga. ***to ~ one's hip;*** tferċaħ.
dislocated adj. & p.p., maqlugħ, mfekkek.
dislocation n., slugatura, tifkik, qalgħa.
disloyal adj., sleali, żleali.
disloyalty n., slealtà/żlealtà.
dismal adj., dlumi.
dismantle v., żarma.
dismantled adj. & p.p., maħtut.
dismay n., tbeżżigħ.
dismiss v., iddiskarġja, illiċenza, issensja, ta s-sensja. ***he was ~ed from the army;*** kien illiċenzjat mill-armata.
dismissal n., tikċija, (leg.) rinviju.
dismissed adj. & p.p., issensjat, liċenzjat/illiċenzjat, mitluq.
dismissed adj., dimess.
dismount v., żmonta.
disobedience n., diżubbidjenza.
disobedient adj., diżubbidjent.
disobey v., iddiżubbidixxa.
disorder n., diżordni, fixla, ħabla, storbju, taqlib, taħbil, tbixkil.
disorder v., gerfex.
disordered adj. & p.p., diżordinat, mgerfex, mħarbat.
disorderly adv., ħorrox borrox.
disorganisation n., diżorganizzazzjoni.
disorganize v., iddiżorganizza.
disorganized adj. & p.p., diżorganizzat.
disorientation n., diżorjentament.
disparity n., disparità, spariġġ.

dispassionate adj., spassjonat.
dispatch n., dispaċċ.
dispensable adj., dispensabbli.
dispensary n., spiżerija.
dispensation n., (eccl.) dispensa.
dispense v., iddispensa.
disperge v., sparpalja.
disperse v., xerred.
disperse (a crowd) v., sfolla.
dispersed adj. & p.p., mixtered, mxerred, sparpaljat.
dispersing n., tixrid.
dispersion n., xerda.
displace v., qanqal, sposta.
displacement n., spostament.
display n., nabra.
display v., nabbar, naxar, perreċ.
displayed adj. & p.p., minxur, mnabbar, mperreċ.
displease v., gerges, iddispjaċa. ***I am much ~d for what I have done;*** jiddispjaċini ħafna minn dak li għamilt.
displeased adj. & p.p., dispjaċut, iddispjaċut, mħanfes.
displeased adj., mgħolli.
displeasure n., dispjaċir, għali. ***fall under one's ~;*** ħareġ mill-qalb.
disport n., żagħbir.
disport v., iżżagħbel, żagħbel.
disposable adj., disponibbli.
dispose v., iddispona, qassam. ***he can ~ of his means as he wishes;*** jista' jiddisponi minn flusu kif irid.
disposed adj., intenzjonat.
disposer n., qassàm.
disposition n., attitudni, dispożizzjoni, ħal, karattru, natural, temperament.
dispossess v., spossessa.
dispossession n., (leg.) spussessjoni.
dispossessor n., esproprjatur.
disproportion n., sproporzjon.
disproportioned adj., sproporzjonat.
disproportionately adv., sproporzjonatament.
disprove v., giddeb.
disputable adj., disputabbli.
dispute n., battibekk, disputa.
dispute v., iddisputa, ikkustinja, ikkwistjona, illìtika.
disqualification n., skwalìfika.
disqualified adj. & p.p., skwalifikat.
disqualify v., skwalìfika.
disquiet n., inkwiet.
disquiet v., inkwieta.
disquieted adj. & p.p., mdejjaq.
disregard v., ittraskura.
disrobed adj. & p.p., minżugħ, mnażża'.
dissappoint v., ikkontrarja.
dissect v., xeraħ, (anat.) iddissetta.
dissected adj. & p.p., (med.) dissettat.
dissection n., (med.) dissezzjoni.
dissector n., (med.) dissettur.
disseision n., (leg.) spussessjoni.
disseminate v., żara'.
dissent n., dissens.
dissertation n., dissertazzjoni.
dissicated adj. & p.p., minxuf.
dissidenter n., dissident.
dissimulate v., wera ħaġa b'oħra.
dissipate v., ħela, żmalda. ***he ~d his money in games;*** ħela flusu fil-logħob.
dissipator n., żmalditur.
dissolute adj., dissolut, sfrenat.
dissolution n., ħalla, xoljiment, (leg.) dissoluzzjoni. ***~ of parliament;*** xoljiment tal-parlament.
dissolve v., dab/dieb, dewweb, stempra, teraħ, xolja, (parl.) iddissolva.
dissolved adj. & p.p., maħlul, mdewweb, xolt.
dissolved adj., .
dissolvement n., xoljiment.
dissolving n., tidwib.
dissonance n., dissonanza, (mus.) stunatura.
dissuade v., qaleb, skonsilja. ***to ~ oneself from;*** ixxiegħeb.
distaff n., fettul, mħalla.
distance n., distanza.
distant adj., bgħid.
distant n., bogħod.
distemper n., distemper, mard.
distention n., firxa.
distich n., (pros.) distiku.
distill v., għarraq, għereq, (chem.) iddistilla, (techn.) illàmpika. ***the police found him ~ing in the garden;*** il-pulizija sabitu jillampika fil-ġnien.
distillation n., distillazzjoni.
distilled adj. & p.p., distillat, illampikat, mgħarraq, mqattar.
distiller n., distillatur, għarrieq, lampik.
distillery n., distillerija.
distinction n., distinzjoni. ***without any ~;*** bla distinzjoni ta' xejn, irrink.
distinguish v., bejjen, iddistingwa.
distinguished adj. & p.p., mbejjen.
distinguished adj., distint.
distract v., aljena, iddistra. ***try to ~ him from these thoughts;*** fittxu li tiddistrawh minn dawn il-ħsibijiet.
distract (oneself) v., seha.
distracted adj. & p.p., sehwien.
distraction n., aljenazzjoni, distrazzjoni.
distraction n., sehwa.

distraint n., (leg.) mandat ta' elevament, sekwestru.
distress n., diqa, hemm.
distressed adj., tribulat.
distributable adj., ferrieqi.
distribute v., ferraq, iddistribwixxa, qassam, qassat. ***he ~d a sum of money among the poor;*** hu qassam somma flus lill-fqar.
distributed adj. & p.p., mferraq, mqassam, mqassat.
distributing n., tifriq.
distribution n., distribuzzjoni, taqsim. ***~ of prizes;*** distribuzzjoni tal-premjijiet.
distributive adj., distributtiv.
distributor n., dispensier, distributur, ferrieq, qassàm.
district n., distrett, reġjoni. ***inhabited ~;*** abitat.
distrust n., diffidenza.
distrustful adj., diffidenti.
disturb v., fixel, fixkel, hemmem, iddisturba, inkòmoda, qalleb, skomda, wiegħer.
disturbance n., disturb.
disturbed adj. & p.p., disturbat, mdaħdaħ, mifxul, mifrud.
disyllable n., disillabu.
ditch n., foss, fossa, kanal.
ditching n., taħfir.
dithyramb n., (liter.) ditirambu.
diuretic adj., (med.) dijurètiku.
diva n., (theatr.) diva.
divan n., divan.
dive v., għodos, iddajvja.
dived adj. & p.p., mgħaddas.
diver n., bugħaddas, għaddâs. ***red throated ~;*** (ichth.) bugħaddas tal-maltemp.
diversely adv., xort'oħra.
diversification n., diversifikazzjoni.
diversified adj. & p.p., diversifikat.
diversify v., iddiversifika.
diversion n., diversiv.
diversity n., diversità.
divert v., farraġ, xiegħeb, xaqleb. ***~ one's attention;*** aljena.
divert (from) v., xiegħeb.
divert (oneself) v., tfarraġ.
divest v., għarwen, nażża'/nežża', neħħa, feraq, ferraq, fired, għażel, iddivida, qasam, qassam, tebbaq.
divided adj. & p.p., maqsum, mferraq, mifrud, mqassam. ***to be ~;*** ittebbaq.
divided adj., diviż.
dividend n., dividend.
divider n., qassàm.
dividing adj., diviżorju.
dividing n., taqsim.
divine adj., divin.
divine v., qara x-xorti.
diviner n., nabi/nibi.
divinity n., divinità.
divisibility n., diviżibbilità.
divisible adj., diviżibbli.
division n., diviżjoni, ferq, qasma, qsim, repart, sezzjoni, taqsim.
divisor n., diviżur, ferried.
divorce n., firda taż-żwieġ, (leg.) divorzju.
divorce v., (leg.) iddivorzja.
divorced adj. & p.p., (leg.) divorzjat.
divulge v., samsar, xandar, xeher, xerred, xieher. ***to be divulgated;*** ixxandar.
divulged adj. & p.p., mixhur, mniedi., msamsar, mxandar, mxerred.
divulger n., xandâr.
divulging n., tixrid.
dizziness n., mejt, sturdament, (med.) vertiġni.
do v., għamel. ***I am ~ing my duty;*** qiegħed nagħmel id-dmir tiegħi. ***do again;*** għawwed, raġa'/reġa'.
docile adj., doċli.
dock n., (mar.) baċir, dokk.
dockyard n., dokkjard, tarzna.
doctor n., duttur, tabib. ***attending ~;*** tabib kuranti. ***woman ~;*** dottoressa.
doctorate n., dottorat.
doctorship n., dottorat.
doctrinaire n., dottrinarju.
doctrinarian n., dottrinarju.
doctrine n., dottrina/dutrina.
document n., dokument, qanun, skrittura. ***official ~;*** (eccl.) paġella.
documentary n., dokumentarju.
documentation n., dokumentazzjoni.
documents n., inkartament, karteġġ.
dodder n., (bot.) pittma.
doer n., għammiel.
dog n., (zool.) kelb. ***house-~, watch ~;*** kelb tal-għassa. ***police ~;*** kelb tal-pulizija. ***St. Bernard D~;*** kelb ta' S. Bernard. ***lap ~, little ~;*** kanjolin. ***sporting ~;*** kelb tal-kaċċa.
dogfish n. kwalità ta' ħut. ***blackmouthed ~;*** (ichth.) ċamperlina. ***common spiny ~;*** mazzola. ***small spotted ~;*** gattarell.
doggy n., (zool.) kanjolin.
dogma n., dogma, domma.
dogmatic adj., dommatiku.
dogmatically adv., dommatikament.
dogmatics n., dommatika.
doily n., dojli.
doldrams n., buri/buli.
dole n., sussidju.

doleful adj., mingħi, mnikket, weġgħan.
doll n., pupa, ***paste ~;*** figolla.
dollar n., dollaru.
dolphin n., (ichth.) denfil.
dolphin fish n., (ichth.) lampuka.
dome n., (arch.) koppla. ***small ~;*** kuppletta.
dome-shaped adj., ikkupplat.
domenical adj., domenikali.
Domenican n., Dumnikan.
domestic adj., domèstiku, ġewwenija.
domesticate v., feddel, immansa, mannas.
domesticated adj. & p.p., immannas, mans, mistienes.
domesticating n., timnis.
domicile n., (leg.) domiċilju.
domicile v., iddomiċilja.
dominant adj., dominanti.
dominate v., iddòmina, saltan.
dominated adj. & p.p., dominat, maħkum.
dominating n., taħkim.
domination n., dominazzjoni, ħakma.
dominator n., dominatur.
dominion n., dominju.
dominoes n., (g.) dominò.
donate v., irrigala, ta.
donation n., għoti, mogħtija, rigàl, (leg.) donazzjoni.
donative n., (leg.) donattiv.
done adj., lest.
donee n., (leg.) donatarju.
donkey n., (zool.) ħmar. ***old ~;*** ċikk.
donor n., (leg.) donatur. ***blood ~;*** donatur tad-demm. ***list of ~s;*** albural.
doom n., destin.
door n., bieb. ***glass ~;*** boxxla. ***outer ~;*** antiporta.
door-step n., għatba.
door-keeper n., bewwieb, purtier, purtinar, uxxier, (eccl.) ostjarju.
door-knocker n., battall, ħabbata.
door-post n., koxxa ta' bieb.
dormitory n., dormitorju, marqad.
dorsal adj., (med.) dorsali.
dose n., (med.) doża.
dossier n., inkartament.
dot n., nikta, tikka.
dot v., ittikkja, tikkek.
dotation n., (leg.) dotazzjoni.
dots n., puntini.
dotted adj. & p.p., mnikket, mtikkek.
dotterel n., (ornith.) birwina.
dotting n., punteġġ.
doubful adj., dubbjuż.
double adj., doblu, doppju. ***~ wall;*** ħajt doblu. ***~ face;*** bniedem doppju. ***to see ~;*** jara doppju.
double v., rdoppja.
double-bass n., (mus.) kuntrabaxx. ***~ player;*** (mus.) kontrabaxxist.
doubled adj. & p.p., mtenni, rduppjat.
doublet n., każakka, qabb.
doubloon n., doblun/dublun.
doubly adv., doppjament.
doubt n., dgħul, dubju, rieb.
doubt v., għajnu togħkru, iddùbita. ***I ~ whether they will win tomorrow;*** niddubita jekk jerbħux għada.
doubtful adj., riebi.
doubtful prep., bejn ħalltejn.
douche n., doċċa, doxxa.
dough n., għaġina. ***~-nut;*** għaġina moqlija biz-zokkor. ***to roll out ~;*** rambel.
dough-maker n., għaġġien.
dough-nut n., downat, kagħka/qagħqa.
dove n., (ornith.) ħamiema. ***rock ~;*** tudun tal-ġebel. ***stock ~;*** tudun tas-siġar.
dove-cot n., barumbara.
dovetail n., minċott.
dovetail v., (techn.) imminċotta.
dowdy (become dowdy) v., iċċewlaħ.
dowel n., feles, kalaverna, kunjard.
down adv., isfel.
down (with) interj., abbasso.
downwards adv., mintaħt.
downy adj., żajbri.
dowry n., dota, ġhież, (leg.) dotazzjoni. ***give a ~;*** (leg.) iddota, ġieheż.
doxology n., (eccl.) dossoloġija.
doyen n., dekan (tal-korp diplomatiku).
doze (off) v., nagħas.
doze v., iddoża, newwem, tniegħes. ***I began to ~ off while I was watching television;*** bdejt nongħos meta kont qiegħed nara t-televiżjoni.
dozen n., tużżana.
dozing n., tingħis.
draft n., bozzett, draft, steżura. ***~ of a contract;*** steżura ta' kuntratt.
draft v., abbozza, iddraftja.
drafting n., steżura.
drag n., xatba.
drag v., kaxkar. ***that man ~ged a heavy sack;*** dak ir-raġel kaxkar xkora tqila. ***to ~ a fishing-net;*** ittranja.
drag (along) v., straxxna.
drag (oneself) v., tkarkar.
drag-net n., (mar.) gangmu.
dragged adj. & p.p., mkarkar, mkaxkar.
dragging n., tkarkir, tkaxkir.
dragon fly n., (zool.) debba tax-xitan.
dragon n., dragun.
dragon-beam n., puntal, riffieda.
dragon-fly n., (ornith.) żanżarell.
dragon-tree n., (bot.) draċena.

dragonet kwalità ta' ħuta. ***common ~;*** (ichth.) dragunett. ***spotted ~;*** (zool.) wiżgħa tal-baħar.
drain (of money) v., qaxqax.
drainage n., dranaġġ.
drained adj. & p.p., mnixxi.
dram n., taqtira.
drama n., (theatr. & liter.) dramm.
dramatist n., drammaturgu.
dramatize v., iddrammatizza.
drammatic adj., drammàtiku.
drammatically adv., (theatr.) drammatikament.
draper n., drappier.
drapery n., drapperija.
drastic adj., dràstiku.
drastically adv., drastikament.
draught n., boqqa, draft, ġergħa, nixfa, xarba.
draughts n., (g.) draft.
draughtsman n., disinjatur.
draw n., (g.) dro.
draw v., iddisinja, iddroja, ġibed, karkar, sawwar. ***cause to ~ back;*** hebbeż.
draw (near) v., ressaq.
draw (out) v., qala'. ***to ~ out a tooth;*** qala' sinna.
draw (up) v., issarbat skjera.
draw-plate n., filliera.
drawer n., kaxxun/kexxun.
drawing n., disinn, taħrit, ġbid.
drawing (up) n., steżura.
drawing-room n., salott.
drawn adj. & p.p., mislut.
drawn (up) adj. & p.p., miġbud.
dread n., tbeżżigħ, tregħid bil-biża'.
dreaded adj. & p.p., mibżugħ.
dreadful adj., terribbli, waħħaxi.
dreadnought n., (mil., nav.) drèdnot.
dream n., ħolma.
dream v., ħolom. ***make one ~;*** ħallem.
dreamed adj. & p.p., moħlum.
dreamer n., ħalliem.
dreaming n., taħlim.
dreamt adj. & p.p., moħlum.
dredge n., (mar.) karrakka.
dredge v., sefter.
dregs n., għakar, sediment. ***foul with ~;*** għakkar.
drench v., sappap, xarrab.
drenched v., issappap.
drencher n., xarrâb.
dress n., għata tal-ġisem, libsa, xedd. ***fancy ~;*** kostum tal-karnival. ***maternity ~;*** maternitidress.
dress v., dewwa, libbes, libes, xedd. ***the doctor ~ed his wound;*** it-tabib dewwielu l-ferita. ***I must ~ for dinner;*** irrid nilbes għall-ikel. ***shabbily ~;*** diżutli. ***to ~ food;*** tebaħ.
dressed adj. & p.p., medikat, milbus, liebes, minġur, mixdud, mlibbes, mnaġġar. ***get ~;*** libes.
dresser n., drèser. ***hair ~;*** ħerdrèser.
dressing n., ħaxu, kisi, medikatura, mili, taptipa, xedd.
dressing-gown n., dresingawn, gejxa.
dressing-room n., dresingrùm.
dressmaker n., ħajjât.
dribble v., (g.) iddribilja, liegħeb.
dried adj. & p.p., midbiel, mnixxef.
dried (up) adj. & p.p., minxuf, mnixxef, mqadded, mqaxlef.
drill n., drill, golja, radda ta' moħriet, sgorbja/żgorbja, trapan.
drill v., ittrâpana.
drilled adj. & p.p., ittrapnat.
driller n., driller.
drink n., bikkjerata, drink, xarba, xorb.
drink v., xorob. ***to ~ greedily;*** ittrinka. ***to ~ grogs;*** iggrokkja.
drinking n., xorb.
drinks n., bibita.
drip n., taqtira.
drip v., qatar/qotor, qattar. ***the tap is ~ping;*** il-vit qiegħed iqattar.
dripping adj., maqtur, qattari.
dripping n., taqtir.
drive v., deffes, saq. ***he drove a car without a driving licence;*** saq karozza bla liċenzja tas-sewqan. ***to ~ back;*** raġġa' lura. ***to ~ mad;*** indemonja.
drive (away) v., żawwal/żewwel.
drive (out) v., qaċċat 'il barra.
drive (in) v., seffed.
drivel n., lgħab.
drivel v., liegħeb.
driven adj. & p.p., misjuq.
driven (out) adj. & p.p., mqaċċat barra.
driver n., drajver, sewwieq, xufier. ***motorcar ~;*** awtomobilist.
driving n., sewqan, tiswiq.
drizzle n., bexxa xita, ċirċ, rxiex, tbexbix.
drizzle v., raxxax.
drizzling n., tirxix.
drizzly adj., mbexbex.
droll n., ċajtier, daħħàk.
dromedary n., (zool.) dromedarju, ġemel.
drone n., (zool.) naħla bagħlija.
droop v., kieb, tgħaxxex.
drop n., dropp, qatra, taqtira. ***~ by ~, by ~s;*** bil-qatra l-qatra. ***~ of water;*** qatra ilma.
drop v., kala, qatar/qotor, qattar, waqqa'. ***to ~ anchor;*** kala l-ankra.

dropical adj., (med.) idròpiku.
dropped adj. & p.p., mqattar, mwaqqa'.
dropper n., kontagoġġi.
dropping adj., qattari.
dropping-tube n., qattara.
dropsy n., (med.) idropsija.
dross n., kagazza.
drought adj., lihbien.
drought n., xegħta.
drove n., għanem, merħla, ġemgħa bhejjem.
drown v., għarraq.
drowned adj. & p.p., mgħarraq. ***to be ~;*** għereq.
drowning n., għarqa, għarqien, tagħriq.
drowse n., lànja.
drowse v., nieghes.
drowsiness n., ngħas, xaħxiħ.
drowsy adj., mniegħes, mħaxħax, nagħsi.
drudge v., stinka.
drudgery n., xogħol ta' tbatija.
drug n., dragg, (med.) droga.
drug v., iddraggja, iddroga. ***~ with anaesthetic;*** (med.) illoppja. ***~ged with anaesthetic;*** illuppjat.
drug pusher n., draggpuxer.
drugged adj. & p.p. (med.) drogat.
druggist n., (med.) drogier.
drum n., tabal, (mus.) tanbur. ***kettle-~;*** tanbur tas-suwed. ***~ head;*** ġilda tat-tanbur. ***bass ~;*** (mus.) katuba.
drum v., tanbar.
drummer n., dramer, tabbàl.
drumming n., tanbir.
drums n., (mus.) tamburlin.
drunk adj. & p.p., mgħaddar, miskur, mixrub, msakkar, mżambar. ***to get ~;*** siker, issàkar. ***that man gets ~ easily;*** dak ir-raġel malajr jisker (jissakar). ***to make ~;*** sakkar.
drunk adj., mċaqlaq, mdekdek, sikran.
drunkard n., dekdiek, sakranazz, sponża.
drunkenness n., sakra, sokor, tiskir, żbornja.
dry (up) v., assorbixxa, ixxotta, nixef, qadded, qaxlef.
dry adj., kajmàn, niexef.
dry n., xott.
dry v., dbiel, mesaħ, nixxef. ***to be dried up;*** ixxotta.
drying n., mesħa, taqjir. ***~ agent;*** nixxiefi. ***~ of fruit;*** taqdid.
dryness adj., lihbien.
dryness n., għatxa, nixfa, nxief, nxufija, tinxif, xegħta.
dual n., (gram.) duwàl.
dualism n., duwaliżmu.
dubious adj., dubbjuż.
dubious n., bejn ħalltejn.
dubitative adj., dubitattiv.
ducal adj., dukali.
duchess n., dukessa. ***Grand D~;*** grandukessa.
duchy n., dukat. ***Grand D~;*** grandukat.
duck n., dokk, (zool.) papra. ***white-headed ~;*** brajmla rasha bajda. ***scaup ~;*** brajmla rasha sewda. ***tufted ~;*** brajmla tat-toppu. ***ferrugious ~;*** brajmla ta' l-għajn bajda. ***wild ~;*** (ornith.) borka, kolluverd, kuluvert.
duck v., għaddas, għodos.
due adj., dovut, skadut. ***amount ~;*** ammont dovut.
due n., ħaqq, ħaraġ. ***warehouse ~s;*** magazzinaġġ.
duel n., dwell, silta.
duel v., iddwella, issielet.
duelling adj. & p.pres., dwellant.
duellist n., dwellist.
duet n., (mus.) dwett.
dug adj. & p.p., mħaffer.
dug (up) adj. & p.p., magħżuq, mgħawwar.
dukat n., ducat.
duke n., duka. ***Grand D~;*** granduka.
dukedom n., dukat.
dull adj., ebete.
dullness n., stupidità.
duly adv., debitament.
dumb adj., mbikkem, mutu. ***grow ~;*** bikem. ***make ~;*** bikkem. ***to become ~;*** immuta.
dumbed adj. & p.p., immutat.
dumbfound v., bikkem, dehex, werwer.
dummy n., dami, gażaża, tìti.
dump n., post fejn jintema l-iskart. ***dumping place***; radam.
dun adj., dagħmien.
dunce adj., belhun.
dung n., bagħar, demel, ħara, ħmieġ, rawta, żibel.
dung v., demmel, żebbel.
dunged adj. & p.p., mbażżar, mdemmel, mżebbel.
dungeon n., sotterran.
dunghill n., demmiela, miżbla.
dunk v., bell.
dunnage n., paljol/parjol.
duodenal adj., (anat.) duwodenali.
duodenum n., (anat.) duwodenu.
duplicate adj., duplikat.
duplicate v., iddùplika, rdoppja.
duplication n., duplikazzjoni, titnija.
duplicator n., duplikatur.
duration n., dawma, dewma, dewmien. ***~ of Parliament;*** leġislatura.

during prep., matul.
dusk n., ħajta dlam.
dusky adj., idgħam.
dust n., għabra, trab. ***cover with ~;*** għabbar, mgħabbar, mtarrab. ***saw ~;*** serratura.
dust v., farfar.
dust-hole n., qanja.
dust-man n., ġemmiegħ id-demel.
dustaff n., luqqata.
duster n., biċċa tat-tfarfir.
dustman n., żebbiel.
dusty adj. & p.p., għabbari, mgħabbar.
duty n., dmir, dover, dritt tad-dwana, obbligu, servizz, taxxa, tribut, uffiċċju. ***to do one's ~;*** għamel id-dover. ***victim to his ~;*** vittma tad-dover. ***customs ~;*** dazju.
dwarf adj. & n., nanu.
dwarf adj., qerni.
dwarf n., pigmew, xendi.
dwell v., àbita, għammar, qagħad għalih. ***to ~ together;*** qagħad ma'.
dweller n., abitant, għammâr.
dwelt adj. & p.p., abitat.
dye n., żebgħa.
dye v., żebagħ.
dyeing n., tiżbigħ, żbigħ.
dyer n., żebbiegħ.
dying adj., ħażin, moribond. ***a ~ person;*** agonizzant.
dyke n., diga.
dynamic adj., dinàmiku.
dynamics n., (phys., mus.) dinàmika.
dynamism n., dinamiżmu.
dynamitard n., dinamitard.
dynamite n., dinamite.
dynamiter n., dinamitard.
dynamo n., dajnamow, (techn.) dinamo.
dynamometer n., (phys.) dinamòmetru.
dynast n., dinasta.
dynastic adj., dinastiku.
dynasty n., dinastija.
dysentery n., sabb, (med.) disenterija.
dyspepsia n., (med.) dispepsja.
dyspepsy n., (med.) dispepsja.

Ee

each indef.pron., kull.
eager adj., rgħib. ***to be ~;*** liżem.
eagerness n., ħrara, premura, tħabrik, ħerqa.
eagle n., (ornith.) ajkla. ***imperial ~;*** ajkla imperjali. ***lesser spotted ~;*** ajkla tat-tikki. ***snake ~ or short-toed ~;*** ajkla bajda. ***~ ray;*** (ichth) ajkla tal-baħar, pixxiàjkla.
eaglet n., (ornith.) ajklott.
ear n., widna.
ear v., sibel.
ear-drop n., buttun tal-widnejn.
ear-ring n., buttun tal-widnejn, dendula, misluta.
ear-wax n., widaħ.
early adv., bikri, kmieni. ***~ fruit;*** frott bikri. ***come ~;*** ejja kmieni. ***~ rising;*** bokra. ***get up ~;*** direk.
earn v., qala'. ***he ~s one hundred Maltese liri a month;*** hu jaqla' mitt lira Maltija fix-xahar.
earned adj. & p.p., maqlugħ, mdabbar.
earnest n., rahan. ***having received ~;*** mdebber. ***in ~;*** bis-sod.
earning n., qligħ.
earth n., art.
earthenware n., fuħħar. ***painted ~;*** faj-jenza.
earthflax n., (min.) asbèstos.
earthquake n., terremot.
earthworm n., (zool.) ħanex. ***produce ~;*** ħannex.
ease n., diżinvoltura. ***at ~;*** ixxamplat. ***to be at ~;*** ixxampla.
ease v., ħaffef.
eased adj. & p.p., mħaffef.
easel n., kavallett.
easement n., (leg.) servitù.
easier comp.adj., aħfef/eħfef.
easily adv., faċilment.
east n., lvant.
east n., xerq, (geog.) orjent.
Easter n., Għid il-Kbir, Paskwa.
eastern adj., orjentali.
easy adj., faċli, ħafif. ***to make ~;*** iffaċilita. ***~ going;*** andanti.
eat v., kiel. ***~ abundantly;*** fenda. ***~ fodder;*** ġewweż. ***~ greedily;*** dexxex, heġem, iffanga, leflef, maxtar. ***~ parsimoniously;*** ġewweż. ***to ~ voraciously;*** karwat. ***he ate voraciously because he was in a hurry;*** karwat l-ikel għax kien mgħaġġel.
eaten adj. & p.p., mikul. ***to be ~;*** ittiekel. ***~ quickly;*** mdexxex. ***~ greedily;*** meħġum.
eaves n., gifun.
eavesdrop v., issamma', tħasses, widden.
ebb v., forogħ/feragħ. ***the sea ~s;*** il-baħar jofrogħ.
ebonist n., ebbenist.
ebony n., (bot.) èbbanu.
ebullition n., għalja.
eccentric adj., eċċentriku, moħħu mberfel, strom.
eccentricity n., eċċentriċità.
ecchimosis n., (med.) ekkìmżi, kuħħala.
ecclectic adj., (phil.) eklèttiku.
ecclesial adj., ekkleżjali.
ecclesiastic adj., ekkleżjastiku.
ecclesiastically adv., ekkleżjastikament.
echo n., diwi.
echo v., dewa, wedwed.
echoed adj. & p.p., midwi, mwedwed.
echoing adj. & pres.p., diewi.
echoing n., diwi.
eclipse n., ekklissi.
eclipse v., ekklissa, għajjeb, kifes. ***there will be an ~ of the moon tonight;*** il-lejla l-qamar se jikfes.
eclipsed adj. & p.p., ekklissat, kiefes, mikfus.
eclipsing n., tikfis.
ecliptic n., (astro.) eklìttika.
economic adj., ekonòmiku.
economical adj., ekonomiku. ***to be ~;*** rakas.
economically adv., ekonomikament.
economised adj. & p.p., mirkus.
economist n., ekonomista.
economize v., ekonomizza, ġewweż.
economized adj., ekonomizzat.
economy n., ekonomija.

ecstasy n., (asct.) èstasi, (theol.) rapiment.
ecstatic adj., estàtiku.
Ecumenical adj., (eccl.) ekumèniku. ~ ***Council;*** Konċilju Ekumèniku.
ecumenism n., (eccl.) ekumeniżmu.
eczema n., (med.) baqla, ekżema.
edge n., xifer. ***to go to the ~;*** ittarraf.
edged adj. & p.p., mxeffer.
edging n., orlatura.
edict n., (leg.) editt.
edification n., edifikazzjoni.
edifice n., edifizzju.
edified adj. & p.p., edifikat.
edify v., bena, edìfika.
edifying adj., edifikanti.
edition n., edizzjoni.
editor n., editur, editriċi, ħarrieġ il-kotba.
editorial adj., editorjali.
editorial n., editorjal.
educate v., èduka.
educated adj., edukat, istruwit.
education n., edukazzjoni, kirjanza, trobbija.
educator n., edukatur.
eel n., (ichth.) sallura. ***common eel;*** (ichth.) sallura.
efface v., ikkanċella.
effacement n., kanċellatura.
effect n., effett. ***side ~;*** sajdeffekt. ***that may be carried into ~;*** effettwabbli.
effective adj., effettiv.
effectively adv., effettivament, validament.
effectual adj., effikaċi.
effectuate v., effettwa.
effectuation n., effettwazzjoni.
effeminate adj., effeminat. ***make ~;*** effemina.
effervesce v., fexfex.
effervescence n., (med.) effervexxenza.
effervescent adj., fexfiexi, (med.) effervexxenti. ***~ lemonade;*** luminata tal-gass.
efficacious adj., effikaċi.
efficaciousness n., effikaċja.
efficacy n., effikaċja.
efficiency n., effiċjenza.
efficient adj., effiċjenti.
effloresce v., nawwar, żahar.
efflorescence n., fjoritura.
effort n., sforz, stink.
effusion n., effużjoni.
egg n., bajda. ***addle ~;*** bajda mifsuda. ***fried ~s;*** bajd moqli.
egg-cup n., oviera/uviera.
egg-flip n., flipp.
egg-plant n., (bot.) brinġiela.
egoist n., egoist.
egret n., (ornith.) agrett. ***great white ~;*** (ornith.) russett abjad.
Egyptian pr.n., Eġizzjan.
Egyptology n., eġittoloġija.
eight adj.num., tmienja.
eighteen adj.num., tmintax.
eighty adj.num., tmenin.
either conj., ew, jonkella.
either ... or conj., sija.
ejected adj. & p.p., espuls.
elaborate adj., elaborat.
elaboration n., elaborazzjoni.
elastic adj., elàstiku.
elastic n., lastku.
elastically adv., elastikament.
elasticity n., elastiċità.
elbow n., minkeb.
elder n., (bot.) sebuqa, żambuka.
elderly adj., xwejjaħ.
elect v., eleġġa/elieġa, ħatar, ħtar. ***he ~ed a person to an office;*** eleġġa lil xi ħadd għal xi uffiċċju. ***they ~ed a new president;*** huma ħatru president ġdid.
elected adj. & p.p., elett, magħżul, maħtur, moħtàr.
election n., elezzjoni, taħtir, ħatra.
elective adj., elettiv.
elector n., elettur.
electoral adj., elettorali.
electorate n., (id.) elettorat.
electric adj., elèttriku.
electrician n., elektrixin, (techn.) elettriċista.
electricity n., elettriċità, elettriku, luċelettrika. ***charging with ~;*** elettrizzazzjoni. ***to remove electricity from;*** iddiskarġja.
electrify v., elettrizza.
electrization n., elettrizzazzjoni.
electronics n., elettronika.
electroscope n., (phys.) elettroskopju.
elegance n., eleganza.
elegant adj., eleganti.
elegantly adv., elegantement. ***dressed ~;*** mdandan.
elegiac adj., (liter.) eleġijaku.
elegy n., (liter.) eleġija.
element n., (phys.) element.
elementary adj., elementari.
elephant n., (zool) fil, ljunfant.
elevate v., èleva, għolla, tella'.
elevated adj. & p.p., elevat, mtalla'.
elevation n., elevament, tagħlija, togħlija, (eccl.) elevazzjoni.
elevator n., axxensur, elevejter.
eleven adj.num., ħdax.
eligibility n., eliġibbiltà.
eligible adj., (parl.) eleġibbli.

eliminate v., elìmina.
eliminated adj. & p.p., eliminat.
elimination n., eliminazzjoni.
elision n., (gram.) eliżjoni.
elizir n., eliżìr.
elm n., (bot.) olmu/ulmu.
elm-tree n., (bot.) olmu.
elocution n., elokuzzjoni.
elogue n., (liter.) ègloga.
eloquence n., elokwenza, lsien ta' l-għaġeb, oratorja.
eloquent adj., elokwenti.
else adv., inkella, inklelè, jeklilè.
else conj., jew.
elsewhere adv., band'oħra.
elucidation n., eluċidazzjoni, skjariment.
elude v., eluda.
emaciate v., għalleb, qadded.
emaciated adj. & p.p., mqadded.
emanate v., tmerżaq.
emanciation n., sikma.
emancipate v., emàncipa.
emancipated adj. & p.p., emanċipat.
emancipation n., (leg.) emanċipazzjoni.
embalm v., ibbalzma.
embalmed adj. & p.p., ibbalzmat.
embalment n., balzmatura.
embalmer n., balzmatur.
embarass v., imbarazza.
embarassment n., ċfolloq, tapxa.
embarcation n., imbark.
embark v., (mar.) imbarka.
embarked adj. & p.p., imbarkat.
embarker n., imbarkatur.
embarking n., imbark.
embarrassed adj. & p.p., imbarazzat.
embarrassment n., imbarazz.
embassy n., (dipl.) ambaxxata.
embellish v., ġemmel, lellex, raqam/reqem, riqem, roqom, sebbaħ, żejjen. ***the trees ~ the environment;*** is-siġar isebbħu l-ambjent.
embellished adj. & p.p., mġemmel, mirqum, mlellex, msebbaħ, mżejjen.
embellishing n., tirqim, tisbiħ, tiġmil.
embellishment n., abbelliment.
embers n., ġmajra.
embitter v., marrar, qarras.
embittered adj. & p.p., immarrar.
embittering n., timrir.
emblem n., distintiv, emblema.
emblematic adj., emblematiku.
embodiment n., tiġsim.
embody v., inkòrpora, ġissem.
embolus n., (med.) èmbolu.
embrace adv., abbraċċ.
embrace n., għanqa, tagħniq, taħdin.
embrace v., għannaq, ħaddan. ***they ~d each other before parting;*** għannqu lil xulxin qabel infirdu. ***the mother ~d her son;*** l-omm ħaddnet lil binha magħha.
embraced adj. & p.p., mgħannaq, mħaddan.
embracer n., ħaddân.
embracing n., tagħniq, taħdin.
embrasure n., (mil., arch.) amberzuna/ambrażuna.
embroider v., irrakkma, tarraz.
embroidered adj. & p.p., irrakkmat.
embroiderer n., rakkmatur.
embroidery n., rakkmar, rakkmu.
embroil v., bixkel, saram, sarwal, ħabbel.
embroil (oneself) v., tħabbel.
embroiled adj. & p.p., mbixkel, msarwal, mħabbel.
embroiling n., sarwil, taħbil.
embryo n., embrijon. ***in ~;*** ġeni.
embryology n., embrijoloġija.
emended adj. & p.p., emendat.
emerald n., (min.) żmerald.
emerge v., iffaċċja, tfaċċa.
emergency n., emerġenza.
emeritus adj., eméritu.
emery n., (min.) żmerill.
emetic adj., (med.) vomittiv.
emigrant adj., emigrat.
emigrant n., emigrant.
emigrate v., èmigra, siefer. ***many Maltese ~d to Australia;*** ħafna Maltin emigraw lejn l-Awstralja.
emigrated adj. & p.p., msiefer.
emigration n., emigrazzjoni.
eminence n., (eccl.) eminenza.
eminent adj., eminenti.
emir n., emìr.
emissary n., emissarju.
emission n., emissjoni.
emollient adj., rattabi.
emoluments n., emolumenti.
emotion n., emozzjoni, kommossjoni. ***impetuous ~;*** sfiċċa.
emperor n., imperatur.
emphasis n., ènfasi.
emphasize v., aċċentwa, enfasizza.
emphatic adj., enfàtiku.
emphatically adv., enfatikament.
emphyteusis n., (leg.) enfitewsi.
emphyteuta n., (leg.) enfitèwta.
emphyteutical adj., (leg.) enfitèwtika.
emphytheusis n., ċens.
empire n., imperu.
empirical adj., empìriku.
employ (oneself) v., deha.
employ v., ħaddem, impjega, okkupa,

qabbad, xiegħel. ***we have ~ed him as a cashier;*** impjegajnieh bħala kaxxier.
employed adj. & p.p., mħaddem.
employed adj., impjegat. ***un~;*** bla impjieg.
employee n., impjegat.
employment n., impjieg, post, servizz, xegħil, xogħol.
empower v., awtorizza.
empress n., imperatriċi.
emptied adj. & p.p., mbattal, mbidded.
emptiness n., baħħ, frugħa, tibwiq, vojt.
empty adj., battàl, bjank, fieragħ, vojt. ***become ~;*** forogħ/feragħ, ħotof.
empty v., battal, bidded, żvojta.
emptying n., tabtil, tibtil, tifrigħ.
emulate v., èmula.
emulation n., emulazzjoni, pika. ***prompted by ~;*** daħal fil-pika.
emulator n., emulatur.
emulsion n., (med.) emulsjoni.
enamel n., ènamel, żmalt.
enamel v., żmalta.
enamour v., innamra.
enbale v., imballa.
encaging n., taqfis.
encamp v., ikkampa.
encamped adj. & p.p., ikkampat.
encampment n., akkampament.
encase v., inkaxxa.
encased adj. & p.p., inkaxxat.
encash v., introjta.
enchain v., inkâtna.
enchained adj. & p.p., inkatnat.
enchant v., saħħar. ***that music ~ed me;*** dik il-mużika saħħritni.
enchanted adj. & p.p., msaħħar. ***to be ~;*** issaħħar. ***to be ~ with;*** issaħħar wara xi ħadd.
enchanter n., saħħàr.
enchantment n., magħmul, seħer.
enchefalitis n., (med.) mard tan-ngħas.
encircled adj. & p.p., magħluq.
encircling n., tidwir.
enclose v., leff.
enclosed adj. & p.p., magħluq.
enclosed adj., anness.
enclosure n., magħlaq, (eccl.) klawsura.
encompassed adj. & p.p., mdawwar.
encore n., (theatr.) bis.
encore v., (theatr.) ibbisja. ***last Sunday they asked the tenor to ~;*** nhar il-Ħadd it-tenur talbuh jibbisja.
encounter v., ltaqa'.
encourage v., għamel il-ħila, inkuraġġixxa. ***he ~d him a lot to sit for the music examination;*** inkuraġġih ħafna biex jagħmel l-eżami tal-mużika.
encouraged adj. & p.p., inkuraġġut.
encouragement n., inkuraġġiment.
enculturation n., inkulturazzjoni.
encumber v., ingombra. ***you have ~ed everywhere with your toys;*** ingombrajt kullimkien bil-logħob tiegħek.
encumbered adj. & p.p., ingumbrat.
encumbrance n., ingombru.
encyclical letter n., (eccl.) enċiklika.
encyclopaedia n., enċiklopèdija.
encyclopaedic adj., enċiklopediku.
encyclopaedist n., enċiklopedist.
end adj., aħħar, final, fini, mira, tarf, temma, tmiem. ***till the ~;*** sa l-aħħar.
end v., spiċċa, temm.
endear v., ħabbeb. ***his gentle disposition ~ed him to his friends;*** il-karattru ħelu tiegħu ħabbu ma' ħbiebu.
endear (oneself) v., ram.
endearment n., tirwim.
endeavour v., ħabrek, inġenja, tħabat/ħtabat.
ended adj. & p.p., meħlus, mtemmem.
ending n, (gram.) deżinenza.
endive n., (bot.) indivja.
endless n., bla tarf.
endnote n., glossa.
endorse v., endorsja. ***go and ask him to ~ this cheque;*** mur għidlu jendorsja dan iċ-ċekk.
endowed adj. & p.p., iddutat.
endowment n., (leg.) dotazzjoni.
endurable adj., sopportabbli.
endurance n., reżistenza, tolleranza.
endure v., ġerragħ, ħamel, issaporta, stikkja.
enduring adj. & p.p., mistabar, sieber.
enema n., (med.) enèma, klistier.
enemy n., għadu.
energetic adj., enèrġiku.
energically adv., enerġikament.
energumen n., energùmenu.
energy n., enerġija. ***atomic ~;*** enerġija atomika.
enervate v., teraħ.
enfeeble v., iddebolixxa, reħa, telaq.
enfeebling adj., (leg.) estenwanti.
enfold v., leff.
enforce v., inforza.
enforced adj. & p.p., infurzat.
engage v., għarras, impenja, kiser għonqu.
engaged adj. & p.p., impenjat, mgħarras.
engagement n., impenn, (theatr.) skrittura.
engine n., mutur. ***small ~;*** makkinetta.
engineer n., inġinier, makkinist, muturist, sawwàr.
engineering n., inġinerija.

England pr.n., Ingliterra/Ingilterra.
English adj., Ingliż.
engrave v., inċida, naqqax, skolpixxa, (artis.) intalja.
engraved adj. & p.p., minqux, mnaqqax.
engraved adj., inċiż.
engraver n., naqqàx, (artis.) inċiżur, intaljatur.
engraving n., tinqix, (artis.) intall.
engross v., deha.
engrossed adj. & p.p., midhi.
enigma n., enigma.
enigmatically adv., enigmatikament.
enjoin v., amar, ħakem.
enjoy v., gawda, goda. ***he ~ed the view of the sea;*** gawda d-dehra tal-baħar.
enjoy (oneself) v., iddeverta, ixxala. ***he ~ed himself with his school fellows;*** iddeverta mat-tfal ta' l-iskola.
enjoyed adj. & p.p., mistgħall.
enjoyment n., gost, tgawdija.
enkindle v., kebbes.
enlarge v., fettaħ, kabbar, nifex, stenda, wassa'. ***the photographer ~d his father's photo;*** il-fotografu kabbar ir-ritratt ta' missieru.
enlarged adj. & p.p., mfettaħ, mwassa'.
enlargement n., ingrandiment, takbir, tusigħ.
enlarger n., fettieħ, kabbâr, wessiegħ.
enlarging n., tiftiħ, tinfix.
enlighted adj. & p.p., mixgħul.
enlighten v., dawwal, illùmina.
enlightened adj. & p.p., illuminat.
enlist v., (mil.) ingaġġa.
enlisted adj. & p.p., miktub, (mil.) ingaġġat.
enloused adj. & p.p., mifli.
enmesh v., immalja.
enormity n., enormità.
enormous adj., enormi.
enormous adv., daqsiex.
enormously adv., enormement.
enormousness n., enormità.
enough adj., suffiċjenti.
enough adv., basta, biżżejjed, daqshekk. ***more than ~;*** sonbor.
enquire v., fittex, saqsa, staqsa, staħreġ, stħarreġ, (parl.) iddomanda. ***he inquired about something or after somebody;*** fittex tagħrif fuq ħadd jew xi ħaġa. ***I ~d when the ship will sail;*** staqsejt x'ħin jitlaq il-vapur.
enrage v., infurja, sibel, ħanfes.
enraged adj. & p.p., infurjat, irrabjat, misbul, immasħan. ***to get ~;*** infoska.
enrapture v., entużjażma.
enraptured adj. & p.p., entużjażmat.
enrich v., arrikkixxa, għana.
enriched adj. & p.p., mogħni.
enrobe v., libbes.
enroll v., (mil.) ingaġġa.
enroll (oneself) v., nkiteb. ***he went to ~ himself in the army;*** mar jinkiteb fl-armata.
enrolled adj. & p.p., assoċjat, miktub, (mil.) ingaġġat.
enrolment n., tesserament.
ensign n., bandiera.
ensign-bearer n., (mil.) alfier.
enslave v., jassar, seba.
enslaved adj. & p.p., misbi, mjassar. ***to be ~;*** tjassar.
ensnared adj. & p.p., mnassas, mxebbek.
entablature n., (arch.) gwarniċun.
entail v., (leg.) ivvinkla.
entangle v., bixkel, ħabbel, saram, sarwal, (leg.) ìmplika. ***I don't want to be ~d in this matter;*** ma rridx nimplika ruħi f'din il-ħaġa.
entangled adj. & p.p., mbixkel, misrum, msarwal, mxebbek, mħabbel. ***to be ~;*** ixxebbek. ***to get ~;*** issarram.
entanglement n., saram, sarma, tabxa, taħbil, tbixkil.
entangling n., sarwil, srim.
enter v., daħal, daħħal. ***to be ~ed;*** iddaħħal.
entering adj., dieħel.
enteritis n., (med.) enterite/interite.
enterprise n., impriża, intraprendenza, intrapriża.
enterprising adj., intraprendenti.
entertain v., irrikrea, laqa'.
entertained adj. & p.p., mdaħħak, milqugħ.
entertaining adj., divertenti.
entertainment n., tifriġ, trattament.
enthuse v., entużjażma. ***his speeches ~ everybody;*** id-diskors tiegħu jentużjażma lil kulħadd.
enthused adj. & p.p., entużjażmat.
enthusiasm n., entużjażmu, ħeġġa.
enthusiast n., entużjasta.
enthusiastic adj., entużjàstiku.
enthusiastically adv., entużjastikament.
entice v., ħajjar, illixka.
enticed adj., mħajjar.
enticement n., lixkata.
entire adj., intier, sħiħ.
entirely adv., għalkollox, interament, kollox, kompletament, nett, sa barra, totalment.
entirety n., totalità.

entitle v., awtorizza, intitola, semma. ***that does not ~ you make use of the title of my book;*** dak ma jawtorizzakx li tuża l-isem tal-ktieb tiegħi.
entitled adj. & p.p., awtorizzat, intitolat.
entity n., entità.
entomologist n., entomòlogu.
entomology n., entomoloġija.
entrails n., il-ġewwieni, interjuri, musrana.
entrance n., bokka, daħla, dħul, entratura, imbokkatura, ingress, intrata/entrata, midħal, (arch.) atriju.
entreated adj. & p.p., mitlub.
entrepot n., depost.
entresol n., mezzanin.
entrust (with) v., inkariga. ***I ~ed Paul with this work;*** inkarigajt lil Pawlu għal dan ix-xogħol.
entrusted adj. & p.p., inkarigat.
entry n., daħla, dħul. ***double ~;*** skrittura doppja.
entwine v., għannaq, ħaddan, intriċċa.
entwined adj. & p.p., intriċċat.
enumerate v., enùmera.
enumeration n., enumerazzjoni, tagħdid.
enumerator n., enumeratur.
envelope n., invilopp/envelop.
envenom v., ivvelena/avvelena, semmem.
envenomed adj. & p.p., intuskat, ivvelenat/avvelenat, msemmem.
envious adj., għajjur, invidjuż.
environed adj. & p.p., mdawwar.
environment n., ambjent.
environmental adj., ambjentali.
environs adv. & prep., madwar.
envy n., għejra, għira, invidja.
envy v., għer.
enzyme n., (chem.) enżim.
epact n., (astro.) epatta.
epaulette n., spalletta.
ephemeral adj., (med.) effìmeru.
ephemerides n., effemèridi.
epic adj., (liter.) èpiku/èpika.
epicentre n., (geog.) epiċentru.
epicentrum n., (geog.) epiċentru.
epicure n., gulier.
epicurean adj., epikurew.
epidemic n., epidemija.
epidemic(al) adj., epidèmiku.
epidemy n., mxija.
epigram n., (liter.) epigramm.
epigrammatic adj., epigrammatiku.
epigrammist n., epigrammista.
epigraph n., (liter.) epìgrafi.
epigraphic adj., epigràfiku.
epigraphist n., epigrafista.
epigraphy n., epigrafija.
epilepsy n., (med.) epilessija, mard tal-qamar.
epileptic adj., epilèttiku.
epilogue n., (liter.) epìlogu.
Epiphany n., (eccl.) Epifanija, Għid il-Ħamiem.
episcopacy n., (eccl.) episkopat.
episcopal adj., veskovili, (eccl.) episkopali.
episcopate n., (eccl.) episkopat, isqfija, veskovat.
episode n., (liter.) episodju.
epistle n., ittra, (eccl.) epistola.
epitaph n., epitaffju.
epitaxis n., (med.) faġra.
epitome n., sommarju, (liter.) epitòm.
epoch n., èpoka, era.
epopee n., (liter.) epopea.
equal adj., egwali, msiewi, pari, ugwali.
equal adv., daqsinsew, ndaqs, xorta.
equality n., egwalità, egwaljanza, ugwalità, ugwaljanza.
equalization n., pariġġ.
equalize v., egwalizza, ingalja, ippariġġa, qabbel.
equalled adj. & p.p., mqabbel.
equally adv., ndaqs, ugwalment.
equanimity n., ekwanimità.
equation n., ekwazzjoni.
equator n., (geog.) ekwatur.
equatorial adj., ekwatorjali.
equerry n., skudier.
equestrian adj., ekwestri.
equilateral adj., ekwilateru.
equilibrated adj. & p.p., mwieżen.
equilibrist n., ekwilibrist.
equilibrium n., ekwilibriju.
equinoctial adj., (astro.) ekwinozjali.
equinox n., (astro.) ekwinozju.
equip v., arma, rama.
equipment n., forniment, fornitura.
equipped adj. & p.p., armat.
equity n., raġun, sewwa.
equivalent adj., ekwivalenti.
equivocal adj., ekwivoku.
equivocally adv., ekwivokament.
equivocation n., ekwivoku.
era n., èpoka, era. ***Christian ~;*** era nisranija.
eradicate v., qaċċat.
erase v., barax, ħassar, ikkanċella.
eraser n., gomma tat-taħsir.
erasing-knife n., raxketta.
erasure n., kanċellatura.
erect adj., erett, wieqaf.
erect v., arbùla, bena, èleva, waqqaf.
erected adj. & p.p., arbulat, erett, minsub, mwaqqaf.

erection n., erezzjoni.
erector n., waqqâf.
ermine n., (zool.) ermellin.
erode v., kiel.
erosion n., erożjoni, (geog.) ħafa.
erotic adj., (liter.) erotiku.
err v., arra, għelet, sgarra, żbalja, żelaq. ~ ***from the right path;*** ħareġ barra mill-ħażż. ***liable to ~;*** fallibbli. ***make one ~;*** għallat.
errand n., faċenda, qadja.
errant adj., erranti. ***knight ~;*** kavallier erranti.
erratic adj., erràtiku.
erred adj. & p.p., magħlut.
erring n., żliem.
erroneous adj., erronju.
erroneously adv., erronjament.
error n., errur, għalta, għelt, żball, żelqa.
erudite adj., erudit, għaref.
erudition n., erudizzjoni.
erupt v., żbroffa.
eruption n., eruzzjoni, żbroff.
erysiplas n., (med.) rsipla.
erythema n., tixwit.
escalator n., eskalejter.
escapade n., bewġa, skappata.
escape n., ħarba.
escape v., evada, ħarab, sgiċċa, skampa, skappa, skapùla, żelaq, żgiċċa. ***he ~d from prison;*** ħarab mill-ħabs.
escaped adj., mgħasfar.
escapement n., skappament.
escaping n., ħrib.
escargot n., (zool.) bebbuxu.
escathology n., (theol.) eskatoloġija.
escort v., skorta, wassal. ***during the war the cruisers ~ed the ships;*** fil-gwerra l-krużers kienu jeskortaw il-vapuri.
escorted adj. & p.p., mistienes, skurtat.
eskimo n., eskimiż.
esparto n., (bot.) spartu.
especially adv., fuq kollox, speċjalment.
espionage n., spjunaġġ.
esplanade n., spjanata.
espoused adj. & p.p., magħrus.
essence n., essenza.
essence (of something) n., btir.
essential adj., essenzjali.
essentially adv., essenzjalment.
establish v., stabbilixxa.
establishment n., stabbiliment.
estate n., miel, qasam, (leg.) assi, beni.
esteem n., preġju.
esteem v., apprezza, stama, stima.
esteemable adj., stimabbli.
esteemed adj. & p.p., apprezzat/ipprezzat, miġjub, mqejjem, stmat.
estimate n., èstimu.
estimate v., sala, stima.
estimated adj. & p.p., kwotat/ikkwotat.
estimation n., prezzatura, siwja, valutazzjoni.
estimator n., apprezzatur.
estival adj., sajfi.
estuary n., (geog.) estwarju.
eternal adj., etern.
eternally adv., dejjem ta' dejjem, eternament.
eternity n., eternità.
ether n., (med.) ètere.
ethic adj., ètiku.
ethical adj., ètiku.
ethics n., ètika.
ethnic adj., ètniku.
ethnical adj., ètniku.
ethurible n., (eccl.) ċensier.
etiquette n., etiketta. ***book of ~;*** galatew.
etymologic(al) adj., etimolòġiku.
etymologically adv., etimoloġikament.
etymologist n., etimòlogu.
etymology n., etimoloġija.
eucalyptus n., (bot.) ewkaliptus.
Eucharist n., (eccl.) Ewkaristija.
eucharistic(al) adj., (eccl.) ewkaristiku.
eulogy n., eloġju, tifħir.
eunuch n., ewnuku, kastrat.
euphemism n., (liter.) ewfemiżmu.
euphonic adj., (gram.) ewfòniku.
euphonically adv., ewfonikament.
euphonium n., (mus.) ewfonju.
euphony n., (gram.) ewfonija.
eurhythmic adj., ewrìtmiku.
eurhythmy n., ewrìtmja.
Europe pr.n., Ewropa.
European adj., Ewropew.
euthanasia n., ewtanasja.
evacuate v., evakwa. ***the city was ~d;*** il-belt ġiet evakwata.
evacuation n., evakwazzjoni, tbattil.
evade v., evada, èvita. ***you cannot ~ income tax;*** ma tistax tevadi t-taxxa tad-dħul.
evaluate v., ivvalorizza.
evaluation n., siwja, valutazzjoni.
evangelic(al) adj., (eccl.) evanġeliku.
evangelically adv., (eccl.) evanġelikament.
evangelist n., (eccl.) evanġelista.
evangelization n., (eccl.) evanġelizzazzjoni.
evangelize v., evanġelizza. ***Saint Francis Xavier ~d India;*** San Franġisk Saverju evanġelizza l-Indja.
evaporate v., evàpora, żvinta. ***if you leave***

the bottle open, it will ~; jekk tħalli l-flixkun miftuħ, jevapora.
evaporation n., evaporazzjoni. ***place of ~;*** mafwar.
evasion n., evażjoni.
evasive adj., evażiv.
evasively adv., evażivament.
eve n., vġili. ***Easter E~;*** lejlet il-Għid.
even adj., msiewi, wati.
even adv., mqar, saħansitra, ukoll. ***not ~;*** anqas, lamànk, lanqas, mank. ***~ if;*** akkost.
even-minded adj., ekwilibrat.
evening n., għaxija. ***of the ~;*** għasri. ***good ~;*** bonasira, bonswa. ***social ~;*** swarè. ***~ before;*** ewlillejl/awlillejl.
event n., avveniment, event, ġrajja.
eventual adj., eventwali.
eventuality n., eventwalità.
eventually adv., eventwalment.
ever adv., dejjem.
everlasting adj., dejjiemi, (phil.) perenni.
everlastingly adv., dejjem ta' dejjem.
every indef.pron., kull.
everybody pron., kulħadd.
everyday adv., kuljum.
everyone pron., kulħadd.
everything pron., kollox. ***~ that;*** kulma.
everywhere adv., kulfejn, kullimkien.
evict v., sgombra/żgombra.
eviction n., (leg.) sgumbrament.
evidence n., evidenza, prova, testimonjanza. ***bring in ~;*** allega. ***circumstantial ~;*** (leg.) indizju. ***give ~;*** xehed. ***turn King's ~;*** ħa l-proklama.
evident adj., dieher, evidenti, mibruħ.
evidently adv., evidentement.
evil adj., xellerat.
evil n., deni, ħażen.
evocate v., èvoka.
evocation n., evokazzjoni.
evoke v., èvoka.
evolution n., evoluzzjoni.
evolutional adj., evoluttiv.
evolutive adj., evoluttiv.
evolve v., evolva.
evolved adj. & p.p., evolut.
ewe n., (zool.) nagħġa. ***young ~;*** (zool.) għabur.
ewer n., qannata.
exacerbate v., darras. ***to become ~ed;*** iddarras.
exacrated adj. & p.p., midgħi.
exact adj., eżatt, preċiż.
exact v., esiġa.
exactly adv., appuntu, eżattament, preċiżament.
exactness n., eżattizza, preċiżjoni, reqqa.
exaggerate v., esàgera, għaġġeb. ***you must not ~ the danger;*** ma għandekx tesaġera l-periklu.
exaggerated adj. & p.p., esaġerat.
exaggeratedly adv., esaġeratament.
exaggeration n., esaġerazzjoni, tagħġib.
exalt v., eżalta.
exaltation n., eżaltazzjoni, togħlija.
exalted adj., eżaltat.
exalting n., teħlil.
examination n., eżami, verifika. ***~ of conscience;*** eżami tal-kuxjenza. ***oral ~;*** eżami orali. ***written ~;*** eżami skritt. ***to pass an ~;*** għadda mill-eżami. ***to be rejected in an ~;*** weħel mill-eżami. ***post mortem ~;*** (med.) awtopsja.
examine v., eżamina, fela, invizta. ***you must ~ this matter thoroughly;*** għandkom teżaminaw din il-ħaġa bir-reqqa. ***he ~d accurately a document;*** fela bir-reqqa dokument. ***to ~ the patient;*** invista l-marid. ***~ carefully;*** skandalja, tgħarbel, fela. ***we will ~ your case again;*** nerġgħu nikkunsidraw il-każ tiegħek.
examined adj. & p.p., analizzat, miżjur.
examiner n., eżaminatur, fellej.
examining adj., (leg.) inkwirenti.
example n., eżempju, mera, turija. ***for ~;*** per eżempju.
exasperated adj. & p.p., mdarras, mħamħam, mħarrax, mqarraħ.
exasperation n., eżasperazzjoni, timqit.
exault v., talla'.
excavate v., skava, ħaffer.
excavated adj. & p.p., mgħawwar, mħaffer.
excavating n., taħfir.
excavation n., skav.
excavator n., eskavejter, ħaffier, qalliegħ.
exceed v., eċċeda/eċċieda, issùpera, issupra, sebaq.
exceedingly adv., kemm id-dinja.
excel v., sebaq.
excellence n., eċċellenza.
excellent adj., eċċellenti, òttimu, tajjeb.
except adv., ħlief.
except prep. & conj., minbarra.
except prep., għajr.
except v., barra, eċċettwa, (leg.) eċċepixxa.
excepted adj. & p.p., eċċettwat, mbarri.
excepted adj.,
exception n., eċċezzjoni.
exceptional adj., eċċezzjonali.
excess adj., żejjed.

excess n., eċċess.
excessive adj., eċċessiv, żejjed.
exchange n., skambju.
exchange v., biddel, partat. ***he ~d this necklace for a ring;*** partat din il-ġiżirana ma' ċurkett. ***rate of ~;*** kambju. ***to ~ money;*** sarraf. ***he went to ~ a cheque at the bank;*** mar isarraf ċekk il-bank.
exchanged adj. & p.p., mibdul, mitbiedel, mpartat, msarraf.
exchanging n., tisrif.
exchequer n., mifles.
excise n., dazju, sisa, taxxa.
excise-man n., dazjarju.
excitable adj., eċċitabbli.
excitation n., saħna.
excite v., bergħen, eċċita, ippròvoka, qajjem. ***he gets too ~d during the examination;*** jeċċita ruħu ħafna waqt l-eżami.
excited adj. & p.p., eċċitabbli, eċċitat, kommoss, mqanqal. ***be ~;*** daqdaq. ***being ~;*** daqdiq.
excitement n., aġitazzjoni, eċċitament, emozzjoni, ferment, kommossjoni, saħna, telfa tar-raġuni.
exciter n., kebbies, saħħàn.
exciting adj., eċċitanti, emozzjonanti.
exclaim v., esklama, sklama.
exclamation n., esklamazzjoni, sklamazzjoni.
exclamatory adj., (gram.) esklamattiv.
exclude v., barra, eskluda, ħalla, skluda.
excluded adj. & p.p., eskluż, skludut.
exclusive adj., eskluživ.
exclusively adv., eskluživament.
exclusiveness n., eskuživittà.
excommunicate v., (eccl.) skomùnika.
excommunicated adj., skumnikat.
excommunication n., (eccl.) skomùnika, anatema.
excoriate v., selaħ.
excoriation n., qarħa, sliħ, xorrafa.
excrement n., ħara, ħarja, ħmieġ, kakka. ***emit ~;*** ħara.
exculpate v., skolpa.
excursion n., eskursjoni, mawra.
excursionist n., eskursjonist.
excusable adj., skużabbli.
excuse n., skuża, (leg.) pretest.
excuse v., għader, skolpa, skuża.
excused adj., skaġunat.
execrably adj., esekrabbli.
execrated adj. & p.p., misħut.
execration n., tilgħin.
executable adj., esegwibbli.
execute v., esegwixxa, (leg.) iġġustizzja. ***to ~ by shooting;*** (mil.) iffuċilla.
executed adj. & p.p., esegwit, ġustizzjat.
execution n., esekuzzjoni. ***~ by shooting;*** fuċillazzjoni.
executioner n., bojja, għallieq, (leg.) ġustizzier.
executive adj., esekuttiv.
executor n., (leg.) esekutur.
executory adj., (leg.) esekuttiv.
exegesis n., (theol.) eseġetika, (liter.) eseġeżi.
exegete n.,(liter.) eseġeta.
exegetic adj., eseġetiku.
exegetics n., (theol.) eseġetika.
exegetist n., (liter.) eseġeta.
exemplar n., xempju.
exemplary adj., eżemplari.
exempt adj., frank.
exempt v., barra, eżenta, iddispensa. ***he ~ed somebody from the examination;*** eżenta mill-eżami lil xi ħadd.
exempted adj. & p.p., eżentat, mbarri, mbiġġel.
exempted adj., eżenti.
exempted (from) adj. & p.p., dispensat.
exemption n., ħlusija, eżenzjoni, tbarrija.
exercise n., eżerċizzju, sttharriġ, taħriġ. ***~ book;*** kwadern, pitazz.
exercise v., ħarreġ, eżèrċita, ipprattika.
exercised adj. & p.p., mħarreġ.
exercising n., taħriġ.
exergue n., (liter.) eżergu.
exert v., eżèrċita.
exertion n., sforz.
exhaust n., ekżost.
exhaust v., eżawrixxa.
exhausted adj. & p.p., eżawrit. ***to become ~;*** għeja.
exhausted adj., għajjien, sfinit.
exhausting adj., (leg.) estenwanti.
exhaustion n., eżawriment.
exhibit v., esibixxa. ***he ~ed his paintings in the big hall;*** esibixxa l-pittura tiegħu fis-sala l-kbira.
exhibited adj. & p.p., esibit.
exhibition n., esibizzjoni, espożizzjoni, mostra, wiri, wirja. ***art ~;*** wirja ta' l-arti.
exhibitor n., esibitur.
exhort v., eżorta. ***he ~ed the boy to study;*** eżorta t-tifel biex jistudja.
exhortation n., eżortazzjoni.
exhorted adj. & p.p., mwiddeb.
exhumation n., (leg.) eżumerazzjoni.
exhume v., (leg.) eżuma.
exigence n., esiġenza.
exigency n., esiġenza.
exigent adj., esiġenti.
exile n., eżilju, tarfien, turfien, turufnament.

exile v., eżilja, itturufna, naffa, tarraf, (leg.) iddeporta. ***they were ~d during the war;*** kienu eżiljati fi żmien il-gwerra.
exiled adj. & p.p., eżiljat, itturufnat, mtarraf, turufnat. ***to be ~;*** ittarraf.
exilement n., tiżwil.
exist v., eżista, kien.
existence n., eżistenza. ***to bring into ~;*** kewwen.
existent adj., eżistenti.
existentialism n., eżistenzjaliżmu.
existentialist n., eżistenzjalista.
Exodus pr.n., (liter.) Èsodu, (eccl.) Eżodu.
exonerate v., eżonera.
exonerated adj. & p.p., dispensat.
exorbitant adj., eżorbitanti.
exorcise v., skonġra.
exorcism n., (eccl.) eżorċiżmu, skonġura.
exorcist n., (eccl.) eżorċista.
exorcize v., (eccl.) eżorċizza.
exordium n., eżordju.
expand v., spanda, stenda, tniffex.
expanded adj. & p.p., spandut.
expansion n., espansjoni.
expansive adj., espansiv.
expect v., esiġa, issopona, spera, stenna. ***you ~ too much of him;*** intom tesiġu wisq minn għandu.
expectation n., stennija.
expected adj. & p.p., mistenni.
expectorate v., beżżaq.
expedient adj., espedjanti.
expedient n., espedjent.
expedition n., bagħta, espedizzjoni, spedizzjoni.
expeditious adj., ħlusi, tellieġħi (fixxogħol).
expel v., espella, keċċa, qaċċat 'il barra. ***the teacher ~led the boy from the class;*** l-għalliem keċċa t-tifel mill-klassi.
expelled adj. & p.p., espuls, mkeċċi, mqaċċat barra.
expeller n., keċċej.
expended adj. & p.p., minfuq.
expenditure n., nefqa, spiża. ***public ~;*** spiża pubblika.
expense n., kost, nefqa, nfiq, spiża. ***recurring ~;*** spiża ordinarja. ***incidental ~s;*** spiża straordinarja. ***postage ~s;*** spiża talposta. ***carriage ~s;*** spiża tat-trasport. ***travelling ~s;*** spiża tal-vjaġġ.
expensive adj., għoli.
experience n., esperjenza.
experience v., ġarrab.
experienced adj. & p.p., espert, mġarrab, mħarreġ, pràttiku.
experienced v., iġġarrab.
experiment n., speriment/esperiment, tiġrib.
experiment v., sperimenta.
experimental adj., sperimentali.
experimenter n., ġarrâb.
experimenting n., sperimentazzjoni.
experimentist n., ġarrâb.
expert n., ekspert, espert, konoxxitur, perit.
expiate v., skonta. ***he is expiating a sentence in prison;*** qiegħed jiskonta sentenza l-ħabs. ***to ~ a fault;*** skonta l-ħtija.
expiation n., espjazzjoni.
expire v., ħareġ mid-dinja, miet, skada, spira. ***your bill ~s tomorrow;*** il-kambjali tiegħek tiskadi għada.
expired adj., skadut.
expiry n., skadenza.
explain v., fisser, spjega. ***he will ~ what happened;*** hu jfissrilkom x'ġara. ***our teacher ~s very well the mathematics lesson;*** l-għalliem tagħna jispjega tajjeb il-lezzjoni tal-matematika.
explain (oneself) v., tfisser.
explainable adj., fissieri, spjegabbli.
explained adj. & p.p., mfisser.
explaining n., tifsir.
explanation n., spjegazzjoni.
explicit adj., espress, esplìċitu.
explicitly adv., espliċitament.
explode v., faqqa', skoppja, sploda, xkatta.
exploding n., tifqigħ.
exploit v., esplojtja, sfrutta.
exploitation n., sfruttament.
exploited adj. & p.p., esplojtjat.
exploiter n., sfruttatur.
exploration n., esplorazzjoni.
explore v., esplora, splora.
explored adj. & p.p., esplorat, mitkixxef.
explorer n., esploratur.
explosion n., esplożjoni, splużjoni.
explosive adj., esploživ, splużiv.
exponent n., (leg.) esponent.
export v., esporta. ***he ~ed his merchandise to Italy;*** esporta l-merkanzija tiegħu lejn l-Italja.
exportation n., esportazzjoni.
exported adj. & p.p., esportat.
exporter n., esportatur.
expose v., espona, spona. ***in the sisters' chapel the Blessed Sagrament is ~d every day;*** fil-kappella tas-sorijiet kuljum jesponu 'l Ġesù Sagramentat. ***to be ~d to the sun;*** ixxemmex. ***to ~ oneself (to danger);*** kiser għonqu.
exposed adj. & p.p., espost, mnabbar.

exposer n., espożitur.
exposition n., espożizzjoni.
expositive adj., espożittiv.
express n., espress. ***~ train;*** tren espress.
express v., esprima. ***he ~ed his opinion at the meeting;*** esprima l-opinjoni tiegħu fil-laqgħa.
expressed adj., espress.
expression n., espressjoni, kelma. ***algebraical ~;*** espressjoni alġebrajka.
expressive adj., espressiv.
expressively adv., espressament.
expressly adv., espliċitament.
expropriate v., esproprja. ***all his property was ~d;*** il-proprjetà tiegħu ġiet esproprjata kollha.
expropriation n., (leg.) esproprjazzjoni.
expulsion n., espulsjoni, sfratt, tikċija.
exquisite adj., delizzjuż, skwiżit.
extant adj., mifdul.
extemporise v., improvviża.
extemporised adj. & p.p., improvviżat.
extend v., ferrex, firex, ġebbed, kabbar, medd, nifex, stenda. ***he ~ed his hand to catch him;*** medd idu biex jaqbdu.
extended adj. & p.p., estiż, mferrex, prorogat, stendut.
extendible adj., estendibbli.
extending n., tinfix.
extension n., estensjoni, medda, wisa'.
extensive adj., estensiv, estiż.
extensively adv., estensivament.
extent n., wisa'.
extention n., firxa.
exterior n., ta' barra. ***~ angle;*** angolu estern.
exterminate v., ħarreb, qered, stermina.
extermination n., distruzzjoni, qrid.
external n., estern.
externally adv., esternament.
extinct adj., estint.
extinction n., estinzjoni, tifi.
extinguish v., tefa.
extinguished adj. & p.p., mitfi.
extinguisher n., mitfa, teffej.
extirpation n., qrid.
extirpator n., stradikatur.
extort v., ġibed il-widnejn.
extortion n., rikatt.
extract n., estratt, silta, (leg.) transunt.
extracted adj. & p.p., maħruġ.
extraction n., estrazzjoni.
extradition n., estradizzjoni.
extraneous adj., estranju.
extraordinarily adv., straordinarjament.
extraordinary adj., straordinarju.
extravagant adj., stravaganti.
extreme adj., estrem.
extremism n., estremiżmu.
extremist n., estremist.
extremity n., estremità, tarf.
extrinated adj. & p.p., meqrud.
extrinsic adj., estrinsìku.
extrinsically adv., estrinsikament.
exuberant adj., eżuberanti.
exude v., nixxa.
exulcerate v., ġerraħ. ***to be ~d;*** iġġerraħ.
exulceration n., xlieqa.
exultancy n., eżultanza.
exultation n., eżultanza, timriħ.
eye n., (anat.) għajn. ***~ of the needle;*** għajn il-labra. ***by naked ~;*** bil-għajn. ***~lid;*** tebqet il-għajn. ***to be all ~s;*** għajnu fuqu. ***black ~;*** blakaj. ***dimness of the ~;*** ċpar il-għajnejn. ***make bleary-~d;*** ċefċaq. ***made squint-~d;*** mgħawwar. ***the ~ of a bean;*** ħaġeb tal-ful. ***to give an ~;*** indokra. ***he gave an ~ to his brother's clothes while he was swimming;*** indokra l-ħwejjeġ ta' ħuh waqt li kien qiegħed jgħum.
eye specialist n., okulista.
eye v., indokra.
eye-bath n., (med.) okkiera.
eye-cup n., (med.) okkiera.
eye-glass n., lenti. ***single ~;*** lunetta.
eye-tooth n., nejba.
eyebrow n., ħaġeb.
eyed adj & p.p., mgħajnas, mogħjien. ***squint-eyed;*** mwerreċ.
eyelid n., palpebra, xifer ta' l-għajn.
eyesight n., vista.

Ff

fable n., qalgħa, ħrafa.
fabled adj. & p.p., mħarref.
fabric n., drapp.
fabrication n., bini, fabbrikazzjoni.
fabricator n., fabbrikant.
fabrics n., tessuti.
fabulous adj., favoluż.
facade n., faċċata.
face n., wiċċ. ***long ~;*** wiċċ bil-buri, wiċċ bil-geddum. ***ugly ~;*** wiċċ ikrah. ***~ to ~;*** imbwiċċ. ***to come ~ to ~ with;*** iffronta. ***to make a bold ~;*** isseffaq. ***make ~s;*** dendel il-geddum.
face v., affronta/iffronta. ***he ~d the situation with courage;*** iffronta s-sitwazzjoni bi qlubija kbira. ***brazen faced;*** sfieq. ***double faced;*** faċċol.
facet v., iffaċċettja.
faceted adj. & p.p., iffaċċjat.
facilitate v., iffaċìlita.
facilitated adj. & p.p., faċilitat.
facilitation n., aġevolment, faċilitazzjoni.
facility n., faċilità.
facing prep., biswit.
facsimile n., faksìmile.
fact n., fatt. ***as a matter of ~;*** difatti, infatti. ***in ~;*** difatti, realment.
factor n., fattur.
factory n., fabbrika.
factotum n., faktotum.
faculty n., fakultà. ***mental ~;*** fakultà mentali.
fade v., tefa, (techn.) iffejdja. ***the colour of this dress ~d away;*** il-lewn ta' din il-libsa tefa.
faded adj. & p.p., midbiel.
fag v., taq/tieq.
faggot n., għamra, ħemel, raċanċ.
faience n., fajjenza.
fail v., fena, naqas. ***do not ~ to let me know when he comes;*** tonqosx li tgħarrafni meta jiġi.
failing n., tifliq.
failure n., falliment, fjask. ***utter ~;*** vroma.
faint adj., dgħajjef, fieni, merħi, mgħaxxex, mifni.
faint n., għaxwa.
faint v., fena, għoxa, żviena.
fainted adj. & p.p., mgħoxxi.
fainted adj., għaxi.
fainting adj., tiewi.
fair adj., bjond, ġust, misfi, sabiħ. ***grow ~;*** safa/sefa. ***to become ~;*** issaffa.
fair adv., fier.
fair n., fiera. ***trade ~;*** trejdfer.
faith n., emmna, twemmin, (theol.) fidi. ***bad ~;*** malafidi.
faithful adj., fdat, fidil.
faithfully adv., fedelment, sewwa.
faithfulness n., lealtà.
fakir n., fakir.
falcon n., (ornith.) falkun, seqer, bież ta' rasu bajda. ***lanner ~;*** bież rari. ***Barbary ~;*** bież ta' Barbarija. ***eleonora's ~;*** bież tar-reġina.
falconer n., falkunier.
faldetta n., għonnella.
faldstool n., (eccl.) faldistorju, inġinokkjatur, ġinokkjatur.
fall (down) v., iġġarraf. ***the wall of the garden fell down because of the heavy rain;*** il-ħajt tal-ġnien iġġarraf bix-xita.
fall n., waqgħa, ħarifa.
fall v., waqa'. ***to ~ into a snare;*** waqa' f'nassa. ***to ~ flat on one's face;*** waqa' kobba. ***to ~ sick;*** waqa' marid. ***~ in with;*** ħabat ma'xi ħadd. ***to ~ down on one's face;*** waqa' kobba.
fall (in) interj., (mil.) diċent.
fall (into) v., inkappa. ***to ~ into one's hands, to ~ into someone's power;*** waqa' f'idejn.
fallacious adj., fallaċi, qarrieqi.
fallen adj. & p.p., mwaqqa'.
fallible adj., fallibbli.
falling n., waqgħa.
fallow n., (zool.) dajn.
false adj., falz. ***~ coin;*** munita falza. ***~ prophet;*** profeta falz. ***~ note;*** stonatura.
false adj., foloz.
falsehood n., sarwil.
falsely adv., falzament.
falseness n., falsità.
falsetto n., (mus.) falzett.

falsification n., falsifikazzjoni.
falsified adj. & p.p., falsifikat, mfallaz.
falsify v., fallaz, iffalsìfika. ***he falsified a document and was sent to prison;*** iffalsìfika dokument u mar il-ħabs.
falsity n., falsità.
fame n., ċelebrità, fama, ġieħ. ***ill ~;*** malafama.
familiar adj., familjari.
familiar n., midħla. ***become ~ with;*** iffamiljarizza. ***to become ~;*** stienes.
familiarity n., dħulija, familjarità, kunfidenza, lala.
familiarized adj. & p.p., familjarizzat.
familiarize (oneself) v., stienes.
familiarly adv., familjarment.
family n., familja, razza, tajfa. ***the Holy F~;*** is-Sagra Familja. ***large ~;*** familja kbira. ***religious ~;*** familja reliġjuża.
famine n., karestija, ġuħ.
famish v., ġewwaħ.
famished adj. & p.p., miklub, ġewħan.
famous adj., ċelebri, famuż, msemmi, rinomat.
fan n., fann, mirwaħ, mrewħa, palju, rewwieħa. ***~ holder;*** rewwieħ.
fan v., rewwaħ.
fanatic(al) adj., fanàtiku.
fanatically adv., fanatikament.
fanatism n., fanatiżmu.
fanciful adj., fantasjuż.
fancy n., fantasija, namra.
fancy v., fantas, iffantàstika, ippinzilla, stħajjel.
fancy (a thing) v., twebbel.
fancying n., stħajjil.
fanfare n., fanfara.
fanfaronade n., fanfarunata.
fanned adj. & p.p., mlewwaħ, mrewwaħ.
fantastic adj., fantastiku.
fantastically adv., fantastikament.
far n., bogħod. ***far away;*** bogħod. ***~ off;*** fil-bogħod. ***as ~ as that;*** sa hemm.
farce n., (theatr.) farsa.
fare n., nol, tariffa.
farewell interj., baj, ċaw.
farewell n., addijo.
farm n., farm, fiegu, qasam.
farm-house n., razzett.
farmer n., bidwi, gabillott.
farming n., biedja.
faro n., (g.) faragħun.
farragious adj., farraġinuż.
farrago n., farràġni.
fart n., bassa. ***noiseless ~;*** fiswa.
fart v., bass, fesa.
farther comp.adj., ibgħad.
fascinate v., saħħar.
fascinating adj., affaxxinanti.
fascism n., faxxiżmu.
fascist n., faxxista.
fashion n., moda. ***old ~ed;*** antikwat.
fast adj., veloċi.
fast n., sawma, tiswim.
fast v., sajjem, sam. ***to make one ~;*** sawwem.
fasted adj. & p.p., misjum. ***to be ~;*** issawwem.
fasten v., qabbad, rabat.
fastened adj. & p.p., marbut, mqabbad, mrabbat.
fastening n., taqbid.
faster n., sajjiem.
fastidious adj., qanżħa.
fasting adj., sajjem.
fasting n., sawm, tiswim.
fat adj. & n., grass.
fat adj., oħxon, qawwi, smin, sonżi.
fat n., xaħam. ***become ~;*** ħxien. ***to grow ~;*** ixxaħħam, simen. ***to make ~;*** iggrassa.
fat v., qawwa.
fatal adj., fatali.
fatalism n., fataliżmu.
fatalist n., fatalista.
fatality n., fatalità, taqdir.
fatally adv., fatalment.
fate n., destin, qâda, xorti.
father n., missier, pa, papà, ta.
father-in-law n., kunjatu, ħaten, ħmu.
fathom n., qâma.
fathom v., skandalja. ***the sailors ~ed the sea;*** il-baħrin skandaljaw il-baħar.
fatigue (oneself) v., nkedd. ***he ~d himself to repair the engine;*** nkedd ħafna biex sewwa l-mutur.
fatigue n., diksa, għaja, stink, strapazz, ħidma.
fatigue v., għajja, iffatiga, kedd, kisser.
fatness n., ħxuna, qawwa, simna, taħxim.
fatten v., beċċen/baċċan, faħħal, għamel il-laħam, ħaxxen, iggrassa, laħħam, qawwa, semmen, simen, tqawwa.
fattened adj. & p.p., iggrassat, mbeċċen, mfaħħal, msemmen, mxaħħam, mħaxxen. ***to be ~;*** issemmen.
fattener n., semmien.
fattening n., tilħim.
fatter comp.adj., eħxen/aħxen, ismen.
fatty adj., xaħmi.
fault n., kolpa, tort, ħtija. ***be at ~;*** arra.
faulty adj., difettuż.
fauna n., (zool.) fawna.
favour n., favur, pjaċir. ***in ~ of;*** affavur, għal.

favour v., iffavorixxa.
favourable adj., favorèvoli, għalieni, propizju, vantaġġjuż.
favourable adv., favorevolment.
favoured adj. & p.p., iffavorut. *~ son;* fissud.
favourite adj., favorit, preferut/ippreferit.
favouritism n., favoritiżmu.
fear n., beżgħa, biża', bżigħ, (med.) fobija. *cower with ~;* libet.
fear v., beża'/baża'.
feared adj. & p.p., mibżugħ, mwaħħax.
fearful adj., tremend.
fearless adj., ardit.
fearlessness n., pulikarja.
fearnough n., fèrnot.
feasible adj., fattibbli.
feast n., festa, festin. *~ day;* għid.
feather n., rixa. *~-bed;* mitraħ tar-rix. *to strip off ~s;* rejjex. *adorned or set with ~s*; mrejjex. *to pluck ~s;* nittef.
feather v., rejjex.
feature n., għamla.
features n., fattizzi.
February pr.n., Frar.
fecundate v., għammar, iffekonda.
fecundation n., fekondazzjoni.
fed adj. & p.p., magħluf, mitmugħ, mwikkel.
fed up v., xabba'/xebba'. *to be ~;* xaba'. *he got ~ going frequently to the doctor;* xaba' ġej u sejjer għand it-tabib.
federal adj., federali.
federalism n., federaliżmu.
federalist n., federalista.
federation n., federazzjoni.
fee n., miżata.
feeble adj., dèbboli, dgħajjef, fieni, merħi. *to become ~;* għokos. *Paul became too ~ after his sickness;* Pawlu għokos ħafna wara l-marda li kellu.
feeble v., nemnem.
feeble-minded (person) n., ebete.
feebleness n., fjakkizza, reħi.
feed v., għajjex, għalef, tagħem, tama'/tema', żaqq. *to be fed;* ittamma'. *go and ~ that bird;* mur itma' 'l dak l-għasfur.
feeding n., għalfa, tagħlif, tmigħ.
feel v., ħass, mess, teftef. *to ~ a person's pulse;* mess il-polz, ittastja. *he felt like doing something;* ħass il-ħajra li jagħmel xi ħaġa. *to ~ cosy;* ixxaħxaħ. *to ~ drowsy;* ixxaħxaħ. *to ~ sorry;* għela.
feelings n., sentiment. *impetuous ~;* sfiċċa.
feign v., finġa, għamel ta' birruħu. *to ~ ignorance;* għamilha ta' l-Indjan.
feignedly adv., taparsi.
feint n., finta.
felicity n., feliċità, ġid, ħajr.
feline adj., felin.
felloe n., guvru.
fellow n., sieħeb. *~ countryman;* konnazzjonali, pajżan. *jolly ~;* baħbuħ. *poor ~;* jaħasra.
felly n., guvru.
felony n., delitt, (leg.) fellonija.
felt adj. & p.p., mteftef.
felt n., feltru.
felucca n., (mar.) feluga.
female n., mara.
feminine adj., (gram.) femminil.
feminism n., femminiżmu.
femoral adj., (anat.) femorali.
femur n., (anat.) fèmore.
fen n., pantàr.
fence n., ċint.
fennel n., (bot.) busbies.
fenugreek n., (bot.) ħelb.
ferment n., ferment, ħmira.
ferment v., ħemer, iffermenta.
fermentation n., fermentazzjoni, titligħ, tligħ.
fermented adj. & p.p., iffermentat, meħmur, mitlugħ.
fermenting n., teħmir.
fern n., (bot.) felċa.
ferocious adj., feroċi, ifferoċjat. *to render ~;* ifferoċja.
ferociousness n., feroċja.
ferocity n., feroċja.
ferret n., (zool.) nemes.
ferrule n., vajlora.
ferry-boat n., (mar.) lanċa.
fertile adj., fèrtili.
fertility n., fertilità.
fertilization n., fertilizzazzjoni.
fertilize v., għallel, iffertilizza. *to ~ eggs;* ingalla.
fertilized adj. & p.p., fertilizzat, ingallat.
fertilizer n., fertilizzatur, għalliel.
ferule n., (bot.) ferla.
fervency n., ħemma, ħrara.
fervent adj., ferventi, ħerqan, mixgħul, żelanti.
fervour n., fervur, ħeġġa, ħrara. *fill with ~;* ħeġġeġ. *produce ~*; ħarraq.
fester v., denna.
festered adj. & p.p., mdenni.
festerous adj., dieni.
festival n., fèstival.
festive adj., festiv.
festivity n., festività.
festoon n., festun.

fetish n., fetiċċ.
fetter n., felqa, qajd, xkiel.
fetter v., għakkes, qammat, xekkel.
fettered adj. & p.p., inkatnat, mqajjed, mxekkel.
fetters n., ċipp. ***to put in ~;*** qajjed.
feud n., fewdu.
feudal adj., fewdali.
feudal n., fewdatarju.
feudalism n., fewdaliżmu.
feudality n., fewdalità.
feudatory n., fewdatarju.
fever n., deni. ***undulant ~;*** deni biered. ***hectic ~;*** deni rqiq. ***scarlet ~;*** (med.) skarlatina; ***tertian ~;*** (med.) terzana.
feverfew n., (bot.) arċmisa.
few adj., ftit.
fez n., fez, tarbux.
fibre n., fibra.
fibre-glass n., fajberglass.
fibril n., xenxul.
fibroma n., (anat.) fibroma.
fibrous adj., (med.) fibruż.
fib(s) n., gidba. ***tell ~;*** ħarref. ***my grandfather tells many ~;*** in-nannu jħarref ħafna.
fibula n., (anat.) fibula.
fickle adj., bduli, qalliebi, volubbli.
fickle v., dar ma' kull riħ.
fickleness n., volubbiltà.
fictitious adj., fittizju.
fiddle (with) v., bagħbas.
fiddler n., daqqâq il-vjolin.
fidelity n., fedeltà, sedqa.
fiduciary n., (leg.) fiduċjarju.
fief n., fewdu.
field n., għalqa. ***sown ~;*** miżirgħa, żarà. ***small ~;*** menqa.
field-glasses n., kannokkjali.
fieldfare n., (ornith.) malvizzun.
fields n., raba'.
fierce adj., aħrax, feroċi, ġiefi, kiefer, qalil. ***to become ~;*** ifferoċja.
fierceness n., qell, qilla.
fiercer comp.adj., èqqel/aqqal, eħrex.
fiery adj., mħaġġeġ.
fife n., żummara, (mus.) fifra, flejguta, rabbaba. ***~ player;*** (mus.) gavott. ***to play the ~;*** żammar.
fifer n., daqqâq taż-żaqq, rabbàb, żammàr.
fifteen adj.num., ħmistax.
fifth adj. num., ħames.
fifty adj.num., ħamsin.
fig n., (bot.) bajtra, tina. ***~ of the first crop;*** (bot.) bajtra ta' San Ġwann. ***black ~;*** farkizzana. ***Indian ~;*** bajtra tax-xewk. ***small immature ~;*** karmus. ***violet ~;*** parsott. ***wild ~;*** dukkâr.
fight n., kumbattiment, silta, ġlieda.
fight v., (leg) impunja, ikkumbatta, iġġieled, tqabad. ***he fought hand in hand;*** iġġieled sider ma' sider. ***to ~ a duel;*** issielet.
fighter n., fajter, lottatur, ġellied.
figolla n., figolla.
figuration n., figurazzjoni.
figurative adj., figurattiv.
figuratively adv., (liter.) figurattivament.
figure n., ċifra, figura, sawra, sura. ***round ~;*** ċifra tonda.
figure v., iffigura, sawwar.
figured adj. & p.p., figurat.
figurehead n., pulena.
figurine n., pastur.
filbert n., (bot.) ġellewża.***large ~;*** bubun.
file n., barrada, fajl, fila, filza, mabrad, (artis.) lima.
file v., barad, barrad, iffajlja, infilza, (artis.) illima. ***he ~d all the documents of the case;*** iffajlja d-dokumenti kollha tal-kawża.
file-dust n., (artis.) limalja.
filed adj. & p.p., mibrud, (artis.) illimat.
filer n., barràd, (artis.) limatur.
filial adj., (leg.) filjali.
filiation n., (leg.) filjazzjoni.
filibuster n., filibustier.
filigree n., (artis.) filugranu.
filing n., fajljar, (artis.) limatura.
fill v., mela, mtela. ***he ~ed the bottle with water;*** mela l-flixkun bl-ilma. ***the bucket was ~ed with water and it spilled over;*** il-barmil imtela bl-ilma u far. ***~ with water;*** fawwar. ***the rain in February ~ the wells;*** ix-xita fi Frar tfawwar il-bjar.
fill (up) v., (techn.) inkolma.
fill (out) v., imborġa.
filled adj & p.p., mimli.
filler n., mellej.
fillet n., flett.
filling n., mili, ħaxu.
film n., film, pellikola, tertuqa, żlieġa. ***colour ~;*** film bil-kulur. ***to reproduce on a ~;*** iffilmja.
film v., iffilmja.
filter n., filter.
filter v., iffiltra, saffa.
filtered adj., filtrat.
filth n., porkerija.
filthy adj., faħxi, moqżież, mżużi, qżużi.
filtration n., filtrazzjoni.
final adj., finali, (g.) fajnal.
finalist n., (g.) finalist.
finality n., finalità.
finally adv., finalment, insomma, saflaħħar.

finance n., finanza.
financially adv., finanzjarment.
financier n., finanzier.
finch n., (ornith.) sonsun. ***mountain finch;*** sponsun selvaġġ.
find n., sejba.
find v., sab/sieb. ***I found myself in the middle of a big crowd;*** sibt ruħi f'nofs folla kbira. ***find out;*** inventa.
finder n., sejjieb.
finding n., tinsib, tisjib.
fine adj., fin, sabiħ,
fine n., ħaraġ, multa, talja, (leg.) ammenda. ***to become ~;*** sbieħ. ***that sapling is growing ~;*** dik ix-xitla qiegħda tisbieħ.
fine v., immulta. ***the judge ~d him for contempt of court;*** l-imħallef immultah għad-disprezz lejn il-Qorti.
fineness n., finizza, reqqa.
finger n., saba'. ***fore~;*** saba' l-werrej. ***middle ~;*** saba' tan-nofs. ***annular or ring ~;*** saba' tal-ħatem. ***little ~;*** saba' ż-żgħir.
finger v., bagħbas, berbex, teftef.
fingering n., suf tal-kalzetti.
finish v., ħeles, kompla, spiċċa, spieda, temm, temmem. ***I have ~ed my studies;*** spiċċajt l-istudji tiegħi. ***he ~ed his speech in less than one hour;*** temm id-diskors tiegħu f'inqas minn siegħa.
finished adj. & p.p., meħlus, mitmum, mtemmem. ***to be ~;*** ittemmem.
finisher n., temmiem.
finishing n., tmiem. ***~ touch;*** finiment.
fire n., ħruq, inċendju, nar. ***slow ~;*** nar bati. ***~ of love;*** nar ta' mħabba. ***~ of straw;*** nar tat-tiben. ***to catch ~,*** ħa n-nar. ***flash ~;*** iġġammar. ***great ~;*** inċendju., ***set on ~;*** kebbes, mnajjar, ***take ~;*** kibes, qabad, xegħel. ***this house caught ~ yesterday;*** din id-dar qabdet il-bieraħ.
fire v., fajjar, spara.
fire-cracker n., trikkitrakk.
fire-engine n., fajerenġin.
fire-fan n., ventalora.
fire-fly n., (zool.) musbieħ il-lejl.
fire-pan n., braċiera.
fire-tongs n., mqass tan-nar.
firearm n., arma tan-nar. ***hunter's ~;*** senter.
fireman n., bunajjar, fajermen, fokist, najjàr, pompier.
firewood n., qabs, ħatab.
fireworks n., (g.) musketterija, ġiġġifogu.
firm adj., kostanti, qawwi, sod. ***to become ~;*** issoda.
firm n., ditta.
firm(ness) n., solidità.
firmament n., firmament.
firmare v., issenja.
firmer comp.adj., utaq.
firmly adv., fermament.
firmness n., fermizza, qawwa, sodizza, tutiq, wetqa.
first adj., ewlieni, prim.
first adj.num., ewwel. ***the ~;*** l-ewwel. ***~born;*** primoġènitu.
first adv., qabel. ***~ of all;*** qabel xejn, l-ewwel ħaġa. ***at ~;*** minn qabel.
fiscal adj., fiskali.
fish n., ħuta, (ichth.) ċipullazza. ***blue damsel-~;*** (ichth.) ċawla. ***fresh water ~;*** ħuta ta' l-ilma ħelu. ***~ market;*** pixkerija/peskerija. ***~-pond;*** n., pixkiera. ***~-pool;*** pixkiera. ***catch of ~;*** sajda. ***angler ~;*** (ichth.) petriċa. ***cuttle ~;*** klamar. ***flying ~;*** rondinella. ***lizard~;*** n., (ichth.) skalm. ***pilot ~;*** fanfru. ***red band-~;*** fjamma ħamra. ***rock ~;*** skorfna. ***scabbard ~;*** pixxibandiera. ***cat-~;*** pixxigatt. ***snipe-~;*** pixxitrumbetta. ***sword-~;*** pixxispat.
fish v., stad.
fish-market n., maħwet.
fished adj. & p.p., mistad.
fisher n., sajjied.
fisherman n., sajjied.
fishing n., sajd. ***~ boat;*** dgħajsa tas-sajd. ***~ industry;*** industrija tas-sajd. ***~ line;*** lenza. ***~ smack;*** (mar.) paranza.
fishing-line n., (mar.) konz, xlief, lenza.
fishmonger n., bejjiegħ tal-ħut.
fissure n., konsentura, xaqq, xpakkatura.
fist n., ponn. ***to punch with the ~;*** behem, lekkem.
fistula n., (med.) fistla.
fit adj., tajjeb.
fit (for) adj., idòneu.
fit n., (med.) estru.
fit v., iffittja, qabbel.
fitter n., armatur, fiter.
fittings n., aċċessorju.
five adj.num., ħamsa.
fix n., tapxa.
fix v., iffissa, waħħal. ***he ~ed his eyes on the sky;*** iffissa għajnejh lejn is-sema.
fixation n., fissazzjoni.
fixed adj. & p.p., fiss, mwaħħal.
fixing n., tewħil.
fixing (to) n., weħla.
fizz v., textex.
fizzy adj. & p.p., mtextex.
flag n., bandiera, ġakk.
flag-stone n., ċangatura.
flagellant n., (eccl.) flaġellant.

flagellate v., ifflaġella.
flagellated adj. & p.p., flaġellat, mbiċċer.
flagellation n., flaġellazzjoni.
flagellatory adj., ifflaġellat.
flageolet n., suffara, (mus.) flejguta.
flagitious adj., xellerat.
flagrant adj., (leg.) flagranti.
flagstaff n., arblu.
flambeau n., flambò.
flame n., fjamma, lsien tan-nar, vampa. ***a~;*** vampa waħda.
flame v., fernaq, ħaġġeġ, illampja.
flame (up) v., tbergħen.
flaming adj., mfernaq.
flaming n., taħġiġ, teħġiġ.
flamingo n., (ornith.) flamingo. ***greater ~;*** (ornith.) fjamingu.
flanelletta n., flanellett.
flank n., fjank, ġenb.
flannel n., flanella.
flap n., falda. ***dress ~;*** falda ta' libsa.
flap v., tlebleb.
flash n., leħħa.
flash v., berraq, lema. ***~ continually;*** laħħ/leħħ.
flashing n., tibriq.
flask n., flixkun. ***vacuum flask, thermos flask;*** termos.
flat adj., ċatt.
flat n., appartament, flatt, pjan, (mus.) bekwadra, (mus.) bimoll.
flatten v., fattar, iċċattja.
flattened adj. & p.p., mfattar.
flatter v., illusìnga, ħannen. ***~ the children;*** farraġ lit-tfal .
flattered adj. & p.p., immelles, lusingat/illusingat, mdellel, mħannen.
flatterer n., lusingatur, mellies, neffieħ.
flattery n., kumpliment.
flatus n., flat.
flaunt v., faġġaġ.
flaut v., perper.
flavour n., benna, ħwar.
flavour v., bennen.
flaw v., ħass.
flax n., kittien. ***producing ~;*** kittieni.
flay v., qaraħ, qaxxar, selaħ.
flayed adj. & p.p., maqruħ, misluħ. ***to be ~;*** stelaħ.
flayer n., qaxxàr, sellieħ, tisliħ.
flea n., (zool.) bergħud. ***full of ~s;*** mbergħed. ***grow or become full of ~s;*** bergħed.
flea-bane n., (bot.) pulikarja, tilliera.
flea-wort n., (bot.) klilet il-briegħed.
fleam n., (med.) lanzetta.
fled away adj., mgħasfar.
flee v., skappa. ***~ secretly;*** bawwax.
fleece n., suf.
fleece v., qaxxar, selaħ.
fleecer n., qaxxàr.
fleeing adj., ħarrabi.
fleet n., miġfna, (mar.) flotta.
flesh n., laħam, polpa. ***put in ~;*** laħħam. ***to take the ~ from;*** spolpja.
fleshy adj., laħmi, mlaħħam.
flex n., (elect.) fleks.
flexibility n., flessibbilità.
flexible adj., flessibbli.
flexion n., flessjoni.
flicker v., nemnem, newnem, tnewnem. ***the light of the lamp is ~ing;*** id-dawl tal-lampa qiegħed inemnem.
flight n., ħarba, ħrib, skappata, titjir. ***put to ~;*** ħarrab. ***putting to ~;*** taħrib.
flighty adj., mberfel, volubbli.
fling v., venven, waddab, xeħet.
flinger n., xewlieħ.
flint n., ċagħka, żnied, ħaġra taż-żnied.
flip v., (g.) inzikka.
flip-flap n., gabirjola, kukrumbajsa.
flit (about) v., ħaf. ***that man always ~s about us;*** dak ir-raġel dejjem iħuf madwarna.
float v., għam, ifflowtja, pixka, tgħawwem. ***the corks ~ on the sea surface;*** is-sufri jgħumu f'wiċċ il-baħar.
flock n., għanem, merħla, ġemgħa bhejjem.
flog n., nerf.
flog v., qaddeb, sawwat.
flood n., dilluvju, għargħar.
flood v, fawwar, għaddar, għargħar. ***the rain has ~ed all the fields;*** ix-xita għargħret ir-raba' kollu.
floor n., pjan, qiegħa, sular. ***threshing ~;*** andar.
floor v., ħabbat ma' l-art.
flora n., (bot.) flora.
florescence n., tiżhir.
florid adj., flòridu.
floridity n., floridezza.
floridness n., floridezza.
floriferous adj., żahri.
florin n., fjorin.
florist n., florist, warrâd.
flounce n., pantòr.
flounder n., (ornith.) barbun.
flour n., dqiq.
flourish v., iffjorixxa.
flow n., fluss.
flow v., xarxar.
flow (down) v., ważab, wiżeb.
flow (into) v., żbokka.
flower n., fjura, warda. ***passion ~;*** warda

tal-passjoni. ***sun~;*** warda tax-xemx. ***bunch of ~s;*** bukkett. ***cuckoo ~;*** kardamina. ***meal ~;*** smid.
flower v., warrad.
flower-pot n., fjuriera, qasrija.
flower-stand n., ġardiniera.
floweret n., fjurett.
flowering n., tiżhir.
flowers n., fjur.
flowery adj., wardi.
flu n., (med.) flissjoni, influwenza. ***Spanish ~;*** influwenza Spanjola.
fluctuate v., iffluttwa.
fluctuation n., fluttwazzjoni.
fluid adj., flùwidu.
fluidity n., fluwidità.
fluke n., (mar.) patta.
flummery n., farinata.
flung adj. & p.p., mixħut, mwaddab, mxewlaħ. ***to be ~ down;*** issabbat.
fluoresce v., ħerraq.
fluorescence n., (phys.) fluworexxenza.
fluorescent adj., fluworexxenti.
fluorine n., (phys.) fluwòru.
flush n., flaxx.
flush v., ifflaxxja.
flute n., suffara, (artis.) skanalatura, (mus.) flawt.
flute-like adj., (mus.) flawtat.
flutist n., (mus.) flawtist.
flutter n., titjir.
flutter v., belbel, ittajjar, lebleb.
fluty adj., (mus.) flawtat.
flux n., fluss, sabb tad-demm.
fly (over) v., ittajjar. ***the aeroplane flew over the city;*** l-ajruplan ittajjar fuq il-belt.
fly (away) v., ħarab.
fly n., kużakk, (zool.) dubbiena. ***abound in flies;*** debben. ***surrounded or full of flies;*** mdebben.
fly v., perper, tar. ***the Maltese flag was ~ing on the roof;*** il-bandiera Maltija kienet qiegħda tperper fuq il-bejt. ***the bird flew from the cage;*** l-għasfur tar mill-gaġġa.
fly-catcher n., (ornith.) ċappamosk, kappamosk, (zool.) pappamosk.
fly-wheel n., (mechan.) flajwil.
flyer n., tajjàr.
flying adj., ħarrabi.
flying fish n., (ichth.) rondinella.
flying n., tajran, titjir.
flyover n., flajover.
foam n., lgħab, ragħwa, skjuma, xkuma.
foam v., liegħeb, ragħa.
foaming adj. & pres.p., riegħi.
focus v., iffoka. ***out of ~;*** sfokat. ***to put out of ~;*** sfoka.
fodder n., foraġġ, ġwież, għalf, magħlef.
fog n., ċpar.
fog v., ivvela.
foggy adj., mċajpar. ***to grow ~;*** iċċajpar. ***from early morning the sky began to grow ~;*** minn filgħodu l-ajru beda jiċċajpar.
foghorn n., (mar.) sirena.
foil n., fjurett.
fold n., ċeppuna, kemxa, mandra, maqjel, pieg/pjieg.
fold v., ippjega, tena.
fold (up) v., geżwer.
fold (up) v., tewa. ***he ~ed the paper and put it in his pocket;*** tewa l-karta u tefagħha fil-but.
folded adj. & p.p., mitni, mitwi.
folder n., tewwej.
folding n., tini, tiwi.
foliage n., (bot.) werqa.
folklore n., fòlklor.
folklorist n., folklorista.
folkloristic adj., folklorìstiku.
follicular adj., (med.) follikulari.
follow v., segwa. ***the police ~ed the thief until they captured him;*** il-pulizija segwew il-ħalliel sakemm qabduh.
followed adj. & p.p., mitrud, mtarrad, pedinat, segwit.
follower n., segwaċi.
following adj., suċċessiv, sussegwenti.
folly n., ġenn.
foment v., kemmed, xewwex.
fomentation n., (med.) fumenta.
fomenter n., kebbies.
fond (of) adj., affezzjonat. ***become ~;*** affezzjona.
fondle v., fissed, hejjem/hajjem, ħannen, ikkarezza, raddad, żegħel, żiegħel. ***he ~d somebody or something;*** hejjem lil xi ħadd jew xi ħaġa. ***~ the children;*** farraġ lit-tfal.
fondled adj. & p.p., ikkarezzat. ***to be ~;*** iżżiegħel.
fondler n., mellies.
fondling adj., (gram.) vezzeġġattiv.
fondling n., fsied, karezza.
fondness n., mħabba.
fondo adj., fond.
font n., (eccl.) fonti. ***baptismal ~;*** fonti tal-Magħmudija. ***holy water ~;*** ħawt ta' l-ilma mbierek.
food n., aliment, għajxien, ikel, miekla, nutriment, past. ***give ~ in small quantities;*** lewwaq. ***to put ~ into someone's mouth;*** imbokka.

fool adj. & n., kretìn.
fool adj., ġifes.
fool n., babbu, belha, iblah, idjota, stùpidu.
foolery b., bluha. ***a piece of ~;*** baġanata.
foolish act.n., paljaċċata.
foolish adj., belhieni, blejjah, iblah, miġnun. ***~ action;*** baġanata.
foolish adv., bla għaqal. ***become ~;*** blieh.
foolishness n., babberija, bluha, stupidaġni, tiblih.
foolscap n., fulskap.
foot lever n., pedala.
foot n., (anat.) riġel, sieq. ***on ~;*** bil-mixi.
foot v., rifes.
foot-bath n., (med.) pedilluvju.
foot-key n., pedala ta' l-orgni.
foot-path n., marċapied.
foot-print n., rifsa ta' sieq.
foot-ruler n., pied.
foot-shackle n., xikel.
football n., ballun, (g.) futbol.
footboard n., pedana.
footboy n., paġġ.
footing n., rfis.
footlights n., (theatr.) ribalta.
footman n., staffier, suldat tal-fanterija.
footmark n., àtar.
footnote n., glossa.
footpath n., bankina.
footprint n., àtar, pedata.
footrest n., pedana.
footstool n., banketta.
footway n., bankina.
fop n., żabikott.
foppish adj., petìtu.
for conj., billi.
for prep., għal.
forage n., foraġġ, ġwież, għalf, magħlef.
forage v., għalef.
forager n., għallief.
forbid v., ipprojbixxa. ***the doctor has ~den him to smoke;*** it-tabib ipprojbielu t-tipjip.
forbidden adj. & p.p., illèċitu, mimnugħ, projbit.
forbidding n., timnigħ.
force n., dnewwa, felħ, felħa, forza, qawwa, rass, saħħa. ***centrifugal ~;*** forza ċentrifuga. ***air ~;*** forza ta' l-ajru. ***land ~s;*** forza militari. ***moral ~;*** forza morali. ***naval ~;*** forza navali. ***~ of gravity;*** forza tal-gravità. ***by ~;*** bilfors. ***in ~;*** (leg.) viġenti.
force v., rass, sforza, ġiegħel/ġagħal.
forced adj. & p.p., kostrett, magħfus.
forcedly adv., bilfors.
forceps n., (med.) fòrċipi.
ford v., ċaflas.
forehead n., ġbin.
foreign adj., estranju.
foreign n., èsteru.
foreigner adj., barrani.
foreigner n., frustier, għarib, stranġier.
foreigners n., għorba.
forelock n., beżbuża. ***take by the ~;*** beżbeż.
foreman n., formen, protu.
foremast n., (mar.) trinkett.
foremost adj., quddiemi.
forensic adj., forensiku. ***~ medicine;*** mediċina forensika.
forerun v., sebaq.
forerunner n., sebbieq.
foresail n., (mar.) trinkett.
foresake v., telaq.
foresaken adj. & p.p., abbandunat.
foresee v., ħeber/ħabar, ippreveda.
foreseen adj. & p.p., meħbur, prevedut.
foreskin n., bxula/pxula.
forest n., bosk, foresta, maħtab.
forestall v., ikkapparra.
forester n., gwardabosk.
foretell v., basar, bassar, ħabbar, ipprofetizza, nabba.
foreteller ***(of future events)*** n., bassàr.
foretelling n., bsir, tinbija.
foretold adj. & p.p., mbassar, mibsur, mnabbi.
forfeited adj., dekadut.
forfeiture n., (leg.) konfiska.
forge n., forġa.
forge v., paspar.
forged adj., falz. ***~ signature;*** firma falza.
forger adj., fallazi.
forger n., falzarju.
forgery n., falsifikazzjoni.
forget v., ħareġ mir-ras, nesa. ***I shall never ~ what you have done for me;*** ma ninsa qatt dak li għamilt għalija. ***to cause to ~;*** nessa/nissa. ***he made me ~ the book I lent him;*** nessieni dak il-ktieb li kont sliftu.
forgetful adj., niesi.
forgetfulness n., nisja, tinsija.
forgive v., ħafer. ***God ~s;*** Alla jaħfer.
forgiven adj. & p.p., maħfur.
forgiveness n., maħfra.
forgotten adj. & p.p., minsi.
fork n., furketta, (mar.) foxxna. ***carving-~;*** furkettun. ***small ~;*** forċina. ***winning ~;*** midra.
forked adj. & p.p., mifruq.
forkful n., furkettata.
form n., forma, modalità, sura. ***lacking the proper legal ~;*** informi.

form v., ifforma, ikkostitwixxa, sawwar. ***to be ~ed;*** issawwar.
formal adj., formali.
formalin n., (chem.) formalina.
formalism n., formaliżmu.
formality n., formalità, modalità.
formalize v., ifformalizza.
formally adv., formalment.
formation n., formazzjoni, sawran.
formative adj., formattiv.
formed adj. & p.p., iffurmat, msawwar.
formerly adv., dari.
formidable adj., formidabbli.
formula n., fòrmula.
formulary n., formularju.
formulate v., iffòrmula.
formulated adj., formulat.
fornication n., żina, żinja.
forsake v., abbanduna.
forsaken adj. & p.p., mwilli.
forsaking n., reħi, reħja.
forsaking n., tliq.
fort n., (mil.) forti.
forthcoming adj., ġejjieni.
fortification n., fortifikazzjoni.
fortified adj. & p.p., fortifikat, mqawwi, msaħħaħ, mwettaq.
fortifier n., saħħàħ, wettieq.
fortify v., dawwar bis-swar, sawwar, saħħaħ, wettaq, (mil.) iffortìfika.
fortress n., (mil.) fortizza.
fortuitously adv., għarrieda.
fortunate adj. & p.p., ixxurtjat.
fortunately adv., fortunatament, b'xorti tajba.
fortune n., fortuna, riżq/risq, ventura, xorti.
forty adj.num., erbgħin.
forward adj., (g.) forwerd.
forward adv., 'l quddiem.
fossil adj., iffossilizzat.
fossil n., fòssili.
fossilization n., fossilizzazzjoni.
fossilize v., iffossilizza.
fossilized adj. & p.p., fossilizzat, iffossilizzat.
fossure n., kunsentura.
foul adj., maħmuġ.
foul n., (g.) fawl.
foul v., dennes, ħammeġ.
fouled adj. & p.p., mċallas, mdennes, mkasbar, mħammeġ.
fouling n., taħmiġ.
found adj. & p.p., misjub.
found v., ibbaża, iffonda.
foundation n., bażi, fondazzjoni/fundazzjoni, fundament, sies, tisjis. ***to lay the ~;*** sejjes.
foundations n., pedament.
founded adj. & p.p., fondat, ibbażat, msejjes.
founder n., brunżar, dewwieb, fonditur, fundatur.
foundress n., fundatriċi.
foundry n., fonderija/funderija.
fountain n., funtana, għajn. ***~ head;*** ras il-għajn.
fountain-pen n., fawntin-pen.
four adj.num., erbgħa. ***on all ~s;*** mbajja, mbe.
fourteen adj.num., erbatax.
fourth adj.num., raba'. ***one ~;*** kwart.
fowl n., tajra.
fowl v., nasab.
fowling net n., mansab.
fox n., (zool.) gilpa, tgħal, volpi.
foxglove adj. & n., (bot.) diġitali.
fracas n., frakass.
fraction n., frazzjoni. ***decimal ~;*** frazzjoni deċimali.
fractory n., rasu iebsa.
fracture n., kisra, ksir, ksur.
fragile adj., fraġli.
fragility n., fraġilità.
fragment n., farka, (liter.) framment.
fragmentary adj., (liter.) frammentarju.
fragments n., frak, profum.
fragrance n., fwieħa. ***give ~;*** fieħ.
fragrancy n., fwieħa.
frail adj., graċli.
frailness n., graċilità.
frame n., ċaċċiż, frejm, gwarniċ, kwadru, tilar. ***embroidery ~;*** tilar tar-rakkmu.
France pr.n., Franza.
Franciscan adj. & n., Franġiskan.
frank adj., libru, sinċier, skjett.
frankly adv., apertament, frankament, liberament.
frankness n., frankizza, sinċerità, skjettezza.
fratricide n., qattiel ta' ħuh, (leg.) fratriċidju/fratriċida.
fraud n., dgħul, imbrolja, kejd, qerq, (leg.) frodi.
fraudulently adv., (leg.) dolożament.
fray n., qattanija.
fray v., sellet, tentex.
fray (out) v., issellet, żarrad.
frayed adj. & p.p., mgħażżel, msellet, mżarrad. ***to be ~;*** iżżarrad. ***to get ~;*** issellet.
frayer n., selliet.
fraying n., slit.
freak n., estru, kapriċċ. ***~ of nature;*** skerz tan-natura.

freakish adj., kapriċċuż.
freckle v., nemmex.
freckled adj. & p.p., mnemmex.
freckles n., nemex.
free adj., eżenti, frank, ħieles, liberu. ***postage ~;*** posta franka. ***to set ~;*** telaq.
free adv., gratis. ***~ and easy;*** diżinvolt.
free v., illìbera, ħeles.
free (oneself) v., nħeles.
freebooster n., filibustier.
freebooter n., (mar.) furban, kursàr.
freed adj. & p.p., liberat, mitluq.
freedom n., ħelsien, ħlusija, lala, libertà.
freely adv., liberament.
freemason n., frammażun, mażun.
freemasonary n., mażunerija.
freeze v., iffriża, inġazza, iġġela, reżżaħ, staġna.
freezing n., tagħqid.
freight n., frejt, tagħbija, (mar.) nol, noliġġ.
freighter n., noliġġatur.
French adj., Franċiż.
frenzy n., ferneżija, ħendwil, tħendwil, (med.) delirju.
frequency n., frekwenza.
frequent adj., frekwenti.
frequent v., iffrekwenta. ***he ~ed often the club;*** kien jiffrekwenta l-każin sikwit.
frequentative adj., (gram.) frekwentattiv.
frequented adj. & p.p., frekwentat.
frequenter n., frekwentatur, għattieb.
frequently adv., dali, dlonk, sikwit, spiss, wisq drabi.
fresh adj., frisk, tari, tieri. ***~ bread;*** ħobż frisk. ***~ egg;*** bajda friska. ***~ fish;*** ħut frisk. ***~ water;*** ilma frisk.
freshen v., kessaħ.
freshness n., friskizza.
fret frame n., arkett.
fret v., ċafċaf, sewwed qalbu.
fret (oneself) v., tferfer.
friar n., raheb, patri. ***begging ~;*** ċerkatur, kwestwant. ***to become a ~;*** rahab. ***white ~;*** Karmelitan.
friary n., kunvent.
fribble adj., petìtu.
fricative adj., frikattiv.
friction n., għarka, (med.) frizzjoni.
Friday n., Ġimgħa. ***Good F~;*** il-Ġimgħa l-Kbira.
fridge n., friġġ.
fried adj. & p.p., moqli, mqolli.
friend n., ħabib. ***intimate ~;*** ħabib tal-qalb. ***to become ~s again;*** issewwa.
friendlier comp.adj., agħażż.
friendly adj., (leg.) bonarju. ***~ way;*** bon-arjament.
friendship n., ħbiberija.
frieze n., (arch.) friż.
frigate n., (mar.) frejgata.
fright n., bżigħ, qatgħa, tregħid bil-biża', twerwir. ***take ~ at;*** nafar.
frighted adj. & p.p., mirgun.
frighten v., bażża', kexkex. ***death does not ~ me;*** il-mewt ma tbeżżagħnix. ***~ away;*** gerrex, naffar.
frightened adj. & p.p., mbażża', mwaħ-ħax, mwerwer.
frightful adj., terribbli.
frigid adj., bardan, kiesaħ.
frigidity n., ksuħa.
frill n., frill, xabò.
fringe n., frenża.
frisk v., tbahrad, tqâbeż.
fritt n., (techn.) fritta.
fritter n., frittura, sfinġa, xkumvata.
frivolous adj., frìvolu.
frizzied adj., felfuli.
frizzle v., felfel, ġiegħed.
frizzled adj., mġiegħed.
frock n., qabb.
frog n., (zool.) qorr, żrinġ.
frolic v., bahrad, irraġġa, qabras, tbahrad.
from prep., għand, mingħand, minn.
from whence prep., minfejn.
from where prep., minfejn.
front n., faċċata, (mil.) front. ***in ~ of;*** quddiem.
frontal adj., (mil.) frontali.
frontier n., fruntiera, konfini.
frontispiece n., (arch.) frontispizju.
frost n., ġelu, ġlata, qerra/qirra. ***hoar ~;*** ġlata, nida magħquda. ***white ~;*** nida magħquda.
frost-bitten adj. & p.p., mreżżaħ.
froth n., ragħwa tal-birra, ragħwa ta' l-inbid, xkuma.
frown adj., wiċċ mqarras.
frown n., ħars ikraħ.
frozen adj. & p.p., iffriżat, inġazzat, magħqud, staġnat.
fructiferous adj., fruttìferu, tammari.
fructification n., titmir.
fructify v., fied, tammar.
frugal adj., meqjus. ***to be ~;*** rakas.
fruit n., frott. ***unripe ~;*** ġeni. ***first ~s;*** firmizza.
fruit-dish n., fruttiera.
fruitful adj., fèrtili, tammari.
fruitful n., għammiel.
fruitless adj., ħawli.
frustration n., frustrazzjoni.
fry n., frittura, qalja, (ichth.) qarraba.
fry v., qela. ***to ~ lightly;*** qalla.

frying n., qali.
frying-pan n., taġen.
fuck v., ħexa.
fuddle n., sakra.
fuddle v., sakkar. ***on the patron saint's day his friends ~d him;*** fil-festa tar-raħal sħabu sakkruh.
fuddled adj. & p.p., mċaqlaq, mgħaddar, msakkar.
fuddler n., dekdiek.
fuel n., fjuwil.
fugitive n., (mil.) maħrub. ***a multitude of ~s;*** nafra.
fulcrum n., riffieda, (mechn.) fulkru.
fulfil v., issodisfa. ***he ~led his obligation;*** issodisfa l-obbligazzjoni tiegħu. ***at last my dream was ~led;*** fl-aħħar seħħet il-ħolma tiegħi.
fulfilled adj. & p.p., komplut. ***to be ~;*** seħħ/saħħ.
fulfilment n., temma.
full adj. & p.p., mbullat.
full adj., mimli.
full stop n., punt.
full up adj., pjen.
fullback n., (g.) fulbakk.
fully adv., kompletament.
fulminant adj., (med.) fulminanti.
fumble v., teftef.
fume v., tbaqbaq, tmasħan.
fumigate v., baħħar, daħħan, iffùmiga.
fumigated adj. & p.p., mbaħħar.
fumigation n., bħur, fumigazzjoni, tibħir, tidħin.
fumitory n., (bot.) fumarja.
fun n., gost. ***to have ~;*** iddeverta/iddiverta.
funambulist n., funàmbulu.
function n., funzjoni.
function v., iffunzjona.
fund n., fond.
fundamental adj., fondamentali/fundamentali.
fundamentally adv., fondamentalment.
funeral n., funeral. ***~ oration;*** orazzjoni fùnebri.
funeral procession n., akkompanja/ikkumpanja f'funeral.
funerary adj., fùnebri.
funfair n., lunapark.
funicular n., (mechan.) funikular.
funnel n., ċumnija ta' vapur, lenbut/lembut, midħna.
funny adj., komiku. ***to be ~;*** ikkummiedja.
furbelow n., farbalà, tippet.
furbish v., bajjad, ħammel, naddaf.
furbished adj. & p.p., mnaddaf.
furbisher n., naddàf.
furious adj., furjuż, mqarqaċ.
furlough n., sensja ta' suldat.
furnish v., forna, għammar, immobbilja.
furnished adj. & p.p., mgħammar, mobbiljat/immobbiljat.
furniture n., għamara, mobbilja, mobbli.
furrow n., radda ta' bastiment, radda ta' moħriet, ħadd.
furrow v., ħarat.
furrowed adj. & p.p., mardud.
fury n., furja, ġenn, rabjatura, saħna.
fuse n., (elect.) fjus.
fusion n., fużjoni.
fuss n., għaġba, plejtu, stagħġib.
fustian n., fustan.
fusulier n., (mil.) fuċillier.
futile adj., fùtili.
futtock n., (mar.) stamnara.
future adj., futur, li ġej, ġejjieni.
futurism n., futuriżmu.
futurist n., futurista.
fylfot n., swastika.

Gg

gabardine n., gabardin.
gabble v., gedwed.
gabion n., gabjun.
gad (about) v., iġġerra, iċċerċer.
gad v., tlajja, xewwel.
gadabout n., xewwiel.
gadfly n., (zool.) xidja.
gaggle v., laqlaq, paċpaċ, waqwaq. ***when I spoke to him, he began to ~;*** meta kellimtu beda jlaqlaq.
gaggled adj. & p.p., mlaqlaq, mpaċpaċ.
gaiety n., allegrija.
gaily adv., allegrament.
gain n., gwadann, mgħax, profitt, qalgħa, qligħ.
gain v., daħħal, ħassel, ipprofitta, kiseb, qala'. ***to ~;*** qala' minn għand.
gained adj. & p.p., maqlugħ, miksub.
gainsay v., ċaħad, miera.
gainsaying n., tmerija.
gaiter n., getta.
gala n., gala. ***~ dress;*** ilbies gala. ***~ performance;*** serata gala.
galantine n., galantina.
galaxy n., (astro.) galassja.
gale n., uragan.
galeass n., (mar.) galjazza.
galena n., (min.) galena.
gall n., (med.) marrara. ***~-stone;*** ġebel filmarrara.
gall-fly n., (zool.) galla.
gallant adj., għandur.
galleon n., (mar.) ġifen, galjun.
gallery n., paġġatur. ***covered ~;*** loġġat.
gallet n., (anat.) gerżuma.
galley n., (mar.) xini. ***~-slave;*** galjott. ***small ~;*** (mar.) galjotta.
galliot n., (mar.) galjotta.
gallon n., gallun.
gallop v., iggaloppja. ***cause to ~;*** lebbet/ libbet.
gallows n., forka, (leg.) patìbolu.
galoon n., gallun.
galopped adj. & p.p., mlebbet.
galosh n., galoxxa.
galvanic adj., galvàniku.
galvanism n., galvaniżmu.
galvanization n., galvanizzazzjoni.
galvanize v., iggalvanizza.
galvanized adj., galvanizzat.
galvanizer n., galvanist.
galvanometer n., galvanòmetru.
galvanoplasty n., galvanoplàstika.
game n., logħba, partita.
game-house n., każinò.
gamester n., lagħàb.
gammon n., (mar.) trinka.
gang n., gaj.
ganglion n., (anat.) gangliju.
gangrene n., (med.) kankrena.
gangrene v., ikkankrena.
gangreous adj., ikkankrat.
gangster n., gangster.
gap n., ħarq, lakuna.
gape v., ittewweb.
gar(r)otte n., garrotta.
gar-fish n., (ichth.) msella.
garage n., garaxx.
garden n., ort, ġnien. ***zoological ~;*** ġnien żooloġiku, żu. ***G~ of Eden;*** ġenna ta' l-art. ***small ~;*** ġardina.
gardener n., ġardinar, ġennien.
gardenia n., (bot.) gardenja.
gardening n., ġardinaġġ.
garfish n., (ichth.) agulja.
gargalize v., għargħar.
gargle n., gargariżmu.
gargle v., għargħar, (med.) iggargarizza.
garland n., dafra, girlanda.
garlic n., tewma. ***clove of ~;*** sinna tewm. ***seasoned with ~***; mtewwem.
garment n., dejl.
garret n., għorfa, raff, soffitt.
garrison n., (mil.) gwarniġjon.
garrulous adj., lablabi.
garter n., takkalja.
gas n., gass. ***coal-~;*** gass tal-faħam. ***poison-~;*** gass tal-gwerra. ***~ generator;*** gażòġenu. ***gas ~;*** aċċendigass. ***~-mask;*** maskra tal-gass.
gas v., iggassja.
gaseous adj., gassuż.
gash n., farrett, sfreġju.
gasket n., (mar.) madaxxumi.

gasolene n., gażolina.
gasometer n., (techn.) gażòmetru.
gasteropod n., (zool.) gasteròpudu.
gastric adj., (med.) gastriku.
gastritis n., (med.) gastrite.
gastrology n., gastroloġija.
gastronome n., gastrònomu.
gastronomic(al) adj., gastronòmiku.
gastronomy n., gastronomija.
gate n., kanċell, xatba. ***iron ~***; rixtellu.
gather v., damm, ġabar, ġama'/ġema'. ***~ a meeting;*** laqqa'. ***he ~ed some friends to celebrate his birthday;*** laqqa' xi whud minn ħbiebu biex jifirħu flimkien f'għeluq sninu.
gathered adj. & p.p., miġmugħ, mġamma'/mġemma'. ***to cause to be ~;*** dammam.
gatherer n., dammiem, ġabbâr, ġemmiegħ.
gathering n., tiġmigħ, ġbir, ġemgħa, ġmigħ.
gauge n., gejġ.
gauze n., (med.) garża.
gavotte n., (mus.) gavott.
gay adj., ferħa.
gaze adj., ċass.
gaze v., bera, għajjen.
gazed (at) adj. & p.p., mgħajnas, mgħajjen.
gazed (upon) adj. & p.p., mogħjien, megħjien.
gazelle n., (zool.) għażżiela.
gazette n., gazzetta.
gazetteer n., dizzjunarju ġeografiku.
gazing n., tagħjin.
gear n., (mechan.) ger, ingranaġġ. ***main ~;*** drizza tal-majjistral. ***fore ~;*** drizza tattrinkett. ***to be in ~;*** (mechan.) ingrana. ***to put into ~;*** (mechan.) ingrana.
geared adj. & p.p., (mechan.) ingranat.
gearing n., (mechan.) ingranaġġ.
gecho n., (zool.) wiżgħa.
geisha n., gejxa.
gelatine n., (chem.) ġelatina.
gelatinous adj., ġelatinuż.
geld v., ħesa, sewwa, (techn.) ikkastra.
gelded adj. & p.p., moħsi.
gem n., ġemma.
geminate adj., (gram.) ġeminat.
gemination n., (gram.) ġeminazzjoni.
gendarm n., ġendarm.
gendarmerie n., ġendarmerija.
gender n., ġèneru, ġens. ***common ~;*** ġèneru komun. ***feminine ~;*** ġèneru femminil. ***masculine ~;*** ġèneru maskil.
genealogical adj., ġenealòġiku.
genealogist n., ġenealoġista, ġuljanist.
genealogy n., radìka, ġenealoġija, ġuljana.
general adj., ġenerali. ***~ council;*** kunsill ġenerali. ***~ election;*** elezzjoni ġenerali.
general n., (mil.) ġeneral. ***lieutenant ~;*** logutenent ġeneral. ***major ~;*** maġġur ġeneral.
generalisation n., ġeneralizzazzjoni.
generalissimo n., (mil.) ġeneralissimu.
generality n., ġeneralità.
generalize v., iġġeneralizza.
generalized adj., ġeneralizzat.
generally adv., komunement, ġeneralment.
generate v., iġġenera, nissel.
generated adj. & p.p., mnissel, ġenerat.
generation n., ġenerazzjoni, ġens, ġlajka, nisel, tinsil.
generative adj., faqsi, ġenerattiv.
generator n., ġeneratur, nissiel.
generic adj., ġenèriku.
generical adj., ġenèriku.
generically adv., ġenerikament.
generosity n., ġenerożità.
generous adj., ġeneruż, rjal.
Genesis pr.n., Ġènesi.
genetic adj., ġenètiku.
genial adj., kordjali, ġenitali.
genitive n., (gramm.) ġenittiv.
genius n., ġenju, inġenju.
genocide n., ġenoċidju.
gentian n., (bot.) ġenzjana.
gentle adj., ġentili, ħelu, mans, manswet.
gentleman n., ġentlom, galantom, raġel.
gentleness n., ġentilezza.
gently adv., ċiklem ċiklem, ħelu ħelu, qajla. ***very ~;*** bil-qajla l-qajla.
genuflexion n., ġenuflessjoni.
genuine adj., ġenwin, (leg.) awtèntiku.
genuinely adv., ġenwinament.
genuineness n., ġenwinità.
geocentric(al) adj., (astro.) ġeoċèntriku.
geodesy n., ġeodesija.
geodetic adj., ġeodètiku.
geographer n., ġeògrafu.
geographic(al) adj., ġeogràfiku.
geographically adv., ġeografikament.
geography n., ġeografija.
geologic(al) adj., ġeolòġiku.
geologically adv., ġeoloġikament.
geologist n., ġeòlogu.
geology n., ġeòloġija.
geomancy n., ġeomanzija.
geometer n., ġeometru.
geometric(al) adj., ġeometriku.
geometrically adv., ġeometrikament.
geometry n., ġeometrija.

geranium n., (bot.) sardinella, ġeranju.
geriatrics n., ġerjatrija.
geriatrist n., ġerjatrista.
German n., Ġermaniż.
germander n., (bot.) borgħom.
germanic adj., ġermàniku.
germicide n., ġermiċida.
germinate v., nibet.
germination n., raħs.
gerund n., (gram.) ġerundju.
gestation n., (med.) ġestazzjoni.
gestatorial adj., ġestatorja. ***~ chair;*** sedja ġestatorja.
gesticulate v., iġġestikula.
gesture n., ġest, ħerka, mossa. ***odd ~;*** mutett.
get v., kiseb. ***~ ready;*** lesta.
get (in) v., iddaħħal. ***how can you ~ this into that place?;*** kif tista' ddaħħal din il-ħaġa f'dak il-post?
get (into) v., inkappa.
get (up) v., qam, waqaf. ***to ~ early in the morning;*** qam kmieni, bakkar.
geyser n., giżer.
ghetto n., gett.
ghost n., fatàt, gadawdu, ħâres, ruħ.
giant n., koloss, ġgant, ġorf.
gibber v., balbal.
gibus n., ġibus.
giddiness n., mejt, sturdament, (med.) vertiġni.
gift n., don, għotja, meħba, mhiba, middija, mogħtija, rigàl, strina.
gig n., kaless, (mar.) gikk.
gigantesque adj., ġganti.
gigantic adj., kolossali, ġganti.
gild v., dieheb, (artis.) indura. ***to be ~ed;*** iddieheb.
gilder n., (artis.) dehieb, induratur.
gilding n., (artis.) induratura, tidhib.
gills n., garġi.
gilt adj. & p.p., (artis.) indurat.
gilted adj. & p.p., mdieheb.
gimlet n., berrina.
gimlet v., berren.
gin n., ġinn, mansab, trabokk, (mar.) maċina.
gin cotton v., ħaleġ.
ginger n., (bot.) ġinġer.
giraffe n., (zool.) ġiraffa, żrafa.
gird v., ħażżem.
girdle n., ċinta, ċintura, ħożża, ħżiem, (eccl.) ċinglu.
girdled adj. & p.p., mħażżem.
girdling n., taħżim.
girl n., tifla, xebba. ***fine ~;*** dliela. ***young ~;*** tfajla.
girth n., ċinga, mxedd.
gist n., sustanza.
give v., newwel, ta. ***please, ~ me that book;*** jekk jogħġbok newwilli dak il-ktieb. ***Paul has given me this ring;*** Pawlu tani dan iċ-ċurkett. ***to ~ one's word;*** ta l-kelma.
give (back) v., radd, (leg.) irrestitwixxa, irritorna. ***I will give you back the money tomorrow;*** nirrestitwilek il-flus għada.
give (up) v., ċeda/ċieda, ikkunsinna. ***he ~ his rights to his brother;*** ċeda l-jedd tiegħu lil ħuh.
given adj. & p.p., middi, mogħti. ***~ to;*** mogħti għal. ***~ back;*** restitwit.
giver n., (leg.) donatur.
giving n., għoti.
gizzard n., qanżħa.
glacial adj., glaċjali.
glacis n., glasìs.
glad adj. & pres.p., ferħa.
glad adj., ferħan, kuntent. ***make ~;*** ferraħ. ***the news made them ~;*** l-aħbar ferrħithom.
gladden v., allegra, ferraħ.
gladiator n., gladjatur, selliet.
gladiolus n., (bot.) gladjola.
gladness n., ferħ, kuntentizza.
glance n., daqqa ta' għajn, ħarsa.
gland n., (anat.) glàndola. ***swollen neck-~;*** gangala.
glanders n., ċmajra taż-żiemel.
glandular adj., (med.) glandolàri.
glass n., ħġieġ, kies, tazza, żġieġa. ***cupping ~;*** fintusa. ***~ window;*** vetrata. ***hour ~;*** ampulletta. ***small liqueur ~;*** bikkjerin.
glass-blower n., vitrar.
glass-dealer n., vitrar.
glass-door n., antiporta.
glass-maker n., vitrar.
glasses n., nuċċali. ***sun ~;*** nuċċali tax-xemx.
glasswort n., (bot.) almeridja.
glassy adj., tal-ħġieġ. ***to become ~;*** iżżeġġeġ.
glaucoma n., (med.) glawkoma.
glaze n., żmalt.
glaze v., żmalta.
glazier n., vitrar.
gleaming n., tilqiq.
glean v., laqqat. ***he went to ~ the ears of corn from the field;*** mar ilaqqat is-sbul mill-għalqa.
gleaned adj. & p.p., mlaqqat, mqaxqax.
gleaning n., lqat, tilqit.
glide v., igglajdja, iżżerżaq.
glided adj. & p.p., mżerżaq.

gliding adj., żerżieqi.
glisten v., idda, lema, leqq.
glister v., leqq.
glistering adj., mgħamċeċ.
glitter v., ibbrilla, kewkeb, lellex, lema, leqq. ***how much did the golden necklace ~ on her neck;*** kemm bdiet tlellex il-ġiżirana tad-deheb fuqha. ***all that ~s is not gold;*** mhux kull ma jleqq deheb.
glittering adj. & p.p., middi.
glittering adj., brillanti, mdawwal, mlellex.
globe n., globu, sfera, (geog.) mappamondu. ***earth (terrestrial) ~;*** globu taddinja.
globular adj. & p.p., globulari, mqawwar, mżebbeġ, qawri.
gloom n., dlam.
gloominess n., dgħuma, diqa ta' qalb, tristezza.
gloomy adj., dagħmi, delli, fosk, mdejjaq.
glorification n., glorifikazzjoni, tweġġiħ.
glorified adj. & p.p., glorifikat, mweġġaħ.
glorified v., issebbaħ.
glorify v., faħħar, igglorìfika, weġġaħ.
glorious adj., glorjuż.
glory n., glorja, sebħ.
glory v., ftaħar.
gloss n., glossa.
glossary n., glossarju.
glove n., ingwanta.
glow v., idda.
glow-worm n., (zool.) musbieħ il-lejl.
glucose n., glukosju, glukows.
glue n., kolla.
glue v., inkolla.
glued adj. & p.p., inkullat.
gluten n., glutina.
glutinous adj., mgħallek.
glutton n., dexxiex, gulier, leflief, wikkiel, żaqqieq.
gluttonous adj., guluż.
gluttony n., gula.
glycerine n., (chem.) gliċerina.
glycosuria n., (med.) glikosurja.
glyphographer n., glifògrafu.
glyphographic adj., (artis.) glifogràfiku.
glyphography n., (techn.) glifografija.
glyptographer n., (artis.) glittògrafu.
glyptography n., glittografija.
gnashing (of teeth) n., tagħżiż.
gnat n., nemusa.
gnaw v., gerrem.
gnawed adj. & p.p., mgerrem.
gnawed (away) adj. & p.p., mqarram/mqarrem.
gnawing n., tgerrim, tigrim.
go about v., dar.
go v., mar. ***he went too far;*** mar 'il bogħod ħafna. ***~ aside;*** iġġenneb. ***~ away;*** parpar, parta. ***he went away from here;*** hu parpar minn hawn. ***~ backward;*** hebeż. ***~ down;*** niżel. ***~ forward;*** telaq. ***~ from;*** żal. ***~ further;*** għadda l-ħażż. ***~ on;*** issokta. ***~ out;*** ħareġ, telaq. ***he went out secretly;*** telaq 'l barra bil-moħbi. ***~ through;*** qasam. ***~ to and fro;*** terraq. ***~ up;*** immolla, tela'/tala'. ***let ~;*** reħa.
goad n., mehmeż, niggieża.
goad v., niggeż.
goal n., kalzri, ħabs, (g.) gowl.
goat n., (zool.) mogħża. ***he goat;*** (zool.) għens, witwet.
goatee n., daqna.
goatherd n., ragħaj il-mogħoż.
goatish adj., mogħżi.
goblet n., qdieħ.
God pr.n., Alla. ***~ forbid;*** Alla ħares. ***~ reward you for it;*** Alla jħallsek. ***for ~'s sake;*** għall-imħabba ta' Alla. ***~ help you;*** jgħinek Alla. ***man proposes and ~ disposes;*** il-bniedem jipproponi u Alla jiddisponi. ***~ willing;*** jekk Alla jrid, kallajrid. ***by (the mercy of) ~;*** mnalla.
god-daughter n., filjozza.
god-father n., parrinu, xbin.
god-mother n., parrina, xbint.
god-son n., filjozz.
goggle-eyed adj. & p.p., mżeġġeġ.
goggles n., nuċċali tax-xemx.
going adj., sejjer. ***~ down;*** nieżel, tinżil. ***~ in;*** dieħel. ***~ out;*** ħiereġ. ***~ up;*** titligħ.
goitre n., għanqra, (med.) gozzu.
gold n., deheb.
gold-beater n., battilor.
golden adj., dehbi, dehbien.
goldeneye n., brajmla tal-għajn.
goldfinch n., (ornith.) gardell.
goldfish n., kwalità ta' ħut. ***gilthead goldfish;*** (ichth.) orata.
goldsmith n., arġentier.
golf n., (g.) golf.
gondola n.,(mar.) gondla.
gondolier n., (mar.) gondolier.
gonfalon n., gonfalun.
gonfalonier n., gonfalunier.
gong n., gong.
goniometer n., gonjòmetru.
goniometric(al) adj., gonjomètriku.
goniometry n., gonjometrija.
gonorrhoea n., (med.) mard tan-nisa, qattara.
good adj., tajba, tajjeb.
good n., ġid. ***to become ~;*** ittejjeb, tejjeb.

good-bye interj., arriv, baj, ċaw, addijo.
goodness n., bontà, tjieba/tjubija.
goods n., ħwejjeġ, merċa, merkanzija, (leg.) beni. ***shoddy ~;*** pakkutilja.
goose n., wiżża.
gooseberry n., (bot.) ribes, uvaspina.
gordian adj., gordjan. ***~ knot;*** għoqda gordjana.
gorget n., (mil.) gurġiera.
Gorgonzola pr.n., gorgonżola.
gorilla n., (zool.) gorilla/gurilla.
gormandise v., iffoxxna.
gormandizer n., wikkiel.
gormandizer n., żaqqieq.
gorse n., (bot.) broxka, simàr, ġummar.
goshawk n., bież tal-ħamiem.
Gospel n., (eccl.) Evanġelju, Vanġelu.
gossip n., għajdut tan-nies, tlaqliq.
gossip v., tqassas fuq in-nies.
gossiper n., qassies.
gossiping n., seksik.
Gothic adj., (arch.) gòtiku.
gotten adj. & p.p., maqlugħ.
gouge n., sgorbja, żgorbja.
gourd n., (bot.) qargħa.
gout n., (med.) gotta, pullagra.
govern v., ħakem, iggverna, rieġa, saltan. ***the king reigns but does not ~;*** is-sultan jirrenja iżda ma jiggvernax.
governable adj., governabbli.
governed adj. & p.p., iggvernat, msaltan.
governess n., governanti.
government n., gvern, reġim, ħkim. ***coalition ~;*** koalizzjoni. ***self-~;*** awtonomija.
governmental adj., governattiv.
governor n., bejlikk, governanti, gvernatur, ħakem, ħakkiem.
governorship n., governaturat.
gown n., dublett, toga. ***academic ~;*** toga. ***cotton ~;*** ċulqana. ***dressing ~;*** ġobba, gejxa. ***wedding-~;*** libsa tat-tieġ. ***bed-~;*** libsa tas-sodda. ***woman's strip ~;*** geżwira.
Gozitan adj., Gozitan, Għawdxi.
Gozo pr.n. Għawdex, Gozo.
grabbed adj. & p.p., maħfun.
grabbing n., ħtif.
grace n., galbu, grazzja. ***with a good ~;*** bil-bona grazzja. ***state of ~;*** stat ta' grazzja. ***by the ~ of God;*** għall-grazzja t'Alla. ***Your G~;*** (eccl.) monsinjur.
grace v., qeraħ.
graceful adj., grazzjuż, gustuż.
gracile adj., graċli.
gradation n., gradazzjoni.
grade n., grad.
gradual adj., gradwali.
gradually adv., gradatament, gradwalment.
graduate adj., lawrejat.
graduate n., diplomat. ***woman ~;*** dottoressa.
graduate v., illawrja.
graduated adj., gradwat.
graffito n., (arch.) graffit.
graft v., laqqam. ***he ~ed the orange trees;*** laqqam is-siġar tal-larinġ.
grafted adj. & p.p., mlaqqam.
grafter n., laqqàm.
grafting n., tilqim.
grain n., granell, ħabba, qamħa. ***heap of ~;*** faħal. ***mixed ~;*** maħlut.
gramaphone n., gramofown, kaxxa taddaqq.
grammar n., grammàtika.
grammarian n., grammàtiku.
grammatical adj., grammatikali.
grammatically adv., grammatikalment.
gramme n., gramm.
granary n., matmura.
Grand Master n., Granmastru.
grand adj., grandjuż, imponenti.
grand-nephew n., proneputi.
grandees n., kbarat.
grandeur n., kburija.
grandfather n., nannu. ***great ~;*** bużnannu.
grandiose adj., grandjuż.
grandmother n., nanna. ***great ~;*** bużnanna.
granite n., (geol.) granit.
grant n., konċessjoni.
grant v., (leg. & parl.) ikkonċeda. ***God ~;*** jalla.
granted adj. & p.p., ikkonċedut.
grantee n., (leg.) konċessjonarju.
granulate adj., granulat.
granulate v., iggrànula, ikkusksja, rammel/rammal.
grape n., (bot.) għenba. ***sour ~s;*** għeneb qares, ħesrem. ***an early kind of ~s;*** insolja.
grapery n., vinja.
graph n., graf.
graphic adj., gràfiku.
graphically adv., grafikament.
graphite n., grafit.
graphologist n., grafòlogu.
graphology n., grafoloġija.
graphometer n., grafòmetru.
grapnel n., grampun, rampil, (mar.) ankrott.
grapple n., rampil.

grasp v., ħafen, ħażaq.
grasped adj. & p.p., maħfun.
grasping n., ħfin, taħtif.
grass n., ħaxix. ***eat ~;*** ħaxxex.
grasshopper n., (zool.) ġurat/ġrad.
grate n., grada.
grated adj. & p.p., maħkuk, mibrux.
grateful adj., grat, rikonoxxenti, rikonoxxut.
grater n., mħakka.
grating n., sprall, taħkik, ħakk, (mar.) sarretta.
gratis adv., gratis.
gratitude n., gratitudni, għarfien, ħajr, rikonoxxenza.
gratuitous adj., gratwit.
gratuity n., pedaġġ, qirew.
grave adj., gravi.
grave n., qabar. ***~-stone;*** blata ta' qabar.
grave-digger n., deffien.
graved adj. & p.p., minqux.
gravel n., naqal, (med.) renella/rinella.
gravelled adj. & p.p., mrammel.
gravelly adj., mċiegħek.
graver n., bornitur, bulin.
gravestone n., làpida.
graveyard n., ċimiterju.
gravitation n., gravitazzjoni.
gravity n., gravità. ***centre of ~;*** ċentru tal-gravità. ***specific ~;*** piż speċifiku.
gravy n., grejvi.
graze v., ragħa.
grazed adj. & p.p., mirgħi.
grazing adj. & pres.p., riegħi.
grease n., sonża, xaħam.
grease v., dellek, dilek, xaħħam.
grease (oneself) v., iddellek.
greased adj. & p.p., mdellek. ***to be ~;*** ixxaħħam.
greaser n., xaħħâm.
greasing n., tidlik.
greasy adj., sonżi.
great adj., gran, kapitali, kbir, manju. ***~ number;*** viżibilju.
great-uncle n., proziju.
greater comp.adj., akbar.
greatly adj. & adv., wisq. ***very ~;*** bil-wisq.
greatness n., kburija.
grebe n., blonġun. ***great crested ~*** (ornith.) blonġun. ***slavonian ~;*** blonġun rar. ***black-necked ~;*** blonġun sekond. ***little ~;*** blonġun żgħir.
Grecism n., greċiżmu.
greed n., regħba.
greediness n., klubija, xeħħa.
greedy adj. & p.p. guluż, lħiħ, mirgħub, rgħib, xajjaħ, xħiħ.
Greek adj. & n., Grieg. ***~ church;*** knisja tal-Griegi. ***~ language;*** ilsien Grieg. ***~ cross;*** salib Grieg.
green adj., aħdar, ħadra, nej, xitli. ***become or grow ~;*** ħdar. ***make ~;*** ħaddar.
green-grocer n., bejjiegħ tal-ħaxix.
green-sickness n., (med.) klorosi.
greeneye n., (ichth.) panjol.
greenfinch n., (ornith.) verdun/virdun. ***bastard ~;*** tużurier.
greenhouse n., serra.
greenish adj., ħadrani.
greenness n., ħdura.
greenshank n., (ornith.) ċewċew.
greet v., sella, sellem. ***every morning the children, entering the school, ~ the headmaster;*** kull filgħodu t-tfal kif jidħlu l-iskola jsellmu lis-surmast.
greeted adj. & p.p., msellem. ***to be ~;*** issellem.
greeting n., sliem, tislija.
gregarious adj., gregarju, saħħabi.
Gregorian adj., (eccl.) Gregorjan. ***~ calendar;*** kalendarju Gregorjan. ***~ chant;*** kant Gregorjan.
gremial n., (eccl.) grembjal.
grenadier n., (mil.) granatier.
grey adj., griż, ixheb, xehba. ***~ hair;*** xagħar griż.
grey gumard n., (ichth.) gallina.
gridiron n., gradilja.
grief n., diqa, dispjaċir, għali, għalja, għomma, għoqla, hemm, niket, piena.
grieve v., għalla, hemmem, nikket, sewwed il-qalb, sewwed qalbu. ***the news of the death of his friend ~d his mother;*** l-aħbar tal-mewt ta' sieħbu nikktet lil ommu. ***to ~ a person;*** kiser il-qalb.
grieved adj. & p.p., iddulurat, mdejjaq, mkarrab, mnikket, trist, weġgħan.
griffin n., grifun.
griffon n., (ornith.) avultun.
grill n., gradilja.
grilling n., xiwi.
grimace v., tkerraħ, tqarras.
grimacing n., taqris, tikriħ.
grind v., għakkes, taħan, taħħan. ***~ one's teeth;*** għażżaż snienu, tgħażgħaż. ***~ coarsely;*** dexxex, grix, girex, karwat. ***the mill stone began to ~;*** il-ġebla tal-mitħna bdiet tkarwat.
grinder n., darsa, mitħna tal-kafè.
grinder n., sennien. ***knife ~;*** sennej.
grinding n., taħna, titħin, tħin.
grindstone n., mola.
grip n., qabda.
gristle n., (anat.) qarmuċa.

gritty adj., mċiegħek.
groan n., karba, newħa, nwieħ.
groan v., karab, lefaq, nagħa, niehed, tines, tniegħa. ***yesterday the patient ~ed much with pain;*** il-bieraħ il-marid karab ħafna bl-uġigħ.
groaning n., newħa, waħwiħ.
grocer n., ħanut tal-merċa, merċier.
grog n., grokk.
grog v., iggrokkja.
groom n., grum, staffier.
groove n., trinka.
grope v., teftef.
groping n., teftif.
grosbeak n., (ornith.) għasfur taż-żebbuġ.
gross adj., oħxon.
gross n., grossa.
grotesque adj., grottesk.
grotto n., grotta, għar, għorna.
ground n., art, raba', (g.) grawnd. ***burial ~;*** maqbar.
ground v., sejjes, taħan. ***when I was young I used to ~ coffee for my aunt;*** meta kont żgħir kont nitħan il-kafè lizzija. ***~ coarsely;*** mkarwat. ***to be ~ coarsely;*** (techn.) iddexxex.
grounded adj. & p.p., mitħun. ***~ coarsely;*** mdexxex. ***~ finely;*** mitbuk.
groundfloor n., pjanterran.
groundwork n., sies.
group n., grupp, nuklju.
group v., iggruppa.
grouped a dj. & p.p., iggruppat.
grouper n., (ichth.) ċerna.
grouping n., raggruppament.
grouse n., kwalità ta' tajr. ***pin-tailed sand~;*** (ornith.) ganga.
grove n., boskett/buskett, masġar.
grow v., kiber, sar, trabba. ***the oxalis grew in the garden;*** il-ħaxixa Ingliża kibret fil-ġnien. ***~ angry;*** infoska. ***to ~ arid;*** ixxiegħat. ***to ~ arrogant;*** issuppervja. ***to ~ cold;*** kesaħ. ***to ~ corpulent;*** iġġissem. ***to ~ dark;*** iddallam, sar il-lejl. ***to ~ fat;*** issemmen. ***to ~ inflammatory;*** iffjamma. ***to ~ long;*** ittawwal. ***to ~ musty;*** immoffa. ***to ~ old;*** ixxejjaħ, tgħaġġeż, kiber. ***to ~ proud;*** isserdek. ***to ~ ripe;*** issajjar. ***to ~ rusty;*** saddad. ***to ~ soft;*** ittenfex. ***to ~ small;*** ċkien. ***to ~ skin and bones;*** sar għadma u ġilda. ***to ~ thick;*** isseffaq. ***to ~ warm;*** kibes. ***to ~ wild;*** issalvaġġja.
growing n., tikbir.
growl v., gerger.
growth n., żvilupp, (anat.) fibroma. ***take ~ with small root or fibres;*** ħanxel.
grub n., (zool.) bumellies, duda tal-kromb.
gruel n., pulenta.
grumble v., garr, gedwed, gemgem, gerger, immormra, qamqam, qerred, redden/radden, werden. ***that old lady always ~s;*** dik ix-xiħa dejjem tgedwed.
grumbled adj. & p.p., mgedwed.
grumbled (about) adj. & p.p., mgemgem.
grumbler n., garrier, reddien.
grumbling n., tgemgim, tmarmir.
grummet n., (mar.) stropp.
grunt v., ħamħam, qażqaż.
guarantee n., garanzija, pleġġ.
guarantee v., (leg.) iggarantixxa. ***we ~ that the work is done well;*** niggarantixxu li x-xogħol hu magħmul tajjeb.
guaranteed adj. & p.p., garantit/iggarantut.
guarantor n., garanti.
guard n., dejma, gwardja, għassa, għassies, wardija.
guard v., indokra.
guard v., ħares, issorvelja, żamm.
guard-room n., (mil.) gardrum.
guarded adj. & p.p., indukrat, mgħasses, mħares.
guardian n., għassies, gwardjan, kustodju, tutur, (leg.) kuratur. ***~ angel;*** anġlu kustodju.
guardianship n., gwardjanat, (leg.) tutela.
guardroom n., (mil.) gardjola.
guerrilla n., gwerilla, gwerillier.
guess v., indôvna, laqat, qara x-xorti.
guessed adj. & p.p., induvnat, mibsur.
guessing n., tibsir.
guest n., mistieden.
guichet n., loġġ.
guide n., gwida, mexxej, wassâl, (leg.) indirizz. ***~ rule;*** falzariga.
guide v., iggwida, mexxa, rieġa. ***he was ~d by his brother what to do;*** kien iggwidat minn ħuh x'għandu jagħmel.
guided adj. & p.p., iggwidat, immexxi.
guillemot n., (ornith.) bugħaddas.
guillotine n., giljottina. ***the blade of the ~;*** xafra tal-giljottina.
guillotine v., iggiljottina.
guillotined adj. & p.p., giljottinat.
guilt n., ħtija, kolpa, reità.
guilty adj., ħati.
guinea-hen n., (ornith.) faragħun.
guinea-pig n., (zool.) fenek ta' l-Indja.
guitar n., (mus.) kitarra.
guitar-fish n., (ichth.) vjolin.
guitar-player n., (mus.) kitarrist.
guitarist n., (mus.) kitarrist.
gulf n., bajja, hewwa, marsa, (mar.) golf.

gull n., stùpidu.
gullet n., ħanġra, (anat.) esòfagu.
gum n., gomma, għelk, ħanek.
gum v., iggomma, inkolla.
gummed adj. & p.p., iggummat.
gummy adj., gommuż.
gun n., (mil.) kanun, xkubetta. ***cock of a ~;*** kelb ta' xkubetta. ***sporting ~;*** senter. ***trench ~;*** (mil.) bumbarda.
gunboat n., (mar.) gambott/ganbowt.
gunfire n., kanunata.
gunnel n., (mar.) bardnell.
gunner n., (mil.) artillier, kanunier.
gunpowder n., porvli/porvri.
gunsmith n., armier.
gunwale n., (mar.) bardnell.
gurgle v., gelgel, qarqar.
gurnard n., (ichth.) gallinetta. ***flying ~;*** (ichth.) bies. ***grey ~;*** (ichth.) gallina. ***large-scaled ~;*** (ichth.) żumbrell/żombrell. ***red ~;*** (ichth.) għadma.
gusset n., ġirun.
gust n., nefħa riħ, riefnu.
gut n., musrana.
gutta-percha n., guttaperka.
gutter n., qana, qattara.
guttural adj., (gram.) gutturali.
guy n., vent.
guzzle v., dekdek.
guzzled adj. & p.p., mlegleg.
guzzling n., tbekbik.
gymnasium n., palestra, ġinnasju.
gymnastics n., drill, ġinnàstika.
gynaecological adj., ġinekolòġiku.
gynaecologist n., ġinekòlogu.
gynaecology n., (med.) ġinekoloġija.
gypsy n., żingaru.
gyroscope n., ġiroskopju.

Hh

habit n., abitudni, drawwa, għada, kostum, (eccl.) ċoqqa, libsa ta' patri. ***bad ~;*** drawwa ħażina, vizzju. ***good ~;*** drawwa tajba. ***to contract bad ~s;*** ivvizzja.
habitable adj., abitabbli.
habitation n., abitazzjoni, dar, għamar, għamara, għamra.
habitual adj., abitwali.
habituate v., dara, darra.
habituated adj. & p.p., mdorri.
hack v., qaħqaħ.
hacksaw n., (artis.) sega.
haemorrhage n., (med.) emorreġija, faġra.
haemorrhoids n., tħir, (med.) emorrojdi.
haggling n., tiġbid.
hail n., silġ.
Hail! interj., ave!. ***~ Mary;*** avemarija.
hair n., pil, xagħra, xuxa. ***~ stylist;*** maxxât, pettnatur. ***grey ~;*** xejb. ***seized by the ~;*** mbeżbeż. ***split ~s;*** fittex ixxagħra fil-għaġina. ***to become ~y;*** issawwaf, ixxiegħer. ***to plait one's ~;*** immalja. ***to pull off ~;*** nittef.
hair-cutter n., qarwież.
hair-drier n., drajer.
hairdresser n., barbier, parrukkier, pettnatur.
hairless adj., qargħi.
hairpin n., furfiċetta, klipp tax-xagħar.
hairy adj., musuf, muswaf, muxgħar, peluż, piluż, xagħri.
hake n., (ichth.) marlozz/merluzz.
halbard n., (mil.) labarda/alabarda.
halbardier n., (mil.) labardier/alabardier.
half n., nofs.
half-hour n., nofsiegħa.
half-yearly adj., semestrali.
halibut n., (ichth.) ħalibatt.
hall n., awla, kagħba, sala, (arch.) atriju. ***reception ~;*** awla.
Halleluiah n., halleluja/alleluja.
hallucination n., alluċinazzjoni.
hallucinatory adj., alluċinatorju.
halo n., awreola, qawwara, raġġiera.
halt v., raqas, waqaf.
halter n., kappestru.
halve v., tebbaq.
halyard n., (mar.) drizza, gindazz, manti. ***gaff ~;*** drizza tal-pik.
ham n., perżut.
hamburger n., ħamberger.
hamlet n., raħal.
hammer n., marċ, (artis.) martell. ***~ blow;*** martellata.
hammer v., màrtel, terraq, (artis.) immartella.
hammered adj. & p.p., martellat, mterraq.
hammerhead n., tip ta' kelb il-baħar. ***common ~;*** (ichth.) korazza.
hammering n., tmartil.
hammock n., branda.
hamper n., ċestun, qartalla.
hand n., id. ***~writing;*** kitba bl-id. ***to give a ~;*** daqqa ta' id. ***to give open ~ly;*** ta b'id miftuħa. ***hand of a watch;*** sekondiera. ***minute hand;*** minutiera. ***take in hand;*** ħakem.
hand v., newwel.
hand-bell n., tintinabulu.
hand-press n., torkju.
handbook n., ħandbukk, manwal.
handcuff n., manetta.
handcuff v., immanetta, qammat. ***they ~ed him and took him to the police station;*** immanettawh u ħaduh l-għassa.
handcuffed adj. & p.p., immanettat.
handed adj. & p.p., mnewwel.
handed (back) adj. & p.p., restitwit.
handful n., ħafna, keff, qabda.
handicapped n., invàlidu.
handkerchief n., maktur.
handle n., għalaq, manilja, manku, maqbad, mradd. ***knife ~;*** manku ta' sikkina. ***mattock ~;*** marloċċ.
handle v., bagħbas, berbex, immaniġġa, mess. ***to ~ lightly;*** teftef.
handling n., maniġġ, tinwil.
handrail n., poġġaman.
handsaw n., serrieq.
handsome adj., sbejjaħ.
handsomeness n., sbuħija.
handspike n., (mar.) manwella.
handwriting n., kaligrafija.

handyman n., fattiga.
hang v., dendel, għallaq. ***the sword was ~ing on his head;*** ix-xabla kienet imdendla fuq rasu. ***the executioner ~ed the murderer;*** il-bojja għallaq il-qattiel. ***to ~ with tapestry;*** (artis.) ittapizza.
hang (oneself) v., tgħallaq. ***he went to ~ himself on a tree;*** mar tgħallaq ma' siġra.
hang (out) v., naxar. ***she went to ~ the clothes outside;*** telgħet tonxor il-ħwejjeġ fuq il-bejt.
hangar n., ħenger.
hanged adj. & p.p., mdendel, mgħallaq. ***~ out;*** minxur.
hanging n., tagħliq.
hangman n., bojja, għallieq, (leg.) ġustizzier.
hankering n., kilba.
happen v., għadda minn għalih, issuċċieda, ġara. ***she ~ed to arrive when he was leaving;*** ġara li waslet meta huwa kien se jitlaq. ***~ by chance;*** inzerta.
happened adj. & p.p., miġri.
happily adv., feliċement.
happiness n., feliċità, ġid, gawdju, ħajr, hena, kuntentizza.
happy adj., feliċi, hieni, kuntent. ***made ~;*** mhenni, allegra, henna. ***his news made us ~;*** l-aħbar tiegħu hennietna.
harbour n., marsa, (mar.) port. ***~ duty;*** ħlas tal-port. ***~ master;*** kaptan tal-port.
hard adj., diffiċli, ferm, gravuż, iebes, qalil, qawwi, sod, tqil, xieref. ***~ stone;*** żonqor. ***to become ~;*** ibbies, inkalla, issenneġ, qaxlef. ***the bread became ~ in the oven;*** il-ħobż issenneġ fil-forn.
harden v., ibbies, qaxlef, sammam, webbes, xarraf, xerref.
hardened adj. & p.p., inkallat, mixdud, msammam, mwebbes, mxarraf, staġnat.
hardening n., tismim.
harder comp.adj., asamm, èjbes, ixraf.
hardly adv., bilkemm.
hardness n., ebusija, durezza, sodizza, twebbis, xrufija. ***~ of heart;*** twebbis tal-qalb.
hardship n., tbatija.
hare n., (zool.) liebru.
harem n., serrall, ħârem.
harlequin n., arlekkin.
harm n., dannu, deni, detriment, dnewwa.
harm v., darr.
harmful adj., ħażin.
harmonic(al) adj., (mus.) armoniku.
harmonically adv., (mus.) armonikament.
harmonious adj., armonjuż.
harmonium n., (mus.) armonju.
harmonization n., (mus.) armonizzazzjoni.
harmonize v., armonizza, qabbel.
harmonized adj., armonizzat.
harmony n., (mus.) armonija.
harmony n., akkordju, diwi. ***in ~ with;*** (mus.) intunat.
harness n., arnes, bardatura.
harp n., (mus.) arpa, lira. ***play the ~;*** (mus.) arpeġġja.
harper n., (mus.) arpista.
harpist n., (mus.) arpista.
harpoon n., arpjun, misrek, (mar.) foxxna.
harpoon v., ferken, iffoxxna.
harrier n., tip ta' ħuta. ***pallid ~;*** (ornith.) bugħadam. ***hen ~;*** bugħadam abjad. ***marsh ~;*** bugħadam aħmar. ***montagu's ~;*** bugħadam rmiedi.
harrow n., xatba.
harrow v., xattab.
harrowed adj. & p.p., mxattab.
harrower n., xattàb.
harrowing n., tixtib.
harsh adj., aspru, aħrax, iebes, kiefer, mqit, qares, żorr. ***to be ~;*** mqat.
harshness n., herra, ħruxija.
harshly adv., bil-ħruxija.
hartshorn n., (bot.) ramnu.
harvest n., ħsad.
harvest v., ħasad. ***the farmer ~ed the corn;*** il-bidwi ħasad il-qamħ.
harvest -man n., ħassâd.
hash v., dekkek, ikkapulja.
hashed adj. & p.p., midquq.
hasp n., ganġetta, lukkett, spanjuletta.
hasp v., qafel.
haste n., bżulija, għaġla, prexxa. ***to make haste;*** għanet. ***act hastily;*** gerbeb.
hasten v., għanet, għaġġel, ħaffef. ***they ~ed to go home;*** għaġġlu biex imorru d-dar.
hastener n., għaġġiel.
hastening n., tagħġil.
hasty adj., mqarqaċ.
hat n., għata tar-ras, kappell. ***three-cornered ~;*** kappell trespikos. ***felt ~;*** lobbja. ***three-cornered ~;*** kappell bi tliet ponot. ***to take off one's ~;*** ixxewwex. ***top ~, silk ~, high ~, chimney top ~;*** n., tomna.
hat-pin n., splengun.
hatch n., bukkaport, mannara, mitraq.
hatch v., faqas, faqqas, nassas. ***he counted the chickens before they were ~ed;*** għadd il-flieles qabel faqqsu.
hatch-way n., (mar.) bokkaport.
hatched adj. & p.p., mfaqqas, mifqus.

hatchet n., mterqa.
hatching n., tifqis.
hatchway n., bukkaport.
hate n., bagħda, mibegħda, odju.
hate v., bagħad, odja, xena. ***he is ~d by everyone;*** hu mibgħud minn kulħadd.
hated adj. & p.p., mibgħud, mixni, odjat.
hateful adj., odjuż.
hater n., bagħàd.
hatred n., għajt. ***to cause ~;*** bagħad.
hauberk n., ġlekk tal-ħadid.
haughtiness n., arroganza, kburija, suppervja.
haughty adj., arroganti, buruż, kburi, mimli bih innfisu, minfuħ bih innifsu, mkabbar, supperv.
haul (down) v., majna.
haul v., (mar.) rmonka.
haunch n., ingroppa.
hautboy n., (mus.) obwe.
have v., ippossieda.
haven n., marsa, (mar.) port. ***~ of rest;*** port tal-mistrieħ.
haversack n., (mil.) barżakka.
havoc n., distruzzjoni. ***to wreak ~;*** għamel straġi.
hawk n., (ornith.) seqer, sparvier.
hawker n., bejjiegħ tat-triq, lawżar.
hawse-hole n., (mar.) kubija.
hawser n., (mar.) gerlin, gumna.
hawthorn n., (bot.) żagħruna.
hay n., ħuxlief.
hay-fork n., trident.
hazard n., ażżard, periklu, sogru.
hazard v., ażżarda, lagħab.
hazardous adj., irriskjat.
hazy adj., mċajpar, mdaħħan, mgħajjeb.
he pron., dak, hu, huwa.
he-goat n., (zool.) bodbod.
head n., kap, rajjes, ras. ***bad ~, block~;*** ras qargħa. ***~ phone;*** ħedfown. ***empty ~edness;*** ras qargħa. ***~ of Department;*** direttur. ***lose one's ~;*** iġġennen. ***he lost his ~ after a woman;*** iġġennen wara mara.
head-cook n., xeff.
head-master n., surmast.
head-quarters n., kwartier.
headache n., (med.) uġigħ ta' ras. ***severe ~;*** (med.) ċefalaġija. ***strong ~;*** (med.) emikranja.
heading n., intestatura.
headmistress n., màdam, sinjora.
headstone n., làpida.
heal v., dewwa, fejjaq, qawwa, saħħaħ. ***he ~ed a person;*** fejjaq lil xi ħadd.
healed adj. & p.p., mfejjaq, mqawwi, msaħħaħ. ***be ~;*** fieq.
healer n., dewwej, fejjieq, saħħàħ, tabbàb.
healing adj., saħħaħ.
healing n., tidwija, tifjiq, għafja, sanità. ***~ inspector;*** tas-sanità.
health n., saħħa. ***restore to ~;*** fejjaq.
healthful adj., saħħieħi.
healthy adj., qawwi.
heap n., borġ. ***~ of stones;*** borġ ġebel.
heap n., gods, għarma, katasta, massa, munzell.
heap v., geddes, gezzez.
heap (up) v., barraġ, għarrem, għarram.
heaped (up) adj. & p.p., mbarraġ, mgħarrem, mgeddes.
heaper n., geddies.
heaping n., tagħrim, tibriġ, tigdis, tigżiż.
hear v., sama'/sema'. ***to cause one to ~;*** samma'/semma'.
heard adj. & p.p., mismugħ. ***to be ~;*** stama'.
hearer n., semmiegħ, uditur.
hearing n., smigħ, widen, (mus.) udit.
hearken v., ta widen.
hearsay n., diċerija, gossip.
hearse n., karru tal-mejtin.
hearse-cloth n., faldrappa/valdrappa/fadrappa.
heart n., (anat.) qalb, qalba. ***evil-~ed;*** qalb ħażina. ***~ of stone, hard-~ed, flint ~ed;*** qalb iebsa. ***heavy-~ed;*** qalb sewda. ***good-~ed;*** qalb tajba. ***~ily;*** bil-qalb. ***~less;*** bla qalb. ***~ attack;*** (med.) infart. ***~ throbbing;*** taħbit tal-qalb. ***taking to ~;*** għożża. ***Sacred H~;*** il-Qalb ta' Gesù.
heart-breaking n., qasma ta' qalb.
heartache n., ksir il-qalb.
heartburn n., (med.) aċidità ta' l-istonku.
hearth n., fuglar/fuklar.
heartiness n., ħila.
hearty adj., kordjali.
heat n., ħarr, sħana.
heat v., saħan, saħħan. ***they ~ed their father's room because he was ill;*** saħħnu l-kamra ta' missierhom għaliex kien marid. ***~ of blood;*** fawra. ***prickly ~;*** ħafas. ***stifling ~;*** għomma. ***sultry ~ of the sun;*** longa.
heated adj. & p.p., msaħħan. ***to become ~ in temper;*** issaħħan.
heater n., saħħàn, ħiter. ***electric ~;*** ħiter ta' l-elettriku.
heath n., kenur, moxa, xagħra.
heather n., (bot.) ġummar.
heathy adj., xagħri.
heave v., alza, (mar.) vira.
heaven n., dar is-sliem, ġenna, sema. ***in ~;*** fil-glorja t'Alla.

heavenly adj., ċelesti.
heavier comp.adj., itqal.
heaviness n., mitqla, teqla, toqol.
heavy adj., gravuż, piżanti, tqil. ***~ drinker;*** xarrâb. ***made ~;*** mtaqqal, mteqqel. ***to be ~;*** qantar. ***to become ~;*** ittaqqal.
hebdomodal adj., (eccl.) ebdomodarju.
Hebraic adj., ebrajk.
Hebraism n., ebrajiżmu.
Hebrew n., ebrajk, Lhudi.
hectic adj., marsuttlat.
hectic n., èttiku.
hedge n., ċint.
hedgehog n., (zool.) porkuspin, qanfud.
hedonism n., edoniżmu.
heedlessness n., diżattenzjoni.
heel n., għarqub, takkuna. ***kick with the ~;*** għarqeb.
heel v., takkan.
hegemonic adj., eġemòniku.
hegemony n., eġemonija.
hegira n., ħarġa.
heifer n., (zool.) erħa, għoġla.
height n., għoli, quċċata, statura.
heir n., (leg.) eredi, werriet. ***sole ~;*** eredi universali.
held adj. & p.p., miżmum.
helicopter n., ħelikopter.
heliograph n., eljògrafu.
heliography n., eljografija.
heliotrope n., (bot.) vanilja.
hell n., dar il-qada, infern.
Hellenism n., elleniżmu, greċiżmu.
Hellenist n., ellenista.
hello interj., hallow, ej.
helm n., (mar.) tmun.
helmet n., elmu, galja, (mil.) kaskett, mirjun.
helmsman n., tmunier.
help n., ajjut, assistenza, braċċ, daqqa ta' id, għajnuna, palata, sokkors.
help v., ajjuta, għen, issokkorra, waqaf ma'. ***God ~s who ~s himself;*** għin ruħek biex Alla jgħinek.
helped adj. & p.p., ajjutat, megħjun, mistgħan.
helper n., ajjutant, assistent, waqqâf.
hem n., keffa, orlu, tberfila.
hem v., keff, keffef. ***the girl ~med her skirt;*** it-tifla keffet id-dublett tagħha.
hem-stitch n., aġġorn.
hemicrania n., (med.) emikranja.
hemiplegia n., (med.) filġa.
hemisphere n., emisferu.
hemlock n., (bot.) ċikuta.
hemmed adj. & p.p., mberfel, mikfuf, mkeffef.
hemming n., orlatura, tberfil, tikfif.
hemorrage n., (med.) emorreġija.
hemorrhoids n., (med.) emorrojdi.
hemp n., qanneb, (bot.) qanba.
hemp-seed n., qannebusa.
hempen adj., qanbi, qannbi.
hen n., (ornith.) tiġieġa. ***broody ~;*** (zool.) qroqqa. ***~ louse;*** puċpieċa.
hen-coop n., gallinar.
henbane n., (bot.) mammażejża. ***white ~*** (bot.) banġ.
hence adv., minn hawn. ***from hence;*** minn hawn.
henceforth adv., minn issa 'l quddiem.
hendecasyllabic n., endekasìllabu.
her pron., tagħha.
heraldry n., aràldika.
herbarium n., erbarju.
herbivorous adj. & p.p., mħaxxex.
herbivorous adj., ħaxxiexi.
herd n., għanem, merħla, ġemgħa bhejjem.
herdsman n., raħħàl.
here adv., ekku, hawn, hawn hekk. ***~ above; up ~;*** hawn fuq. ***~ below, down ~;*** hawn isfel. ***to ~;*** sa hawn. ***~ and there;*** 'l hawn u 'l hinn.
hereditary n., ereditarju.
heresiarch n., ereżjarka.
heresy n., ereżija.
heretic n., erètiku.
heretical adj., eretikali.
heritage n., wirt.
hermaphrodite n., ermafrodit.
hermetic adj., ermètiku.
hermit n., anakoreta, dirwix, eremit, raheb.
hermitage n., eremitaġġ, marħab, romitorju.
hernia n., fetqa, ftuq, (med.) bażwa, ernja. ***to cause ~;*** bażwar.
hernious adj. & p.p., bażwi, mbażwar, miftuq.
hero n., eroj, (ornith.) ajrun.
heroic adj., erojku. ***~ verse;*** poeżija erojka.
heroically adv., erojkament.
heroin n., (med.) eroina.
heroism n., erojiżmu.
heron n., (ornith.) russett. ***purple ~;*** russett aħmar. ***grey ~;*** russett griż. ***squacco ~;*** agrett isfar. ***night ~;*** kwakka.
herpes n., (med.) ħżieża.
herring n., (ichth.) aringa.
hers pron., tagħha.
hesitancy n., titubanza.
hesitant adj., titubant.
hesitate v., èżita, ittìtuba.
hesitation n., eżitazzjoni.

hetacomb n., ekatombi.
hew v., berfel.
hewn p.p., mberfel. ~ ***roughly;*** mħanxar.
hexagon n., eżàgonu.
hexagonal adj., eżagonali.
hexameter n., (liter.) eżàmetru.
hibiscus n., (bot.) ibisku. ***okro ~;*** (bot.) mluħija.
hiccough n., sulluzzu.
hiccup n., sulluzzu.
hidden adj. & p.p., midfun, mistoħbi, mistur, moħbi. ~ ***place;*** mistra. ***to be ~;*** staħba.
hiddenly adv., bil-ħabi.
hide v., għajjeb, ħeba/ħaba, ondra, satar. ***he hid something from somebody;*** ħeba xi ħaġa lil xi ħadd. ~ ***and seek;*** (g.) mistoħbija, wħajdiet.
hide (oneself) v., staħba. ***he went to ~ himself in his father's shop;*** mar jistaħba fil-ħanut ta' missieru. ~ ***oneself in a cloak;*** ibbozza.
hiding n., ħabi.
hiding-place n., moħba.
hierarch n., ġerarka.
hierarchic(al) adj., ġeràrkiku.
hierarchically adv., ġerarkikament.
hierarchy n., (eccl.) ġerarkija.
hieroglyph n., ġeroglìfiku.
hieroglyphic adj., ġeroglìfiku.
high adj., għali, għoli.
high-relief n., (arch.) altoriliev.
higher comp.adj., ogħla, superjuri.
higher (up) adj., 'il, 'l fuq.
highest adj., sommu.
highness n., altezza.
highwayman n., malandrin, sangilott.
hike n., ħajk.
hill n., ġebel, għolja, qolla, telgħa.
hillock n., għaqba, ħotba, mintba.
hilly adj., ġebli.
hinder v., fixkel, impedixxa, ostàkola, wiegħer, xekkel. ***this ~s our work;*** dan qiegħed ifixkel ix-xogħol tagħna.
hindered adj. & p.p., mwiegħer, mxiegħeb.
hindered adj., ostakolat.
hinderer n., xekkiel.
hindrance n., ostâklu, tfixkil, xkiel.
hinge n., ċappetta, ċirniera, pern.
hint n., aċċenn, ħjiel, xamma.
hint v., alluda.
hint (at) v., aċċenna.
hinted adj. & p.p., aċċennat.
hip-gout n., (med.) xjatika.
hippish adj., malinkoniku.
hippopotamus n., (zool.) ippopotamu.
hire v., kera.
hired adj. & p.p., mikri, mqabbel.
his pron., tiegħu.
hiss v., saffar, zekzek.
hissed adj. & p.p., msaffar.
hisser n., saffàr.
hissing adj., zekzik, (gram.) sibilanti.
historian n., storiku.
historical adj., storiku.
historically adv., storikament.
historiographer n., storjografu.
history n., storja. ***ancient ~;*** storja antika. ***medieval ~;*** storja medjevali. ***modern ~;*** storja moderna.
histrion n., stirjun.
hit adj. & p.p., maħbut, milqut.
hit n., daqqa, kolp, laqta.
hit v., darab, ħabat, laqat. ***he ~ the nail on the head;*** laqat il-musmar fuq rasu; ~ ***repeatedly;*** darrab.
hitch n., intopp.
hither adv., hawn.
hitter n., sawwàt.
hive n., duqqajs, qolla tan-naħal, ġabsàla.
hive/bee-hive n., ġarra tan-naħal.
ho there interj., oj.
hoard v., gezzez, għarram, rekken, ġamma'/ġemma' l-flus.
hoarder n., rekkien.
hoarhound n., (bot.) marrubja.
hoarse adj., maħmieħi, maħnuq. ***make ~;*** ħanaq.
hoarseness n., ħanqa, waħwiħ.
hoary adj., xejbieni.
hobble n., xkiel.
hobble v., farak, ferċaħ, forok, raqas.
hobby n., delizzju, ħobi, namra, passatemp.
hodge-podge n., ħoġpoġ.
hodman n., manwal, manwiel.
hoe n., marra, mgħażqa, zappun.
hoe v., għażaq. ***to ~ weeds;*** lexxen.
hoeing n., għażqa.
hog n., (zool.) qażquż/qasquż, ħanżir, majjal.
hog's lard n., sonża.
hog-pen n., gorboġ.
hog-sty n., gorboġ.
hold v., qabad, wasa', żamm, (mar.) stiva. ***to ~ firm;*** żamm iebes.
hold (back) v., ittratiena.
hold (forth) v., iddiskorra.
holder n., konservatur, żammiem.
holding n., qbid.
holding n., tiżmim.
hole n., fossa, ħofra, toqba. ***ashes ~;*** qanja. ***great ~;*** bokka. ***to make a ~;*** taqab.

hole v., taqqab, ħafer. ***to be ~d;*** ittaqqab.
holiday n., btala, ferja, vaganza. ***take a ~;*** battal.
holidays n., ġranet festivi.
holiness n., qdusija, qodos, santità.
holla interj., oj.
hollow adj., mbewwaq.
hollow v., bewwaq, ħawwaħ.
hollow (out) v., għawwar.
hollowed (out) adj., mbewwaq.
holocaust n., olokawstu.
holograph n., (leg.) olografu.
holy adj. & n., qaddis.
holy adj., sagru, santu. ***H~ Spirit;*** Spirtu s-Santu, Ruħ il-Qodos. ***~ oil;*** miru. ***~ water;*** ilma mbierek. ***made ~;*** mqaddes. ***most ~;*** santissimu.
homage n., omaġġ.
home n., dar. ***~ made bread;*** ħobż tad-dar.
home-sickness n., (med.) nostalġija.
homework n., ħomwerk.
homicide n., (leg.) omiċida, omiċidju.
homily n., (eccl.) omelija.
hominy n., pulenta.
homoeopathy n., (med.) omeopatija.
homogeneity n., omoġenità.
homogeneous adj., omoġenju.
homogeneousness n., omoġenità.
homologation n., (leg.) omologazzjoni.
homonym n., omònimu.
homonymous adj., omòniku.
homosexual adj., omosesswali.
homosexuality n., omosesswalità, (leg.) pederasterija.
hone v., mejlaq.
honest adj., fdat, ħorr, ìntegru, onest, rett, sinċier. ***~ man;*** galantom.
honestly adv., onestament.
honesty n., onestà, rettitudini.
honey n., għasel. ***~-ring;*** qagħqa tal-għasel. ***produce ~;*** għassel.
honey-suckle n., (bot.) ħanisakil.
honeycomb n., xehda.
honorary n., onorarju. ***~ president;*** president onorarju.
honour n., ġieħ, onorefiċenza, tweġġiħ, unur.
honour v., biġġel, faħħar, għamel ġieħ, onora, qiem, unura, weġġaħ. ***he wanted to ~ me with his presence;*** ried jonorani bil-preżenza tiegħu. ***point of ~;*** puntill.
honourable adj., onorabbli, onorevoli. ***~ person;*** den.
honourably adv., onorabbilment.
honoured adj. & p.p., meqjum, mweġġaħ, onorat.
hood n., barnuż, kapoċċ.
hoodwink v., qarraq.
hoodwinked adj. & p.p., mgħammad.
hoof n., difer ta' bhima.
hoof v., qawqeb, ta bis-sieq.
hook n., ganċ, kurkett, rampil. ***crochet-~;*** ganċ. ***~ and eye;*** kurkett mara u kurkett raġel. ***by ~ or by crook;*** hekk jew hekk. ***fishing ~;*** sunnara. ***pruning ~;*** ronċil.
hook v., rampel, (techn.) igganċja.
hookahl n., argilè.
hooked adj. & p.p., igganċjat, mrampel.
hoop n., ċirku, ħolqa.
hoopoe n., (ornith.) daqquqa tat-toppu.
hoops n., gwardinfant.
hoot v., paqpaq, watwat.
hooter n., palomba, sirenà.
hooting n., tpaqpiq.
hop v., iżżegħber, qames/qamas, tqâbeż.
hope n., jies, speranza, tama. ***he is past ~;*** qata' jiesu. ***a ray of ~;*** xaqq ta' tama.
hope v., illusìnga, ittâma, spera, tama. ***let's ~ for better times;*** nittamaw żminijiet aħjar.
hoped adj. & p.p., ittamat.
hopeful adj., fiduċjuż, promettenti.
hopper n., qammies, (techn.) delu.
hopping adj., qammiesi.
horehound n., (bot.) marrubja.
horizon n., orizzont, xefaq.
horizontal adj., orizzontali, xefqi.
horizontally adv., orizzontalment.
hormone n., ħormown, ormòn.
horn n., ħorn, qarn, (mus.) kornu.
hornbeam n., (bot.) karpin.
horned adj. & p.p., mkebbeż, mqarran.
hornet n., (zool.) baħrija, żunżan bagħal.
horny adj., qarni.
horoscope n., (astro.) oròskopu.
horoscopic(al) adj., oroskòpiku.
horoscopy n., oroskopija.
horrible adj., orribbli.
horribly adv., orribbilment.
horrified adj. & p.p., mriegħed.
horror n., orrur, tkexkix bil-biża', tregħid bil-biża'.
hors-d'oeuvre n., ordev, antipast.
horse n., (zool.) żiemel. ***sea~;*** (ichth.) żiemel tal-baħar. ***race-~;*** żiemel tat-tiġrija.
horse-fly n., (zool.) xidja.
horse-mackarel; n., (ichth) sawrella kaħla.
horse-play n., raġġ.
horse-shoeing n., tingħil.
horseman n., fieres, żemmiel.
horseshoe n., nagħla.
horticulture n., ortikoltura.
hosanna interj., hosanna/osanna.

hose n., kalzetta, manka.
hosier n., kalzettar.
hosiery n., malerija.
hospice n., ospizju.
hospital n., sptar. ***mental ~;*** sptar tal-mard tal-moħħ.
hospitality n., ospitalità.
hospitaller n., spedalier.
host n., ospiti, (eccl.) ostja, partìkola.
hostage n., ostaġġ, rahan.
hostess n., ospiti. ***air ~;*** erħostes.
hostile adj., ostìli.
hostility n., ostilità.
hot adj., sħun. ***~ headed;*** akkanit. ***make ~;*** ħema. ***to become ~;*** saħan. ***to become red ~;*** kewa. ***wax ~;*** kewa.
hotel n., ħotell, lukanda. ***~ owner;*** lukandier.
hothouse n., serra.
hotter comp.adj., isħan.
hour n., siegħa.
hourglass n., impulletta, klessidra.
house n., abitazzjoni, dar. ***the H~ of God;*** Dar t'Alla. ***~wife;*** mara tad-dar. ***bawdy ~;*** maqħab. ***country ~;*** dar tal-kampanja. ***group of ~s;*** madàr. ***small ~;*** dwejra. ***housing area;*** sit fabbrikabble. ***~ martin;*** (ornith.) ħawwief. ***lazar ~;*** (med.) lazzarett. ***priests' ~;*** (eccl.) kanonika.
house-steward n., maġġurdom.
hovel n., gorboġ, tugurju.
how adv., kif.
how prep., fiex.
however adv., eppùre.
however conj., iżda, però.
howl n., għawja, nwieħ.
howl v., newwaħ.
howling n., waħwiħ.
hoy! interj., oj.
hub n., (mechan.) ħabb.
huddle adv., ħallata ballata.
huddle (oneself) v., tgezzez. ***to ~ oneself up;*** iggrottla.
huddle (up) v., lebbet/libbet.
hug adv., abbraċċ.
hug n., għanqa.
hug v., għannaq, ħaddan.
huge adj., enormi, kolossali, vast.
huge adv., daqsiex.
hugeness n., enormità.
hull v., fesdaq.
hum v., geġweġ, werden, żanżan.
human adj., uman.
human n., bniedem.
humanist n., umanista.
humanitarian adj., umanitarju.
humanitarism n., umanitarjaniżmu.
humanity n., bniedem, umanità, ġèneru uman.
humanize v., umanizza.
humanly adv., umanament.
humble adj., kiebi, siefel, umli.
humble v., ċekken, kejjen, rażan.
humble (oneself) v., tbaxxa. ***how much he ~d himself in front of everyone!;*** kemm tbaxxa quddiem kulħadd!.
humbled adj. & p.p., mraqqad, umiljat.
humbleness n., ċkunija, umiltà.
humbly adv., umilment.
humerous adj., umoristiku. ***~ story;*** rakkont umoristiku. ***~ writer;*** kittieb umoristiku.
humid adj., niedi, umdu.
humidify v., nidda.
humidity n., ndewwa, rtub, umdità. ***night ~;*** sried.
humiliate v., avvilixxa, kejjen, saffel, umilja.
humiliate (oneself) v., ittaħħat, tbaxxa.
humiliated adj. & p.p., avvilut, mortifikat, mraqqad. ***to be ~;*** issaffel, ittaħħat.
humiliating adj., umiljanti.
humiliation n., titħit, umiljazzjoni, avviliment.
humility n., umiltà.
humming n., żanżin.
humorist n., umorista.
humoristic adj., umoristiku.
humour n., umur.
hump n., ħotba.
hump v., ħatteb.
humpback adj., ħotbi.
hunchback n., ħotba.
hunchback adj., ħotbi.
hunchbacked adj., barżakk, mħatteb. ***to become ~;*** iggobba.
hundred adj.num., mitt, mija.
hung — ***to be hung;*** iddendel.
hunger n., ġuħ. ***to feel rapid ~;*** kileb.
hungry adj., ġewwieħi, ġewħan, mġewwaħ. ***to be ~;*** ġaħ, ħadu l-ġuħ. ***to feel ~;*** iffjakka.
hunt v., stad.
hunted adj. & p.p., mistad.
hunted (for) adj. & p.p., minsub.
hunter n., kaċċatur.
hunting n., kaċċa.
huntsman n., kaċċatur.
hurl v., gara, tafa'/tefa', venven, waddab, xewlaħ. ***he ~ed a stone at somebody;*** gara l-ġebla għal xi ħadd.
hurled adj. & p.p., mitfugħ, mvenven, mwaddab, mxewlaħ.
hurling n., garatura, venvin.

hurrah interj., evviva, urrà, viva.
hurricane n., burraxka, dagħbien, oragàn, uragan.
hurried adj. & p.p., mgħaġġel, mħaffef.
hurried (up) v., tgħaġġel.
hurry v., għaġġel. ***done in a ~;*** mħaffef.
hurt adj. & p.p., miġruħ, mwaġġa'.
hurt n., darba, ġerħa.
hurt v., darr, ġeraħ, urta.
hurt (oneself) v., korra.
hurt (someone) v., waġġa'. ***his words ~ me;*** kliemu waġġagħni.
husband n., raġel, sieħeb.
husbandman n., bidwi.
husbandry n., biedja.
hush n., fosdqa.
hush v., għatta, satar, sikket. ***~ up that matter;*** għatti dak li ġara.
hushaby interj., nini, nini.
husk n., qoxra, ħliefa.
husk v., fesdaq, festaq.
husked adj. & p.p., miftuq.
hussar n., (mil.) ussarju.
hut n., dura, girna/gorna, għarix. ***wooden ~;*** barrakka.
hutch n., kaxxa għall-fniek. ***bolting ~;*** dulepp.
hyacinth n., (min.) ġjaċint.
hybrid adj., ìbridu.
hybridism n., ibridiżmu.
Hydes n., (astro.) trajja.
hydra n., idra.
hydrangea n., (bot.) ortensja.
hydrant n., katusa.
hydraulics n., ħajdrolik.
hydrofoil n., (mar.) aliskaf.
hydrogen n., (chem.) idròġenu.
hydrographer n., idrògrafu.
hydrographic(al) adj., idrogràfiku.
hydrography n., idrografija.
hydrologist n., idròlogu.
hydrology n., idroloġija.
hydromel n., idromèl.
hydrometer n., idròmetru.
hydrometric(al) adj., idromètriku.
hydrometry n., idrometrija.
hydrophobia n., (med.) idrofobija.
hydrophobic adj., (med.) idròfobu.
hydrostatics n., idrostàtika.
hydrotherapeutic adj., (med.) idroteràpiku.
hydrotherapeutics n., (med.) idroterapija.
hyena n., (zool.) jena.
hymen n., (anat.) imene.
hymenopter n., (zool.) imenòtteru.
hymn n., għanja, innu, kàntiku.
hyperbole n., (liter.) ipèrbole.
hypercritical adj., iperkritiku.
hyphen n., ħajfin.
hypnotic adj., (med.) ipnotiku.
hypnotism n., (med.) ipnotiżmu.
hypnotist n., (med.) ipnotist.
hypnotize v., ikkatiżma, (med.) ipnotizza.
hypnotized adj. & p.p., (med.) ipnotizzat.
hypnotizer n., raqqàd.
hypochondria n., (med.) ipokondrija.
hypocrisy n., ipokrisija.
hypocrite n., ipòkrita, weżwieq.
hypocritical adj., faċċol.
hypogeum n., ipoġew.
hypotenuse n., ipotenusa.
hypothec n., (leg.) ipoteka.
hypothecary n., (leg.) ipotekarju.
hypothecate v., (leg.) ipoteka.
hypothesis n., (phil.) ipòtesi.
hypothetic(al) adj., ipotètiku.
hypothetically adv., ipotetikament.
hyssop n., żuf, (bot.) issòpu.
hysteria n., stierka, (med.) isterja, steriżmu.
hysteric(al) adj., stèriku.

Ii

I pers.pron., jien.
iambic adj., (pros.) jàmbiku.
iambus n., (pros.) jambu.
ice n., silġ. ***grated ~ drink;*** granita.
ice-cream n., ġelat.
ice-pale n., bezzun.
iceberg n., ajsberg.
ichthylogy n., ittijoloġija.
ichthyologist n., ittijòlogu.
icing n., ajsing, ġelu.
icon n., (eccl.) ikona.
iconoclast n., ikonoklasta.
iconoclastic adj., ikonoklàstiku.
iconographer n., ikonògrafu.
iconographic(al) adj., ikonogràfiku.
iconography n., ikonografija.
idea n., għarfa, idea, konċett, pjan. ***to form an ~;*** sthajjel.
ideal adj., ideali.
ideal n., ideal.
idealism n., idealiżmu.
idealist n., idealista.
idealization n., idealizzazzjoni.
idealize v., idealizza.
idealized adj. & p.p., idealizzat.
identical adj., idèntiku.
identification n., identifikazzjoni.
identified adj. & p.p., identifikat.
identify v., għaraf, ikkonoxxa, (leg.) identìfika.
identity n., (leg.) identità. ***~ card;*** karta ta' l-identità.
ideological adj., ideolòġiku.
ideologist n., ideoloġista.
ideology n., ideoloġija.
ides n., idi.
idiom n., idjoma.
idiomatic adj., idjomàtiku.
idiosyncrasy n., idjosinkrasija.
idiot adj. & n., kretìn.
idiot n., idjota.
idle adj., għażżien, ozjuż. ***stand ~;*** idejh fuq żaqqu.
idle v., għakrek.
idleness n., għakkarija, għażż, ozju. ***live in ~;*** għakkar.
idler n., sfaċendat.
idol n., alla falz, ìdolu.
idolater n., idolàtru.
idolatry n., idolatrija.
idyll n., idillju.
if adv., kieku.
if conj., jekk, li. ***~ only;*** mqar.
ignite v., kebbes.
ignominity n., għarukaża.
ignorance n., injoranza.
ignorant adj., injorant.
ilium n., (anat.) ilju.
ill adj. & n., marid.
ill adj., mixħut.
ill n., deni. ***to make ~;*** marrad.
ill-bred adj., maledukat.
ill-dressed adj., mċewlaħ.
ill-omen n., malawgurju. ***bird of ~;*** uċċellu tal-malawgurju.
ill-shaped adj., deformi.
ill-tempered adj., biżbetiku.
ill-tempered n., biċ-ciera.
ill-treat v., ċewlaħ, immaltratta, kedded, strapazza.
ill-treated adj. & p.p., maltrattat/immaltrattat, maħqur.
ill-treatment n., maltrattament.
ill-use v., kedded, strapazza.
illegal adj., illegali.
illegality n., illegalità.
illegally adv., illegalment.
illegible adj., illeġibbli.
illegitimate adj., (leg.) illeġittmu.
illicit adj., illèċitu.
illitation n., (phil.) illazjoni.
illiterate (person) n., analfabeta.
illness n., għilla, malann, mard, marda.
illogical adj., illòġiku.
illume v., dawwal, xegħel.
illuminant adj., dawwali.
illuminate v., dawwal, diehen, illùmina, lehem, xegħel. ***the sun ~s the earth;*** ix-xemx iddawwal id-dinja.
illuminated adj. & p.p., illuminat, mdawwal. ***to be ~;*** iddawwal.
illumination n., dawl, illuminazzjoni, mixegħla, mnarja.
illuminator n., dawwal.

illusion n., illużjoni, qerq.
illusionist n., illużjonista.
illusory adj., illużorju.
illustrate v., illustra.
illustrated adj. & p.p., illustrat.
illustration n., illustrazzjoni, lustrazzjoni.
illustrative adj., illustrattiv.
illustrious adj., illustri.
image n., immaġni, sawra, simulakru, stampa, sura, xbieha.
imaginable adj., immaġinabbli.
imaginary adj., fittizju, immaġinarju.
imagination n., immaġinazzjoni, taħjil.
imaginative adj., immaġinattiv, immaġinattiva.
imagine v., immàġina, ippinzilla, issuppona. ***you cannot ~ how sorry I am;*** ma tistgħux timmaġinaw kemm jien sogħbien.
imagine v., ħajjel, ħolom, staħjel, sthajjel. ***to ~ things;*** iffantàstika.
imagined adj. & p.p., immaġinat, mistħajjel.
imagining n., sthajjil, taħjil.
imam n., imàm.
imbecile adj. & n., imbeċilli, kretìn.
imbue v., sappap.
imbue (with) v., imbeva.
imbued (with) adj. & p.p., imbevut.
imitable adj., imitabbli.
imitate v., ìmita.
imitated adj. & p.p., imitat.
imitation n., imitazzjoni.
imitative adj., imitattiv.
imitator n., imitatur.
immaculate adj., immakulat. ***Mary I~;*** l-Immakulata.
immagination n., fantasija.
immaterial adj., immaterjali.
immature adj., iebes, immatur.
immaturity n., immaturità.
immediate adj., immedjat.
immediately adv., digment, dikment, immedjatament, malajr, minnufih.
immediately n., ħin bla waqt.
immemorable adj., immemorabbli.
immemorial adj., immemorabbli.
immense adj., immens.
immensely adv., immensament.
immensity n., immensità.
immersed adj. & p.p., mgħaddas.
immersion n., għadsa, għamsa, immersjoni, tagħdis.
immigrant n., immigrant.
immigration n., immigrazzjoni.
imminent adj., imminenti, qarib. ***be ~;*** qorob.
immobile adj., ċass.
immobility n., immobilità.
immoderate adj., diżordinat, żmoderat.
immoderately adv., bla qies.
immodest adj., diżonest.
immolate v., debaħ.
immolator n., debbieħ.
immoral adj., immorali, vizzjat.
immorality n., immoralità.
immortal adj., immortali.
immortality n., immortalità.
immunity n., ħlusija, (leg.) immunità.
impalpable adj., impalpabbli.
impartial adj., imparzjali.
impartiality n., imparzjalità.
impasse n., impass.
impassibility n., impassibilità.
impassible adj., impassibbli.
impeach v., inkrimina.
impeachment n., inkriminazzjoni.
impede v., impedixxa, ostàkola, xekkel.
impeded adj. & p.p., impedut, mfixkel.
impediment n., bużillis, tixkil, (leg.) impediment.
imperative adj., (gram.) imperattiv.
imperatively adv., imperattivament.
imperceptible adj., imperċettibbli.
imperfect adj., imperfett.
imperfection n., imperfezzjoni, mankament, nuqqas.
imperial adj., imperjali, sultani.
imperialist n., imperjalist.
impermeable adj., impermeàbbli.
impersonal adj., impersonali. ***~ verb;*** verb impersonali.
impersonally adv., impersonalment.
impertinence n., impertinenza.
impertinent adj., impertinenti.
impetus n., ìmpetu.
impiety n., empjetà.
impious adj., empju.
impious (person) n., għafrit.
implement v., wettaq.
implements n., xarbitelli.
impletion n., mili.
implicate v., (leg.) ìmplika.
implicated adj. & p.p., mdaħħal, (leg.) implikat.
implication n., (leg.) implikazzjoni.
implicit adj., implìċitu.
implicitly adv., impliċitament.
impliments n., għodda.
implore v., issùpplika. ***~d humbly;*** mraħħam.
implorer n., raħħàm.
imply v., (leg.) ìmplika.
impolite adj., maledukat.

imponderable adj., imponderabbli.
import v., importa.
importance n., importanza.
important adj., importanti, rilevanti, saljenti.
importation n., importazzjoni.
imported adj. & p.p., impurtat.
importer n., importatur.
importunate adj., lħiħ.
importune v., iffitta.
importunity n., ksir ir-ras, leħħa.
impose v., impona.
imposed adj., & p.p., impost.
imposed (on) adj. & p.p., mwikki.
imposing adj., imponenti.
imposition n., vessazzjoni.
impossibility n., impossibbilità.
impossible adj., impossibbli.
impost n., taxxa.
impostor n., impostur.
imposture n., impostura. ***carry out an ~;*** impostura.
impotence n., impotenza.
impotent adj., impotenti.
impoverish v., faqqar, ftaqar.
impoverished adj. & p.p., mfaqqar, miftaqar.
impoverishing n., tifqir.
impoverishment n., tifqir.
impracticable adj., imprattikabbli.
imprecise adj., impreċiż.
impregnate v., ħabbel.
imprescriptible adj., (leg.) impreskrittibbli.
impress v., impressjona.
impressed adj. & p.p., impressjonat.
impression n., impressjoni, tbigħ.
impressionable adj., impressjonabbli.
impressiveness n., imponenza.
imprison v., għalaq f'ħabs, ħabes, ikkalzra, (techn.) impriġuna.
imprisoned adj. & p.p., impriġunat, maħbus.
imprisonment n., priġunerija, ħbis, (leg.) detenzjoni.
improper adj., skorrett.
improve v., immiljora, impruvja, tejjeb. ***we must ~ our method;*** hemm bżonn li nimmiljoraw il-metodu tagħna.
improved adj. & p.p., mtejjeb, perfezzjonat.
improvement n., avanz, miljorament, perfezzjonament. ***there has been some ~;*** għamel kambjament.
improvisation n., improvvizżazzjoni.
improvise v., improvviża, (mus.) improntta. ***the headmaster ~d a speech on prize day;*** is-surmat improvviża taħdita f'jum il-premjazzjoni.
improvisor n., improvviżatur.
imprudence n., imprudenza.
imprudent adj., imprudenti.
imprudently adv., sfaċċatament.
impudence n., tisfiq tal-wiċċ, tustaġni.
impudent adj., sfiq, tost. ***~ly;*** b'wiċċ tost.
impugn v., (leg) impunja.
impulse n., impuls.
impulsive adj., impulsiv.
impunity n., (leg.) impunità.
impure adj., impur.
impurity n., impurità.
in prep. & adv., ġewwa. ***come ~, go ~;*** idħol 'il ġewwa.
in prep., fi, qalb.
in (the) prep., fi, fil-.
in (what) prep., fiex.
inability (to) n., inkapaċità.
inaccessible adj., inaċċessibbli.
inactive adj., inattiv. ***render ~;*** lebbet/libbet.
inadmissable adj., inammissibbli.
inadvertance n., inavvertenza.
inadvertency n., sehwa.
inalienable adj., inaljenabbli.
inane adj., van.
inanity n., vojtizza.
inappellable adj., (leg.) inappellabbli.
inapplicable adj., inapplikabbli.
inattention n., diżattenzjoni.
inattentive adj., distratt, diżattent.
inattentiveness n., distrazzjoni.
inaugurate v., inàwgura. ***he ~d a painting exhibition;*** inàwgura wirja ta' pittura.
inaugurated adj. & p.p., inawgurat.
inauguration n, inawgurazzjoni.
incalculable adj., inkalkulabbli.
incandescent adj., inkandexxenti.
incapable adj., inkapaċi.
incapacity (for) n., inkapaċità.
incarcerated adj. & p.p., maħbus.
incardination n., (eccl.) inkardinazzjoni.
incarnate adj., inkarnat.
incarnate v., inkarna.
incarnation n., inkarnazzjoni.
incendiary adj., inċendjarju.
incensation n., (eccl.) inċensazzjoni.
incense n., bħur, lubien/libien, (eccl.) inċens.
incense v., ċenser, (eccl.) inċensa.
incensed adj. & p.p., mċenser, (eccl.) inċensat.
incentive n., inċentiv.
incest n., (leg.) inċest.
inch n., pulzier.

inch-tape n., inċis.
incinerator n., inċineratur.
incipient adj., biedi.
incise v., inċida, xaqq, (artis.) intalja.
incised adj. & p.p., inċiż, (artis.) intaljat.
incision n., naqxa, (artis.) inċiżjoni.
incisive adj., inċiżiv.
incisor n., sinna ta' rota.
incitation n., tixwix.
incite v., għewa, inċita, keskes, qammes/qammas, sewwes, xewwex. ***~ somebody against***; nassas. ***do not ~ people against me;*** tnassasx nies kontra tiegħi. ***~ to rebellion***; qajjem.
incited adj. & p.p., mkeskes, mogħwi, mxewwex. ***to be ~;*** ixxewwex.
incitement n., għawja, inċitament, nbix, tixwix.
inciter n., sewwies, xewwiex.
inclement adj., qieraħ.
inclination n., ġibda, inklinazzjoni, namra, taħjir, timjil.
inclination (to) n., dispożizzjoni.
incline v., inklina, mejjel, miel.
inclined adj. & p.p., dispost, immejjel, inklinat, milwi, mogħti għal, mxaqleb. ***to be ~ to;*** ixxaqleb.
inclining n., timjil.
include v., inkluda.
included adj., kompriż.
inclusion n., inklużjoni.
incoherence n., inkoerenza.
incoherent adj., inkoerenti.
income n., inkam, introjtu, renta. ***~ tax;*** taxxa fuq l-inkam.
incomode v., inkòmoda.
incomparable adj., inkomparabbli.
incompatible adj., inkompatibbli.
incompetence n., inkompetenza.
incompetent adj., inkompetenti.
incomplete adj., inkomplut.
incomprehensible adj., inkomprensibbli.
inconceivable adj., inkonċepibbli.
inconclusive adj., inkonkludenti.
incongruity n., inkongruwenza.
inconsistency n., inkongruwenza, inkonsistenza.
inconsistent adj., inkongruwenti, inkonsistenti. ***to be ~;*** dar ma' kull riħ.
inconstancy n., volubbiltà.
inconstant adj., qalliebi, qluqi, volubbli.
incontestable adj., inkontestabbli.
incontinence n., inkontinenza.
incontinent adj., inkontinenti.
inconvenience n., inkòmodu, inkonvenjent, inkonvenjenza.
inconvenience v., skomda.
inconvenient adj., skomdu.
incorporate v., inkòrpora.
incorporated adj. & p.p., inkorporat.
incorporation n., inkorporazzjoni.
incorrect adj., inkorrett, skorrett.
incorrectness n., inkorrettezza.
incorrigible adj., inkorreġibbli.
incorruptible adj., inkorruttibbli.
increase n., awment, kotra, tiktir, tiżjid, żegħid, żieda/żjieda.
increase v., kabbar, kattar, kiber, kotor, żdied, żegħed, żied, żogħod. ***~ in price***; tela'/tala'. ***the landlord ~d the rent of our house;*** is-sid għolla l-kera tad-dar tagħna.
increased adj. & p.p., miżgħud, miżjud, mkabbar, mkattar.
increaser n., kabbâr, żejjied.
increasing adj., kotràn, taktir, tiżjid.
incredible adj., inkredibbli.
incredulity n., inkredulità.
incredulous adj., inkrèdulu.
increment n., inkrìment.
incriminate v., inkrimina.
incriminated adj., & p.p., inkriminat.
incubate v., qagħad fuq il-bajd.
incubation n., qagħda fuq il-bajd.
incubator n., kubatur, (techn.) inkubatur.
incubus n., ìnkubu.
inculpate v., inkolpa, waħħal fi.
incunabulum n., inkunabula.
incur v., assuma. ***you are ~ing a tremendous responsability;*** qegħdin tassumu responsabbiltà kbira.
incurable adj., inkurabbli.
indebted adj. & p.p., mdejjen, middejjen, midjun.
indecency n., indeċenza.
indecent adj., indeċenti.
indecision n., indeċiżjoni.
indeclinable adj., (gram.) indeklinabbli.
indeed adv., realment, tabilħaqq, verament.
indeed interj., tabilħaqq.
indefeasible adj., (leg.) impreskrittibbli.
indefinite adj., indefinit.
indefinitely adv., indefinitivament.
indelible adj., indelibbli.
indemnification n., indennizz, tagħrim.
indemnified adj. & p.p., mgħarram, (leg.) indennizzat.
indemnify v., għarram, (leg.) indennizza.
indemnity n., (leg.) indennità.
indentation n., (arch.) dentellatura.
independence n., indipendenza.
independent adj., indipendenti.
independently adv., indipendentement.

indescribable adj., indeskrivibbli.
indeterminable adj., indeterminabbli.
indeterminate adj., indeterminat.
index n., ìndiċi, werrej.
Indian n. & adj., Indjan.
indicate v., ìndika. ***the long hand of the clock ~s the minutes;*** il-minutiera l-kbira ta' l-arloġġ tindika l-minuti.
indicated adj. & p.p., indikat.
indication n., aċċenn, indikazzjoni, (hist.) indizzjoni, (leg.) indizju.
indicative adj., (gram.) indikattiv.
indicator n., indikatur. ***flashing ~;*** indikatur.
indict v., xela/xila.
indictable adj., (leg.) akkużabbli.
indifference n., apatija, bruda, indifferenza.
indifferent adj., biered, indifferenti, kiesaħ.
indigenous adj., indìġenu.
indigent adj., bżonnjuż.
indigestion n., indiġestjoni.
indignity n., indinjità.
indigo n., (bot.) nir. ***~ blue;*** ikħal nir.
indipendent adj., libru.
indirect adj., indirett.
indirectly adv., indirettament.
indiscreet adj., indiskret.
indiscretion n., indiskrezzjoni.
indispensable adj., indispensabbli.
indisposed adj. & p.p., indispost.
indisposition n., indispożizzjoni.
indisputable adj., indiskutibbli.
indissoluble adj., indissolubbli.
indistinct adj., indistint.
indistinctly adv., irrink.
individual adj., individwali.
individual n., bniedem, individwu, wieħed.
individualism n., individwaliżmu.
individuality n., individwalità.
individually adv., individwalment.
indivisible adj., indiviżibbli.
indoctrinate v., indottrina.
indolence n., indolenza, tikjit.
indolent adj., indolenti.
indubitable adj., indubitabbli.
induce v., ġibed, ġiegħel/ġagħal, ħajjar, ħajjel. ***nothing will ~ me to remain here;*** xejn mhu se jġegħelni li nibqa' hawn.
induced adj., mħajjar.
indulgence n., (eccl.) indulġenza. ***to regard with ~;*** ikkompatixxa.
indulgent adj., indulġenti.
indult n., (eccl.) indult.
industrial adj., industrijali.
industrious adj., bieżel, ħabrieki, ħawtieli, industrijuż, mħawtel.
industriousness n., bżulija, inġenjożità.
industry n., industrija, tħawtil.
inebriated adj., fis-sakra, sikran.
inebriation n., tiskir.
inefficacious adj., ineffikaċi.
inefficacy n., ineffikaċja.
inefficiency n., ineffiċjenza.
inefficient adj., ineffiċjenti.
inertia n., (phys.) inerzja.
inertness n., (phys.) inerzja.
inestimable adj., imprezzabbli.
inevitable adj., inevitabbli.
inexact adj., ineżatt.
inexactness n., ineżattizza.
inexperienced adj., grin.
inexplicable adj., inesplikabbli.
infallibility n., infallibbiltà.
infallible adj., infallibbli.
infamous adj., infamanti, infami.
infamy n., infamja. ***covered with ~;*** infamat.
infancy n., ċkunija.
infant n., tarbija.
infanticide n., infantiċidju, qattiel ta' tarbija.
infantile adj., infantili.
infantry n., (mil.) fanterija, infanterija.
infatuated adj., infatwat.
infatuation n., infatwazzjoni.
infect v., impesta, niġġes, (mech.) infetta.
infected adj. & p.p., mimsus mid-dud, mittieħed, (med.) infettat. ***to be ~;*** iddenna, ittieħed.
infection n., (med.) infezzjoni, tinġis.
inferior adj., inferjuri, taħtani.
inferiority n., inferjorità.
infernal adj., infernali.
infertility n., infertilità.
infidel n., infidil.
infidelity n., infedeltà.
infiltration n., infiltrazzjoni.
infinite adj., infinit.
infinitely adv., infinitament.
infinitesimal adj., infiniteżimali.
infinity n., infinità.
infirm adj., megħliel, mkerċaħ, mrajjed.
infirmary n., firmerija.
infirmity n., malann.
inflame v., bergħen, najjar.
inflamed adj. & p.p., mħaġġeġ, mnajjar. ***to be ~;*** kibes.
inflammable adj., infjammabbli, qabbadi, xgħuli.
inflammation n., (med.) infjammazzjoni.
inflate v., nefaħ.

inflation n., inflazzjoni, nefħa.
inflection n., (gram.) inflessjoni.
influence n., ħokom, (med.) influwenza.
influence v., influwixxa, waqa' f'idejn.
influenced adj. & p.p., influwenzat.
influential adj., influwenti.
influenza n., (med.) influwenza.
inform v., avża, għarraf, informa. ***he ~ed the police about what was hidden;*** informa lill-pulizija dak li kien hemm moħbi.
informant n., għarrâf.
information n., bxara, informazzjoni, tagħrif, (leg.) referta.
informative adj., informattiv.
informed adj. & p.p., avżat, informat, infurmat, mgħarraf, (leg.) ċerzjolat.
infraction n., (leg.) infrazzjoni.
infrastructure n., (parl.) infrastruttura.
infuriate v., indemonja, infurja.
infused adj., infuż.
infusion n., infużjoni, tiżana.
ingenious adj., inġenjuż, mħawtel, ġenjali, ħabrieki, ħawtieli.
ingeniously adv., bis-sengħa, ġenjalment.
ingeniousness n., inġenjożità, ġenjalità.
ingenuity n., inġenjożità.
ingenuous adj., inġenwu.
ingenuousness n., inġenwità.
ingot n., ingott.
ingredient n., ingredjent.
ingress n., midħal.
inhabit v., àbita, għammar.
inhabitat n., abitant.
inhabited adj. & p.p., mgħammar, wensi.
inhalant adj., (med.) inħejlent.
inherit v., waqa' fuq, wiret.
inheritance n., wirt, (leg.) eredità.
inhibit v., (leg.) inibixxa.
inhibited adj. & p.p., (leg.) inibit.
inhibition n., (leg.) inibizzjoni.
inhibitory adj., (leg.) inibitorju.
inhuman adj., inuman, ġiefi, qalil.
inimitable adj., inimitabbli.
iniquitous adj., inikwu.
iniquity n., inikwità.
initial adj., inizjali.
initial v., inizjala.
initiative n., inizjattiva.
inject v., (med.) injetta.
injected adj. & p.p., (med.) injettat.
injection n., (med.) inġekxin, injezzjoni.
injunction n., (leg.) intimazzjoni, inġunzjoni.
injure v., miegħer, ġeraħ.
injurious adj., (leg.) dannuż.
injury n., korriment, tort.
injustice n., inġustizzja.
ink n., linka/inka. ***printer's ~;*** inkjostru.
ink v., inkja.
ink-pot n., klamar.
inkling n., ħjiel.
inkstead n., klamar.
inlaid adj. & p.p., (artis.) intarsjat.
inlay n., (artis.) intars, intarsja.
inlayer n., (artis.) intarsjatur.
inlet n., kala, kalanka, (mar.) qala.
inn n., lukanda, osterija. ***~-keeper;*** lukandier.
inner adj., ġewwieni.
innkeeper n., tvernar.
innocence n., innoċenza.
innocent adj., innoċenti.
innocently adv., innoċentement.
innovation n., innovazzjoni, novità.
innumerable adj., innumerabbli.
inoculate v., laqqam.
inoculator n., laqqàm.
inoperable adj., inoperabbli.
inopportune adj., inopportun.
inorganic adj., inorganiku.
inquest n., (leg.) aċċess.
inquire v., indaga.
inquire (about) v., seksef/seksek.
inquiring adj., (leg.) inkwirenti.
inquiry n., indagazzjoni, indaġni, inkjesta.
inquisition n., stħarriġ, (hist. & eccl.) inkwiżizzjoni.
inquisitive adj., kurjuż, sindikajr. ***~ person;*** seksief. ***to be ~;*** issìndika.
inquisitiveness n., seksik.
inquisitor n., (hist. & eccl.) inkwiżitur.
insane adj., miġnun.
insatiable adj., miklub.
insatiable n., bla xaba'. ***to be ~;*** kileb.
inscription n., skrizzjoni, (liter.) epìgrafi. ***author's ~;*** dedika.
insect n., insett.
insecticide n., (chem.) insettiċida.
insectology n., insettoloġija.
insemination n., inseminazzjoni.
insensate adj., insensat.
insensible adj., insensibbli, demm talbaqq.
inseparable adj., inseparabbli.
insert v., daħħal, ingasta.
inserted adj. & p.p., ingastat.
inside adv., hemm ġewwa, internament.
inside n., intern.
inside prep. & adv., ġewwa. ***~ out;*** bilmaqlub.
insidious adj., insidjuż.
insignia n., (mil.) insinja.
insignificant adj., insinjifikanti.

insinuate v., (leg.) insinwa. ***he ~d that somebody might have revealed the secret;*** insinwa li xi ħadd seta' kixef is-sigriet.
insinuate (oneself) v., tħannek.
insinuated adj. & p.p., insinwat, mdeħħes.
insinuation n., insinwazzjoni.
insipid adj., kiesaħ, demm tal-baqq.
insist v., insista, laħħ/leħħ, saħaq, sies. ***he ~ed upon his son to study;*** saħaq fuq ibnu biex jistudja. ***he ~ed that I should be present;*** sies ħafna biex jiena nkun hemm.
insisted (on) adj. & p.p., mħaqqaq.
insist (on) v., stina.
insistence n., insistenza.
insistent adj., insistenti.
insolate v., xemmex.
insole n., suletta.
insolence n., insolenza, prepotenza.
insolent adj., insolenti, prepotenti, sfiq.
insoluble adj., insolubbli.
insomnia n., (med.) insonja.
inspect v., ftaqad, spezzjona.
inspection n., sorveljanza, spezzjoni, tifqid, verifika.
inspector n., eżaminatur, inspekter, sorveljant, spettur, suprastant.
inspiration n., estru, ispirazzjoni, leħma, nebħ. ***to draw ~ from;*** iddieħen.
inspire v., ispira, leħem, nebbaħ.
inspired adj. & p.p., ispirat, milħum, mnebbaħ.
inspired (after) adj. & p.p., aspirat.
inspirer n., nebbieħ.
instability n., instabbiltà.
installation n., impjant, installazzjoni, stallazzjoni.
instalment n., rata.
instance n., eżempju. ***for ~;*** per eżempju, jiġifieri, perkażu.
instant n., ħin, waqt. ***in an ~;*** f'daqqa ta' għajn.
instantaneous adj., istantanju.
instantaneously n. & adv., ħin bla waqt.
instantly adv., appik, digment, dikment.
instead adv., flok, minflok.
instigate v., għewa, kebbes, keskes, sewwes.
instigated adj. & p.p., mkebbes, mkeskes, mogħwi, msaħħan, mxewwex.
instigation n., għawi, istigazzjoni, tixwix.
instigator n., sewwies, xuxxatur.
instilled adj. & p.p., mwebbel.
instinct n., istint.
instinctive adj., istintiv.
instinctively adv., istintivament.
institute n., istitut. ***polytechnic ~;*** politèkniku.
institute v., istitwixxa.
institution n., istituzzjoni.
instruct v., għallem, għarref, istruwixxa.
instructed adj. & p.p., mgħarref.
instructer n., mgħallem.
instruction n., istruzzjoni, tagħlim.
instructive adj., didattiku, għalliemi, istruttiv.
instructor n., għalliem.
instrument n., (mus.) strument. ***muscial ~;*** strument tad-daqq.
instrumental adj., (mus.) strumentali.
instrumentation n., (mus.) strumentazzjoni.
insubordinate adj., insubordinat.
insubordination n., insubordinazzjoni.
insufficiency n., insuffiċjenza.
insufficient adj., insuffiċjenti.
insular adj., insulari.
insulin n., (med.) insulina.
insult n., insult, (leg.) inġurja.
insult v., (leg.) inġurja, għajjar, insulenta, insulta, offenda, ta lsien, żeblaħ. ***the boy ~ed his friend;*** it-tifel għajjar lil ħabibu.
insulted adj. & p.p., insultat, (leg.) inġurjat.
insulting adj., tagħjir, (leg.) inġurjuż.
insuperable adj., insuperabbli.
insurable adj., assigurabbli.
insurance n., assigurazzjoni, inxurans, sigurtà. ***national ~;*** sigurtà nazzjonali.
insure v., assigura.
insured adj. & p.p., assigurat.
insurer n., assiguratur.
insurrection n., taqwim.
intact adj., intatt.
intaglio n., (artis.) intall.
intangibility n., intanġibilità.
intangible adj., impalpabbli, intanġibbli.
integral adj., integrali.
integrate v., ìntegra.
integrated adj. & p.p., integrat.
integrity n., integrità.
intellect n., dehen, intellett, moħħ.
intellectual adj., intellettwali.
intelligence n., intelliġenza.
intelligent adj., intelliġenti. ***made ~;*** mgħaqqal.
intelligible adj., intelliġibbli.
intemperate adj., diżordinat.
intense adj., intens.
intensely adv., intensament.
intensity n., intensità.
intensive adj., intensiv.
intent n., tir tal-moħħ, (leg.) intent.

intention n., fehma, għan, ħsieb, intenzjoni.
inter v., difen, radam.
intercept v., interċetta.
intercepted adj. & p.p., interċettat.
intercession n., interċessjoni.
intercessor n., interċessur.
intercom n., interkom.
interdict n., (eccl. & leg.) interdett.
interest n., interess, mgħax.
interest v., interessa.
interested adj. & p.p., interessat.
interesting adj., interessanti.
interfere v., iddeffes, ndaħal. ***he always wants to ~ in other people's business;*** qed jindaħal dejjem fi ħwejjeġ ħaddieħor.
interfere v., tbejjen.
interference n., ndħil, tidħil.
interior adj., ġewwieni.
interior n., intern.
interjection n., (gram.) interjezzjoni.
interlace v., intriċċa.
interlaced adj. & p.p., intriċċat. ***to be ~;*** issallab.
interlacement n., intriċċ.
intermeddle v., tbejjen.
intermeddled adj. & p.p., mbejjen.
intermediary n., intermedjarju.
interment n., tirdim.
intermezzo n., intermezz, (mus.) interludju.
intermiddle v., ndaħal.
interminable adj., interminabbli.
intermission n., (theatr.) intermixin.
intermittent adj., intermittenti.
intern v., interna.
internal adj., intern, ġewwieni.
internally adv., internament, minn ġewwa.
international adj., internazzjonali.
interned adj. & p.p., internat.
internee n., internat.
internment n., dfin, difna.
internode n., kannol.
interpellate v., (leg. & parl.) interpella.
interpellated adj. & p.p., (leg. & parl.) interpellat.
interpellation n., (parl.) interpellanza.
interpose v., bejjen, ndaħal, żattat.
interposed adj. & p.p., mbejjen.
interposing n., tibjin.
interposition n., tibjin.
interpret v., intèrpreta. ***how have you ~ed this passage?;*** kif interpretajtu dan il-pass?
interpretation n., interpretazzjoni.
interpreted adj. & p.p., interpretat, mfisser.
interpreter n., intèrpretu, torgman.
interregnum n., interrenju.
interrogate v., intèrroga, saqsa.
interrogated adj. & p.p., interrogat, mistoqsi, msoqsi.
interrogation n., interrogazzjoni, mistoqsija.
interrogative adj., (gram.) interrogattiv.
interrogatively adv., interrogattivament.
interrogator n., (parl.) interrogant.
interrogatory n., (leg.) interrogatorju.
interrupt v., interrompa, tiegħeb. ***don't ~ our conversation;*** tinterrompux it-taħdita tagħna.
interrupted adj. & p.p., interrott.
interruption n., interruzzjoni, qtigħ, tfixkil.
intersection n., tislib.
intertwine v., sarġat, xeblek.
interval n., intervall.
intervene v., interviena.
intervention n., intervent.
interview n., abbokkament, intervista.
interview v., intervista.
interviewed adj. & p.p., intervistat.
intestine n., musrana, (anat.) intestin, (med.) vixxri.
intimacy n., dħulija, kunfidenza.
intimate adj., ìntimu. ***~ by butting;*** hejjeb.
intimidated adj. & p.p., mbażża'.
intimidation n., intimidazzjoni.
intolerable adj., intollerabbli.
intolerance n., intolleranza.
intolerant adj., intolleranti.
intonation n., (mus.) intonazzjoni.
intone v., (mus.) intona.
intoned adj., (mus.) intunat.
intractable adj., intrattabbli.
intraction n., kontravenzjoni.
intransigence n., intransiġenza.
intransigent adj., intransiġent.
intransitive adj., (gram.) intransittiv.
intrigated adj. & p.p., intrigat.
intrigue n., intriċċ, intrigu, trama.
intriguing adj., intriganti.
intrinsic adj., intrìnsiku.
introduce v., daħħal, introduċa. ***he was mistaken to ~ this bad habit;*** għamel ħażin li ntroduċa din id-drawwa ħażina.
introduced adj. & p.p., introdott, mdaħħal, mdeffes, mdehhes.
introducer n., daħħàl.
introducer n., preżentatur.
introduction n., introduzzjoni, preżentazzjoni.
introit n., (eccl.) introjtu.

intromitted adj. & p.p., mdeffes.
introspective adj., introspettiv.
intruder n., deffies, deffus, melħa.
intrusion n., tidħil.
intuit v., intuwixxa.
intuition n., intuwizzjoni.
inundate v., għaddar.
inure v., rawwem.
inure (oneself) v., trawwem.
invade v., invada. ***the soldiers ~d the city;*** is-suldati nvadew il-belt.
invaded adj. & p.p., invadut.
invader n., invażur.
invalid adj., invàlidu.
invalid n., invàlidu.
invalidate v., invalda. ***he was ~d because of his health;*** invaldawh minħabba saħħtu.
invalidated adj. & p.p., invaldat.
invalidity n., invalidità.
invaluable adj., imprezzabbli.
invariable adj., (gram.) invarjabbli.
invasion n., invażjoni.
invent v., ħalaq, inventa, ivvinta, sab/sieb.
invented adj. & p.p., inventat, mħarref, misjub.
invention n., invenzjoni, tinsib, ħliq, inventur.
inventory n., inventarju. ***to make an ~ of;*** għamel inventarju ta'.
invertebrate adj., invertebrat.
invest v., investa. ***he ~ed his money in Government stocks;*** investa flusu fi stokks tal-Gvern.
invested adj. & p.p., investit.
investigate v., indaga, invèstiga, staħreġ, stħarreġ.
investigated adj. & p.p., indagat, investigat, mistħarreġ.
investigating adj., (leg.) inkwirenti.
investigation n., (leg.) istruttorja.
investigation n., indagazzjoni, inkjesta, investigazzjoni, riċerka, staħriġ, stħarriġ.
investigative adj., fittiexi.
investigator n., fittiex, investigatur.
investiture n., investitura., investiment, (eccl.) vestizzjoni.
invigilate v., newweb.
invigorate v., taq/tieq, wettaq.
invigorated adj. & p.p., mqawwi.
invigoration n., taqwija.
invincible adj., invinċibbli.
inviolability n., invjolabilità.
inviolable adj., invjolabbli.
invisibility n., inviżibilità.
invisible adj., inviżibbli.
invitation n., invit, stedina.
invitatorium n., (eccl.) invitatorju.
invitatory n., (eccl.) invitatorju.
invite v., invita, stieden. ***they ~d me for their sister's wedding;*** invitawni għattieġ ta' oħthom. ***he ~d all his friends for dinner;*** stieden 'il ħbiebu kollha għallikla ta' filgħaxija.
invited adj. & p.p., invitat, mistieden.
invocation n., invokazzjoni.
invocatory adj., invokattiv.
invoice n., fattura, invojs.
invoke v., invoka.
involuntary adj., (leg.) involuntarju.
involution n., tikbib.
involve v., ħabbel, (leg.) ìmplika.
involve (oneself) v., iddeffes.
involved adj. & p.p., mdaħħal, mgeżwer, (leg.) implikat. ***to be ~ in matters of another;*** iżżeffen. ***to get ~ in;*** iddeffes.
invulnerability n., invulnerabilità.
invulnerable adj., borqmi, invulnerabbli.
inward adj., ġewwieni.
iodine n., (chem.) jodju.
iodoform n., (chem.) jòdoform.
irascible adj., mqarqaċ.
iris n., (bot.) iris.
irksome adj., tedjuż.
iron n., ħadid, (chem.) ferru. ***cast-~;*** ħadid fondut. ***curling-~;*** ħadid tax-xagħar. ***smoothing ~, flat ~;*** ħadida tal-mogħdija. ***hoop ~;*** aljetta/arjetta. ***~ mould;*** tebgħa/taba' tas-sadid.
iron v., għadda bil-ħadida, ħadded.
iron wire n., fildiferru.
ironed adj. & p.p., mgħoddi bil-ħadida.
ironic(al) adj., ironiku.
ironically adv., ironikament.
ironing n., mogħdija.
irony n., ironija.
irradiate v., merżaq.
irrational adj., bla fehma.
irrefutable adj., inkonfutabbli.
irregular adj., irregolari.
irregularity n., irregolarità.
irregularly adv., irregolarment.
irremediable adj., irrimedjabbli.
irreparable adj., irreparabbli.
irreplaceable adj., insostitwibbli.
irresistible adj., irreżistibbli.
irresponsable adj., (leg.) irresponsabbli.
irrevocable adj., (leg. & parl.) irrevokabbli.
irrigate v., saqqa, seqa/saqa.
irrigated adj. & p.p., msaqqi/msoqqi, mterret. ***to be ~;*** issaqqa.
irrigation n., siqi, tisqija.

irrigator n., saqqej.
irritable adj., irritabbli.
irritant adj., irritanti.
irritate v., ħanfes, ħarrax, ìrrita.
irritated adj. & p.p., mdarras, mħamħam, mqarraħ.
irritation n., irritazzjoni, nbix.
is he? pron., hux?
ischium n., (anat.) iskju.
Islam pr.n., Islam.
islamic adj., islamiku.
island n., gżira.
isolate v., ìżola.
isolated adj. & p.p., iżolat, maħġub, maqtugħ, segregat.
isolation n., iżolament.
isolator n., iżolatur.
issue n., faxxiklu, puntata, (leg.) èżitu.
isthmus n., (geog.) istmu.
it pron., dak.
Italian n., Taljan.
italianized adj., taljanizzat.
Italic n., Taljan.
italic adj., korsiv.
itch n., ħmewwa.
itch (to laugh) n., daqquqa.
itch v., kiel, ħakk.
itching n., tekil, ħakk.
itinerary n., itinerarju.
ivory n., avorju.
ivy n., (bot.) liedna.
ixia n., (bot.) iksja.

Jj

jack n., (mechan.) ġakk, (g.) likk.
jack (up) v., iġġakkja.
Jack-a-dandy adj., pulikarja.
jack-o'alatern n., kewkba feġġa.
jack-plane n., ġakplejn.
Jack-pudding n., pulċinell.
jackal n., (zool.) xakall.
jackdaw n., (ornith.) ċawla.
jacket n., ġakketta, ġlekk, każakka. ***woman's short ~;*** ċeppun.
Jacobin n., ġakbin.
jade n., (min.) ġada.
jaff v., iffoxxna.
jag v., qassas bil-pizzi.
jaguar n., (zool.) ġagwàr.
jail n., kalzri/karzri, ħabs.
jailer n., argużin, kalzrier/karzrier, ħabbies.
jalap n., (med.) ġalappa.
jam n., ġamm.
jam v., (mechan.) iġġammja.
jamb n., koxxa ta' bieb.
jamboree n., (mil.) ġamborì.
jannissary n., ġannizzaru.
January pr.n., Jannàr.
Japanese pr.n., Ġappuniż.
jar n., kus, ġarra. ***cooling ~;*** barrada. ***large ~;*** konka.
jasmine n., (bot.) ġiżimin. ***Arabian ~;*** (bot.) żenbaq.
jasper n., (min.) djaspru.
jaundice n., (med.) suffejra.
javelin n., (mil.) ġavellott.
jaw n., xedaq, (med.) mandìbula.
jay n., (ornith.) qarnanqliċ.
jazz n., (mus.) ġazz.
jealous adj., ġeluż, għajjur. ***to be ~;*** għar. ***to become ~;*** għer.
jealousy n., ġelożija, għejra, għira.
jeans n., ġijns. ***blue ~;*** ġijns blu.
jeep n., ġijp.
jeer v., iddieħek.
jelly n., ġeli.
jelly-fish n., (ichth.) brama/broma.
jerk v., lekkem.
jersey n., ġersi/ġerżi.
Jerusalem pr.n., Ġerusalemm.
jest n., buffunata, ħlieqa, skerz.
jest v., iċċajta, lagħab, (theatr.) ibbuffunja.
jester n., buffu/buffun, ċajtier, daħħàk.
jestingly adv., bil-logħob.
Jesuit n., Ġiżwita.
jesuitism n., ġeżwitiżmu.
jesuity n., ġeżwitiżmu.
Jesus pr.n., Ġesù, Ġieżu. ***My God, ~!;*** Ġieżu-Ġieżu.
jet n., (min.) ġett. ***~-propelled aeroplane, ~-plane;*** ajruplan tal-ġett.
jetty n., moll.
Jew pr.n., Lhudi.
Jew's harp n., bijambò.
jewel n., ġojjel.
jewel-box n., skrin.
jeweller n., ġojjellier, ġojjier.
jewellery n., ġojjellerija..
Jewish adj., Ebrajk.
jib n., (mar.) flokk.
jig n., ġiger.
jilt v., telaq.
jinx v., għajjen. ***high ~;*** tbahrid.
job n., faċenda, impjieg, post.
jocker n., lagħàb.
jockey n., ġerrej, lebbiet, (g.) ġòki.
jog v., legleg.
joggle v., xengel.
join v., denneb, ġannat, ġonġa, għaqqad, iġġonta, unixxa.
join (together) v., waħħad, waħħal.
joined adj. & p.p., konness, mdenneb, miżjud, mqabbad, msensel, mwaħħal.
joiner n., mastrudaxxa, ġojner.
joining n., taqbid, tidnib.
joint n., ġunta, (anat.) ġog.
joke n., ċajta, ħlieqa, skerz.
joke v., iċċajta, lagħab, tħâlaq, (theatr.) ibbuffunja. ***I am not joking, you know!;*** miniex qiegħed niċċajta, tafx!
joker n., ċajtier, (g.) ġowker.
jolly adj., gawdent.
jonquil n., (bot.) ġunkilju.
journal n., ġurnal. ***fashion ~;*** figorin.
journalism n., ġurnaliżmu.
journalist n., artikolista, gazzettier, ġurnalist.

journey n., safra, traġitt, tripp, vjaġġ.
jovial (man) n., baħbuħ.
joy n., feliċità, ferħ, gawdju, kuntentizza, pjaċir.
joyful adj., ferħa, gawdjuż, kuntent.
joyous adj., gawdjuż.
jubilee n., (eccl.) ġublew.
Judaism n., Ġudaiżmu.
judge n., mħallef, ġudikatur.
judge v., għamel il-ħaqq, ħakem, iġġùdika, (leg.) issentenzja. ***I will ~ him from his deeds;*** niġġudikah mill-għemil tiegħu.
judgeable adj., (leg.) ġudikabbli.
judged adj., (leg.) ġudikat.
judgement n., dehen, fehma, għaqal, kriterju, moħħ, raj, sens, sentiment, ġudizzju. ***last ~;*** ġudizzju universali. ***final ~;*** sentenza definitiva.
judicature n., ġudikatura.
judicial adj., (leg.) ġudizzjarju.
judicious adj., ġudizzjuż.
judiciously n., bil-ħaqq.
jug n., buqar, kus.
juggler n., ġukulier, prestiġjatur, saltimbank.
jugular adj., (anat.) ġukulari.
juice n., meraq, sugu.
juiceness n., timriq.
juicy adj., suguż. ***make ~;*** merraq.
jujube n., (bot.) żinżla.
julep n., ġulepp.
July pr.n., Lulju.
jumble v., għassed.
jumbled adj. & p.p., mħallat.
jump n., qabża, qamsa.
jump v., qabeż, qames/qamas. ***he ~ed with joy for the news you gave him;*** qabeż bil-ferħ għal dik l-aħbar li tajtu.
jumper n., flokk, ġamper, qabbież, qammies.
jumping adj., qammiesi.
jumping n., qbiż, taqbis, taqmis.
June pr.n., Ġunju.
jungle n., ġungla.
juniper n., (bot.) għargħar, ġinibru/ġnibru.
junta n., ġunta.
juridical adj., (leg.) ġurìdiku.
juridically adv., (leg.) ġuridikament.
jurisconsult n., (leg.) ġurekonsult.
jurisdiction n., (leg.) ġurisdizzjoni.
jurisdictional adj., (leg.) ġurisdizzjonali.
jurisprudence n., (leg.) ġurisprudenza.
jurist n., (leg.) ġurist.
jury n., (leg.) ġuri, ġurija.
juryman n., ġurat/ġrad.
jurybox n., bank tal-ġurati.
just adj., ġust, rett, sadiq, xieraq.
just n., dal waqt. ***~ now;*** dal waqt. ***to be ~;*** issewwa. ***to be rendered ~;*** isseddaq. ***to render ~;*** seddaq.
justice n., ġustizzja, ħaqq, raġun, sewwa.
justification n., ġustifikazzjoni.
justified adj., ġustifikat, skaġunat.
justify v., iġġustìfika. ***he justified himself before his superior;*** iġġustifika ruħu quddiem is-superjur tiegħu.
justly adj., bir-raġun.
justly adv., sewwa, ġustament.
justly n., bil-ħaqq.
jut (out) v., sporġa.
jutting (out) adj. & p.p., mżakkar, maħruġ.

Kk

kabold n., ħâres.
kaldescope n., kaldeskopju.
kaldescopic(al) adj., kaldeskopiku.
kangaroo n., (zool.) kangarù.
kannel v., ondra.
kaolin n., kaölin.
kedge n., (mar.) ankrott.
keel n., (mar.) karina, prim.
keelson n., primizzal, (mar.) paramezzal.
keep n., (arch.) kastell.
keep v., ikkunserva, mantna, qabad, żamm. ***I have kept these oranges for you;*** ikkunservajt dan il-larinġ għalikom. ***he kept the money in his pocket;*** żamm il-flus f'butu. ***to ~ in mind;*** żamm f'qalbu. ***~ waiting;*** qadded.
keep (back) v., ittratiena.
keeper n., konservatur, żammiem.
keeping n., tiżmim.
keg n., kartell, (mar.) barlotta.
kelson n., primizzal.
kennel n., kanal, qana.
kept adj. & p.p., ikkunservat, miżmum.
kerchief n., maktur tar-ras.
kernel n., għadma tal-frott, qalba, żerriegħa. ***~ of a date;*** ħabb it-tamar.
kerosene n., kerosìn, pitrolju.
kerseymere n., każimir.
kestrel n., (ornith.) spanjulett, vespertin.
ketch n., (mar.) kajjikk.
ketchup n., keċap.
kettle n., kitla, nħasa, stanjata.
kettle-drum n., (mus.) timpanu.
kettle-drummer n., (mus.) timpanist.
key n., ċavetta, muftieħ, (mus.) kjavi, tast. ***master ~;*** komunella.
keyboard n., (mus.) tast, tastiera.
keystone n., (arch.) ċavi.
khaki n., (bot.) kàki.
khaky n., kakì.
kibe n., seqi fil-għarqub.
kick n., daqqa ta' sieq.
kick v., qames/qamas, qammes/qammas, qomos, ta biż-żewġ, tqâmas, (g.) ikkikkja.
kick off n., (g.) kikk.
kicking n., qmis, taqmis.
kid n., gidi.
kidnapping n., rapiment.
kidney n., (anat.) kilwa.
kill v., medd fl-art, mewwet, qatel, qattel. ***her husband was ~ed during the war;*** żewġha ġie maqtul fil-gwerra. ***to ~ oneself;*** qatel ruħu b'idejh. ***he ~ed two birds with one stone;*** b'ġebla laqat żewġ għasafar. ***mercy-killing;*** ewtanasja.
killed adj. & p.p., immewwet, maqtul, midbuħ.
killer n., qattiel. ***wife-~;*** qattiel ta' martu.
killing n., qtil.
kiln n., kalkara.
kilocycle n., (techn.) kiloċiklu.
kilogramme n., kilogramm.
kilolitre n., kilolitru.
kilometer n., kilometru.
kilowatt n., (elect.) kilowatt.
kilt n., geżwira.
kimono n., kimono.
kin adj., (leg.) konsangwinju.
kin n., qarib. ***next of ~;*** l-eqreb demm.
kind adj., beninn, ġentili, ħanin.
kind n., fatta, ġèneru, ġens, speċi, xorta.
kinder comp.adj., eħnen.
kindergarten n., kindergardin.
kindle v., ħa n-nar, ħaġġeġ, kebbes, kibes, qabad, qabbad, xegħel. ***the boy ~d the fire and went away;*** it-tifel kebbes in-nar u telaq.
kindled adj. & p.p., mikbus, mixgħul, mkebbes, mqabbad, mqabbas, mħaġġeġ.
kindler n., kebbies.
kindling n., qbid, taqbis, tikbis, tixgħil, xegħil, xgħil.
kindly adv., ġentilment.
kindness n., bontà, ġentilezza, ħlewwa, pjaċir.
kindred adj., qarib.
king n., re, sovran, sultan.
kingdom n., renju, saltna.
kingfisher n., (ornith.) alċjun, għasfur ta' San Martin.
kiosk n., gabbana, kjosk.
kiss n., bewsa. ***prolonged ~;*** bewsa twila.
kiss v., bies. ***~ repeatedly;*** bewwes, mbewwes. ***to ~ one another;*** tbewwes.

kitchen n., kċina, mitbaħ. ***do ~ work;*** keċner. ***~ sideboard;*** drèser.
kite n., manoċċa, tajra. ***red ~;*** (ornith.) astur.
knack n., ħabta, trikk.
knag n., ingropp.
knave adj. & n., banavolja, brikkun, ħajjeb, manigold, maskalzun, rajjeb.
knavery n., brikkunata, gażiba.
knead v., għassed, għaġen.
kneaded adj. & p.p., magħġun.
kneader n., għaġġien.
kneading n., għaġna. ***~ trough;*** lenbi.
knee n., (anat.) rkoppa/rkobba.
kneecap n., (anat.) padella.
kneel (down) v., birek, qagħad għarkobbtejh.
kneeler n., inġinokkjatur, ġinokkjatur.
kneeling adv., għarkubbtejn.
knell n., tinqir.
knickers n., niker.
knife n., sikkina. ***paper-~;*** sikkina talkarti. ***~-case;*** għant ta' sikkina. ***curved ~;*** ħanxâr. ***folding-~; clasp-~;*** mus. ***pruning ~;*** maqdab, ronka. ***shoemaker's ~, paring ~;*** (artis.) trinċett.
knife-grinder n., sannien.
knight n., fieres, kavalier.
knighthood n., kavallirat.
knit v., innittja. ***~ted vest;*** malja.
knob n., pum.
knock n., ħabta.
knock v., ħabbat. ***the postman ~ed at the door;*** tal-posta ħabbat il-bieb. ***to ~ at the door;*** ħabbat il-bieb. ***to ~ gently;*** tektek.
knock (against) v., irrokka, (mar.) investa.
knocked adj. & p.p., mħabbat. ***~ lightly;*** mtektek.
knocker n., ħabbata.
knocking n., taħbit, taħbit tal-bieb.
knoddy adj., mgħaqqad.
knoll n., għaqba.
knot n., ċoff, għoqda, ingropp.
knotting n., tagħqid.
knotty adj., għoqdi.
know v., għaraf, intuwixxa, jaf.
know you imp. v., af.
knowingly adv., (leg.) xjentement.
knowledge n., dehen, għarfa, għerf, sentiment.
known adj. & p.p., konoxxut/ikkonoxxut, magħruf. **well ~;** mibruħ.
knuckle n., (anat.) għaksa, (g.) inzikka.
koran n., qoràn.
korps n., korp.
kurrat leek n., (bot.) kurrata.
kursaal n., kursàl.

Ll

label n., lejbil, tikketta.
labial adj., labjali.
labiate adj., (bot.) labjàt.
laboratory n., laboratorju.
laborious adj., tellieghi (fix-xogħol), ħad-diemi. ***to be ~;*** irranka.
labour n., ħidma, stink, xogħol.
labour v., ħadem, tħabat/ħtabat. ***hard ~;*** lavuri furzati.
labourer n., ħaddiem, lavrant. ***day ~;*** ħad-diem bil-ġurnata. ***skilled ~;*** ħaddiem tas-sengħa.
labourite n., laborist.
labyrinth n., labirint.
lace n., bizzilla, lazz. ***shoe ~, boot-~;*** lazz taż-żarbun, qafla. ***gold ~;*** gallun tad-deheb.
lacerate v., qatta'.
lacerated adj. & p.p., mqatta'.
lachrymose adj., ġemġiemi.
lack n., mankanza, naqsa.
lackey n., lakkè, staffier.
laconic adj., lakòniku.
laconically adv., lakonikament.
laconism n., lakoniżmu.
lacquey n., lakkè.
lacuna n., lakuna.
lad n., ġuvni, żagħżugħ, żinżill.
ladder n., sellum. ***step ~;*** forċi, skalapiża.
laden adj., mgħobbi.
laden v., għabba.
ladle n., kuċċarun.
ladle (out) v., qaleb.
lady n., dama, sidt, sinjura. ***Our L~;*** Madonna. ***young ~;*** sinjorina.
lady-killer n., rubakori.
ladybird n., (zool.) kola, sebbella, żabbet-tina.
lag v., tmâtal, tmiehel, tnikker, twaħħar.
lagoon n., (geog.) laguna.
laid (out) adj. & p.p., skartat.
laid (up) adj. & p.p., merfugħ.
lake n., bħajjar, bħajra, għadira, (geog.) lag.
lama n., (zool.) lama.
lamb n., (zool.) ħaruf. ***the L~ of God;*** ħaruf t'Alla.
lame adj., agħraġ, magħtur, mwerrek, zopp.
lame v., raqas, zappap. ***to become ~;*** iz-zappap, izzoppja. ***to go ~;*** zappap.
lamed adj. & p.p., magħtub, mfelleġ, mzappap.
lament v., garr, gireż, illamenta, lmenta, tbekka. ***slight ~;*** girża.
lamentation n., lamentazzjoni, lment, newħa, nwieħ.
lamented adj. & p.p., mgemgem, mħassar, mibki, mixhur.
lamenting adj., mkarrab.
lamp n., lampa. ***kerosene ~;*** lampa tal-pitrolju. ***oil ~;*** lampa taż-żejt. ***suspended ~;*** (eccl.) lampier. ***earthen ~;*** musbieħ. ***~ float;*** ċimblor. ***oil ~;*** dawla, luċerna, mnara.
lamp-burner n., ġewża tal-lampa.
lamp-shade n., paralum.
lamprey n., (ichth.) qalfàt, sangisug.
lance n., misrek, (mil.) lanza.
lancer n., teffiegħ, xewlieħ, (mil.) lanċier.
lancet n., (med.) lanzetta.
land n., art, raba'. ***~ rover;*** landrover. ***barren ~;*** moxa/muxa, xagħra. ***irrigated ~;*** saqwi. ***plot of ~;*** roqgħa art.
land v., illandja, żbarka. ***the aeroplane ~ed at Luqa airport;*** l-ajruplan illandja fil-mitjar ta' Ħal-Luqa.
land-owner n., possident.
land-surveyor n., agrimessur.
landau n., landò.
landing n., andana, setaħ, żbark, (arch.) indana.
landing-place n., minżel.
landlord n., kieri, padrun.
landscape n., pajsaġġ.
lane n., sqaq, vikolu, żenqa, (g.) lejn.
language n., lingwa, lingwaġġ, lsien.
languid adj., illajmat.
languish v., illajma, kieb, nien, tgħaxxex, tmewwet. ***the bird is ~ing;*** l-għasfur qiegħed jitgħaxxex.
languishing adj. & p.p., immantar, mifni.
lank adj. & p.p., mixrub.
lantern n., anterna/lanterna, fanal, lamp-jun. ***chinese ~;*** fanal tal-karta.

lap n., ħoġor.
lap v., lagħaq, letlet, xammar.
laparatomy n., (med.) laparatomija.
lapel n., bavru/pavru.
lapidary n., lapidarju.
lapidate v., ħaġġar.
lapidated adj. & p.p., mħaġġar.
lapidation n., taħġir.
lapis lazuli n., (min.) lapislazzuli.
lapped adj. & p.p., mletlet.
lapping n., tilgħiq.
lapse v., iddekada.
lapwing n., (ornith.) venewwa.
larch n., (bot.) lerċi.
lard n., ardu, xaħam.
lard v., illardja.
larded adj. & p.p., illardjat.
larder n., pantri.
large adj., kbir, spazjuż, vast, wasa'. ***very ~;*** daqsiex.
largeness n., kobor, medda, wisa'.
larger comp.adj., ikbar/akbar.
lark n., praspura, (ornith.) qanbra/qambra. ***bar-tailed desert ~;*** (ornith.) alwetta qastnija. ***bifasciated or hoopoe ~;*** alwetta bumunqar. ***calandra ~;*** kalandra. ***crested ~;*** alwetta tat-toppu. ***Dupont's ~;*** alwetta tad-deżert. ***lesser-~;*** bilbla sekonda. ***meadow ~;*** pespus. ***shore ~;*** alwetta safra. ***short-toed ~;*** bilbla. ***temminick's horned ~;*** alwetta tal-qrun.
larkspur n., (bot.) pedidalwett, pidalwett.
laryngitis n., (med.) larinġite.
laryngology n., (med.) laringoloġija.
laryngoscopy n., (med.) laringoskopija.
laryngotomy n., (med.) laringotomija.
larynx n., (anat.) larinġi.
lasagna n., lażanja.
laser n., (med.) lejżer.
lash n., frosta, lenza, sawt, siegla, swat.
lash v., qaddeb, sawwat.
lashed adj. & p.p., mgħaddeb. ***to be ~;*** issawwat.
lashing n., taqdib, tibkit, tiswit.
lass n., tifla.
lassitude n., reħwa, telqa.
last adj., aħħar. ***at ~;*** finalment, saflaħħar.
latch n., lukkett.
late adj., tard, waħħari. ***to be ~;*** ittardja. ***our friend will be ~ this evening;*** il-ħabib tagħna se jittardja l-lejla. ***too ~ to do;*** armajn/ormajn.
later adv., umbagħad. ***keep for ~;*** irriserva.
lateral adj., laterali.
lathe n., torn. ***turning ~;*** torn. ***to turn the ~;*** torna.
Latin pr.n., Latin.
latinist n., latinist.
latinity n., latinità.
latitude n., (geog.) latitudini.
lattice n., grada.
laudable adj., lodevoli.
laudative adj., faħħari.
laudemium n., (leg.) lawdemju.
laugh n., daħka.
laugh v., daħak. ***there is nothing to ~ at;*** ma hemm xejn biex tidħak. ***he who ~s last ~s best;*** min jidħak l-aħħar jidħak l-aħjar. ***~ heartily;*** għoxa. ***made to ~;*** mdaħħak. ***make one ~;*** daħħak.
laugh (at) v., iddieħek.
laughed (at) adj. & p.p., middieħek, midħuk.
laughing adj., daħkàn.
launch n., (mar.) lanċa.
launch v., vara.
launched adj. & p.p., garat, (mar.) mvara.
laundry n., lôndri, maħsel.
laundryperson n., ħassiel.
laurel n., (bot.) lawra, randa.
lava n., lava.
lavander n., nard, (bot.) spika. ***common ~;*** (bot.) lavanda.
lavatory n., kamrin, maħsel.
lavish adj., prodgu.
lavish v., berbaq, tajjar (mar-riħ), żmalda.
lavished adj. & p.p., mberbaq.
lavishness n., tberbiq.
lavishly adv., bit-tberbiq.
law n., liġi. ***natural ~, ~ of nature;*** liġi tan-natura. ***Canon L~;*** liġi kanonika. ***action at ~;*** (leg.) kwerela. ***book of ~s;*** ktieb tal-liġi. ***compilation of ~s;*** (leg.) diġest. ***criminal ~;*** liġi penali. ***fundamental ~;*** statut.
lawful adj., legali, leġittmu.
lawfulness n., (leg.) leġittimità, legalità.
lawsuit n., (leg.) kumparsa, proċess.
lawyer n., avukat, (leg.) ċivilista, kurjal.
lax adj., laxk. ***morally ~;*** laxk.
laxative adj., (med.) purganti, purgattiv.
lay n., (liter.) ballata. ***lay-day;*** (mar.) stalja.
lay v., qiegħed. ***~ aside;*** ħaġeb, warrab. ***~ by;*** rekken. ***~ down;*** imtedd. ***~ eggs;*** bied/bad, tarr. ***~ over;*** kaħħal. ***~ out;*** ferrex. ***make one ~ down;*** medd.
layer n., saff, strat.
layer v., raqqad.
laying n., timdid.
layman n., sekular.
lazaret n., (med.) lazzarett.
laziness n., għakkarija, għażż, ozju.

lazy adj., għażżien, ozjuż, ġifa. ***grow ~, to become ~*** tgħażżen, tgħakkar, għażż. ***he is growing very ~ at work;*** qiegħed jitgħażżen wisq fix-xogħol. ***made ~;*** mgħażżen.
lead (out) v., ħarreġ.
lead n., ċomb, rasa, (mar.) skandall. ***red ~;*** (artis.) minju, (chem.) nogħra. ***to seal with ~, to cover with ~;*** iċċomba.
lead v., ġibed, ikkonduċa, mexxa, rieġa, wassal. ***the bishop led a pilgrimage to Lourdes;*** l-Isqof ikkonduċa pellegrinaġġ għal Lourdes. ***all roads ~ to Rome;*** it-toroq kollha jwasslu għal Ruma.
leader n., konduttur, lîder, mexxej, rajjes, wassâl. ***ring ~;*** perċimes.
leading (down) n., timjil.
leaf n., (bot.) werqa.
leafage n., faxxina.
leaflet n., fuljett.
leafy adj. & p.p., ferriegħi, mwerraq, werrieqi.
league n., (g.) lig, lega, rabta. ***L~ of Nations;*** Lega tan-Nazzjonijiet.
leak n., (mar.) falla.
leak v., nixxa. ***the water is ~ing from the ceiling;*** l-ilma qiegħed inixxi mis-saqaf.
leakage n., lîkiġ. ***gas ~;*** lîkiġ tal-gass.
lean (against) v., issiegħen. ***to ~ against the wall, on a stick;*** issiegħen mal-ħajt, fuq il-bastun.
lean adj. & p.p., dgħif, magħlub, mixrub, niexef, rżit, sifja, xipli. ***made ~;*** mgħalleb. ***make ~;*** qadded. ***to cause one to grow ~;*** ħawwef, għolob.
lean v., inklina, miel. ***the tower of Pisa is ~ing forward;*** it-torri ta' Pisa qiegħed jinklina (imil). ***~ on;*** ittèka, twieżen. ***~ out;*** ixxerref.
leanness n., nixfa, sikma.
leap adj., mqabbeż.
leap n., qabża, qamsa.
leap v., qabeż, qallat.
leap (over) v., issaltja.
leap-year adj., bisestil.
leaped adj. & p.p., maqbuż.
leaper n., qabbież.
leaping n., qbiż, taqbiż, taqlit.
learn v., tgħallem. ***now he has ~t to read well;*** issa tgħallem jaqra tajjeb.
learned adj. & p.p., erudit, għaref, intiż, istruwit, mgħarref. ***make ~;*** għarref. ***more ~;*** egħref.
learnedly adj., ta' mgħallem.
learning n., erudizzjoni, tagħlim. ***branch of ~;*** branka.
lease n., ċens, nibxa, (leg.) lokazzjoni.
least adv., l-anqas. ***at ~;*** almenu, anzi, għallanqas, lumank/lamank, mank, sulamank, talanqas.
leather n., nagħal, ġild. ***calf ~;*** vitellin. ***chamois or shammy ~;*** kamoxxa. ***Morocco ~;*** alakka. ***to dress ~;*** (techn.) ikkonza. ***~-knife;*** trunċett.
leathery adj., ġludi. ***to become ~;*** iġġelled.
leave v., ħalla, parta, reħa. ***he left Malta for good;*** ħalla Malta għal dejjem. ***~ a place;*** illarga. ***~ a place in a hurry;*** hajdar. ***~ off;*** telaq. ***~ out;*** v., ommetta, qabeż.
leaven n., ħmira, tligħ.
leaven v., ħemmer.
leavened adj. & p.p., meħmur, mitlugħ.
leaves n., weraq. ***full of ~;*** mwerraq. ***shed ~, lose ~;*** ħorof. ***to strip off ~;*** sfolja.
leaving n., reħi, reħja, telqa, tliq.
lecherous adj., żieni.
lectern n., (eccl.) leġiju.
lectionary n., (eccl.) lezzjonarju.
lector n., lettur.
lecturer n., konferenzier, lekċerer.
ledge n., xkaffa.
ledger n., reġistru.
lee n., (mar.) rdoss.
leeboard n., (mar.) deriva.
leech n., (zool.) għalaq, sangisug.
leefish n., (ichth.) serra.
leeway n., (mar.) deriva.
left adj. & n., xellug, mħolli, mifdul.
left n., (mar.) sinistra. ***be ~;*** fadal. ***only a few copies of this book are ~;*** fadal ftit kopji ta' dan il-ktieb. ***he ~ home enraged;*** ħareġ mid-dar irrabjat. ***~ out;*** mbarri, maqbuż.
left-handed adj., xellugi.
leg n., (anat.) riġel, sieq.
legacy n., (leg.) legat.
legal adj., legali. ***~ profession;*** avukatura.
legality n., legalità.
legalization n., legalizzazzjoni.
legalize v., illegalizzą.
legalized adj. & p.p., legalizzat.
legally adv., legalment, (leg.) ġuridikament.
legate n., legat. ***L~ of the Holy See, Apostolic L~;*** legat tal-Papa.
legatee n., (leg.) legatarju.
legation n., (dipl.) legazzjoni.
legend n., leġġenda.
legendary adj., fabulus.
legendary n., leġġendarju.
legible adj., leġġibbli, qarrej.
legion n., (mil.) leġjun.

legionary n., (mil. & eccl.) leġjunarju.
legislate v., (parl.) illeġisla.
legislation n., (leg.) leġislazzjoni.
legislative adj., leġislattiv.
legislator n., leġislatur.
legislature n., leġislatura.
legitimacy n., (leg.) leġittimità.
legitimate adj., leġittmu.
legitimate v., (leg.) illeġittma.
legitimated adj. & p.p., (leg.) leġittimat.
legitimation n., (leg.) leġittimazzjoni.
legitimize v., (leg.) illeġittma.
legitimized adj. & p.p., (leg.) leġittimat.
legume n., (bot.) legumi.
lemma n., (phil.) lemma.
lemon n., (bot.) lumija. ***sweet ~;*** umiċella. ***~ plant;*** (bot.) alwiża/lwiża. ***~-juice;*** qares tal-lumi.
lemonade n., luminata.
lend v., silef. ***to ~ a hand;*** ta spalla. ***~ frequently;*** sellef. ***~ oneself;*** ippresta.
lending n., self, tislif.
length n., tul.
lengthen v., tawwal.
lengthened adj. & p.p., mtawwal.
lengthening n., titwil.
lenience n., biġla.
leniency n., biġla, tibġil.
lenient n., ħanin. ***be lenient;*** biġġel.
lenitive n., (med.) kalmant.
lens n., lenti.
lent adj. & p.p., misluf, missellef, msellef.
lent n., randan, (eccl.) kwareżima.
lenticular adj., għadsi.
lentils n., (bot.) għads.
lentisk n., (bot.) deru.
leopard n., (zool.) leopard.
leper n., (med.) lebbruż. ***~ hospital;*** (med.) lebbrużarju.
leperous adj., mġiddem.
leprosy n., (med.) ġdiem, lebbra, tiġdim. ***infect with ~;*** ġiddem.
leprous adj., (med.) lebbruż. ***to become ~;*** iġġiddem.
less comp.adj., anqas/inqas.
lessee n., (leg.) lokatorju.
lessen v., ċekken, ċkien, naqqas. ***he ~ed a person's authority;*** ċekken l-awtorità ta' xi ħadd.
lessened adj. & p.p., mċekken, mnaqqas.
lesson n., lezzjoni.
lessor n., kerrej, kieri.
let v., kera. ***~ in;*** mdeffes. ***~ down;*** kala.
let (out) adj. & p.p., mqabbel. ***let out a ground;*** qabbel. ***he ~ out a field for ten years;*** qabbel għalqa għal għaxar snin.
lethal adj., letali.
lethargy n., (med.) letarġija, mard tan-ngħas.
letter n., ittra. ***air ~;*** erletter. ***capital ~;*** ittra kbira, majjuskola. ***dead ~;*** ittra mejta. ***pastoral ~;*** ittra pastorali. ***registered ~;*** ittra reġistrata. ***small ~;*** ittra żgħira. ***~-box;*** kaxxa ta' l-ittri. ***~-carrier;*** messaġġier. ***~-paper;*** karta ta' l-ittri.
lettered adj., letterat.
letters n., (liter.) epistolarju. ***collection of ~;*** (liter.) epistolarju.
lettuce n., (bot.) ħassa.
leukemia n., (med.) lewkemja.
levantine adj., levantin.
level n., livell, nvell, pjan.
level v., witta, (artis.) illivella.
levelled adj. & p.p., livellat, mwitti.
levelling n., twittija, witi.
lever n., lieva.
levigate v., xkana.
Levite n., (eccl.) levita.
Leviticus pr.n., Levitiku.
levy n., sisa, ħaraġ, (mil.) lieva.
lexicographer n., lessikògrafu, vokabbolarista.
lexicographical adj., lessikogràfiku.
lexicography n., lessikografija.
lexicology n., glossoloġija.
lexicon n., lèssiku.
liar n., giddieb, sarwàl.
libel n., (leg.) libell.
libellous adj., (leg.) libelluż.
liberal adj., liberali, rjal.
liberalism n., liberaliżmu.
liberally adv., liberalment.
liberate v., ħeles, illìbera. ***the court ~d him from all charges;*** il-qorti lliberatu mill-akkużi kollha.
liberated adj. & p.p., liberat, maħlul, meħlus.
liberation n., fidwa, ħelsa, ħelsien, liberazzjoni, teħlis.
liberator n., ħellies, liberatur.
libertinage n., libertinaġġ.
libertine n., libertin.
liberty n., ħlusija, libertà. ***~ of the press;*** libertà ta' l-istampa. ***~ of conscience;*** libertà tal-kuxjenza. ***to allow too much ~;*** ta r-riħ.
libidinous adj., libidinuż, żieni.
librarian n., bibli(j)otekarju, librar.
library n., bibli(j)oteka, librerija. ***record ~;*** diskoteka.
librettist n., (mus.) librettist.
libretto n., (mus.) librett.
licence n., liċenza, permess, sensja, sùpplika. ***driver's ~;*** liċenza tas-sewqan.

licenced adj. & p.p., liċenzjat/illiċenzjat.
license v., illiċenza.
licentious adj., dissolut, sfrenat.
lichen n., (bot.) likèni.
licit adj., (leg.) leċitu.
licitation n., (leg.) liċitazzjoni.
lick v., liegħeq. ***~ up;*** lagħaq. ***he ~ed someone's shoes;*** lagħaq iż-żarbun ta' xi ħadd.
lickaxe n., fies.
licked adj. & p.p., milgħuq.
licking n., tilgħiq.
lid n., għatu, kuperċ.
lie n., gidba, sarwil.
lie v., gideb, qala' qlajja', sarwal. ***he ~d to his mother where he went yesterday;*** gideb lil ommu fejn mar ilbieraħ.
lie (down) v., itterraħ, mtedd, ntmedd. ***he went to ~ in bed because he was feeling sick;*** mar jimtedd fis-sodda għax ħassu ma jiflaħx.. ***to make ~ down;*** berrek.
lied adj. & p.p., migdub.
lieutenant n., tenent, (mil.) logutenent.
life n., ħajja. ***eternal ~;*** ħajja ta' dejjem. ***private ~;*** ħajja privata. ***public ~;*** ħajja pubblika. ***religious ~;*** ħajja reliġjuża. ***lead a dissolute ~;*** iddiskla. ***~ annuity;*** (leg.) vitalizju. ***monastic ~;*** rhubija.
life-belt n., (mar.) salvawomu.
life-jacket n., (mar.) salvawomu.
lifebuoy n., (mar.) salvawomu.
lifetime n., għomor.
lift n., axxensur, lift.
lift (up) v., alza, èleva, għolla, issossa, qajjem, rafa'/refa', talla'/tella'.
lifted adj. & p.p., mitlugħ. ***to be ~;*** ittella'.
lifted (up) adj. & p.p., mgħolli.
lifting n., rfigħ, tagħlija.
ligament n., (anat.) ligament, rbit. ***~ of the tongue;*** ħajta ta' l-ilsien.
ligature n., għollieqa, rabta, taħżima.
light adj., ħafif. ***~ minded, ~ headed;*** moħħu ħafif. ***~ sleeper;*** nagħsu ħafif. ***~ song;*** kanzunetta. ***become ~;*** ħaff, ħfief.
light n., dawl, dija. ***stern ~;*** fanal tal-poppa.
light v., kebbes, qabbad, xegħel. ***that boy lit the bonfire;*** dak it-tifel qabbad il-ħuġġieġa. ***to ~ fire;*** qabbad in-nar.
lighted adj. & p.p., mixgħul, mudwal.
lighten v., berraq, dwal, ħaffef, stringa. ***it ~ed all the night;*** beda jberraq il-lejl kollu. ***~ continually;*** laħħ/leħħ il-beraq.
lightened adj. & p.p., mdawwal, mħaffef. ***to be ~;*** iddawwal.
lighter comp.adj., aħaff, aħfef, eħfef.
lighter n., lajter, (mar.) barġ, ċattra.
lighthouse n., anterna tal-port, fanal tal-port.
lighting n., tidwil, tixgħil, xgħil.
lightning n., berqa, sajjetta.
lightning-conductor n., parafùlmini.
lightning-rod n., parafùlmini.
like adj., sìmili.
like adv., bħal, xorta. ***to be ~;*** ixxebbaħ, ixxiebaħ, xebeħ.
like v., ama, għoġob, ħabb. ***I do not ~ him;*** ma namahx. ***I ~ music;*** jiena nħobb il-mużika.
likeable adj., simpàtiku.
liked adj. & p.p., magħġub, mogħġub.
liken v., xebbeħ.
likened adj. & p.p., mixxiebaħ, mxebbaħ, mxiebaħ.
likeness n., lemħa, mxiebha, ritratt, xbieha, xebh.
likening n., tixbiħ.
lilac n., (bot.) lilà. ***colour ~;*** lewn lilà.
lilliputian adj. & n., lillipuzjan.
lilliputian n., donnu likk.
lily n., (bot.) ġilju. ***water ~;*** ġilju ta' l-ilma. ***~ of the valley;*** ġilju tal-widien. ***white ~;*** (bot.) susan.
limb n., xifer.
limbo n., (theol.) limbu.
lime n., (min.) ġir, (bot.) lajm. ***~-juice;*** lajm ġuż. ***water ~;*** ilma tal-ġir.
lime-kiln n., kalkara/karkara.
limestone n., (geol.) globiġerina.
limit n., fini, ħażż, limitu. ***to what ~;*** safejn.
limit v., illìmita, irrestrinġa, tarraf.
limitation n., limitazzjoni, restrizzjoni.
limited adj. & p.p., illimitat, limitu.
limp v., farak, forok, għaraġ, għorox, raqas, zappap. ***that man is ~ing;*** dak ir-raġel qiegħed jofrok. ***since his fall, he is still ~ing;*** minn meta waqa' baqa' jzappap.
limped adj. & p.p., magħtur, mwerrek.
limpet n., (zool.) mħara.
limpid adj., limpidu, safi. ***grow ~;*** safa/sefa. ***to be ~;*** issaffa.
limping adj., magħruġ.
limping n., tagħriġ, tizpip.
line n., fila, ħażż, linja, rig, ringiela, sing, vers. ***telephone ~;*** linja tat-telefon. ***tow ~;*** ċima ta' l-irmonk.
line v., immarka, inforra, issingja.
lineage n., ġebbieda.
lined adj. & p.p., infurrat.
linen n., bjankerija, għażel, xoqqa. ***~ cloth;*** xoqqa ta' l-għażel, xqajri. ***coarse twiled ~;*** drill.

liner n., sawwàr, (mar.) lajner.
linesman n., (g.) lajnsmen.
ling (blue ling) n., (ichth.) lipp.
linger v., għakrek, tmiehel, tnikker.
lingering adj., waħħari, xaħma.
linguist n., lingwist.
linguistic adj., lingwistiku.
linguistics n., lingwistika.
liniment n., (med.) liniment.
lining n., inforra.
lining (up) n., skjerament.
link n., anell, malja.
linkeage n., maljatura.
linked adj. & p.p., konness, msensel. ***to be ~;*** issensel.
linnet n., (ornith.) ġojjin. ***green ~;*** (ornith.) verdun/virdun.
linoleum n., inċirata tal-kisi, linoljum.
linotype n., lajnotajp, linotajp.
lint n., lent, sflask, (med.) garża, (bot.) kittien.
lion n., (zool.) durbies, ljun.
lip n., xoffa.
lipstick n., lipstik.
liquefaction n., tidwib.
liquer n., likuri.
liquid adj. & n., likwidu.
liquidate v., illìkwida.
liquidated adj. & p.p., likwidat.
liquidation n., likwidazzjoni.
liquorice n., ligurizja, sus.
list n., borderò, elenku, lista, tabella. ***price ~;*** lista tal-prezzijiet. ***make a ~;*** elenka.
list v., elenka.
listen v., sama'/sema'. ***he remained ~ing to the news on the radio;*** baqa' jisma' l-aħbarijiet minn fuq ir-radju.
listen (to) v., ta retta lil, ta widen.
listened adj. & p.p., mismugħ.
listener n., semmiegħ, uditur.
litany n., (eccl.) litanija.
literal adj., letterali. ***~ translation;*** traduzzjoni letterali.
literally adv., letteralment.
literary n., letterarju.
literature n., letteratura.
lithiasis n., (med.) litìjasi.
lithodomus n., (zool.) grottlu.
lithographic adj., (art.) litogràfiku.
lithography n., (art.) litografija.
lithology n., litoloġija.
lithotomy n., (med.) litotomija.
litigant adj., litikant.
litigate v., ġelled.
litigated adj. & p.p., miġġieled.
litigious adj., ġelliedi.
litotes n., (liter.) litòte.
litre n., litru.
litter n., boton, imbarazz, katalett, wilda, (med.) barella.
litter v., wiled.
little adj. & adv., ċkejken, daqsxejn, ftit, ponta, żgħir. ***~ by ~;*** bil-ftit il-ftit. ***~ time;*** ftit taż-żmien.
little n., koċċ, naqra, nitfa. ***very ~;*** butiff.
littleness n., ċkunija, ċokon.
littoral n., plajja, (geog.) littoral.
liturgical adj., (eccl.) liturġiku.
liturgy n., (eccl.) liturġija.
live (up) v., kampa. ***my uncle ~d up to seventy years;*** iz-ziju dam ikampa sebgħin sena.
live v., àbita, għammar, għex. ***they ~ in the city of Valletta;*** huma jgħammru l-belt Valletta. ***she ~s of her daughter's earnings;*** hija tgħix bil-qligħ ta' bintha. ***to ~ well;*** jgħix ta' sinjur. ***to ~ poorly;*** ġaħġaħ. ***helped to ~;*** mgħajjex. ***long ~;*** viva.
liveliness n., vivaċità, żveltizza.
lively adj., ħaj, lvent, vivaċi, żvelt.
lively adv., fuq tiegħu.
liver n., (med.) fwied.
livery n., livrija.
livid adj., mbenġel. ***make the skin ~;*** benġel.
lividity n., kħula, makkatura, tbenġil.
lividness n., tbenġil.
living n., għajxien.
lizard fish n., (ichth.) skalm.
lizard n., (zool.) gremxula.
load n., kief, purtata, tagħbija.
load v., għabba. ***he ~ed the ship with timber;*** għabba l-vapur bl-injam.
loaded adj. & p.p., mgħobbi.
loader n., għabbej.
loadstone n., kalamita.
loaf n., ħobża. ***sliced ~;*** ħobż slajs. ***small ~;*** ħbejża.
loafer n., sfaċendat, skansafaċendi.
loam n., terraċċju.
loan n., imprest, self, selfa. ***to take in ~;*** issellef.
loan v., sellef.
loath adj., kiesaħ.
loathe v., abborra, stkerrah, tmeżmeż, tqażżeż. ***he ~d food;*** abborra l-ikel.
loathed adj. & p.p., mistmerr.
loathing n., taqżiż.
loathsome adj., moqżież, skifuż.
loathsomeness n., ħneżrija.
lob v., (g.) illobbja.
lobbing n., żbir.
lobe n., (med.) lobu.

lobotomy n., (med.) lobotomija.
lobster n. (zool.) għaġuża, (ichth.) ljunfant il-baħar. ***rock ~;*** (ichth.) awista.
local adj., lokali.
localization n., lokalizzazzjoni.
localize v., illokalizza.
localized adj., lokalizzat.
located adj. & p.p., poġġut.
lock n., nokkla, qofol, serratura. ***to pick the ~ of;*** skassa. ***they lost the key and picked the ~ of the door to get in;*** tilfu ċ-ċavetta u skassaw il-bieb biex jidħlu.
lock v., qafel.
lock -out n., lokawt.
lock-picking n., skassatura.
locked adj. & p.p., maqful. ***to be ~;*** issakkar. ***the boy was ~ inside alone;*** ittifel issakkar waħdu ġewwa.
locker n., loker.
locket n., lokit.
locking n., qfil, qofol, sokor, taqfil, tiskir.
locks n., dliel.
locomotive n., lokomotiva.
locust n., (zool.) ġurat/ġrad. ***~ tree;*** (bot.) robinja.
locution n., lokuzzjoni.
lodge n., loġġa.
lodge v., alloġġja, laqa'.
lodging n., alloġġ, lukanda.
loftiness n., għoli, kburija.
lofty adj., kburi, mkabbar.
lofty (man/woman) adj., & n., butwila.
logarithm n., logaritmu.
logical adj., loġiku, raġunat.
logically adv., loġikament.
logics n., loġika.
logogramm n., logogramm.
logographer n., logògrafu.
loin n., flett.
loiter v., għakrek, tgħakrek, tnikker. ***made to ~;*** mnikker.
loiter (about) v., tlajja.
loiterer n., għakriek.
loneliness n., baħħ, solitudni, mħarreb.
lonely adj., solitarju, waħda, waħdek, waħdu, waħdien.
Long Live interj., evviva.
long adj., twil. ***as ~ as;*** sa kemm. ***how ~?;*** sakemm? ***life ~;*** (leg.) vitalizju. ***so long;*** tant.
long (for) v., twaħħam, xteha.
long-sighted adj., (med.) prebìte.
longed (for) adj. & p.p., mixhi, mxennaq, mxewwaq.
longing adj., mħajjar, ħajran.
longing n., ħajra, tewħim, tixniq, waħam, xehwa.
longish adj., fettuli.
longitude n., (geog.) lonġitudni.
look adv., ekku. ***to be on the ~ out;*** issajja.
look n., apparenza, aspett, bixra, ħars, ħarsa. ***mien ~;*** ċiera. ***to take a ~ at;*** agħtih daqqa ta' għajn. ***to steal a ~;*** minn taħt il-għajn.
look v., osserva, ħares, immira. ***what are you ~ing at?;*** lejn xiex qiegħed timmira? ***he was ~ing at the sea;*** kien qiegħed iħares lejn il-baħar. ***~ askew;*** għawwas. ***~ daggers;*** biċ-ciera. ***~ for;*** fittex. ***to ~ like;*** ixxiebah. ***to ~ out of a window;*** ixxabbat. ***to ~ through a spyglass;*** ittrombja. ***to ~ fixedly;*** iċċassa. ***he ~ed fixedly at that picture;*** iċċassa jħares lejn dik il-pittura.
look (after) v., tfittex.
look (out) v., feġġ. ***he was ~ing out for someone passing from there in order to murder him;*** qagħad jissajja lil xi ħadd jgħaddi minn hemm biex ineħħilu ħajtu.
look (from) v., ittawwal. ***he ~ed from the window and saw him passing by;*** ittawwal mit-tieqa u raħ għaddej.
look (over) v., irrigwarda.
look (upon) v., ħares.
looked (for) adj. & p.p., mfittex.
looking n., titwil, ħars.
looking (out) adj. & p.p., mxerref.
looking (out) n., tixrif.
loom n., newl.
loose adj., dissolut, illaxkat, laxk, sfrenat, sfuż. ***to let ~;*** sferra.
loose-jointed adj., żgangat.
loosed adj. & p.p., mlaħlaħ.
loosen v., illaxka, ħall.
loosened adj. & p.p., maħlul, merħi.
loosening n., taħlil.
loot n., sakkeġġ, sibja, (mil.) buttin.
lop n., ċafċifa.
lop v., ċafċaf, tlajja, żabar.
lop (off) v., qartaf.
lopped adj. & p.p., miżbur.
lopped (off) adj. & p.p., mqaċċat, mqartaf.
lopper n., żabbàr.
lopping n., taqċit, tiżbir, żabra.
loquacious adj., ħduti, lablabi, qawwieli.
loquacity n., tlablib.
Lord pr.n., Mulej. ***Your ~ship;*** (eccl.) monsinjur.
lord n., sid, sinjur.
lorry n., lori.
lose v., tilef. ***he lost the lawsuit having to pay all expenses;*** tilef il-kawża bl-ispejjeż. ***to ~ courage;*** qata' qalbu. ***to ~***

one's way; tilef il-għaqal. *to ~ patience;* tilef is-sabar.
lose (oneself) v., ntilef.
loser n., tellief.
losing n., telf, telfien, titlif.
loss n., telf, telfa, titlif. *~ of time;* telf taż-żmien.
lost adj. & p.p., mitluf.
lot adj., ħafna.
lot n., lott.
lotion n., lozjoni. *eye lotion;* (med.) kollirju.
lottery n., (g.) lotterija.
loud-speaker n. lawdspiker.
louse n., (zool.) qamla, duda tar-ras.
louse v., fela. *hen's ~;* ħurrieq tat-tajr.
lousy adj., mqammel.
lovable adj., simpàtiku.
love n., affezzjoni, ġibda, hewwa, mħabba, namra. *sea of ~;* baħar ta' l-hewwa. *christian ~;* (theol.) àgape. *fall in ~ with;* ħa grazzja, innamra. *falling in ~;* namrar. *passionately in ~;* mbellah wara xi ħadd.
love v., ama, ħabb.
love-lies-bleeding n., (bot.) amarant.
loved adj. & p.p., maħbub.
loveliness n., sbuħija, ġmiel.
lovely adj., sabiħ.
lover n., namrat, ħanini.
loving adj., amoruż.
low adj., baxx.
low-necked adj., skullat.
lower v., baxxa, niżżel, saffal, saffel. *he ~ed the price of the goods;* baxxa l-prezz ta' l-oġġetti. *the boat-man ~ed the boat into the sea;* il-barklor niżżel id-dgħajsa l-baħar. *to ~ the head;* ibbozza.
lower (oneself) v., tbaxxa.
lower (sails) v., majna. *the sailors lowered the sails because of high wind;* il-baħrin majnaw il-qlugħ minħabba r-riħ qawwi.
lowered adj. & p.p., mniżżel.
lowering n., tisfil.
lowly adj., ġwejjed.
lowness n., bassezza.
loyal adj., fidil, leali.
loyally adv., lealment.
loyalty n., lealtà, sedqa.
lozenge n., mustardina.
lubricate v., żellaq.
lubrication n., lubrikazzjoni.
lucent adj., mdawwal.
lucern n., (bot.) nifel.
Lucifer pr.n., Luċifru.
luck n., fortuna, riżq/risq, xorti. *bad ~;* sfortuna.
luckily adv., b'xorti tajba, fortunatament. *un~;* b'xorti ħażina.
lucky adj. & p.p., fortunat, ixxurtjat, riżqan. *~ hit;* inzertatura.
lucrative adj., fejjiedi.
lucre n., mgħax.
ludo n., (g.) ludo.
luff n., olza, (mar.) mura.
luggage n., bagalja.
lugger n., (mar.) lugger, trabakklu.
lukewarm adj., diefi, fietel. *become ~;* defa/difa. *make ~;* fettel.
lull v., ħannen.
lullaby n., taħnin.
lulled adj. & p.p., mħannen, miftuq.
lumbago n., (med.) lombaġni.
lumber n., antikalja, imbarazz.
luminary n., dawwâla.
lumination n., luminazzjoni.
luminous adj., dawli, mudwal. *become ~;* dwal.
lump n., ċappa, gundalla, għoqla.
lunacy n., ġennata.
lunar adj., qamri. *semi~;* nofs qamar.
lunatic n., qammàr.
lunch n., lanċ, pranzu.
lunch v., fatar.
lunette n., (arch.) lunetta.
lung n., (anat.) pulmun.
lung-worth n., (bot.) pulmonarja.
lustful adj., libidinuż.
lusty adj., qawwi.
Luther pr.n., Luteru.
Lutheran adj. & n., Luteran.
luxate v., fekkek.
luxation n., tifkik.
luxurious adj., lussuż.
luxury n., lussu, sfaġġ.
lyceum n., dar il-għerf, liċeo.
lying adj., mimdud.
lying (down) n., medda.
lynx n., (zool.) linċi.
lyre n., (mus.) ċetra, lira.
lyric adj., liriku.
lyrical adj., liriku.

Mm

macabre adj., makabru.
macaroni n., mqarrun. ***ribbon shaped ~;*** fdewwex, fixkija.
macaroon n., biskuttin.
mace n., debbus, mazza.
mace-bearer n., mazzier.
macer n., mazzier.
macerate v., naqa', xarrab.
macerated adj. & p.p., minqi, mxarrab, minqugħ.
machinate v., ikkunfoffa, nassas.
machination n., konfoffa, kospirazzjoni.
machine n., makna/magna. ***drilling ~;*** trapan. ***printing ~;*** makna ta' l-istampar. ***sewing ~;*** makna tal-ħjata. ***small ~;*** makkinetta. ***treadle ~;*** makna bil-pedala. ***washing ~;*** makna tal-ħasil.
machine-gun n., (mil.) maxingann.
machine-gun v., immaxxingja.
machinery n., makkinarju.
machinist n., makkinist.
maciated adj. & p.p., mgħalleb.
mackerel n., (ichth.) kavall. ***bastard ~;*** (ichth.) żgamirru. ***chub ~;*** kavall. ***frigate-~;*** tombitombi, tumbrell.
mackintosh n., makintoxx.
maculate v., tabba'/tebba'.
mad adj., mherwel, miġnun, mġejnen. ***drive ~;*** herwel. ***to become ~;*** iġġennen, hebel. ***to go ~;*** waqa' fil-ġenn. ***to grow ~;*** hebel.
madam n., sidt.
madame n., màdam, sinjura.
madded adj., mherwel.
madden v., ġennen.
maddened adj. & p.p., mġennen.
madder n., (bot.) alizzari. ***corn field ~;*** (bot.) ħarxajja.
made adj. & p.p., fabbrikat, mibni.
madness n., ġenn, thendwil. ***touch of ~;*** ferħ ta' ġenn.
madrigal n., (liter.) madrigal.
mafia n., mafja. ***member of the ~;*** mafjuż.
magazine n., magazin, rivista.
magenta adj., maġenta.
Magi n., Maġi.
magic adj., maġiku. ***~ lantern;*** lanterna maġika.
magic n., maġija. ***black ~;*** maġija sewda.
magical adj., maġiku.
magisterium n., (eccl.) maġisterju.
magistracy n., maġistratura.
magistrate n., (leg.) maġistrat.
magnanimous adj., qalbieni.
magnesia n., (chem.) manjesja.
magnet n., kalamita.
magnetism n., manjetiżmu.
magnificence n., imponenza, kburija.
magnificent adj., manifiku.
magnificently adv., manifikament.
mahogany n., kawba.
mahomedan n., mawmettan.
mahometan n., mawmettan.
maid n., serva. ***~ of honour;*** damiġella.
maiden n., xbejba, xebba.
maiden-hair n., (bot.) kosbor il-bir, torsin il-bir.
maidenly adj., verġinali.
mail n., posta, valiġġa.
mail v., imposta.
mailing n., impostazzjoni.
maim v., għattab, iċċonga, ikkoċċla, immanka, zappap.
maimed adj. & p.p., ċong, magħtub, mfelleġ, mgħattab, mifluġ, mzappap, stronk.
maiming n., tagħtib.
main adj., kapitali, prinċipali.
mainland n., terraferma.
mainly adj., prinċipalment, fuq kollox.
maintain v., għajjex, mantna, żamm. ***he ~ed a neighbour of his;*** kien imantni ġar tiegħu.
maintained adj. & p.p., mantnut, mgħajjex, mitmugħ.
maintenance n., manutensjoni, (leg.) manteniment.
maiolica n., (artis.) majjolka.
maize n., qamħ ir-Rum.
majestic adj., imponenti, maestuż.
majesty n., maestà.
majolica n., (artis.) majjolka.
major n., (mil.) maġġur. ***sergeant ~;*** surġent maġġur.
majority n., maġġuranza. ***absolute ~;*** maġġuranza assoluta.

make v., għamel. ***to ~ room;*** għamel il-wisa'. ***to ~ a film;*** iffilmja.
make-up n., impaġinazzjoni, mejkapp.
maker n., għammiel.
making n., għamla.
malachite n., (min.) malakit.
malaria n., malarja.
malediction n., saħta, tilgħin.
malefactor n., malfattur.
malevolence n., għajt, tagħjit.
malice n., malizzja, ħjiena/ħiena.
malicious adj., malizzjuż, ħajjen.
malign adj., malinn.
malignancy n., malinjità.
malignant adj., malinn. ***~ tumour;*** tumur malinn.
malignity n., malinjità.
mallard n., (zool) papra tal-barr.
malleable adj., rtubi.
mallet n., mazzola. ***beetle ~;*** (artis.) mazzapik. ***strike with a ~;*** ballat.
mallow n., (bot.) ħubbejż, malva. ***marsh ~;*** (bot.) altea. ***weeping ~;*** (bot.) pjanġenti.
Malta pr.n., Malta.
Maltese n., Malti.
maltreat v., ħaqar, immaltratta, kasbar.
maltreated adj. & p.p., mkasbar.
maltreatment n., maltrattament.
mameluke n., mammalukk.
mammal n., màmmal.
mammiferous adj., (zool.) mammiferu.
mammon n., mammona.
mammoth n., (zool.) mammut.
man n., pedina, raġel. ***a grown-up ~;*** raġel magħmul. ***very tall ~;*** ġorf. ***young ~;*** żagħżugħ. ***~ of letters;*** letterat. ***~ of his word;*** raġel tal-kelma. ***literary ~;*** letterat. ***old ~;*** għaġuż. ***pious ~, religious ~;*** raġel tar-ruħ. ***professional ~;*** professjonist. ***rich ~;*** sinjur.
man-hole n., bukkaport.
man/woman n., bniedem.
manacle n., manetta, qajd ta' l-idejn.
manacle v., immanetta.
manacled adj. & p.p., mqajjed.
manage n., maniġġ.
manage v., amministra, iddirieġa, immaniġġa.
manageable adj., governabbli, maniġibbli.
management n., amministrazzjoni, direzzjoni, ġestjoni, reġija, tmexxija.
manager n., amministratur, direttur, maniġer, (theatr.) impreżarju. ***general ~;*** direttur ġenerali. ***stage ~;*** direttur tal-palk.
mandarin n., mandarin.
mandatory n., (leg.) mandatarju.
mandible n., (anat.) geddum, mandìbula.
mandola n., (mus.) màndola.
mandolin n., (mus.) mandolina.
mandolin-player n., (mus.) mandolinist.
mandrel n., (techn.) mandrin.
mandril n., (techn.) mandrin.
mane n., krinjera.
manfulness n., rġulija.
manganese n., (chem.) manganiż.
manger n., maxtura.
mangle n., mangnu.
mania n., manija.
maniac adj., manìjaku.
manifest adj., magħruf, mibruħ.
manifest n., manifest.
manifest v., esterna, immanifesta.
manifestation n., manifestazzjoni, turija, twerija.
manifested adj. & p.p., manifestat, msamsar.
manifestly adv., bid-dieher.
maniple n., (eccl.) manîplu.
manipulate v., immaniġġa.
manipulation n., manipulazzjoni.
manipulator n., manipulatur.
mankind n., bniedem, ġèneru uman.
manliness n., virilità.
manly adj., virili.
manna n., manna.
mannequin n., manikin.
manner n., fatta, kostum, manjiera, mod. ***well ~ed, ~ly;*** bil-manjieri. ***ill ~ed;*** bla manjieri. ***in what ~;*** kif. ***good ~s;*** galatew, galbu.
mannerly adj., dħuli.
mannite n., (chem.) mannite.
mannite-sugar n., (chem.) mannite.
manoeuvre n., (mar.) manuvra.
manoeuvre v., (mil.) immanuvra.
manometer n., manumetru.
manor n., fiegu. ***lord of the ~;*** kastellan.
manservant n., kamrier.
mantilla n., mantilja.
mantle n., kappa, mant. ***to be covered with a ~;*** lteff.
mantle v., għatta.
manual adj., manwali. ***~ labour;*** xogħol manwali.
manual n., manwal.
manufacture n., manifattura.
manufactured adj. & p.p., fabbrikat.
manufacturer n., fabbrikant, manifatturier.
manure n., demel, żibel.
manure v., bażżar, darrab, demmel, żebbel.

manured adj. & p.p., mbażżar, mdemmel, mżebbel. ***to be ~;*** iżżebbel.
manuring n., tidmil, tiżbil.
manuscript n., manuskritt.
many adj., bosta, ħafna. ***how ~;*** kemm. ***too ~;*** wisq.
many adv., qatigħ.
map n., mappa.
maple n., (bot.) aġġru.
maquer n., maskarat.
maquis n., markiż.
mar v., għarraq, ħassar, kerraħ. ***that building has ~red the view;*** dak il-bini kerraħ il-veduta.
marabout n., marabùt.
maraschino n., maraskin.
marasmus n., (med.) marasma.
marathon n., (g.) maratona.
marble n., boċċa, rħama.
marble v., raħħam.
marble-like adj., rħami.
marbled adj. & p.p., mraħħam.
March pr.n., Marzu.
march n., (mus.) marċ. ***funeral ~;*** marċ funebri. ***~ past;*** sfilata.
march v., immarċja. ***the soldiers began to ~ towards the fortress;*** is-suldati bdew jimmarċjaw lejn il-fortizza.
marchpane n., marzpan.
mare n., (zool.) debba.
margarine n., marġerina, butirina.
margin n., marġni, tarf.
marginal adj., xifri.
marigold n., (bot.) suffejra.
marine n.,(mil.) morin/merin.
mariner n., baħħàr, baħri, raġel tal-baħar.
mariology n., (theol.) marjoloġija.
marionette n., marjunetta.
maritime adj., marittmu.
marjoram n., (bot) mertqux. ***sweet ~;*** (bot.) merdquxa.
mark n., għelm, marka, punt, traċċja.
mark v., għellem, immarka. ***he ~ed off one thing from another;*** immarka ħaġa minn oħra.
marked adj. & p.p., immarkat, maħżuż, mgħallem/mgħellem.
marker n., markatur, marker.
market n., monti, suq. ***black ~;*** blakmarkit.
marking n., markatura, punteġġ, tegħlim.
marksman n., tiratur.
marled adj. & p.p., mbażżar.
marmalade n., marmalejd. ***quince ~;*** kutunjata.
marmoreal adj., rħami.
marmoset n., (zool.) gidmejmun.
marmot n., far il-ġebel.
maronite n., (eccl.) maronita.
marquery n., (artis.) intarsjar.
marquisate n., markiżat.
marriage n., matrimonju, tieġ, żwieġ, (liter.) imenew. ***given in ~;*** mżewweġ.
marriageable adj., xebba.
married adj. & p.p., miżżewweġ, mtejjeġ.
marrow n., noħħ, (med.) mudullun, (bot.) qarabagħlija.
marry v., iżżewweġ, tejjeġ. ***he married a poor girl;*** iżżewweġ tifla fqira. ***he married a few days ago;*** tejjeġ ftit jiem ilu.
marry v., ġabar il-mara, żewweġ.
marry (into) v., tħâten.
marsh n., għadira, marsa, marġ.
marshal n., (mil.) marixxal.
marshal (up) v., issarbat.
marten n., martora.
martial adj., marzjali. ***~ law;*** liġi marzjali. ***court ~;*** qorti marzjali.
martingale n., martingana.
martyr n., martri.
martyrdom n., martirju.
martyrize v., immartirizza.
martyrized adj. & p.p., martirizzat.
martyrology n., martiroloġju.
marvel n., għaġeb, meravilja. ***~ of Peru;*** (bot.) ħummejr.
marvellous adj., meraviljuż, tal-għaġeb.
mascara n., maskara.
masculine adj., (gram.) maskil, maskulin.
masculineness n., rġulija.
masculinity n., rġulija.
mashed adj., maxx.
mask n., għata tal-wiċċ, maskra, wiċċa. ***gas-~;*** maskra tal-gas. ***to take away the ~;*** neħħa l-maskra. ***grotesque ~;*** maskarun.
masker n., maskarat.
mason n., bennej, mażun.
masonary n., mażunerija.
mass n., gozz, massa, (eccl.) quddiesa. ***to say ~;*** (eccl.) qaddes.
massacre n., massakru.
massacre v., biċċer, immassakra.
massage v., (med.) immassaġġja.
massaged adj., massaġġjat.
masseur n., massaġġjatur.
massive adj., mastizz, mimli, samm.
massy adj., mastizz.
mast n., arblu. ***half ~;*** mezzalasta. ***top gallant ~;*** (mar.) pappafik.
master n., ħabes, majjistru, master, mastru, mgħallem, padrun/patrun, sid, surmast. ***be ~ of;*** ħakem.
masterly adj., ta' mgħallem.

masterly n., maestrija.
masterpiece n., kapulavur, xogħol ta' mgħallem.
masterwall n., mramma.
mastery n., maestrija, patrunanza.
mastic n., màstiċi, mastika, (bot.) miskta.
masticate v., magħad.
masticated adj. & p.p., mimgħud.
mastication n., magħda, mastikazzjoni, mgħid.
masticator n., magħàd.
masticatory adj., magħadi.
mastiff-dog n., (zool.) mastin.
mastitis n., (med.) mastite.
mastodon n., (zool.) mastodont.
mastoid n., (anat.) mastojde.
masturbation n., masturbazzjoni.
mat n., paljett, ħasira.
match n., miċċa, partita, sulfarina.
match v., akkoppja, qabbel, sieħeb, tħallat, żewweġ. ***football ~;*** (g) partita futbol. ***return ~;*** rivinċita. ***wrestling ~;*** lotta.
matched adj. & p.p., miżżewweġ, msieħeb, mżewweġ.
matchmaker n., ħottab/ħuttâb. ***act as a ~;*** ħotob.
mate n., kumpann.
material adj., materjali.
material n., materjal. ***raw ~;*** rkaptu.
materialism n., materjaliżmu.
materialist n., materjalist.
materialistic adj., materjalistiku.
materially adv., materjalment.
maternal adj., matern.
maternity n., maternità. ***~ hospital;*** sptar tal-maternità.
mathematically adv., matematikament.
mathematician n., matematiku.
mathematics n., matemàtika.
matinee n., (theatr.) matinè.
matins n., matutin.
matricide n., matriċida, qattiel ta' ommu.
matriculate v., immatrìkola.
matriculated adj., matrikulat.
matriculation n., matrikola.
matrimonial adj., matrimonjali.
matrimony n., żwieġ.
matrix n., (eccl.) matriċi.
matron n., (med.) matruna. ***hospital ~;*** sister.
matt adj., matt.
matter n., affari, materja, sustanza, (med.) marċa. ***~y;*** bil-marċa. ***what ~s;*** billi.
matter v., importa. ***it does not ~;*** ma jimpurtax. ***what does it ~?;*** x'importa?
mattock n., marra, zappun.
mattress n., mifrex, mitraħ, saqqu. ***small ~;*** strapuntin.
mature adj., matur.
mature v., issajjar, sajjar, skada.
matured adj. & p.p., misjur, msajjar.
maturity n., maturità, sajran, skadenza.
matutinal adj., għodwi.
mausoleum n., musulew.
maxilla n., xedaq.
maxillary adv., tax-xedaq.
maxim n., massima.
May pr.n., Mejju.
maybe adv., forsi.
mayonnaise n., majjoneż.
mayor n., sindku.
meadow n., bur.
meagre adj., magru, magħlub.
meagre n., (ichth.) gurbell rar. ***brown ~;*** gurbell tork.
meal n., dqiq, ikel, ikla, past. ***Indian ~;*** dqiq tal-qamħ-ir-rum.
mean adj., kajmàn, medjan, medju, vili.
mean v., issinìfika. ***what do these words ~?;*** dan il-kliem x'jissinifika?
meander v., isserpja. ***he ~ed here and there with his car;*** isserpja 'l hawn u 'l hinn bil-karozza tiegħu.
meander (to) v., serrep.
meandering adj., serriepi.
meandering n., tisrip.
meanness n., viltà.
means n., mezz, miel.
meantime adv., sadattant. ***in the ~;*** frattant, sadattant.
meanwhile adv., frattant, intant.
measles n., (med.) ħosba.
measure n., daqs, kejl, miżura, provdiment/provvediment, qies/qas, (mus.) battuta. ***measure of corn;*** tomna.
measure v., daqqas, kejjel, qajjes/qejjes, qies/qas, skandalja. ***the architect ~d the work on the wall;*** il-perit kejjel ix-xogħol fuq il-ħajt.
measured adj. & p.p., meqjus, mkejjel, mqejjes.
measured v., iddaqqas.
measurement n., kejl, miżura.
measurer n., kejjiel, qejjies.
measuring n., taqjis, tidqis, tikjil, tiqjis.
meat n., laħam, miekla. ***boiled ~;*** buljut. ***dress ~;*** demmes. ***fatty ~;*** qarquċa. ***frozen ~;*** laħam tal-friża. ***minced, hashed ~;*** kapuljat. ***roast ~;*** xixa. ***stewed ~;*** stuffat. ***~ mincer;*** magna tal-kapuljat. ***~ without fat;*** dgħif.
meat-slice n., falda tal-laħam.
mechanic n., armatur, mekkanik, mekkaniku.

mechanical adj., mekkàniku.
mechanically adv., mekkanikament.
mechanician n., mekkaniku.
mechanics n., mekkanika.
mechanism n., mekkaniżmu.
mechanist n., mekkaniku.
mechanization n., mekkanizzazzjoni.
mechanize v., (techn.) immekkanizza.
medal n., domna, midalja.
medallion n., medaljun.
meddle v., iddeffes, iżżeffet. ***she never allowed her husband to ~ in politics;*** qatt ma ħalliet lil żewġha jiddeffes fil-politika.
meddle (with) v., intriga. ***he will not ~ in politics;*** mhux se jintriga ruħu mill-politika.
meddler n., deffies, melħa.
medial adj., nofsi.
median adj., medjan. ***~ line;*** linja medja.
mediate v., tbejjen.
mediation n., medjazzjoni, tbejjin.
mediator n., bejjien, medjatur, mezzan.
mediator n., samsàr.
medical adj., mediku.
medicate v., dewwa, immèdika. ***the father ~d his son's wound;*** il-missier immèdika l-ferita ta' ibnu.
medicate (oneself) v., iddewwa.
medicated adj. & p.p., mdewwi, mtabbab, medikat.
medication n., medikament, medikatura.
medicator n., tabbàb.
medicine n., duwa, mediċina, tobbija.
mediocre adj., kajmàn, medjokri.
mediocrity n., medjokrità.
meditate v., immedita, tmiehel.
meditated adj. & p.p., meditat.
meditation n., meditazzjoni, taqsit.
Mediterranean pr.n., (geog.) Mediterran.
medium adj., medju.
medlar n., naspla.
meek adj., doċli, ġwejjed, għaqel, ħelu, kiebi, mans, manswet.
meerschaum n., skjuma tal-baħar.
meet v., affronta, inkontra, sab/sieb, ħabat wiċċ imb'wiċċ. ***well met;*** bentrovato.
meet (with) v., inkontra, ltaqa'. ***yesterday we met them at the square;*** il-bieraħ iltqajna magħhom il-misraħ.
meeting n., inkontru, laqgħa, miting, seduta, tilqigħ.
megalithic adj., megalìtiku.
megalomania n., megalomanija.
megalomaniac n., megalomanìjaku.
megaphone n., megàfonu, portavuċi.
megawatt n., (elect.) megawott.
melancholic adj., kiebi, malinkoniku.
melancholy adj., kiebi.
melancholy adv., qalbu sewda.
melancholy n., malinkonija, melankonija.
melliferous adj., għasli.
mellow adj., tieri.
mellowness n., rtuba, rtubija.
melodious adj., (mus.) melodjuż.
melodrama n., melodramma.
melodramatic adj., melodrammàtiku.
melody n., melodija. ***monotonous ~;*** kantaliena.
melon n., (bot.) bettieħa. ***~ bed;*** bħajra. ***~ field;*** bħajra.
melt v., dab, dewweb, teraħ, (techn.) fonda. ***they ~ed the gold in the melting pot;*** id-deheb fonduh fil-griġjol. ***it ~s in the mouth;*** idub fil-ħalq.
melted adj. & p.p., maħlul, mdewweb. ***to be ~;*** iddewweb.
melter n., dewwieb, fonditur.
melting n., dewbien, tidwib.
melting house n., fonderija.
melting pot n., (artis.) griġjol.
member n., komponent, membru, soċju.
membership n., sħubija. ***~ card;*** tessera. ***to give ~ card;*** ittessera.
membrane n., ġlejda, pellikola, rita, (anat.) membrana.
memorable adj., fakkari, memorabbli.
memorandum n., memorandum.
memorial n., memorjal.
memorize v., fakkar.
memory n., amment, fakra, memorja. ***loss of ~;*** amnesija.
menace n., minaċċa.
menace v., hejjeb, hedded, imminaċċa.
menaced adj. & p.p., mhedded, minaċċat.
menacing adj., minaċċuż.
menacing n., tehdid.
mend v., dabbar, ġabbar, raqqa', rpara, sewwa.
mended adj. & p.p., miġbur, mraqqa', msewwi, mġannat. ***to be ~;*** iġġabbar.
mender n., dabbàr, sewwej.
mendicant n., mendikant, povru.
mendicate v., talab.
mending n., tirqigħ, tiswija, tiġnit.
meningitis n., (med.) meninġite.
meninx n., (anat.) meninġi.
menopause n., (anat.) menopawsa.
menstruation n., mestruwazzjoni, pîrjid.
mensuration n., mensurazzjoni.
mental adj., mentali.
mentality n., mentalità.
mentally adv., mentalment.
menthol n., (med.) mentol.

mention v., semma.
mentioned adj. & p.p., msemmi. ***to be ~;*** issemma.
mentor n., widdieb.
menu n., menù.
mercenary n., merċenarju.
merchandise n., merċa, merkanzija.
merchant n., kummerċjant, merkant, negozjant. ***~ ship;*** vapur merkantil.
merchantile adj., merkantil.
merciful adj., pjetuż, ħanin.
merciless adj., spjetat.
mercury n., (chem.) merkurju. ***annual ~;*** (bot.) burikba.
mercy n., ħniena, miżerikordja, raħma/reħma. ***have ~;*** ħenn. ***Lord have ~ on us;*** Mulej ħenn għalina. ***implore ~;*** raħħam.
mercyfully adv., bil-ħniena.
meridian n., meridjan.
meridional adj., meridjonali.
meringue n., xkuma.
merit n., benemerenza, mertu, mistħoqqija.
merit v., immèrita, stħaqq.
mermaid n., (mar.) sirena.
merrily adv., bil-ferħ.
merriment n., allegrija, briju, għors.
merry adj., allegru, ferħa, gawdent, ħluqi. ***~ making;*** xalar.
merry v., feraħ.
mesentery n., (anat.) mesenterju.
mesh n., malja.
mesh v., xebbek, (mechan.) ingrana.
mesmerism n., (med.) mesmeriżmu.
mesmerize v., ikkatiżma.
mess n., mander, mandra, straġi.
message n., massaġġ/messaġġ. ***wireless ~;*** radjogramm.
messenger n., baxxàr, ħabbâr, messaġġier, portatur.
Messiah n., Messija.
metabolism n., metaboliżmu.
metacarpus n., (anat.) metakarpu.
metachronism n., metakroniżmu.
metal n., (min.) metall.
metallic adj., metàlliku.
metallography n., metallografija.
metalloid adj., metallojdi.
metallurgic(al) adj., metallùrġiku.
metallurgy n., metallurġija.
metamorphism n., metamorfiżmu.
metamorphosis n., metamòrfosi.
metaphor n., metàfora.
metaphorical adj., metafòriku.
metaphorically adv., metaforikament.
metaphrase n., metafrażi.
metaphysical adj., metafiżiku.
metaphysician n., metafiżiku.
metaphysics n., metafiżika.
metastasis n., metàtasi.
metatarsus n., (anat.) metatarsu.
metathesis n., (gram.) metàtesi.
metempsychosis n., metempsikożi.
meteor n., (phys.) metèora.
meteorite n., (phys.) meteorìt.
meteorologic(al) adj., (phys.) meteoroloġiku.
meteorologist n., (phys.) meteoròlogu.
meteorology n., (phys.) meteoroloġija.
meter n., metru, miter.
method n., metodu, modalità.
methodically adv., metodikament.
methodist n., metodist.
methodology n., metodoloġija.
meticulous adj., metikoluż.
metonomy n., metonomija.
metric adj., mètriku. ***~ system;*** sistema metrika.
metrical adj., mètriku.
metrics n., mètrika.
metronome n., (mus.) kronometru, metrònomu.
metropolis n., metropoli.
metropolitan adj., metròpolita.
mew v., naħ, newwaħ. ***the cat began to ~;*** il-qattus beda jnewwaħ.
mewing n., nwieħ.
mezzanine n., mezzanin.
mica n., majka.
microbe n., (med.) mikrobu.
microcosm n., mikrokożmu.
micrometer n., mikrometru.
microphone n., (techn.) mikrofonu.
microscope n., mikroskopju.
midday n., nofsinhar.
midden n., demmiela.
middle adj., medjan, medju, wistani. ***~ age;*** età medja. ***M~ Ages;*** Medju Evu.
middle n., nofs.
middleman n., bejjien, mezzan, sensàl.
middleperson n., bejjien.
middling adj., wistani.
midnight n., nofsillejl.
midst n., qalba.
midwife n., majjistra, qabla, wellieda.
midwifery n., (med.) ostetriċja.
mien n., bixra.
might n., forza, potenza, setgħa.
mighty adj., potenti, putent.
mighty adj., setgħan.
mignonette n., (bot.) denb il-ħaruf, resedan.
migraine n., (med.) emikranja, mugrana.

mild adj., beninn, mans.
mildew n., sadid.
mile n., mil.
milestone n., brill.
milfoil n., (bot.) ħaxix tal-morliti.
militant adj., militanti.
militarism n., militariżmu.
militarization n., militarizzazzjoni.
militarize v., immilitarizza.
military adj., militari.
military n., militar.
militate v., ikkumbatta.
militia n., milizzja.
milk n., ħalib. ***condensed ~;*** ħalib tal-bott. ***fresh ~;*** ħalib frisk. ***~-white;*** abjad ħalib. ***~ fever;*** deni tal-ħalib. ***coffee and ~;*** kafè bil-ħalib. ***~ tooth;*** sinna tal-ħalib.
milk v., geżż, ħaleb, ħalleb.
milk-pail n., maħleb.
milked adj. & p.p., maħlub.
milker n., ħallieb.
milking n., taħlib, ħalba.
milky adj., ħalbi, ħalliebi.
mill n., mitħna. ***water-~;*** mitħna ta' l-ilma. ***coffee-~;*** mitħna tal-kafè. ***wind-~;*** mitħna tar-riħ. ***~stone;*** ħaġra tal-mitħna. ***little ~;*** mtejħna.
mill v., taħan.
millenarian n., millenarju.
millenary n., millenarju.
miller n., maċinatur, taħħàn.
millet n., (bot.) dekkuka, milju, qarabocċa.
millet n., millieġ.
milliard n., miljard.
milligram n., milligramm.
milligramme n., milligramm.
millilitre n., millilitru.
millimetre n., millimetru.
milliner n., modista, ħajjâta (tal-kpiepel tan-nisa).
milling n., taħna.
million n.num., miljun.
millionaire n., miljunarju.
millstone n., mola.
mime n., mima.
mimic adj., mìmiku.
mimical adj., mìmiku.
mimicking n., tagħjib.
mimicry n., mìmika.
mimosa n., (bot.) mimosa.
minaret n., minarett.
mince v., ikkapulja, qatta'. ***mincing machine;*** magna tal-kapuljat.
minced adj. & p.p., midquq.
mind n., menti. ***a strong ~;*** ras kwadra. ***change one's ~;*** dar. ***come into one's ~;*** għadda minn rasu. ***subtle ~;*** gimes. ***to bring to one's ~;*** ħasseb.
mind v., ibbada, ta retta lil. ***~ what you are doing;*** ibbadu għal dak li qegħdin tagħmlu. ***never ~;*** billi.
mindful adj. & p.p., dehwien, midhi.
mine n., minjiera, (mil.) majn, mina.
mine pron., tiegħi.
mine v., (mil.) immina. ***the enemy ~d the bridge;*** l-għadu mmina l-pont.
mined adj. & p.p., imminat.
miner n., minatur, minjier.
mineral adj., minerali. ***~ water;*** ilma minerali.
mineral n., (geol.) mineral.
mineralogy n., mineraloġija.
mingle v., għassed, ħallat.
mingled adj. & p.p., mħallat. ***be or get ~;*** ħtalat.
mingling n., taħlit, taħwid.
miniature n., minjatura.
minim n., (mus.) mìnima.
minimum adj., mìnimu.
miniskirt n., miniskert.
minister n., ministru. ***M~ of Internal Affairs;*** ministru ta' l-intern.
ministerial adj., ministerjali.
ministry n., ministeru.
minium n., (chem.) nogħra.
minor adj., (leg.) minurenni, minur.
minority n., minoranza/minuranza.
minotaur n., minotawru.
minstrel n., ministrell.
mint n., menta, zekka, (bot.) nagħniegħ.
mintage n., tiflis.
minuet n., minwett.
minute n., minuta.
minutely adv., dettaljatament.
miracle n., miraklu.
miraculous adj., mirakuluż.
miraculously adj., mirakulat.
mirage n., miraġġ.
mire n., tajn, ħàma. ***to sink in the ~;*** waqa' fil-ħàma.
mire v., lewwet.
mirror n., mera. ***driving ~;*** mera tal-karozza.
mirth n., allegrija.
misanthropic(a) adj., misantròpiku.
misanthropy n., misantropija.
misappropriation n., (leg.) misappropriazzjoni.
misbelieving adj., miskredent.
miscarriage n., korriment.
miscellanea n., mixxellanja.
miscellany n., mixxellanja.
misdeed n., misfatt.
miser n., idu magħluqa, qanċieċ.

miserable adj. & p.p., fqajjar, magħkus, miżerabbli, mìżeru, msejken, mxum.
miserably adv., miżerament.
misery n., għakar, għaks, miżerja, qâda.
misfortune n., diżgrazzja, gwaj, għalja, għawġ, hemm, ħrieb, qâda, sfortuna, taqdir, żventura.
mishandled adj. & p.p., mbagħbas.
mishap n., diżgrazzja, gwaj.
misoginist n., misoġinu.
misogyny n., misoġinija.
miss n., miss, sinjorina.
miss v., immissja.
missal n., ktieb tal-quddies, (eccl.) missall, messal.
missile n., (mil.) missila.
mission n., bagħta, missjoni, rasla.
missionary n., missjunarju.
mist n., ċlampu, ċpar.
mistake n., errur, għalta, għelt, żball, żelqa. ***by ~;*** erronjament. ***to make a ~;*** żbalja.
mistake v., arra, żelaq.
mistaken adj. & p.p., magħlut, żbaljat. ***to be ~;*** għelet, sgarra.
mister n., sur.
mistral n., majjistral.
mistress n., sidt, sinjura.
mistrust n., diffidenza, suspett.
mistrusted adj. & p.p., sfiduċjat.
mistrustful adj., diffidenti.
misty adj., mċajpar.
misunderstanding n., disgwid, ekwivoku.
misunderstood adj., malintiż.
mite adj., mbikkem.
mite n., duda tal-ful, (zool.) bumellies. ***cheese-~;*** duda tal-ġobon.
mitigate v., biġġel, immitiga, taffa, ħalla. ***mitigating circumstance;*** (leg.) attenwant.
mitigated adj. & p.p., mtaffi. ***to be ~;*** ittaffa.
mitigation n., mitigazzjoni.
mitigator n., biġġiel, taffej.
mitre n., (eccl.) mitra.
mitten n., manikott, nofs ingwanta.
mix v., għassed, ħallat, ħawwad. ***oil does not ~ with water;*** iż-żejt ma jitħallatx ma' l-ilma. ***you have ~ed up all these pictures;*** intom ħawwadtu dawn l-istampi kollha.
mixed adj. & p.p., mħallat, mħawwad.
mixed v., ħtalat.
mixer n., ħallât, ħawwâd, mikser. ***cement ~;*** mikser tas-siment.
mixing n., taħlit, taħwid.
mixture n., ħalta, (med.) mistura.
mizen n., qala' tal-mezzana.
mizzle v., raxxax.
mnemonic adj., mnemòniku.
mnemonica n., mnemònika.
moan v., garr, tines.
moat n., ħandaq, ħondoq.
mob n., ċorma, il-karfa, marmalja.
mobility n., mobbiltà.
mobilization n., immobilizzazzjoni, mobilizzazzjoni.
mobilize v., immobilizza.
mobilized adj. & p.p., immobilizzat, mobilizzat.
mock v., għajjeb, iżżuffjetta.
mocked adj. & p.p., middieħek, midħuk, mgħajjeb.
mockery n., kuljunata.
modal adj., modali.
modality n., modalità.
mode n., mod, moda.
model n., bozzett, figorin, forma, mera, mudell, tip, turija, xempju. ***rough ~;*** buzzett. ***to make a ~;*** (artis.) ixxempja.
model v., fassal, (artis.) immudella, ixxempja.
modelled adj. & p.p., mudellat.
modeller n., fassâl, mudellatur.
modelling n., mudellatura, tifsil, tiswir.
moderate adj., moderat.
moderate v., immòdera. ***now he is moderating very much his meal;*** issa qiegħed jimmodera ħafna fl-ikel.
moderately adv., bil-qies.
moderation n., moderazzjoni, qies/qas, temperanza.
moderator n., moderatur.
modern adj., modern.
modernism n., moderniżmu.
modernize v., immoderna.
modernly adv., modernament.
modest adj., kiebi, mistħi, modest.
modestly adv., modestament.
modesty n., modestja, rżana.
modification n., modìfika, modifikazzjoni.
modified adj., modifikat.
modify v., immodìfika.
modulate v., leħħen, (mus.) immòdula.
modulated adj. & p.p. modulat, (mus.) mleħħen.
modulation n., modulazzjoni.
moil v., tkasbar.
moist adj., niedi, umdu.
moisten v., bell, nidda.
moistened adj. & p.p., miblul, mniddi.
moistness n., ndewwa, rtub, umdità.
moisture n., umdu.

mole n., għadsa, għazza, ħâla, moll, xehwa, (zool.) talpa.
molecular adj., molekulari.
molecule n., (phys.) molèkula.
molest v., (leg.) immolesta.
molested adj. & p.p., molestat.
mollified adj. & p.p., mrattab, mtarri.
mollify v., rattab.
mollifying n., tartib.
mollusc n., (zool.) mollusk.
moment n., mument, ħin. ***at this ~;*** dalħin. ***for the ~;*** għalissa. ***in a ~;*** dalwaqt.
momentary adj., mumentanju.
monachism n., rhubija.
monarch n., monarka, re, renjant, sultan.
monarchic(al) adj., monàrkiku.
monarchy n., monarkija, renju.
monastery n., dar l-irhieb, kunvent, marħab, monasterju.
monastic adj., monàstiku.
Monday adj., it-Tnejn.
monetary adj., monetarju.
money n., boqxiex, flus, valuta. ***earnest ~;*** kapparra. ***heap of ~;*** għoqda flus. ***sum of ~;*** tapxa. ***to lose ~ in business;*** irroffa. ***loan of ~;*** (leg.) mutwu.
money-box n., karus, skrin.
money-changer n., biddiel, ċanġier, sarràf.
money-lender n., sellief, użurju.
mongol n., mòngolu.
monitor n., widdieb.
monk n., patri, raheb.
monkey n., (zool.) xadin. ***young ~;*** (zool.) ximjott.
monochrome n., monokròm.
monocle n., monòkolu.
monodrama n., monodramm.
monody n., monodija.
monogamy n., monogamija.
monogram n., monogramm.
monography n., monografija.
monolith n., monolìt.
monologue n., (theatr.) monòlogu.
monomania n., (med.) monomanija.
monomaniac n., (med.) monomanìjaku.
monopolization n., monopolizzazzjoni.
monopolize v., immonopolizza.
monopolized adj. & p.p., monopolizzat.
monopoly n., monopolju.
monosyllable n., (gram.) monosìllabu.
monotonous adj., monòtonu.
monotony n., monotonija.
monsignor n., (eccl.) monsinjur.
monsoon n., (geog.) monsun.
monstance n., (eccl.) ostensorju.
monster n., mostru/monstru.
month n., xahar. ***every two ~s;*** bimestral.
monthly adj., ta' kull qamar, xahri. ***two ~;*** bimestral.
monument n., mafkar, monument.
monumental adj., monumentali.
mood n., burdata, tempra, umur. ***bad ~;*** buri, buli.
moody adj., bil-buri, buruż.
moon n., qamar. ***new ~;*** qamar ġdid. ***full ~;*** qamar kwinta. ***half ~;*** mezzaluna, nofs qamar. ***waning ~;*** qamar finnoqsar.
moon-wort n., (bot.) madriperla.
moor n., ħammus, moxa/muxa, xagħra.
moor v., rmiġġa/ormiġġa, (mar.) immażżra, sorġa.
mooring n., (mar.) rmiġġ.
mop n., mopp.
mor(r)a n., (g.) morra.
moral n., moral.
moral(s) adj., morali.
moralist n., moralist.
morality n., moralità.
moralization n., moralizzazzjoni.
moralize v., immoralizza.
morally adv., moralment.
moray n., (ichth.) morina.
morbific(al) adj., marradi.
mordent n., (artis.) mordent.
more comp.adj., aktar, iżjed. ***~ or less;*** iżjed u inqas. ***~ than that;*** anzi.
morganatic adj., morganàtiku.
moribund adj., moribond.
morion n., (mil.) mirjun.
morning adj., għodwi.
morning n., għodu, għodwa. ***~ star;*** il-kewkba ta' fil-għodu. ***good ~;*** bonġornu, bonġu. ***this ~;*** dalgħodu.
morphia n., (chem.) morfina.
morphine n., (chem.) morfina.
morphological adj., morfolòġiku.
morphology n., (gram.) morfoloġija.
morrish adj., moresk.
morsel n., biċċa, bukkun, farka, loqma.
mortadella n., mortadella.
mortal adj., mortali, qattieli.
mortality n., mortalità.
mortally adv., mortalment.
mortar n., mehrież, tajn tal-bini, tajn, (g.) murtal.
mortgage n., (leg.) ipoteka, ipotekarju.
mortgaged adj. & p.p., (leg.) ipotekat.
mortification n., mortifikazzjoni, umiljazzjoni.
mortified adj. & p.p., mortifikat, mwaġġa', umiljat.
mortify v., immortìfika, waġġa'.

mortise n., kuxtbiena.
mortmain n., (leg.) manumorta.
mortuary n., mortwarju.
mosaic n., mużajk.
moslem n., musulman.
mosque n., moskea.
mosquito n., nemusa.
mosquito-net n., muskettiera, żanżariera.
moss n., ħażiż.
most adv., l-aktar. ***at the ~;*** l-iżjed.
motet n., (mus.) mutett.
moth n., (zool.) kàmla.
mother n., ma, mamà, omm, (eccl.) madre.
mother-in-law n., ħmiet, kunjata, mdanna, qabba.
motherly adj., matern.
motion n., ċaqliq, ħarka, taħrik, (parl.) mozzjoni. ***give ~ to;*** ħarrek.
motivate v., immotiva.
motive n., motiv.
motor n., mutur.
motoring n., awtomobiliżmu.
motorist n., awtomobilist, muturist.
motorized adj., muturizzat.
mottle v., żewwaq.
motto n., mottu.
mould n., moffa, nwar, terraċċju. ***to grow ~;*** immoffa. ***this fruit is growing ~;*** dan il-frott qiegħed jimmoffa.
mould v., sawwar, (artis.) ixxempja. ***from some clay he ~ed a figurine for me;*** bi ftit tafal sawwarli pastur.
moulded adj. & p.p., mudellat.
moulder n., mudellatur.
mouldy adj., immuffat, mnawwar.
moult v., ħeref.
mound n., tomba.
mount n., mintba.
mount v., immonta, rikeb, tela'/tala'. ***the soldiers ~ed the gun on the bastion;*** is-suldati mmuntaw il-kanun fuq is-sur. ***that boy ~s the horse well;*** dak it-tifel jirkeb tajjeb iż-żiemel.
mountain n., muntanja, munġbell, ġebel.
mountain-climber n., alpinist.
mountaineer n., alpinist.
mountaineering n., alpiniżmu.
mountainous adj., muntanjuż, mġebbel, ġebli.
mountebank n., ċarlatan, saltimbank.
mounted adj. & p.p., mrikkeb.
mounting n., muntatura.
mourn v., għamel il-vistu, ħażen.
mourner n., newwieħ.
mournful adj., mest, mingħi, mnikket.
mourning n., luttu, niket, vistu.
mouse n., (zool.) far, ġurdien. ***~ nest;*** bejtet il-far. ***small ~;*** ġurdien ta' l-immamma.
moustache n., mustaċċ.
mouth n., fomm, ħalq. ***to make a wry ~;*** kemmex xofftejh. ***make ~s;*** għajjeb.
mouthful n., naqra.
mouthpiece n., portavuċi.
movable adj., mobbli.
move (away) v., żal.
move n., mossa, ħerka.
move v., ċaqla, iċċaqlaq, ġarr, ħarrek, ikkommova, ittrasferixxa, mess, qanqal, sposta. ***he ~d from one house to another;*** ġarr minn dar għal oħra. ***to ~ heavy objects;*** qandel. ***to ~ to and fro;*** mekkek.
moved adj. & p.p., emozzjonat, kommoss, mċaqlaq, mferfer, mqanqal, mħarrek.
movement n., ċaqliq, ġest, ħeżża, ħarka/ħerka, mossa, moviment, taħrik.
mover n., ħarriek.
moving adj. & p.p., emozzjonanti, kommoventi, miexi.
moving n., taħrik.
mow n., munzell.
mow v., ħasad.
mowed adj. & p.p., maħsud.
mower n., ħassâd.
mowing n., ħsad.
much adj., ħafna.
much adv., kemm id-dinja, qatigħ. ***~ time;*** ilu qatigħ. ***how ~?;*** kemm? ***so ~;*** daqstant, tant. ***too ~;*** bosta, troppu, wisq. ***very ~;*** bil-wisq.
muck n., demel.
mucosity n., (med.) mukożità.
mud n., tajn, ħàma.
muddiness n., ċaflis.
muddle n., għasida.
muddy adj. & p.p., mdardar, mtajjan. ***to grow ~;*** iddardar.
mudguard n., parafangu.
muezzin n., widdien.
muff n., manikott, manxò.
muffettee n., manikott.
muffineer n., raxxiexa.
muffle v., leff. ***he ~d his son in his coat and went out;*** leff lil ibnu fil-kowt u ħarġu.
muffle (up) v., tkabbaz.
muffled adj. & p.p., mkabbas.
muffler n., mafler.
mug n., magg.
mulberry n., (bot.) ċawsla, tuta.

mulct n., talja.
mulct v., immulta.
mule n., (zool.) bagħal.
muleteer n., burdnar.
muller n., (artis.) maċinell.
mullet n., (ichth.) buras, mulett. ***bearfless ~;*** (ornith.) sultan iċ-ċawl. ***grey ~;*** (ichth.) buri. ***red ~;*** (ichth.) trilja. ***stripped ~;*** trilja tal-ħama. ***thick-lipped grey ~;*** (ichth.) mulett ta' l-inċarrat, kaplat.
multiform adj., multiformi.
multilateral adj., multilaterali.
multimillionaire n., miljardarju, multimiljunarju.
multiplication n., kotra, multiplikazzjoni, taktir, tkattir.
multiplied adj. & p.p., mkattar, multiplikat.
multiplier n., multiplikatur.
multiply v., immoltiplika, kattar, kotor. ***Jesus miltiplied the bread in the desert;*** Ġesù kattar il-ħobż fid-deżert.
multiplying n., taktir.
multitude n., dewwedija, folla, ġgajta, kotra nies, multitudni, ruxxmata.
mumble v., gedwed, tmiegħed.
mumbled adj. & p.p., mgedwed.
mumbling n., tertix, treddin.
mummy n., mumja.
mumps n., (med.) gattoni.
munch v., magħad, meċlaq, mekmek. ***when you begin to eat, you always ~;*** meta tibda tiekol dejjem tmeċlaq.
munching n., tmekmik.
mundation n., għarqa.
municipal adj., muniċipali.
municipality n., muniċipju.
munificence n., munifiċenza.
muray n., (ichth.) murina.
murder n., assassinju, qatla, qtil.
murder v., assassna/issassna, medd fl-art, qatel, qattel.
murdered adj. & p.p., assassnat, maqtul.
murderer n., assassin, qattiel.
murk n., ċlampu.
murmur n., għagħa, mormorazzjoni, xagħba.
murmur v., gerger, geġweġ, ħaxwex, immormra, marmar.
murmuring n., mormorazzjoni.
muscatel n., muskatell.
muscle n., (anat.) masil, (med.) mùskolu.
muscled adj., muskolat.
muscular adj., godli, (med.) muskolari.
musculature n., muskolatura.
muse n., (liter.) musa.
muse v., tmiehel, xtarr.
museum n., mużew.
mushroom n., (bot.) fungu.
mushrooms n., (bot.) faqqiegħ.
music n., daqqa, mùżika. ***~ master;*** surmast tal-mùżika. ***~-stand;*** leġiju tal-mużika. ***to put to ~;*** mużikat. ***to set to ~;*** immużika.
musical adj., mużikali.
musician n., daqqâq, mużikant.
musk n., misk.
musket n., (mil.) azzarin, muskett, xkubetta.
musketeer n., (mil.) muskettier.
musketry n., (mil.) musketterija.
musky adj., muskat.
Muslim n., Mislem.
muslin n., musulina.
must n., moffa, most, nwar.
mustard n., (bot.) mustarda, senapa. ***hedge ~;*** (bot.) bsima, sisimbriju. ***Spanish ~;*** (bot.) ġarġir.
mustard-pot n., mustardiera.
muster n., miġimgħa.
mustiness n., tinwir.
musty adj., immuffat, mnawwar. ***to grow ~;*** nawwar.
mutable adj., qalliebi, qluqi.
mutation n., tibdil.
mute adj., mbikkem, mutu. ***to grow ~;*** tbikkem.
mute v., keffen, mewwet.
mutilate v., immanka, immùtila.
mutilated adj. & p.p., immankat, mutilat.
mutilation n., mutilazzjoni, taqrim.
mutineer n., xewwiex.
mutter v., gemgem, gerwel, geġweġ, redden/radden, werden.
mutton n., (zool.) muntun.
mutual adj., reċìproku, xilxieni.
mutualist n., (leg.) mutwalist.
mutually adv., bit-tinwib, xulxin.
muzzle n., sarima, (anat.) geddum ta' bhima.
muzzle v., sarram.
muzzled adj. & p.p., msarram. ***to be ~;*** issarram.
my pron., tiegħi.
myelitis n., (med.) mijelite.
myocarditis n., (med.) mijokardite.
myopia n., (med.) mijopija.
myriad adv., qatigħ.
myrrh n., mirra, morr.
myrtle n., (bot.) riħana.
mysterious adj., arkan, misterjuż.
mysteriously adv., misterjożament.
mystery n., arkan, misterju.

mystic adj., mìstiku.
mysticism n., misticiżmu.
mystics n., (theol.) mìstika.
mystification n., mistifikazzjoni.
myth n., mît.
mythic(al) adj., mìtiku.
mythologic(al) adj., mitològiku.
mythology n., mitoloġija.

Nn

nag n., ferħ ta' debba.
naggy adj., gemgiemi.
naiad n., najjada.
nail n., difer, musmar.
nail v., sammar.
nailed adj. & p.p., msammar. ***be ~;*** issammar.
nailing n., tismir.
naked adj., għarwien, għeri, mgħarwen. ***strip ~;*** għarwen. ***to be ~;*** għera.
nakedness n., għera.
name n., isem, nom. ***last ~;*** kunjom.
name v., semma. ***they ~d him Joseph for his father;*** semmewh Ġużeppi għal missieru.
named adj. & p.p., msemmi. ***to be ~;*** issèjjaħ, issemma. ***she was ~ Mary after her mother;*** issemmiet Marija għal ommha.
namely adv., jiġifieri.
namely conj., ċjoè.
nankeen n., lankè.
nap n., (ħadt) għamża, nagħsa, sjesta. ***to take a ~;*** nejjem.
nap v., tniegħes.
nape n., kozz, raqba, ħofra tal-għonq.
naphtha n., (chem.) nafta.
naphthalene n., (chem.) naftalina.
naphthol n., (chem.) naftol.
napkin n., sarvetta.
nappie n., ħarqa.
narcissus n., (bot.) narċis/ranċis.
narcosis n., narkosi.
narcotic adj., raqqad, (med.) narkòtiku.
narcotic n., sonnìferu.
narghile n., argilè.
narrate v., għad, irrakkonta, tarraf.
narrated adj. & p.p., irrakkontat, megħjud. ***~ superficially;*** mtarraf.
narration n., narrazzjoni.
narrative adj., narrattiv.
narrator n., narratur.
narrow adj., dejjaq, mudjieq. ***become ~;*** djieq.
narrow v., dejjaq.
narrowed adj. & p.p., mdejjaq, midjuq.
narrower comp.adj., idjaq.
narrowing adj., dejjieqi, tidjiq.
narrowness n., djuqija, strettezza.
nasal adj., nażali. ***speak with a ~ voice;*** ħamħam.
nasalization n., ħamħim.
nastiness n., qżież, qżużija.
nasturtium n., (bot.) nasturzju.
nasty adj., maħmuġ, moqżież, mżużi. ***~ smell;*** tanf.
nation n., nazzjon, nies, tajfa.
national adj., nazzjonali.
nationalism n., nazzjonaliżmu.
nationalist n., nazzjonalist.
nationality n., nazzjonalità.
nationalization n., nazzjonalizzazzjoni.
nationalize v., innazzjonalizza.
nationalized adj. & p.p., nazzjonalizzat.
native adj., nattiv. ***~ country;*** patrija.
nativity n., naxxita, twelid.
natural adj., naturali.
natural n., (mus.) bekwadra.
naturalism n., naturaliżmu.
naturalist n., naturalista.
naturalization n., naturalizzazzjoni.
naturalized adj., naturalizzat.
naturally adv., naturalment.
naturally interj., sintendi.
nature n., karattru, natura, natural.
naught n., żero.
naughtiness n., mqorbija.
naughty adj., ħażin, mqareb. ***very ~;*** skumnikat.
nauma n., (mus.) newma.
nausea n., dardir, nawsja.
nauseate v., qażżeż.
nauseated adj. & p.p., mistmerr, mqażżeż.
nauseatic adj., mqalla'.
nauseous adj., mżużi.
nautilus n., (zool.) dakar.
naval adj., navali. ***~ battle;*** battalja navali.
nave n., korsija, nava, (arch.) navata.
navel n., żokra.
navigable adj., (mar.) navigabbli.
navigate v., baħħar.
navigated adj. & p.p., mbaħħar, navigat.
navigation n., navigazzjoni, safar, tibħir.
navigator n., (mar.) navigant, navigatur.

nay adv., anzi.
Nazarene adj. & n., Nazzarenu.
Nazi n., nażi, nażist.
nazism n., nażiżmu.
near adj., qarib, viċin.
near adv., ħada, ħdejn, qrib. ***come ~;*** qorob. ***~ about;*** dwar.
near prep., maġenb.
nearby adj., viċin.
nearer adj., mqarreb.
nearer comp.adj., èqreb. ***to bring ~er to;*** qarreb, ressaq.
nearly adv., bilkemm, ċirka, kważi.
nearly prep., bejn wieħed u ieħor.
nearly so adv., pressappoku.
nearness n., viċinanza.
neat adj., pulit.
neatness n., ndafa.
nebula n., (astro.) nèbula.
nebulosity adj., nebulożità.
necessarily adv., neċessarjament.
necessary adj., meħtieġ, minħtieġ, neċessarju. ***be ~;*** ħtieġ.
necessitate v., ambi.
necessity n., ħtieġa, neċessità. ***absolute ~;*** forza maġġura.
neck n., (anat.) għonq.
neckerchief n., maktur tal-għonq.
necklace n., katina ta' l-għonq, kullana, ġiżirana, ħannieqa.
necktie n., ingravata.
necrology n., nekroloġija.
necromancy n., nekromanzija.
necropolis n., nekròpoli.
necroscopy n., (med.) nekroskopija.
necrosis n., nekrosi.
nectar n., nektar.
nectarine n., (bot.) anċipriska/nuċipriska.
need n., bżonn, ħtieġa, neċessità, nuqqas.
need v., għamba.
needed adj. & p.p., meħtieġ, minħtieġ.
needle n., labra, labra tat-tabib. ***gramaphone ~;*** labra tad-daqq. ***knitting ~;*** labra tal-kalzetta. ***~'s eye;*** għajn tal-labra. ***make ~s;*** labbar.
needle-box n., stoċċ.
needle-case n., stoċċ.
needy adj., bżonnjuż, meħtieġ, fqir.
negation n., ċaħda, negazzjoni.
negative adj., negattiv.
negatively adv., negattivament.
neglect n., żding.
neglect v., ħalla, ittraskura, żdinga. ***he ~ed his duties;*** ittraskura d-dmirijiet tiegħu.
negligence n., negliġenza.
negligent adj., negliġenti, traskurat.
negligible adj., negliġibbli, traskurabbli.
negotiable adj., negozjabbli, traffikabbli.
negotiate v., deber, innegozja, ippattja. ***he ~d the purchase of a country house;*** innegozja biex jixtri dar fil-kampanja.
negotiated adj. & p.p., innegozjat.
negotiation n., kuntrattazzjoni, trattativa.
negro adj. & n., negru.
neigh v., gireż, nagħa, żeher.
neighbour n., proxxmu, ġar.
neighbourhood n., akkwati.
neighbouring adj., ċirkostanti.
neighing n., żehir, żhir.
neither comp.adj., anqas.
nemenclator n., semmej.
neocolonial adj., neokolonjali.
neocolonialism n., neokolonjaliżmu.
neolatin adj. & n., neolatin.
neolithic adj., neolìtiku.
neologism n., neoloġiżmu.
neon n., neon.
neophite n., neòfita.
neoplasm n., (med.) neoplażma.
nephew n., neputi.
nephritic adj., (med.) nefrìtiku.
nephritis n., (med.) nefrite.
nepotism n., neputiżmu.
neptune neffle n., (bot.) bizzilletta.
nereid n., nerejdi.
nervation n., (bot.) nervitura.
nerve n., (med.) nerv. ***iron ~;*** nerv ta' l-azzar.
nervous adj., eċċitabbli. ***~ system;*** (anat.) nervitura.
nervousness n., nervożità, nervożiżmu.
nest n., bejta, gradenzina. ***mouse's ~;*** bejta tal-firien. ***wasp's ~;*** bejta taż-żunżan.
nest-builder n., għaxxiex.
nesting n., tagħxix.
nestle v., bejjet, għaxxex, tgħaxxex.
nestled adj. & p.p., mgħaxxex.
net n., kopp, nassa, nett, xibka. ***embroidery ~;*** kanavazz. ***fishing ~***; nassa. ***fowling ~;*** xbiek. ***hair ~;*** xibka tax-xagħar.
net-maker n., xebbiek.
nether adj., saflieni.
nettle n., (bot.) ħurrieq.
nettle-rash n., (med.) ortikarja, urtikarja.
neum n., (mus.) newma.
neuralgia n., (med.) nevralġija.
neuralgic adj., (med.) nevràlġiku.
neurasthenic adj., (med.) nevrastèniku.
neurastheny n., (med.) nevrastenija.
neurosis n., (med.) nevrosi.
neurotic n., (med.) nevròtiku.
neuter adj., (gram) newtru.
neutral adj., newtrali.

neutrality n., newtralità.
neutralization n., newtralizzazzjoni.
neutralize v., innewtralizza.
neutralized adj. & p.p., newtralizzat.
never adv., qatt.
nevertheless adv., eppùre.
nevertheless conj., imma, madankollu, però.
nevrasteny n., (med.) nevrastenija.
new adj., ġdid, novell, xitli. ***~ dress;*** libsa ġdida. ***~ moon;*** qamar ġdid. ***N~ Year;*** sena ġdida. ***N~ Testament;*** Testment il-ġdid. ***~ly ordained priest;*** saċerdot novell. ***brand-~;*** fjamant. ***quite-~;*** fjamant.
news n., aħbar, bxara, ħbar, notizzja, notizzjarju. ***bad ~;*** ħabar. ***bring ~;*** baxar. ***~ bullettin;*** notizzjarju. ***spread ~;*** xandar.
news-room n., mabxar.
newspaper n., folju, gazzetta, ġurnal.
next adj., suċċessiv.
nib n., pennina.
nibble v., gerrem, teftef.
nibbled adj. & p.p., mgerrem.
nibbler n., gerriem.
nibbling n., tgerrim.
nice adj., andanti, simpàtiku.
niche n., niċċa.
nickel n., (miner.) nikil.
nickname n., laqam.
nickname v., laqqam.
nicknamed adj. & p.p., mlaqqam.
nicknaming n., tilqim.
nicotine n., (chem.) nikotina.
nidificate v., għaxxex.
niece n., neputija.
niggard adj., qanċieċi, xdid, xhiħ.
niggardliness n., għakkarija.
niggardly v., xaħħ.
nigger n., ħammus.
night n., lejl. ***at ~, by ~, in or during the ~;*** bil-lejl. ***~ before;*** awlillejl.
night-cap n., birjola.
night-club n., tabarin.
night-dress n., najtdress.
nightingale n., (ornith.) rużinjol.
nightjar n., (ornith.) buqrajq. ***Egyptian ~;***buqrajq abjad. ***rufous ~;*** buqrajq aħmar.
nightly adv., billejl.
nightmare n., ħmar il-lejl.
nightshade n., (bot.) fatata. ***deadly ~;*** (bot.) belladonna.
nimbleness n., ħeffa.
nimbler comp.adj., aħaff.
nimbly adv., malajr.
nine n.num., disgħa. ***line of ~ syllables;*** vers ta' disgħa.
nineteen n., (num.) dsatax.
ninth adj.num., disa'.
niobium n., (chem.) najobjum.
nip n., boqqa.
nipple n., beżżul, ras iż-żejża.
nit n., kuċċieda, subiena, (zool.) quċċieda.
nitrate n., (chem.) nitrat.
nitre n., nitru, (chem.) salnîtru.
nitric adj., (chem.) nìtriku. ***~ acid;*** aċidu nìtriku, buraq.
nitrogen n., (chem.) nitròġenu.
no adv., le, ma.
no one indet.pron., ħadd, l-ebda.
nobility n., nobbiltà.
noble adj., nobbli. ***~ woman;*** dama. ***~ people;*** kbarat.
nobody indet.pron., ħadd.
nobody pron., ebda, l-ebda.
noctule n., (zool.) nòktula.
nocturnal adj., lejli.
nod v., tniegħes.
noddle v., xengel.
noddling adj., xenguli.
noise n., ħoss, kjass, streptu.
nomad adj. & n., nômadu.
nomenclature n., nomenklatura, tismija.
nominal adj., nominali.
nominally adv., nominalment.
nominate v., semma, (parl.) innòmina.
nomination n., nominazzjoni, tismija.
nominative adj., (gram.) nominattiv.
nominator n., semmej.
none indet.pron., ħadd.
none pron., ebda, l-ebda.
nook n., ġenba.
noose n., ingassa.
noose v., ingassa.
norm n., norma.
normal adj., normali.
normality n., normalità.
normalization n., normalizzazzjoni.
normalize v., innormalizza.
normalized adj. & p.p., normalizzat.
normally adv., normalment.
north (wind) n., xmiel.
north n., nord, tramuntana.
north-east n., grigal.
northern adj., boreali, nòrdiku.
nose n., mnieħer. ***anterior part of the ~;*** ħartum. ***speak through the ~;*** ħanħan. ***to have one's ~ stuffed up;*** iżżaddam.
nosegay n., bukkett.
nostalgia n., (med.) nostalġija.
nostalgic adj. & n., nostàlġiku.
nostril n., minfes.
not adv., lanqas, le, ma, mhux.
not comp.adj., anqas.

notable adj., saljenti.
notary n., manifku, nutar. ***legal ascertainment of the contents of a ~ deed;*** (leg.) ċerzjorazzjoni.
notation n., notazzjoni.
notch v., fażżar, xellef.
notching n., tifżir.
note n., borderò, nota.
note v., innota. ***explanation ~;*** glossa. ***marginal ~;*** postilla. ***promissory ~;*** ċèdola. ***false ~;*** (mus.) stunatura.
notebook n., takkwin.
noted adj. & p.p., innutat, magħruf.
nothing n. & adv., xejn.
nothing n., żero. ***for ~;*** għalxejn. ***to come to ~;*** ixxejjen.
notice n., avviż. ***give ~;*** avża. ***take ~;*** af.
notice v., induna, irrimarka, osserva.
noticed adj. & p.p., avżat.
notification n., notìfika, notifikazzjoni, tagħrif, (leg.) intimazzjoni.
notified adj. & p.p., mgħarraf, mħabbar, notifikat.
notify v., għarraf, (leg.) innotìfika. ***the marshal notified him the date of the law case;*** il-marixxal innotifikah bil-jum tal-kawża.
notorious adj., magħruf.
notwithstanding adv., għadilli, minn fuq.
notwithstanding conj., avolja.
nougat n., qubbajt.
noun n., sostantiv, (gram.) nom.
nourish v., issostna, sostna, tagħem, tama'/tema', taq/tieq.
nourish (oneself) v., ntrifed.
nourished adj. & p.p., mitmugħ.
nourishing adj., alimentari, nutrittiv, sustanzjuż.
nourishment n., għajxien, nutriment.
novation n., (leg.) novazzjoni.
novel n., rakkont, romanz, rumanz.
novelist n., rumanzier/romanzier.
novelty n., novità.
November pr.n., Novembru.
novena n., novena.
novice n., novizz.
noviciate n., bidja, novizzjat.
now adv., armajn/ormajn, dalħin, issa, preżentement.
now n., dal waqt. ***every ~ and then;*** kultant. ***just ~;*** bħalissa, moqbejl, proprju issa, qabel ftit. ***~ and then;*** mindaqqiet.
nowaday n., din il-ħabta.
nowaday(s) adv., illum il-ġurnata.
nozzle n., żennuna.
nuance n., sfumatura.
nubile adj., xebba.
nucleus n., nuklju.
nude adj. & n., nud.
nudge v., mess.
nudism n., nudiżmu.
null adj., (leg.) null.
nullity n., (leg.) nullità.
number n., faxxiklu, għadd, numru, puntata. ***~less (numerous);*** bla għadd.
number v., għadd, innumra. ***his days are ~ed;*** il-jiem tiegħu huma magħduda.
numbered adj. & p.p., innumrat.
numbing n., taħdil.
numbness n., reżħa, ħedla.
numed p.p., iggrunċjat. ***to become ~;*** iggronċja.
numeration n., għadda, numerazzjoni.
numerator n., numeratur.
numerical adj., numèriku.
numerous adj., numeruż.
numismatic adj., numismàtiku.
numismatics n., numismàtika.
numismatist n., numismatiku.
nun n., rahba, sister, soru. ***to become a ~;*** ħadet il-velu.
nunciature n., (eccl.) nunzjatura.
nuncio n., (eccl.) nunzju.
nunnery n., abbatija.
nuphar n., (bot.) ġilju isfar ta' l-ilma.
nuptials n., tieġ, żwieġ, (liter.) imenew. ***celebrate ~s;*** tejjeġ.
nurse n., infermier, ners.
nurse v., radda'.
nurture n., mantna, (leg.) manteniment.
nut n., skorfina. ***hazel ~;*** (bot.) ġellewża. ***monkey ~;*** karawetta.
nut-cracker n., natkraker.
nutmeg n., (bot.) nuċimuskata.
nutrition n., aliment.
nutritious adj., nutrittiv, sustanzjuż.
nutritive adj., nutrittiv.
nuture n., trobbija.
nyctalope n., (med.) nikkalopija.
nylon n., najlon.
nymph n., ninfa.

Oo

oak n., (bot.) balluta, kwerċa, owk. ***holm ~;*** (bot.) lîċi.
oakum n., stoppa.
oar n., moqdief.
oar-blade n., (mar.) palella, pal ta' moqdief.
oarsman n., qaddief.
oasis n., waži, (geog.) oasi.
oat n., (bot.) ħafur.
oath n., ħalfa, (leg.) ġurament. ***to make one take an ~;*** ħallef. ***to take an ~;*** ħalef, issagramenta.
obedience n., obbedjenza/ubbidjenza.
obedient adj., obbedjent/ubbidjent.
obelisk n., obelisk, plier.
obese adj., smin.
obesity n., (med.) obeżità, simna.
obey v., obda, ħares. ***the boy ~ed his father;*** it-tifel obda lil missieru.
obeyed p.p., obdut.
obfuscate v., għammem.
obfuscation n., tagħmim, ġhir.
obituary n., obitwarju.
object (to) v., oppona, waqaf lil. ***I have nothing to ~ to;*** ma għandi xejn għalxiex nopponi.
object n., mira, oġġett/uġġett.
object v., obbjetta, oġġezzjona, (leg.) eċċepixxa.
objection n., obbjezzjoni, objezzjoni, oġġezzjoni, oġġettiv, (leg.) konstestazzjoni.
objectively adv., oġġettivament.
objectivity n., oġġettività.
oblate n., oblat.
oblation n., (eccl.) offerta.
obligation n., impenn, obbligazzjoni, obbligu, rabta.
obligatory n., obbligatorju.
oblige v., ġiegħel/ġagħal, obbliga, rabat, rass. ***I am much ~d to you;*** jien obbligat ħafna lejk. ***he ~d me not to say a word;*** hu rabatni li ma ngħid xejn.
obliged adj. & p.p., obbligat.
obliging adj., kompjaċenti.
obling n., oblung.
oblique adj., oblikwu.
obliquely adv., żmerċ.
obliterate v., ħassar, ikkanċella, ingassa.
obliterated adj. & p.p., ingassat, mħassar.
obliteration n., ingassatura, kanċellatura.
oblivion n., nisja.
oblivious adj., niesi.
oblong adj., tawwali, żenguli.
oboe n., (mus.) obwe.
oboist n., (mus.) obwista.
obolus n., oblu.
obscene adj., faħxi, oxxen.
obscenity n., faħx, oxxenità, porkerija.
obscurantism n., oskurantiżmu.
obscure adj., mgħabbex, oskur, skur.
obscure v., dallam, għammem, oskura, saħħab.
obscured adj. & p.p., mdallam.
obscuring n., tidlim.
obscurity n., dalma, dgħuma, dlam, oskurità.
obsequies n., funeral.
observable adj., osservabbli.
observance n., osservanza.
observant n., osservant.
observation n., osservazzjoni.
observatory n., osservatorju.
observe v., osserva, ħares.
observed adj. & p.p., mindur, mħares, osservat.
observer n., naddàr, osservatur.
obsess v., invaża.
obsession n., ossessjoni.
obstacle n., bużillis, intopp, ostâklu, tfixkil, xkiel.
obstetrician n., (med.) ostètriku.
obstetrics n., (med.) ostetriċja.
obstinacy n., ebusija ta' ras, twebbis tarras.
obstinancy n., ostinazzjoni.
obstinate adj., akkanit, stinat, ta' fehmtu.
obstinate n., ras iebsa. ***to grow ~, to be ~;*** webbes rasu.
obstination n., stinazzjoni.
obstracism n., ostraċiżmu.
obstructed adj. & p.p., mfixkel, misdud.
obstructing n., tixkil.
obstruction n., ostruzzjoni, sadda.

obstructionism n., ostruzzjoniżmu.
obstructionist n., ostruzzjonist.
obtain v., akkwista, ġabbar, ħassel, iddobba, kiseb, ottjena, rkapta, żamm.
obtain (for) v., kisseb.
obtained adj. & p.p., miksub, mkisseb.
obtaining n., tiksib.
obtuse adj., ottuż.
obvious adj., ovvju.
obviously adv., ovvjament.
ocarina n., (mus.) okarina.
occasion n., ċans, newba, okkażjoni.
occasionally adj., okkażjonali, okkażjonalment.
occiput n., (anat.) oċċipite.
occulist n., okkulista.
occult adj., okkult.
occultation n., ħabi. ***occultly;*** bil-ħabi.
occultism n., okkultiżmu.
occupation n., deħwa, okkupazzjoni, xegħil.
occupied adj. & p.p., meħdi, okkupat.
occupied v., bexlek. ***keep oneself ~;*** deha. ***he ~ himself with arithmetics;*** hu deha bl-aritmetika.
occupy v., okkupa, issuċċieda.
occur v., ġara.
occurrence n., okkorrenza.
ocean n., oċean. ***Pacific O~;*** (geog.) l-Oċean Paċifiku.
oceanic adj., oċeaniku.
ochre n., (min.) okra.
octagon n., ottàgonu.
octagonal adj., ottagonali.
octangular adj., ottangulari.
octave n., ottava, (eccl.) ottavarju. ***the ~ of Easter;*** l-ottava ta' l-Għid.
octave-flute n.,(mus.) ottavin.
October pr.n., Ottubru.
octopus n., (zool.) qarnita.
octosyllabic n., (liter.) ottonarju.
octuple adj., òttuplu.
ocular adj., okulari.
oculist n., okulista.
odalisque n., odaliska.
odd adj., bizzarr, dìspari, mfarrad, moħħu mberfel. ***~ number;*** farrâd.
odd n., fard. ***in ~;*** bil-fard. ***to play at ~ or even;*** żewġ jew fard.
oddity n., stramberija.
oddments n., raċanċ, remiżolji/rimiżolji.
ode n., (liter.) ode.
odontology n., odontoloġija.
odoriferous adj., fewwieħ. ***become ~;*** fwieħ.
odorous adj., fewwieħi.
odour n., riħa.
oesophagus n., (anat.) esòfagu.
of prep., ta'.
of course adv., dażgur.
of course interj., sintendi.
of that conj., milli.
off-hand adj. & p.p., improvviżat.
offence n., delitt, offiża.
offend v., offenda, riegħex, urta, waġġa'. ***I am sorry that I have ~ed you,*** jisgħob bija li offendejtek.
offended adj. & p.p., mgħajjar, offendut, offiż.
offensive adj., offensiv.
offensive n., (mil.) offensiva.
offer n., offerta.
offer v., offra, ta. ***he ~ed me his help;*** offrieli l-għajnuna tiegħu. ***~ sympathy;*** għaża.
offering n., (eccl.) offerta.
offertory n., (eccl.) offertorju.
office n., kàriga, offiċċju/uffiċċju, uffizzjatura, (eccl.) uffizzju. ***to enter into ~;*** daħal fil-kàriga. ***to leave ~;*** ħalla l-kàriga. ***bureau ~;*** uffiċċju ta' l-informazzjoni. ***branch ~;*** sukkursal. ***Chancery ~;*** (eccl.) kurja. ***left-luggage ~;*** kamra tad-depożitu. ***lotto ~;*** banka tal-lottu.
officer n., fizzjal, uffiċjal.
official adj., uffiċjali.
officialism n., uffiċjaliżmu.
officially adv., uffiċjalment.
officious adj., offiċjuż.
offset n., (artis.) offsett.
offshoot n., sibi.
offside adv., (g.) offsajd.
offspring n., wild.
often adv., dlonk, sikwit, spiss.
often n., wisq drabi. ***as ~ as;*** kemm-il darba. ***very ~;*** bosta drabi, dali.
ogee n., (archeol.) gula.
ogival adj., (arch.) oġivali.
ogive n., (arch.) oġiva.
ogre n., orku, waħx.
oh interj., o, ja, ajma.
oil n., oljiera, żejt. ***cod-liver ~;*** żejt tal-ħut. ***linseed ~;*** żejt tal-kittien. ***lint ~;*** żejt tal-kittien. ***castor ~;*** żejt ir-riġnu. ***olive ~;*** żejt taż-żebbuġa. ***~ cloth;*** inċirata.
oil v., (mek.) olja, żejjet.
oil-can n., oljatur.
oil-dregs n., morga.
oil-pot n., kus.
oil-seller n., żejjiet.
oiled adj. & p.p., mżejjet, oljat.
oiler n., oljatur.
oily adj., mdellek, żejti.

ointment n., midhen, dlik, (med.) ingwent/ungwent.
old adj., antik, qadim, xieref, xiħ. *~ age* xjuħija. *~ man;* raġel xiħ. *grown ~;* mxejjaħ. *made ~;* mgħaġġeż, mqaddem. *made to look ~;* mgħaġġeż, qaddem. *to grow or get ~;* ixxejjaħ, xjieħ/xjaħ.
older comp.adj., akbar, èqdem, ixjeħ.
oldness n., qdumija, xjuħija.
oleaginous adj., żejti.
oleander n., siġret il-ġarab, (bot.) difla, oleandru, oljandru.
olibanum n., (eccl.) inċens.
oligarch n., oligarka.
oligarchic(al) adj., oligarkiku.
oligarchy n., oligarkija.
olive n., żebbuġa. *~ grove;* ġnien taż-żebbuġ. *wild ~;* (bot.) oleastru.
olive-coloured adj., żebbuġi.
Olympiad n., (g.) Olimpijadi.
Olympic adj., (g.) Olimpiku.
Omega pr.n., Omega.
omelet(te) n., froġa, omlett.
omen n., presaġju. *bad ~;* fell. *ill-~;* riżq/risq ħażin.
omentum n., (anat.) mendil, mindil.
omission n., ommissjoni, tħallija.
omit v., barra, ommetta, qabeż.
omitted adj. & p.p., maqbuż.
omnibus n., omnibus.
omnipotence n., omnipotenza.
omnipotent adj., omnipotenti.
omnipresence n., ubikwità.
on prep. & adv., fuq.
onager n., (zool.) ònagru.
onanism n., (med.) onaniżmu.
once adv., darba, ladarba, ġaladarba. *at ~;* dalwaqt. *~ more;* (theatr.) bis.
one adj., waħda, wieħed. *~ by ~;* waħda waħda, wieħed wieħed. *every ~;* kull wieħed, kull waħda.
one-sided adj., unilaterali.
onion n., (bot.) basla.
only adj., waħda, waħdien.
only adv., biss, unikament.
only prep., għajr.
onomastic adj., onomastiku.
onomatopoeia n., onomatopea.
onomatopoeic adj., onomatopejku.
onyx n., (min.) òniċi.
ooze n., nixja.
ooze v., nixxa. *~ out;* għereq.
opal n., (min.) opal.
opaque adj., matt, opak. *to become ~;* ittappan. *to make ~;* tappan, (g.) immattja. *to render ~;* (g.) immattja.
open adj., apert. *~ place;* beraħ. *~ wide;* beraħ. *throw wide ~;* berraħ. *to break ~;* żgassa. *wide ~;* mberraħ.
open v., fetaħ. *he did not ~ his mouth;* hu ma fetaħx fommu. *to ~ wide;* berraħ. *~ all doors and windows wide;* berrħu l-bibien u t-twieqi kollha.
opened adj. & p.p., mifrux, miftuħ.
opening adj., fettieħi.
opening n., apertura, fetħa, ftuħ, toqba, żbokk. *keep ~;* fettaħ.
openly adv., apertament, bil-wiri, fil-beraħ, frankament, palelli.
opera n., (mus.) opera, opra. *~ glass;* binoklu. *~ house;* teatru. *~-hat;* ġibus.
operable adj., (med.) operabbli.
operate v., opera, opra.
operated adj. & p.p. oprat, operat.
operation n., operazzjoni.
operator n., operatur. *telephone ~;* operejter.
operetta n., (theatr.) operetta.
ophite n., (geol.) serpentin.
ophthalmologist n., oftalmologu.
ophthalmology n., (med.) oftalmoloġija.
ophthalmoscope n., oftalmoskopju.
ophthalmy n., (med.) mard tal-għajnejn, oftalmija.
opinion n., fehma, kriterju, opinjoni, raj.
opium n., għafjun, loppju/oppju.
opponent n., avversarju.
opportune adj., opportun.
opportunism n., opportuniżmu.
opportunist n., opportunist.
opportunity n., ċans, newba, opportunità.
oppose v., ikkontrarja, ikkontrasta, miera, oppona, waqaf lil.
opposed adj. & p.p., oppost.
opposed n., kuntrarju.
opposite adj., avvers, oppost.
opposite n., kuntrarju.
opposite prep. & adv., quddiem, biswit.
opposition n., oppożizzjoni.
oppress v., għafas, għakkes, ħaqar, ivvessa, opprima. *the foreigner ~ed the Maltese;* il-barrani ħaqar il-Maltin.
oppressed adj. & p.p., maħqur, mgħakkes, oppress.
oppression n., għaks, għamsa, ħaqra, moħqrien, moħqrija, oppressjoni, tagħkis, vessazzjoni.
oppressive adj., gravuż, prepotenti.
oppressor n., għakkies, għammies, oppressur.
opt v., (leg.) opta.
optative n., (gram.) ottattiv.
optic adj., òttiku.
optical adj., òttiku.

optician n., òttiku.
optics n., òttika.
optimism n., ottimiżmu.
optimist n., ottimista.
option n., għażla, (leg.) opzjoni.
optional adj., fakultattiv.
opulence n.., għana/għena.
opulent adj., fakultuż. ***to become ~;*** stagħna.
or conj., ew, jew, jonkella, ossija.
or rather conj., ossija.
oracle n., oraklu.
oral adj., orali.
oral n., oral.
orally adv., vokalment.
orang-outang n., (zool.) orangutan.
orange n., oranġjo, (bot.) larinġa. ***blood-~;*** larinġa tad-demm.
orangeade n., aranċjata, larinġata.
oration n., orazzjoni.
orator n., oratur.
oratorio n., (mus.) oratorju.
oratory n., oratorja, (eccl.) oratorju.
orbicular adj., gerbubi, mqawwar, qawri.
orbit n., ċirku, òrbita.
orbital adj., orbitali.
orc n., (zool.) orka.
orchestra n., (mus.) orkestra.
orchestral adj., (mus.) orkestrali.
orchestration n., (mus.) orkestrazzjoni.
orchestrina n., (mus.) orkestrina.
orchid n., (bot.) orkidea.
orchitis n., (med.) orkite.
ordeal n., kalvarju.
order n., amâr, ordni, tusija. ***alphabetical ~;*** ordni alfabetiku. ***chronological ~;*** ordni kronoloġiku, qassam, wissa. ***public ~;*** ordni pubbliku. ***in ~, in good ~;*** issettjat. ***in ~ that;*** sabiex. ***in ~ to;*** biex.
order v., amar, debber, ġiegħel/ġagħal, ikkmanda, ordna. ***he ~ed me to do so;*** hu ordnali li nagħmel hekk.
ordered adj. & p.p., mamur, mwissi, ordnat.
orderer n., qassàm.
ordinal adj., (gram.) ordinali.
ordinance n., (leg.) ordinanza.
ordinarily adv., ordinarjament.
ordinary adj., ordinarju.
ordination n., (eccl.) ordinazzjoni.
organ n., òrganu, (mus.) orgni. ***barrel ~, street ~;*** (mus.) kaxxa tad-daqq, terramaxka. ***hand ~;*** (mus.) organett.
organdie n., organdin.
organic adj., orgàniku.
organism n., organiżmu.
organist n., (mus.) organista.
organization n., organizzazzjoni.
organize v., organizza.
organized adj. & p.p., organizzat.
organizer n., organizzatur.
orgeat n., ruġġata.
orgy n., bawxata, orġja.
orient n., (geog.) orjent.
orient (oneself) v., orjenta.
oriental adj., orjentali.
orifice n., daħla (ta' għar). ***opening ~;*** bokka.
oriflamme n., orifjamma.
origin n., ċipp ta' familja, nisel, oriġini, provenjenza, ras il-għajn, ras.
original adj., oriġinali.
original n., oriġinal.
originality n., oriġinalità.
originated adj. & p.p., mnissel.
originator n., nissiel.
ornament n., finiment, ornament, parament, żina, (mus.) abbelliment.
ornament v., orna, raqam/reqem/riqem, roqom. ***flower-shaped ~;*** iffjurat.
ornamenting n., tiżjin.
ornate adj., ornat.
ornithological adj., ornitoloġiku.
ornithologist n., ornitòlogu.
ornithology n., ornitoloġija.
orography n., orografija.
orphan n., ltim, orfni. ***boarding house for ~s;*** konservatorju.
orphanage n., labatija, orfanatrofju.
orpiment n., (chem.) orpiment.
orthodox adj., ortodoss.
orthodoxy n., ortodossija.
orthographic(al) adj., (gram.) ortogràfiku.
orthography n., (gram.) ortografija.
orthopaedic(al) adj., (med.) ortopèdiku.
orthopaedy n., (med.) ortopedija.
orthophonic adj., (gram.) ortofòniku.
orthophony n., (gram.) ortofonija.
ortolan n., (ornit.) ortolan.
oscillate v., oxxilla.
oscillation n., oxxillazzjoni.
oscillator n., (techn.) oxxillatur.
osculation n., òskulu.
ossification n., tagħdim.
ossuary n., kannierja, ossarju.
ostensory n., (eccl.) ostensorju, sfera.
ostentation n., ostentazzjoni, sfaġġ.
ostinated adj. & p.p., mwebbes.
ostracize v., ostraċizza.
ostrich n., (ornith.) nagħma.
other pron. & adj., ieħor, oħra. ***neither the one nor the ~;*** la waħda u lanqas l-oħra. ***each ~;*** xulxin.

otherwise adv., altrimenti, inkella, inkelè, jankella, jeklilè.
otherwise conj., jonkella.
otitis n., (med.) otite.
otoscope n., (med.) otoskopju.
ottoman n., ottoman.
ounce n., onċa, uqija.
our pron., tagħna.
ours pron., tagħna.
ousel n., (ornith.) kwalità ta' merill. ***ring ~;*** (ornith.) malvizz tas-sidra bajda.
outboard n., (mar.) awtbord.
outcome n., (leg.) èżitu.
outer n., estern.
outing n., divertita, ħarġa.
outlaw n., żbandut.
outlet n., żbokk.
outline n., abbozz, bozzett, kontorn, profil, skema.
outrun adj. & p.p., misbuq.
outside adv., barra.
outskirts n., dintorn.
outstrip v., sebaq.
outstripped adj. & p.p., misbuq.
outstripping n., sebq.
outwardly adv., esternament.
oval adj., ovali, tawwali.
ovary n., għanqud tal-bajd.
ovation n., ovazzjoni.
oven n., forn, maħbeż. ***to put in the ~;*** inforna.
ovenful n., infurnata.
over prep. & adv., fuq.
overall n., bluża, ġagàga/ġigaga, overoll. ***workers' ~;*** ġagàga tal-ħaddiema. ***doctors' ~;*** ġagàga tat-tobba.
overbearing (fellow) adj., prepotenti.
overboil v., dekkek.
overcast adj., mgħarrex.
overcast n., għarixa. ***be ~;*** għajjar. ***become ~;*** is-sema għalaq għajnu.
overcoat n., għata ta' fuq kollox, kapott. ***to put on one's ~;*** ikkapottja.
overcome adj. & p.p., megħlub.
overcome v., għaleb, rebaħ, rsupra, vinċa.
overcooked adj. & p.p., mdekkek.
overcooked n., dikka.
overdone adj. & p.p., mdekkek.
overdone n., dikka.
overeat v., tħanżer.
overflow n., fawra.
overflow v., far, fied, tfawwar. ***the river ~ed by the rain;*** ix-xmara faret bix-xita. ***cause to ~flow;*** fawwar.
overflowed adj. & p.p., mfawwar.
overflowing n., tifwir.
overhear v., issamma'.
overloaded adj., karikat.
overrun v., sebaq.
oversee v., issorvelja.
overseer n., suprastant.
overshoe n., galoxxa.
oversight n., sehwa, żvista. ***through an ~;*** bi żvista.
overtake v., laħaq. ***if we quicken our pace we can ~ them;*** jekk inħaffu l-pass nistgħu nilħquhom.
overtaken adj. & p.p., milħuq.
overthrow v., batta, qaleb, waqqa', ġarraf.
overthrowing n., qlib.
overthrown adj. & p.p., mwaqqa'.
overtime n., sahra. ***to work ~;*** sahar. ***Anthony this evening is going to work ~ until eight o'clock;*** il-lejla Toni se jishar sat-tmienja.
overturn v., qaleb, tkabras.
overturned adj. & p.p., maqlub.
overwhelm v., radam.
over-work v., strapazza.
owing to conj., billi.
owl n., (ornith.) kokka.
own v., ippossieda. ***he ~s several houses;*** jippossiedi ħafna djar.
own (up) v., stqarr.
owner n., padrun, patrun, possident, preprjetarju, sid.
ownership n., (leg.) kondominju.
ox n., (zool.) gendus. ***~ stall;*** mafrad.
oxalis n., (bot.) ħaxixa Ingliża, qarsa.
oxide n., (chem.) òssidu.
oxidize v., (chem.) ossida.
oxygen n., (chem.) ossìġenu.
oxygenated adj., (chem.) ossiġenat.
oyster n., (zool) òstrika, gajdra, koċċla.
oystercatcher n. (ornith.) gallina tal-baħar.
ozone n., (chem.) ożon, ożonu.

Pp

pace n., pass. ***move at a very slow ~;*** ċaqlem/ċeklem. ***to walk at a snail's ~;*** timxi pass ta' nemla.
pachyderm n., (zool.) pakiderm.
pacification n., paċifikazzjoni.
pacified adj. & p.p., mberred, mbewwes, mħabbeb, paċifikat.
pacifier n., sewwej.
pacifism n., paċifiżmu.
pacifist n., paċifist.
pacify v., ħabbeb, ħemmed, ippaċìfika, paċa, sewwa.
pack n., pakk.
pack v., ippakkja.
pack (up) v., sarr, sarrar. ***he ~ed up his clothes and left;*** sarr ħwejġu u telaq.
pack-saddle n., berdgħa, pannell.
packed adj. & p.p., ippakkjat. ***well ~;*** marsus.
packed (up) adj. & p.p., misrur.
packer n., imballatur.
packet n., pakkett. ***make up in ~s;*** ippakkettja.
packing n., imballatura, imballaġ, sarr, srir, tisrir.
pact n., ftehim, patt.
pad n., kagħwara/qagħwara, qawwara.
padding n., watta.
paddle n., (mar.) palella.
paddle v., ċafċaf, ċaflas.
padlock n., katnazz.
padlocked adj. & p.p., msakkar.
paediatrician n., pedjatra.
paediatrics n., (med.) pedjatrija.
pagan n., pagan.
paganism n., paganiżmu.
page n., faċċata, folja, paġna, paġġ. ***to turn the ~s (of a book);*** sfolja. ***arranged in ~s;*** impaġnat. ***to arrange in ~s;*** impaġna.
pageant n., paġent.
paginate v., impaġna.
pagination n., impaġinazzjoni.
pagoda n., pagòda.
paid adj. & p.p., mħallas.
pail n., barmil, satal, (mar.) baljol.
pain n., dulur, turment, uġigħ, weġgħa. ***birth ~;*** uġigħ tal-ħlas. ***groaning with ~;*** minghi.
pained adj. & p.p., mwaġġa'.
painful adj., doloruż, gravuż, penuż.
paint v., ippittura, pinġa, pitter, żebagħ.
painted adj. & p.p., miżbugħ, mpinġi, mpitter, pinġut.
painter n., pittur, sawwàr, żebbiegħ, (mar.) barbetta. ***water-colour ~;*** akkwarellist.
painting n., inkwatru, kwadru, pittura, tiżbigħ, żbigħ.
pair n., par, żewġ.
pair v., żewweġ.
paired adj. & p.p., miżżewweġ, mżewweġ.
pairing n., tiżwiġ.
palace n., dejr, palazz.
paladin n., paladin.
palate n., saqaf il-ħalq, (anat.) palat.
pale adj., isfar, musfar, pàllidu, safra, sofor. ***to grow ~;*** tefa.
paleographer n., paleògrafu.
paleographic adj., paleogràfiku.
paleography n., paleografija.
paleolithic adj., paleolìtiku.
paleontological adj., paleontoloġiku.
paleontologist n., paleontòlogu.
paleontology n., paleontoloġija.
paleozoic adj., paleożòjku.
palestra n., palestra.
palette n., (artis.) tavlozza.
palindrome n., (liter.) palindrom.
palingenesis n., (phil.) palinġènesi.
palinsest n., (liter.) palinsest.
palisade n., palizzata.
palish adj., safrani.
pall n., (eccl.) palla.
pallet n., paletta.
pallette-knife n., paletta.
pallid adj., pàllidu, sfajjar.
pallium n., (eccl.) pallju.
pallor n., sfura.
palm n., keff, pala ta' l-id, (bot.) palma. ***P~ Sunday;*** Ħadd il-Palm.
palmiped adj., palmìpedu.
palmipede adj., palmìpedu.

palmistry n., kiromanzija.
palpable adj., palpabbli.
palpate v., messes.
palpitate v., ippalpta.
palpitated adj. & p.p., ippalpat.
palpitation n., palpitazzjoni, taqtiq, taħbit tal-qalb.
paludal adj., mistagħdar.
pamkin n., (bot.) qargħa.
pampano n., (ichth.) strilja.
pamper v., fissed.
pamphlet n., pamflet.
pan n., moħfija, pagna. ***frying ~;*** tigan, taġen.
panacea n., panaċèa.
panama hat n., pànama.
pancake n., froġa.
pancratium n., (bot.) kwalità ta' fjura. ***sea ~;*** (bot.) ġilju tal-baħar.
pancreas n., (anat.) frixa, pànkreas.
panda n., (zool.) panda.
pandemonium n., pandemonju.
pane n., purtella.
panegyric n., (eccl.) paneġierku.
panegyrist n., paneġirist.
panel n., panel, panew, panil.
panic n., pàniku.
panic v., ippànikja.
panorama n., panorama.
pansy n., (bot.) pensier.
pant n., lehġa.
pant v., leheġ.
pantaloon n., pantalun. ***to put on ~s;*** is-sarwal.
pantheism n., panteiżmu.
pantheist n., panteist.
panthera n., (zool.) pantera.
panties n., panti.
panting n., affann, lhiġ, tilhiġ.
pantomime n., (theatr.) pantomina.
pantry n., dispensa, maħżna, pantri.
pap n., għasida.
papa n., papà.
papacy n., papat.
papal adj., papali.
papas n., (eccl.) papàs.
paper n., karta. ***ballot, voting ~;*** skeda tal-votazzjoni. ***blotting ~;*** karta xuga. ***brown ~;*** karta samra. ***carbon ~;*** karta saħħara. ***drawing ~;*** karta tad-disinn. ***emery ~;*** karta ta' l-ixkatlar. ***music ~;*** karta tal-mużika. ***packing or wrapping ~, cap ~;*** karta tas-sarr. ***tissue ~;*** tixju. ***unwritten ~***; karta bjanka. ***waste ~;*** karta strazza.
paper (a wall) v., (artis.) ittapizza.
paper-back n., pejperbakk.
paper-knife n., taljakarti.
papier machè n., kartapesta.
papule n., nuffata.
papyrus n., (bot.) papîru.
parable n., mxiebha, paràbbola.
parabola n., paràbbola.
parachute n., (techn.) paraxut.
parachutist n., paraxutist.
Paraclete n., (theol.) Paràklitu.
parade n., sfaġġ, sfilata, (mil.) parata, rivista. ***dress ~;*** sfaġġ ta' lbies. ***fashion ~;*** faxinparejd.
paradigm n., (gram.) paradìgma.
paradise n., ġenna.
paradox n., paradoss.
paradoxical adj., paradossali.
paraffin n., (chem.) parafin.
paragoge n., (gram.) paragoġi.
paragraph n., paràgrafu.
parallel adj. & n., parallèl.
parallelism n., paralleliżmu.
parallelogram n., parallelogram.
paralyse v., (med.) ipparalizza.
paralysed adj. & p.p., miflug, mitruħ, paralizzat.
paralysing n., tifliġ.
paralysis n., fliġ, (med.) paralisi.
paralytic adj. & n., paralìtiku, mfelleġ.
paralyze v., fileġ.
parameter n., paràmetru.
paranoia n., (med.) paranojja.
parapet n., opramorta, parapett.
paraphernalia n., (leg.) parafernalja.
paraphrase n., paràfrasi.
paraplegia n., (med.) parapleġija.
parasite n., parassita.
parasol n., parasòl, umbrellina.
parastatal adj., parastatali.
paratel adj., palatali.
parbickle n., (mar.) lentilja.
parcel n., koll, pakk.
parch v., xewa.
parched adj. & p.p., mqaxqax.
parchment n., parċmina, pergamena.
pardon n., maħfra.
pardon v., għader, ħafer, iggrazzja, skuża. ***we must ~ our enemies;*** għandna naħfru l-għedewwa tagħna.
pardoned adj. & p.p., iggrazzjat.
parent n., ġenitur.
parentage n., ġebbieda.
parenthesis n., parèntesi.
paresis n., (med.) pareżi.
parietal adj., (anat.) parjetali.
parish n., (eccl.) parroċċa.
parishioner n., parruċċan.
park n., park.

park v., ipparkja.
parked adj. & p.p., ipparkjat.
parking n., ipparkjar.
parliament n., parlament. ***member of P~ (MP);*** membru tal-parlament, deputat tal-parlament.
parliamentary adj., parlamentari.
parlour n., parlatorju.
parmesan adj., parmiġġan. ***~ cheese;*** ġobon parmiġġan.
parochial adj., parrokkjali.
parodist n., parodist.
parody n., (liter.) parodija.
paronomasia n., (gram.) paronomasija.
paroque n., (ornith.) parrukkett.
paroquet n., (ornith.) amorin.
parotitis n., (med.) parotide.
parquet n., parkè.
parricide n., parriċidju, qattiel ta' missieru, (leg.) parriċida.
parrot n., (ornith.) pappagall.
parrotfish n., (ichth.) marzpan.
parry n., lqugħ.
parry v., skansa. ***he parried a blow on his face;*** skansa daqqa ta' ponn fuq wiċċu.
parsimony n., parsimonja.
parsing n., analisi grammatikali.
parsley n., (bot.) torsina/tursina.
part n., faxxiklu, parti, porzjon, puntata, qasma, qatgħa. ***fourth ~;*** kwart. ***the fifth ~;*** kwinta.
part v., feraq, fired, ħall, skumpanja. ***to take ~ in;*** ippartèċipa. ***we did not take ~ in the conflict;*** aħna ma pparteċipajniex fil-ġlieda.
partaker adj., parteċipat.
partaking adj. & pres.p., parteċipant.
partecipant n., parteċipant.
parted adj. & p.p., magħżul, maqtugħ, mqassam.
parterre n., (theatr.) parterr.
partial adj., parzjali. ***~ eclipse;*** ekklissi parzjali.
partiality n., parzjalità. ***to show ~ to;*** ixxaqleb.
partially adv., parzjalment.
participate v., ippartèċipa.
participation n., parteċipazzjoni. ***criminal ~;*** kompliċità.
participial adj., partiċipjali.
participle n., (gram.) partiċipju.
particle n., (gram.) partiċella.
particular adj., partikulari. ***with full ~s;*** dettaljatament.
particularity n., partikularità.
particularly adv., partikularment.
parting n., ferq, tifrid. ***hair-~;*** ferq taxxagħar.
partisan n., partitarju, partiġjan.
partisanship n., partiġjanerija.
partition n., qasma, qsim, spartiment, taqsim.
partner n., partner, sieħeb, soċju, xrik, (leg.) kompliċi.
partner v., xerrek.
partnership n., sħubija, tixrik. ***taken into ~;*** msiehem.
partridge n., (ornith.) ħaġel, perniċi.
parturient n., miluda.
party n., komittiva, parti, partit.
paschual adj., paskwali.
pasha n., baxà, paxà.
pass adj. & p.p., mgħoddi.
pass v., għadda, passa, qasam, (g.) ippassja. ***he ~ed from darkness to light;*** għadda mid-dlam għad-dawl. ***to ~ away;*** ittrapassa, ħareġ mid-dinja, miet, spira. ***~ water;*** biel. ***~ through;*** sallab.
passable adj., passabbli.
passage n., mogħdija, nifda, passaġġ, paġġatur, silta, traversata.
passage-way n., kuritur.
passed adj. & p.p., mgħoddi.
passenger n., passiġġier, vjaġġatur, (mar.) navigant.
passing n., għaddej.
passion n., ħrara, namra, passjoni. ***~-flower;*** (bot.) granadilla, warda tal-passjoni, passiflora. ***P~ Week;*** Ġimgħa tal-Passjoni. ***fall into a ~;*** għabbar. ***the P~;*** (eccl.) il-Passju. ***to fly into a ~;*** infoska.
passional adj., passjonali.
passionist n., passjonist.
passive adj., (gram.) passiv.
passively adv., passivament.
passivity n., passività.
Passover pr.mn., Għid. ***Hebrew ~;*** Għid il-Lhud.
passport n., passaport.
password adv., bil-qaddis.
past n., passat. ***for the ~;*** minn issa lura.
pasta n., għaġin.
paste n., għaġin, kolla.
paste v., inkolla.
pasteboard n., kartuna.
pastel n., (art.) pastell.
pastellist n., pastellist.
pasteurised adj. & p.p., pastorizzat.
pasteurization n., pastorizzazzjoni.
pasteurize v., (med.) ippastorizza.
pastil n., pastilja.
pastime n., passatemp, rikreazzjoni.

pasting n., inkullatura.
pastoral adj. & n., pastorali. ***~ letter;*** ittra pastorali. ***~ poetry;*** poeżija pastorali.
pastry n., għaġina. ***light pastry;*** sfoll.
pastry-cook n., pastizzar.
pastry-shop n., pastizzerija.
pasturage n., ragħja.
pasture n., mergħa, ragħja.
pasture v., ragħa. ***he went to ~ the sheep in the field;*** mar jirgħa n-nagħaġ l-għalqa.
pastured adj. & p.p., magħluf, mirgħi.
pasturing adj. & pres.p., riegħi.
pat v., melles.
patch n., roqgħa. għamel roqgħa.
patch v., ippaċċja, raqqa', sewwa, ġabbar. ***to ~ up;*** għamel roqgħa.
patched adj. & p.p., mġannat, mraqqa', msewwi. ***to be ~;*** iddabbar.
patcher n., raqqiegħ.
patching n., tirqigħ, tiswija, tiġnit.
paten n., (eccl.) patena.
paternal adj., paternali.
paternity n., paternità.
path n., mogħdija. ***narrow ~;*** natba. ***foot ~;*** natba.
pathetic adj., patètiku.
pathetically adv., patetikament.
pathogenic adj., patoġèniku.
pathological n., patolòġiku.
pathologist n., patòlogu.
pathology n., (med.) patoloġija.
pathway n., sqaq.
patience n., paċenzja, sabar, sabra, tisbir. ***to lose ~;*** tilef is-sabar. ***to have ~;*** stabar.
patient adj. & n., marid, pazjent.
patient adj. & p.p., mistabar, paċenzjuż, sieber.
patinated adj. & p.p., msaddad.
patriarch n., patrijarka.
patriarchal adj., patrijarkali. ***~ church;*** knisja patrijarkali. ***~ look;*** dehra patrijarkali.
patriarchism n., patrijarkat.
patrimonial adj., (leg.) patrimonjali.
patrimony n., patrimonju.
patriot n., patrijott.
patriotic adj., patrijottiku.
patriotism n., patrijottiżmu.
patristic adj., (eccl.) patrìstiku.
patristics n., (eccl.) patroloġija.
patrol n., (mil.) pattulja, ronda.
patrol v., ippatrolja, għamel ir-ronda.
patron n., patrun. ***~ saint;*** qaddis patrun.
patronage n., awspiċju, patroċinju, (leg.) patrunat. ***~ of a living;*** (leg.) ġuspatronat.
patronymic adj. & n., patronìmiku.
pattern n., kampjun, mera, mudell, tip, turija.
pattern-maker n., mudellatur.
paunch n., kirxa.
pauper n., povru.
pause n., pawsa, waqfa.
pavana n., (mus.) pavana.
pave v., ċiegħek, iċċanga.
paved adj. & p.p., iċċangat.
pavement n., bankina, ċangàr, marċapied, paviment.
pavilion n., padiljun.
paving n., ċangàr.
pawn n., pedina, rahan.
pawn v., rahan. ***he ~ed his wife's wedding-ring;*** rahan iċ-ċurkett tat-tieġ ta' martu.
pawnbroker n., rahàn.
pawned adj. & p.p., mirhun.
pawning n., rhin, tirhin.
pawnshop n., monti.
pay n., ħlas, paga, retribuzzjoni, salarju. ***~ day;*** sanpagatu. ***~ master;*** ħallâs.
pay v., ħallas. ***my husband paid all our debt;*** żewġi ħallas id-dejn kollu tagħna.
pay off v., (leg.) ammortizza.
payable adj., pagabbli.
payer n., pagatur, ħallâs.
paying n., taħlis.
payment n., ħlas, pagament. ***deferment of ~;*** sbira. ***delay ~;*** mâtal. ***monthly ~;*** menswalità. ***notice of ~;*** avviż ta' pagament.
pea n., (bot.) piżella. ***green ~;*** (bot.) ċiċra, ċiċra tal-qatta. ***winged ~;*** għantkux.
peace n., paċi, sliem. ***to enjoy ~;*** silem.
peaceful adj., kwiet, paċìfiku, sielem, trankwill.
peacefulness n., trankwillità.
peacemaker n., paċier, paċifikatur, sewwej.
peach n., (bot.) ħawħa.
peacock n., (ornith.) pagun, tawes.
peacock-blue adj., pagunazz.
peak n., (mar.) pik.
peal n., daqq doblu, dandan.
peanut n., karawetta.
pear n., (bot.) lanġasa/anġasa. ***prickly ~;*** (bot.) bajtra tax-xewk.
pearl n., perla, ġawhra. ***mother of ~;*** madriperla.
pearled adj., ġawhri.
peasant n., kampanjol, raħħàl.
pebble n., laqxa, ċagħka. ***cover with ~s;*** ċiegħek.
pebbled adj., ċagħki.
pebbly adj., ċagħki, mċiegħek.

peched adj., & p.p., minqur.
peck v., naqar, naqqar, teftef, tektek.
pecked adj. & p.p., mnaqqar.
pecking n., tinqir.
pectoral n., (eccl.) pettoral.
peculation n., (leg.) pekulat.
peculiar adj., pekuljari, speċjali.
peculiarity n., pekuljarità.
peculiarly adv., pekuljarment.
pedagogic(al) adj., pedagòġiku.
pedagogist n., pedagoġist.
pedagogue n., pedàgogu.
pedagogy n., pedagoġija.
pedal n., pedala.
pedant adj., pedanti.
pedantic adj., pedantiku.
pedantry n., pedanterija.
peddler n., lawżar.
pederast n., pederasta.
pedestal n., pedistall.
pediatry n., (med.) pedjatrija.
pedicure n., kiropodist, pedikjur.
pedigree n., arblu tar-razza, ġenealoġija.
pediluvium n., (med.) pedilluvju.
pedlar n., merkant tat-triq.
pedometer n., pedòmetru.
peel n., luħ, pal tal-forn, qoxra. ***candied ~;*** kunfettura.
peel v., qaxxar. ***he ~ed the apple;*** qaxxar it-tuffieħa.
peeled adj. & p.p., mqaxxar.
peeler n., qaxxàr.
peeling n., taqxir.
peep v., għarrex, pejjeż, pespes, zejjez. ***to ~ furtively;*** issìndika.
peeped adj., mgħarrex.
peeping n., tipjiz, tizjiz, tpezpiz.
peers n., kbarat.
peevish adj., biżbetiku.
peevish n., fonqla.
peg n., kavilja, mazzarell, wited. ***clothes ~;*** labra ta' l-inxir, spalliera.
pegasus n., (zool.) żiemel bil-ġwienaħ.
pejorative adj., peġġorattiv.
pelargonium n., (bot.) makuba.
pelegrine n., pellegrina.
pelican n., (ornith.) pellikan.
pell-mell adv., ħorrox borrox.
pellicle n., pellikola.
pelt v., issotta.
pelted adj. & p.p., issuttat.
pelvis n., (anat.) pelvi.
pen n., ċeppuna, mander, mandra, maqjel, pinna, rixa.
pen v., qajjel.
penal adj., (leg.) penali. ***~ law;*** liġi penali.
penalize v., ippenalizza.
penalty n., ħaraġ, penalità, piena, (leg.) ammenda, (g.) pènalti.
penance n., penitenza, tewba.
pencil n., lapes. ***slate ~;*** lapes tal-lavanja.
pencil-sharpener n., xarpner.
pendant n., qandul.
pendency n., (leg.) pendenza.
pendent n., misluta, pendent.
pending adj., pendenti.
penduline n., (ornith.) pendulin.
pendulum n., pendlu, (mechan.) bilanċier.
penecillin n., (med.) penisilin.
penetrable adj., dħuli, penetrabbli.
penetrate v., ippènetra.
penetrated adj. & p.p., mdaħħal, minfud, mixkuk, mniffed, penetrat.
penetrating adj. & pres.p., penetranti, penetrattiv.
penetration n., nfid, penetrazzjoni.
penguin n., (ornith.) pingwin.
penholder n., tokka.
peninsula n., (geog.) penìżola.
peninsular adj., (geog.) peniżolari.
penis n., bxula/pxula.
penitent n., penitent.
penitentiary n., (eccl.) penitenzerija, penitenzier.
penknife n., temprin.
penniless adj., browk.
pennon n., pinnur.
pennyroyal n., (bot.) għaġ, plejju.
pension n., pjazza, pensjoni. ***old age ~;*** pensjoni tax-xjuħ.
pensionable adj., pensjonabbli.
pensioned adj. & p.p., pensjonat.
pensioner n., pensjonant, pjazzant.
pensive adj., mħasseb.
pentacle n., pentàkolu.
pentagon n., pentagonu.
pentagonal adj., pentagonali.
pentagram n., pentàkolu.
pentameter n., (liter.) pentàmetru.
pentateuch n., (eccl.) pentatewku.
Pentecost n., (eccl.) Pentekoste.
penury n., nuqqas, xaħta.
people n., nies, poplu, tajfa. ***common ~;*** popolîn.
people v., ippòpola.
peopled adj. & p.p., ippopolat/popolat.
peopling n., popolament.
pepper n., bżar. ***green ~;*** bżar aħdar. ***~ box;*** raxxiexa tal-bżar.
pepper v., bażżar.
pepper-pot n., mabżar.
peppered adj. & p.p., mbażżar.
peppering n., tibżir.
peppermint n., peperment.

pepsin n., (chem.) pepsina.
perceive v., induna, ippercepixxa, ittenda, lemaħ, qabad. ***he ~d the trap which had been prepared for him;*** ittenda bin-nassa li kienet imħejjija għalih.
perceived adj. & p.p., milmuħ.
percentage n., persentaġġ.
perception n., dehen, għarfa.
perch n., passiġġiera. ***thorny ~;*** (ichth.) ħanżir il-baħar.
perched adj., qoxqox.
perchlorate n., (chem.) perklorat.
percolate v., nixxa.
percussion n., leffa, perkussjoni.
perdition n., telf tar-ruħ.
peregrine n., kwalità ta' seqer. ***mediterranean ~;*** (ornith.) bież.
peremptory n., (leg.) perentorju.
perennial adj., (phil.) perenni.
perfect adj., assolut, perfett.
perfect v., ipperfezzjona. ***I want to ~ myself in the English language;*** nixtieq li nipperfezzjona ruħi fl-Ingliż.
perfected adj. & p.p., perfezzjonat.
perfectible adj., perfettibbli.
perfecting n., perfezzjonament.
perfection n., perfezzjoni.
perfectly adv., perfettament.
perfidious adj., pèrfidu, pervdu.
perfidiousness n., perfidja.
perfidy n., perfidja.
perforate v., ippèrfora, taqqab.
perforated adj. & p.p., ipperforat, mitqub, perforat.
perforation n., perforazzjoni.
perforator n., perforatur.
perform v., esegwixxa. ***he ~ed a very beautiful piece of music;*** esegwixxa biċċa mużika tassew sabiħa.
performance n., opra, spettaklu, (theatr.) preżentazzjoni, rappreżentazzjoni, reċta. ***evening ~;*** serata. ***repeat ~;*** (theatr.) rèplika. ***to give another ~;*** irrèplika.
perfume n., bħur, fwieħa, profum, tifwiħ.
perfume v., baħħar, fewwaħ, ipprofuma/ippurfuma.
perfumed adj. & p.p., ipprofumat/profumat, mfewwaħ.
perfumer n., baħħàr.
perfumery n., profumerija. ***~'s shop***; profumerija.
pergola n., pergla.
perhaps adv., bħalxejn, ewwilla, forsi, jaqaw, jewwilla.
perialize v., ħarrek.
perianth n., (bot.) periànt/perijant.
pericardium n., (anat.) perikardju.
pericarp n., (bot.) perikarpju.
perifery n., periferija.
perigee n., (astro.) periġew.
perihelion n., (astro.) periħelju.
peril n., periklu.
perilous adj., perikoluż. ***~ game;*** (g.) logħob perikoluż.
perimeter n., perìmetru.
perineum n., (anat.) perinew.
period n., per(i)jodu, pîrjid.
periodic adj., perjodiku.
periodical adj., perjodiku.
periodically adv., perjodikament.
peripheric adj., perifèriku.
peripherical adj., perifèriku.
periphrasis n., (liter.) perìfrasi.
periscope n., periskopju.
perish v., miet.
peristyle n., (arch.) peristilju.
peritoneum n., (anat.) peritonew.
peritonitis n., (med.) peritonite.
periwig n., parrokka.
perjury n., sperġur, ġurament falz.
perk v., isserdek.
permanence n., baqgħa, permanenza.
permanent adj., permanenti.
permanganate n., (chem.) permanganat.
permeable adj., permeabbli.
permissable adj., permissibbli, leċitu.
permission n., permess, permissjoni, sensja.
permit n., permess, sensja.
permit v., ħalla, illawdja, ippermetta, issensja.
permitted adj., leċitu, xieraq. ***to be ~;*** sata'.
permutation n., (leg.) pèrmuta.
permute v., bidel, partat.
permuted adj. & p.p., mibdul, mitbiedel.
pernosopra n., (bot.) pernosopra.
perorate v., ipperora.
peroration n., perorazzjoni.
peroxide n., (chem.) peròssidu. ***hydrogen ~;*** akkwa ossiġenata.
perpendicular adj., perpendikulari.
perpetual adj., dejjiemi, perpetwu.
perpetually adv., dejjem ta' dejjem, perpetwament.
perpetuate v., dejjem, ipperpetwa.
perpetuated adj. & p.p., mdejjem.
perplexed adj., perpless.
perplexity n., perplessità.
perquisiton n., (leg.) perkwiżizzjoni.
persecute v., għamel għalih, ippersègwita.
persecuted adj. & p.p., persegwitat.
persecution n., persekuzzjoni.
persecutor n., persekutur.

perseverance n., perseveranza, tutiq.
persevere v., ippersèvera, saddad.
persevering adj., perseveranti.
persienne n., persjana.
persist v., ippersista, tanas, żamm iebes.
persist (in) v., stina.
persistence n., persistenza.
persistent adj., akkanit, persistenti. ***to be ~;*** saħaq, laħħ/leħħ, sies.
person n., bniedem, persuna. ***well-to-do ~;*** benestant.
personage n., personaġġ/persunaġġ.
personal adj., personali.
personality n., personalità.
personally adv., personalment.
personification n., personifikazzjoni.
personified adj. & p.p., personifikat.
personify v., ippersonìfika.
perspective n., perspettiva.
perspicacious adj., perspikaċi.
perspiration n., għaraq.
perspire v., għereq, xaqq il-għaraq. ***the heat makes me ~ a lot;*** bis-sħana negħreq ħafna.
persuade v., ipperswada. ***his words do not ~ me;*** il-kliem tiegħu ma jipperswadinix.
persuaded adj. & p.p., konvint, persważ.
persuasion n., konvinzjoni, persważjoni.
persuasive adj., persważiv.
persuasiveness n., persważiva.
pertain (to) v., appartiena.
perturbation n., taqlib.
peruke n., parrokka.
perusal n., qarja.
pervert v., għawweġ.
perverter n., għawwieġ.
pessimism n., pessimiżmu.
pessimist n., pessimist.
pest n., pest, pesta.
pester v., dejjaq.
pestilence n., pestilenza.
pestle n., lîda.
petal n., (bot.) pètala.
petition n., memorjal, petizzjoni, rikjesta, sùpplika, talba, (leg.) rikors.
petitioner n., rikorrent, supplikant, tallàb.
petrarchian adj., petrarkjan.
petrification n., petrifikazzjoni, tiġbil.
petrified adj. & p.p., petrifikat.
petrify v., ippetrìfika, ġebbel. ***to become petrified;*** iġġebbel.
petrol n., benzina, petrol. ***~ station;*** pompa tal-petrol.
petroleum n., pitrolju.
petticoat n., libsa ta' taħt.
petulant adj., lħiħ, petulanti.
petulant n., finsqla.
petunia n., (bot.) petunja.
phalanx n., (anat.) falanġi.
phalarope kwalità ta' għasfur. ***red-necked ~;*** (ornith.) barużæ. ***grey ~;*** barużæ griża.
phanerogram n., (bot.) fanerògrama.
phantasm n., gadawdu.
phantasmagoria n., fantażmagorija.
phantasmagoric adj., fantażmagòriku.
phantasy n., fantasija.
phantom n., fantażma, fatàt, ħâres, gadawdu.
pharisaism n., fariżejiżmu.
pharisee n., fariżew.
pharmaceutical adj., farmaċèwtiku.
pharmaceutics n., farmaċèwtika.
pharmacologist n., farmakologu.
pharmacology n., farmakoloġija.
pharmacopoeia n., farmakopeja.
pharmacy n., farmaċija, spiżerija.
Pharoah pr.n., faragħun.
pharyngitis n., (med.) farinġite.
pharyngoscopic adj., (med.) faringoskòpiku.
pharyngoscopy n., (med.) faringoskopija.
pharynx n., (anat.) farinġi.
phase n., fażi.
pheasant n., (ornith.) faġan.
phenix n., feniċe.
phenology n., fenoloġija.
phenomenal adj., fenomenali.
phenomenon n., fenòmenu.
phial n., kunjett, qarraba.
philament n., (elect.) filament.
philantrope n., filàntropu.
philantropic adj., filantròpiku.
philantropically adv., filantropikament.
philantropist n., filàntropu.
philantropy n., filantropija.
philarmonic adj., (mus.) filarmòniku.
philatelist n., filatelist.
philately n., filatelija.
Philistine n., filistew.
philodrammatic adj., filodrammàtiku.
philological adj., filolòġiku.
philologically adv., filoloġikament.
philologist n., filòlogu.
philology n., filoloġija.
philosopher n., filòsofu.
philosophic(al) adj., filosòfiku.
philosophically adv., filosofikament.
philosophism n., filosofiżmu.
philosophize v., iffilosofizza.
philosophy n., filosofija.
phlebetomy n., fsid.
phlebitis n., (med.) flebite.

phlebotomist n., fassâd, (med.) flebòtomu.
phlebotomize v., fasad.
phlebotomized adj. & p.p., mifsud.
phlebotomy n., (med.) flebotomija.
phlegm n., flemma.
phlegmatic adj., flemmàtiku.
phobia n., (med.) fobija.
Phoenician n., Feniċju.
phoenix n., feniċe.
phone v., ittelèfona. ***my brother ~d me from London;*** ħija ttelefonali minn Londra.
phonetic adj., fonètiku.
phonetically adv., fonetikament.
phonetics n., fonètika.
phonic adj., fòniku.
phonogram n., fonogramma.
phonograph n., fonògrafu.
phonographic adj., fonogràfiku.
phonography n., fonografija.
phonologic(al) adj., fonolòġiku.
phonology n., fonoloġija.
phosphate n., (chem.) fosfàt.
phosphor n., (chem.) fosfru.
phosphorescence n., fosforexxenza.
phosphorescent adj., fosforexxenti.
phosphoric adj., fosfòriku.
phosphorus n., (chem.) fosfru.
photo n., ritratt.
photochromy n., fotokromija.
photocopy n., fotokopi.
photogenic adj., fotoġèniku.
photograph n., ritratt. ***take a ~;*** ġibed ir-ritratt.
photograph v., iffotògrafa.
photographed adj. & p.p., fotografat.
photographer n., fotògrafu.
photographic adj., fotogràfiku.
photography n., fotografija.
photometer n., (phys.) fotòmetru.
photometric adj., fotomètriku.
photometry n., (phys.) fotometrija.
photophobia n., (med.) fotofobija.
photosphere n., (astro.) fotosfera.
phrase n., frażi. ***collection of ~s;*** frażarju.
phraseology n., frażjoloġija.
phrasing n., diċitura.
phrenologist n., frenòlogu.
phrenology n., frenoloġija.
phthisical adj., marid b'sidru, tiżiku.
phthisis n., (med.) mard tas-sider, tiżi.
physical adj., fiżiku.
physically adv., fiżikament.
physician n., tabib.
physics n., fiżika.
physiognomist n., fiżjonomista.
physiognomy n., fiżjonomija.
physiographer n., fiżjògrafu.
physiography n., fiżjografija.
physiologic(al) adj., fiżjolòġiku.
physiologist n., fiżjòlogu.
physiology n., fiżjoloġija.
physiotherapy n., fiżjoterapija.
pianist n., (mus.) pjanista.
piano n., (mus.) pjanu/pjanuforti.
piano-tuner n., ikkurdatur.
pianoforte n., (mus.) pjanu.
piaster n., impjastru.
picador n., pikador.
picarel n., (ichth.) arżnella.
pick (up) v., èleva, ġabar, ippikkja, laqqat. ***the police ~ed up the weapon from the site of the crime;*** il-pulizija elevat l-arma mill-post tad-delitt. ***~ fruit;*** qarraf.
pick n., mitraq.
pick v., baqqan, mexmex.
pick-lock n., skassatur.
pick-up n., pikapp.
pickax(e) n., baqqun, marra.
picked (up) adj. & p.p., miġbur.
picker n., niggież, qattiegħ il-ġebel.
picking n., tilqit.
pickle n., salmura.
pickle v., immarina.
pickled adj. & p.p., immarinat, marinat. ***~ onions;*** basal tal-pikles.
pickles n., pikles.
pickman n., baqqunier.
picnic n., divertita, piknik, xalata.
picture n., inkwatru, kwadru, pittura, ritratt, stampa, sura. ***holy ~;*** santa. ***~ place;*** (techn.) ċinematografu.
picturesque adj., pitturesk.
pie n., torta. ***meat ~;*** paj. ***little ~;*** pastizzott.
pie-dish n., turtiera.
piece n., biċċa. ***to fall to ~s;*** sfaxxa.
piece v., ġannat, raqqa', sewwa. ***to be ~d together;*** iġġannat. ***to be ~d;*** iġġabbar.
pied adj. & p.p., mnaqqax, mżewwaq.
pier n., moll, (arch.) pilastru.
pierce v., naqab, nifed, taqab, taqqab. ***the bullet ~d his heart;*** il-balla nifditlu qalbu. ***to ~ by repeated pecking;*** naqqab.
pierced adj. & p.p., mberren, mitqub, mtaqqab. ***to be ~;*** ittaqqab.
piercer n., perforatur.
piercing n., nfid, tinfid, titqib.
pierrot n., pjerott.
piety n., pjetà.
piezometer n., pjeżòmetru.
pig n., (zool.) ħanżir, porku, qażquż/qasquż, majjal. ***be piggish, to act like a ~;*** ħanżer. ***small ~;*** (zool.) qajżu. ***wild ~;*** ċingjal.

pigeon n., (ornith.) beċċun, ferħ tal-ħamiem, ħamiema. ***rock-~;*** ħamiema tal-barr. ***~-hole;*** kajżella. ***~ house;*** barumbara. ***wood ~;*** (ornith.) tudun.
pigment n., pigment.
pigmy adj., qerni.
pike n., (ichth.) lozzu.
pilaster n., madrab, plier.
pilchard n., (ichth.) saraga, sardellina.
pile n., gods, gozz, katasta, munzell, puntal.
pile v., geddes.
pile (up) v., għarrem.
piled (up) adj. & p.p., mbarraġ, mgeddes, mgħarrem.
pilfer v., berbex.
pilfered adj. & p.p., mnaqqar.
pilferer n., berbiex.
pilgrim n., pellegrin.
pilgrimage n., pellegrinaġġ.
piling n., tigdis.
piling (up) n., tibriġ.
pill n., pìllola.
pillage n., serq.
pillar n., għamuda, plier, (arch.) kolonna, pilastru.
pillow n., mħadda. ***lace ~;*** trajbu tal-bizzilla.
pillow-case n., investa.
pilose adj., piluż.
pilot n., bdot, pilota.
pilotage n., pilotaġġ.
pilous adj., piluż.
pimento n., piment.
pimp n., qaħħàb.
pimpernel n., (bot.) pimpinella.
pimple n., koċċa, ponta.
pin n., labra tar-ras. ***clothes-~;*** labra ta' l-inxir. ***safety ~;*** labra tas-sarwan. ***make ~s;*** labbar. ***fastening with ~s;*** hmiż, tehmiż.
pin v., hemeż, ipponta. ***she ~ned a rose on her gown;*** hemżet warda mal-libsa tagħha.
pinaster n., (bot.) prinjola salvaġġa.
pincers n., pinzetta, (artis.) tnalja.
pinch n., qarsa.
pinch v., qaras.
pinchbeck n., similòr.
pinched adj. & p.p., maqrus.
pine n., (bot.) arżnu, pin, prinjola. ***~ fir;*** (bot.) żnuber. ***~-cone;*** miżwet tal-prinjola.
pine v., tgħaxxex.
pine (away) v., nien.
pineapple n., (bot.) ananas, pajnapil.
ping-pong n., (g.) pingpong.
pink adj., roża.
pinnace n., (mar.) kajjikk.
pinned adj. & p.p. mehmuż.
pinning n., hemża, tehmiż.
pint n., pinta.
pioneer n., pajunier/ pijunier.
pious adj. & n., devot, qaddis.
piously adv., devotament.
pip n., bużerqum.
pip v., ċejjaq, pespes. ***pomegranate ~;*** ħabb ir-rummien.
pipartite adj., mtebbaq.
pipe n., ċirimella, kanna, kannol, pajp, pipa, tubu, żummara. ***gas ~;*** tubu tal-gass. ***to play the ~;*** żammar.
pipe-fish n., (ichth.) gremxula tal-baħar.
pipeclay n., pajpli.
piper n., ċirimellier, daqqâq taż-żaqq, rabbàb, żammàr, (ichth.) gallinetta, pampier.
pipit n., (ornith.) bilblun. ***red-throated ~;*** pespus aħmar. ***Richard's ~;*** bilbun sal-vaġġ jew tal-barr.
pipped adj. & p.p., mżammar.
pippistrel(le) n., (zool.) pipistrell.
piquant adj., pikkant.
pique n., pika, puntill, pikè, (g.) piket.
pique v., ippika.
piracy n., piraterija.
pirate n., (mar.) furban, kursàr, pirata.
piscine n., pixxina.
piss n., bewl, pixxa.
piss v., biel, pexpex, pixxa.
pissicato n., (mus.) pizzikat.
pistacchio n., (bot.) pistaċċa.
pistachio n., (bot.) fosdoq.
pistil n., (bot.) pistill.
pistol n., pistola.
piston n., (mus.) pistun, (mechan.) stan-tuff.
pit n., baqbieq, bolġa, fossa, hewwa, spiera, (theatr.) platèa.
pitch n., qatràn, żift. ***to be covered with ~;*** iżżeffet.
pitch v., (mar.) irrolja.
pitched adj. & p.p., mżeffet.
pitcher n., baqbieq, baqbuqa, bomblu, dorga, ġarra, kus, qannata, qolla, żir.
pitchfork n., ferkun, midra.
pitching n., tiżfit.
piteous adj., pjetuż.
piteously adv., pjetożament.
pitfall n., trabokk.
pith n., (med.) mudullun.
pitiable adj., miskin.
pitied adj. & p.p., magħdur.
pitiful adj., msejken.

pitiless adj., spjetat.
pittance n., ptanza.
pity n., ħasra, ħniena, miżerikordja, mogħdrija, reħma. ***have ~;*** ħenn. ***have ~ on those who are sick;*** ikkumpatixxi lil min hu marid. ***move to ~;*** ħannen. ***moved to ~;*** mħannen.
pity v., għader, ikkompatixxa/ikkumpatixxa, kiser qalbu, mesken.
pitying n., tagħdir.
piume n., rixa.
pivot n., pern.
pizza n., pizza.
plabby adj., moxx.
placard n., kartellun.
placate v., ipplaka.
placated adj. & p.p., mrażżan.
place n., lok, lokal, mkien, naħa, post. ***a burying ~;*** midfna. ***another ~;*** band'oħra. ***central ~;*** tokk. ***in that ~;*** hemm, hinn. ***to give ~;*** warrab. ***to take the ~ of;*** issostitwixxa, (leg.) issùrroga. ***I took his ~ during his illness;*** issostitwejtu matul il-marda li kellu.
place v., imposta, ippostja, nasab, poġġa, qiegħed.
placed adj. & p.p., mitqiegħed, mpoġġi, mqiegħed, minsub, sitwat. ***~ between;*** mbejjen.
placement n., kollokazzjoni.
placenta n., (anat.) bxima/pxima, plaċenta.
placid adj., ġwejjed, kwiet, pakat, plàċtu, rpużat.
placing n., teqgħid, timdid.
plagiarism n., plaġju.
plagiarist n., plaġjarju.
plagiary n., plaġju.
plague n., pesta.
plague v., impesta.
plague-stricken adj., impestat.
plain adj., evidenti, plejn, wati.
plain n., wita.
plainly adv., apertament, liberament.
plaintiff n., (leg.) kwerelant.
plait n., dafra, malja tax-xagħar, trizza.
plait v., dafar, tena, tewa.
plan n., pjan, pjanta.
plan v., ikkombina, ippjana, ippjanta, ipproġetta. ***what are you ~ning against me?;*** x'intom tikkombinaw kontrija? ***the architect ~ned a nice block of houses;*** il-perit ipproġetta blokk bini sabiħ. ***family ~ning;*** ippjanar tal-familja.
plane n., ċana, pjan, pjanura, varloppa, (techn.) rabott.
plane v., (artis.) inċana.
planet n., (astro.) pjaneta.
planetarium n., (astro.) planetarju.
planetary adj., planetarju.
planimetry n., planimetrija.
plank n., fallakka, planka, tavla. ***covered with ~s;*** ittavlat.
plank v., (techn.) ittavla.
planned adj. & p.p., ippjanat.
planner n., fassâl, proġettist.
plant n., impjant, pjanta, xitla. ***everlasting ~;*** (bot.) sempreviva.
plant v., (bot.) ħawwel, ippjanta, xettel, xittel. ***he ~ed flowers in his garden;*** xettel il-fjuri fil-ġnien tiegħu. ***he ~ed the garden with orange trees;*** ħawwel il-ġnien bis-siġar tal-larinġ. ***to ~ with trees;*** saġġar. ***the government ~ed trees along the road leading to the play ground;*** il-gvern saġġar it-triq li tagħti għall-grawnd.
plantain n, (bot.) kwalità ta' ħaxix. ***great ~;*** (bot.) bisbula/mesbula.
plantan n., (bot.) dolf.
plantation n., għars.
planted adj. & p.p., mħawwel.
planter n., ħawwiel, xettiel.
planting n., taħwil.
plaque n., plakka.
plasma n., (bot.) plażma.
plaster n., ġibs, stokk, taba.
plaster v., battam, ibbattma, ġebbes, kaħħal, kesa. ***the whitewasher ~ed all the wall of the garden;*** il-bajjad kaħħal il-ħajt kollu tal-ġnien.
plastered adj. & p.p., ibbattmat, mbattam, mkaħħal.
plastered adj., stukkjat.
plasterer n., kaħħâl, ġebbies.
plastering n., kisja, tikħil, tiġbis.
plastery adj., ġibsi.
plastic adj., plàstiku.
plastic n., plastik.
plastically adv., plastikament.
plasticity n., plastiċità.
plastron n., pjastrun.
plate n., plakka, platt, sjett, xtilliera. ***metal ~;*** pjanċa. ***soup ~;*** platt fond. ***dessert ~;*** platt tad-diżerta.
plate v., (artis.) ibbanja. ***he ~d with gold two small candle-sticks;*** ibbanja bid-deheb żewġ kandlieri żgħar.
plated adj., & p.p., banjat/ibbanjat.
platform n., blataforma, bradella, palk, pedana. ***conductor's ~;*** (mus.) podju.
plating n., banjatura.
platinum n., (min.) plàtinu.
platonic adj., platòniku.

platoon n., platun.
platter n., platt tal-fajjenza.
play n., (theatr. & liter.) dramm, plej. ***plot of ~;*** (liter.) trama.
play v., daqq, lagħab. ***he began to ~ upon words;*** jilgħab bil-kliem. ***to ~ with edged tools;*** lagħab man-nar.
play wright n., drammaturgu.
played adj. & p.p., mdaqqaq, milgħub.
player n., ġugatur, lagħàb, plejer.
playing n., logħob.
plea n., skuża.
plead v., iddefenda. ***he ~ed a case before the judge;*** iddefenda kawża quddiem l-imħallef.
pleasant adj., divertenti, ħluqi, pjaċevoli, rikreattiv.
please v., ikkuntenta, paxxa, qagħad. ***if you ~!;*** bona grazzja tiegħek. ***his last painting was meant to ~ the eye;*** l-aħħar pittura tiegħu kellha l-għan li togħġob lill-għajn.
pleased (with) adj., għoġob, sodisfatt. ***I will be ~ with whatever you give me;*** nikkuntenta b'dak kollu li tagħtini.
pleased adj. & p.p., ikkuntentat, magħġub, mogħġub, kuntent, mgħaxxaq, paxxut. ***~ to meet you;*** għandi pjaċir.
pleasure n., gost, għaxqa, għoġba, pjaċir, tagħxiq. ***to give ~;*** għoġob. ***to take ~ in;*** iddiletta.
pleasure v., għaxxaq.
pleat n., keffa, pieg/pjieg.
pleat v., ippjega.
plebiscite n., plebixxit.
plectrum n., (mus.) plettru.
pledge n., garanzija, impenn, pleġġ, rahan.
pledge v., ippleġġja.
pledging n., tirhin.
Pleiades n., (astron.) mħalla, trajja.
plenary adj., plenarju.
plenipotentiary adj., plenipotenzjarju.
plentiful adj., abbundanti. ***to be ~;*** abbonda.
plentifully adv., faġun.
plentitude n., milja.
plenty n., abbundanza, xebgħa.
pleonasm n., (gram.) pleonażmu.
pleonastic adj., pleonastiku.
pleura n., (anat.) plewra.
pleurisy n., (anat.) plewrite.
pliable adj., flessibbli.
pliers n., (artis.) tnalja.
plinth n., zokklatura, zokklu.
plod (along) v., irranka.
plot n., intriċċ, komplott, konġura, kumplott, nisġa.
plot (for building) n., plott.
plot (of a story) n., plott.
plot v., ikkonfoffa, ikkonġura, ikkumplotta, ikkunfoffa, ittrama, nassas.
plotter n., nassies.
plough n., moħriet.
plough v., ħarat. ***the farmer ~ed the field;*** il-bidwi ħarat l-għalqa. ***~ed frequently;*** msekkek.
plough-beam n., wasla ta' moħriet.
plough-handle n., katuħa.
plough-tail n., driegħ tal-moħriet.
ploughed adj. & p.p., maħrut, moħrut.
plougher n., ħarrât.
ploughing n., ħrit.
ploughman's stick n., għatla.
ploughshare n., lsien tal-moħriet, sikka.
plover n., pluviera. ***asiatic golden ~;*** (ornith.) pluviera żgħira. ***bartran's ~;*** pluvirott ta' denbu. ***geoffroy's sand-~;*** birwina tad-deżert. ***caspian ~;*** birwina ta' l-Asja. ***golden ~;*** pluviera. ***grey ~;*** pluviera pastarda. ***little ringed ~;*** monakella.
pluck v., nitef.
plucked adj. & p.p., mintuf, mnittef.
plucker n., nittief.
plucking n., nitfa, qalgħa, qligħ.
plug n., kavilja, (elect.) plagg.
plug v., sadd, tappap.
plug-hole n., (mar.) leġġ.
plum adj., boċni.
plum n., (bot.) għanbaqra.
plumbago n., pjombaġni.
plumber n., plàmer.
plume n., pinnaċċ, pjuma.
plumness n., godla.
plump adj., mlaħħam, qawwi.
plump (up) v., laħħam.
plumped adj. & p.p., mibrum.
plumpness n., taħxim.
plumpy adj., godli.
plunder v., qaxxar, siba.
plunderer n., ħattâf, sebbej.
plunge v., għaddas, għodos. ***he ~d the hat into the water;*** għaddas il-kappell fl-ilma.
plunged adj. & p.p., mgħaddas.
plunger n., għaddâs.
plunging n., għadsa, tagħdis.
plural n., (gram.) plural.
pluralism n., pluraliżmu.
plurality n., pluralità.
plush n., plaxx.
plutocracy n., plutokrazija.
pluvial adj., milwiem.
pluvial n., (eccl.) pivjal.

pluviometer n., pluvjòmetru.
pluvious adj., milwiem.
ply v., (mar.) ibbordja.
pneumatic adj., pnewmàtiku.
pneumatology n., pnewmatoloġija.
pneumonia n., (med.) ċmajra, pulmonite/pulmonèa. ***bronchial ~;*** (med.) bronko-pulmonite.
pneumonitis n., (med.) pulmonite/pulmonèa.
pneumothorax n., (med.) pnewmotoraċi.
pochard (ornith.) kwalità ta' għasfur. ***common ~;*** (ornith.) brajmla. ***red crested ~;*** brajmla tat-toppu aħmar.
pock-marks n., tiġdir.
pocket n., but, (g.) pòkit. ***air ~;*** erpokit. ***put something in one's ~;*** bewwet.
pocket v., imborża.
pod n., fosdqa, miżwed.
podagra n., (med.) pullagra.
podium n., zokklatura, (mus.) podju.
poem n., (liter.) poema, poeżija.
poet n., poeta.
poetaster n., poetastru, poeta tal-ħabba.
poetic(al) adj., poetiku.
poetically adv., poetikament.
poeticising n., poetizzazzjoni.
poetics n., poetika.
poetize v., ippoetizza.
poetized adj. & p.p., poetizzat.
poetry n., poeżija. ***epic ~;*** (liter.) èpika. ***write ~;*** ippoetizza.
point n., kwestjoni, nikta, pont, ponta, punt, tikka, waqt. ***with the sword ~;*** bil-ponta tas-sejf.
point v., ipponta, nikket, silet. ***he ~ed the revolver to his head;*** ippuntalu r-rivolver ma' rasu.
point (at) v., aċċenna b'sebgħu, fenda.
point (out) v., irrileva.
pointed adj. & p.p., mislut.
pointer n., minutiera, (zool) kelb tal-kaċċa.
points n., punteġġ. ***exceed the ~;*** boloq. ***that boy exceeded the ~ of the game;*** dak it-tifel boloq fil-logħba.
poison (oneself) v., issemmem.
poison n., semm, tosku, velenu.
poison v., intoska, ivvalena, ivvelena/avvelena, semmem.
poisoned adj. & p.p., intuskat, ivvelenat/avvelenat, mismum, msemmem. ***to be ~;*** issemmem.
poisoner n., semmiem.
poisoning n., ivvelenament/avvelenament, tismim.
poisonous adj., qattieli, semmiemi, velenuż.
poisonousness n., velenożità.
poke n., ċurniena, xkora.
poke v., deffes. ***he ~d his nose into other people's affairs;*** deffes imnieħru fil-ħwejjeġ ta' ħaddieħor.
poker n., ħadid tan-nar, (g.) powker.
polar adj., polari.
polarity n., polarità.
polarize v., ippolarizza.
pole n., arblu, ġejża, lasta, pal, wasla ta' moħriet, (astro.) pol. ***cornice ~;*** sopraporta. ***May~;*** arblu ta' Mejju.
polecat n., (zool) farrett.
polemic adj., polèmiku.
polemics n., polèmika.
polemize v., ippolemizza.
polenta n., pulenta.
police officer n., ġendarm.
police n., għaqda ta' pulizija. ***Head of the P~;*** kummissarju tal-pulizija. ***~ headquarters;*** depow. ***~ station;*** għassa, korp ta' l-għassa.
policeman n., kuntistabbli, pulizija, ġendarm, (hist.) żbirr.
policy n., polza. ***insurance ~;*** polza ta' l-assikurazzjoni.
polio n., (med.) poljo/poljomijelite.
poliomyelitis n., (med.) poljo/poljomijelite.
polish n., lostru. ***shoe ~;*** lostru taż-żraben, blakk.
polish v., ibblakka, illostra, naddaf, naqa.
polished adj. & p.p., ibblakkat.
polisher n., lustratur, naddàf, qasdàr.
polishing n., taħmil, (techn.) lustratura.
polite adj., dħuli, edukat, fabbli, galbat, pulit.
politely adv., edukatament, ġentilment.
politeness n., galanterija, galbu, kirjanza, pulitizza. ***code of ~;*** galatew.
political adj., polìtiku.
politically adv., politikament.
politician n., politikant, polìtiku.
politicize v., ippolitiċizza.
politics n., polìtika.
polka n., (mus.) polka.
pollack n., (ichth.) bakkaljaw.
polling n., votazzjoni.
pollute v., niġġes.
polluted adj. & p.p., mniġġes. ***to be ~;*** iddennes.
polluter n., dennies.
polychrome adj., polikromu.
polychromous adj., polikromu.
polychromy n., polikromija.
polyclinic n., midwa, poliklinika.
polygamist n., polìgamu.

polygamous adj., polìgamu.
polygamy n., poligamija.
polyglot n., poliglotta.
polygon n., polìgonu.
polynomial n., polinomju.
polyp n., (zool.) pòlipu.
polyphonic adj., (mus.) polifòniku.
polyphony n., (mus.) polifonija.
polypus n., pòlipu.
polysyllable n., (gram.) polisillabu.
polysyndeton n., (liter.) polisìndetu.
polytechnic adj., politèkniku.
pomade n., pomata.
pomatum n., pomata.
pomegranate n., rummiena.
pomfret n., strilja bagħlija.
pomp n., pompa.
pomposity n., pompożità.
pompous adj., pompuż.
pond n., bħajra, vaska. ***fish-~;*** vaska tal-ħut, msida.
ponder v., wiżen, xtarr.
ponderation n., użin.
pondered adj. & p.p., miżun, maħsub.
pontifical adj., (eccl.) pontifikali, pontifikal.
pontificate n., (eccl.) pontifikat.
pontificate v., (eccl.) ippontifika.
pontoon n., (mar.) barkun, pontun, puntun.
pony n., (zool.) pòni.
poodle n., pûdil.
pool n., għadira. ***fish ~;*** msida. ***swimming ~;*** pixxina. ***little ~;*** menqgħa.
poop n., (mar.) poppa.
poor adj., fqajjar, miskin, msejken, mxum, povru. ***~ man;*** povru. *poor cod;* (ichth.) mankana.
poor n., fqir. ***begrow ~;*** ftaqar. ***that man grew ~;*** dak ir-raġel ftaqar.
poorer comp.adj., afqar/ifqar.
Pope n., Papa.
poplar n., (bot.) luq.
poplin n., pòplin.
poppy n., (bot.) papavru, peprin, xaħxieħa.
popular adj., popolari.
popularity n., popolarità.
popularization n., popolarizzazzjoni.
popularize v., ippopolarizza.
popularly adv., popolarment.
populate v., ippòpola.
populated adj. & p.p., ippopolat/popolat, mgħammar.
population n., popolazzjoni.
populous adj., popoluż.
porcelain n., kina, porċellana.
porch n., (arch.) atriju, pòrtiku.
porcupine n., (zool.) porkuspin.
pore n., laħam tal-majjal, (anat.) por, (zool.) porku.
pornographic adj., pornogràfiku.
pornography n., pornografija.
porosity n., (phys.) porożità.
porous adj., poruż.
porphyry n., (min.) porfir.
porridge n., għasida.
porriger n., skutella.
porringer n., bieqja.
port n., portwajn, (mar.) port, sinistra. ***free ~;*** port frank.
portable adj., portabbli.
portage n., portatura.
portent n., tagħġib.
porter n., bewwieb, fakkin, ġarrier, newwiel, pastaż, purtinar. ***~'s lodge;*** purtinerija.
portfolio n., portafoll.
portico n., (arch.) pòrtiku.
portion n., biċċa, porzjon, qasma, qatgħa, sehem. ***lawful ~;*** (leg.) leġittima.
portrait n., ritratt, xbieħa.
portrait-painter n., ritrattista, xebbieħ.
portraitist n., ritrattista.
pose n., poża.
pose v., ippoża. ***that girl ~s only for great artists;*** dik it-tfajla tippoża biss lill-artisti kbar.
posed adj. & p.p., ippużat.
position n., pożizzjoni, qagħda.
positive adj., pożittiv.
positively adv., pożittivament.
possess v., ippossieda, ħakem.
possessed adj. & p.p., possedut.
possession n., possediment, pussess/possess. ***to take ~ of;*** impossessa, (leg.) approprija.
possessive adj., possessiv.
possessor n., possessur.
possibility n., possibbiltà.
possible adj., possibbli. ***to be ~;*** sata'.
possibly adv., possibbilment.
post n., pal.
post v., imposta, ippostja.
post-mark n., boll.
post-marking n., timbratura.
post-office n., posta, uffiċċju postali.
post-stamp n., boll.
postage n., postaġġ/pustaġġ. ***~ stamp;*** bolla.
postal adj., postali.
postcard n., kartolina postali, kartolina.
posted adj. & p.p., impustat.
poster n., kartellun, powster.

posterior adj., warrani.
posthumous n., pòstumu.
postil n., (leg.) postilla.
postilion n., postiljun.
posting n., impostazzjoni.
postlude n., (mus.) postludju.
postman n., pustier.
postmaster n., postmaster.
postone v., ippospona, irrimanda, siber, (leg.) iddiferixxa. ***he ~d the hearing of the witnesses for tomorrow;*** ippospona s-smigħ tax-xhieda għal għada. ***the judge has ~d the law case for a month;*** l-imħallef iddiferixxa l-kawża għal xahar ieħor.
postponed adj. & p.p., (leg. & parl.) pospost, differit, prorogat.
postponement n., pròroga, (leg.) differiment, posponiment, rinviju.
postulancy n., (eccl.) postulantat.
postulant n., (eccl.) postulant.
postulate n., (fil.) postulat.
postulate v., ippòstula.
postulation n., (eccl.) postulazzjoni.
postulator n., (eccl.) postulatur.
posture n., poża, qagħda.
pot n., nħasa. ***chamber ~;*** awrinar, xaqfa. ***cooking ~;*** borma.
pot v., (g.) ippottja.
potash n., (chem.) potassa/putassa.
potassium n., (min.) potassju.
potation n., bikkjerata.
potato n., (bot.) patata. ***mashed ~;*** patata maxx. ***boiled ~;*** patata mgħollija.
potsherd n., deffun, xaqqufa/ċaqqufa.
pottery n., fuħħar.
crockpottery n., fajjenza.
pouch n., but.
poulice n., ġbara, impjastru, (med.) kataplażma.
pound n., libbra. ***~ sterling;*** sterlina.
pound v., dekkek, għattan, hereż, saħaq.
pounded adj. & p.p., mdaqqaq, mehruż, midquq.
pounder n., saħħàq, saħħieq.
pounding n., sħiq, tehriż, tħażdiq, tidqiq, tisħiq.
pour (off) v., kewwes.
pour v., bidded, ferragħ, sawwab/sawweb.
poured adj. & p.p., mbidded. ***to be poured;*** issawwab.
pourer n., sawwàb.
pouring n., tifrigħ, tiswib.
pouring (out) n., tibdid.
pout v., għamel il-geddum, xeffef. ***silvery ~;*** (ichth.) nemusa tal-baħar.
poverty n., faqar, faqra, miżerja, povertà. ***extreme ~;*** qoħta.
powder v., għabbar, taħan. ***baking ~;*** bejkin pawder. ***face ~;*** terra. ***~ box;*** kaxxa tat-terra. ***~ puff;*** moppa tat-terra. ***~ magazine;*** (mil.) porvlista. ***vulcan ~;*** porvli.
power n., forza, potenza, poter, potestà, qawwa, setgħa.
powerful adj., fakultuż, felħan, gajjard, potenti, putent, setgħan. ***be ~;*** felaħ.
powerful v., issaħħaħ.
practicable adj., prattikabbli.
practical adj., fattibbli, pràttiku.
practice n., kostum, praktis, prassi, pràttika.
practise v., eżèrċita, ippràttika. ***he came to Malta to ~ his profession;*** ġie Malta biex jeżerċita l-professjoni tiegħu.
practised adj. & p.p., mġarrab, prattikat.
praetor n., pretur.
praise (oneself) v., tfaħħar.
praise n., foħrija, tifħir.
praise v., eżalta, faħħar, hellel, kanta, kellel. ***I cannot ~ you for what you have done;*** ma nistax infaħħarkom għal dak li għamiltu.
praised adj. & p.p., mfaħħar.
praiser n., faħħâr.
pram n., pramm.
prate v., iċċaċċra, lablab. ***he ~d all the time;*** qagħad jiċċaċċra l-ħin kollu.
prater n., lablàb, sersur.
pratincole n., (ornith.) kwalità ta' għasfur. ***common ~;*** (ornith.) perniċotta.
pratique n., (mar.) pratka.
prattle n., ċaċċarata.
prattle v., balbal, lablab, serser.
prattled adj. & p.p, mserser.
prattling n., sersir.
praxis n., prassi.
pray v., salla, talab. ***he ~ed God for peace;*** talab 'l Alla għall-paċi. ***pray!;*** bona grazzja tiegħek. ***to pray for the deceased;*** (eccl.) issuffraga.
prayed adj. & p.p., mitlub.
prayer n., orazzjoni, talba, (eccl.) pregjiera, suffraġju. ***evening ~;*** (eccl.) għasar. ***night ~;*** kumpieta. ***short ~;*** ġakulatorja, koronċina, kurunella.
praying adj., talban.
praying n., talb.
pre-emption n., (leg.) prelazzjoni.
preach v., (eccl.) ippriedka. ***I seem to be ~ing in vain;*** qisni qiegħed nippriedka lill-ħajt.
preacher n., predikatur. ***lenten ~;*** (eccl.) kwareżimalist.
preaching n., predikazzjoni.

preamble n., preàmbolu.
prebend n., (eccl.) prebenda.
prebendary n., (eccl.) prebendarju.
precarious adj., prekarju.
precaution n., prekawzjoni.
precede v., sebaq.
precedence n., preċedenza.
precedent n., preċedent.
precept n., kmandament, praċett/preċett.
precept n., tusija.
preceptor n., preċettur.
precious adj., magħżuż, prezzjuż.
precipice n., preċipizzju, rdum.
precipice n., ġarf, tiġrif.
precipitancy n., preċipitazzjoni.
precipitate n., preċipitat.
precipitate v., ġarraf, ippreċipita, kabras għal, tkabras, waqqa'.
precipitation n., preċipitazzjoni.
precipitous adj., rdumi.
precise adj., espress, preċiż.
precisely adv., appuntu, preċiżament, sew, sewsew.
precision n., eżattizza, preċiżjoni.
precocious adj., prekoċi.
precursor n., sebbieq, (eccl.) prekursur.
predecessor n., predeċessur.
predestinated adj., predestinat.
predestination n., predestinazzjoni.
predestine v., ippredestina.
predestined adj. & p.p., ippredestinat.
predication n., predikazzjoni.
predict v., basar, bassar, ħeber/ħabar, ipprofetizza.
predicted adj. & p.p., meħbur.
predicting n., tibsir.
prediction n., basra, taħbir.
predominance n., predominju.
predominant adj., predominanti.
predominate v., ippredomina.
preface n., preàmbolu, prefazzjoni, prefett, (eccl.) prefazju.
prefecture n., prefettura.
prefer v., iffavorixxa, ipprefera, ippreferixxa. ***he ~red poetry to prose;*** ipprefera l-poeżija mill-proża.
preferable adj., preferibbli.
preference n., preferenza.
preferred adj. & p.p., iffavorut, preferut/ippreferit.
prefigure v., fantas.
prefix n., (gram.) prefiss.
prefixed adj. & p.p., mwaqqat.
pregnancy n., ħbiela, tqala, (med.) gravidanza.
pregnant adj., inċinta, ħobla. ***become ~;*** ħobol.
prehistorical adj., preìstoriku.
prehistory n., preìstorja.
prejudicated adj. & p.p., (leg.) preġudikat.
prejudice n., dannu, (leg.) preġudizzju, ippreġùdika.
prejudicial adj., (leg.) preġudizzjali.
prelate n., (eccl.) prelat.
prelature n., (eccl.) prelatura.
preliminary adj., preliminari.
prelude n., (mus.) preludju.
premature adj., prematur.
premeditated adj., premeditat.
premeditation n., premeditazzjoni.
premise n., (phil.) premessa.
premium n., premju.
premonition n., teħbir.
preoccupation n., preokkupazzjoni.
preoccupied adj., preokkupat.
preparation n., apparat, preparament, preparazzjoni, studju, tiħjija.
preparatory n., preparatorju.
prepare v., ħejja, illesta, ipprepara, lesta. ***the housewife ~d supper for the family;*** il-mara ppreparat l-ikel għall-familja. ***the farmer ~d the field for seed;*** il-bidwi lesta l-għalqa għaż-żrigħ. ***to ~ the table;*** firex il-mejda.
prepare (food) v., keċner. ***her husband always ~s the food;*** ir-raġel tagħha dejjem ikeċner.
prepared adj. & p.p., mlesti, preparat, lest, studjat.
prepass v., ħata.
preposterous adj., assurd.
prepotency n., prepotenza.
prepuce n., bxula/pxula.
prepuse n., ħliefa.
prerogative n., prerogativa.
presage n., basra, bsir, presaġju, taħbir.
presage v., basar.
presbiterate n., (eccl.) presbiterat.
presbitery n., (eccl.) presbiterju.
presbyopic adj., (med.) prebìte.
presbyter n., (eccl.) presbìteru.
presbytery n., (eccl.) kanonika.
prescind (from) v., ipprexinda.
prescribe v., ippreskriva.
prescription n., (leg.) preskrizzjoni, (med.) riċetta.
presence n., preżenza. ***in the ~ of;*** quddiem.
present (oneself) v., xiref.
present adj., attwali, preżenti.
present n., don, għotja, mhiba, middija, preżent, rigàl, strina. ***at ~;*** dalħin, issa, preżentement. ***be ~;*** attenda, ħadar. ***to give a ~;*** irregala. ***make a ~;*** hieb. ***to***

make a ~ of; irrigala. *to make a ~ to;* irregala.
present v., idda, ippreżenta, irrigala, newwel, ta. *she ~ed a bouquet of flowers to her teacher on her name-sake;* ippreżentat bukkett fjuri lill-għalliema f'jum il-festa tagħha. *he ~ed me this watch;* irregalali dan l-arloġġ. *to ~ oneself;* wera ruħu.
presentable adj., preżentabbli.
presentation n., preżentazzjoni.
presented adj. & p.p., irrigalat, middi, mnewwel, mogħti, preżentat/ippreżentat.
presenter n., preżentatur.
presentiment n., presentiment, xamma.
preservation n., preservazzjoni.
preservative adj., preservattiv.
preserve v., ikkunserva, ippreserva, rafa'/refa', żamm.
preserved adj. & p.p., ikkunservat, merfugħ, preservat.
preside v., ippresieda.
presidency n., presidenza.
president n., bejlikk, president.
presidential adj., presidenzjali.
press (hard) v., għasar.
press (upon) v., ħaxken. *he pressed up somebody to the wall;* ħaxken lil xi ħadd mal-ħajt.
press n., magħsra, pressa. *printing ~;* mitbagħ.
press v., għafas, ikkriepa, ippressa, rass, stringa, tappan. *to ~ often;* rassas. *to ~ the grapes;* għasar il-għeneb.
pressed adj. & p.p., ippressat, magħfus, magħsur, marsus, mgħaffas, mgħażgħaż. *~ tight;* mrassa.
pressing n., għafsa, għasra, tagħfis, tagħfiġ, tagħżiż, taħżiq, tirsis.
pressman n., torkulier.
pressure n., għasra, pressa, pressjoni. *low blood ~;* pressjoni baxxa. *high blood ~;* pressjoni għolja. *to exercise ~ on;* ippressa.
prestidigitation n., bużullotta.
prestidigitator n., bużullottist, prestiġjatur.
prestige n., prestiġju.
presumption n., kburija, prużunzjoni.
presumptuous adj. & p.p., gwapp, mżattat, prużuntuż. *to be ~;* iżżattat.
pretence n., kewtiela, (leg.) pretest.
pretend v., ippretenda. *he does not ~ to be a scholar;* ma jippretendix li hu xi għaref. *to ~ to be very learned;* iddottra.
pretender n., pretendent. *~ to the throne;* pretendent għat-tron.
pretention n., pretensjoni.
pretentious adj., pretenzjuż.
preterite n., (gram.) pretèritu.
pretext n., kewtiela, skuża, (leg.) pretest.
pretty adj., grazzjuż, sabiħ, sbejjaħ.
prevail v., ipprevala.
prevailing adj., dominanti.
prevalence n., ħkim, ħokom.
prevent (from) v., impedixxa. *you must ~ him from doing this;* għandkom timpeduh li jagħmel dan.
preventer n., fixkiel.
prevision n., previżjoni.
prey n., priża.
price n., ħaqq, prezz, siwi. *low ~;* roħs. *lower in ~;* raħħas. *today the greengrocer lowered the ~ of the apples;* illum tal-ħaxix raħħas il-press tat-tuffieħ. *lowered in ~;* mraħħas. *raise the ~;* għalla.
price v., apprezza/ipprezza.
prick n., nigża.
prick v., niggeż.
pricked adj. & p.p., mniggeż.
pricking n., qris, tingiż.
prickly adj., niggieżi.
pride n., kburija, qilla, suppervja.
priest n., (eccl.) presbìteru, qassis, reverendu, saċerdot. *High ~;* Sommu Saċerdot. *officiating ~;* (eccl.) qaddies. *parish ~;* kappillan.
priestess n., saċerdotessa.
priesthood n., (eccl.) presbiterat, qsusija, saċerdozju.
priestly adj., saċerdotali.
prima donna n., (theatr.) diva.
primary adj., ewlieni, primarju. *~ school;* skola primarja.
primate n., primat.
primipara n., (med.) primìpara.
primitive adj., primittiv.
primogeniture n., (leg.) primoġenitura.
primrose n., (bot.) prìmula.
prince n., prinċep.
princedom n., prinċipat.
princely adj., prinċipesk.
princess n., prinċipessa.
principal adj., kapitali, prinċipali.
principal n., bejlikk, ċif, prinċipal.
principality n., prinċipat.
principally adj., prinċipalment.
principle n., prinċipju.
print v., ġibed, ipprintja, stampa, tebagħ. *this book was ~ed in the government printing press;* dan il-ktieb ġie mitbugħ fl-istamperija tal-gvern. *off-~;* estratt. *out of ~;* eżawrit.

printed adj. & p.p., mitbugħ, miġbud, stampat.
printer n., stampatur, stampier, tebbiegħ, tipografu. ***~'s chase;*** ċejs, ċess.
printing n., tbigħ, tiratura.
printing-press n., makna ta' l-istampar, stamperija, tipografija.
prior n., pirjol/prijur.
priorship adj., prijorat.
priory n., kunvent, prijorat.
prise v., skassa.
prism n., priżma.
prison n., ħabs, kalzri. ***to put into ~;*** bagħat il-ħabs. ***to lie in ~;*** weħel il-ħabs.
prison-warder n., ħabbies.
prisoner n., ħabsi, kalzrat/karzrat, priġunier.
private adj., privat.
privately adj., bil-moħbi.
privately adv., bil-mistur, privatament, taħtnijiet.
privation n., privazzjoni, tiċħid.
privilege n., privileġġ.
privileged adj., privileġġat.
prize n., premju.
prize v., stama. ***~ distribution;*** premjazzjoni.
probability n., probabbiltà.
probable adj., probabbli.
probably adv., aktarx, probabbilment.
probation n., probejxin.
probe n., (med.) speċill.
problem n., problema.
problematic(al) adj., problematiku.
proboscis (of insects) n., (zool.) probòxxidi.
procedure n., (leg.) proċedura.
proceed (against) v., (leg.) ipproċeda. ***now he ~ed legally against him;*** issa pproċeda kawża kontra tiegħu.
proceed v., avanza, issokta.
proceeding (from) adj. & pres.p., ġej. ***take legal ~s against;*** (leg.) ikkwerèla.
process n., proċess.
process v., (leg.) ipproċessa.
procession n., ġilwa, korteo, proċessjoni/pirċissjoni/purċissjoni. ***torchlight ~;*** fjakkolata.
proclaim v., ħabbar, ipproklama.
proclaimed adj. & p.p., mixhur, mniedi, proklamat.
proclamation n., bandu, proklama, proklamazzjoni.
procrastinate v., samsam, sarsar, tawwal, waħħar.
procrastinating n., tmaħħir.
procrastination n., dewmien, sarsir, tidwim, tul, twaħħir.
procrastinator n., dewwiem, ġebbied, mattàl, sarsàr, waħħar.
procreate v., nissel.
procreated adj. & p.p., mnissel.
procreation n., tinsil.
procreator n., nissiel, prokuratur.
procure v., ipprokura. ***~ a meeting;*** laqqa'.
procure (for) v., kisseb.
procured adj. & p.p., mkisseb, prokurat.
prodigal adj., prodgu, ħali.
prodigality n., ħalja.
produce n., prodott.
produce v., ipproduċa. ***to ~ again;*** irriproduċa.
produced adj. & p.p., prodott.
producer n., produttur, (theatr.) reġista.
product n., prodott. ***dairy ~s;*** lattiċini.
production n., produzzjoni.
productive adj., fèrtili, għallieli, produttiv.
productiveness n., produttività.
productivity n., produttività.
profanation n., profanazzjoni.
profane adj., profan.
profane v., niġġes, (eccl.) ipprofana.
profaned adj. & p.p., profanat.
profaner n., profanatur.
profanity n., profanità.
profess v., stqarr, (eccl.) ipprofessa.
professed adj., profess.
profession n., professjoni. ***medical ~;*** tabiberija, tbubija.
professional adj., professjonali.
professor n., professur.
professorship n., professorat.
profesy v., ipprofetizza.
profile n., profil.
profit n., gwadann, mgħax, profitt, qligħ.
profit v., ipprofitta, sewa. ***I hope that my son will ~ by your advice;*** nittama li ibni jipprofitta ruħu mill-parir tiegħek.
profit (from) v., approfitta.
profitable adj., fejjiedi. ***to be ~;*** fied, ikkonviena, miegħex.
profiteer n., profittatur.
profound adj., profond. ***to make ~;*** ipprofonda.
profound v., approfondixxa.
profoundly adv., profondament.
profume v., ipprofuma/ippurfuma.
profundity n., profondità.
profusely adv., bit-tberbiq.
profusion n., tberbiq.
progeny n., nisel.
prognosis n., (med.) pronjożi.
prognostic n., pronostku.

prognosticated adj. & p.p., mibsur.
programme n., programm. ***to draw up a ~;*** ipprogramma.
programmer n., programmatur.
programming n., programmazzjoni.
progress n., avanz, progress.
progressing n., progrediment.
progression n., progressjoni. ***arithmetical ~;*** progressjoni aritmetika. ***geometrical ~;*** progressjoni ġeometrika.
progressive adj., progressiv.
progressively adv., progressivament.
prohibit v., ipprojbixxa.
prohibited adj. & p.p., projbit, mimnugħ.
prohibiting n., timnigħ.
prohibition n., divjet, projbizzjoni. ***absolute ~;*** (leg.) divjet. ***strict ~;*** divjet.
project n., pjan, proġett.
project v., ipproġetta, xiref.
projection n., ħarrieġa, (arch.) gwarniċun.
projector n., proġekter, proġettist.
prolapse n., (med.) prolass.
prolapsus n., (med.) prolass.
proletarian adj., proletarju.
proletariat n., proletarjat.
prolific adj., faqsi, prolifiku
prolificate v., żiegħed.
prolix adj., proliss.
prolix n., ċarċu.
prolixity n., prolissità, tawl, tul.
prologue n., (liter.) pròlogu.
prolong v., ipprolunga, ġebbed, karkar, sarsar, stenda, tawwal. ***how much is he going to ~ the time?;*** kemm se jdum itawwal iż-żmien? ***the jury ~ed too much to give their verdict;*** il-ġurati ġebbdu wisq biex jagħtu l-verdett.
prolongation n., tawl, prolungament.
promenade n., passiġġata.
prominence n., prominenza.
prominent adj., prominenti. ***to be ~;*** rsalta.
promise n., kelma, promessa, wegħda.
promise v., ipprometta, ta l-kelma, wiegħed.
promised adj. & p.p., mitwiegħed, mogħud, mwiegħed.
promiser n., wegħied.
promising adj., promettenti. ***to be ~;*** ipprometta. ***he is a ~ boy;*** dan it-tifel jipprometti ħafna.
promissory adj., (leg.) promissorju.
promontory n., (geog.) promontorju.
promote v., ippromova, laħħaq. ***~ a meeting;*** laqqa'.
promoted adj. & p.p., mlaħħaq, promoss.
promoter n., promotur.
promotion n., promozzjoni.
prompt v., webbel.
prompted adj. & p.p., mnebbaħ.
prompter n., (theatr.) suġġeritur.
promptly adv., fis.
promptness n., prontezza.
promulgate v., ippromulga.
pronominal adj., (gram.) pronominali.
pronoun n., (gram.) pronom.
pronounce v., ippronunzja, lissen.
pronounced adj. & p.p., mlissen, pronunzjat.
pronunciation n., pronunzja.
proof n., prova.
prop n., puntal, rifda, riffied, riffieda.
prop v., rifed, riken, wieżen. ***to ~ well;*** riffed.
propaganda n., propaganda.
propagandist n., propagandist.
propagate v., ippròpaga, kattar, żara'.
propagation n., propagazzjoni.
propellor n., skrun.
proper adj., iġġustat, proprju/propju, tajjeb.
properly adv., debitament, propjament.
properties n., ħwejjeġ.
property n., fond, proprjetà/propjetà, (leg.) assi, beni. ***stolen ~;*** (leg.) refurtiva.
prophecy n., basra, profezija, tinbija.
prophesied adj. & p.p., mnabbi.
prophesy v., bassar.
prophet n., nabi/nibi, profeta, veġġent.
prophetic adj., profètiku.
prophetize v., nabba.
prophetized adj. & p.p., profetizzat.
prophylaxis n., (med.) profilassi.
propitious adj., propizju.
proportion n., daqs, proporzjon.
proportion v., ipproporzjona. ***they must ~ the punishment to the crime;*** għandhom jipproporzjonaw il-kastig mal-ħtija.
proportional adj., proporzjonali.
proportionalist n., daqqâs.
proportionally adv., proporzjonalment.
proportionate adj., adegwat, proporzjonat.
proportionate v., daqqas. ***we must ~ our expenditure to our income;*** irridu ndaqqsu n-nefqa skond il-mezzi tagħna.
proportioned adj., proporzjonat. ***to be ~;*** iddaqqas.
proposal n., proposta.
propose v., (parl.) ippropona. ***man ~s, God disposes;*** il-bniedem jipproponi u Alla jiddisponi.
proposed adj. & p.p., propost/ipproponut.
proposer n., (parl.) proponent.
propost n., propostu/prepostu.

propped adj. & p.p., mirfud, mirkun. ***well ~;*** mriffed.
propping n., tirfid.
proprietor n., padrun, possident, proprjetarju, sid.
propriety n., dekor.
prorogation n., pròroga.
prorogue v., (parl. & leg.) ipproroga.
prosaic adj., prożajk.
proscenium n., (theatr.) proxenju.
prose n., proża.
prosecute v., (leg.) ipproċessa.
prosecution n., (leg.) prosekuzzjoni.
prosecutor n., (leg.) akkużatur, prosekutur.
prosody n., prosodija.
prosopopea n., prosopopea.
prospect n., prospett, prospettiva.
prosperity n., floridezza, hena, prosperità, wixx.
prostate n., (anat.) pròstata.
prosthesis n., (gram.) pròtesi.
prostitute n., ġifa, prostituta, qaħba.
prostitute v., qaħħab, qoħob.
prostitute (oneself) v., tqaħħab.
prostitution n., prostituzzjoni.
prostrate v., birek.
protagonist n., (theatr.) protagonista.
protasis n., (gram.) pròtasi.
protect v., biġġel, ħàma, ipperċieda, ipprotieġa, ippurċieda, kennen.
protected adj. & p.p., mbiġġel, protett.
protection n., awspiċju, ħarsien, protezzjoni, qbiż għal xi ħadd, tbiġġil, (leg.) tutela.
protective adj., protettiv.
protector n., biġġiel, protettur, tutur, waqqâf.
protectorate n., protetturat.
protectorship n., protetturat.
protest n., protesta, (leg.) protest.
protest v., (leg. & parl.) ipprotesta. ***they ~ed against the new law;*** ipprotestaw kontra l-liġi l-ġdida.
protestant n., protestant.
protestantism n., protestantiżmu.
protested adj. & p.p., protestat.
prothesis n., (gram.) pròtesi.
protocol n., protokoll.
protomartyr n., protomartri.
protonotary n., (eccl.) protonotarju. ***Apostolic(al) ~;*** protonotarju appostoliku.
protoplasm n., protoplażma.
prototype n., prototip.
protozoa n., protożoa.
protozoal adj., protożoali.
protractor n., gonjòmetru.
protrude v., iżżakkar, żakkar.
protuberance n., bozzatura.
proud adj., buruż, kburi, mimli bih innfisu, minfuħ bih innifsu, mkabbar, orgoljuż, supperv. ***to become ~;*** issuppervja, kiber.
prove v., ġarrab, ipprova. ***you must ~ the truth;*** għandkom tippruvaw il-verità.
proved adj. & p.p., mħaqqaq, pruvat.
proveditor n., provditur/provveditur.
provenance n., provenjenza.
provenience n., provenjenza.
proverb n., proverbju, qawl.
proverbial adj., proverbjali.
proviant n., proviżjon.
provide v., ipprovda.
provided adj. & p.p., provdut/ipprovdut.
providence n., providenza/provvidenza.
providential adj., providenzjali/provvidenzjali.
provider n., fornitur.
province n., provinċja.
provincial adj., provinċjali.
provincial n., (eccl.) provinċjal.
provincialism n., provinċjaliżmu.
provision n., ħasba, ħażna, muna, provdiment/provvediment, proviżjon.
provisional n., proviżorju.
provisionally adv., proviżorjament.
provocation n., nbix, nibxa, provokazzjoni.
provocative adj., provokanti.
provoke v., eċċita, għaddab, ħamħam, ippròvoka, kebbes, qabbad, saħħan, sewwes, xewwex. ***he ~d him by his words;*** ipprovokah bi kliemu.
provoked adj. & p.p., minbux, mkebbes, msewwes, provokat.
provoker n., għaddâb, provokatur, xewwiex.
provoking adj., provokanti.
prow n., (mar.) pruwa.
prowl v., ħaf.
proximate adj., prossimu.
proxy n., (leg.) dèlega, prokura.
prudence n., prudenza.
prudent adj., għaqli, kawt, mgħaqqal, prudenti.
prudent n., bil-għaqal.
prune n., (bot.) pruna.
prune v., qaċċat, rmonda, żabar. ***he ~d the vines and the orange trees;*** żabar id-dielja u s-siġar tal-larinġ.
pruned adj. & p.p., miżbur, mżabbar.
pruner n., żabbàr.
pruning n., tiżbir, żabra, żbir.

psalm n., salm. ***book of ~s;*** (eccl.) salterju.
psalmist n., salmista.
psalmodic adj., salmòdiku.
psalmody n., salmodija.
psalter n., (liter.) psalterju, (eccl.) salterju.
psaltery n., salterju.
pseudonomy n., psewdònomu.
psoriasis n., (med.) psorìjasi.
psyche adj., psìkiku.
psyche n., psike.
psychiatrist n., (med.) psikjàtra.
psychiatry n., (med.) psikjatrija.
psychical adj., psìkiku.
psycho-analysis n., (med.) psikanaliżi.
psycho-analyst n., (med.) psikanalista.
psychological adj., psikolòġiku.
psychologically adv., psikoloġikament.
psychologist n., psikòlogu.
psychology n., psikoloġija.
psychopathic adj., (med.) psikopàtiku.
psychopathy n., psikopatija.
psychosis n., (med.) psikożi.
puberty n., pubertà.
pubescence n., (med.) pubexxenza.
public adj. & n., pubbliku, magħruf. ***make ~;*** ippùbblika. ***notary ~;*** nutar. ***~ convenience;*** latrina. ***~ place;*** tokk. ***in ~;*** pubblikament.
publican n., pubblikan.
publication n., pubblikazzjoni, xandir.
publicist n., pubbliċist.
publicity n., pubbliċità, reklam.
publicly adv., palelli, pubblikament.
publicly n., fil-beraħ.
publish (banns) v., nieda.
publish v., ippùbblika, samsar, stampa, xandar, xeher, xerred, xieher. ***he ~ed a book of poems;*** ippùbblika ktieb tal-poeżiji.
published adj. & p.p., maħruġ, mgħarraf, mniedi, msamsar, mxandar, mxerred, mxieher, pubblikat/ippubblikat.
publisher n., pubblikatur, xandâr, ħarrieġ il-kotba.
puckering n., ġmigħa.
pudding n., pudina. ***rice ~;*** pudina tar-ross. ***Christmas ~;*** pudina tal-Milied.
puddle n., għadira. ***full of ~s;*** mgħaddar.
puerile adj., puerìli, tifli.
puerility n., puerilità, tfulija.
puff n., nefħa.
puff-paste n., sfoll.
puffing n., nfiħ.
puffy adj., mbettaħ.
pugilist n., (g.) puġilista.
pule v., nagħa/niegħa, newwaħ.
pull n., ġibda.
pull v., ġibed. ***he ~ed the rope of the bell;*** hu ġibed il-ħabel tal-qanpiena. ***to ~ down;*** ġarraf, ħabbat ma' l-art. ***to ~ off;*** qala'. ***to ~ up;*** qala' mill-art. ***to ~ at the oars;*** (mar.) irranka.
pulled adj. & p.p., miġbud, mġebbed.
pulled (out) adj. & p.p., maqlugħ.
pullet n., għattuqa.
pulley n., taljola/tarjola, (mar.) parank.
pulling n., ġbid, qalgħa, qligħ, tiġbid.
pullman n., pullman.
pullover n., pulowver.
pullulate v., raħħas.
pulp n., ġodla, polpa.
pulpit n., manbar, perglu, pulptu.
pulsation n., pulsazzjoni.
pulse n., ġwież, polz.
pulverizer n., misħaq.
puma n., (zool.) puma.
pumice n., ħuffiefa.
pumice-stone n., ħuffiefa.
pump n., pompa, tromba ta' l-ilma.
pump v., ippompja.
pumper n., pumpjatur.
pun v., ballat.
punch n., ponċ, ponn., pulċinell, puntelli, punzun, rbus.
punch v., ippanċja.
punchy adj., boċni.
punctilio n., puntill.
punctilious adj., puntiljuż.
punctual adj., preċiż, puntwali.
punctuality n., puntwalità.
punctually adv., puntwalment.
punctuate v., ippunteġġja, ittikkja, nikket.
punctuated adj. & p.p., mnikket.
punctuation n., punteġġjatura.
puncture n., panċer. ***the tyre is ~d;*** ha panċer.
punded adj. & p.p., misħuq.
pungent adj., niggieżi, punġenti.
Punic adj., Pùniku.
punish v., għaddeb, ikkastiga.
punished adj. & p.p., ikkastigat, mgħaddeb.
punisher n., għaddieb.
punishing n., tagħdib.
punishment n., kastig, piena, punizzjoni, tagħdib. ***capital ~;*** piena tal-mewt.
punitive adj., għaddiebi, punittiv.
punner n., ballata, mazzaranga, (techn.) madaffa.
punnet n., marżebba.
punt n., (mar.) kenura.
pup n., ġeru.
pupil n., (anat.) alliev, pupilla, skular.
puppet n., marjunetta, pupu, trajbu. ***wooden ~;*** qaragoss.

puppy n., ġeru.
purchase n., xiri, xtara, (mar.) parank.
purchased adj. & p.p., mixtri.
purchaser n., xerrej.
pure adj., ċar, inkontaminat, pur, safi.
pured adj. & p.p., msawweb.
purèe n., purè.
purely adv., purament.
pureness n., purezza, safja.
purgative adj., purgattiv.
purgatory n., (eccl.) purgatorju.
purge n., (med.) porga, purgant.
purge v., ipporga.
purged adj. & p.p., ippurgat, msoffi.
purification n., purifikazzjoni, tisfija.
purificator n., (eccl.) purifikatur.
purificatory n., (eccl.) purifikatur.
purified adj. & p.p., ippurgat, misfi, msaffi, msoffi, purifikat/ippurifikat. ***to be ~;*** issaffa.
purify v., ippurìfika, saffa.
purism n., puriżmu.
purist n., purist.
puritan n., puritan.
purity n., bjuda, purità, safa/sefa.
purple adj., pavunazz. ***~ robe;*** porpra.
purpose n., għan, ħsieb, mira, skop, tir talmoħħ, (leg.) intent. ***on ~;*** apposta.
purpurin n., (chem.) porporina.
purse n., borża, portmoni. ***put in one's ~;*** imborża.
purslane n., morra, (bot.) burdlieqa.
pursue v., issokta, tarad. ***he ~d his investigations;*** issokta fit-tiftix tiegħu.
pursued adj. & p.p., mitrud, mtarrad.
pursuer n., (leg.) prosekutur.
purulent n., (med.) bil-marċa.
purveyor n., provditur/provveditur.
pus n., (med.) marċa, materja, puss, tidnija, widek.
push n., spinta, tefgħa.
push v., deffes, imbotta, ippuxxja, tafa'/tefa'. ***while some ~ others pull;*** min jiġbed u min jimbotta. ***do not ~ him for payment;*** toqgħodx tippuxxjah biex iħallas. ***to ~ one another mutually;*** ittâfa'. ***to ~ one's way in a crowd;*** ittoffa. ***to be ~ing;*** irranka.
push-chair n., puxċer.
pushed adj. & p.p., imbuttat, mitfugħ.
pusillanimous n., bla ħila.
pustle n., ponta. ***become full of ~s;*** iġġaddar.
pustule n., (med.) pustumetta.
put adj. & p.p., mpoġġi.
put v., nasab, poġġa, qiegħed. ***to ~ ashore;*** żbarka. ***to ~ aside;*** mwarrab, ġenneb. ***to ~ in;*** iddaħħal. ***to ~ off;*** waħħar. ***to ~ oneself forward;*** iżżarġan. ***to ~ out;*** sporġa. ***to ~ up;*** neffaħ. ***to ~ together;*** denneb, mdenneb.
putative adj., putattiv.
puteal n., ħerża.
putrefaction n., tiħrija, (med.) putrefazzjoni.
putrefy v., ħerra, ittiesef, niten.
putrescent adj., rejjieħi.
putrified adj. & p.p., mħerri.
putting n., tqegħid.
putty n., stokk.
puzzle n., ħaġa moħġaġa. ***crossword ~;*** (g.) tisliba.
py(a)emia n., (med.) pijemija.
pygmy n., pigmew, xendi.
pyjama n., libsa tas-sodda, piġama/paġama.
pylorus n., (anat.) piloru.
pyorrhoea n., (med.) pijorrea.
pyramid n., piramida/pilandra.
pyx n., (eccl.) pissidi.

Qq

quack n., ċarlatan, lablàb.
quadrangle n., kwadranglu.
quadrangular adj., kwadrangulari.
quadrant n., kwadrant.
quadratic adj., kwadràtiku.
quadrature n., kwadratura.
quadrilateral adj., kwadrilaterali.
quadrille n., kwadrilja.
quadrumanous adj., kwadruman.
quadrumvirate n., kwadrumvirat.
quadruped n., kwadrùpedu.
quadruple adj., kwàdruplu.
quadruple v., ikkwadrùplika.
quadruplicate adj., kwadruplikat.
quadruplicate v., ikkwadrùplika.
quadruplicated adj. & p.p., mrabba'.
quaff v., bekbek/begbeg, dekdek, legleg. ***he began to ~ wine one glass after another;*** beda jlegleg tazza nbid waħda wara l-oħra.
quaffer n., leglieg.
quail n., (ornith.) summiena.
quail v., libet.
quail-call n., kwaljarin.
quail-pipe n., kwaljarin.
quailing adj., liebet.
quake v., triegħed/rtiegħed.
quaking n., tregħid.
qualification n., kwalìfika, rekwiżit.
qualified adj. & p.p., kwalifikat.
qualify v., ikkwalìfika. ***he qualified for a headmaster;*** ikkwalìfika għal surmast ta' skola.
qualitative adj., kwalitattiv.
quality n., kwalità. ***of the highest ~;*** prim.
qualm n., skruplu.
quantitative adj., kwantitattiv.
quantity n., daqs, kwantità. ***a small ~;*** kemxa, koċċ. ***in great ~;*** rfus bi, ruxxmata
quarantine n., korantina, kwarantina.
quarrel n., battibekk, ġlieda, xarja. ***excited into ~;*** mġelled. ***excite ~s;*** ġelled. ***he excited ~s between two friends;*** ġelled żewġt iħbieb.
quarrel v., għamel xarja, iġġieled, ikkustinja, ikkwistjona, illìtika, tlewwem. ***all the time he ~s with his friends;*** il-ħin kollu jikkwistjona ma' sħabu. ***yesterday he ~ed with everybody;*** ilbieraħ illìtika ma' kulħadd.
quarrelsome adj., ġelliedi, litiġjuż.
quarry n., barriera, latnija.
quarryman n., żmarratur.
quartan ague n., (med.) kwartana.
quarter n., kwart.
quarter-deck n., (mar.) kassru.
quarters n., kwartier.
quartet n., (mus.) kwartett.
quartrain n., (mus.) kwartina.
quartz n., (min.) kwarz.
quassia n., (bot.) kwassja.
quaternary adj., erbgħi.
quaternary n., (geol.) kwaternarju.
quaterno n., (g.) kwatern.
quaver n., (mus.) kroma.
quavering n., tremolu.
queasiness n., taqligħ.
queen n., reġina, sultana. ***~ bee;*** duqqajsa.
queer adj., bizzarr, stramb.
quench v., ġieb fix-xejn, tefa. ***to ~ your thirst;*** qata' l-għatx.
quenched adj. & p.p., mitfi.
querulous adj., ħettufi.
quest n., inkjesta.
question n., kwestjoni, mistoqsija, (parl.) domanda, interpellanza.
question v., intèrroga, staqsa.
questionable adj., diskutibbli, kwestjonabbli.
questioned adj. & p.p., interrogat, mistoqsi, msoqsi, (parl.) domandat.
questioner n., saqsieq, (parl.) interrogant.
questionnaire n., kwestjonarju.
queue n., fila, kju, ringiela. ***to form a ~;*** iddenneb.
queue v., ikkjuwja.
quick adj., ħarkien, ħlusi, qabbieżi, ràpidu, tellieghi (fix-xogħol), veloċi.
quickly adv. , minnufih, biġri/bilġri, bil-għaġla, fis, malajr, veloċement.
quickly interj., isa.
quickness n., ħeffa, prontezza, tagħnit, tħabrik, żveltizza.
quicksilver n., (chem.) merkurju.

quiescense n., rpoż.
quiet (oneself) v., heda/hida.
quiet adj., ġwejjed, ħiemed, kalm, kiebi, kutu, kwiet, mans, mistrieħ, pakat, rejjaħ, rpużat, rżin, trankwill.
quiet n., hedu, kwiet, ħemda. ***~ and silent;*** liebet. ***to be ~;*** siket.
quiet v., hedda, ikkwieta, sikket.
quietly adv., kutu-kutu, trankwillament.
quietness n., heda/hida, kalma, kwiet, serħ.
quill n., lenbub, lenbuba, mazzarell, mserka.
quilt n., kutra kkutinata.
quilt v., (artis.) ittraponta.
quinary n., (pros.) kwinarju.
quince n., (bot.) sfarġla.
quinine n., (med.) kinina.
quinquennium n., kwinkwenju.
quinsy n., (med.) mard tal-grieżem.
quintain n., kwintana.
quintal n., qantàr.
quintessence n., btir.
quire n., manetta.
quit v., reħa. ***to be ~s;*** patta.
quite so interj., sintendi.
quiver n., roghdam.
quiz n., (g.) kwiżż.
quoit n., ċampla, ċappella.
quorum n., (leg.) kworum.
quota n., (leg.) kwota.
quotation n., ċitazzjoni, kwotazzjoni.
quote v., iċċita, ikkwota. ***he ~d the book from where he took that sentence;*** ikkwota minn liema ktieb ħa dik is-sentenza.
quoted adj. & p.p., kwotat/ikkwotat.
quotient n., kwozjent.

Rr

rabbet n., battent.
rabbi n., rabbi.
rabbinate n., rabbinat.
rabbinism n., rabbiniżmu.
rabbit n., (zool.) fenek; . *~ fish;* (ichth.) fenek il-baħar. *wild ~;* (zool.) fenek salvaġġ.
rabble n., il-karfa, marmalja, qerċma.
raccoon n., (zool.) rakkun; .
race n., ġens, ġirja, ġlajka, korsa, razza, (g.) maratona, tellieqa, tiġrija.
race v., tellaq.
racer n., tellieq, ġerrej.
rachety adj., (med.) rakìtiku.
rachitism n., (med.) rakitiżmu.
rack n., ħajbur, maxtura, xtilliera. *shoemaker's ~;* xtilliera ta' l-iskarpan.
racket n., (g.) ràket.
racoon n., (zool.) rakkun.
radar n., (techn.) radar.
radiant adj., immersaq.
radiate v., għanċeċ.
radiated adj. & p.p., mgħanċeċ.
radiation n., radjazzjoni.
radiator n., radjatur, redjejter.
radical adj., radikali.
radicalism n., radikaliżmu.
radically adv., radikalment.
radicated adj. & p.p., meħud.
radicle n., xenxul.
radio n., radju.
radioactive adj., radjoattiv.
radioactivity n., radjoattività.
radiogoniometer n., radjogonjòmetru.
radiogram n., radjogramm.
radiographic adj., radjografiku.
radiography n., radjografija.
radiological adj., radjolòġiku.
radiology n., (med.) radjoloġija.
radiometer n., radjòmetru.
radiometry n., radjometrija.
radiophony n., radjofonija.
radioscopic adj., radjoskòpiku.
radioscopy n., (med.) radjoskopija.
radiotherapeutic adj., radjoterapèwtiku.
radiotherapeutics n., radjoterapèwtika.
radiotherapy n., (med.) radjoterapija.
radish n., rafanella, (bot.) fġejla, fiġel.
radium n., (min.) radju.
radius n., radju.
raffia n., (bot.) raffja.
raft n., (mar.) ċattra.
rafter n., travu.
rag n., ċarruta.
ragamuffin n., ċerċur.
rage n., dagħdigħ, diksata, furja, furur, rabja. *to fly into a ~;* inkorla, tmasħan.
rage v., dagħdagħ, taħar.
ragged adj., diżutli. *to become ~;* iċċewlaħ.
raging n., rabjatura.
raglan adj., reglan. *~ coat;* ràglan.
ragout n., ragù. *cook ~s;* demmes.
rags n., raċanċ.
ragtag n., marmalja.
ragwort n., kubrita.
raid n., rejd. *air ~;* errejd.
raid v., irrejdja.
rail n., (ornith.) rallu. *~ at/against;* ċefa.
rails n., binarju.
railway n., transport bit-tren. *~ carriage;* vagun.
railway-man n., ferrovjier.
rain n., xita. *drizzling ~;* xita ħafifa, raxx tax-xita, rxiex. *heavy ~;* xita bil-ġarar, xita qawwija. *to ~ in torrents;* xita bil-qliel, is-sema għalaq għajnu. *threatening to ~;* temp tax-xita.
rain v., għamlet ix-xita. *to ~ heavily;* lanġas. *today it ~ed cats and dogs;* illum ix-xita l-ħin kollu tlanġas.
rain-coat n., inċirata, rejnkowt.
rain-gauge n., pluvjòmetru, udòmetru.
rainbow n., qawsalla.
rainy adj., milwiem.
raise (oneself) v., ntrafa'/rtafa'.
raise v., alza, arbùla, għolla, issossa, qajjem, rafa'/refa', rawwam, talla'/tella', waqqaf. *he ~d his eyes to heaven;* rafa' għajnejh lejn is-sema. *the father ~ed up his son on his shoulders;* il-missier talla' 'l ibnu fuq spallejh. *~ in price;* għolli.
raised adj. & p.p., arbulat, merfugħ, mgħolli, minsub, mitlugħ, mqajjem, mtalla', mwaqqaf. *to be ~;* ittalla'/ittella'.

raiser n., waqqâf.
raisin n., sultana, żbiba.
raising n., elevament, tagħlija, taqjim, taqwim, titligħ.
rake n., rixtellu.
rally n., ràli/reli.
ram n., tieni, (zool.) kibx, muntun, wett. ***the R~;*** (astron.) it-Tieni, Aries. ***young ~;*** (zool.) għabur.
ramble n., tixwil.
ramble v., iċċerċer, iġġiera, xiel/xal.
rambled adj. & p.p., mxekkek, mxewwel.
rambler n., xekkiek, xewwiel.
ramification n., fergħa, tifrigħ.
ramified adj. & p.p., mferragħ.
rampart n., bastjun, sur.
rancid adj. & p.p., mranġat. ***to grow ~;*** ranġat.
random (at random) adv., addoċċ.
ranged adj. & p.p., msarbat.
rank n., rank, sarbut/serbut.
rank v., irrankja. ***fallen in ~;*** dekadut.
ranked adj. & p.p., mranġat.
ranks n., sarbit.
ransom n., riskatt.
ransom v., feda, irriskatta.
ransomed adj. & p.p., mifdi.
ranunculus n., (bot.) ranunklu.
rape n., rapiment, rejp, stupru, (bot.) nevew.
rape v., irrejpja, stupra.
rapid adj., ràpidu, veloċi.
rapidity n., veloċità.
rapidly adv., bil-ġiri, veloċement.
rapine n., ħatfa.
rapture n., fetqa, ftuq, (asct.) èstasi, (med.) bażwa, ernja, (theol.) rapiment. ***to cause ~;*** bażwar.
raptured adj. & p.p., bażwi, miftuq.
rare adj., magħżuż, rari, ħâwi.
rarely adv., darba fil, darba fil-ħâwi, fill, rarament.
rarely n., darba fil-bogħod.
rareness n., rarità.
rarity n., rarità.
rascal n., birbant, manigold, maskalzun, rajjeb, żagħka.
rascality n., brikkunata.
rash adj., mferfex, temerarju. ***~ judgement;*** ġudizzju temerarju.
rash n., (artis.) raspa, (med.) raxx.
rasp v., irraspa.
rat n., (zool.) far, ġurdien. ***~-tail;*** (ichth.) ġurdien il-baħar.
ratafee n., ratafja.
ratafia n., ratafja.
ratchet n., reċit. ***~-wheel;*** rota bir-reċit.
rate n., rata, tariffa.
rather adv., aktarx, pjuttost. ***~ than;*** milli.
ratification n., (parl.) ratifika.
ratify v., ikkonferma, ikkonvàlida, (leg. & parl.) irratìfika.
ration n., raxin, razzjon.
ration v., irrazzjona.
rational adj., mgħaqqal, razzjonali, raġunat.
rationalism n., razzjonaliżmu.
rationalist n., razzjonalist.
rationalistic adj., razzjonalistiku.
rationed adj. & p.p., razzjonat.
rationing n., razzjonament.
ratting n., ċaqċiq.
rattle n., ċaqċieqa, ċuqlajta. ***death ~;*** tħarħir. ***have the death ~;*** ħarħar. ***the moribund has the death ~;*** il-moribond qiegħed iħarħar.
rattle v., ċekċek.
rattling adj. & p.p., ħarħari, mħarħar.
rattling n., ċaqċiq.
ravage n., devastazzjoni.
ravage v., iddevasta, siba.
ravaged adj. & p.p., misbi.
ravager n., devastatur.
rave v., hewden, taħar. ***the patient began to ~;*** il-marid kien qiegħed jhewden.
ravelin n., (mil.) rivellin/ravellin.
raven n., (ornith.) korvu.
raven v., leflef.
ravenous adj., klubi, miklub.
ravine n., rdum, ġorf.
raviolo n., ravjula.
ravish v., żverġna.
raw adj., nej.
ray n., merżuq, raġġ. ***starry ~;*** rajja tal-kwiekeb. ***brown ~;*** rajja tal-lixxa. ***shagreen ~;*** rajja tal-petruza. ***rough ~;*** rajja tar-ramel. ***first ~s of light;*** ħajta dawl.
razor n., mus tal-leħja.
re-established adj. & p.p., mraġġa'.
re-establishment n., ristabilment.
reach v., laħaq, newwel, wasal.
reached adj. & p.p., milħuq. ***to be ~;*** ltaħaq.
reacher n., newwiel.
reaching n., lħiq, tilħiq.
react v., irreaġixxa.
reaction n., reazzjoni.
reactionary n., reazzjonarju.
reactioner n., reazzjonarju.
reactor n., reattur.
read adj. & p.p., moqri.
read v., qara. ***he ~s the paper daily;*** hu jaqra l-gazzetta kuljum. ***to ~ again;*** qara mill-ġdid.

readable adj., leġġibbli, qarrej.
reader n., lettur, qarrej.
readiness n., prontezza.
reading n., lettura, qari. *~ room;* kamra tal-lettura.
ready adj., lest, pront. *make ~;* illesta.
reagent adj., (chem.) reattiv.
real adj., ġenwin, reali, veru.
realisable adj., realizzabbli.
realised adj. & p.p., realizzat.
realism n., realiżmu.
realist n., realist.
realistic adj., realistiku.
reality n., realtà. *in ~;* difatti.
realization n., realizzazzjoni.
realize v., fetaħ għajnejh, induna, irrealizza. *he ~d his mistake;* induna bl-iżball tiegħu. *he never ~d the danger he was in;* qatt ma rrealizza l-periklu li kien jinsab fih.
really adv., propjament, realment, tassew, verament.
realm n., qasam, saltna.
ream n., manetta, riżma/risma.
reanimated adj. & p.p., mistoħji.
reap v., ħasad.
reapened adj. & p.p., maħsud.
reaper n., ħassâd.
rear v., ippinna, rabba, rawwam. *he ~s cattle;* hu jrabbi l-bhejjem. *~ (as a stallion);* faħħal.
rear (up) v., qajjem, rafa'/refa', kabbar.
reared adj. & p.p., mrobbi.
rearing n., tifħil, torbija, trobbija.
reason adj. & n., dritt.
reason n., għaqal, kawża, motiv, raġun, raġunament, raġuni. *with good ~;* birraġun. *for no ~;* għalxejn. *for what ~;* għala.
reason v., irraġuna. *he ~s well, but he acts like a fool;* jirraġuna tajjeb, imma jimxi ta' iblah.
reasonable adj., raġunevoli, trattabbli.
reasoning n., raġunament.
rebeck n., (mus.) rebekkin.
rebel n., ribell. *~ troops;* truppi ribelli.
rebel v., irribella, rvella, xegħel.
rebelled adj. & p.p., mixgħul.
rebellion n., qawma tan-nies, ribelljoni, rvell, taqwim.
rebuke v., beżbeż, ċanfar, taħar.
rebuking n., ċanfir.
rebus n., rebus. *one-word ~;* (g.) monoverb.
recall v., ftakar.
recapitulation n., rikapitulazzjoni.
recede v., raġa' lura. *cause to ~;* hebbeż.
receipt n., rċevuta.
receive v., ħa, laqa', rċieva. *he ~d a letter from his brother;* rċieva ittra mingħand ħuh.
received adj. & p.p., milqi, milqugħ, rċevut.
receiver n., rċevitur, riċevitur.
recent adj., reċenti.
recently adv., reċentement.
reception n., rċeviment/riċeviment, trattament. *friendly ~;* akkoljenza. *welcome ~;* akkoljenza.
recess n., rokna.
recession n., reċessjoni.
recidivist n., reċidiv.
recidivous adj., reċidiv.
recipe n., riċetta.
reciprocal adj., reċìproku, xilxieni.
reciprocally adv., bit-tinwib, darba kull wieħed, reċiprokament, xulxin.
reciprocate v., irrikambja.
reciprocity n., reċiproċità.
recital n., (theatr.) reċitazzjoni.
recitation n., (theatr.) reċitazzjoni.
recitative adj., reċitattiv.
recite v., iddeklama, (theatr.) irrèċta. *he ~d a poem on the stage;* irreċta poeżija fuq il-palk. *I heard him reciting a poem by Dun Karm;* smajtu jiddeklama poeżija ta' Dun Karm. *to ~ the rosary;* qassat ir-Rużarju.
recited adj. & p.p., (theatr.) irreċtat.
reckless adj., temerarju.
reckon v., għadd.
reckoned adj. & p.p., magħdud.
reclamation n., reklamazzjoni.
recluse n., raheb.
recognition n., għarfien, rikonoxximent.
recognizable adj., konoxxibbli, rikonoxxibbli.
recognize v., għaraf, ikkonoxxa, irrikonoxxa. *he refused to ~ the girl as his daughter;* hu ma riedx jagħraf it-tifla bħala bintu.
recognized adj. & p.p., magħruf.
recollect v., ftakar.
recommend v., irrikkmanda. *he ~ed his soul to God;* irrikkmanda ruħu lil Alla.
recommendation n., rakkomandazzjoni, rikkmandazzjoni.
recommended adj. & p.p., kunsiljat, rikkmandat/irrikkmandat.
recompensate v., irrikompensa.
recompense n., rikompensa, ġiżja.
recompensed adj. & p.p., miġżi.
reconcile v., ħabbeb, irrikonċilja. *he ~d two families together;* irrikonċilja żewġ familji flimkien.

reconciled adj. & p.p., mberred, mbewwes, rikonċiljat. ***to be ~;*** issielem.
reconciler n., sewwej.
reconciliation n., rikonċiljazzjoni, tiswija.
reconnoitre v., tkixxef.
reconstituent n., (med.) rikostitwent.
reconstituted adj. & p.p., rikostitwit.
reconstruction n., rikostruzzjoni.
record n., (mus.) rekord. ***~ player;*** rekord plejer. ***gramaphone ~;*** diska.
record v., irrekordja.
recorded adj. & p.p., rekordjat.
recorder n., rekorder.
recourse b,m (leg.) rikors. ***to have ~ to;*** irrikorra.
recover v., ħa r-ruħ, rpilja. ***he never ~ed from his illness;*** qatt ma rpilja millmarda li kellu.
recover (health) v., fieq. ***I fear he will never ~;*** nibża' li ma jfiq qatt.
recovered adj. & p.p., mfejjaq, mistejqer.
recovery n., fejqan.
recreate v., irrikrea. ***he went to ~ himself in the garden;*** mar jirrikrea ruħu filġnien.
recreate (oneself) v., tfarraġ.
recreation n., divertiment, rikreazzjoni.
recreation n., tifriġ.
recreative adj., rikreattiv.
recruit n., (mil.) rekluta.
rectangle n., rettanglu.
rectangular adj., rettangulari.
rectification n., rettìfika, rettifikazzjoni.
rectified adj. & p.p., rettifikat. ***to be ~;*** issewwa.
rectifier n., rettifikatur.
rectify v., sewwa, (leg. & parl.) irrettìfika.
rectilined adj., rettilinju.
rectitude n., rettitudini, sewwa.
rector n., bejlikk, rettur.
rectorate n., retturat.
rectorship n., retturat.
recuperate v., rkupra.
recurrence n., rikorrenza.
recurrent adj., rikorrenti.
recurring adj., rikorrenti.
red adj., aħmar, ħamra. ***~ flag;*** bandiera ħamra. ***become or grow ~;*** ħmar.
red-hot adj. & p.p., mikwi.
redaction n., redazzjoni.
redbreast n., (ornith.) kwalità ta' għasfur. ***continental redbreast;*** (ornith.) pitirross.
redden v., ħammar.
reddened adj. & p.p., mħammar.
reddish adj., ħamri.
redeem v., feda, (leg.) ammortizza. ***Christ ~ed us;*** Kristu fdiena.
redeemed adj. & p.p., mifdi.
redeemer n., feddej, liberatur, redentur.
redemption n., fidwa, redenzjoni, tifdija, (leg.) ammortament.
redish adj., ixqar.
redness n., ħmura.
redpoll n., (ornith.) ġojjin. ***common ~;*** n., (ornith.) ġojjin salvaġġ. ***mealy redpoll;*** (ornith.) ġojjin salvaġġ.
redress v., benġel, irrimedja. ***~ the wrong;*** rpara.
redshank n., (ornith.) pluvirott. ***dusky ~;*** (ornith.) ċuvett. ***spotted ~;*** (ornith.) ċuvett.
reduce v., ċekken, ċkien, irriduċa.
reduced adj. & p.p., mnaqqas, ridott.
reduction n., ribass, riduzzjoni, tinqis.
redwig n., (ornith.) malvizz aħmar.
reed n., betbut, żummara. ***play the ~;*** betbet. ***to play the ~;*** żammar.
reed v., qassab.
reed-mace n., (bot.) buda.
reef n., (mar.) sikka, skoll, tinżlor.
reel n., (techn.) ċfullarija.
reel n., bobin, bżallu, lenbuba, mkebba, mserka, mħalla, rukkell.
reel v., ixxengel, kebbeb.
reeled adj. & p.p., mkebbeb, mlenbeb.
refectory n., refettorju.
refer (to) v., alluda, irrefera.
refer v., irriferixxa, samma'/semma'. ***these words do not ~ to you;*** dan ilkliem ma jirriferix għalikom.
referee n., (g.) referì.
referee v., (g.) irreffja.
reference n., referenza/riferenza, riferiment.
referendary n., referendarju.
referendum n., referendum.
referred adj. & p.p., riferut.
refine v., naddaf, rfina, saffa.
refined adj. & p.p., rfinut.
refiner n., rfinitur.
refinery n., raffinerija.
refining n., rfinitura.
refit n., rifitt.
reflect (upon) v., tiegħem.
reflect v., irrifletta, maħħaħ, tmiehel.
reflecting adj. & pres.p., riflettenti.
reflection n., rifless, riflessjoni, xtarra.
reflector n., riflettur.
reflex n., rifless.
reflexive adj., (gram.) riflessiv.
reform n., riforma.
reform v., ġedded, irriforma.
reformation n., riformazzjoni.
reformative adj., riformattiv.

reformatory n., riformatorju.
reformed adj. & p.p., mġedded, riformat.
reformer n., ġeddied, riformatur.
reforming n., tiġdid.
refractory adj., stinat.
refrain n., (liter. & mus.) ritornell.
refrain (from) v., trażżan.
refrain v., rażżan, astjena. ***he could not ~ from doing this;*** ma setax jastjeni li jagħmel dan.
refresh v., iffriska.
refreshing adj., berriedi, rifreskanti.
refreshment n., qirew, repò.
refreshments n., bibita.
refrigerator n., barrada, friġġ, refriġerejter.
refuge n., kenn, maħrab, miskennija, refuġju/rifuġju, rikòveru. ***to find ~;*** tkennen. ***to take ~;*** stkenn.
refugee n., refuġjat/rifuġjat.
refund v., (ban.) irrifonda. ***I must ~ him all the expenses;*** għandi nirrifondilu l-ispejjeż kollha.
refusal n., rifjut.
refuse n., rifjut, rmixk, skart.
refuse v., barra, irrifjuta, irrofta. ***he ~ed to work with us;*** irrifjuta li naħdmu flimkien.
refused adj. & p.p., irrifjutat, rifjutat.
refutation n., refutazzjoni.
regard n., rispett. ***as ~s to;*** inkwantu, rigward.
regard v., irrigwarda.
regarded adj. & p.p., miġjub.
regarding adv., inkwantu.
regarding prep., rigward.
regatta n., regatta, tiġrija tad-dgħajjes.
regency n., reġġenza.
regenerate v., irriġènera.
regenerated adj. & p.p., riġenerat.
regeneration n., riġenerazzjoni.
regent n., reġġent.
regicide n., qattiel ta' re, reġiċida, reġiċidju.
regime n., reġim.
regiment n., (mil.) riġment.
regiment v., irreġimenta.
regimentation n., reġimentazzjoni.
region n., naħa, reġjun, (geog.) żona.
regional adj., reġjonali.
register n., reġistru. ***land ~;*** katast.
register v., irreġistra.
registered adj. & p.p., mniżżel, reġistrat.
registrar n., reġistratur, (leg.) attwarju.
registration n., reġistrazzjoni.
regret n., dispjaċir.
regular adj., regolamentari, regolari.
regularity n., regolarità.
regularize v., irregolarizza.
regularly adv., regolarment.
regulate v., irrègola.
regulated adj. & p.p., mrieġi, regolat.
regulation adj., regolamentari.
regulation n., regolament.
regulator n., maqjes, regolatur.
regurgitate v., far.
rehabilitation n., riabilitazzjoni.
rehearsal n., (theatr.) riħersal.
rehearse v., ikkunċerta, irriħersja. ***yesterday they went to ~ the national anthem;*** il-bieraħ marru jikkunċertaw l-innu nazzjonali.
reign n., renju.
reign n., saltna.
reign v., irrenja, saltan. ***the king ~ed for six years;*** ir-re dam isaltan sitt snin.
reigned adj. & p.p., msaltan.
reimburse v., irrikompensa, irrimùnera, (ban.) irrifonda.
rein n., riedna.
reindeer n., (zool.) renna.
reinforced adj. & p.p., rinfurzat.
reinforcement n., rinforz.
reiterated adj. & p.p., mgħawweb.
reiteration n., reġġgħa, rġigħ, tirġigħ.
reject v., barra, eskluda, espella, irriġetta, skarta. ***the board ~ed his project at once;*** il-bord mill-ewwel eskluda l-proġett tiegħu.
rejected adj. & p.p., miċħud, respint, riġettat, skartat.
rejoice v., allegra, feraħ, ferraħ, thenna. ***the boy ~d with the book you gave him;*** it-tifel feraħ bil-ktieb li tajtu.
rejoiced adj. & p.p., allegrat, mferraħ.
rejoicer n., għaxxieq.
rejoicing n., tifriħ.
rejoinder n., (leg.) rèplika.
rejuvenate v., ixxebbeb. ***to be ~d;*** itteffel/ittiffel, ixxettel.
relapse n., rikaduta.
relapser n., (leg.) reċidiv.
relate v., għad, irrakkonta, irrefera, qal, samma'/semma', tarraf.
related adj. & p.p., irrakkontat, megħjud.
related adj., qarib.
relation n., relazzjoni, (leg.) referta.
relationship n., affinità, parentela, qrubija.
relative adj., relattiv, (leg.) konsangwinju.
relatively adv., relattivament.
relativeness n., relattività.
relator n., wassâl l-aħbarijiet.
relax v., aljena, irrilaksja. ***you need to ~ your mind;*** għandek bżonn li taljena ruħek.

relaxation n., reħi, rilassament.
relaxed adj. & p.p., merħi, mserraħ.
releaser n., liberatur.
relegation n., titrif.
relent v., ittaffa.
relevant adj., rilevanti.
relic n., (eccl.) relikwa.
relief n., rilîf, riljiev, solliev, witi. ***high ~;*** altu riljiev. ***low ~;*** bassu riljiev.
relieve v., għażża, issullieva, taffa. ***this pill ~s pain;*** din il-pillola ttaffi l-uġigħ.
relieved adj. & p.p., mistgħan, mserraħ, mtaffi, rpużat. ***to be ~;*** ħa n-nifs.
religion n., din, reliġjon. ***the Christian ~;*** id-din nisrani, reliġjon nisranija.
religiosity n., reliġjożità.
religious adj., qaddis, reliġjuż. ***assessor to a ~ order;*** (eccl.) definitur.
religiously adv., reliġjożament.
religiousness n., reliġjożità.
reliquary n., (eccl.) relikwarju.
relish n., togħma.
relish v., iggosta, tiegħem. ***I think they would ~ some wine after the meal;*** naħseb li jiggostaw daqsxejn inbid wara l-ikel.
relished adj. & p.p., iggustat, mtiegħem.
relishing n., tidwiq.
reluctantly adv., fuq demm id-dars.
remain v., baqa', fadal, qagħad, safa'. ***those words will always ~ in my memory;*** dak il-kliem se jibqa' dejjem f'rasi.
remainder n., bqija, fdal.
remained adj. & p.p., mifdul.
remains n., fdal, skart.
remanent n., bqija.
remark n., kelma, kumment, rimarka.
remark v., irrimarka.
remedy n., rimedju/rmedju.
remedy v., irrimedja, rmedja, rmiedja. ***there is a ~ for everything except death;*** għal kollox nistgħu nirrimedjaw minbarra għall-mewt. ***find a ~;*** irrimedja.
remember v., fakar, ftakar.
remembrance n., fakra, rikordju, tifkir.
remembrancer n., fakkâr.
remind v., fakkar.
reminded adj. & p.p., mfakkar, miftakar.
reminder n., fakkâr.
reminding n., tifkir.
reminiscence n., reminixxenza.
reminiscent adj., fakkari.
remission n., maħfra, remissjoni.
remit v., irrimetta.
remittance n., rimessa.
remittent adj., (med.) remittenti.
remnant n., fdal, skamplu.
remonstrance n., protesta, rimostranza.
remorse n., rimors.
remote adj., remot.
remotely adv., remotament.
removable adj., (leg.) amovibbli.
removal n., ġarr, qalgħa, trasferiment.
remove (oneself)v., warrab.
remove v., battal, neħħa, qala' minn xi mkien, żawwal/żewwel. ***~ those books from the table;*** neħħi dawk il-kotba minn fuq il-mejda. ***~d with much ado;*** mqandel. ***to ~ stains from;*** qarad.
removed adj. & p.p., mbiegħed, miġrur, mwarrab.
remover n., ġarrier.
remprimand v., liem.
remunerate v., ħallas, irrimùnera.
remunerated adj. & p.p., miġżi.
remuneration n., pedaġġ, rimunerazzjoni.
renaissance n., rinaxximent. ***the R~;*** ir-Rinaxximent.
rend v., ċarrrat, fellel, fettaq.
render n., ċarrati.
render v., irrenda.
rendering n., rendiment.
renegade n., rinnegat.
renew v., ġedded. ***he ~ed the lease of the house;*** ġedded iċ-ċens tad-dar.
renewal n., rinnovazzjoni.
renewed adj. & p.p., mġedded, mraġġa', mxettel. ***to be ~;*** iġġedded. ***this agreement cannot be ~;*** dan il-ftehim ma jistax jiġġedded.
renewer n., ġeddied.
renewing n., tiġdid.
rennet n., tames.
renounce v., wella/willa, (leg.) irrinunzja. ***the prince ~d the throne;*** il-prinċep irrinunzja għat-tron.
renounced adj. & p.p., mwilli, rinunzjat.
renouncement n., (leg.) rinunzja.
renouncer n., (leg.) rinunzjarju.
renouncing n., tulija.
renovation n., rinnovazzjoni, tiġdid.
renowned adj., ċelebri, famuż, rinomat.
rent adj. & p.p., mċarrat.
rent n., fetqa, kera, kirja, qanun, qbiela.
rent v., kera. ***he ~ed a house one hundred sterling a year;*** kera dar mitt sterlina fissena.
rental n., renta.
rented adj. & p.p., mikri.
renunciation n., (leg.) rinunzja.
reorganization n., riorganizzazzjoni.
repair v., dabbar, ġabbar, raqqa', rpara, sewwa. ***he ~ed the old painting;*** ġabar il-pittura qadima.

repaired adj. & p.p., miġbur, mraqqa'.
repairer n., ġeddied, raqqiegħ, sewwej. ***watch ~;*** arluġġar.
reparable adj., riparabbli.
reparation n., (leg.) riparazzjoni.
repatriation n., ripatrijazzjoni.
repayable adj., restitwibbli.
repeal n., (leg.) dèroga, rèvoka.
repeal v., (leg.) àbroga, (leg. & parl.) irrèvoka. ***he was ~ed the permission which was granted to him;*** irrevokawlu l-permess li kien ingħatalu.
repealable adj., (leg.) revokabbli.
repealed adj. & p.p., mneħħi, revokat, (leg.) abrogat.
repeat v., għawwed, irripeta, raġa'/reġa', tenna, (theatr.) ibbisja. ***he always ~s whatever he hears like a parrot;*** dejjem jirripeti dak li jisma' qisu pappagall. ***history ~s itself;*** l-istorja tirripeti ruħha. ***he ~ed his petition many times;*** tenna t-talba tiegħu bosta drabi.
repeated adj. & p.p., ibbisjat, mgħawweb, mtenni, replikat, ripetut. ***to be ~;*** ittenna.
repeatedly adv., ripetutament.
repeater n., għawwied.
repent v., nidem, sila, sogħob, xogħof. ***what have you to ~ of?;*** minn xiex għandkom tindmu?
repentance n., ndiema, pentiment, sogħba, xogħfa.
repentant adj., sogħbien, xogħfa.
repented adj. & p.p., mixgħuf, sogħbien.
repentent adj., niedem.
repenting n., tindim.
repertory n., (theatr.) repertorju.
repetition n., reġgħa, ripetizzjoni, rġigħ, tagħwid, tirġigħ, titnija, (leg.) rèplika, (liter. & mus.) ritornell.
replace v., issostitwixxa, issupplixxa, (leg.) issùrroga. ***he ~d of the Maltese teacher for some time;*** issupplixxa l-għalliem tal-Malti għal ftit żmien.
replaced adj. & p.p., mraġġa'.
replacement n., sostituzzjoni.
replant v., għarras.
replanted adj. & p.p., mxettel. ***to be ~;*** ixxettel.
replanting n., tixtil.
replete adj., mimli.
reply n., risposta.
reply v., wieġeb, (leg. & parl.) irrèplika.
report n., rapport, (leg.) referta.
report v., irrapporta, irrefera. ***the journalist ~ed the facts very well;*** il-ġurnalist irrapporta l-każ tajjeb ħafna.
reported adj. & p.p., għżat, irrappurtat/rappurtat.
reporter n., gazzettier, relatur, riporter/reporter, wassâl l-aħbarijiet.
repose n., raqda, rpoż, tisriħ.
repose v., rpoża, ħa nifs.
reposed adj. & p.p., mistrieħ.
reprehend v., ħasel lil.
reprehended adj. & p.p., maħsul.
reprehension n., (leg.) reprensjoni.
represent v., irrappreżenta, sawwar. ***this picture ~s the fall of the angels;*** dan il-kwadru jirrappreżenta l-waqgħa ta' l-anġli.
representation n., rappreżentanza, rappreżentazzjoni. ***proportional ~;*** (parl.) rappreżentanza proporzjonali.
representative adj., rappreżentattiv.
representative n., aġent, rappreżentant, (parl.) deputat.
represented adj. & p.p., muri, rappreżentat.
repress v., ħakem, liġġem, rażżan, żamm. ***he ~ed his anger;*** rażżan id-dagħdigħa li kellu.
repression n., repressjoni.
repressor n., rażżàn.
reprimand n., tbeżbiż, tħir.
reprimand v., beżbeż, ċanfar, wissa.
reprimanding n., ċanfir.
reproach n., ċamata, rifront.
reproach v., beżbeż, ċanfar, liem, taħar, żgajja. ***he ~ed us for not arriving in time;*** hu liemna għax ma wasalniex fil-ħin. ***~ severly;*** ħasel lil.
reproached adj. & p.p., maħsul, mċanfar, milum, mriegħex.
reproaching n., tilwim.
reproduce v., irriproduċa.
reproduced adj. & p.p., riprodott.
reproduction n., riproduzzjoni.
reproductive adj., riproduttiv.
reprove v., ċanfar, liem.
reproved adj. & p.p., maħsul, mriegħex.
reptile n., (zool.) rèttili.
republic n., repubblika.
republican adj., repubblikan.
repugnance n., stmerrija, titgħib.
repugnant adj., ributtanti.
repulse v., irrespinġa.
reputation n., fama, ġieħ, reputazzjoni. ***to give a bad ~;*** ittimbra. ***it was a serious blow for his ~;*** ittimbrat mill-agħar.
request n., rikjesta, talba. ***~ for marriage;*** ħotba.
request v., talab.
require v., ambi, esiġa, għamba, irrekjieda/irrikjieda, ried, talab.

requirement n., bżonn.
requisite adj., minħtieġ.
requisite n., kwalìfika, rekwiżit.
requisition n., rekwiżizzjoni.
requisition v., irrekwiżizzjona. ***the government ~ed many houses;*** il-gvern irrekwiżizzjona ħafna djar.
requisitioned adj. & p.p., rekwiżizzjonat.
requited adj. & p.p., mpatti.
resale n., rivendizzjoni.
rescindible adj., rexindibbli.
rescission n., (leg.) rexissjoni.
rescript n., (leg. & eccl.) reskritt.
rescuer n., salvatur.
research n., riċerka, tiftix.
researcher n., fellej.
resemblance n., lemħa, mxiebha, tixbih, xbieha, xebh. ***to bear ~;*** ixxebbah. ***those two boys do not bear any ~ to each other;*** dawk iż-żewġ subien ma jixxiebhu xejn.
resemble v., fula maqsuma, ixxiebah, xebah, xebeh.
resembled adj. & p.p., mixbuh, mixxiebah.
resent v., ħass.
resentful adj., merfugħ, mikdud.
reservation n., riserva.
reserve n., riserva.
reserve v., (leg. & parl.) irriserva. ***these seats have been ~d for us;*** dawn issiġġijiet kienu riservati għalina.
reserved adj. & p.p., riservat.
reservoir n., ġibjun, riservwar.
reside v., àbita, għammar.
residence n., qagħda, residenza. ***nuncio's ~;*** (eccl.) nunzjatura.
resident n., abitant, għammâr, resident.
residential adj., residenzjali.
residuary adj., (leg.) residwarju.
residue n., residwu.
resign v., ċeda/ċieda, iddimetta, irrisenja/irriżenja. ***Paul ~ed from his office;*** Pawlu ddimetta mill-offiċċju tiegħu. ***he was compelled to ~;*** kien imġiegħel jirriżenja.
resignation n., dimissjoni, rassenjament, rassenjazzjoni, riżenja.
resigned adj. & pp., rassenjat, sieber.
resigner n., dimissjonarju.
resin n., raża.
resist v., irreżista, żamm iebes.
resistant adj., reżistenti.
resistence n., reżistenza.
resisting adj., reżistenti.
resolute adj., deliberat, riżolut.
resolutely adv., riżolutament.
resolution n., proponiment, riżoluzzjoni, (parl.) deliberazzjoni.
resolutive adj., riżoluttiv.
resolve v., iddeċieda, irriżolva, qata', rsolva.
resolved adj. & p.p., deliberat.
resonance n., risonanza.
resort v., irrikorra. ***seaside ~, summer ~;*** villeġġjatura.
resound v., damdam, demdem, rbomba. ***the cannon ~ed everywhere;*** l-isparar tal-kanun rbomba kullimkien.
resounded adj. & p.p., midwi.
resounding n., damdim.
resource n., riżorsa.
respect n., ġieħ, rispett, tweġġiħ.
respect v., biġġel, irrispetta, qiem, stima.
respectability n., rispettabbiltà.
respectable adj., rispettabbli, stimabbli.
respected adj. & p.p., miġjub, mweġġaħ, rispettat, stmat.
respectful adj., rispettuż.
respectfulness n., qima.
respective adj., rispettiv.
respectively adv., rispettivament.
respiration n., nifs, (med.) respirazzjoni.
respirator n., (med.) respiratur.
respiratory n., respiratorju.
respire v., tniffes.
respiring n., tinfis.
respite n., pròroga, sbir.
respite v., siber.
resplendent adj. & p.p., middi, risplendenti.
responsability n., responsabbiltà.
responsable adj., responsabbli.
response n., respons.
responsorial adj., responsorjali.
responsory n., (eccl.) responsorju.
rest (against) v., ittèka.
rest n., bqija, fdal, qajl, raqda, serħ, tisriħ, waqfa. ***at ~;*** rejjaħ.
rest v., fatar, rpoża, strieħ/straħ. ***to go to ~;*** strieħ/straħ.
rest (on) v., issiegħen, twieżen.
rest (oneself) v., ħa nifs, isserraħ. ***until he arrived home he ~ed on me;*** sakemm wasal id-dar qagħad jisserraħ fuqi. ***to be ~ed;*** isserraħ.
restaurant n., restorant/ristorant.
rested adj. & p.p., mistrieħ, mserraħ, rpużat.
restitution n., radda, restituzzjoni.
restless adj., inkwiet. ***to be ~;*** qelel, qileq.
restlessness n., mqorbija, taqliq.
restoration n., restawr, restawrazzjoni.
restore v., ġedded, radd, (artis.) irre

stawra. ***the parish priest is ~ing the church;*** il-kappillan qiegħed jirrestawra l-knisja.
restored adj. & p.p., mardud, mistoħji, restawrat.
restored v., iġġedded.
restorer n., ġeddied, restawratur, sewwej.
restoring n., tiswija.
restrain v., ħakem, liġġem, rażan, rażżan, rigen.
restrained adj. & p.p., mirżun, mliġġem.
restrain (oneself) v., trażżan.
restrainer n., liġġiem.
restraint n., lġiem, rtenn.
restrict v., irrestrinġa.
restricted adj. & p.p., limitu, ristrett.
restricting n., tidjiq.
restriction n., restrizzjoni.
restrictive adj., dejjieqi, (leg.) restrittiv.
result n., riżultat, (leg.) èżitu.
result v., irriżulta. ***it ~ed in a useless attempt;*** irriżulta li kien kollox għalxejn.
resultant adj., riżultanti.
resume v., (parl.) irresuma.
resurrected adj. & p.p., rxuxtat.
resurrection n., qawma mill-mewt, qawmien, resurrezzjoni, rxoxt.
resuscitate v., rxoxta.
resuscitated adj. & p.p., rxuxtat.
retained adj. & p.p., mbaqqa', miżmum.
retaliate v., irritalja.
retaliation n., ritaljazzjoni.
retard v., irritarda, miehel, tlajja, tmiehel.
retardation n., tmehil.
retarded adj. & p.p., mdewwem, mitmiehel.
retch v., ivvômta.
reticence n., retiċenza.
reticent adj., retiċenti.
retina n., (anat.) rètina.
retinitis n., (med.) retinìte.
retinue n., akkompanjament, sègwitu.
retire v., rtira. ***he ~d from work yesterday;*** rtira mix-xogħol il-bieraħ.
retired adj. & p.p., maħġub, miġbur, rtirat, waħdien.
retirement n., segregazzjoni.
retouch n., rtokk.
retouch v., (theatr.) rtokka.
retouched adj. & p.p., rtukkat.
retouching n., rtukkatura.
retract v., rtira, (leg.) irritratta.
retracted adj. & p.p., rtirat.
retraction n., ritrattazzjoni.
retreat n., kenn, rtir, rtirata.
retribution n., retribuzzjoni.
retroactive adj., (parl. & leg.) retroattiv. ***~ law;*** liġi retroattiva.
retroactivity n., retroattività.
retrocession n., retroċessjoni.
retrograde n., retrògradu.
retrospective adj., retrospettiv.
return n., restituzzjoni, ritorn.
return v., irritorna, radd, raġa'/reġa', raġġa', (leg.) irrestitwixxa, (g.) irribatta. ***he ~s home every day;*** jirritorna d-dar kuljum. ***please, ~ that book;*** jekk jogħġbok roddli dak il-ktieb lura. ***Paul never ~ed home;*** Pawlu qatt ma raġa' lura d-dar.
returnable adj., restitwibbli.
returned adj. & p.p., restitwit.
returning n., rġugħ, tirġigħ.
reunion n., rijunjoni.
rev up v., irrejsja.
reveal v., għarraf, irrivela, kixef, żvela.
revealed adj. & p.p., mkixxef, rivelat.
revel v., ibburdella, ikkukkanja, ixxala, tbahrad.
revelation n., rivelazzjoni.
reveller n., xalatura.
revenge n., nfexxa, vendetta.
revenge v., ivvèndika.
revengeful adj., vendikattiv.
revenue n., introjtu, renta.
reverberate v., rbomba.
reverence n., biġla, ġieħ, inkin, riverenza, tweġġiħ.
reverence v., qiem.
reverend n., reverendu. ***right ~, most ~;*** (eccl.) reverendissimu. ***~ gentleman;*** reverendu.
reverential adj., riverenzjali.
reverse adj. & p.p., bil-maqlub.
reverse n., rivers. ***into ~;*** bir-rivers.
reverse v., (techn.) irriversja.
reversibility n., riversibilità.
reversible adj., reversibbli.
review n., reċensjoni, rivista, (mil.) brigata, parata, rivista.
review v., irriveda.
reviewer n., reċensur.
revile v., għajjar, ta lsien, (leg.) inġurja.
reviled adj. & p.p., mgħajjar.
reviler n., għajjâr.
reviling n., tagħjir.
revilment n., tagħjir.
revise v., irriveda, rtokka.
revised adj. & p.p., rivedut, rtukkat.
reviser n., reviżur.
revision n., reviżjoni.
revival n., qawmien, risorġiment.
revive v., ħeja, rxoxta. ***be ~d;*** staħja.
revived adj. & p.p., mistoħji, moħji.
revocable adj., (leg.) revokabbli.

revocation n., (leg.) rèvoka.
revoke v., (leg. & parl.) àbroga, irrèvoka.
revoked adj. & p.p., revokat, (leg.) abrogat.
revolt n., qawma tan-nies, rewwixta, ribelljoni.
revolted adj. & p.p., mxewwex.
revolution n., (astro.) rivoluzzjoni.
revolutionary n., rivoluzzjonarju.
revolutionize v., irrivoluzzjona.
revolver n., revolver/rivolver.
reward n., ġiżja, premju, retribuzzjoni.
reward v., idda, ippremja, irrikompensa. ***I must ~ him for this kind action;*** irrid nirrikompensah għal dan ix-xogħol ta' ħniena.
reward v., ġeża.
rewarded adj. & p.p., miġżi.
rhagades n., (med.) ragadi.
rhapsody n., (mus.) rapsodija.
rhetoric n., rettòrika.
rhetorical adj., rettòriku.
rhetorically adv., rettorikament.
rheum n., (med.) katarru.
rheumatic adj., (med.) rewmàtiku.
rheumatism n., (med.) rewmatiżmu/ramatiżmu.
rhinoceros n., (zool.) rinoċeronti.
rhizoma n., (bot.) riżoma.
rhododendrum n., (bot.) rododendru.
rhomb n., rombu.
rhomboid n., rombojd.
rhomboidal adj., rombojdali.
rhubarb n., (bot.) rabarbru.
rhyme n., taqbil, (liter.) rima. ***to be in ~;*** qabel.
rhyme v., irrima.
rhymed adj. & p.p., irrimat, mqabbel.
rhymer n., qabbiel.
rhythm n., ritmu.
rhythmic(al) adj., rìtmiku.
rhythmically adv., ritmikament.
rhythmics n., rìtmika.
rib n., (anat.) dewlgħa, kustilja. ***~ of a boat, or a ship;*** (mar.) majjiera.
ribband n., dugħ.
ribbon n., żagarella/żigarella.
ribes n., (bot.) ribes.
rice n., ross. ***~ ball;*** aranċina.
rich adj., għani, rikk, sinjur. ***to become ~;*** files, għamel il-flus, stagħna.
richer comp.adj., agħna, ogħna.
riches n., għana, miel.
richness n., ġid, rikkezza.
ricinus n., (bot.) riġnu/riċnu.
rick n., munzell.
rid v., ħeles minn. ***to get ~;*** qata' barra.
ridable adj., rikkiebi.
ridden adj. & p.p., mirkub, mrikkeb.
riddle n., ħaġa moħġaġa, enigma, indovinell, rebus.
ride n., rikba.
ride v., rikeb.
rider n., rikkieb.
ridge n., ġejża, għarus il-Ħadd.
ridicule v., ikkuljuna, irridìkola.
ridiculous adj., ridìkolu.
ridiculousness n., gagata, ridikolaġni.
riding adj., riekeb.
riding n., rikba, rkib.
riff-raff n., rmixk.
rifle n., (mil.) azzarin, xkubetta.
rifleman n., (mil.) fuċillier.
rift n., xaqq.
rigging n., (mar.) pavaljun.
right adj. & n., dritt, korrett, leġittmu, rett, wieqaf, xieraq.
right adv., tajjeb.
right n., ħaqq, jedd, raġun. ***all ~;*** orrajt, owkey. ***on the ~ side;*** fuq il-lemin. ***the ~;*** lemini. ***to be ~;*** issewwa.
rightly adv., bissewwa, ġustament.
rigid adj., qalil, rìġidu, żorr.
rigidity n., herra.
rigmarole n., għajdun.
rigorous adj., rigoruż.
riguery n., brikkunata.
rim n., ċirku. ***~ of a wheel;*** rimm.
rime n., (liter.) rima.
rime v., irrima.
rimed adj. & p.p., irrimat.
rimer n., (mek.) rajma.
rimming n., orlatura.
rind n., qoxra, anell.
ring n., ċurkett, ħâtem, malja. ***~ finger;*** saba' tal-ħâtem. ***rosette or diamond ~;*** rużetta.
ring v., ċempel, ċenċel, dandan, daqq. ***~ the bell, please;*** jekk jogħġbok ċempel il-qanpiena. ***~ a knell;*** daqq ħabar.
ringing n., ċempil.
ringleader n., kapurjun.
ringworm n., (med.) tienja, ħżieża.
rinse v., baħbaħ, ixxakkwa, laħlaħ. ***~ that sheet again;*** laħlaħ dak il-liżar mill-ġdid. ***~ repeatedly;*** naffad.
rinsed adj. & p.p., mbaħbaħ, mlaħlaħ.
rinser n., naffàd.
rinsing n., laħliħ, tbaħbiħ.
riot v., ġileb.
rip n., fetqa.
rip v., fetaq, fetaħ, qatta'.
ripe adj., msajjar.
ripen v., issajjar, sajjar, sar. ***the sun ~s the grapes;*** ix-xemx issajjar l-għeneb.

ripened adj. & p.p., misjur.
ripeness n., sajran.
riprimand v., ħasel lil.
rise (against) v., xegħel.
rise n., awment.
rise v., għola, qam, tela'/tala'. ***the balloon ~s up;*** il-ballun (ta' l-arja) jogħla 'l fuq. ***Christ rose from the dead;*** Kristu qam mill-imwiet. ***~n early;*** mbakkar. ***to ~ early;*** bakkar, ħerek. ***to ~ from the dead;*** rxoxta.
riser (early) n., bakkàr.
rising n., qawma, qawma tan-nies, qawmien, rfigħ, taqwim, tlugħ. ***sun ~;*** tlugħ ix-xemx.
risk n., ażżard, riskju/risk, sogru.
risk v., ażżarda, iċċansja, irriskja, issogra, lagħab. ***he ~ed his life to save him;*** issogra li jitlef ħajtu biex isalvah.
risked adj. & p.p., issugrat.
risky adj., irriskjat, riskjuż.
rite n., (eccl.) rit. ***Ambrosian ~;*** rit Ambrosjan. ***Roman ~;*** rit Ruman.
ritual adj., ritwali.
ritual n., (eccl.) ritwal.
ritualist n., ritwalist.
rival n., rival.
rival v., tellaq.
rivalry n., rivalità.
rivendication n., (leg.) rivendikazzjoni.
river n., xmara.
riverter n., rbattitur.
riverting n., rbattitura.
rivet n., rìvit.
rivet v., rbatta.
road n., triq.
roads n., (mar.) rada.
roadstead n., (mar.) rada.
roam v., meraħ, terraq.
roaming n., timriħ.
roar v., gargar, karwat.
roared adj. & p.p., mkarwat.
roast v., inkalja, qarqaċ, xewa. ***my aunt ~ed the coffee;*** iz-zija nkaljat il-kafè.
roasted adj. & p.p., inkaljat, mixwi.
roasting n., tisfid, xiwi.
rob v., seraq.
robbed adj. & p.p., misruq.
robber n., gerrief, ħalliel, serrieq.
robbery n., ħatfa, ħell, serq.
robbing n., taħlil.
robe n., lbies, toga. ***long ~;*** żimarra.
robin n., (ornith.) pitirross.
robust adj., ippersunat, mġeddel. ***to make ~;*** geddel.
robustness n., sħuħija.
rock goby n., mazzun.
rock n., blata, skoll.
rock v., bandal, bennen, żengel. ***to ~ one to sleep;*** bennen lil xi ħadd sakemm raqad.
rocked adj. & p.p., mbandal, mbennen. ***to be ~;*** sefaħ.
rocket n., rokit, (bot.) aruka, denb il-ħaruf, (eccl.) rokkett/rukkett.
rocking n., tbennin, żengil. ***bearded ~;*** (ichth.) ballottra.
rocky adj., blati, mġebbel.
rococo n., rokokò.
rod n., lasta, qadib, qasba, virga.
rogation n., (eccl.) rogazzjoni.
rogue n., bardaxxa.
rogue n., birbant, brikkun, ħajjeb, manigold, rajjeb, żagħka.
roguery n., gażiba.
roguishness n., brikkunata.
roister n., storbju.
role n., rwol, (theatr.) parti.
roll n., katalgu, milwa zalzett, reġistru, roll, romblu.
roll v., gerbeb, irrombla, lenbeb, tanbar. ***the boy ~ed the ball on the table;*** it-tifel gerbeb il-ballun fuq il-mejda. ***to ~ in the dust;*** kagħbar.
roll (about) v., tqagħwex.
roll (oneself) v., tgerbeb.
rolled adj. & p.p., gerbiebi, irrumblat, mgerbeb, mlenbeb.
roller n., lenbuba, milwa zalzett, romblu, (ornith.) qarnanqliċ. ***European ~;*** (ornith.) farruġ.
rolling n., brim.
rolling (over) n., tmegħik.
roly-poly n., rowlipowli.
romance adj. & n., neolatin.
romance n., romanz, (mus.) romanza.
romancer n., ħarrief.
romantic adj., romàntiku.
romantically adv., romantikament.
romanticism n., romantiċiżmu.
romp v., berdel, irraġġa, iżżânak. ***make one ~;*** bahrad.
rondo n., (mus.) rondò.
rood n., is-Salib ta' Kristu. ***the Holy Rood;*** Santu Kruċ.
roof n., bejt, saqaf. ***to be covered with a ~;*** issaqqaf.
roof v., saqqaf.
roof-maker n., saqqàf.
roofed adj. & p.p., msaqqaf.
roofing n., tisqif.
rook n., (ornith.) għarab, korvu.
room n., kamra, post, stanza. ***bath~;*** kamra tal-banju. ***bed~;*** kamra tas-sodda.

drawing ~; kagħba. ***little ~;*** gabinett. ***small ~;*** gabuba. ***to make ~;*** warrab.
root n., għerq. ***small ~;*** ħanxul. ***take ~;*** qabad.
root v., xenxel.
root (up) v., qala' mill-għerq.
rooted adj. & p.p., meħud, mqabbad, mħanxel.
rooted (up) adj. & p.p., maqlugħ.
rope n., ħabel, kurdun. ***bell-~;*** kurdun tal-qanpiena. ***buoy-~;*** (mar.) grippja. ***grass ~;*** biqa. ***mooring ~;*** (mar.) gumna. ***~ factory;*** korderija. ***~ train;*** (mechan.) funikular. ***very thick ~;*** ċima. ***tow ~;*** ċima ta' l-irmonk.
rope-dancer n., ekwilibrist.
rope-maker n., ħabbiel, (artis.) kurdar.
rope-yard n., korderija.
rosace n., rużun.
rosary n., rużarju. ***to say the ~;*** qal ir-rużarju.
rose n., (bot.) rowż, warda. ***damask ~;*** (bot.) rużell.
rose-coloured adj., wardi.
roseate adj., wardi.
rosemary n., (bot.) klin.
roseola n., ġidri r-riħ.
rosolio n., rożolin.
roster n., rowster.
rostrum n., pulena.
rosy adj., wardi.
rot n., widek.
rot v., fised, herra.
rotate v., dar. ***the earth ~s on its axis;*** id-dinja ddur fuq l-assi tagħha.
rotation n., dawr, rotazzjoni.
rotolo n., ratal.
rotten adj. & p.p., immermer, mherri, mifsud, mħassar.
rotten adj., (med.) dekompost.
rotten v., mermer.
rottenness n., korruzzjoni.
rotund adj., rotond.
rouble n., rublu.
rouge n., biruq, ruxx.
rough adj., ħarxa, ħoxni, mqit, raff, skabruż, żbozz. ***become ~;*** ħrax. ***make ~;*** ħarrax.
roughen v., ħrax.
roughened adj. & p.p., mħarrax.
roughly n., bil-herra.
roughness n., ħruxija.
roulette n., (g.) rulett.
round adj., gerbiebi, gerbubi, qawri, tond.
round n., ġir, (g.) rawnd, (mil.) ronda. ***to become ~;*** ittondja. ***to make one's ~;*** irronda. ***to make ~;*** ittondja.
round v., gerbeb, qawwar.
roundabout n., dawwara, dwar, rawnde-bawt.
rounded adj. & p.p., ittundjat, mdawwar, mgerbeb.
rounds n., (mil.) ronda.
rout v., ħarrab.
route n., rotta.
routed adj. & p.p., mlebbet.
rove v., skariġġa, xiel/xal.
roved adj. & p.p., mterraq.
roving n., xewla.
row n., fila, filliera, ġlieba, ħamba, palata, qadfa, qattanija, ringiela, sarbut/serbut, xenata.
row v., qadef. ***he went to ~ with three other persons;*** mar jaqdef ma' tlieta oħra.
rower n., qaddief.
rowing n., qadfa, qdif.
rowlock n., (mar.) skalm.
royal adj., reali, rjal, rjali, sultani.
royalism n., realiżmu.
royalist n., realist.
rub v., għorok, miegħek, ħakk. ***he ~bed another's hand;*** ħakk idejn xi ħadd. ***~ frequently;*** ħakkek. ***~ with oil;*** dilek. ***there's the ~;*** bużillis.
rub (oneself) v., tħakkek.
rubbed adj. & p.p., magħruk, maħkuk, mogħruk.
rubber n., gomma, ħakkiek. ***Indian ~;*** gomma tat-taħsir. ***India ~;*** kawċu.
rubbing n., (med.) frizzjoni.
rubbing n., għarka, msiħ, taħkik, tiftil.
rubbish n., raċanċ, rmixk, żibel.
rubric n., (eccl.) rubrika.
ruby n., rubin.
rudder n., (mar.) tmun.
ruddiness n., xqura/xqurija.
ruddy adj., ixqar, xaqra.
rude adj., grixti, ħarxa, żorr. ***to be ~;*** mqat.
rudeness n., herriera.
rudiment n., rudiment.
rudimentary adj., rudimentali.
rue n., (bot.) fejġel.
ruff n., tewq.
ruffle n., frill.
ruffle v., qanfed, sibel.
ruffled adj. & p.p., mħabbel.
rugby n., (g.) ragbi.
ruin (oneself) v., nħela.
ruin n., distruzzjoni, qerda/qirda, rovina, sibi.
ruin v., għarraq, ħarbat, ħela, qered, rvina, seba, skomùnika, stradika, xaħat. ***I have***

~ed my new coat; għarraqt (irvinajt) il-kowt ġdid tiegħi.
ruined adj. & p.p., meqrud, mgħarraq, mhendem, misbi, moħli, mwaqqa', mħarbat, rvinat.
ruins n., ħerba.
rule n., norma, qies/qas, règola.
rule v., ħakem, irriga, rieġa, saltan. ***the French ~d Malta for a short time;*** il-Franċiżi ħakmu lil Malta għal ftit żmien.
ruled adj. & p.p., irrigat, maħkum, msaltan.
ruler n., bejlikk, dinasta, dominatur, ħakem, ħakkiem, renjant, riga. ***carpenter's ~;*** kartabun.
rum n., rum.
rumble v., gargar, karwat, qarqar. ***the thunder is rumbling far away;*** ir-ragħad qiegħed igargar (ikarwat) fil-bogħod.
rumbling adj. & p.p., mkarwat, mqarqar, tgargir.
rumbling n., tkarwit, tqarqir.
ruminate v., xtarr.
ruminated adj. & p.p., mixtarr.
rumination n., xtarra.
rummage v., gerfex, kexwex.
rumour n., għagħa, għajdut, xagħba, xniegħa. ***groundless ~;*** diċerija, gossip.
rumple v., qanfed.
run adj. & p.p., miġri.
run v., ġera, ġerra. ***the boy ran to the door;*** it-tifel ġera lejn il-bieb. ***he ran a horse in the race;*** ġerra ż-żiemel fit-tiġrija. ***~ about;*** skariġġa. ***~ aground;*** inkalja. ***the ship ran aground at Munxar;*** il-vapur inkalja fuq il-Munxar. ***~ away;*** bawwax, bewweġ, ħarab, għasfar, għosfor, lebbet/libbet, parpar, skappa. ***~ down;*** investit. ***~ quickly;*** libet. ***~ through;*** skorra. ***~ over;*** fied. ***~ upon some one;*** ħebb.
rung adj. & p.p., mċempel.
rung n., skaluna.
runner n., ġerrej, tellieq.
running adj., ġieri, ġiri. ***~ water;*** ilma ġieri.
running (away) adj., ħarrabi.
runway n., ranwej.
ruptured adj. & p.p., mbażwar.
rural adj., bagħli.
rush n., (bot.) simàr, ġummar.
rush v., ħaffef. ***~ upon some one;*** ħebb.
rusk n., biskuttell, krustina, qarmuċ.
Russian n., Russu.
rust n., sadid.
rust v., saddad.
rustic adj., grixti, għafsi, rùstiku, żmarr.
rustical adj., mqit.
rustle v., ħaxħax, ħaxwex. ***the leaves ~ in the wind;*** il-weraq iħaxwex fir-riħ.
rusty adj., msaddad. ***to become ~;*** issaddad. ***this gate is becoming ~ allover;*** dan il-kanċell qiegħed jissaddad kollu. ***to make ~;*** saddad.
ruthless adj., spjetat.
ryhme v., qabbel.

Ss

sable n., (zool.) ġebelin.
sabotage n., sabutaġġ.
sabotage v., issabotaġġja.
sabre n., tgħan, xabla.
saccarine n., sakkarina/zakkarina.
sacerdotal adj., saċerdotali.
sack n., sakkeġġ, xkora.
sack v., issakkeġġja.
sacrament n., (theol.) sagrament.
sacramental adj., sagramentali.
sacrarium n., (eccl.) sagrarju.
sacred adj., sagru, santissimu.
sacresty n., (eccl.) sagristija.
sacrifice n., debħa, sagrifiċċju.
sacrifice v., debaħ, (eccl.) issagrìfika.
sacrificed adj. & p.p., midbuħ, sagrifikat/ issagrifikat.
sacrificing n., tidbiħ.
sacrilege n., (eccl.) sagrileġġ.
sacrilegious adj., sagrìlegu.
sacristan n., sagristan.
sacrum n., (anat.) għoss.
sad adj., kiebi, mest, trist.
sad adv., qalbu sewda. ***to be ~;*** sewwed qalbu. ***to become ~;*** dejjaq qalbu.
sadden v., dejjaq il-qalb, għalla, kejjeb, nikket, sewwed il-qalb.
saddle n., sarġ.
saddle v., sarraġ, wekka/wikka, xedd.
saddle-cloth n., farda, utajja.
saddle-maker n., sarràġ.
saddled adj. & p.p., mixdud, msarraġ.
saddler n., sarràġ, sillar.
sadism n., sadiżmu.
sadist n., sadista.
sadness n., diqa ta' qalb, dwejjaq, niket, tristezza.
safe adj., salv, żgur.
safe n., kaxxaforti, sejf.
safeguard v., issalvagwarda.
safety n., salvezza, sliema.
safety-pin n., sejftipinn.
safety-razor n., sejftirejżer.
safety-valve n., sejfti-valv.
safflower n., (bot.) għosfor.
saffron n., karkàm, żagħfran/safran. ***bastard ~;*** (bot.) għosfor. ***meadow ~;*** (bot.) busieq.
saffrony adj., żagħfrani.
sage adj., għaqli.
sage n., bil-għaqal, (bot.) salvja.
sago n., segu.
said adj. & p.p., megħjud, mequl, megħud.
sail n., (mar.) qala', qlugħ. ***~ cloth;*** (mar.) kotnina, luna. ***latin ~;*** qala' tal-latin. ***the fore ~;*** qala' tal-quddimin, qala' tat-trinkett. ***the fore top gallant ~;*** qala' tal-parrukkett. ***the fore-top sail***; parrukkett. ***the main top ~;*** qala' tal-gabja. ***the main ~;*** qala' tal-majjistra. ***the main top gallant ~;*** qala' tal-pappafik. ***the top ~;*** gabja. ***to set ~;*** salpa
sail v., (mar.) innaviga, baħħar, salpa, siefer. ***he ~ed close to the wind;*** (mar.) baħħar b'riħ in poppa. ***the ship will ~ tomorrow;*** il-vapur se jsalpa għada. ***to sail before the wind;*** impoppa.
sail-yard n., (mar.) antenna/antinna.
sailed adj. & p.p., (mar.) mbaħħar.
sailing n., (mar.) tibħir. ***~ directions;*** (mar.) portulan. ***~ ship;*** navi, velier.
sailor n., (mar.) baħħàr, baħri, navigant, raġel tal-baħar.
saint adj. & n., qaddis, san.
salad n., (bot.) insalata. ***mixed ~;*** ġardiniera.
salad-bowl n., terrina.
salamander n., (zool.) salamandra.
salary n., paga, ħlas, salarju, stipendju.
sale n., (leg.) vendita, bejgħ, sejl. ***auction ~;*** bejgħ bi rkant.
salema n., (ichth.) salpa, xilpa.
Salesian n., (eccl.) Sależjan.
salicylate n., (chem.) saliċilat.
salicylic adj., (chem.) saliċìliku. ***~ acid;*** aċidu saliċìliku.
salient adj., saljenti.
saline adj., mielaħ.
saliva n., riq. ***to emit ~;*** raq.
sally n., (mil.) sortita.
salmon n., (ichth.) salamun/salamur.
saloon n., salun.
salpingitis n., (med.) salpinġite.
salpinx n., (anat.) salpinġi.
salsaparilla n., (bot.) salsaparija.
salsify n., (bot.) salsafi.

salt n., melħ. ***~-cellar;*** salliera, zalliera. ***~ mine;*** salina. ***~ pan;*** mellieħa, salina. ***~-pit;*** salina.
salt v., mellaħ. ***he ~ed the meat to take it with him;*** mellaħ il-laħam biex jieħdu miegħu.
salted adj. & p.p., immellaħ.
salter comp.adj., imlaħ.
salter n., mellieħ.
saltern n., salina.
saltiness n., mluħa.
salting n., timliħ.
saltish adj., mielaħ.
saltmeat n., laħam immellaħ.
saltpetre n., (chem.) salnîtru.
salty adj., mielaħ, salmastru.
salutary adj., saħħieħi.
salutation n., sliem, tislija, tislim.
salute n., salut, tislim.
salute v., issaluta, sellem. ***to ~ each other;*** issellem.
salutiferous adj., saħħieħi.
salvation n., salvazzjoni, salvezza.
salve n., taba, ungwent.
salwort n., (bot.) almeridja.
samaritan n., samaritan.
same pron. & adj., stess. ***in the ~ way;*** bħalma.
samphire n., (bot.) ħasur, żagħżigħa.
sample n., kampjun, xempju.
sanative adj., saħħaħ.
sanatorium n., sanatorju.
sanctification n., santifikazzjoni.
sanctified adj. & p.p., mqaddes.
sanctifier n., qaddies.
sanctify v., issantìfika, qaddes.
sanctifying n., taqdis.
sanction n., sanzjoni.
sanction v., (leg.) issanzjona.
sanctity n., qdusija, qodos, santità.
sanctuary n., santwarju.
sand n., ramel, rina. ***~ glass;*** arloġġ tar-ramel.
sand v., rammel/rammal.
sand-eel n., (ichth.) ċiċċirella.
sand-lance n., (ichth.) fjammetta.
sandal n., qawwàb, qorq, sandla, (bot.) sandlu.
sandalwood n., (bot.) sandlu.
sanderling n., (ornith.) pispisell.
sandpaper n., sandpejper.
sandpiper n., (ornith.) pluverott. ***wood ~;*** pespus tal-baħar.
sandwich n., sandwiċċ.
sandy adj., mrammel, ramli. ***~ beach;*** ramla.
sane adj., qawwi, f'sensih.
sanguinary adj., demmi, sangwinarju.
sanitary adj., sanitarju.
santonin n., santonina.
saphena n., (anat.) safena.
sapient adj., sapjent.
sapling n., xitla.
sapphic n., sàffika.
sapphire n., (geol.) żafir.
sappy adj., suguż.
saraband n., (mus.) sarabanda.
sarcasm n., sarkażmu.
sarcastic(al) adj., sarkàstiku.
sarcastically adv., sarkastikament.
sarcologist n., sarkoloġista.
sarcology n., sarkoloġija.
sarcoma n., (med.) sarkoma.
sarcophagus n., sarkòfagu.
sardonic adj., sardoniku.
sardonically adv., sardonikament.
sash n., ħżiem, terħa. ***silk ~;*** buxakka.
sash-bolt n., spanjuletta.
satchel n., saċil.
sate v., issodisfa.
satellite n., (astro.) satellita.
satiate (oneself) v., xaba'. ***I am soon ~d with bread;*** malajr nixba' bil-ħobż.
satiate v., xabba'/xebba'.
satiated adj. & p.p., mxabba', xebgħan. ***to be ~;*** ixxebba'.
satiating n., tixbigħ.
satiety n., xaba', xebgħa.
satin adj. & p.p., (techn.) issatnat.
satin n., satin.
satin v., issatina.
satire n., sàtira.
satiric(al) adj., satìriku.
satisfaction n., għoġba, kuntentizza, sodisfazzjon/sudisfazzjon.
satisfactorily adv., sodisfaċentement.
satisfactory adj., sodisfaċenti.
satisfied adj. & p.p., ikkuntentat, kuntent, sodisfatt, xebgħan.
satisfy v., ikkuntenta, issodisfa, paxxa.
Saturday pr.n., Sibt.
sauce n., sos, zalza. ***garlic ~;*** aljoli. ***white ~;*** zalza bajda. ***~ tartare;*** zalza pikkanti. ***tomato ~;*** zalza tad-tadam.
saucer n., plattina.
sauciness n., tisfiq tal-wiċċ.
saucy adv., wiċċ tost.
saurie n., (ichth.) kastardella.
sausage n., zalzetta. ***polony or Bologna ~;*** mortadella.
savage adj., barri, salvaġġ/selvaġġ.
save v., faddal, ġamma'/ġemma', ħeles, salva, żamm. ***I have ~d two pounds sterling;*** faddalt żewġ liri sterlini. ***that***

sailor ~d a boy from drowning; dak il-baħri salva tifel mill-għarqa. *he ~d money to buy a book;* ġamma' l-flus biex jixtri ktieb. *to ~ money;* ġamma' l-flus, iffranka.
saved adj. & p.p., merfugħ, meħlus, mfaddal, mġemma', salvat.
saved v., iġġamma'.
saver n., faddâl, salvatur.
saving n., tifdil.
saviour n., ħellies, salvatur. *the S~;* is-Salvatur.
savory n., (bot.) sagħrija.
savour n., togħma.
savour v., tiegħem.
savoury adj., bnin. *make ~;* bennen.
saw n., serrieq, siega, (artis.) sega. *back ~;* (techn.) siega. *circular ~;* lupa. *tenon ~;* serrieq tad-dahar.
saw v., naxar, (techn.) issega, isserra.
sawed adj. & p.p., minxur.
sawing n., naxra, segatura.
sawn adj. & p.p., issegat, isserrat.
sawyer n., naxxàr.
say v., għad, qal. *that is to ~;* jiġifieri, ossija.
scab n., qolliba.
scabbard-fish n., (ichth.) xabla.
scabby adj., skabjuż.
scabies n., (med.) ġarab.
scabious adj., skabjuż.
scad n., (ichth.) sawrella. *golden ~;* sawrella imperjali.
scaffold n., falka, forka, (leg.) patìbolu.
scald v., samat, xawwat.
scald-head n., falza.
scalded adj. & p.p., mismut, mxawwat. *to be ~;* stamat.
scalding n., samta, smit, tismit, tixwit.
scaled adj. & p.p., mqaxxar.
scalene n., skalenu.
scales n., miżien.
scamp n., disklu.
scan v., (liter.) skanda.
scandal n., skandlu.
scandalize v., skandalizza.
scandalized adj., skandalizzat.
scandalous adj., skandaluż.
scantling n., serratizz.
scanty adj., skars.
scapular n., (eccl.) labtu/laptu, skapular.
scar n., sfreġju, (med.) ċikatriċi.
scar v., merrek.
scarcely adv., appena, bilkemm.
scarcity n., għaks, qoħta/qaħta, skarsezza.
scare (away) v., naffar.
scarecrow n., nuffara/naffara, perpura.
scared adj. & p.p., mnaffar.
scaresе adj., skars.
scarf n., skarf.
scarlet adj., skarlat.
scarsity n., xaħta.
scatter v., ferrex, ħela, sparpalja, xerred, żara'.
scattered adj. & p.p., mferrex, mixtered, mxerred, sparpaljat. *to be ~;* idderra, ixxerred.
scattering n., tifrix, tixrid.
scavenger n., kennies, ġemmiegħ id-demel, żebbiel.
scenary n., xenarju.
scene n., xena. *to make a ~;* ixxenja.
scenographer n., xenografu.
scenographic adj., xenografiku.
scenography n., xenografija.
scent n., naska, profum, tifwiħ.
scent v., fewwaħ, ixxammem. *flowers ~ the air;* il-fjuri jfewwħu l-arja. *the cat was ~ing for the mouse;* il-qattus qagħad jixxammem għall-ġurdien.
scented adj. & p.p., ipprofumat/profumat, mfewwaħ.
sceptical adj., xèttiku.
scepticism n., xettiċiżmu.
sceptre n., debbus, sebt, xettru.
scession n., xissjoni.
schedule n., skeda.
schematic adj., skematiku.
schematize v., skematizza.
scheme n., pjan, skema.
schemer n., proġettist.
schiff n., (mar.) luzzu.
schirru n., (med.) xirru.
schism n., xiżma.
schismatic adj., xiżmatiku.
schismatically adv., xiżmatikament.
schizophrenia n., (med.) skiżofrenja.
schizophrenic adj., skiżofrèniku.
scholar n., skular, studjuż.
scholastic adj., skolastiku. *~ philosophy;* filosofija skolastika.
scholastically adv., skolastikament.
school n., dar il-għerf, skola. *grammar ~;* ġinnasju. *polytechnic ~;* politèkniku. *primary ~;* skola elementari. *private ~;* skola privata. *secondary ~;* skola sekondarja. *night ~;* skola ta' bil-lejl. *~ year;* sena skolastika.
school-caretaker n., bidillu.
school-master n., surmast.
schoolmistress n., majjistra, sinjora.
schooner n., (mar.) goletta, skuna.
sciatica n., (med.) xatka, xjatika.
science n., xjenza *nautical ~;* (mar.) nàwtika.

scientific adj., xjentifiku.
scientist n., xjenzat.
scimitar n., tgħan, (mil.) ximitarra.
scion n., rimja, sibi.
scirrhus n., (med.) xirru.
scissor v., qasqas.
scissored adj. & p.p., mqasqas.
scissors n., mqass.
scleroma n., (med.) sklerosi.
sclerosis n., (med.) sklerosi.
scold v., ċanfar, liem, taħar.
scolded adj. & p.p., maħsul, milum.
scolding n., ċanfir.
scoop n., (mar.) sassla. ***long-handled ~;*** (mar.) gott.
scorch v., samat, xawwat.
scorched adj. & p.p., mxawwat.
score n., punteġġ, (g.) skor, (mus.) partitura, spartit.
score v., (g.) skorja, (mus.) strumenta.
scorn v., ħaqar, iddisprezza, masħar, żeblaħ.
scorned adj. & p.p., mżeblaħ.
scorpion n., (zool.) għakreb, skorpjun. ***large-scale ~;*** (ichth.) ċipullazza.
scorpion-grass n., (bot.) widnet il-ġurdien.
scotch v., qarqaċ.
scotter n., kwalità ta' papra tal-baħar. ***common ~;*** brajmla sewda.
scoundrel adj. & n., banavolja, żbandut.
scoured adj. & p.p., mnaddaf.
scourer n., (ornith.) ruvett.
scourge n., flaġell.
scourge v., ifflaġella.
scowl adj., wiċċ mqarras.
scowl v., iddagħdagħ.
scrape v., barax, ferkex, irraxka. ***~ frequently;*** barrax. ***~ the soil;*** naqax. ***he ~d the soil after he had watered the orange trees;*** naqax il-ħamrija wara li saqqa s-siġar tal-larinġ.
scraped adj. & p.p., mibrux.
scraper n., barràx, barraxa.
scraping n., (med.) raskjament/raxkament.
scratch n., barxa, girfa, qarħa, selħa.
scratch v., deffer, giref, ħakk. ***the cat ~ed the boy;*** il-qattus giref it-tifel. ***to ~ the skin;*** qarrad.
scratched adj. & p.p., maħkuk, mibrux, migruf. ***~ repeatedly;*** mbarrax.
scratcher n., gerrief.
scratches n., brix.
scratching n., brix, grif, ħakk, qrid, taħkik, tibrix.
scream v., werżaq.
screaming n., twerżiq.
screech n., twerżiq.
screen n., paraventu, skrin. ***fire ~;*** parafoku. ***shelter ~;*** rdoss.
screw n., kamin, skrun, vit.
screw-driver n., turnavit/tornavit.
scribble v., ħarbex, ħażżeż.
scribbled adj. & p.p., maħżuż.
scribbling n., taħżiż. ***~ book;*** skartafaċċ.
scribe n., kittieb, kopist, skriba.
Scripture n., il-ktieb il-Kbir. ***the Holy ~;*** l-Iskrittura.
scripture n., kitba.
scrofula n., (med.) skròfula.
scroll n., (arch.) voluta.
scrotum n., (anat.) skrotu.
scrounge v., mexmex, skrokkja, xemaq. ***while at work he always ~s well;*** fuq ix-xogħol dejjem imexmixha tajjeb.
scrubbed adj. & p.p., magħruk, maqrud, mogħruk.
scruff n., kozz.
scruple n., skruplu. ***to have ~;*** skrupla.
scruple v., skrupla.
scrupulous adj., skrupluż.
scrupulously adv., skrupolożament.
scrupulousness n., skrupolożità.
scrutineer n., skrutatur.
scrutinize v., fela, ftaqad, skrutina.
scrutinized adj. & p.p., mifli.
scrutiny n., skrutinju.
scull n., (anat.) kranju.
sculptor n., naqqàx, skultur.
sculpture n, skultura.
sculpture v., naqax, naqqax, skolpa. ***he ~d the family's coat of arms over the door;*** naqqax l-arma tal-familja fuq il-bieb.
sculptured adj. & p.p., mnaqqax, skolpit.
scupper n., (mar.) brunali, burdnal.
scuppers n., (mar.) imbrunali.
scurf n., brija.
scutch v., rixtel.
scutcheon n., skudett.
scutcher n., rixtellu.
scythe n., minġel.
sea n., baħar. ***choppy ~;*** baħar bla ċafċifa, imbatt. ***rough ~;*** baħar qawwi. ***by ~ and land;*** bl-art u bil-baħar. ***~ nymph;*** nerejdi. ***~ water;*** ilma baħar.
sea bream n., (ichth.) pagru.
sea-coast n., marina.
sea-green n., verdemar.
sea-gull n., (ornith.) gawwija.
sea-rocket n., (ichth.) pixxikornuta.
sea-shell n., (zool.) bekkum, nakkra.
sea-shore n., plajja.

sea-wall n., diga.
sea-weed n., (bot.) alga.
seal n., boll, ħâtem, siġill, (zool.) foka.
seal v., ħattam, issiġilla. ***he ~ed the gold articles in a box and placed them in the bank's safe;*** issiġilla d-deheb f'kaxxa u ħadu fis-sejf tal-bank.
sealed adj. & p.p., issiġillat, maħtum.
sealer n., ħattâm.
sealing n., ċombatura.
sealing (up) n., taħtim.
sealing wax n., inċira.
seam n., ħjata, (mar.) kument.
seaman n., baħħàr, baħri, raġel tal-baħar.
seaplane n., idroplan.
seaquake n., (phys.) maremòt.
search n., tfittxija, tiftix, (leg.) perkwiżizzjoni.
search v., fela, fittex.
searched adj. & p.p., mfittex.
searcher n., fittiex.
seashore n., rivjiera, spjaġġa.
seaside n., marina.
season n., staġun, żmien.
season v., ħawwar. ***I heard a conversation ~ed with humour;*** smajt taħdita mħawra biċ–ċajt. ***to ~ with garlic;*** tewwem.
seasoned adj. & p.p., mdemmes, mħawwar.
seasoning n., taħwir.
seasons n., iżmna.
seat n., maqgħad, sedil, sedja, sit, (theatr.) stalla.
seat v., qiegħed.
secession n., seċessjoni.
secluded adj. & p.p., appartat, miġbur, segregat.
seclusion n., magħlaq, segregazzjoni.
second adj., sekond.
second n., sekonda.
secondary adj., sekondarju, taħtani.
seconder n., sekondant.
secondly adv., sekondarjament.
secrecy n., satra, segretezza.
secret n., segriet/sigriet. ***~ place;*** mistra. ***to keep ~;*** sarr ġo fih.
secretariat n., segretarjat.
secretary n., segretarju. ***Home S~;*** ministru ta' l-intern. ***private ~;*** segretarju privat. ***S~ of State;*** Segretarju ta' l-Istat. ***Under S~;*** Sottu Segretarju. ***~'s office;*** segreterija.
secretaryship n., segretarjat.
secretion n., ħabi.
secretly adj. & p.p., bil-ħabi, bil-moħbi, bil-mistur.
secretly adv., minn taħt, segretament, taħtnijiet.
sect n., setta.
sectarian n., settarju.
section n., sezzjoni, taqsima.
sector n., settur.
sectorial adj., settorjali.
secular n., sekular.
secularization n., sekularizzazzjoni.
secularize v., issekularizza.
secure adj., salv. ***to ~ for oneself;*** ikkapparra.
security n., garanzija, sigurtà, (leg.) kawzjoni.
sedan n., suġġetta.
sedative adj., (med.) sedattiv.
sedative n., (med.) kalmant.
sedentary n., sedentarju.
sedge n., (bot.) sogħda.
sediment n., sediment.
sedition n., ħamba, qawma tan-nies, sedizzjoni, taqwim.
seditious adj., sedizzjuż.
seduce v., isseduċa, ittanta.
seduced adj., sedott.
seducer n., seduttur.
seduction n., seduzzjoni.
seductive adj., seduċenti.
see v., ra. ***I have not seen him for months;*** ili ma narah ix-xhur.
seed n., żergħa, żerriegħa. ***edible ~;*** ħabb. ***to run to ~;*** issebbel. ***to produce ~s;*** żarra'. ***canary ~;*** (bot.) skalora.
seed-bed n., ħammiela, mixtel, mixtla.
seek (out) v., tkixxef.
seek v., fittex. ***to ~ a quarrel;*** fittex ixxagħra fil-għaġina. ***to ~ to know;*** isseksek.
seem v., deher. ***I ~ to be deaf today;*** jidhirli li miniex qiegħed nisma' llum.
seesaw n., ċaqlembuta.
seethe v., baqbaq, tbaqbaq.
seethed adj. & p.p., mfawwar.
segment n., segment.
segmental adj., segmentali.
segmentation n., segmentazzjoni.
segragate v., fieraq, issègrega.
segregation n., segregazzjoni.
seine n., (mar.) tartarun.
seismic(al) adj., sìsmiku.
seismographer n., sismògrafu.
seismography n., sismografija.
seismologist n., sismòlogu.
seismology n., sismoloġija.
seize v., qabad. ***the soldiers ~d the fortress;*** is-suldati qabdu l-fortizza. ***~ with one's teeth;*** ħafen bi snienu.
seized adj. & p.p., maqbud.

seizing n., taħtif.
seizure n., (leg.) mandat, qbid, sekwestru.
seldom adv., darba fil, rarament.
seldom n., darba fil-bogħod, drabi.
select v., għażel, ħatar, isselezzjona.
selected adj. & p.p., maħtur, moħtàr, xelt.
selection n., selezzjoni.
selective adj., selettiv.
selectivity n., selettività.
self pron. & adj., stess. ***ourselves;*** aħna stess.
self-government n., awtonomija.
self-respect n., amorpropju.
self-service n., selfservis.
selfish (person) n., egoist.
selfishness n., egoiżmu.
sell v., biegħ. ***to ~ by instalments;*** biegħ bin-nifs. ***~ dear;*** gidem. ***~ out;*** eżawrixxa.
seller n., bejjiegħ, venditur.
sellophane n., selofejn.
selvage n., pudija, ħaxja.
selvedge n., pudija, ħaxja.
semantic adj., semàntiku.
semantics n., semàntika.
semaphore n., (mil.) semafor.
semi-annual adj., semestrali.
semibreve n., (mus.) brevi.
semicircle n., qaws.
seminal adj., żergħi.
seminarist n., seminarist.
seminary n., seminarju/siminarju.
semitic adj., semìtiku.
semitone n., (mus.) semiton.
senate n., (parl.) senat.
senator n., senatur.
senatorial adj., senatorjali.
send v., bagħat, irrimetta. ***to ~ again;*** irrimanda. ***to ~ away;*** keċċa, ta s-sensja. ***to ~ back;*** raġġa'. ***to ~ far away;*** biegħed. ***to ~ out;*** ħarreġ. ***to ~ from pillar to post;*** bagħat minn għand Qajfas għal għand Pilatu.
sending n., bagħta.
sending (away) n., tiżwil.
senescence n., xejb.
senile adj., xejbieni.
senior n., anzjan.
seniority n., anzjanità.
senna n., (bot.) sena.
sennit n., (mar.) baderna.
sensation n., sensazzjoni.
sensational adj., sensazzjonali.
sense n., bonsens, dehen, għaqal, kriterju, sens. ***good ~, common ~;*** bonsens. ***common ~;*** sens komun.
sensibility n., sensibilità.
sensibilize v., issensibilizza.
sensible adj., sensibbli.
sensing n., taħsis.
sensitive adj., sensittiv.
sensitivity n., sensittività.
sensual adj., senswali.
sensuality n., senwalità, voluttà.
sensuous adj., senswali.
sent adj. & p.p., mibgħut.
sent (away) adj. & p.p., mkeċċi.
sent (off) adj. & p.p., mtellaq.
sentence n., frażi, (leg.) sentenza. ***death ~;*** (leg.) kundanna għall-mewt.
sentence v., ħakem, (leg.) ikkundanna, issentenzja.
sententious adj., sentenzjuż.
sentiment n., sentiment.
sentimental adj., sentimentali.
sentimentalism n., sentimentaliżmu.
sentimentality n., sentimentalità.
sentinel n., għassa, (mil.) sentinella.
sentry n., (mil.) sentinella.
sentry-box n., (mil.) gardjola.
sepal n.,(bot.) sepal.
separable adj., separabbli.
separate adj., separat.
separate v., bejjen, feraq, ferraq, fired, għażel, ħall, issepara, qaċċat, skumpanja. ***the sea ~s Africa from Europe;*** il-baħar jofroq (jifred) l-Ewropa mill-Afrika. ***he was not able to ~ those two boys;*** ma rnexxilux iferraq dawk iż-żewġt itfal. ***~ those two children from one another;*** issepara dawk iż-żewġt itfal minn xulxin. ***~ cotton from the cocoon;*** damm il-qoton.
separated adj. & p.p., distakkat, diviż, magħżul, maqsum, maqtugħ, mbiegħed, mifrud, mqaċċat.
separately adv., apparti, separatament.
separating adj., diviżorju.
separating n., tifrid, tifriq.
separation n., ferq, firda, frid, għażla, separazzjoni, (mil.) distakkament.
September pr.n., Settembru.
septenary n., (liter.) settenarju.
sepulcre n., sepolkru.
sepulture n., sepoltura.
sequence n., (eccl.) sekwenza.
sequential adj., sekwenzjali.
sequester v.,(leg.) issekwestra. ***he ~ed all his goods in the shop;*** issekwestralu kull ma kellu fil-ħanut.
sequester v., qabad.
sequestered adj. & p.p., maqbud.
sequestrate v.,(leg.) issekwestra.
sequestration n., (leg.) mandat, qbid,

sekwestru. ***liable to ~;*** (leg.) sekwestrabbli. ***not liable to ~;*** insekwestrabbli.
sequestrator n., (leg.) sekwestratarju.
sequin n., zekkin.
seraph n., serafin.
seraphic adj., seràfiku.
serenade n., serenata.
serence adj., misfi.
serene adj., seren. ***become ~;*** safa/sefa.
serenity n., difa, safa/sefa, saħa, serenità.
serge n., sarġ.
sergeant n., surġent.
serial n., serje.
series n., serje.
serious adj., gravi, serju. ***to become ~;*** isserja.
seriously adv., serjament.
seriousness n., serjetà.
sermon n., priedka. ***lent ~s;*** (eccl.) kwareżimal.
serpent n., (mus.) serpentun, (zool.) serp. ***~-eel;*** serp il-baħar.
serum n., xorrox.
servant n., grum, kamrier, qaddej, seftur, serv.
serve v., qeda, sefter, serva. ***he wants everybody to ~ him;*** irid kulħadd iseftirlu.
served adj. & p.p., moqdi, msefter.
service n., qadi, qadja, servizz. ***good ~;*** benemerenza.
services n., (leg.) prestazzjoni.
serviette n., sarvetta.
servile adj., servili.
servilely adv., servilment.
servility n., serviliżmu.
serving n., qadi.
servitude n., servitù.
sesame n., (bot.) ġulġlien.
session n., seduta, sessjoni.
set adj. & p.p., ingastat. ***~ apart;*** merfugħ.
set n., sett. ***~ of four numbers;*** (g.) kwatern.
set v., ingasta, issettja, nasab. ***to ~ aside;*** skarta. ***to ~ a dog on someone;*** keskes il-kelb. ***to ~ a watch or a clock;*** irrègola l-arloġġ. ***to ~ erect;*** arbùla. ***to ~ on edge;*** darras is-snien. ***to ~ type;*** issettja. ***to ~ up;*** arma, waqqaf.
setoff adj., liebes.
settee n., divan, kannapè.
setter n., (zool.) brakk, kelb tal-ferma.
setting n., teqgħid, tqegħid.
settle n., kaxxabank.
settle v., issetilja, qiegħed, rsolva.
settled adj. & p.p., mitqiegħed, mqiegħed.
settlement n., sald/saldu.
seven adj.num., sebgħa.
seventeen adj.num., sbatax.
seventh adj.num., seba'.
seventy adj.num., sebgħin.
severe adj., qalil, sever. ***~ sentence;*** sentenza ħarxa.
severed adj. & p.p., magħżul, maqtugħ.
severely adv., severament.
severity n., awsterità, ħruxija, severità, taħrix.
sew v., ħiet/ħat, ipponta. ***he ~ed a new dress;*** ħiet libsa ġdida. ***to ~ badly;*** barważ. ***to ~ often;*** ħajjat. ***to ~ a dress too tight;*** kittef.
sewing n., ħjata, taħjit.
sewn adj. & p.p., meħjut, mħajjat.
sex n., sess.
sexton n., sagristan.
sexual adj., sesswali.
sexuality n., sesswalità.
sexy adj., seksi.
sgambetto n., gambetta.
shabby adj., ħożoż, mċerċer, mċewlaħ.
shackle n., qajd, xkiel.
shackle v., għakkes, qajjed, qammat, xekkel.
shackled adj. & p.p., mxekkel. ***to be ~;*** ixxekkel.
shackler n., xekkiel.
shackles n., ċipp.
shad n., (ichth.) alosa, laċċa tat-tbajja'. ***allice ~;*** laċċa.
shade n., dell, ombra, xejd.
shade v., dellel, sfuma. ***light and ~;*** kjaroskur.
shaded adj. & p.p., ombrat, mdellel, sfumat.
shading n., ombratura, tidlil.
shadow n., dell, ombra.
shadow v., dellel.
shadowed adj. & p.p., mdellel.
shady adj., delli. ***to become ~;*** iddellel.
shaft n., xaft.
shag n., (ornith.) kormoran. ***mediterranean ~;*** (ornith.) margun tat-toppu.
shaggy adj., muswaf.
shake n., skoss, theżhiża, (mus.) trill. ***~ of the hand;*** għafsa ta' l-id.
shake v., heżheż, laħlaħ, legleg, riegħed, triegħed/rtiegħed. ***the earthquake shook the entire house;*** it-terremont heżheż iddar kollha. ***to ~ hands;*** ħa b'id. ***to ~ up;*** laħlaħ.
shaken adj., mheżheż, mlaħlaħ.
shaker n., heżhiż.
shaking adj., mitriegħed.
shallop n., (mar.) xaluppa.
shallow adj., baxx.

shallow n., raqquq.
shame n., disgrejs, diżunur, għajb, għar, għarukaża, misthija, regħxa/ragħxa, smakk, vergonja, żmakk.
shameless adj., diżonest, sfiq.
shameless v., sfieq.
shamelessly adv., b'wiċċ tost, sfaċċatament.
shammy n., (zool.) kamoxx.
shampoo n., xampù.
shamrock n., (bot.) xnien.
shape n., forma, format, għamla, xejp. ***~ maker;*** furmatur.
shape v., ifforma, informa, ixxejpja, sawwar.
shaped adj. & p.p., iffurmat, msawwar, mudellat. ***to be ~;*** issawwar. ***mis-~;*** deformi.
shapeless adj., informi.
shaping n., mudellatura, tifsil, tiswir.
share n., parti, porzjon, qasma, qatgħa, sehem, (leg.) kwota. ***legal ~;*** (leg.) leġittima.
share v., qassam.
shared adj. & p.p., mferraq.
shareholder n., azzjonista.
sharer n., sieħeb, xrik.
sharing adj. & pres.p., parteċipant.
sharing n., taqsim, tishim.
shark n., (ichth.) kelb il-baħar. ***angel ~;*** (ichth.) xkatlu. ***angular rough ~;*** pixxiporku. ***basking ~;*** gabdoll. ***blue ~;*** ħuta kaħla. ***fierce ~;*** silfkun. ***grey ~;*** murruna/morruna. ***mackerel ~;*** pixxitondu. ***porbeagle ~;*** pixxiplamtu. ***sand ~;*** tawru. ***spiny ~;*** murruna tax-xewk. ***thresher ~;*** budenb, pixxivolpi. ***~-sucker;*** rèmora.
sharp adj., aspru, mqit, qieraħ, (mus.) akut.
sharp n., (mus.) djesis.
sharpen v., ipponta, ittempra, mejlaq, senn/sann, silet, xaffar, xeffer.
sharpened adj. & p.p., ittemprat, mislut, misnun, mxeffer.
sharpening n., sanna.
sharpness n., reqqa.
shatter v., ittertaq, kisser, sfrakassa.
shattered adj. & p.p., mfarrak, mtertaq. ***to be ~:*** ittertaq.
shave v., għamel il-leħja, ixxejvja.
shaved adj., iġżem.
shawl n., xall.
she pron., dik, hi, hija.
shear n., (mar.) biga.
shear v., ġeżż, qarweż, qass. ***~ frequently or repeatedly;*** ġeżżeż.
sheared adj. & p.p., miġżuż.
shearer n., ġeżżej, ġeżżież.
shearing n., ġeżża, tqarwiż.
shears n., ġelem, mqass, mġezz.
shearwater n., (ornith.) ċiefa. ***mediterranean ~;*** (ornith.) ċiefa.
sheat v., qattet/qattat.
sheath n., għant ta' sikkina, għant.
shed adj., mċarċar.
shed n., remissa. ***ox ~;*** mafrad.
shed v., ċarċar, iċċarċar, xeħet. ***he ~ his blood for his country;*** ċarċar demmu għal pajjiżu. ***these words ~ some light on the matter;*** dan il-kliem xeħet ftit dawl fuq il-każ. ***the trees began to ~ the leaves;*** is-siġar bdew joħorfu. ***~ tears;*** damma'.
shedding n., ċarċir.
sheep n., nagħġa. ***~'s skin;*** battana. ***tend ~;*** raħħal. ***woolless ~;*** nagħġa ġarda. ***~-cot;*** mandra.
sheepish adj., nagħġi.
sheepskin n., parċmina.
sheet n., folja, liżar, skotta. ***attendance ~;*** rassenja.
sheet-iron n., pjanċa.
shelf n., xkaffa.
shell n., qoxra, (zool.) dajna.
shell v., fesdaq/festaq. ***he ~ed the beans from the pod;*** fesdaq il-ful mill-miżwet.
shelled adj. & p.p., mfesdaq, miftuq.
shelter n., kenn, maħrab, miskennija, refuġju/rifuġju, ripar, rpar, xelter. ***to take ~;*** rpara, stkenn, tkennen.
shelter v., ġabar l-iltiema, kenn, kennen, laqa', rdossa, stkenn. ***he ~ed that old man from the rain;*** kennen lil dak ix-xiħ mix-xita.
sheltered adj. & p.p., mistkenn, mkennen, rdussat.
shepherd n., ragħaj, ragħaj in-nagħaġ.
shereef n., xerif.
sheriff n., xerif/xeriff.
sherry n., xeri.
shield n., tarka, (mil.) tars. ***small ~;*** skudett.
shift n., xift. ***~work, on ~;*** bix-xift.
shift v., ixxiftja, sposta. ***~ the scene;*** kambjament tax-xena.
shifted adj. & p.p., mbiddel.
shilling n., xelin.
shin n., (anat.) qasba tas-sieq.
shin-bone n., (anat.) qasba tas-sieq.
shine v., bera, ibbrilla, irrisplenda, kewkeb, lellex, lema, leqq, serreġ. ***the moon and the stars are shining in the sky;*** il-qamar u l-kwiekeb qegħdin jilmaw fis-sema. ***to ~ brightly;*** idda. ***to ~ strongly;*** sireġ.

shining adj., brillanti, leqqieni, mdawwal, middi, mlellex, mudwal.
shining n., tilqiq.
ship n., (mar.) ġifen, bastiment, mirkeb, vapur. ***battle~;*** (mar.) vapur tal-gwerra. ***cargo ~;*** vapur tat-tagħbija. ***hospital ~;*** vapur sptar. ***merchant ~;*** vapur merkantili. ***war ~;*** bastiment tal-gwerra. ***~'s rigging;*** attrazzi.
ship v., (mar.) imbarka.
shipped adj. & p.p., imbarkat.
shipwreck n., nawfraġju. ***~ed person;*** nàwfragu.
shipwright n., xiprajt.
shipyard n., (mar.) baċir.
shirt n., qmis.
shit n., ħara, ħarja, kakka.
shit v., ħara, kakka.
shiver n., tkexkix. ***~ing with cold;*** tkexkix bil-bard.
shiver v., gesges, rtogħod, triegħed/rtiegħed. ***to ~ with cold;*** itterter, terter. ***that old man is ~ing with cold;*** dak ix-xiħ qiegħed iterter bil-bard.
shivered adj. & p.p., mterter.
shivering adj. & p.p., mirtuħ, mitriegħed, mriegħed.
shivering n., tregħid. ***~ with cold;*** tertir.
shivers n., tremarella.
shoal n., ġliba ħut.
shock n., dehxa, qatgħa, (med.) trawma emozzjonali.
shock v., kexkex, (elect.) ixxokkja.
shod adj., mniegħel.
shoe n., żarbuna. ***dainty ~;*** skarpin. ***~ horn;*** għadma taż-żarbun.
shoe (a horse) v., niegħel. ***he went to ~ the horse;*** mar iniegħel iż-żiemel.
shoemaker n., skarpan. ***~'s last;*** forma ta' żarbun.
shoot v., ġibed fuq xi ħadd, għamel in-nar, spara, xkubettja, venven, (g.) ixxuttja, (mil.) iffuċilla. ***the traitor was shot;*** it-traditur ġie ffuċillat. ***he shot upon a bird and hit a man;*** spara fuq għasfur u laqat raġel.
shooter n., bersaljier.
shooting star n., kewkba feġġa.
shoots n., xniexel. ***full of ~;*** mxenxel.
shop n., ħanut. ***barber's ~;*** ħanut tal-barbier. ***butcher's ~;*** ħanut tal-laħam. ***draper's ~;*** ħanut tal-ħwejjeġ. ***druggist's ~;*** maħwar. ***grocer's ~;*** ħanut tal-merċa. ***jeweller's ~;*** ħanut tad-deheb. ***~-boy;*** garżun, lavrant. ***~keeper;*** tal-ħanut. ***~ counter;*** bank ta' ħanut. ***small ~;*** bottegin.
shore n., plajja, spjaġġa, xatt. ***along the ~;*** max-xatt ix-xatt.
short adj., qasir, suċċint. ***in ~;*** insomma, kollox fuq kollox. ***a ~ time ago;*** ftit ilu.
short-circuit n., (elect.) xort.
short-circuit v., (elect.) ixxortja.
short-sighted adj., (med.) mijope.
short-sightedness n., għura, (med.) mijopija.
shorten v., qassar, qsar.
shortened adj. & p.p., mqassar.
shortening adj. & p.pres., noqsàr.
shortening n., taqsir.
shorter comp.adj., èqsar/iqsar.
shorter n., qassàr.
shorthand n., sinktib, stenografija. ***~ writer;*** stenògrafu.
shortly adv., appik, dalwaqt, fil-qasir.
shortness n., qosor, qsurija.
shorts n., xorts.
shot adj., iffuċillat.
shot n., sparatura, tefgħa, tir, (g.) xott, xutt. ***gun-~;*** tefgħa ta' azzarin. ***~-gun;*** senter.
shoulder n., spalla.
shout n., għajta.
shout v., għajjat. ***our father ~ed at us;*** missierna għajjat magħna.
shouter n., għajjât.
shouting n., storbju.
shove n., tefgħa.
shove v., tafa'/tefa'.
shovel n., luħ.
shovel v., lewwaħ. ***to ~ food;*** iffoxxna.
shoveler n., pallettuna.
shovelful n., palata.
shoveller n., lewwieħ.
shovelling n., tilwiħ.
show (off) v., faġġaġ, iddandan.
show (oneself) v., iffaċċja, wera ruħu, xiref.
show n., espożizzjoni, mostra, parenza, serata, sfaġġ, wirja. ***fashion ~;*** sfaġġ ta' lbies. ***flower ~;*** wirja tal-fjuri.
show v., spona, wera.
shower n., doċċa, doxxa, ħalba xita. ***light ~;*** xita ħafifa.
shower-bath n., xawer.
showing n., wiri.
shown adj. & p.p., muri.
shrewd adj., makakk, stus/stuż.
shrewdness n., astuzja, makakkerija.
shriek n., twerżiq.
shrieked adj. & p.p., mwerżaq.
shrill adj., werżieqi.
shrill v., werwer, werżaq.
shrilled adj. & p.p., mwerżaq.

shrine n., (eccl.) sagrarju.
shrink v., nxorob, ċkien. ***shrunk up in a corner;*** liebet.
shrivelled adj. & p.p., mqadded.
shroud n., kefen, sìndone, (mar.) sarsa.
shroud v., keffen. ***the undertaker ~ed the corpse;*** il-kumissjonant keffen il-mejjet.
shrouded adj. & p.p., mkeffen.
shrovetide n., ġranet tal-karnival.
shrub n., (bot.) arbuxell.
shrug v., tella' spallejh. ***to shrug up one's shoulders;*** kittef.
shudder n., tkexkix, tkexkix bil-bard. ***~ing with fear;*** tkexkix bil-biża'.
shudder v., rtogħod, twaħħax.
shuddering adj. & p.p., mkexkex.
shuffle v., tqanżaħ. ***~ the cards;*** (g.) mazzaz, rmixka.
shun v., èvita, skansa.
shut adj. & p.p., magħluq, msakkar. ***half ~;*** bexxaq. ***~ down;*** xattdawn. ***~ in;*** magħluq. ***~ up;*** mitbuq.
shut v., għalaq, qafel, sakkar, tebaq. ***he ~ someone's mouth;*** għalaq ħalq xi ħadd. ***~ up;*** ħaxken. ***~ oneself;*** issakkar.
shutter n., xater.
shutting n., qfil, qofol, sokor, tiskir.
shuttle n., mekkuk.
shy adj., naffari. ***to be ~;*** nafar, staħa. ***he is ~ of people;*** jistħi quddiem in-nies.
sicatrice n., (med.) ċikatriċi.
siccity adj., lihbien.
siccity n., nixfa.
sicity n., għatxa.
sick adj. & n., marid.
sick adj., mgħaxxex, mixħut. ***to be, to get ~;*** marad. ***her son got ~ with jaundice;*** it-tifel tagħha marad bis-suffejra. ***to make ~;*** marrad. ***the extreme cold caused many people to get ~ with flu;*** il-kesħa kbira marrdet ħafna nies bl-influwenza.
sicken v., marad, marrad.
sickle n., minġel.
sickly adj., batut, marradi, megħliel, mrajjed.
sickness adj., magħlul.
sickness n., mard. ***sleeping ~;*** mard tarrqad.
side n., banda, fjank, ġenb, lat, naħa. ***the ~ crust of a loaf;*** ġenba tal-ħobż.
side v., issajdja.
sideboard n., maħżna, sajbord.
sidewhisker n., barbetta.
siege n., assedju, imblokk.
siesta n., sjesta.
sieve v., għarbel.
sieved adj. & p.p., mgħarbel.
siever n., għarbiel.
sift v., gerbel, għarbel.
sifted adj. & p.p., mgħarbel, mnoqqi, msoffi.
sifter n., saffatur.
sifting n., għarbila.
siftings n., tfur.
sigh (for) v., tkarrab.
sigh n., karba, sospir.
sigh v., issospira, karab/korob, lefaq, tniehed. ***~ in weeping;*** lefaq.
sighed adj. & p.p., mitniehed.
sighing adj., mkarrab.
sighing n., tnehid.
sight n., ħars, mira, veduta, vista. ***at first ~;*** addoċċ, appront. ***catch ~ of;*** lemaħ. ***he caught ~ of his brother on the deck from the jetty;*** lemaħ 'il ħuh fuq il-vapur minn fuq il-moll. ***dimness of ~;*** ġahar. ***to take ~ of;*** immira.
sight v., immira.
sign n., għelm. ***bad ~;*** fell.
sign v., għamel minn idu, ħażżeż ismu, iffirma, issajnja, issenja. ***have you ~ed the contract?;*** iffirmajtuh il-kuntratt?
signal n., marka, sinjal. ***smoke ~;*** fumata.
signal v., (mil.) issinjala.
signatory n., firmatarju.
signature n., firma, sottoskrizzjoni.
signed adj. & p.p., iffirmat, maħżuż, mgħallem.
signer n., firmatarju.
significant adj., sinifikanti, sinifikattiv.
significated adj., sinifikat.
signification n., sens.
signify v., issinìfika.
signing n., tegħlim.
silence n., ħemda, sikta, silenzju, skiet. ***impose ~;*** ħemmed. ***to keep ~;*** ħemed.
silence v., ħammed/ħemmed, sikket.
silenced adj. & p.p., miskut, msikket, mħammed/mħemmed. ***to be ~;*** issikket.
silencer n., sajlenser, sikkiet.
silent adj., ħiemed, kwiet, sieket, silenzjuż. ***to be ~;*** għalaq ħalqu, ħemed, siket. ***that boy became ~ quickly;*** dak it-tifel malajr ħemed. ***to keep ~;*** siket. ***when the teacher entered the class-room everybody kept ~;*** meta daħal l-għalliem fil-klassi kulħadd siket. ***to render ~;*** issikket.
silica n., (min.) sìlika.
silk n., ħarir, seta. ***unbleached ~;*** seta kruda. ***~-worm;*** dud tal-ħarir.
sillily adv., stupidament.
silliness n., babberija, bluha, frugħa, ħmerija, stupidità.

silly (man) n., balalu, paċoċċ.
silly adj. & n., baġan, belhieni, ġifes, tontu. ***become ~;*** blieh.
silo n., sajlo.
silver n., fidda.
silver v., arġenta, fidded. ***plate with ~;*** arġenta. ***the art of ~ work;*** arġenterija. ***german ~;*** (met.) alpakka.
silver-plated adj., arġentat.
silvered adj. & p.p., arġentat, fiddieni, mfidded.
silverside n., laċertu.
silversmith n., arġentier, fiddied. ***~'s shop;*** arġenterija.
silvery adj., fiddi, fiddieni.
similar (to) adv., bħal.
simile n., (liter.) similitudni.
similitude n., mxiebha, similitudni, xbieha, xebh.
simony n., (eccl.) simonija.
simple adj., blejjah, sempliċi. ***~fellow;*** baġan. ***~ minded;*** balalu, defiċjenti.
simpleton n., babbu, bamboċċ, buba, sempliċjott.
simplicity n., sempliċità.
simplification n., semplifikazzjoni.
simplify v., issemplìfika/issimplifika. ***he simplified this work very much;*** dan ix-xogħol issimplifikah ħafna.
simply adv., sempliċement.
simulacrum n., simulakru.
simulation n., (leg.) simulazzjoni.
simultaneous adj., simultanju.
simultaneously adv., simultanjament.
sin n., dnub. ***deadly ~, mortal ~;*** dnub mejjet. ***original ~;*** dnub tan-nisel. ***venial ~;*** dnub venjal.
sin v., dineb. ***he ~ned against God;*** dineb kontra Alla.
sinagogue n., sinagoga.
since adv., ladarba, mindu, peress. ***ever ~;*** mindu. ***~ when;*** mindu.
sincere adj., sinċier.
sincerely adv., sinċerament.
sincerity n., sedq, sinċerità.
sincopation n., sìnkope.
sing v., għanna, kanta. ***the mother sang a song to the child;*** l-omm għanniet għanja lit-tifel. ***the school children sang the hymn "Fil-ħlewwa ta' Mejju";*** it-tfal ta' l-iskola kantaw l-innu "Fil-ħlewwa ta' Mejju".
singable adj., kantabbli.
singe v., xawwat. ***to be ~d;*** ixxawwat.
singer n., għannej, kantant. ***music-hall ~;*** kanzunettist.
singing n., kant. ***~ master;*** surmast tal-kant. ***~-school;*** skola tal-kant.
single adj., singlu, uniku, xebb.
single n., għażeb.
single-eye-glass n., monòkolu.
singsong n., kantaliena.
singular adj., waħdien.
singular n., (gram.) singular.
singularity adj., singolarità, waħdanija.
sink v., għereq, iffonda.
sinner n., midneb.
sinnet n., (mar.) baderna.
sinuous adj., serriepi.
sinusitis n., (med.) sinożite.
sip n., belgħa.
sip v., dekdek, issippja.
sir n., sinjur.
siren n., palomba, sirena.
sirius n., (astron.) sirju.
sirloin n., flett.
siskin n., (ornith.) ekra.
sister n., oħt, sister, soru. ***~s and brothers;*** aħwa.
sisymbrium n., (bot.) libsiena. ***broad-leaved ~;*** (bot.) libsiena.
sit (down) v., poġġa, qagħad. ***to ~ at table;*** qagħad fuq il-mejda.
site n., post.
sitting n., seduta.
situate v., qiegħed.
situated adj., sitwat.
situation n., sitwazzjoni.
six adj.num., sitta.
sixteen adj.num., sittax.
sixty adj.num., sittin.
size n., daqs, format, sajż, statura. ***of the same ~;*** daqsinsew. ***of this ~;*** daqshekk.
sizeable adj., mdaqqas. ***to become ~;*** id-daqqas.
sizzle v., textex.
skate n., skejt. ***flapper ~;*** (ichth.) rebekkin.
skate v., skejtja.
skein n., ġarrajja, ġażra, marella ħajt, marella, merilla, milwa.
skeleton n., skanètru, skèletru. ***to be a ~;*** donnu mewt.
sketch n., abbozz, bozzett/buzzett, skeċċ.
sketch v., abbozza, ħażż, ħażżeż, iddisinja. ***rough ~;*** draft.
sketched adj. & p.p., abbuzzat, maħżuż, mħażżeż.
ski n., ski.
skid n., skiddja, (mechan.) krikk.
skiff n., (mar.) frejgatina, luzzu, qeċċ/qiċċ, skiff.
skilful adj., abbli, espert, ħili, mħarreġ.
skill n., abbiltà, ħabta, ħila, maestrija.
skilled adj., espert.

skimmer n., xkumatur.
skin n., qoxra, ġilda. ***to take the ~ off;*** selaħ. ***fair ~ned;*** bjond. ***thickening of ~;*** skorċa.
skin v., qaxxar, selaħ.
skink n., (zool.) xaħmet l-art.
skinned adj. & p.p., maqruħ, misluħ, mqaxxar. ***to be ~;*** stelaħ.
skinniness n., nxief.
skinning n., taqxir, tisliħ.
skip adj., mqabbeż.
skip n., qamsa.
skip v., iżżegħber, qbiż tal-ħabel, tqâbeż.
skip-jack n., (ichth.) palamit.
skipped adj. & p.p., maqbuż.
skipping n., qbiż, taqbiż.
skirt n., dejl, dublett, għonnella. ***small/short/mini ~;*** dbejlett. ***maxi ~;*** maksiskert.
skitter v., ċafċaf.
skittish adj., naffari.
skittle n., (g.) brill.
skua n., (ornith.) ċiefa. ***pomatorhine ~;*** (ornith.) ċiefa ta' denbha. ***long-tailed ~;*** ċiefa ta' denbha twil.
skulk v., għajjeb.
skulky n., biċ-ciera.
skull n., qorgħan, qorriegħa, skutella tar-ras.
skull-cap n., kallotta, kappun, papalina.
sky n., sema.
sky-blue adj., ċelesti.
skyjacker n., skajġaker.
skylark n., (ornith.) alwetta.
skylight n., tamboċċ.
slab n., ċangatura, xriek.
slack adj., merħi.
slacken v., illaxka, immolla, issartja.
slackness n., reħi.
slain adj. & p.p., immewwet, maqtul.
slam v., sabbat.
slander n., kalunnja.
slander v., ikkalunnja, immalafama, qassas.
slandered adj. & p.p., ikkalunnjat, mqassas.
slandering n., taqsis, tibħit.
slanted adj. & p.p., mxaqleb.
slap n., daqqa ta' ħarta.
slap v., ħartam, werrex.
slash v., fellel il-wiċċ, ħanxar.
slashed adj. & p.p., mħanxar.
slasher n., ħanxâr.
slate n., tikula, (geol.) lavanja.
slater n., saqqàf.
slaughter n., qatla, qtil.
slaughter v., biċċer, debaħ. ***~ house;*** midbaħ, biċċerija, maqtel.
slaughtered adj. & p.p., midbuħ, minħur.
slave adj. & n., lsir/rsir, skjav. ***galley-~;*** furzat.
slaver n., lgħab.
slaver v., liegħeb.
slavering adj. & p.p., mliegħeb.
slavery n., jasar, sibi, skjavitù, tjassir.
slay v., mewwet, qatel, qattel.
sled n., slitta, mazza.
sledge n., slitta.
sledge-hammer n., mazza.
sleek adj., lixx.
sleek v. melles. ***he ~ed the horse not to skettish;*** melles iż-żiemel biex ma jitnaffarx.
sleep n., raqda, rqad. ***short ~;*** (ħadt) għamża, nagħsa. ***I could not ~ this night;*** ma stajtx norqod dal-lejl. ***to put to ~, to send to ~;*** raqqad.
sleep v., nam, nejjem, raqad, strieħ/straħ.
sleep-walker n., sonnàmbulu.
sleepiness n., xaħxiħ.
sleeping adj. & pres.p., rieqed.
sleeping n., rqad.
sleeplessness n., (med.) insonja.
sleepy adj., mniegħes, nagħsi.
sleepy n., ngħas.
sleeve n., komma. ***to turn up one's ~s;*** ixxammar.
sleigh n., slitta.
slender adj. & p.p., magħlub, mislut, pespus, rqiq, rżit, sifja, xipli, żnell.
slenderness n., graċilità, reqqa.
slice n., felli, fetta, slajs. ***a ~ of bread;*** slajs ħobż.
slicing n., tiftit.
slide v., iżżerżaq, żeġġ, żelaq.
slide (off) v., silek.
sliding adj., żerżieqi.
sliding n., żeġġa.
slight v., maqdar.
slim adj. & p.p., mislut, rqiq, żnell.
slimmer comp.adj., irqaq.
slimming n., tagħlib.
sling n., braga, imbragatura, sling, wadab, żbandola.
sling v., fajjar, imbraga, waddab.
slinger n., teffiegħ, waddàb.
slink v., sgiċċa.
slip n., għonnella, rdum, ġarf, żelqa.
slip v., silek, żelaq.
slipped adj. & p.p., mżellaq.
slipper n., karkur, pantoffla, papoċċa. ***wooden ~;*** qawwàb.
slippery adj., mżellaq, żellieqi. ***~ place;*** miżlaq.
slipping n., tiżliq, żlieq.
slit adj. & p.p., mixquq.

slit n., felli, qasma, xaqq.
slit v., xaqq.
slither v., iżżellaq.
slobbering adj., lgħabi.
slobbery adj., mbelgħen.
slogan n., slogan.
slop-pail n., slopp.
slope n., falda ta' muntanja, għolja, niżla, xaqliba. *~ slant;* pendil.
slot n., slott.
slothful adj., għażżien.
slothful v., kejjet.
slothfulness n., għakkarija.
slovenly adj., maħmuġ, mċewlaħ.
slow adj., artab, bati, mehli, waħħari, xaħma. *go ~ in doing;* ittratiena. *moderately ~;* (mus.) andante.
slowcoach n., pożapjanu.
slowly adv., qajla, qajlqajl. *very ~;* bil-lajma, ċiklem ċiklem.
slowness n., lajma. *to cause ~;* nikker.
slug n., (zool.) bugħarwien.
sluggard n., nikkier, skansafaċendi.
sluggish adj., mehli.
sluggishness n., għakkarija, mehla, rtubija.
slumber n., raqda.
slumber v., nagħas, tniegħes.
slumbering n., tingħis.
slur n., (mus.) legatura.
slush n., ħàma, tajn.
slut n., ċlona, dendula, nittiena.
sly adj., ħażin, viljakk.
smack v., ħartam.
small adj., ċkejken, minùskola, żgħir. *to become ~;* ċkien, iċċekken. *to make ~;* ċekken. *very ~;* butiff.
smaller comp.adj., iżgħar. *be ~;* iċċekken.
smaller v., ċkien.
smallness n., ċkunija, ċokon.
smallpox n., (med.) ġidri.
smare n., (ichth.) munqara.
smash v., farrak, kisser, sfrakassa, tertaq. *the bomb ~ed the door entirely;* il-bomba tertqet il-bieb għal kollox. *~ed to pieces;* mfarrak.
smasher n., farrâk.
smashing n., sfrakass.
smear v., ċallas, ċappas, ċellaq, dellek, dilek, żelleġ.
smeared adj. & p.p., mċallas, mżelleġ. *to be ~;* iċċellaq, iżżelleġ.
smearing n., tiċlis, tidlik, tiżliġ.
smell n., naska, riħa. *close ~;* riħa ta' għeluq.
smell v., ixxammem, xamm. *~ sweet;* fieħ. *those roses ~ sweet;* dak il-ward ifuħ ħafna.
smelled adj. & p.p., mixmum.
smeller n., xammej.
smelling n., tixmim, xamm.
smelt adj. & p.p., minxtamm.
smelter n., fonditur.
smelting n., (techn.) fonditura.
smerald n., (min.) smerald.
smilax n., (bot.) salsaparija.
smile n., tbissima.
smile v., tbissem. *do not ~ at anyone;* titbissem lil ħadd.
smiling adj. & p.p., mbissem.
smiling adj. & pres.p., daħkàn.
smiling n., tbissim. *smilingly;* bit-tbissim.
smite v., leff, ħabat.
smithereens n., frak.
smithy n., forġa.
smiting n., leffa.
smoke n., duħħan, fumata. *covered with ~;* mdaħħan. *emit ~;* daħħan.
smoke v., daħħan, pejjep.
smoked adj. & p.p., mpejjep.
smoker n., fumatur, pejjiep, smowker.
smokescreen n., smowkskrin.
smokiness n., daħna.
smoking n., fumata, tipjip.
smoky adj., mdaħħan. *to become ~;* iddaħħan.
smooth adj., lixx.
smooth v., illixxa, melles.
smoothed adj. & p.p., illixxat.
smoother comp.adj., imles.
smoothing n., lixxatura, timlis, unvjatura.
smuggle v., daħħal. *he ~d the merchandise, (goods);* daħħal b'kutrabandu l-merkanzija.
smuggler n., kuntrabandier.
smuggling n., kuntrabandu.
smutted adj. & p.p., mgermed.
snail n., (zool.) bebbuxu, għakrux.
snake n., (zool.) serp, serpent. *~ blenny;* (ichth.) ballottra.
snare n., nassa, trabokk, xibka.
snared adj. & p.p., minsub.
snarer n., nassàb.
snatch v., ħataf, irramba, ximek. *he ~ed the opportunity to go;* ħataf il-waqt li jmur.
snatched adj. & p.p., maħtuf/moħtuf.
snatching n., ħtif.
sneak v., sgiċċa.
sneeze n., għatsa.
sneeze v., għatas.
sneezer n., għattâs.
snip v., qassas.
snipe n., (ornith.) bekkaċina. *common ~;* (ornith.) bekkaċċ. *great ~;* bekkaċċ ta' Mejju.

snipped adj. & p.p., mqassas.
snivel v., maħħat.
snob n., snobb.
snore v., ħarħar, naħar. ***he ~d all night and I could not go to sleep;*** naħar il-lejl kollu u ma ħallinix norqod.
snored adj. & p.p., minħur.
snorer n., naħħàr.
snoring n., nħir, tinħir.
snot n., maħta.
snout n., (anat.) geddum ta' bhima.
snow n., borra, silġ.
snuff n., naskata/niskata, tabakk ta' l-imnieħer. ***~-box;*** tabakkiera.
so adv., hekda, hekk, keda.
so? pron., hux.
soak v., naqa', sappap, xarrab.
soaked adj. & p.p., msappap/mxappap, minqugħ. ***to be ~;*** sar għasra. ***to become ~;*** issappap.
soap n., sapuna. ***shaving ~;*** sapuna tal-leħja. ***~-suds;*** ragħwa tas-sapuna.
soap v., issâpna.
soap-box n., sapuniera.
soap-studs n., ragħwa tas-sapun.
soaped adj. & p.p., issapnat.
soaping n., sapnatura.
sob v., lefaq. ***we ~ in this valley of tears;*** nolfqu f'dan il-wied tad-dmugħ. ***~ continuously;*** leffaq.
sobbing adj., leffieqi.
sobbing n., lfiq, tilħiq.
sober adj., sobrju.
soccory n., (bot.) ċikwejra.
sociable adj., soċjevoli, xerrieki.
social adj., soċjali. ***~ intercourse;*** relazzjoni soċjali.
socialism n., soċjaliżmu.
socialist n., soċjalist.
socialize v., issoċjalizza.
socially adv., soċjalment.
society n., ġmiegħa, għaqda, soċjetà, xirka.
sociological adj., soċjolòġiku.
sociologist n., soċjòlogu.
sociology n., soċjoloġija.
sock n., peduna.
socle n., zokklatura.
sod n., pjoti, tuba.
soda n., (chem.) soda. ***baking ~;*** bikarbonat tas-soda. ***caustic ~;*** soder.
sodality n., sodalità.
sodium n., (chem.) sodju.
sodomite n., pederasta, sodomìta.
sodomy n., sodomija, (leg.) pederasterija.
soever pron., kwalsivolja.
sofa n., kannapè, sufan.
soft adj., artab, mòrbidu, moxx, ratba, tari, tieri. ***made ~;*** mrattab, mtenfex. ***~ hair;*** żajbra.
soften v., ħalla, ratab, rattab, rtab, tarra, tenfex.
softened adj. & p.p., mirtub, mrattab, mtarri.
softener n., rattàb.
softening n., tartib, tenfix, tirtib, titrija, (med.) rammolliment. ***~ of the brain;*** rammolliment ċerebrali.
softer comp.adj., irtab.
softly adv., kutu-kutu, ħelu ħelu. ***~ ~;*** bil-qajla l-qajla.
softness n., delikatezza, rtub, rtuba, rtubija.
soil n., raba', ħamrija. ***watered ~;*** saqwi.
soil v., ċallas, ċappas, ċellaq, dennes, ħammeġ, kasbar/każbar, nitten, tabba'/tebba'. ***~ed with flour;*** infarinat.
soiled adj. & p.p., mdennes. ***to be ~;*** iċċappas, iċċallas.
soiree n., swarè, serata.
sol-fa v., (mus.) issolfeġġa.
solace n., konfort, tifriġ.
solar adj., solari, xemxi. ***~ eclipse;*** kifsa. ***~ system;*** sistema solari.
sold adj. & p.p., mibjugħ.
solder n., stann.
solder v., stanja, (techn.) issalda.
soldered adj. & p.p., (techn.) issaldat.
soldering n., saldatura. ***~ iron;*** saldatur.
soldier n., suldat.
sole adj., uniku, waħda.
sole n., pett, qiegħ ta' żarbuna. ***common ~;*** (ichth.) lingwata. ***inner ~;*** suletta. ***pellucid ~;*** makku. ***wiskered ~;*** busuf il-baħar.
solecism n., soliċiżmu.
solely adv., biss, unikament.
solemn adj., solenni.
solemnity n., solennità.
solemnization n., solennizzazzjoni.
solemnize v., issolennizza.
solemnly adv., solennement.
solicitor n., (leg.) ċivilista.
solicitude n., premura.
solid adj., konsistenti, mastizz, mimli, sod, sòlidu.
solidarity n., solidarjetà.
solidify v., issolida.
solidity n., sodizza, solidità.
soliloquy n., solilòkwju.
soliped n., qawwàb.
solitary adj. & p.p., mħarreb, miġbur.
solitary adj., solitarju, waħdien.
solitude n., solitudni.
solminate v., (mus.) issolfeġġa.
solmisated adj. & p.p., (mus.) mqorri.

solmization n., (mus.) solfeġġ.
soloist n., (mus.) solist.
solstice n., (astro.) solstizju.
solstitial adj., solstizjali.
soluble adj., solubbli.
solution n., soluzzjoni.
solve v., rsolva, solva. ***that cannot be ~d;*** insolvibbli.
solved adj. & p.p., solvut.
solvent adj., ħallasi, solvibbli, (chem.) solvent.
some n., wieħed.
some pron. & adj., xi. ***~ times;*** xi darba.
somebody n., wieħed, xi wieħed, xi ħadd.
somebody pron., xi ħadd. ***~ else;*** xi ħadd ieħor.
someone n., xi wieħed, xi ħadd.
somersault n., kutrumbajsa.
sometimes adv., mindaqqiet.
sometimes n., drabi, xi drabi, ġie waqt.
somewhat adj., ponta.
somnabulism n., sonnabuliżmu.
somniferous adj., raqqad, sonnìferu.
somnolency n., ngħas.
son n., iben, wild.
son-in-law n., żewġ il-bint, ħaten.
sonata n., (mus.) sonata.
song n., għanja, kàntiku, kanzunetta. ***monotonous ~;*** kantaliena. ***plain~;*** kant Gregorjan.
sonnet n., sunett. ***~ with a tail;*** sunett biddenb.
soon adv., appik, bilġri, dalwaqt, malajr. ***as ~ as;*** appena, hekda kif, malli.
soot n., ġmied. ***covered with ~***; mġemmed.
soot v., ġemmed.
sooted adj. & p.p., mġemmed.
soothe v., sikket.
soothsayer n., nabi/nibi.
sootiness n., ġemda.
sooty adj., mġemmed. ***to make ~;*** germed. ***to become ~;*** iġġemmed. ***this pan became all ~;*** din il-borma ġġemmdet kollha.
sop n., biskuttell.
sop v., sappap. ***to be ~ped;*** ixxappap.
sophism n., sofiżma.
sophist n., sofista.
sophistic adj., sofistiku.
sophistically adv., sofistikament.
sophistry n., sofistika, sofistikerija.
soporific adj., raqqad.
soprano n., sopran.
sorb n., (bot.) sorba. ***sweet ~;*** (bot.) pumakannella.
sorb-apple n., (bot.) żorba.
sorcerer n., saħħàr.
sorcery n., seħer.
sore adj., miġruħ.
sore n., darba, demla, għaqra, pjaga. ***full of ~s;*** ippjagat.
sorghum n., (bot.) milju, sorgu.
sorrel n., (bot.) qares.
sorrow n., diqa, dispjaċir, dulur, għali, għomma, għoqla, hemm, niket, sogħba, tristezza. ***to cause ~;*** iddispjaċa.
sorrowful adj., doloruż, iddulurat, mest, sogħbien, weġġħan.
sorrowing n., tinkit.
sorry n., sogħba. ***to be ~;*** sogħob.
sort n., fatta, ġèneru, speċi, tip, xorta.
sort v., issortja.
sorted adj. & p.p., issurtjat.
sorter n., distributur.
sortie n., (mil.) sortita.
sortilege n., sortileġju.
sot n., sakranazz.
sottish n., iblaħ. ***become ~;*** blieħ.
soul n., ruħ.
sound adj., qawwi, sħiħ. ***safe and ~;*** qawwi u sħiħ.
sound n., daqqa, ħoss, leħen, sawnd.
sound v., damdam, skandalja, (mar.) issonda.
sound-line n., (mar.) skandall.
sounded adj. & p.p., midquq, (mar.) issundat.
sounding adj. & pres.p., diewi.
soup n., soppa, xarruba. ***meat ~;*** brodu. ***vegetable ~;*** kawlata, minestra.
soup-spoon n., kuċċarun.
soups n., ftiet.
sour adj., qares. ***very ~;*** qares ħall. ***make ~;*** qarras.
sour v., qarras.
source n., provenjenza.
soured adj. & p.p., imqarras.
sourer comp.adj., èqras.
sourness n., mqata, qrusa.
soutane n., libsa ta' qassis, suttana.
south (wind) n., qibla.
south east (wind) n., xlokk.
southern adj., awstrali, meridjonali.
southern-wood n., (bot.) santolina.
souvenir n., rikordju, suvenir.
sovereign n., re, renjant, sovran, sultan.
sovereignty n., kburija, sovranità.
sow v., żara'/żera'. ***he ~ed the field with corn;*** żara' l-għalqa bil-qamħ.
sow-thistle n., (bot.) tfiefa.
sower n., żerriegħ.
sowfish n., (ichth.) ċeppullazza.
sowing n., tibjit, żrigħ.
sown adj. & p.p., miżrugħ. ***to be ~ hither and thither;*** ittewwaq.

space n., spazju, wasa'.
space v., spazja.
spacious adj., kbir, spazjuż.
spade n., luħ, mgħażqa.
spaghetti n., spagetti.
span n., xiber.
spangle n., antaċċola.
spanner n., spaner.
spar n., antinjola.
spare adj., sper. ~ ***parts;*** sper parts. ~ ***wheel;*** sper wil.
spark n., suffarell, xrara, (elect.) spark.
spark v., (elect.) sparkja.
sparkle n., suffarell.
sparkle v., lema, tajjar ix-xrar.
sparkling adj., leqqieni.
sparkling n., titjir tax-xrar.
sparrow n., (ornith.) għasfur tal-bejt. ***hedge ~;*** (ornith.) żerżur, kanarin salvaġġ. ***male ~;*** għammiel. ~ ***hawk;*** falkett.
spasm n., sjat, spażmu.
spasmodic adj., spasmòdiku, spażmòdiku.
spastic adj., (med.) spàstiku.
spasticity n., (med.) spastiċità.
spat adj. & p.p., mbeżżaq, mibżuq.
spathe n., (bot.) spettafora.
spatial adj., spazjali.
spatula n., (chem.) spàtula.
speak v., għad, kellem, tkellem. ***I am ~ing to a post;*** qiegħed inkellem lill-ħajt. ***to ~ ill of;*** ċefa, sparla. ***to ~ idle talk;*** tewwet. ***to ~ in a low voice;*** kewċen. ***to ~ immodestly, indecently;*** faħħax. ***to ~ unintelligibly;*** ħettel.
speaker n., kelliem, konferenzier, spiker.
spear n., (mil.) lanza.
spear-fish n., (ichth.) pastardella.
spear-man n., (mil.) lanċier.
spearment n., (bot.) nagħniegħ.
special adj., speċjali.
specialist n., speċjalista.
speciality n., speċjalità.
specialization n., speċjalizzazzjoni.
specialize v., speċjalizza.
species n., xorta.
specific adj., speċìfiku.
specifically adv., speċifikament, speċifikatament.
specification n., speċifikazzjoni.
specify v., speċìfika.
specimen n., kampjun, tip.
speckled adj. & p.p., mċappas.
spectacle n., spettaklu.
spectacles n., nuċċali.
spectacular adj., spettakoluż.
spectator n., spettatur.
spectre n., fantażma, fatàt, ħâres, spettru.
spectrography n., spettrografija.
spectroscope n., spettroskopju.
spectroscopic adj., spettroskòpiku.
spectroscopy n., spettroskopija.
spectrum n., (phys.) spettru.
speculate v., spèkula.
speculation n., spekulazzjoni.
speculative adj., spekulattiv.
speculator n., spekulatur.
speech n., diskors, lsien, parlata, taħdit. ***extempore ~;*** diskors improvviżat. ***fluency of ~;*** lokwela.
speed n., bżulija, għaġla, spid, veloċità.
speed-boat n., (mar.) spidbowt.
speedily adv., bil-ġiri, bil-għaġla.
speeding n., tagħġil.
speedometer n., spidòmetru.
speedy adj., veloċi.
spell v., spella.
spelling n., grafija.
spelt n., (bot.) farru, spelta.
spend v., nefaq. ***to ~ lavishly;*** nefaq għajnejh. ***to ~ time;*** għadda ż-żmien.
spender n., neffieq.
spending n., nfiq.
spendthrift adj., ħali.
spendthrift n., berbieq, ħali, żmalditur.
spent adj. & p.p., minfuq.
sperm n., sperma.
spermaceti n., spermaċeti.
spermatic adj., spermàtiku.
spheral adj., tond.
sphere n., qawra, sfera.
spherical adj., mqawwar, qawri.
spheroid n., (anat.) sferojde.
sphincter n., (anat.) sfinteru.
sphinx n., sfinġi.
spice n., spajs.
spices n., ħwar.
spider n., (zool.) brimba. ***~'s web;*** għanqbuta.
spigot n., soddieda.
spike n., (bot.) spiga.
spikenard n., nard.
spiky adj. & p.p., mxewwek.
spill n., ġurdieqa.
spill v., bidded, ċarċar, qaleb. ***to be ~ed;*** iċċarċar, idderra, ixxerred. ***the wine was ~ed on the table;*** l-inbid ixxerred fuq il-mejda.
spilling n., ċarċir, tixrid. ***the water is ~ over the wall;*** l-ilma qiegħed iċarċar mal-ħajt.
spin v., għażel, għażżel.
spinach n., (bot.) bqajla, spinaċi.
spinage n., (bot.) bqajla.

spindle n., dussies, fus, magħżel, mrajden, stwiel, żarżur, (artis.) marden.
spindle-wheel n., toqqala.
spindle-whorl n., toqqala.
spine n., (anat.) spina dorsali. ***cross ~;*** (ichth.) stilliera.
spinner n., għażżiel, reddien.
spinning n., tagħżil.
spinning-wheel n., mabram.
spiny adj., xewki.
spiral n., spiral. ***~ staircase;*** taraġ spiral.
spirit n., ruħ, spirtu. ***Holy S~;*** Spirtu s-Santu. ***evil ~;*** spirtu malinn. ***infuse the evil ~;*** indemonja. ***low ~ed;*** depress.
spirit v., ħeġġeġ.
spiritism n., spiritiżmu.
spiritist n., spiritist.
spirits n., likuri, xorb spirituż.
spiritual adj., spiritwali.
spirituality n., spiritwalità.
spit n., beżqa, bżieq, seffud. ***~ often;*** beżżaq.
spit v., beżaq, seffed.
spite n., dispett, inkrepazzjoni, puntill. ***in ~ of;*** minkejja.
spiteful adj., dispettuż, inkejjuż, inkrepattiv.
spitoon n., mibżaq.
spitter n., beżżieq.
spittle n., bżieq, riq.
splash v., ċafċaf. ***~ of mud;*** raxx tat-tajn.
splashing n., ċafċif.
spleen n., (anat.) milsa, (med.) marrara.
splendid adj., manifiku, splèndidu.
splendidly adv., manifikament.
splendour n., dija.
splenitis n., (med.) splenite.
splenius n., (anat.) splenu.
splice n., (mar.) ċombatura.
splice (a rope) v., (mar.) iċċomba.
splinter n., ġurdieqa, skalda, splinter.
split adj. & p.p., mxaqqaq, maqsum, xpakka.
split v., faqa', faqqa', iddisintegra, ixxaqqaq, qasam, xaqq. ***to ~ with laughter;*** faqa' bid-daħk.
splitting n., ġelġil.
spoil v., fised, fissed, għarraq, ħassar, ħażżen, intakka.
spoiled adj. & p.p., maqtugħ, mħassar, mħażżen, mittiefes/mittiesef, mkasbar.
spoiler n., ħażżien.
spoiling n., tehrija.
spoken adj. & p.p., mitkellem, mitħaddet, mkellem.
spokesman n., portavuċi.
spokesperson n., kelliem.
sponge n., sponża.
sponge-cake n., panedispanja.
sponger n., reddiegħ.
sponsor n., parrinu, sponser.
sponsor v., sponsorja.
spontaneous adj., spontanju.
spontaneously adv., minn jeddu, minn rajh, spontanjament.
spool n., bobin, spola.
spoon n., dikxiena, mgħarfa.
spoon-feed v., żaqq.
spoonbill n., (ornith.) paletta, spàtula.
spore n., (bot.) spora.
sport n., sport.
sportingly adv., sportivament.
sportive adj., sportiv.
spot n., nikta, tebgħa/taba', (g.) spot.
spot v., kasbar, nikket, tabba'/tebba'.
spotted adj. & p.p., mdennes, mnikket, mtabba'. ***to be ~;*** ittabba'.
spounge (from) v., skrokkja.
spouse n., għarus.
spout n., qattara.
spouting adj. & pres.p., riemi.
sprain n., tfekkik.
sprain v., fekkek.
sprained adj. & p.p., maqlugħ, mfekkek.
sprat n., sardina.
sprawl v., mtedd, tmattar.
spray v., bexx, bexxex, raxx.
sprayer n., raxxiexa.
spraying n., bexxa.
spread (out) v., issettaħ.
spread adj. & p.p., mferrex, mifrux, msettaħ.
spread out adj., tiż.
spread v., dellek, firex, medd, xerred, żara'. ***he ~ out the carpet on the floor;*** firex it-tapit ma' l-art. ***to ~ nets;*** nasab. ***to ~ the bed;*** firex is-sodda.
spreader n., ferriex, xerried.
spreading n., tifrix.
sprightliness n., briju.
sprightly adj., vivaċi.
spring (up) v., nibbet, nibet.
spring n., fawwara, funtana, għasluġ, maġra, molla, nixxiegħa, rebbiegħa. ***spiral ~;*** spiral. ***hair-~;*** spiral ta' arloġġ. ***well ~;*** ras il-għajn.
spring-board n., trampolin.
springiness n., elastiċità.
sprinkle n., raxxa.
sprinkle v., bexx, bexxex, raxx.
sprinkled adj. & p.p., marxux, mbexxex, mibxux, mraxxax.
sprinkling n., bexxa, tibxix.
spritsail n., (mar.) tarkija.

sprout n., nbieta, nibta, rimja.
sprout v., bannat, berkel, ġelben, għasleġ, iżżarġan, nibet, raħħas, sponta, tfelles. ***the weeds began to ~ in the garden;*** il-ħaxix beda jinbet fil-ġnien.
sprouted adj. & p.p., mraħħas, mġelben.
sprouting n., tinbit.
spruce adj., għandur.
spruce n., (bot.) zappin.
spuceness n., ndafa.
spud n., lexxuna, ronċil.
spume n., ragħwa, xkuma.
spume v., ragħa.
spun adj. & p.p., magħżul, mradden.
spunk n., kuraġġ, qlubija.
spur n., xprun.
spurge n., (bot.) tengħut.
spurious adj., spurju.
spurt v., żennen. ***a little ~ing of milk;*** geżża.
spy n., spija, spjun, xellej.
spy v., spjuna, xela/xila.
spy (on) v., sekkek, spija, tkixxef. ***the enemy spied on the movement of our army;*** l-għadu tkixxef fuq iċ-ċaqliq ta' l-eżerċtu tagħna.
spying n., spjunaġġ, xili.
spying-glass n., tromba.
sqaull n., maltempata.
squabble n., battibekk, xarja.
squabble v., għamel xarja.
squad n., (mil.) skwadra.
squadron n., (mil.) skwadrun.
squalid adj., safra, safrani.
squall n., buffura, burraxka, riefnu.
squander v., berbaq, tajjar, żmalda. ***he ~ed his money in games of chance;*** tajjar flusu fil-logħob ta' l-azzard.
squandered adj. & p.p., mberbaq.
squanderer n., berbieq.
squandering n., ħala, tberbiq.
square adj., kwadrat, kwadru.
square n., misraħ, pjazza, skwerra, (artis.) kartabun.
square v., ftiehem, ikkwadra. ***to ~ stones;*** naġar.
squared adj. & p.p., mrabba'.
squashed adj. & p.p., mgħattan, mħassel.
squashing n., taħsil.
squat adj., qawbi. ***he ~ted;*** huwa qagħad la qawbija.
squat v., berrek.
squeamished adj. & p.p., mdardar.
squeeze n., għasra.
squeeze v., għafas, għasar, rass.
squeeze (hard) v., għaffas.
squeeze (oneself) v., ntrass/rtass. ***don't ~ yourself in the crowd;*** toqgħodx tintrass fil-folla.
squeezed adj. & p.p., magħfus, magħsur, mgħaffas, mrassa.
squeezer n., magħsra.
squeezing n., tagħfis.
squib n., suffarell.
squill n., (bot.) pankrazju, għansar.
squint n., (med.) strabiżmu.
squint-eyed adj., agħwar, werċ. ***to make one ~;*** werreċ.
squirrel n., (zool.) skojjattlu.
stab v., fera, mewwes.
stability n., stabbilità.
stabilize v., stabbilizza.
stable adj., stabbli.
stable n., stalla.
stack n., gods, gozz, ħemel, munzell. ***~;*** gozz ħuxlief, suf, qamħ, eċċ. ***hay-~;*** munzell tiben.
stacked adj. & p.p., mgħarrem.
stacking n., tagħrim.
stadium n., arena, stadju, (g.) grawnd.
staff n., bastun, ħatar, lasta, personal, sawt, staff. ***flag-~;*** lasta ta' bandiera. ***pastoral ~;*** (eccl.) baklu, pastoral.
stag n., (zool.) ċerv.
stage n., fażi, palk, stadju, stejġ, xenarju. ***~ direction;*** (theatr.) didaskalja.
stage-manager n., (theatr.) reġista.
stagger v., ixxengel. ***yesterday he returned home ~ing;*** il-bieraħ daħal id-dar jixxengel.
staggered adj. & p.p., mxengel.
stagnate v., stagħdar, stanja, staġna.
stagnated adj. & p.p., mistagħdar.
stagnation n., stagħdir.
stain n., nikta, tebgħa/taba'.
stain v., ċappas, dennes, tabba'/tebba'. ***I have ~ed my hands with blood;*** ċappast idejja bid-demm. ***you ~ed this dress with oil;*** din il-libsa tabbajtha biż-żejt.
stained adj. & p.p., mċappas, mtabba'. ***to be ~;*** iċċappas, ittabba'.
staining n., titbigħ.
stair n., tarġa. ***winding ~s;*** garagor.
stake n., pal, (g.) ġugata.
stake v., lagħab. ***he ~d money on a horse;*** lagħab il-flus fuq żiemel.
staker n., ġugatur.
stalactite n., (geol.) stalaktita.
stalagmite n., (geol.) stalakmita.
stale adj., mranġat. ***to become very ~;*** issenneġ.
stalk n., magħleb, zokk.
stall n., (theatr.) stalla. ***butcher's ~;*** ċanga.
stallion n., faħal.

stamen n., (bot.) stami.
stamina n., stamina.
stammer v., laqlaq, maħmaħ, temtem, tertex.
stammered adj. & p.p., mtemtem.
stammerer n., temtiem.
stammering adj. & p.p., mtemtem.
stammering n., temtim.
stamp n., boll, bolla, timbru.
stamp v., imbolla, ittimbra, stampa, tebagħ.
stamped adj. & p.p., imbullat, ittimbrat, stampat.
stamping n., imbullatura, timbratura.
stanchion n., puntal.
stand n., manbar, stand, tribuna. ***band ~;*** palk tal-banda. ***hat ~;*** xtilliera tal-kpiepel. ***wash-hand ~;*** lavaman.
stand v., qagħad.
stand (out) v., rsalta, spikka.
stand (up) v., qagħad bil-wieqfa, qam, qawwem, waqaf.
standard n., gonfalun, sanġakk, standàrd.
standard-bearer n., (mil.) alfier.
standing adj., wieqaf. ***he was too weak to remain ~;*** ma felaħx joqgħod bil-wieqfa.
stanza n., (liter.) stanza, strofa.
staphyloma n., (med.) stafiloma.
star n., (astro.) kewkba, stilla. ***shooting ~;*** (astro.) kewkba feġġa. ***evening ~;*** kewkba żahrija. ***pole ~;*** stilla polari. ***morning ~;*** kewkbet is-sebħ, il-matutina. ***north ~;*** stilla polari. ***to adorn with ~s;*** kewkeb.
star-gazer n., (ichth.) żondu.
starch n., lamtu.
starch v., illamta.
starched adj. & p.p., illamtat.
stare v., bera, berraq għajnejh, għajjen, skanta.
stared (at) adj & p.p., mgħajjen, mgħajnas.
staring adj., mberraq.
staring n., tagħjin, tibriq.
starling n., (ornith.) sturnell.
starred adj. & p.p., mkewkeb.
starry adj., kewkbi, mkewkeb.
start n., bidja.
start v., beda, startja, tellaq.
starting n., telqa. ***~ point;*** mitlaq, spunt.
starter n., (elect.) starter.
startle v., diehex, ħasad, naffar, ndehex.
startled adj. & p.p., mdehhex, mdiehex. ***to be ~;*** dehex, iddiehex.
startling n., tidhix.
starve v., ġewwaħ, qatel bil-ġuħ.
starved adj., mġewwaħ. ***to feel ~;*** iġġewwaħ.
starver n., ġewwieħ.
starving adj., ġewwieħi, ġewħan.
statal adj., statali.
state n., stat. ***Secretary of S~;*** Segretarju ta' l-Istat.
state v., afferma, iddenunzja, iddikjara. ***to ~ precisely;*** ippreċiża.
stated adj. & p.p., affermat.
statement n., rapport, (leg.) denunzja.
statesman n., statista.
static(al) adj., stàtiku.
statics n., stàtika.
station n., stazzjon. ***railway ~;*** stazzjon tal-ferrovija.
stationary n., stazzjonarju.
statistical adj., statìstiku.
statistics n., statìstika.
statterer n., temtiem.
statuary n., statwarju.
statue n., statwa, vara. ***~ bearer;*** reffiegħ.
stature n., statura.
statute n., statut.
stauroscope n., (phys.) stawroskopju.
stave n., dugħ.
stay n., baqgħa, qagħda, (mar.) drajja, strall. ***main-top-~;*** (mar.) strall tal-gabja. ***main-~;*** strall tal-majjistral. ***main-top-gallant-~;*** strall tal-pappafik. ***fore-top-~;*** strall tal-parrukkett. ***fore-~;*** strall tat-trinkett.
stay v., qagħad, tmiehel, waqaf.
staying n., żamm.
steadfast adj., qawwi.
steadiness n., solidità, tilżim, tutiq, wetqa.
steady adj., ferm, fiss.
steak n., stejk.
steal v., seraq. ***Napoleon stole many of Malta's treasures;*** Napuljun seraq ħafna mit-teżori ta' Malta.
stealthily adv., kisnijiet.
steam n., fwar, stim. ***~-engine;*** magna bl-istim. ***~ship;*** vapur bl-istim.
steamer n., vapur.
stearin n., (chem.) stearina.
steel n., azzar.
steelyard n., stasija.
steep adj., rdumi, tlugħi. ***~ hill;*** mintba.
steep n., għolja, rampa.
steep v., għaddas, naqa', xarrab.
steeped adj., & p.p., minqugħ.
steeple n., kampnar.
steer n., (zool.) għoġol. ***~ badly;*** fellek.
steering (wheel) n., stering.
steerman n., tmunier.
stele n., (arch.) stela.
stem n., magħleb, zokk, (mar.) pruwa.

from ~ to stern; (mar.) mill-pruwa sal-poppa. ***principal ~;*** lomma.
stem v., rażżan.
stench n., ntiena.
stencil n., stensil.
stencil v., stensilja.
stenographer n., stenògrafu.
stenography n., sinktib.
step n., pass, tarġa. ***flight of ~s;*** (arch.) branka.
step-father n., żewġ l-omm.
step-son n., rbib.
stereographic adj., stereogràfiku.
stereography n., stereografija.
stereometer n., stereòmetru.
stereometrical adj., stereomètriku.
stereometry n., stereometrija.
stereoscope n., stereoskopju.
stereoscopic(al) adj., stereoskòpiku.
stereotyped adj., stereotipat.
sterile adj., ħawli, stèrili, xagħri. ***become ~;*** ħwiel.
sterility n., sterilità.
sterilization n., sterilizzazzjoni.
sterilize v., sterilizza.
stern adj., żorr.
stern n., (mar.) poppa. ***~ rower;*** (mar.) puppier/poppier. ***~ post;*** stampost.
sternum n., (anat.) sternu.
stethoscope n., (med.) stetoskopju.
stethoscopic adj., (med.) stetoskòpiku.
stethoscopy n., (med.) stetoskopija.
stew n., stuffat.
stew-pan n., kazzola.
stew-pot n., kazzola.
steward n., dispensier, ekònomu.
stick n., bastun, ħatar, virga, (med.) stikk. ***small ~;*** bastonċin.
stick v., inkolla, stikkja, waħħal.
stick-plaster n., (med.) stikk.
stickiness n., tagħkir, tagħlik.
sticking n., inkullatura, twaħħil, weħla.
stickle v., fittex ix-xagħra fil-għaġina.
sticky adj., gommuż, mgħakkar, mgħallek, waħħàl. ***to make ~;*** għallek.
stiff adj., iebes, rìgidu. ***to get ~ with cold;*** iggronċja.
stifled adj. & p.p., maħnuq.
stigma n., stigma.
stigmata n., stìgmati.
stigmatize v., stigmatizza.
stiletto n., stallett.
still adj., ċass, kiebi, sieket, wieqaf.
still conj., iżda.
still n., distillatur, għatba, lampik.
still v., sikket.
stillness n., ħemda.
stilt n., strippa,lasta. ***black-winged ~;*** (ornith.) ħrasservjent.
stimulate v., stìmula.
stimulating adj., stimulant.
stimulation n., stimulazzjoni.
sting v., niggeż.
sting-ray n., (ichth.) rajja lixxa. ***common ~;*** (ichth.) boll. ***blue ~;*** boll tork.
stinger n., niggież.
stinging adj., niggieżi.
stingy adj., qanċieċi. ***to be ~;*** qanċeċ. ***to become ~;*** ixxaħħaħ.
stingy v., xaħħ.
stink n., ntiena.
stink v., niten, rejjaħ, rieħ, żehem.
stint n., tqanċiċ. ***little ~;*** (ornith.) tertuxa. ***remminck's ~;*** tertuxa griża.
stinted adj. & p.p., mqanċeċ.
stipend n., stipendju.
stipulate v., stìpula.
stipulation n., stipulazzjoni.
stipulator n., stipulant.
stir v., ħawwad, iċċaqlaq, qanqal, tferfer. ***to ~ up the fire;*** qalleb in-nar.
stirer n., ħawwâd.
stirred adj. & p.p., mferfer, mlaħlaħ. ***to be ~ up;*** iddaħħaħ.
stirrup n., staffa.
stitch n., pont.
stitch v., ħiet/ħat. ***to ~ badly;*** barważ.
stitched adj. & p.p., meħjut.
stock n., assortiment, kalzetta, stokk. ***dwarf-branching ~;*** (bot.) gażun.
stock v., stokkja.
stock-dove n., (ornith.) palumbella.
stockade n., stekkat.
stockfish n., (ichth.) stokkafixx.
stockinet n., stokinett.
stocking n., kalzetta. ***elastic ~;*** kalzetta tal-lastiku. ***nylon ~;*** kalzetta tan-najlon.
stocks n., ċipp, (mar.) skal. ***gun ~;*** ċipp ta' l-azzarin.
stocky adj., matnazz.
stoker n., fokist, najjàr, stowker.
stole n., (eccl.) stola.
stolen adj. & p.p., misruq, mnaqqar.
stolen v., steraq.
stolidity n., ħmerija.
stomach n., stonku.
stomatitis n., (med.) stomatite.
stomatoscope n., (med.) stomatoskopju.
stone n., ġebla, ħaġra. ***angular ~;*** ġebla tax-xewka, għareb. ***barren ~;*** ħaġra ġarda. ***cornelian ~;*** krinjola. ***hard ~;*** ħaġra tas-samma. ***large slab of ~;*** ċangun. ***massy ~;*** blata. ***mill-~;*** ħaġra tal-mitħna. ***precious ~;*** ġemma, ġojja.

pumice ~; ħaffiefa. ***small ~;*** żrara. ***tomb ~;*** blata ta' qabar. ***turn (in)to ~;*** ġebbel.
stone v., iċċanga, ħaġġar. ***Saint Stephen was ~d to death;*** San Stiefnu kien imħaġġar għal mewt.
stone-bench n., xriek.
stone-curtew n., (ornith.) tellerita.
stone-cutter n., naġġàr, terrieq.
stone-pit n., barriera.
stonebass n., (ichth.) dott.
stonechat (European) n., buċaqq tas-silla.
stoned adj. & p.p., mħaġġar.
stones n., ġebel, ħaġar. ***to dress ~***; naġar. ***place abounding in ~;*** maħġar.
stoning n., taħġir.
stony adj., ġebli, ħaġri, mġebbel.
stool n., banka. ***kneeling ~;*** inġinokkjatur, ġinokkjatur. ***small ~;*** dkejkna.
stooping adj., baxxut.
stop n., waqfa.
stop v., heda/hida, ifferma, qagħad, sadd, stalla, waqaf, waqqaf, xekkel. ***to ~ one's ear;*** sadd widnejh. ***bus ~;*** stejġ.
stoppage n., fermatura, sadda.
stopped adj. & p.p., misdud, mwaqqaf, wieqaf.
stopper n., saddied, soddieda, tapp.
stopping n., tisdid, żamm.
stopple n., soddieda.
stopwatch n., (g.) kronometru.
storage n, ħażna. ***cold ~;*** friża.
store n., depożitu, maħżen, stor. ***ship's ~s;*** (mar.) attrazzi.
store v., ħażen, rafa'/refa', storja. ***he ~d the corn in the grannary;*** ħażen il-qamħ fil-matmura.
store-house n., depost.
store-keeper n., storkiper, ħażżien, maħżnier.
store-room n., dispensa.
storeman n., maħżnier.
storey n., pjan, sular.
stories n., ħrejjef, ġrajjiet, novelli, stejjer. ***make up ~;*** ħarref.
stork n., (ornith.) ċikonja. ***black ~;*** ċikonja sewda. ***~'s bill;*** ġeranju.
storm n., burraxka, maltempata, tempesta, temporal, uragan, (mar.) fortunàl. ***gale ~;*** grigalata. ***hail ~;*** tempesta tas-silġ.
storm v., lanġas.
stormy adj., mlanġas, tempestuż.
story n., ġrajja, novella, rakkont, storja. ***short ~;*** novella.
story-teller n., narratur, ħarrief.
stoup n., ħawt. ***holy water ~;*** ħawt ta' l-ilma mbierek.
stout adj., meħjiel, qawwi, qluqi.
stoutly adv., bis-saħħa.
stoutness n., simna.
stove n., fuglar/fuklar, kenur, kuċiniera, spiritiera, stufa.
stow v., stiva.
strabismus n., (med.) strabiżmu.
stradivarius n., (mus.) stradivarju.
straight adj., wieqaf.
straighten v., iddritta, iddrizza.
straightforwardness n., rettitudini.
strain v., rass, saffa, sforza, tqanżaħ, tħabat/ħtabat. ***don't ~ yourself for nothing;*** toqgħodx titħabat għal xejn.
strainer n., passatur. ***tea ~;*** passatur tat-tè.
strait adj., dejjaq, magħluq.
strait n., (geog.) fliegu, strett.
strait v., djieq.
straitened adj. & p.p., midjuq.
straiter comp.adj., idjaq.
stramonium n., (bot.) stramonju.
strand n., kurdun, xatt, xtajta.
strand v., (mar.) inkalja, irrokka.
stranded adj. & p.p., inkaljat, irrukkat, mżarrad. ***to be ~;*** iżżarrad.
strange adj., stramb.
stranger n., barrani, frustier, għarib, stranġier.
strangers n., għorba.
strangle v., fega, ħanaq, strangula.
strangled adj. & p.p., maħnuq, mgħargħar.
strangler n., ħannieq.
strangling n., ħniq.
strangulation n., strangulament, ħanqa.
strangulator n., strangulatur.
strap n., ċappetta, ċinga, (mar.) kuriġġa.
stratagem n., kejd.
strategy n., strateġija.
stratification n., stratifikazzjoni.
stratify v., saffaf, stratìfika. ***to be stratified;*** issaffaf.
stratifying n., tisfif.
stratosphere n., stratosfera.
stratospheric(al) adj., stratosfèriku.
stratum n., saff, strat.
straw n., palja, tiben. ***~ basket;*** basket tal-palja. ***sheaf of ~;*** qatta tiben. ***a rick of ~;*** mitbna.
strawberry n., (bot.) frawla.
streak v., tarraz.
streaked adj., ittigrat.
streaky adj. & p.p., mtarraz.
stream n., ħamla, maġra.
streamer n., pinnur, strimer.
strebuous adj., meħjiel.
strecher n., streċer.

street n., ħara, strada, triq.
strength n., felħ, forza, qawwa.
strength n., sanġakk, saħħa, sħuħija. ***~less;*** bla saħħa.
strengthen v., ikkonsòlida, irrinforza, qawwa, saħħaħ, taq/tieq, wettaq, xedd. ***during the war the soldiers ~ the fortress every day;*** fil-gwerra s-suldati jsaħħu l-fortizza kuljum.
strengthened adj. & p.p., mqawwi, mwettaq, rinfurzat.
strengthener n., saħħàħ.
strengthening n., tisħiħ, tqawwija.
stress n., aċċent.
stress v., aċċenta.
stressed adj. & p.p., aċċentat.
stretch n., medda.
stretch v., firex, ġebbed, kabbar, medd, nifex, stenda, stira, tawwal. ***~ one's arms or legs;*** mattar.
stretch (oneself) v., itterraħ, tmattar.
stretched (out) adj. & p.p., mifrux, mimdud.
stretched adj. & p.p., mġebbed, tiż. ***to be ~;*** iġġebbed.
stretcher n., (med.) barella.
stretching n., tiġbid.
stria n., strija.
stricken adj. & p.p., mħabbat.
strict adj., rìġidu, sever, strett.
strictly adv., strettament.
strictness n., reqqa, strettezza, taħrix.
strife n., ġlieda.
strike n., strajk.
strike v., bekket, darab, ħabat, inkalja, laqat, leff, sawwat, strajkja. ***the ship struck a rock and sank;*** il-vapur ħabat ma' blata u għereq. ***~ repeatedly;*** darrab.
striker n., ħabbât, sawwàt.
striking n., tiswit.
strinckle n., rażla/rażòla.
string n., kurdiċella, kurdun, qafla, rbat, spaga.
string v., damm, selsel/sensel. ***shoe ~;*** lazz taż-żarbun.
stringing n., tidmim, xakkatura.
strip n., strixxa.
strip v., nażża'. ***the soldiers ~ped Jesus and scourged him;*** is-suldati neżżgħu lil Ġesù u flaġellawh.
strip (oneself) v., għera.
stripe n., strixxa.
stripe v., tarraż.
striped adj. & p.p., irrigat, ittigrat, mtarraż.
stripping n., neżgħa, sbik, tinżigħ.
strive v., ħabrek, ħar, irranka, tħabat/ħtabat.
stroke n., daqqa, kolp, laqta, ħabta.
stroke v., taptap/tabtab.
stroll n., mixja, passiġġata.
stroll v., ippassiġġa, xiel/xal.
strong adj., felħan, ferm, forti, gajjard, karg, qawwi, reżistenti, sòlidu. ***~ coffee;*** kafè karg. ***very ~ man;*** faħal. ***to be ~;*** felaħ. ***to become ~;*** issaħħaħ. ***to make ~;*** geddel.
strong-box n., skrin.
stronger comp.adj., aqwa, asaħħ, ifreq, isħaħ, utaq. ***to make ~;*** irrinforza.
strongly adv., bis-saħħa.
strop n., ġilda tal-mus. ***razor ~;*** mejlaq.
strophe n., strofa.
struck adj. & p.p., maħbut, milqut, mħabbat. ***~ lightly;*** mtektek.
structure n., struttura.
struggle n., kumbattiment, lotta.
struggle v., illotta, tqabad.
struggler n., lottatur.
struggling n., taqbid.
strum v., ħanxar, tenkel.
strumming n., tenkil.
strung adj. & p.p., mdammam. ***~ together;*** midmum. ***to be ~ together;*** issensel.
strut n., puntal.
strut v., serdaq.
strychnine n., (chem.) strinkina.
stubble n., ġbiż, qasbija.
stubborn adj., mwebbes, pikuż, stinat.
stubborn n., ras iebsa. ***to be ~;*** webbes rasu.
stubbornness n., stinazzjoni, twebbis tarras.
stucco n., stokk.
stuck adj. & p.p., mwaħħal.
stud n., pulzier.
studdingsail n., (mar.) kultellazz.
student n., alliev, skular, student, studjuż.
studied adj., studjat.
studio n., studju.
studious adj., studjuż.
study n., studju. ***patristic studies;*** (eccl.) patroloġija.
study v., studja.
stuff n., drapp, stoffa.
stuff v., ħexa, ippakkja, karwat, mela. ***Paul ~ed a turkey for dinner;*** Pawlu ħexa dundjan għall-ikel.
stuffing n., ħaxu.
stultification n., stultifikazzjoni.
stultify v., bellah, stultìfika.
stumble n., għatra.
stumble v., għotor, tfixkel. ***the boy ~d on a stone, fell down and broke his leg;*** it-tifel tfixkel f'ġebla, waqa' u kiser siequ.

stumbled adj. & p.p., mfixkel, mgħattar.
stumbling n., tagħtir, tfixkil.
stummered adj. & p.p., mlagħlagħ.
stun v., itterżenta, storda, tarrax, xegħeb. ***when I heard the bad news I was ~ned;*** kif smajt din l-aħbar ħażina ħassejtni mixgħub.
stung adj. & p.p., mniggeż.
stunned adj. & p.p., itterżentat, mgħabbex, mitrux, stordut.
stunning n., tagħbix.
stunted adj. & p.p., magħkus. ***to remain very ~;*** iżżebbeġ.
stupefied adj. & p.p., mbellah.
stupendous adj., stupend.
stupid adj. & n., babbu, baġan, ebete, iblah, stùpidu, tontu.
stupidity n., babberija, ħmerija, stupidità.
stupidly adv., stupidament.
stupor n., stagħġib.
sturdy adj., felħan.
sturgeon n., (ichth.) sturjun.
stutter v., fetfet, laqlaq, maħmaħ, meċmeċ, temtem.
stuttered adj. & p.p., mlagħlagħ.
stuttering n., temtim.
sty n., maqjel.
style n., stil. ***Baroque ~;*** stil barokk. ***Gothic ~;*** stil gotiku. ***hair ~;*** maxta.
stylist n., stilista.
stylistic adj., stilìstiku.
stylize v., stilizza.
styptic adj., xdidi.
sub-prefect n., viċi prefett.
subaltern adj., taħtani.
subconscious adj., subkonxju.
subdeacon n., (eccl.) suddjaknu.
subdiaconate n., (eccl.) suddjakonat.
subdivision n., suddiviżjoni.
subdue v., għaleb, issottometta.
subdued adj. & p.p., maħkum, meħud/ moħud, mirbuħ.
subduer n., domatur.
subject n., kwestjoni, materja, soġġett/ suġġett, sùdditu.
subject v., issuġġetta/assoġġetta.
subjection n., soġġezzjoni.
subjective adj., soġġettiv.
subjectively adv., soġġettivament.
subjectivism n., soġġettiviżmu.
subjectivity n., soġġettività.
subjugate v., taħħat.
subjunctive adj., (gram.) soġġuntiv. ***~ mood;*** mod soġġuntiv.
sublease n., (leg.) sublokazzjoni.
subletting n., (leg.) sublokazzjoni.
sublimate n., (chem.) sublimat.
sublime adj., sublimi.
sublimity n., sublimità.
submarine n., (mar.) sottomarin.
submerge v., għarraq.
submerged adj. & p.p., mgħawwem.
submersion n., għarqa, tagħriq.
submission n., qima, sottomissjoni.
submissive adj., sottomess.
submit v., issommetta, issottometta, waqa' għalih. ***he ~ted himself to what he told him;*** issottometta ruħu għal kull ma qallu.
subordinate adj., subordinat.
subordinately adv., subordinatament.
subordination n., subordinazzjoni.
subrogation n., (leg. & parl.) sùrroga.
subscribe v., abbona, għamel minn idu, issieħeb, issoċja, issottoskriva. ***he ~d to a daily newspaper;*** abbona f'gazzetta ta' kuljum.
subscriber n., abbonat.
subscription n., abbonament, sottoskrizzjoni, sħubija.
subsequent adj., sussegwenti.
subsequently adv., sussegwentement.
subsidize v., (leg. & parl.) issussidja. ***they ~d the publication of his book;*** ississidjawlu l-pubblikazzjoni tal-ktieb.
subsidy n., sovvenzjoni, sussidju, talja.
subsist v., sussista, baqa' jeżisti.
subsistence n., sussistenza.
substance n., btir, materja, sostanza, sustanza.
substantial adj., sostanzjali.
substantially adv., sostanzjalment.
substantive n., sostantiv.
substitute n., sostitut, supplenti.
substitute v., issupplixxa, (leg.) issùrroga.
substitution n., sostituzzjoni, surrogazzjoni, (leg. & parl.) sùrroga.
subterranean adj., sotterran.
subtle adj., sottìli.
subtle v., rqaq.
subtleness n., ħjiena/ħiena.
subtlety n., reqqa.
subtract v., issottra.
subtraction n., suttrazzjoni, tnaqqis.
suburb n., subborg.
subvention n., sovvenzjoni.
subversion n., sovverżjoni.
subvert v., qaleb.
subway n., sabwej, sottopassaġġ.
succeed v., inzerta, rnexxa, waqa' fuq. ***to ~ each other;*** newweb.
succeeded adj. & p.p., rnexxut.
success n., rnexxitura, suċċess. ***great ~;*** furur.

successful adj., li jirnexxi. ***he was ~ in his examination;*** ġie approvat (għadda) mill-eżami.
succession n., suċċessjoni.
successive adj., suċċessiv, sussegwenti.
successively adv., suċċessivament, sussegwentement.
successor n., suċċessur.
succinct adj., suċċint.
succour v., għen, issokkorra.
succoured adj. & p.p., megħjun.
succumb v., ċeda/ċieda.
such adj., sìmili, tali.
suck n., radgħa/redgħa. ***to give ~ to;*** radda'.
suck v., rada', seff/saff, sefsef. ***he had the bad habit of ~ing his finger;*** kellu l-vizzju jerda' sebgħu. ***~ lightly;*** beżlek.
sucked adj. & p.p., merdugħ, misfuf, mradda.
sucker n., reddiegħ.
sucking n., rdigħ, tirdigħ.
suckle v., radda'.
suckled adj. & p.p., mraddgħa, mreddgħa.
sudarium n., (eccl.) sudarju.
sudden adj., sobtu. ***~ death;*** mewt sobtu. ***all of a ~;*** fis, minnufih. ***in a ~;*** f'kolp.
suddenly adv., dlonk, ħesrem, soptu.
sue v., ħarrek. ***to be ~d for damages;*** tfittex għad-danni.
suffer v., bata. ***he ~s from rheumatism;*** jbati mir-rewmatiżmu.
suffer v., ġarrab, ġerragħ, ħamel, issallab, issaporta, sabar, sofra. ***God only knows how much I have ~ed;*** Alla biss jaf x'ġarrabt. ***he who harms, must ~ harm;*** min jagħmel jaħmel.
suffered adj. & p.p., maħmul, mġerragħ, mistabar.
suffering adj., batut.
suffering adj., sieber.
suffering n., piena, sofferenza, tbatija.
suffice v., ibbasta, issodisfa.
sufficiency n., suffiċjenza.
sufficient adj., suffiċjenti. ***to be ~;*** ibbasta.
sufficiently adv., biżżejjed.
suffix n., (gram.) suffiss.
suffocate v., faga, issoffoka, strangula.
suffocated adj. & p.p., fgat.
suffocation n., (med.) asfissija.
suffocation n., ħanqa, soffokazzjoni, strangulament, suffokazzjoni.
suffrage n., vot, (eccl.) suffraġju.
sugar n., zokkor. ***crust of ~;*** ġelu. ***lump ~;*** zokkor taċ-ċangatura.
sugar-basin n., zukkariera.
suggest v., issuġġerixxa, webbel.
suggester n., suġġeritur.
suggestion n., suġġeriment, suġġestjoni.
suggestive adj., suġġéstiv.
suicide n., qattiel tiegħu nnifsu, suwiċida, suwiċidju. ***to commit ~;*** issuwiċida, qatel ruħu b'idejh.
suit n., libsa. ***wedding ~;*** libsa tat-tieġ.
suit v., qabel, xeraq. ***boiler ~;*** bojlersjut. ***criminal ~;*** kawża penali. ***swimming ~;*** malja tal-għawm.
suitable adj., espedjanti.
suitcase n., bagalja, bagoll, valiġġa.
sulk v., tfantas, tgeddem, tgħaddab, tħanfes.
sulky adj., mfantas.
sulky adv., bil-geddum. ***getting ~;*** tagħdib.
sulphate n., (chem.) sulfat.
sulphur n., kubrit, żolfu.
sulphuric adj., solfòriku.
sultana n., sultana.
sum n., somma.
sum (up) v., issomma.
summarily adv., sommarjament.
summary n., sommarju, sunt.
summer n., sajf. ***St. Martin's ~;*** sajf ta' S. Martin, il-lihbiena/libbiena. ***the height of ~;*** qieraħ tas-sajf.
summer savoxy n., (bot.) sarjetta.
summit n., quċċata.
summon v., ħarrek.
summoned adj. & p.p., konvokat. ***~ to appear in court***; mħarrek, mfittex bil-qorti.
summons n., (leg.) intimazzjoni, ċitazzjoni, taħrika.
sun n., xemx. ***~ burned;*** ħaditu x-xemx. ***~ dial;*** arloġġ tax-xemx, kwadrant tax-xemx. ***to get a ~-tan;*** ixxemmex.
sun v., xemmex.
Sunday pr.n., Ħadd. ***Carnival ~, Fools ~;*** Ħadd il-Bluha. ***Easter ~;*** Ħadd il-Għid. ***Palm ~;*** Ħadd il-Palm, Għid iż-Żebbuġ. ***Whit ~; Pentecost ~;*** Għid il-Ħamsin.
sunflower n., (bot.) ġirasol.
sung adj. & p.p., kantat, mgħanni, mgħarraq.
sunned adj. & p.p., mxemmex.
sunning n., tixmix.
sunny adj., xemxi.
sunrise n., awrora.
sunstroke n., xemxata.
sup v., iċċena, tgħaxxa.
superable adj., superabbli.
superannuate v., ippensjona.
superb adj., supperv.
superficial adj., superfiċjali.

superficiality n., superfiċjalità.
superficially adv., superfiċjalment.
superfluity n., superfluwità.
superfluous adj., superfluwu.
superintend v., newweb.
superintendent n., supretendent.
superior adj., superjuri.
superior n., bejlikk, superjur. ***render oneself ~;*** ħakem.
superiority n., kburija, superjorità.
superlative adj., (gram.) superlattiv.
supermarket n., supermarkit.
supernatural adj., sopranaturali.
supernumerary adj. & n., sopranumru.
superstition n., superstizzjoni.
superstitious adj., superstizzjuż.
supervision n., sorveljanza.
supine n., (gram.) supin.
supped adj. & p.p., mgħaxxi.
supper n., ċena, għaxa. ***Last S~;*** l-Aħħar Ċena. ***~ room;*** ċenaklu. ***to have ~;*** iċċena. ***yesterday he had ~ with his friends;*** il-bieraħ iċċena mal-ħbieb tiegħu.
supple adj., mrattab.
supplicant adj., supplikant.
supplicant n., tallàb.
supplicate v., issùpplika, talab.
supplication n., sùpplika, talba.
supplied adj. & p.p., fornut.
supplier n., fornitur.
suppliment n., suppliment.
supplimentary adj., supplimentari.
supply n., fornitura, provista, proviżjon.
supply v., forna, għammar, ipprovda, issupplixxa. ***we cannot ~ you with the goods asked for;*** ma nistgħux infornuk bil-ħwejjeġ li tlabtna.
support n., appoġġ, braċċ, misgħen, qbiż għal xi ħadd, rfid, rifda, riffied, sapport. ***give ~;*** ibbakkja.
support v., għen, ħamel, issallab, issapportja, rifed, riken, wieżen, żamm, (parl.) issekonda.
supported adj. & p.p., maħmul, mirfud, mirkun, mitwieżen, mwieżen.
supporting adj., solidali, tirfid.
suppose v., danna, iddanna, issopona/issuppona. ***supposing he should arrive this evening, do you think we could speak to him?;*** nissoponu li jasal illejla, taħseb li nkunu nistgħu nkellmuh?
supposed adj. & p.p., issoponut, suppost.
supposition n., suppożizzjoni.
suppository n., (med.) suppożitorju.
suppress v., elìmina, issopprima.
suppressed adj., soppress.
suppression n., soppressjoni.
suppurate v., denna.
suppuration n., tidnija.
supremacy n., predominju, sovranità, supremazija.
supreme adj., sommu, suprem. ***S~ Pontifex;*** Sommu Pontefiċe.
surdity n., truxija.
sure adj., żgur. ***to make oneself ~;*** (leg.) iċċerzjora.
surely adv., dażgur, tabilħaqq.
surety n., pleġġ.
surfeited adj. & p.p., mxabba'.
surgel n., mewġa.
surgeon n., kirurgu. ***veterinary ~;*** veterenarju.
surgery n., kirurġija. ***plastic ~;*** (med.) plastikserġeri.
surgical adj.,kirùrġiku.
surgically adv., kirurġikament.
surmise v., indôvna.
surmised adj. & p.p., induvnat.
surmount v., rebaħ.
surname n., kunjom. ***family ~;*** kunjom tal-familja.
surpass v., boloq, issùpera, rebaħ, sebaq, skorra.
surplice n., (eccl.) spellizza.
surprise n., għaġba, sorpriża, tagħġib. ***sudden ~;*** ħasda.
surprise v., għaġġeb, immeravilja, issorprenda, qabad filwaqt, skanta. ***his words ~d us;*** il-kliem tiegħu għaġġibna. ***his silence does not ~ me;*** is-skiet tiegħu ma jissorprendinix.
surprised adj. & p.p., meraviljat/immeraviljat, mgħaġġeb, mibluh, mismut, mistagħġeb, sorpriż. ***to be ~;*** immeravilja, stagħġeb.
surprising adj., sorprendenti.
surrender v., ċeda/ċieda, irrenda, telaq, (mil.) ikkapitula.
surrendered adj. & p.p., ċedut.
surrogation n., surrogazzjoni.
surround v., assedja, iċċirkonda. ***the enemy ~ed the city;*** l-għadu ċċirkonda l-belt.
surrounded adj. & p.p., ċirkondat, magħluq, mdawwar. ***to be ~;*** iddawwar. ***to be ~ by flies;*** iddebben.
surrounding adj., ċirkostanti.
surrounding n., tidwir.
surroundings n., dwar.
surtax n., sisa, soprataxxa.
surtout n., libsa tad-dar.
surveillance n., sorveljanza.
surveyor n., suprastant. ***land ~;*** qejjies irraba'.

susceptible adj., suxxettibbli.
suspect v., danna, għajnu togħkru, issuspetta. ***he always ~s everybody;*** hu dejjem jissuspetta f'kulħadd.
suspectable adj., suspettabbli.
suspend v., issospenda.
suspended adj. & p.p., mdendel, sospiż.
suspender n., saspender.
suspension n., qtigħ, sospensjoni.
suspicion n., suspett. ***groundless ~;*** suspett bla fundament.
suspicious adj., dubbjuż, suspettuż.
sussuration n., xagħba.
sustain v., għajjex, sostna.
sustained adj. & p.p., mwieżen.
sustain (oneself) v., ntrifed.
sutler n., vivandier.
suture n., (anat.) sutura.
swab n., (mar.) radazza.
swaddle v., fisqa. ***the mother ~d the baby;*** l-omm fisqiet it-tarbija.
swaddled adj. & p.p., infaxxat, mfisqi.
swaddling n., tisfiq. ***swaddling cloths;*** tfisqija. ***swaddling-bands;*** fisqija.
swagger v., iffanfarunja.
swallow n., (ornith.) ħuttaf.
swallow v., bela'/balà, dekdek, ġerragħ. ***the sea ~ed him;*** il-baħar belgħu.
swallowed adj. & p.p., mballa', mdaħħan, miblugħ.
swallower n., belliegħ, ġerriegħ.
swallowing n., bligħ, tibligħ, tiġrigħ.
swan n., (ornith.) ċinju, kżinn.
swap v., bidel, partat.
swarm n., geġwiġija.
swarm v., geġweġ, għarwel, nemmel.
swarthiness n., smura, smurija.
swarthy adj., ismar, samrani, sewdieni, smajjar.
swastica n., swastika.
swathe v., infaxxa.
swear n., ħalfa.
swear v., ħalef, issagramenta. ***he swore off drink;*** ħalef li ma jixrobx aktar. ***to ~ terribly;*** iddiegħa.
swearing n., taħlif, ħalf.
sweat n., għaraq, għarqa.
sweat v., għereq, xaqq il-għaraq.
sweated adj. & p.p., mgħarraq.
sweater n., pulowver, sweter.
sweating adj., għarqan.
sweating n., għarqa.
sweep n., kinsa.
sweep v., kines, naddar. ***a new broom ~s clean;*** xkupa ġdida tiknes tajjeb.
sweeper n., kennies.
sweeping n., knis.
sweet n., ħelwa. ***to become ~;*** ħola.
sweet-heart n., ħanini.
sweet-scented adj., fewwieħi.
sweet-smelling adj. & p.p., fewwieħi, ipprofumat/profumat.
sweetbread n., (med.) animella.
sweeten v., ħalla.
sweetening n., taħlil.
sweeter comp.adj., oħla/eħla.
sweetish adj., ħlejja.
sweetness n., ħlewwa.
sweets n., ħelu.
swell n., (mar.) rima.
swept adj. & p.p., miknus.
swift adj., lvent, ràpidu, veloċi, żvelt.
swift n., (ornith.) rondun/rundun. ***needle-tailed ~;*** rondun ta' l-Asja. ***pallid ~;*** rondun kannella. ***alpine ~;*** rondun ta' żaqqu bajda. ***white rumped or little ~;*** rondun żgħir.
swiftly adv., bilġri, veloċement.
swiftness n., veloċità, ħeffa.
swill v., laħlaħ, legleg.
swiller n., bekbiek.
swim n., għawma.
swim v., għam. ***he swam on his back;*** għam wiċċu 'l fuq. ***made to ~;*** mgħawwem. ***make one ~;*** għawwem.
swimmer n., għawwiem.
swimming n., għawm. ***~ pool;*** swiming pul.
swindle v., gebbex, imbrolja, qarraq.
swindler n., għaqquxi, imbroljun.
swineherd n., ragħaj il-ħnieżer.
swing (oneself) v., ixxejjer. ***he began to ~ here and there with the wind;*** beda jixxejjer 'l hawn u 'l hemm mar-riħ.
swing n., bandla, ċaqlembuta.
swing v., bandal, xejjer, żengel. ***he sat on the table ~ing his legs;*** qagħad bilqiegħda fuq il-mejda jbandal saqajh.
swinging n., tbandil, tixjir.
switch n., qadib, swiċċ.
switch (off) v., tefa.
switch (on) v., xegħel. ***he ~ed on the hall lights;*** xegħel id-dawl tas-sala.
swollen adj. & p.p., minfuħ, mneffaħ, mħaxxen.
swollow-wort n., (bot.) siġret il-ħarir.
swoon n., għaxwa, ħlewwa ta' qalb.
swoon v., għoxa, żviena.
swooned adj. & p.p., għaxi, mgħoxxi.
swop v., partat.
sword n., sejf, xabla.
sworn adj. & p.p., maħluf.
swum adj. & p.p., mgħawwem.
swung adj. & p.p., mbandal, mxejjer.

sycamore n., (bot.) ġummajż.
syllabary n., sillabarju.
syllabicate v., issìllaba.
syllable n., (gram.) sìllaba. *five ~s;* (pros.) kwinarju.
syllabus n., sìllabu.
syllogism n., (phil.) sillogiżmu.
syllogize v., issilloġìzza.
sylph n., silfa.
symbol n., emblema, sìmbolu.
symbolic adj., simbòliku.
symbolically adv., simbolikament.
symbolism n., simboliżmu.
symbolize v., issimbolizza.
symbology n., simboloġija.
symmetric(al) adj., simètriku.
symmetry n., simetrija.
sympathetic adj., simpàtiku.
sympathize v., issimpatizza. *I ~ with him for his loss;* nissimpatizza miegħu għattelfa li ġarrab.
sympathy n., simpatija.
symphonic adj., (mus.) sinfòniku.
symphony n., (mus.) sinfonija.
symposium n., simposju.
symptom n., (med.) sìntomu.
symptomatology n., (med.) sintomatoloġija.
synchromy n., (phys.) sinkromija.
synchronize v., issinkronizza.
synchrotron n., (phys.) sinkrotron.
syncope n., (med.) sìnkope.
syncrotism n., (phil.) sinkrotiżmu.
synod n., (eccl.) sìnodu.
synodal adj., sinodali.
synonym n., sinònimu.
synonymy n., sinònimija.
synopsis n., sinossi, sommarju.
synoptic(al) adj., sinòttiku.
synovitis n., (med.) sinovite.
syntax n., (gram.) sintassi.
synthesis n., sìntesi.
synthesize v., issintetizza.
synthetic adj., sintètiku.
syphilis n., (med.) mard tan-nisa, sifilide.
syphilitic adj., sifiliku.
syringe n., siringa/saringa.
syringe v., issiringa.
syrup n., xropp, ġulepp.
system n., impjant, metodu, sistema.
systematic adj., sistemàtiku.
systematically adv., sistematikament.
systematization n., sistemazzjoni.
systematize v., issistematizza.
systole n., (med.) sìstoli.
systolic adj., (med.) sistoliku.
skylark n., (ornith.) alwetta.

Tt

tabernacle n., tabernaklu.
table n., mejda, tabella. ***bedside ~;*** komodina. ***synoptic ~;*** kwadru sinottiku. ***~ cover;*** tapit ta' mejda.
table-cloth n., għata ta' mejda, tvalja.
tableau n., tablò.
taboo n., tabù.
tabour n., tilar tar-rakkmu.
tacamahac n., takamaħak.
tachometer n., spidòmetru.
tacit adj., (leg.) taċitu.
taciturnity n., teħmid, ħemda.
tack n., taċċ.
tack v., ittakka, xellel, (mar.) vira.
tacking n., tismir, tixlil, (mar.) virata.
tackle n., palanka, (mar.) parank.
tackle v., (g.) ittakilja.
tact n., tatt.
tactical adj., tattiku.
tactically adv., tattikament.
tactics n., tattika.
taedium n., mella.
tail n., denb.
tail v., denneb.
tail-coat n., frakk, surtun.
tailed adj. & p.p., mdenneb.
tailless adj., ibtar.
tailor n., ħajjât.
tailoress n., ħajjâta.
taint n., tebgħa/taba' fil-ġieħ.
taint v., fised, impesta, intakka.
tainted adj. & p.p., mħassar.
take v., ħa, qabad. ***I shall ~ a short holiday at last;*** sa fl-aħħar se nieħu btala qasira. ***to ~ advantage;*** ħa r-riħ. ***to ~ aim;*** immira. ***to ~ away;*** neħħa, seraq. ***to ~ breath;*** ħa n-nifs. ***to ~ note;*** ħa nota. ***to ~ off;*** neħħa. ***to ~ one at his word;*** qabad fil-kelma.
take-pan n., turtiera.
taken adj. & p.p., assunt, meħud, mittieħed. ***to be ~;*** ittieħed. ***he was ~ to hospital for more treatment;*** ittieħed l-isptar għal aktar kura.
taken (away) adj. & p.p., mneħħi.
taking n., qbid.
tale n., ħrafa, novella, rakkont.
talent n., dehen, inġenju, talent.
talisman n., taliżman.
talk (idle) v., serser.
talk n., abbokkament, diskors, priedka. ***idle ~;*** parlata, tpaċpiċ.
talk v., ikkonversa, qal, tkellem, tħaddet. ***he ~ed with his superior about this matter;*** tħaddet mas-superjur tiegħu fuq din il-biċċa. ***to ~ idly, to ~ much;*** lablab. ***to ~ indiscreetly;*** peċlaq.
talkative adj., ħduti, lablabi. ***very ~;*** ċarċu.
talked adj. & p.p., mitkellem.
talker n., lablabi.
talking n., taħdit, tħaddit.
tall adj., għali, twil. ***a ~ man;*** qisu musulew. ***very ~;*** butwila.
tall-boy n., tolboj.
taller comp.adj., itwal.
tallow n., xaħam tad-dam.
tally n., talja.
tally v., qabel.
talon n., difer ta' bhima, granf.
tamarind n., (bot.) tamarindi.
tamarisk n., (bot.) tamarisk.
tambour n., tanbur tar-rakkmu.
tame adj., mans. ***render ~;*** lebbet/libbet.
tame v., feddel, immansa, mannas.
tamed adj. & p.p., immannas, immansat, mrażżan.
tamer n., domatur, għaqqâl.
tamerisk n., (bot.) bruka.
taming n., tagħqil, timnis.
tamper v., iddeffes.
tampon n., (med.) tampun/tumpun.
tan n., (techn.) konza.
tan v., (techn.) ikkonza.
tangent n., tanġent.
tangerine n., mandolina.
tangible adj., tanġibbli.
tangle n., bixkla.
tangle v., ħabbel.
tank n., tank. ***armoured ~;*** karru armat.
tanker n., tanker.
tanned adj. & p.p., ikkunzat.
tannel n., tanel.
tanner n., kunzatur.
tannery n., (techn.) konzerija.

tannic adj., (chem.) tanniku.
tannin n., (chem.) tannin.
tanning n., (techn.) kunzatura.
tansy n., (bot.) tenaċeta.
tap n., taptipa. ***water ~;*** pomp, vit ta' l-ilma.
tap v., taptap/tabtab, tektek. ***he ~ped me on the shoulder;*** taptapli fuq spallti. ***to ~ a telephone call;*** ittappja.
tape n., kurdiċella, tejp.
tape v., ittejpja.
tape-measure n., rutella.
tape-recorder n., tejprikorder.
taper n., gandiletta, kandiletta.
tapestry n., arazza, damask, tapizzerija.
tapioca n., tapjoka.
tapir n., (zool.) tapir.
tapped adj. & p.p., mtabtab.
tapping n., taptip/tabtib.
tar n., qatràn, żift. ***to be covered with ~;*** iżżeffet.
tar v., qatran.
tarantella n., tarantella.
tarantelle n., tarantella.
tarboosh n., tarbux.
tardy adj., dewwiemi, mehli, waħħari.
tare n., tara.
target n., bersall, mâtra, mira, targit, tarka, versall.
tariff n., mieta, tariffa.
tarlatan n., tarlatà.
tarpaulin n., inċirata, kanvas.
tarragon n., (bot.) stragun.
tarry v., iddawwar, tmâtal, tmiehel, twaħħar.
tart adj., qares.
tart n., ftira., torta, torta tal-ħelu.
tart-pan n., turtiera.
tartan n., (mar.) tartana.
tartar n., tartru.
tartaric adj., tartariku.
tartness n., mqata.
task n., inkarigu, kompitu.
task-work n., mqietgħa.
tassel n., ġummiena.
taste n., benna, dewqa, dewqan, gost, palat, togħma.
taste v., daq/dieq, tiegħem. ***he never ~d meat;*** qatt ma daq il-laħam.
tasted adj. & p.p., mdewwaq, midjuq, mtiegħem. ***to be ~;*** iddewwaq, ittiegħem. ***the flavour of the fruit was ~;*** ittiegħmet il-benna tal-frott.
taster n., dewwieq.
tasting n., tegħim, tidwiq.
tatter n., ċarruta, ċerċur.
tatterdemalion n., ċerċur.
tattered adj. & p.p., mċerċer. ***to become ~;*** iċċewlaħ.
tattle v., lablab, paċpaċ. ***that girl always ~s;*** dik it-tifla dejjem tpaċpaċ.
tattled adj. & p.p., mpaċpaċ.
tattler n., ħarrief.
tatty adj., mċerċer.
taught adj. & p.p., mgħallem, mgħarref.
taunt n., ċika.
taunt v., ċanfar.
tauromachy n., tawromakija.
tavern n., dverna, osterija, taverna, tverna.
tax n., dritt tad-dwana, ħaraġ, sisa, talja, taxxa, tribut.
tax v., intaxxa.
taxable adj., taxxabbli.
taxation n., tassazzjoni.
taxed adj. & p.p., intaxxat.
taxi n., taksi.
taximeter n., tassimetru.
tea n., tè. ***weak ~;*** tè ħafif. ***strong ~;*** tè qawwi.
tea-pot n., stanjata, tettiera, tîpot.
tea-spoon n., kuċċarina.
teach v., għallem, għarref, ħarreġ, istruwixxa. ***he ~es the Maltese language;*** hu jgħallem il-Malti. ***the teacher ~es the Maltese language;*** l-għalliem ħarreġ it-tfal fil-Malti.
teacher n., għalliem, lajju, mgħallem, preċettur, tîċer. ***school ~;*** assistent.
teaching n., tagħlim, (eccl.) maġisterju. ***~ of the Church;*** maġisterju tal-Knisja.
teak n., (bot.) tikk.
teal n., (ornith.) sarsella.
team n., tim. ***football ~;*** tim tal-futbol.
tear n., demgħa.
tear v., ċarrat, qatta'. ***he tore the letter to pieces;*** qatta' l-ittra f'ħafna biċċiet. ***this curtain ~s easily;*** din il-purtiera malajr tiċċarrat. ***to be torn;*** iċċarrat.
tearer n., ċarrati.
tearful adj., mdamma'.
tearing n., tiċrit.
tears n., dmugħ. ***to shed ~;*** ġemġem, iddamma'. ***her eyes shed ~ because of the words they told her;*** għajnejha ddemmgħu bil-kliem li qalulha.
tease v., ħaqar, neka, nibex. ***to ~ a person;*** kiser ras xi ħadd.
teased adj. & p.p., minbux, molestat.
teaser n., nibbiex.
teasing n., nbix, nkejja.
teat n., ras iż-żejża.
technical adj., tekniku.
technically adv., teknikament.
technique n., teknika.

technological adj., teknoloġiku.
technologist n., teknòlogu.
technology n., teknoloġija.
tedious adj., dejjieqi, fastidjuż, fitt, kiesaħ, nojjuż.
tedious adj., tedjanti, tedjuż.
teeming (with) adj., infarinat.
teen-ager adj., adolexxenti.
teeth n. snien. ***gnash the ~;*** għażżaż snienu. ***grind one's ~;*** għażgħaż snienu. ***having the ~ set on edge;*** mdarras. ***set of ~;*** dentatura. ***squeezed with the ~;*** mgħażgħaż. ***to set one's ~ on edge;*** iddarras.
teetotaller n., titòtla.
teetotum n., (g.) ċippitodu, piċċitadu.
telamon n., statwa ta' raġel tal-ġebel.
telecommunication n., telekomunikazzjoni.
telegram n., telegramm. ***express ~;*** telegramm express. ***reply-paid ~;*** telegramm bi tweġiba. ***urgent ~;*** telegramm urġenti.
telegraph n., telegraff.
telegraph v., ittelègrafa.
telegrapher n., telegrafist.
telegraphic adj., telegrafiku. ***~ set;*** apparat telegrafiku. ***~ pole, ~ post;*** arblu telegrafiku. ***~ address;*** indirizz telegrafiku. ***~ office;*** uffiċċju telegrafiku. ***~ operator;*** telegrafist.
telegraphist n., telegrafist.
telegraphy n., telegrafija.
telepathic adj., telepatiku.
telepathist n., telepatista.
telepathy n., telepatija.
telephone n., telefown. ***~ call;*** telefonata. ***~ set;*** apparat telefoniku. ***~ directory;*** direttorju telefoniku. ***~ call-box, ~ kiosk;*** gabina telefoniku. ***~ operator;*** telefonist. ***~ system;*** sistema telefonika. ***~ office;*** uffiċċju telefoniku.
telephone v., ittelèfona.
telephonic adj., telefoniku.
telephonist n., telefonist.
telephony n., telefonija.
telephoto(graphy) n., telefotografija.
telescope n., (astro.) teleskopju.
telescopic(al) adj., teleskòpiku.
televiewer n., telespettatur.
television n., televiżjoni., televixin.
tell v., ħabbar, irrakkonta, issuġġerixxa, qal, samma'/semma'. ***~ me;*** għidli ħaġa. ***~ me something beautiful;*** irrakkontali xi ħaġa sabiħa. ***you need not ~ me what I have to do;*** ma hemmx għalfejn tissuġġerili dak li għandi nagħmel. ***~ me who your friends are, and I will tell you what you are;*** għidli ma' min tagħmilha u ngħidlek x'int.
tellurium n., (chem.) tellurjù.
temerity n., ardir, temerità.
temper n., għada, tempra, umur. ***bad ~;*** buri, buli. ***be in a bad ~;*** innervja. ***out of ~;*** infurjat, misbul. ***to lose one's ~;*** infurja.
temper v., ittempra.
temperament n., temperament.
temperance n., temperanza. ***~ in drinking;*** temperanza fix-xorb.
temperate adj., ittemprat, moderat.
temperature n., temperatura. ***low ~;*** temperatura baxxa. ***high ~;*** temperatura għolja. ***to take one's ~;*** ħa t-temperatura.
tempered (with) adj. & p.p., mbagħbas.
tempest adj., mlanġas.
tempest n., burraxka, tempesta, (mar.) fortunàl.
tempestuous adj., tempestuż. ***to be ~;*** lanġas.
temple n., maqdes, midbaħ, tempju, (anat.) ngħas.
temporal adj., temporali.
temporarily adv., proviżorjament, temporanjament.
temporary adj., temporanju.
temporary n., proviżorju.
tempt v., ittanta.
temptation n., tentazzjoni, tiġrib.
tempted adj. & p.p., mġarrab.
tempter n., ħajjâr, tantatur, tentatur.
tempting adj., seduċenti.
ten adj.num., għaxar, għaxra.
ten n., deċina, dieċi.
tenacious adj., tenaċi.
tenacity n., tenaċità.
tenant n., kerrej, (leg.) lokatorju.
tendency n., tendenza.
tender adj., artab, dlieli, mòrbidu, moxx, mrattab, ratba, tari, tèneru, tieri, torja. ***to become ~ (meat);*** ittarra/itterra. ***to make ~;*** rattab.
tender-hearted adj., ħanin.
tenderness n., tenerezza.
tendon n., għerq.
tendril n., qalba.
tenebrous adj., tenebruż.
tenement n., appartament. ***~ occupied by several families;*** kerrejja.
tennis n., (g.) tennis.
tenon n., minċott.
tenor n., (mus.) tenur. ***counter-~;*** (mus.) kontralt.
tense n., temp.

tension n., tensjoni.
tent n., kamp, tinda.
tentative n., tentattiv.
tenure n., qasam.
tepid adj., diefi, fietel. ***become ~;*** defa/difa, djief, fitel.
terbium n., (chem.) terbju.
terebinth n., (bot.) skornabekk, terebint.
teresian n., tereżjan.
term n., terminu.
terminable adj., terminabbli.
terminal n., terminal.
terminate v., ittermina.
termination n., temma, terminazzjoni, tmiem, (gram.) deżinenza.
terminology n., terminoloġija.
tern n., (ornith.) ċirlewwa. ***black ~;*** ċirlewwa sewda. ***gull-billed ~;*** ċirlewwa geddumu oħxon. ***little ~;*** ċirlewwa żgħira. ***sandwich ~;*** ċirlewwa tax-xitwa. ***whiskers ~;*** ċirlewwa bil-mustaċċi. ***white-winged ~;*** ċirlewwa tal-ġwienaħ abjad.
tern n., tern.
ternary adj., ternarju.
terrace n., bejt, setaħ. ***small ~;*** terrazzin.
terracotta n., terrakotta.
terrestrial adj., terrestri.
terrible adj., terribbli.
terrible (more) comp.adj., èqqel/aqqal.
terribly adv., terribbilment.
terrified adj. & p.p., mbażża', mirgun, mriegħed, mwerwer.
terrify v., bażża', kexkex, waħħax, werwer.
terrifying adj., waħxa.
terrifying n., tewħix.
terrine n., terrina.
territorial adj., territorjali.
territory n., territorju.
terror n., beżgħa, biża', terrur, twerwir.
terrorism n., terroriżmu.
terrorist n., terrorista.
terrorize v., itterrorizza. ***he ~d him with his shouting;*** iterrorizzah bl-għajat tiegħu.
tertiary n., terzjarju.
test n., test. ***blood ~;*** analiżi tad-demm.
test v., ittestja; (chem.). ***to ~ gold or silver;*** (techn.) issaġġja.
testament n., testment. ***Old T~;*** liġi l-Qadima. ***New T~;*** liġi l-Ġdida.
testamentary n., testamentarju.
testator n., testatur.
tested adj. & p.p., analizzat, pruvat, (techn.) issaġġjat.
tester n., eżaminatur, saġġatur.
testicle n., (anat.) ħaswa, testikolu.
testified adj. & p.p., mixhud.
testify v., ittestìfika, xehed. ***he was summoned to ~;*** kien imsejjaħ biex jixhed.
testifying adj., (leg.) deponent.
testimonial n., (leg.) attestat, testimonjal.
testimony n., testimonjanza, xhid.
testy adj., pikuż.
tetanus n., (med.) tetnu.
tetralogy n., (liter. & mus.) tetraloġija.
tetrarch n., tetrarka.
Teuton n., Ġermaniż.
text n., test.
textile adj., tessili. ***flabby ~;*** filoxx.
textual adj., testwali.
textually adv., testwalment.
texture n., nisġa.
thallies v., bannat.
thallium n., (chem.) talljun.
thallus n., bont, (bot.) tallu.
thank v., irringrazzja, iżża ħajr, radd il-ħajr. ***you must ~ God that everything turned out well;*** għandek tirringrazzja 'l Alla li kollox mar sewwa.
thank you! interj., grazzi.
thanks n., ħajr.
thanks! interj., grazzi.
thanksgiving n., ringrazzjament.
that conj., illi, sabiex.
that is adv., jiġifieri, ċjoè.
that pron., dak, dik, hedak, li. ***so ~;*** sabiex.
thatched adj., msaqqaf bit-tiben. ***to be ~;*** issaqqaf.
thaumaturge n., tawmaturgu.
the art., il-, l-.
theatre n., teatru, tijatru. ***open air ~;*** arena.
theatrical adj., teatrali.
theatricality n., teatralità.
theatricals n., teatrin.
theca n., (eccl.) teka.
theft n., ħell, serq. ***accused of ~;*** mħallel. ***impute one with ~;*** ħallel.
their pron., tagħhom.
theirs pron., tagħhom.
theme n., tema.
then adv., allura, mbagħad.
then conj., immèla.
theodolite n., (arch.) teodolit.
theologian n., teologu.
theological adj., teologali, teoloġiku.
theologically adv., teoloġikament.
theology n., teoloġija.
theorem n., teorema.
theoretic, adv., teòriku.
theoretically adv., teorikament.
theorist n., teorista.
theorize v., itteorizza.

theory n., teorija.
therapeutic adj., terapewtiku.
therapeutics n., terapewtika.
therapist n., terapista.
therapy n., (med.) terapija.
there adv., hemm, hinn. ***~ in;*** hemm ġewwa. ***~ below, down ~;*** hemm isfel. ***to ~;*** sa hemm. ***here and ~;*** 'l hawn u 'l hinn.
therefore adv., allura, għaldaqshekk, għalhekk.
therefore conj., immèla.
theriac n., (med.) tirjaka.
thermometer n., termòmetru. ***clinical ~;*** ħġieġa tad-deni.
thermos n., termos.
thermoscope n., termoskopju.
these pron., dawn.
thesis n., teżi.
they pron., dawk, huma.
thick adj. & p.p., dens, drapp mimli, fitt, folt, marsus, mseffaq, oħxon, sfiq, xdid. ***~ voice;*** leħen oħxon. ***to become ~;*** sefaq.
thicken v., ġemmed.
thicker comp.adj., eħxen/aħxen, isfaq. ***to become ~;*** iffoltja.
thicket n., masġar.
thickly adv., densament.
thickness n., densità, ħxuna, sefqa, tisfiq.
thief n., musmar tal-ftila, serrieq, ħalliel. ***~ who steals from parked cars;*** ħalliel mill-karozzi.
thigh n., (anat.) koxxa, wirk.
thigh-bone n., (anat.) fèmore.
thimble n., ħolqa tal-ħjata, (mar.) radanċa.
thin adj. & p.p., dgħif, ħâwi, magru, magħlub, mixrub, pespus, rqiq, rżit, sifja, xipli. ***to grow ~;*** għolob, raqq/reqq, rqaq. ***to make ~;*** għalleb, raqqaq.
thin v., illaxka.
thing n., ħaġa.
think v., danna, ħaseb, iddanna, maħħaħ. ***he has been ~ing for a long time how to deceive us;*** ilu jmaħħaħ ħafna kif jidħak bina. ***to ~ well before you decide;*** irriflettu sewwa qabel ma tiddeċiedu.
thinker n., ħassieb.
thinned adj. & p.p., mraqqaq.
thinner comp.adj., irqaq.
thinness n., nixfa, nxufija, reqqa, rquqija.
thinning n., tirqiq.
third adv., tielet. ***one ~;*** terz.
thirst n., għatx.
thirsty adj., għatxan. ***be ~;*** ħadu l-għatx.
thirteen adj.num., tlettax.
thirty adj.num., tletin.
this pron., da, dan, dana, di, din, hedan. ***as far as ~;*** sa hawn.
thistle n., (bot.) għallis, ħorfox.
thole n., (mar.) skalm.
thole-pin n., (mar.) skalm.
Thomism n., tomiżmu.
Thomist n., tomista.
Thomistic(al) adj., tomistiku.
thong n., ċinga. ***to be interweaved with a ~;*** issarraġ.
thorax n., (anat.) sider, qafas tas-sider, toraċi.
thorn n., xewka. ***to become full of ~s;*** ixxewwek.
thornback n., (ichth.) rajja. ***~ ray;*** (ichth.) rajja tal-fosos.
thorny adj. & p.p., mxewwek, xewki.
thoroughly adv., sabara.
those pron., dawk.
thou pers.pron., int/inti.
though conj., għalkemm, għadilli. ***even though;*** avolja.
thought adj. & p.p., maħsub.
thought n., ħasba, ħsieb.
thoughtful adj., mħasseb.
thoughtful adj., ħassiebi, ħusbien/ħosbien.
thoughtless (person) n., ksir il-għonq.
thousand n.num., elf. ***thousandth part;*** milleżmu.
thread n., fil, ħajt, ħajta. ***gold ~;*** ħajt tad-deheb. ***silk ~;*** ħajt tal-ħarir. ***a ball of ~;*** kobba ħajt.
thread v., damm.
threading n., taħjit.
threaten v., hedded, imminaċċa. ***he ~ed somebody with death;*** hedded lil xi ħadd bil-mewt. ***the clouds ~ rain;*** is-sħab qiegħed jimminaċċa x-xita.
threatened adj. & p.p., mhedded, minaċċat.
threatener n., heddied.
threatening adj., minaċċuż.
threatening n., tehdid.
three adj.num., tlieta.
thresh v., dires.
threshing n., dirsa, dris, tidris.
threshing-floor n., qiegħa.
threshold n., għatba, soll, targa tal-bieb.
thrift n., tiġwiż. ***to live ~ily;*** qanċeċ.
thriftiness n., akkarija.
thrifty adj. & p.p., ġewwieżi, meqjus, mqejjes. ***~ man;*** faddâl.
thrifty n., rakkas. ***to be ~;*** rakas.
thrilling adj., emozzjonanti.
throat n., ħanġra, (anat.) gerżuma. ***white ~;*** (ornith.) bekkafik aħmar. ***lesser white ~;*** bekkafik rmiedi.

throb n., palptu, pulsazzjoni.
throbbing n., taqtiq.
throes n., uġigħ tal-ħlas.
throne n., tron, (eccl.) ġilandra. ***speech from the ~;*** diskors tal-kuruna.
throng n., ċorma, folla, ġgajta, prexxa tan-nies, rassa.
throng v., rass.
throttle n., ħanġra.
throttle v., strangula.
throttling n., taħniq.
through adv., mintul, permezz.
throughout adv., mintul.
throw n., tefgħa, xħit.
throw v., gara, tafa'/tefa', venven, waddab, xeħet. ***to ~ away;*** rema, xewlaħ. ***to ~ down;*** batta, waqqa'. ***to ~ little at a time;*** lekkem.
thrower n., garatur.
throwing n., garatura, rimi, tfigħ, tixħit, xħit.
thrown adj. & p.p., garat, mitfugħ, mixħut, mwaddab.
thrown (away) adj. & p.p., mormi.
thrown n., xeħta.
thrush n., ħrar, (ornith.) merill. ***rock ~;*** (ornith.) ġambomblu. ***song ~;*** malvizz. ***siberian ~;*** malvizz tal-Lvant. ***mistle ~;*** malvizzun prim (imperja).
thrushing n., tibkit.
thrust n., imbuttatura.
thrust v., deffes, seffed. ***to ~ one another mutually;*** ittâfa'.
thrust (into) v., xekk. ***to be ~ into;*** isseffed.
thrusted adj. & p.p., mseffed.
thrusting n., tidfis.
thumb n., behem, saba' l-kbir.
thunder n., ragħda. ***claps of ~;*** ragħad.
thunder v., karwat, riegħed.
thunderbolt n., sajjetta.
thundered adj. & p.p., mkarwat.
thundering adj. & p.p., mriegħed.
thurible n., turibulu.
Thursday pr.n., Ħamis. ***Maundy ~;*** (eccl.) Ħamis ix-Xirka. ***Holy T~;*** Ħamis iċ-Ċirka.
thus adv., daqshekk, daqstant, għalhekk, hekda, hekk, keda.
thyme n., (bot.) saghtar.
thyroid n., (anat.) tirojde.
tiara n., tjara, trirenju.
tibia n., (anat.) qasba tas-sieq, tibja.
tick n., (zool.) qurdiena.
tick v., dejjen.
ticket n., biljett. ***tombola ~;*** kartella.
tickle v., għarax, għargħax.
tickled adj. & p.p., mgħargħax.
tickling n., tagħrix, tgħargħix.
ticklish adj., għargħaxi.
tide n., staġun, (mar.) marèa.
tidiness n., ndafa.
tidy adj., nadif.
tidy v., naddaf.
tie adv., (g.) imbràs.
tie n., għollieqa, rabta, rbat, rbit, ingravata.
tie v., imbraga, qabbad, qafel, rabat. ***to ~ frequently;*** rabbat.
tied adj. & p.p., attakkat, marbut, mqabbad, mrabbat. ***to be ~;*** rtabat.
tiger n., (zool.) tigra.
tight adj., mkittef, tiż.
tighten v., dejjaq, issikka.
tightly adv., strettament.
tightness n., tiktif.
tights n., tajts.
tile n., maduma, tajl.
tile v., iċċanga.
tiler n., saqqàf.
tiles n., ċlamit.
till adv., sakemm.
till prep., sa.
till v., għażaq, ħarat, ikkultiva. ***the farmer ~ed the field;*** il-bidwi għażaq l-għalqa.
tilled adj. & p.p., maħdum.
tiller n., ħarrât, mradd, (mar.) laċċ, manwella tat-tmun.
timber n., injam/njam.
timbre n., (mus.) timbru.
time n., ħin, temp, waqt, żmien. ***a long ~;*** ilu qatigħ. ***a short ~ ago;*** moqbejl. ***at the same ~;*** kontemporanjament. ***at that ~;*** mbagħad. ***at this ~;*** issa. ***from this ~ back;*** minn issa lura. ***each ~;*** kuldarba. ***every ~ that;*** kemm-il darba. ***every ~;*** kulmeta. ***gain ~;*** akkwista ż-żmien. ***in due ~;*** fil-waqt. ***in ~;*** fil-ħin. ***it is ~;*** sar il-ħin. ***in the nick of ~;*** sewwa sew fil-ħin. ***once upon a ~;*** darba waħda. ***part ~;*** partajm. ***some ~ ago;*** darba. ***this ~;*** din il-ħabta.
time v., ittajmja.
time-glass n., ampulletta/impulletta.
timely adj., opportun.
times n., drabi, iżmna. ***ancient ~;*** qedem. ***at ~;*** mindaqqiet. ***in ancient ~;*** antikament.
timetable n., orarju.
timid adj., ġigna, timidu.
timid v., ġejjef.
timidity n., timidezza.
timidly adv., timidament.
timidness n., mistħija.

timorous adj., waħħaxi.
timourous adj., beżżiegħi.
timpanist n., (mus.) timpanist.
tin n., bott, landa, stann.
tin v., stanja.
tincture n., tintura.
ting v., ċenċel.
tinge v., bidel il-kulur, żebagħ. ***to ~ with azure;*** kaħħal.
tinker (at) v., innavika.
tinkle v., ċekċek, ċenċel, tenten. ***the horse's collar bells ~d;*** il-maħanqa taż-żiemel ċenċlet.
tinkled adj. & p.p., mtenten.
tinkling n., ċekċik, ċempil, ċenċil. ***~ of bells;*** tentin.
tinsel n., żmontor, (artis.) pannella.
tinsmith n., landier.
tip n., manċa, tipp. ***on the ~ of the tongue;*** fuq il-ponta ta' lsienu. ***the ~ of the nose;*** il-ponta ta' mnieħru.
tipple v., iggrokkja, ittrinka.
tippler n., leglieg.
tips n., perkaċċi/pirkaċċi.
tipsy adj., mċaqlaq, mdekdek, xorban/xurban.
tipsy n., sponża. ***to get ~;*** siker.
tiptoe n., il-ponta tas-saba' l-kbir tas-sieq. ***on ~;*** inkiss inkiss.
tire (oneself) v., iddebben.
tire v., dejjaq, għajja, kedd, kisser. ***he ~d me to death;*** għajjieni għal mewt.
tired adj. & pres.p., għajjien, xebgħan minn. ***to grow ~;*** għeja.
tiredness n., għaja.
tiresome adj., tedjanti.
tiring adj., strapazzat.
tirocium n., tiroċinju.
tit n., isem mogħti lil bosta għasafar żgħar. ***blue ~;*** (ornith.) primavera. ***continental great ~;*** (ornith.) fjorentin.
tit-for-tat adv., parapatta.
titanium n., (chem.) titanju.
tithe n., dieċma.
tithe v., għaxar, għaxxar.
tithed adj., mgħaxxar.
tithing n., tagħxir.
titillate v., għargħax.
titillation n., tagħrix, tgħargħix.
title n., intestatura, titlu/titolu. ***give a ~;*** semma.
titular n., titular.
to prep., għand, lil.
toad n., (zool.) rospu.
toast n., bikkjerata, brindisi, ħobż mixwi, krustina, tislim bix-xorb, towst. ***to ~ (to drink);*** għamel brindisi.
toast v., ibbrinda, ittowstja, xewa. ***they ~ed the success of their friend;*** ibbrindaw għas-suċċess ta' ħabibhom.
toaster n., towster.
tobacco n., tabakk.
tobacconist n., tabakkar.
toccata n., (mus.) tokkata.
today adv., illum.
today n., din il-ħabta.
toddle v., ferċaħ.
toe n., saba' tas-sieq.
toffee n., tofija.
toga n., doga, toga.
together adv., f'daqqa, flimkien.
toil v., iffatiga, stinka.
toilet n., tojlit.
token n., rahan. ***offer a gift or love ~;*** hieb.
told adj. & p.p., megħjud, megħud.
tolerable adj., ġerriegħi, tollerabbli.
tolerance n., tolleranza.
tolerant adj., tolleranti.
tolerate v., ġerragħ, ħamel, ittòllera, stikkja. ***he could not ~ his insults any more;*** ma setax jittollera aktar l-insulti tiegħu.
toll n., taxxa, tokk.
tolled adj. & p.p., mrampel.
tollerance n., sabar.
tollerate v., issaporta, sabar.
tollerated adj. & p.p., maħmul, mġerragħ.
tomato n., tadama.
tomato-paste n., kunserva.
tomb n., qabar. ***~-stone;*** blata ta' qabar, làpida.
tombola n., (g.) tombla.
tome n., tom.
tomorrow adv., għada. ***the day after ~;*** pitgħada.
ton n., tunnellata.
tonal adj., (mus.) tonali.
tonality n., tonalità.
tone n., ton.
tone v., (mus.) intona.
tone (down) v., mewwet.
tongs n., molletta, (artis.) tnalja. ***curling-~;*** ħadid tax-xagħar.
tongue n., lsien. ***a nible ~;*** lsien li jista'. ***an evil ~;*** lsien ħażin. ***hound's ~;*** (bot.) lsien il-kelb. ***Saint Paul's ~;*** (geol.) lsien ta' San Pawl.
tonic adj., toniku.
tonicity n., toniċità.
tonight adv., dallejl.
tonnage n., tunnellaġġ.
tonsil n., (med.) tonsilla. ***swollen ~;*** gangala.

tonsillitis n., tonsillite.
tonsure n., (eccl.) ċirka, tonsura.
tontine n., tontina.
too adv., anki, ukoll.
tool n., għodda, strument. ***burnishing ~;*** (artis.) imbornitur.
toot v., tawwat.
tooth n., sinna. ***canine ~;*** nejba. ***decayed ~;*** sinna mħassra. ***front ~;*** sinna ta' quddiem. ***have a ~ (pulled) out;*** qala' sinna. ***jaw-~;*** darsa. ***milk-~;*** sinna tal-ħalib. ***molar ~;*** darsa.
tooth-paste n., dentifriċju.
tooth-powder n., dentifriċju.
toothpick n., palik, stikkadenti.
toothpicks n., stuzzikadenti.
top n., gabja tat-trakkijiet, qorriegħa, quċċata, żugraga, (mar.) qoffa.
topaz n., topazju/tupazju.
topic n., topik.
topical adj., tòpiku.
topman n., (mar.) gabbier.
topographer n., topografu.
topographic(al) adj., topografiku.
topographically adv., topografikament.
topography n., topografija.
toponymy n., toponomastika.
topple v., ixxengel, xengel.
topsy-turvy adv., sottosopra.
torch n., dieda, fjàkkola, torċ.
torment n., turment.
torment v., ħaqar, itturmenta.
tormented adj., turmentat/itturmentat.
tormenter n., għaddieb.
torn adj. & p.p., mċarrat, mqatta'.
torpedo v., (mar.) ittorpèdina.
torpid adj., mħeddel.
torpidness n., ħedla.
torpor n., ħedla.
torrefy v., baskat.
torrent n., turrent, ħamla.
torrente n., wied.
tortoise n., (zool) fekrun. ***~-shell;*** qoxra ta' fekrun.
tortuous adj., serriepi.
torture n., tortura.
torture v., ittortura.
torturer n., argużin.
toss v., ċaqlaq, legleg, (g.) ittossja. ***to ~ off;*** bekbek/begbeg. ***to ~ over the bed;*** ittieraħ.
total adj., totali. ***~ eclipse;*** ekklissi totali.
total n., somma, total.
totalitarian adj., totalitarju.
totality n., totalità.
totalization n., totalizzazzjoni.
totalizator n., totalizzatur.
totalize v., ittotalizza.
totally adv., kollox, totalment.
totter v., ixxengel.
tottered adj. & p.p., mxengel.
tottering adj., xenguli.
toucan n., (ornith.) tukan.
touch n., messa.
touch v., bagħbas, berbex, ittastja, mess. ***he ~ed me on my shoulder;*** messni fuq spallti. ***his prayers ~ed me to the heart;*** it-talb tiegħu ippènetra f'qalbi. ***to ~ frequently;*** mesmes. ***to ~ lightly;*** taptap/tabtab, teftef.
touched adj. & p.p., mimsus. ***to be ~ here and there;*** itteftef.
touched (up) adj. & p.p., rtukkat.
touching adj., emozzjonanti, messej, messiesi.
touching n., messa.
touchstone n., tokka.
tough adj., reżistenti, xieref.
toupet n., toppu.
tour n., dawra, ġir, mawra.
touring adj., turistiku.
tourism n., turiżmu.
tourist n., turist.
tournament n., turnament.
tow n., kapiċċola, stoppa, tmontox, (mar.) rmonk.
tow v., (mar.) rmonka.
towards prep., għal, lejn, versu.
towed adj. & p.p., rmunkat.
towel n., mendil, xugaman.
tower n., torri. ***ivory ~;*** torri ta' l-avorju. ***watch ~;*** (mil.) gardjola.
town n., belt.
town-crier n., neddej.
toxic adj., tossiku.
toxicologist n., tossikologu.
toxicology n., tossikoloġija.
toy n., ġugarell, żgangilla.
trace n., àtar, tarant, traċċja.
trachea n., (anat.) trakea.
tracheitis n., (med.) trakeite.
tracheotomy n., (med.) trakeotomija.
trachoma n., (med.) trakoma.
trachyte n., (min.) trakite.
track n., binarju., trattat.
tractable adj., trattabbli.
tractor n., trakter.
trade n., kummerċ, mestier, sengħa. ***~sman;*** raġel tas-sengħa. ***coasting ~;*** (mar.) kabotaġġ. ***~ show;*** fiera.
trade v., ikkummerċja, ittràffika.
trade-union n., trejdunjin.
trade-unionism n., trejdunjoniżmu.
trade-unionist n., trejdunjonist.

trade-unionistic adj., trejdunjonistiku.
trader n., kummerċjant, merkant, traffikant.
tradesman n., merkant, negozjant.
trading adj., merkantil.
trading n., rfis.
tradition n., tradizzjoni.
traditional adj., tradizzjonali.
traditionalism n., tradizzjonaliżmu.
traditionalist n., tradizzjonalista.
traditionally adv., tradizzjonalment.
traffic n., traffiku.
traffic v., ittràffika.
trafficker n., kummerċjant, traffikant.
tragedy n., traġedja.
tragic(al) adj., traġiku.
tragically adv., traġikament.
tragicalness n., traġiċità.
tragicomedy n., traġikummiedja.
tragicomic adj., traġikomiku.
trail n., kuda.
trail v., karkar.
trailer n., trejler.
train n., ferrovija, korteo, kuda, sègwitu, trejn, vapur ta' l-art.
train v., èduka, ħarreġ, ittrenja.
trained adj. & p.p., eżerċitat, ittrenjat, mħarreġ, mrawwem.
trainer n., trejner, (bot.) rawwiem.
training n., taħriġ, trejning.
trait n., karatteristika.
traitor n., qallej, traditur, trajditur.
tram n., tram.
trammel n., parit.
tramp n., vagabond.
trample v., ikkalpesta.
trample (on) v., rifes, tappan.
trampled adj. & p.p., ikkalpestat.
trampled (upon) adj. & p.p., mirfus.
trampling n., rfis, tirfis.
tranquil adj., ġwejjed, kalm, rżin, seren, trankwill.
tranquillity n., hedu, kalma, kwiet, tehdija, trankwillità.
tranquillize v., ittrankwillizza.
tranquillizer n., (med.) kalmant.
tranquilly adv., trankwillament.
transaction n., negozju, (leg.) transazzjoni.
transatlantic adj., transatlantiku.
transcend v., ittraxxenda.
transcendency n., traxendenza.
transcendent adj., (phil.) traxendenti.
transcendental adj., traxendentali.
transcendentalism n., (phil.) traxendentaliżmu.
transcribe v., ittraskriva.
transcriber n., traskrittur.
transcription n., traskrizzjoni.
transept n., (arch.) kappellun.
transfer n., transfer, trasferiment.
transfer v., ittrasferixxa, newwel. ***he was ~ed from one school to another;*** kien ittrasferit minn skola għal oħra.
transferable adj., trasferibbli.
transferred adj. & p.p., miġrur.
transfiguration n., trasfigurazzjoni.
transfigure v., ittrasfigura.
transfix v., nifed.
transfixed adj. & p.p., minfud, mixkuk.
transfixion n., nifda.
transform v., ittrasforma.
transformable adj., trasformabbli.
transformation n., tibdil, trasformazzjoni.
transformed adj. & p.p., mibdul.
transformer n., (elect.) trasformatur, transformer.
transformism n., trasformiżmu.
transformist n., trasformist.
transfuse v., sawwab, sawweb id-demm.
transfused adj. & p.p., msawweb.
transfusion n., (med.) trasfużjoni. ***blood ~;*** trasfużjoni tad-demm.
transgress v., ħata, ittrasgredixxa.
transgression n., ħatja, (leg.) trasgressjoni.
transgressor n., trasgressur.
tranship v., ittrasborda.
transhipment n., trasbord.
transistor n., (elect.) transister.
transit n., mogħdija.
transition n., transizzjoni. ***~ period;*** perijodu ta' transizzjoni.
transitive adj., (gram.) transittiv.
transitively adv., transittivament.
transitorily adv., transitorjament.
transitory adj., temporali, temporanju, transitorju, (med.) effimeru.
transitory adv., temporanjament.
translatable adj., traduċibbli.
translate v., ittraduċa. ***he ~d a passage from Maltese to English;*** ittraduċa silta mill-Malti għall-Ingliż.
translated adj. & p.p., tradott.
translating n., qlib.
translation n., traduzzjoni, (eccl.) transulazzjoni, traslazzjoni.
translator n., traduttur.
transmigration n., trasmigrazzjoni.
transmission n., trasmissjoni, xandir.
transmit v., ittrasmetta, xandar.
transmitted adj. & p.p., trasmess.
transmitter n., trasmettitur.
transmuted adj. & p.p., mibdul.
transparency n., trasparenza.
transparent adj., safi, trasparenti.

transpierce v., nifed.
transpierced adj. & p.p., minfud, mixkuk.
transplant n., trapjant.
transplant v., ittrapjanta.
transport n., ġarr, trasport.
transport v., ġarr, ittrasporta.
transportation n., trasportazzjoni.
transported adj. & p.p., miġrur, mxekkek, traspurtat.
transporter n., trasportatur.
transposition n., permutazzjoni.
transubstantiation n., trasustanzjazzjoni.
transude v., għereq.
transversal adj., traversali.
transversed adj. & p.p., maqsum.
trap n., nasba, nassa, serpentina, xibka. ***he laid ~ in his father's field;*** mar jonsob fl-għalqa ta' missieru.
trap v., ħajjen, nasab.
trapeze n., trapezju, trapiż.
trapezium n., trapezju.
trapezoid adj., trapezojdi.
trapezoidal adj., trapezojdali.
trapped adj. & p.p., minsub, mnassab.
trappist n., trappist.
trash n., karfa.
trash v., dires.
trashed adj. & p.p., midquq, midrus.
tratterdemalion n., dendul.
trauma n., (med.) trawma. ***emotional ~;*** trawma emozzjonali. ***psychological ~;*** trawma psikoloġika.
traumatic adj., trawmatiku.
traumatism n., trawmatiżmu.
travel v., ġera, ittraġitta, ivvjaġġja. ***he has ~led Italy from end to end;*** ivvjaġġja l-Italja minn fuq s'isfel.
traveller n., vjaġġatur.
travelling adj. & p.p., ambulanti, miexi.
traverine n., (geol.) travertin.
traverse n., travers.
traverse v., qasam, sallab.
travesty n., travestiment.
travesty v., ittravesta.
trawler n., (mar.) trabakklu. ***sailing ~;*** (mar.) balanza.
tray n., gabarrè/kabarrè, trej.
treachery n., tradiment.
treacle n., (bot.) melissa.
tread n., rifsa.
tread v., għaffeġ, tappan. ***do not ~ on the grass;*** toqogħdux tgħaffġu fuq il-ħaxix.
tread (on) v., rifes.
treaded adj. & p.p., mgħaffeġ.
treader n., għaffieġ, riffies.
treadle n., mirfes, rifs.
treason n., tradiment.
treasure n., teżor.
treasure-trove n., sejba.
treasurer n., teżorier.
treasury n., mifles, teżorerija. ***public ~;*** fisk.
treat n., trattament.
treat v., ittratta. ***to ~ ill;*** kagħbar, kedd.
treated adj. & p.p., medikat.
treatise n., trattat.
treatment n., kura, medikatura, trattament, trattazzjoni. ***ill ~;*** trattament ħażin.
treaty n., trattat. ***peace ~;*** trattat tal-paċi.
trebled adj. & p.p., triplikat.
trebling n., tellieti.
tree n., siġra. ***chaste ~;*** siġret il-virgi. ***genealogical ~, family ~;*** arblu tar-razza, axxendenza. ***to become filled with ~s;*** issaġġar.
treenail n., kavilja.
trefoil n., (bot.) silla.
trellis n., kannizzata, pergolat.
trellis v., qassab.
tremble n., rogħdam.
tremble v., gesges, rtogħod, triegħed/rtiegħed.
trembling adj. & p.p., ferfieri, mitriegħed, mriegħed.
trembling n., tregħid.
tremendous adj., tremend.
tremendously adv., tremendament.
tremolo n., (mus.) tremolu.
trench n., gandott, trinka, trunċiera.
trenched adj. & p.p., mħaffer.
trencher n., ċiknatur.
trepidation n., trepidazzjoni.
tress n., dafra xagħar, dafra, dfir, trizza.
trestle n., strippa.
tret n., tara.
triad n., trijade.
trial n., proċess, prova.
triangle n., trijanglu.
triangular adj., trijangolari.
tribe n., tribù.
tribulation n., tribulazzjoni.
tribunal n., tribunal. ***administrative ~;*** (leg.) tribunal amministrativ.
tribune n., manbar, tribun, tribuna.
tributary n., tributarju.
tribute n., tribut, ħaraġ.
trick n., trikk. ***conjuring ~;*** bużullotta. ***rogue ~;*** bawxa.
trick v., għabba, (g.) ittrikkja.
trickle v., ċerċaq, qattar.
tricycle n., trajsikil.
trident n., (mar.) foxxna, trident.
tridentine adj., tridentin.
triduo n., (eccl.) tridu.

triduum n., (eccl.) tridu.
tried adj. & p.p., ippruvat, mġarrab. ***to be ~;*** iġġarrab.
trifle n., bagatella, ċieqa, fettuqa, sibi.
trifles n., rqaqat, teftif, xarbitelli.
trigger n., (mechan.) grillu. ***to press the ~;*** għafas il-grillu.
trigger-fish n., (ichth.) ħmar il-baħar.
trigonometer n., trigonometru.
trigonometric(al) adj., trigonometriku.
trigonometry n., trigonometrija.
trilateral adj., trilaterali.
trill n., (mus.) gorgeġġ, trill, iggorgeġġja.
trill v., (mus.) ittrilla.
trillion n., triljun.
trilogy n., triloġija.
trim v., (techn.) ittrimmja.
trimmed adj. & p.p., mberfel, mnaġġar.
trimming n., tberfil.
trinity n., trinità. ***the Holy T~;*** Trinità Mqaddsa.
trinket n., qandul.
trio n., (mus.) triju.
trip n., gambetta, traġitt, tripp, vjaġġ.
tripe n., kirxa.
triple adj., triplu.
triple v., tellet.
triplet n., (mus.) terzett, (pros.) terzina.
triplicate v., ittrìplika, tellet.
triplicated adj. & p.p., mtellet, triplikat. ***to be ~;*** ittellet.
triplicity n., titlit.
tripod n., tripied.
triturate v., farrak, herreż.
triturated adj. & p.p., mherreż.
triumph n., trijonf.
triumph v., ittrijonfa.
triumphal adj., trijonfali. ***~ arch;*** ark trijonfali. ***~ car;*** karru trijonfali.
triumphally adv., trijonfalment.
triumphant adj., trijunfant.
triumphantly adv., trijonfalment.
triumvir n., trijumvir.
triumviral adj., trijumvirali.
triumvirate n., trijumvirat.
trivet n., tripied.
trivial adj., trivjali.
triviality n., trivjalità.
trochaic adj., (pros.) trokajk.
trochee n., (pros.) trokew.
trodden adj. & p.p., magħfuġ, mirfus.
troglodyte n., troglodita.
troglodytic adj., trogloditiku.
trolley n., tròli.
trombone n., (mus.) trumbun.
trombosis n., (med.) trombożi.
tromometer n., tromometru.
troops n., (mil.) truppa.
trophy n., trofew.
tropic n., (astro.) tropiku.
tropical adj., (geog.) tropikali.
tropological adj., tropoloġiku.
tropology n., tropoloġija.
trot n., trott. ***at a ~;*** bit-trott.
trot v., ittrottja.
trouble n., disturb, għawġ, hemm, inkwiet, tabxa, trabil.
trouble v., baqbaq, fantas, hemmem, inkòmoda, qalla', qalleb, skomda. ***don't ~ yourself about that;*** toqgħodx tinkomoda ruħek fuq dak. ***series of ~s;*** kalvarju. ***stir ~;*** qanqal.
trouble-maker n., xuxxatur.
troubled adj. & p.p., disturbat, mbaqbaq, mdaħdaħ, molestat.
troublesome adj., fastidjuż, gravuż, mqareb.
troublesomeness n., ksir ir-ras.
troubling n., taħbit.
trough n., ħawt. ***kneading ~;*** magħġna, mejjilla, żbriga.
trousers n., qalziet.
trove n., trovatura. ***treasure ~;*** sibja.
trowel n., kazzola.
truce n., tregwa.
truck n., mirkeb, trakk. ***narrow ~;*** żenqa. ***railway ~;*** vagun.
true adj., minnu, veru. ***to prove ~;*** seħħ/saħħ. ***upright and ~;*** seddaq.
truly adv., bissewwa, tabilħaqq, tassew, verament.
truly interj., bans, tabilħaqq.
trumpet n., (mus.) tromba, trumbetta.
trumpet v., ittrumbetta.
trumpet-flower n., (bot.) birjoli. ***red ~;*** (bot.) binonja.
trumpeter n., trumbettier.
trumpeter bullfinch n., (ornith.) trumbettier.
truncheon n., lenbuba tal-pulizija.
trunk n., bagoll, senduq, valiġġa, zokk.
trunk (of elephants) n., (zool.) probòxxidi, tromba ta' l-iljunfant.
truss n., lġiem, qatta, fiduċja, kredtu/krettu.
trust v., fada/afda. ***he ~ed in God;*** fada f'Alla.
trustee n., (leg.) kuratur.
trustful adj., fiduċjuż.
trustworthy (person) n., benvist.
trustworthy adj., fdat.
trusty adj., fdat, fidil.
truth n., ħaqq, sewwa, verità.
truthfully adv., tassew.

try v., ittanta, ġarrab, sperimenta. ***he tried his luck in the lottery;*** ittanta xortih fil-lotterija. ***to try to write better these words;*** ipprokura li tikteb aħjar dan il-kliem.
try (on) v., iġġarrab.
trying (on) n., tiġrib.
tub n., lenbija, mastella.
tub-fish n., (ichth.) gallinella.
tubby adj., tòbi.
tube n., tubu. ***neon ~;*** tubu tan-neon. ***dropping ~;*** kontagoġġi.
tubercular adj., tiżiku, tuberkolari.
tubercular n., tuberkolu.
tuberculosis n., (med.) mard tas-sider, tiżi, tuberkolożi.
tuberose n., (bot.) temperoża, tuberoża.
tuck n., (techn.) imbasta.
tuck v., keff, tewa, xammar. ***to ~ up one's sleeves;*** xammar il-kmiem. ***today he did not wake up and ~ed himself in bed;*** illum ma qamx u qagħad jixxaħxaħ fis-sodda.
tucked (up) adj. & p.p., mxammar. ***to be ~;*** ixxaħxaħ.
tucking (up) n., tixmir.
Tuesday n., It-Tlieta. ***Shrove ~;*** it-Tlieta ta' qabel ir-Randan.
tuffetta n., taftan.
tuft n., beżbuża, troffa.
tug v., (mar.) rmonka.
tulip n., (bot.) tulipan.
tulle n., tull.
tumble n., kukrumbajsa.
tumble v., tgerbeb. ***~ in the dust;*** kagħbar.
tumble (down) v., tkabras.
tumbler n., saltimbank, tazza.
tumefaction n., tinfiħ.
tumefied adj. & p.p., mneffaħ.
tumfy v., neffaħ.
tumour n., (med.) tumur.
tumult n., gewġa, ħamba.
tuna n., (ichth.) tonn. ***lue-fin ~;*** tonna.
tune n., ton. ***in ~ (with);*** (mus.) intunat. ***out of ~;*** stunat. ***signature ~;*** sigla. ***to be out of ~;*** stona. ***to put out of ~;*** (mus.) skorda.
tune v., (mus.) ikkorda.
tuned adj. & p.p., ikkurdat.
tungsten n., (min.) tungstenu.
tunic n., (eccl.) tònka, tunika.
tunicle n., (eccl.) tuniċella.
tuning n., (techn.) ikkurdatura.
tunnel n., mina.
tunny n., (ichth.) tonn. ***little ~;*** n., (ichth.) kubrita. ***pickled ~;*** (ichth.) tonnina. ***~ fish;*** n., tonna. ***white ~ fish;*** (ichth.) ċervjola.
turban n., turbant.
turbid adj., mdardar. ***to become ~;*** id-dardar.
turbine n., (mechan.) turbina.
turbot n., barbun imperjali.
turd n., qallut. ***produce ~;*** qallat.
tureen n., soppiera/suppiera. ***~ soup;*** suppiera.
turf n., pjoti.
Turk adj. & n., Tork.
turkey n., (ornith.) dundjan, (zool.) galludinja.
turn (out) v., keċċa, safa'.
turn (over) v., sfratta, wella/willa. ***to turn over the pages of a book;*** qalleb il-ktieb.
turn n., ġir, liwja, newba, volta. ***in ~;*** binnewba.
turn v., dar, dawwar, lewa, (artis.) intornja, qaleb. ***he ~ed his eyes on me;*** dawwar għajnejh fuqi. ***to ~ one's back;*** dawwar spallejh. ***the fishmonger ~ed round the corner;*** tal-ħut lewa l-kantuniera. ***the soldiers ~ed to the right;*** is-suldati lwew lejn il-lemin. ***he ~ed over the pages of the book;*** qaleb il-folji tal-ktieb. ***to ~ out well;*** inzerta.
turned adj. & p.p., mdawwar, milwi. ***~ back;*** merġugħ lura.
turner n., dawwâr, tornitur, turnjatur, (artis.) intornjatur.
turning n., dawra, liwja, qalba.
turning (round) n., tidwir.
turnip n., (bot.) ġidra, lift, nevew.
turpentine n., (artis.) trementina, (chem.) akkwadirraża.
turpid adj., mdardar. ***make turpid;*** dardar.
turret n., turretta.
turtle n., (ornith.) fekrun tal-baħar. ***~-dove;*** (ornith.) gamiema.
tutelage n., (leg.) tutela.
tutor n., lajju, tutur.
tutoress n., tutriċi.
tweezer n., pinzetta.
twelve adj.num., tnax.
twenty adj.num., għoxrin.
twig n., għasluġ, qadib. ***to produce ~s;*** żarġan.
twig v., osserva.
twilight n., għabex, krepuskolu. ***the evening ~;*** ħajta dlam.
twill v., niseġ.
twin adj., tewmi.
twine n., spaga, vlontin.
twine v., baram, sirek, xeblek.
twining n., brim, xeblik.
twinkle v., għameż/għemeż, petpet, teptep.

twinkled adj. & p.p., mteptep.
twinkling adj., mpetpet, tagħmiż, teptip.
twinned adj. & p.p., mtewwem.
twins n., tewmin. ***to bear ~;*** tewwem.
twirl v., dawwar, fettel, sirek.
twist n., barma, żelluma.
twist v., baram, bermeċ, dawwar, fettel, għawweġ, ħabbel, lewa, xeblek. ***to ~ coarsely;*** fitel. ***to ~ repeatedly;*** barram. ***to ~ round;*** ixxeblek.
twisted adj. & p.p., mibrum, milwi. ***to be ~;*** btaram.
twisted v., ltewa.
twister n., barràm, fettiel.
twisting n., brim, tagħwiġ, tgeżwir, tibrim, tisrik, xeblik.
twit v., ċanfar.
twitter v., pespes.
two adj.num., tnejn.
tying n., rbit, tarbit/tirbit.
tympanites n., (med.) timpanite.
type n., karattru, tip, tipa. ***in italic ~, in italics;*** karattru korsiv.
type v., ittajpja. ***this letter was ~d by your sister;*** din l-ittra ttajpjatha oħtok. ***~ written;*** ittajpjat.
typewriter n., tajprajter.
typhoid n., (med.) tifojde.
typhoon n., tifun.
typhus n., (med.) tifu.
typical adj., tipiku.
typically adv., tipikament.
typist n., tajpist.
typographer n., tebbiegħ, tipografu.
typographic(al) adj., tipografiku.
typographically adv., tipografikament.
typography n., tipografija.
typological adj., tipoloġiku.
typology n., tipoloġija.
tyrannical adj., tiranniku.
tyrannicide n., tiranniċida.
tyrannized adj., mgħakkes.
tyranny n., klubija, tagħkis, tirannija.
tyrant adj., kiefer.
tyrant n., tirann.
tyre n., tajer.

Uu

ubiquity n., ubikwità.
udometer n., udòmetru.
ugh interj., għoff.
uglier comp.adj., ikreh.
ugliness n., kruha.
ugly adj., ikrah. ***to become ~;*** krieh.
ulcer n., dabra, demla, għaqra, (med.) ulċera.
ulcerate v., dabbar, għaqar, għaqqar, iddabbar.
ulcerating n., tiġrih.
ulceration n., tagħqir, tidbir.
ulcered adj. & p.p., magħqur.
ulcerous adj., mdabbar, mgħaqqar.
ulmin n., (chem.) ulmina.
ultimatum n., ultimatum.
ultramontane adj., settentrijonali.
umbelliferous adj., umbelliferu.
umber n., (ichth.) lombrina.
umbrella n., umbrella.
unable adj., inkapaċi.
unacceptable adj., inaċċettabbli.
unanimity n., unanimità.
unanimous adj., unanimu.
unanimously adv., annuna, għalenija, unanimament.
unassailable adj., inattakkabbli.
unattackable adj., inattakkabbli.
unbalance n., żbilanċ/sbilanċja.
unbalance v., żbilanċja.
unbalanced adj. & p.p., sbilanċjat, skwilibrat, żbilanċjat.
unbandle v., sfaxxa.
unbearable adj., insopportabbli.
unbelieving adj., miskredent.
unbent adj., merħi.
unbound adj. & p.p., sfaxxat.
unbridled adj. & p.p., mżemmel, sfrenat.
unbury v., qala' minn taħt l-art.
unbutton v., ħall.
uncertain adj., inċert.
uncertain n., bejn ħalltejn.
uncertainty n., inċertezza.
uncle n., barba, għamm, ziju.
unclothed adj. & p.p., mnażża'.
uncomfortable adj., skomdu.
unconditional adj., inkondizzjonat.
unconditionally adv., inkondizzjonament.
unconquered n., invitta (wara Belt).
unconscious adj., għaxi, inkonxju.
unconsciously adv., inkonxjament.
unconstrained adj., diżinvolt.
unconstrainedness n., diżinvoltura.
uncontaminated adj., inkontaminat.
uncontested adj., inkontestat.
uncontrollable adj., inkontrollabbli.
uncouth adj., goff, rozz, stramb, żbozz.
uncover v., kixef.
uncovered adj. & p.p., mikxuf.
uncovering n., tikxif.
unction n., dhin, dlik.
undecided adj., indeċiż.
undecipherable adj., indeċifrabbli.
undefended adj., (mil.) indifiż.
undemonstrable adj., indimostrabbli.
undeniable adj., innegabbli.
under adv. & prep., taħt. ***~ secretary;*** viċi segretarju.
underclothes n., bjankerija.
underground adj., sotterran.
underhand adv., taħtnijiet.
underline v., issottolinja.
underneath adv. & prep., taħt.
underpass n., sottopassaġġ.
undersigned adj., sottoskritt.
understand v., fehem, ikkomprenda, qabad. ***do you ~ me?;*** qegħdin tifhmuni? ***difficult to ~;*** iebes. ***make one ~;*** fiehem.
understanding n., ftehim, sens, sentiment.
understood adj. & p.p., mifhum, miftiehem, sottintiż. ***be ~;*** ftehem.
undertake v., assuma, impenja, intraprenda, qabbad.
undertaken adj., assunt.
undertaker n., appaltatur, imprenditur, kummissjonant.
undertaking n., appalt.
undervalue v., xemnaq.
undervest n., flokk ta' taħt, malja.
undestructible adj., indistruttibbli.
undigestible adj., indiġest.
undisciplined adj. & p.p., indixxiplinat, sfrattat.

undisputable adj., indisputabbli.
undistinguishable adj., indistingwibbli.
undisturbed adj. & p.p., indisturbat.
undivided adj., indiviż.
undoubtedly adv., indubbjament.
undoubtedly interj., bans.
undress v., għarwen, naża', nażża'/, neżża'. ***I was ~ing when you phoned me;*** kont qiegħed ninża' meta ċempiltli.
undress (oneself) v., għera, neża'.
undressed adj. & p.p., minżugħ, mnażża', mgħarwen.
undressing n., nżigħ, tinżigħ.
undulate v., ibbalija, mewweġ.
undulated adj. & p.p., immewweġ, mċafċaf.
undulating n., timwiġ.
unearth v., (leg.) eżuma.
uneasy adj., mqareb. ***to be ~;*** irrotja.
unemployed adj., diżokkupat.
unemployment n., qgħad.
unequal mhux ugwali.
uneven adj. & p.p., mxattar, dìspari, xatar. ***to become ~;*** ixxattar. ***to get ~;*** ixxattar.
unevenness adj., xatra.
unevenness n., (techn.) diżlivell.
unexpectedly adv., bla ħsieb, għarrieda.
unfaithful adj., infidil. ***to be ~;*** kebbex.
unfaithfulness n., infedeltà.
unfavourable adj., sfavorevoli, żvantaġġjuż.
unfavourably adv., sfavorevolment.
unflexible adj., inflessibbli.
unflesh v., skarna.
unfortunate adj., diżgrazzjat, sfortunat, żventurat.
unfortunately adv., b'xorti ħażina, diżgrazzjatament, sfortunatament, żventuratament.
unfounded adj. & p.p., infondat.
unfurnished adj. & p.p., mbattal.
unglue v., skolla.
ungrateful adj., ingrat.
ungratefulness n., ingratitudni.
unguent n., midhen, ungwent.
unhappiness n., infeliċità.
unhappy adj., infeliċi, mxum.
unhook v., żganċja.
unification n., unifikazzjoni.
unified adj. & p.p., mwaħħad.
unifier n., waħħàd.
uniform adj., uniformi.
uniform n., diviża, libsa tas-servizz, uniformi.
uniformity n., uniformità.
unify v., unifika, waħħad.
unigenital adj., uniġenitu.
unilateral adj., unilaterali.
uninhabitable adj., inabitabbli.
uninhabited adj. & p.p., mħarreb, diżabitat.
unintentional adj., preterintenzjonali.
uninterrupted adj., kontinwu.
union n., għaqda, unjoni.
unionism n., unjoniżmu.
unionist n., unjonista.
unique adj., uniku.
uniquely adv., unikament.
unitarian adj., unitarju.
unitarianism n., (eccl.) unitariżmu.
unite (together) v., sensel.
unite v., ġannat, ġonġa, issieħeb, unixxa, waħħal. ***they ~d in their struggle for the freedom of their country;*** issieħbu filġlieda għall-ħelsien ta' pajjiżhom. ***to ~ in marriage;*** għaqqad fi żwieġ.
united adj. & p.p., magħqud, unit.
unity adj., waħdanija.
unity n., unità.
universal adj., universali. ***~ legatee;*** eredi universali.
universality n., universalità.
universalization n., universalizzazzjoni.
universe n., dinja, univers.
university n., università.
unjust adj., inġust.
unjustly adv., intortament, inġustament.
unlawful adj., illegali.
unlawfully adv., illegalment.
unlawfulness n., illegalità.
unleafed adj. & p.p., mgħasleġ.
unlearned adj., illitterat, injorant.
unleaved adj. & p.p., misbuk.
unleavened adj., ażżmu.
unless adv., ħlief.
unlettered adj., illitterat.
unlike adj., divers.
unload v., ħatt. ***the ship is ~ing the goods;*** il-vapur qiegħed iħott il-merkanzija.
unloaded adj. & p.p., maħtut, mħattet.
unloading n., ħatta.
unluckily adv., diżgrazzjatament, sfortunatament.
unlucky adj., diżgrazzjat, sfortunat, xagurat.
unlucky (man) n., beżżul.
unmarried adj., xebb.
unmarried n., għażeb.
unmatch v., farrad. ***he ~ed the tea set;*** farrad is-sett tat-tè.
unmatched adj., farradi, mfarrad.
unnerved adj. & p.p., mitruħ.
unnominable adj., innominabbli.

unobservable adj., inosservabbli.
unpair v., farrad.
unplumed adj. & p.p., mrejjex.
unprejudiced adj., spreġudikat.
unquestionable adj., indiskutibbli.
unquiet adj., inkwiet, mqareb.
unquietness n., mqorbija.
unravelled adj. & p.p., msellet, mtentex.
unravelling n., tislit.
unreasonable adj., assurd, bla fehma.
unrecognizable adj., irrikonoxxibbli.
unrestrained adj. & p.p., sfrenat.
unrevel v., sellet. ***to become ~led;*** ittentex.
unripe adj., immatur, iebes, nej.
unscrew v., żvita.
unselfish adj., diżinteressat.
unselfish n., diżinteress.
unsew v., fetaq.
unsheated adj. & p.p., mislut.
unsheath v., silet. ***when he approached him he ~ed the sword;*** kif resaq lejh silet ix-xabla.
unsheathing n., silta, slit.
unstable adj., instabbli.
unstiching n., tiftiq.
unstick v., skolla.
unstitch v., fetaq, fettaq.
unstitched adj. & p.p., miftuq.
unstitching n., ftuq.
untenable adj., insostenibbli.
unthinkingly adv., addoċċ, bla raj.
unthread v., sfila.
untidy adj., diżutli.
untidy (person) n., dendul.
untie v., ħall.
untied adj., sfuż.
until adv., sakemm.
until prep., sa.
untouched adj., intatt.
untranslatable adj., intraduċibbli.
untuned adj., skurdat.
unveiled adj. & p.p., mikxuf.
unveiling n., tikxif.
unweaver v., sellet.
unweaving n., tislit.
unwell adj. & p.p., disturbat. ***feeling ~;*** maħsus.
unwilling adj., kiesaħ.
unwillingly adv., fuq il-qalb, involuntarjament.
unworthily adv., indenjament.
unworthy adj., inden, indenn.
unwoven adj. & p.p., msellet.
up prep. & adv., fuq.
upbraid v., ċanfar.
upbringing n., trobbija.
uphill adj., tlugħi.
upholster v., (artis.) ittapizza.
upholsterer n., tapizzar.
upkeep n., manutensjoni.
upon prep. & adv., fuq. ***~ my soul;*** fuq ruħi.
upper adj., superjuri.
upright adj., ìntegru, rett, wieqaf.
uprightness n., rettitudini, sewwa.
uproar n., ġilba, ġlieba, gewġa, għagħa, ħamba, qattanija, rewwixta, streptu.
uproot v., qaċċat.
upset adj. & p.p., maqlub, mbaqbaq, mqalleb.
upset v., qaleb.
upside down adv., sottosopra.
upwards adv., minfuq.
uraemia n., (med.) uremija.
uranium n., (min.) uranju.
uranography n., uranografija.
uranus n., (astro.) uranu.
urbanism n., urbaniżmu.
urchin n., qanfud. ***sea ~;*** (zool.) rizza.
urethra n., (anat.) uretra.
urge v., sforza.
urgency n., premura, urġenza.
urgent adj., urġenti.
uric adj., (med.) uriku. ***~ acid;*** aċidu uriku.
uricaemia n., (med.) uriċemija.
urinal n., pixxatur.
urinate v., pexpex, pixxa.
urine n., awrina, bewl, pipì, pixxa, urina. ***full of ~;*** mbewwel. ***pass ~;*** bewwel.
urn n., urna.
usage n., għada, mxija, użanza.
use n., drawwa, għada.
use v., kedd, uża. ***to make ~ of;*** isserva. ***he always makes ~ of my belongings;*** dejjem jisserva bl-affarijiet tiegħi. ***to ~ ill;*** kagħbar, kedd. ***~d sparingly;*** mġewweż.
used to adj. & p.p., mdorri.
useful adj., bżonnjuż, minħtieġ, utli, meħtieġ.
usefulness n., fejda, utilità.
useless adj., diżutli, fùtili, inutili.
usher n., uxxier.
usual adj., abitwali, soltu.
usually adv., komunement.
usufruct n., (leg.) użufrutt.
usufructuary n., (leg.) użufruttwarju.
usurer n., użurju.
usurp v., użurpa.
usury n., użura.
uterine adj., fardsieq.
uterus n., (anat.) ġuf, utru.

utility n., fejda, utilità.
utilization n., tifjid.
utilize v., utilizza.
utmost adj., ta' l-ogħla grad. ***do one's ~;*** ħar, għamel ħiltu kollha.
utter v., esprima, lissen, waħwaħ. ***he did not ~ a single word;*** hu ma lissen ebda kelma.
uvula n., qanpiena tal-ħalq.
uxoricide n., qattiel ta' martu.

Vv

V.A.T. – value added tax n., vat, Taxxa fuq il-Valur Miżjud.
vacancy n., post.
vacant adj., fieragħ, vakant, vakanti, vojt. ***become ~;*** batal.
vacation n., btala, ferja.
vaccinate v., laqqam.
vaccinator n., laqqàm.
vaccine adj., baqri.
vaccine n., vaċċin.
vacuity n., frugħa, tibwiq.
vagabond n., ġerrej, vagabond, xekkiek, xewwiel.
vagabondage n., xewlien.
vagina n., (anat.) vaġina.
vaginal adj., vaġinali.
vaginalitis n., (med.) vaġinalite.
vagrancy n., vagabondaġġ.
vagrant n., ġerrej, vagabond, xekkiek.
vague adj., vag.
vain adj., minfuħ bih innifsu, van, vanituż. ***in ~;*** fil-batal.
vainglory n., ftaħir, vanaglorja.
valerian n., (bot.) valerjana.
valiant adj., ħili, kuraġġuż, meħjiel, qluqi, valoruż.
valid adj., (leg.) validu.
validity n., (leg.) validità.
validly adv., validament.
valise n., valiġġa.
valley n., wied.
valorous adj., valoruż.
valour n., ħila, valur.
valuable adj., apprezzabbli.
valuation n., prezzatura, valutazzjoni.
value n., prezz, preġju, siwi, valur. ***nominal ~;*** valur nominali. ***real ~;*** valur reali.
value v., apprezza, ipprezza, ivvalorizza, stama, stima.
valued adj. & p.p., apprezzat, ipprezzat, miġjub. ***much ~;*** magħżuż.
valuer n., apprezzatur, prezzatur.
valuer n., stimatur.
valve n., valvula, (techn.) valv.
valvular adj., valvolari.
vamp n., maskaretta, wiċċ ta' żarbuna.
vampire n., vampir.
vampirism n., vampiriżmu.
van n., vann.
vand n., skotta.
vandal n., vandalu.
vandalism n., vandaliżmu.
vane n., dewwiema, pinnur.
vanilla n., vanilja.
vanish v., għab, tgħawweb, żvanixxa. ***the clouds ~ed quickly today;*** illum is-sħab malajr għab.
vanity n., frugħa, kburija, vanità.
vanquish v., għaleb.
vanquishable adj., vinċibbli.
vanquished adj. & p.p., megħlub, meħud, mirbuħ.
vapour n., fwar.
variability n., varjabilità.
variable adj., varjabbli.
variate v., żewwaq.
variation n., varjazzjoni.
varicose adj., varikuż.
varied adj., varju.
variegated adj. & p.p., mżewwaq.
variegating n., tiżwiq.
variety n., diversità, varjetà.
various adj., varju.
varix n., (med.) variċi.
varnish n., lostru, verniċ, żlieġa. ***to ~;*** ta l-verniċ. ***~ed;*** mogħti l-verniċ.
varnish v., tela.
varnishing n., tili.
vary v., varja.
vascular adj., (anat.) vaskulari.
vase n., vażun. ***small ~;*** važett.
vaseline n., (med.) vażelina.
vassal n., vassall.
vast adj., vast.
vastness n., vastità.
vat n., bajja, bettija, mastella.
vaudeville n., vudvill/vodvill.
vault n., kantina, sotterran, (arch.) ħnejja.
vavasour n., valvassur.
veal n., (zool.) vitella, laħam tal-vitella.
vegetables n., kontorn, ħaxix.
vegetal adj., veġetali.
vehicle n., mirkeb, vettura, (mar.) trabakklu.

veil n., għata tal-wiċċ, mustaxija, star, velu. ***tabernacle ~;*** (eccl.) konupew.
veil v., satar.
veiled adj. & p.p., maħġub, mistur.
vein n., (med.) vina. ***to open one's ~s;*** żvina.
vein v., (techn.) ivvina.
veined adj. & p.p., ivvinat.
veining n., vinatura.
velched adj. & p.p., mfewwaq.
velocipede n., veloċipied.
velocity n., veloċità.
velvet n., bellus.
velvety adj., bellusi, mbelles.
venal adj., venali.
venality n., venalità.
veneer n., fuljetta.
venerability n., venerabbiltà.
venerable adj., (eccl.) venerabbli.
venerate v., ivvènera, qiem, weġġaħ.
venerated adj. & p.p., mbiġġel, meqjum, venerat.
veneration n., biġla, qima, tweġġiħ, venerazzjoni. ***place of ~;*** maqjem.
venereal adj., (med.) venerju.
vengeance n., nfexxa, vendetta.
venial n., (theol.) venjal.
veniality n., venjalità.
venom n., semm.
venomous adj., semmiemi.
venous adj., venuż.
vent v., sfoga. ***to give ~;*** nfexx. ***he gave ~ to his crying like a child;*** nfexx jibki bħal tarbija.
vent-hole n., spiral.
vent-peg n., tapp ta' bittija.
ventilate v., ivvèntila, rewwaħ.
ventilated adj. & p.p., mfewweġ, mrewwaħ, ventilat.
ventilation n., ventilazzjoni.
ventilator n., rewwieħa, ventilatur.
ventricle n., (anat.) ventriklu.
ventricular adj., ventrikulari.
ventriloquism n., ventrilokwju.
ventriloquist n., ventrilokwista.
venture v., ażżarda. ***I did not ~ to stop him;*** m'ażżardajtx inwaqqfu.
Venus n., (astro.) żahrija.
veracity n., sedq.
veranda n., veranda.
verb n., verb.
verbain n., (bot.) verbena/birbiena.
verbal n., (leg.) verbal.
verbally adv., verbalment.
verbatim adv., testwalment.
verbena n., (bot.) buqexrem, verbena/birbiena.
verbose adj., verbuż.
verbosity n., verbożità.
verdant adj., jagħti fl-aħdar. ***be ~;*** ħaddar.
verdict n., (leg.) verdett.
verdigris n., (chem.) verdirram.
verdure n., ħdura.
verificable adj., verifikabbli.
verification n., taħqiq, verifika, verifikazzjoni.
verified adj. & p.p., mħaqqaq.
verifier n., verifikatur.
verify v., ħaqqaq, ivverìfika. ***he verified the bill and found it incorrect;*** ivverìfika l-kont u sabu ħażin.
vermicelli n., brunċell.
vermilion n., (chem.) vermiljun.
vermilior adj., vermilju.
verminate v., dewwed.
verminated adj. & p.p., mħannex.
verminous adj., mdewwed.
vermouth n., vermut.
vernacular n.,vernakulu.
vernal adj., rebbiegħi.
verse n., vers.
versicle n., versett.
versifier n., qabbiel.
versify v., ivversja.
version n., verżjoni.
vertebra n., vèrtebra.
vertebral adj., vertebrali.
vertebrate adj., vertebrat.
vertical adj., vertikali.
vertically adv., vertikalment.
vertigo n., (med.) vertiġni.
vervain n., (bot.) buqexrem.
vesicant n., (med.) viżikant.
vespers n., (eccl.) għasar, vespri.
vessel n., bastiment, reċipjent. (mar.) ġifen.
vest n., flokk ta' taħt, malja.
vestals adj. & n., vestali. ***the vestal virgins;*** il-vestali.
vestibule n., vestibolu.
vestige n., àtar.
vestments n., lbies. ***ecclesiastical ~;*** (eccl.) paramenti sagri.
vestry n., (eccl.) sagristija.
vesture n., vestwarju.
vet v., ivvettja.
vetch n., (bot.) ċiċċarda, ġulbiena/ġilbiena. ***bitter ~;*** (bot.) żofżfa.
vetches n., għads il-ħamiem.
vetchling n., kwalità ta' pjanta. ***yellow ~;*** (bot.) porvlina.
veteran n., anzjan, veteran.
veterinary n., veterenarju.
veto n., veto.

vex v., ħaqar, ikkontrarja, ivvessa, masħan.
vexation n., eżasperazzjoni, ħaqra, moħqrien, moħqrija, nkejja, tagħkis, vessazzjoni.
vexatious adj., (leg.) vessatorju.
vexed adj. & p.p., kuntrarjat, mdejjaq, mgħakkes, minki, molestat. *to be ~;* infoska.
viable adj., vijabbli.
viaduct n., vjadott.
viaticum n., (eccl.) vjatku.
vibrate v., heżheż, ivvibra, venven, xejjer.
vibrated adj. & p.p., mheżheż.
vibration n., vibrazzjoni.
vibrator n., heżhiż.
vicar n., (eccl.) vigarju. *~'s office;* vigarjat.
vicariate n., vigarjat.
vice n., garagor, viċi, vizzju, (artis.) morsa. *V~-Admiral;* viċi armirall. *~-gerent;* viċi ġerent. *~-chancellor;* viċi kanċillier. *~-consul;* viċi konslu. *~-patriarch;* viċi patrijarka. *~-president, ~ chairperson;* viċi president. *~-regent;* viċi reġġent. *~-rector;* viċi rettur.
viceroy n., viċi re.
viceversa adj. & p.p., bil-maqlub.
vicinage n., maġàr.
vicinity n., viċinanza.
vicious adj., vizzjat, vizzjuż.
vicissitude n., titrid.
victim n., vittma.
victimize v., ivvittimizza.
victor n., trijunfatur.
victorious adj., rebbieħi, trijunfant, vittorjuż.
victory n., għalb, għalba, rebħa, vittorja.
victual n., ikel.
victuals n., miekla, muna, proviżjon.
vie v., ippika/impika, tellaq.
view n., prospett, prospettiva, veduta, nadar.
vigil n., vġili.
vigilance n., viġilanza.
vigilant adj., viġilant.
vigilator n., viġilatur.
vigorous adj., gajjard, vigoruż.
vile adj., vili.
vilely adv., vilment.
vileness n., bassezza, viljakkerija.
vilification n., żebliħ.
vilified adj. & p.p., mkasbar.
vilify v., avvilixxa, ċewlaħ, miegħek, żeblaħ.
vilifying n., żebliħ.
villa n., villa.
village n., ħal, raħal, villaġġ.
villager n., raħli.
villain n., pastaż, villan.
villainous adj., vili.
villified adj. & p.p., mżeblaħ.
villify v., ġejjef.
vincible adj., vinċibbli.
vindicative adj., vendikattiv.
vine n., (bot.) dielja.
vine-shoot n., żarġun.
vinegar n., ħall. *make ~;* ħallel.
vineyard n., vinja.
viola n., (mus.) vjola.
violability n., vjolabilità.
violable adj., vjolabbli.
violate v., ivvjola.
violation n., vjolazzjoni, (leg.) infrazzjoni.
violence n., dnewwa, rass, vjolenza.
violent adj., vjolenti.
violet n., (bot.) vjola.
violin n., (mus.) vjolin.
violincellist n., vjolinċellist.
violinist n., vjolinista.
viper n., (zool.) lifgħa, vìpera.
virgin adj., xbubi, verġni. *the Blessed V~;* il-Verġni Mqaddsa, il-Madonna. *~ soil;* art verġni.
virgin n., xbejba, xebba.
virginal adj., verġinali, xbubi.
virginity n., verġinità, xbubija.
virile adj., virili.
virility n., rġulija, virilità.
virtual adj., virtwali.
virtually adv., virtwalment.
virtue n., virtù. *cardinal ~;* virtù kardinali. *theological ~;* virtù teologali.
virtuous adj., virtuż.
visa n., viża.
viscera n., (med.) vixxri.
viscose n., visk.
viscosity n., għelk, tagħkir, viskożità.
viscount n., viskonti.
viscous adj., mgħakkar, waħħàl.
visibility n., viżibilità.
visible adj., viżibbli. *be ~;* deher.
visibly adv., viżibilment.
vision n., dehra, viżjoni.
visionary n., viżjonarju.
visit n., vista/viżita/viżta, żawra, żjara. *~ing card;* biljett-viżta.
visit v., inviżta, żar. *he went to ~ his friend in hospital;* mar iżur lil ħabibu l-isptar. *to ~ often;* żajjar, iffrekwenta, mżajjar.
visitation n., viżitazzjoni, żajran, żawran, żjara. *the V~;* Viżitazzjoni tal-Madonna.
visited adj. & p.p., inviżtat, miżjur.

visiting n., żajran, żawran.
visitor n., viżitatur, żajjar.
visor n., maskra, viżiera.
visual adj., viżwali.
visually adv., viżwalment.
vital adj., vitali.
vitamin n., vitamina.
vitamology n., vitamoloġija.
vitiate v., ħażżen.
vitiated adj. & p.p., mħażżen.
vitriol n., (chem.) vitrijol.
vituperation n., tmegħir.
vivacious adj., spirituż, vivaċi.
vivacity n., vivaċità.
vivid adj., ħaj.
vivid adv., fuq tiegħu.
vivify v., għajjex, ħeja.
viviparous n., (zool.) viviparu.
vizier n., viżir.
vizor n., viżiera.
vocable n., vokabblu.
vocabolary n., damma ta' kliem, vokabbolarju.
vocal n., vokali.
vocalic adj., vokaliku.
vocalization n., vokalizzazzjoni.
vocalize v., ivvokalizza.
vocally adv., vokalment.
vocation n., għajta t'Alla, vokazzjoni.
vocative adj., (gram.) vokattiv.
vociferate v., ħambaq.
vogue n., moda, mxija, voga. ***in ~;*** in voga.
voice n., leħen, vuċi.
voice v., leħħen.
void adj., fieragħ, invàlidu, vojt, (leg.) null.
void n., baħħ.
void v., battal.
voidable adj., (leg.) annullabbli.
volatile adj., qluqi.
volcanic adj., vulkaniku.
volcano n., munġbell, (geol.) vulkan.
volition n., volontà.
volontary adj. & n., volontarju.
volt n., (elect.) volt.
voltage n., (elect.) voltaġġ.
voltmeter n., (elect.) voltmetru.
volume n., tom, volum.
volumeter n., volumetru.
volumetric adj., volumetriku.
voluminous adj., voluminuż.
voluntarily adv., minn jeddu, minn rajh, volontarjament.
volunteer n., volontier/voluntier.
volunteer v., ivvoluntarja.
voluptuary n., voluttwarju.
voluptuousness n., voluttà.
volute n., (arch.) voluta.
vomit n., vomtu.
vomit v., irriġetta, irrimetta, ivvômta, neħħa, qala'.
vomited adj. & p.p., ivvumtat, riġettat.
vomiter n., vomitatur.
vomitory adj., vomitorju.
voracity n., kilba.
vortex n., belliegħa.
vote n., vot.
vote v., (parl.) ivvôta. ***they ~d by show of hands;*** ivvutaw bil-wiri ta' l-idejn.
voted (on) adj. & p.p., votat.
voter n., votant.
voting n., votazzjoni.
votive adj., votiv.
voucher n., ċèdola tal-bank, vawċer.
vow n., vot, wegħda.
vowel n., vokali.
voyage n., safra, tripp, vjaġġ.
voyager n., (mar.) navigant.
vulcanist n., vulkanista.
vulcanization n., vulkanizzazzjoni.
vulcanizer n., vulkanizzatur.
vulgar adj., laxk, vulgari. ***~ man;*** hamallu.
vulgarity n., fakkinata, vulgarità.
vulgat adj., baxx.
Vulgate n., (eccl.) Vulgata.
vulnerability n., vulnerabbilità.
vulnerable adj., vulnerabbli.
vulture n., (ornith.) avultun. ***Egyptian ~;*** avultan abjad.
vulva n., (anat.) vulva.
vulvar n., vulvarju.
vulvitis n., (med.) vulvite.

wade v., ċaflas.
wag v., ferfer, laħlaħ. ***the dog ~s his tail;*** il-kelb iferfer denbu.
wag(g)on n., vagun.
wage(s) n., paga.
wager n., mħatra.
wager v., ħater, lagħab, tħâter. ***to lay a ~;*** tħattar.
wages n., ħlas, salarju.
wagged adj. & p.p., mferfer.
waggle v., ferċaħ. ***that boy is waggling;*** dak it-tifel qiegħed iferċaħ.
wagon n., karru.
wagtail n., kwalità ta' għasfur. ***black-headed ~;*** (ornith.) obrox. ***white ~*** ċappamosk, zakak. ***yellow ~;*** gardell.
wail v., garr, naħ.
wailer n., newwieħ.
wailing n., tinwiħ.
wainscot n., zokklu ta' l-injam.
wainscot v., (techn.) ittavla.
waist n., qadd. ***wasp ~;*** qadd irqiq ħafna.
waistcoat n., sidrija.
wait v., stenna. ***~ until the sun shines;*** stenna u jgħaddi kollox b'wiċċ il-ġid. ***lying in ~;*** (mil.) ippustjat.
waiter n., kamrier, qaddej, wejter.
waiting n., stennija.
wake n., radda ta' bastiment, velja, (mar.) tranja, xija.
wake v., sahar.
wake (up) v., qajjem, stenbaħ. ***the mother woke her son up early to study;*** l-omm qajmet lil binha kmieni biex jistudja.
wakening n., stenbiħ.
waking n., sahra.
walk n., dawra, mawra, mixja, passiġġata.
walk v., ippassiġġa, mexa. ***he who ~s with the lame, will learn to limb;*** min jimxi maz-zopp isir zopp bħalu. ***to ~ feebly;*** ġaħġaħ. ***to ~ with a haughty air, to ~ proudly;*** iżżagħbel. ***to wriggle in ~ing;*** kewa. ***to ~ at a very leisurely pace;*** ċallam. ***to ~ in mud;*** bagħtar. ***to ~ in slippers;*** kartab.
walking adj. & p.p., miexi, ambulanti.
walking n., mixi.
wall n., ħajt. ***partition ~;*** ħajt diviżorju. ***dry ~;*** ħajt tas-sejjieħ. ***rubble-~;*** ħajt tas-sejjieħ.
wall-creeper n., (ornith.) daqquqa tal-ġebel.
wallet n., kartiera.
wallflower n., (bot.) ġiżi.
wallow v., tmiegħek.
wallowed adj. & p.p., immiegħek.
wallowing n., tmegħik.
walnut n., (bot.) ġewża.
waltz n., (mus.) valz.
wand n., qadib, (mus.) bakketta. ***magician's ~;*** bakketta maġika, virga maġika.
wander v., ċerċer, ixxewwel, meraħ, xawwel, xewwel.
wander (about) v., iġġiera, xekkek. ***he ~ed here and there;*** iġġiera 'l hawn u 'l hemm.
wandered adj. & p.p., mxewwel.
wanderer n., ċerċur, xawwiel, xekkiek, xewwiel.
wandering n., timriħ, tixwil, xewla.
want n., bżonn, naqsa, nuqqas.
want v., naqas.
wanton adj., ħorman.
war n., gwerra, ħrib. ***civil ~;*** gwerra ċivili. ***Holy ~;*** gwerra santa. ***to wage ~;*** ħarreb, iggwerra. ***tug of ~;*** logħba tal-ġbid, ġbid tal-ħabel.
warbler n., għasfur tal-għana. ***black ~;*** (ornith.) kapinera. ***desert ~;*** bufula tad-deżert. ***garden ~;*** bekkafik. ***icterine ~;*** bekkafik isfar. ***marmora's ~;*** bufula. ***melodious ~;*** bekkafik tal-għana. ***olivaceous ~;*** bekkafik griż. ***olive-tree ~;*** bekkafik taż-żebbuġ. ***provence (dartford) ~;*** bufula tax-xagħri. ***redstar ~;*** kudiross. ***rufous ~;*** rużinjol ta' Barbarija. ***ruppell's ~;*** bufula tal-pavalor. ***Sardinian ~;*** bufula sewda, buswejda. ***spectacled ~;*** bufula ħamra. ***subalpine ~;*** bufula tal-ħarrub. ***tirstram's ~;*** bufula ta' l-Atlas.
warder n., argużin, kalzrier.
wardrobe n., gwardarobba.

ware-store n., magazzin.
warehouse n., depożitu, magazzin, maħżen.
warehouse-keeper n., maħżnier.
wares n., merkanzija.
warfare n., ħrib.
warlike adj., bellikuż.
warm adj., sħun.
warm v., saħħan. ***to get ~, to become ~;*** saħan. ***the weather began to get ~;*** l-arja bdiet tisħon. ***to grow ~;*** xegħel.
warm (oneself) v., issaħħan.
warm (up) v., fitel.
warm-eating n., tiswis.
warmed adj. & p.p., msaħħan.
warming n., tisħin.
warmth n., ħemma, sħana.
warn v., ammonixxa, avverta, avża, ġibed il-widnejn, widdeb, wissa. ***I ~ed him of the danger;*** avżajtu bil-periklu.
warned adj. & p.p., avżat, mwiddeb, mwissi.
warning n., ammonizzjoni, avvertiment, tusija, twissija.
warrant n., warant.
warranty n., garanzija.
warrior n., gwerrier.
warship n., (mar.) frejgata.
wart n., felula.
wary adj., kawt.
wash n., ħasla.
wash v., ħasel. ***he ~ed the dirty clothes;*** ħasel il-ħwejjeġ maħmuġa. ***to ~ one's hands of a thing;*** ħasel idejh.
washed adj. & p.p., maħsul.
washer n., baħbieħ, woxer, (mar.) radanċa.
washing n., ħasil, ħasla, taħsil.
washing-basin n., mejjilla.
washing-house n., maħsel.
washing-tub n., tnell.
wasp n., (zool.) naħla bagħlija, żunżan.
waspish n., fonqla.
waste n., ħala, sflask. ***~ of time;*** ħala ta' żmien, telf taż-żmien.
waste v., ħefa, ħela, kiel, temm. ***to ~ money;*** berbaq.
wasted adj. & p.p., moħli.
wasting n., ħala.
watch (over) v., indokra, issorvelja. ***he ~ed over the boys during the examination;*** issorvelja t-tfal waqt l-eżami.
watch n., arloġġ, (mil.) ronda. ***pocket ~;***arloġġ tal-but. ***wrist ~;*** arloġġ ta' l-idejn. ***~ maker;*** arluġġar.
watch v., għasses, issajja, iwwoċċja, nadar, newweb, osserva, sahar.
watched adj. & p.p., indukrat, mgħasses, mħares.
watching n., ħars, sahra, shir, sorveljanza, taħris.
watchman n., naddàr, sorveljant, woċmen.
water n., ilma. ***briny ~;*** ilma salmastru. ***cold ~;*** ilma kiesaħ. ***fresh ~;*** ilma ħelu. ***holy ~;*** ilma mbierek. ***hot ~;*** ilma sħun, mesħun/misħun. ***mineral ~;*** ilma minerali. ***orange ~;*** ilma żahar. ***rose-~;*** ilma tal-ward. ***sea ~;*** ilma baħar. ***spring ~;*** ilma ġieri. ***stagnant ~;*** ilma qiegħed. ***table ~;*** ilma tal-mejda. ***beat the ~;*** għażaq fl-ilma. ***~ colour;*** akkwarella. ***gush of ~;*** gelgul. ***mixed with ~;*** mgħammed. ***stone ~ sprout;*** miżieb. ***~ing trough;*** misqja.
water v., saqqa, seqa/saqa. ***go and ~ the flowers in the garden;*** mur saqqi l-ward tal-ġnien.
water-clock n., klessidra.
water-cress n., (bot.) krexxuni.
water-gauge n., idròmetru.
water-melon n., (bot.) dollieġħa/dulliegħa.
water-pot n., bexxiexa, bomblu, bruka, ġarra.
water-proof n., inċirata.
water-wheel n., sienja.
watered adj. & p.p., msaqqi/msoqqi, mterret. ***to be ~;*** issaqqa. ***today the garden was ~ well by the pelting rain;*** illum il-ġnien issaqqa tajjeb bix-xita li għamlet.
waterer n., saqqej.
waterfall n., ċarċara, kaskata.
watering n., tisqija.
watt n., (elect.) wott.
wattle n., qandula.
wave n., mewġa.
wave v., lebleb, mewweġ, perper, xejjer. ***he ~d his handkerchief as a sign of welcome;*** xejjer il-maktur bħala merħba.
waved adj. & p.p., mċaqlaq.
wavering adj., mewwieġi.
waving adj., mperper.
waving n., timwiġ.
wavy adj., immewweġ, mewġi.
wax n., xama'/xema'.
way n., fatta, mod, modalità. ***to put one in the ~, to direct the ~, to show the ~;*** qabbad it-triq. ***by the ~;*** bilħaqq. ***in what ~;*** biex. ***~ out;*** ħruġ. ***milky ~;*** (astro.) galassja.
waylaid adj., minsub.
we pers.pl.pron., aħna.
weak adj., dèbboli, dgħajjef, fieni, fjakk, merħi, mgħaxxex, mkerċaħ, xipli. ***to become ~;*** iddebolixxa.

weaken v., debbel, għajja, għaxxex, għellel, iddebolixxa, kisser, reħa, telaq.
weakened adj. & p.p., magħkus.
weakening n., tegħlil.
weakly adj., megħliel, mrajjed.
weakness n., debbulizza, dgħufija, fjakkizza, għaja.
wealth n., ġid, għana, rikkezza.
wealthier comp.adj., ogħna.
wealthy adj., fakultuż, għani, rikk. ***to become ~;*** stagħna.
wean v., fatam, fattam.
weaned adj. & p.p., mfattam, miftum.
weapon n., arma.
wear n., lqugħ. ***under ~;*** libsa ta' taħt.
wear v., herra, ħefa. ***to ~ for the first time;*** żanżan. ***she wore that dress for the first time today;*** dik il-libsa żanżnitha llum.
wear (away) v., żmanġa.
wear (out) v., kedd. ***he wore out clothes with work;*** herra l-ħwejjeġ bix-xogħol.
weariness n., mella, tidjiq.
wearisome adj., tedjanti.
weary adj., għajjien, tedjuż.
weary adv., xebgħan minn. ***to get ~;*** ikkriepa.
weary v., dejjaq, fena, iddebben, ittedja.
weasel n., (zool.) ballottra.
weather n., ajru, temp. ***bad ~;*** temp ikrah (ħażin), maltemp. ***fair ~;*** seħa/saħa. ***fine ~;*** temp sabiħ (tajjeb), bnazzi. ***foul ~;*** temporal. ***mild ~;*** difa. ***rainy ~, cloudy ~;*** temp tax-xita, provenz.
weather v., perreċ.
weather-board n., parakkwa.
weather-cock n., dewwiema, pinnur, ventalora.
weave v., niseġ, nisseġ.
weaver n., nissieġ. ***frame of a ~'s loom;*** deff. ***spotted ~***; (ichth.) traċna.
weaving n., nisġa, nsiġ, tinsiġ, tnewwil.
wed v., tejjeġ.
wedded adj. & p.p., mtejjeġ.
wedding n., tieġ, titjiġ, żwieġ, (liter.) imenew. ***~ ring;*** ċurkett tat-tieġ. ***celebrate ~s;*** tejjeġ.
wedge n., feles, kunjard, spnar.
wedge v., felles.
Wednesday n., l-Erbgħa. ***Ash ~;*** l-Erbgħa ta' l-Irmied.
weed v., naqa, naqqa.
weeded adj. & p.p., mnoqqi.
weeder n., naqqej.
weeding n., tinqija.
weeds n., ħaxix ħażin.
week n., ġimgħa. ***Holy ~;*** il-Ġimgħa Mqaddsa.
week-day n., (eccl.) ferja.
weep v., beka. ***make one ~;*** bekka.
weeper n., bekkej/bikkej.
weeping adj., bieki, lagrimanti, mbikki.
weeping n., biki. ***~ willow;*** (bot.) bekkejja.
weever kwalità ta' ħuta. ***great ~;*** (ichth.) sawt.
weevil n., (ornith.) bumunqar, duda talqamħ.
weft n., tagħma, togħma.
weigh v., wiżen.
weighed adj. & p.p., miżun.
weigher n., piżatur, pesatur, wiżżien.
weight n., għabar, mitqla, piż, rimona, teqla, użin. ***net ~;*** piż nett.
weighty adj., piżanti. ***to be ~;*** qantar. ***to become ~;*** ittaqqal.
weir n., lqugħ.
welcome n., merħba, merħba bik.
welcome v., laqa', rċieva. ***he ~ed his friend at home;*** laqa' 'l ħabibu d-dar.
welcomed adj. & p.p., mifruħ, milqi.
weld v., (artis.) iwweldja.
welded adj. & p.p., (artis.) iwweldjat.
welder n., welder.
welfare n., benessri.
well adv., tajjeb. ***~ made;*** benfatt. ***everything is going ~;*** bir-riħ impoppa. ***to get on ~;*** ingwala. ***those children get on ~ together;*** dawk it-tfal jingwalaw ħafna bejniethom.
well interj., ebbeni. ***~ then;*** ebbeni.
well n., bir.
well-being n., benessri.
well-built adj., ippersunat.
well-done adj., benfatt.
well-educated adj., kolt.
well-known adj., msemmi, rinomat.
well-off n., benestant.
well-timed adj., opportun.
welted adj. & p.p., mikfuf.
welter v., tmiegħek.
wen n., żirma.
west n., għarb, oċċident, punent.
western adj., (geog.) oċċidentali.
wet (oneself) v., ixxarrab.
wet adj. & p.p., miblul, mxarrab, niedi, umdu.
wet n., xraba. ***to become ~;*** btell. ***to get ~;*** ixxarrab. ***coming back from school he got ~ in the rain;*** kif kien ġej mill-iskola xxarrab bix-xita.
wet v., xarrab.
wet-nurse n., mreddgħa.
wetting n., tixrib.
whale n., (ichth.) baliena.
whaler n., (mar.) wejla.

wharf n., moll.
what adv., bħalxejn. ***about ~?;*** fuqiex. ***for ~;*** għalli, għalxiex. ***on/over ~?*** fuqiex. ***what?;*** x', xi.
whatever indef.pron., kulma, kulinkwa/kwalunkwe, kwalsivolja.
wheal n., nuffata.
wheat n., qamħ.
wheat n., tgħam. ***fan ~;*** derra.
wheel n., dawwara, rota. ***Catherine ~;*** raddiena tal-ġiġġifogu. ***spinning ~;*** (techn.) filatorju, magħżel, raddiena. ***turner's ~;*** torn.
wheelbarrow n., karretta.
when adv., kulmeta, meta/mita, wara li.
whence prep. & adv., minfejn, mnejn.
whence prep. & adv., safejn.
whenever adv., kuldarba, kulmeta.
where prep. & adv., fejn, fiex. ***~ ever!;*** fejn qatt! ***up to ~;*** safejn.
where? adv., għalfejn.
wherefore adv., għalhekk.
wherefore? adv., għaliex.
wherever adv., kulfejn, kullimkien.
whet v., mejlaq, senn/sann, xeffer.
whether conj., jekk. ***~ ... or;*** sija.
whetstone n., mejlaq, mola, msenna.
whetted adj. & p.p., misnun.
whetting n., tisnin.
whey n., xorrox.
wheyish adj. & p.p., mxarrax.
which conj., milli.
which pron., li, liema. ***that ~;*** illi. ***upon ~?;*** fuqiex.
whichever pron., kwalsivolja.
while adv., dment.
while conj., filwaqt, mentri.
whim n., estru, kapriċċ. ***to indulge one's ~;*** skappriċċa.
whimper n., tinsa.
whimper v., nagħa, naħ, newwaħ, qerred, tines.
whimperer n., nagħaj, newwieħ.
whimpering n., tinwiħ.
whimsical adj., stramb.
whimsically n., stramberija.
whine v., naħ.
whiner n., newwieħ.
whining n., tnewwiħ.
whinned adj. & p.p., mvenven.
whinning n., nwieħ, żehir.
whinny v., żeher.
whinnying n., żhir.
whip n., flaġell, frosta, sawt, swat. ***riding ~;*** frostin.
whip v., qaddeb, sawwat.
whipping n., swat, taqdib.
whir v., barbar.
whirl v., bermeċ.
whirling n., tidwir.
whirlpool n., belliegħa.
whirlwind n., dagħbien, riefnu.
whirring n., twerdin.
whisker n., mustaċċ.
whisky n., wiski.
whisper v., fesfes, sefsef. ***what are you ~ing in that boy's ear?;*** x'int tfesfes f'widnejn dak it-tifel?
whispered adj. & p.p., mfesfes, msefsef.
whisperer n., fesfies.
whispering n., nagħma, sefsif, xagħba.
whistle n., suffara.
whistle v., saffar, (theatr.) iffiskja. ***the referee ~d and the game began;*** ir-referì saffar u l-partita bdiet.
whistled adj. & p.p., msaffar.
whistler n., saffàr.
whistling n., tisfir.
white adj., abjad, bajda, kandidu. ***become ~;*** bjad.
white-skate n., (ichth.) ħamiema tal-baħar.
whitened adj. & p.p., mbajjad.
whiteness n., bjuda.
whitewash v., bajjad.
whitewashed adj. & p.p., mbajjad.
whitewasher n., bajjâd.
whitewashing n., tibjid.
whither prep. & adv., għalfejn.
whitish adj., bajdani.
whitlow n., (med.) dieħes, pannarizz.
Whitsunday n., (eccl.) Pentekoste.
whitty adj., spiritwż.
whiz v., saffar, venven, werwer, werżaq.
who conj., illi.
who pron., li.
who? pron., min?
whoever indef.pron., kulmin.
whole pron., kollox.
wholly adv., interament, totalment.
whom? pron., min?
whore n., prostituta, qaħba, ġifa.
whorl n., toqqala.
whose pron., ta' min. ***whose ever;*** kulmin.
why adv., bħalxejn, għax.
why prep. & adv., għala.
why? adv., għalfejn? għaliex?
wick n., ftila.
wick-holder n., ċimblor.
wicked adj., deġenerat, ħażin, pèrfidu, xellerat.
wicked (fellow) n., fergħun, għafrit.
wickedness n., ħażen, perfidja, xelleraġni.
wicker-basket n., qâleb.

wicket n., bieba.
wide adj., kbir, spazjuż, vast, wasa', wiesa'.
widen v., illaxka, wassa'.
widened adj. & p.p., mfettaħ, mwassa'.
wideness n., wisa'.
widening n., tusigħ.
wider comp.adj., usa'.
widow n., armla.
widow v., rammel/rammal.
widower n., armel. ***to become a ~;*** romol.
widowhood n., rmulija.
weigher n., pesatur.
wife n., mara, sieħba. ***house~;*** mara tad-dar.
wig n., parrokka.
wild adj., barri, salvaġġ. ***to become ~;*** issalvaġġja.
wilderness n., barr, deżert.
wilful n., ras iebsa, (leg.) premeditazzjoni.
will n., rieda, volja, volontà, xeħja.
will v., ħalla, ried. ***God ~s man to be happy;*** Alla jrid li l-bniedem ikun hieni. ***free ~;*** jedd.
willing adj., dispost, ħajra, intenzjonat. ***to be ~;*** ried.
willingly adv., volontarjament.
willow n., (bot.) żafżafa/safsafa.
willynilly adv., bilfors.
wily adj., astut.
wimble n., berrina, soggolu.
win n., rebħa.
win v., rebaħ, kiseb. ***he won his friends' trust;*** kiseb il-fiduċja ta' ħbiebu. ***he won the first prize in the yacht race;*** rebaħ l-ewwel premju fit-tellieqa tal-qlugħ. ***to ~ at play;*** kittef. ***he won every penny in the game;*** kittef il-flus kollha fil-logħob.
winch n., winċ, (mar.) argnu.
winchat n., (ornith.) buċaqq.
wind (up) v., kebbeb. ***the tailor wound up the thread on the reel;*** il-ħajjet kebbeb il-ħajt fuq ir-rukkell.
wind n., riħ. ***west-~, north-west ~;*** riħ fuq. ***east-~, south-east ~;*** riħ isfel. ***~mill;*** mitħna tar-riħ. ***boisterous ~;*** dagħbien. ***break ~;*** bass. ***north west ~;*** majjistral. ***north ~;*** tramuntana. ***north-east ~;*** bora, grigal. ***southwest ~;*** lbiċ. ***strong ~;*** qarżut. ***western ~;*** riħ Għarbi. ***the ~ is in his favour;*** għandu r-riħ fil-qala'.
wind v., isserpja, lenbeb, serrek, serrep, sirek. ***the road wound round;*** it-triq isser-rep. ***to be wound upon reel;*** iddewwer.
winded adj. & p.p., mlenbeb.
windflower n., (bot.) anèmoni, kaħwiela.
winding adj., serriepi. ***~ staircase;*** taraġ spiral.
windlass n., (mar.) argnu, mulinell.
window n., ħġieġa, tieqa. ***~sill;*** ħoġor it-tieqa. ***large ~;*** (arch.) finestrun. ***show ~;*** armatura, vetrina.
window-blind n., persjana.
window-shutter n., persjana.
windpipe n., (anat.) trakea.
windscreen n., windskrin.
windward v., (mar.) ibbordja.
windy adj., mirjieħ.
windy adj., rieħi.
wine n., meraq tal-għenba, nbid. ***to water ~;*** għammed l-inbid.
wine-presser n., għassâr.
wing n., ġewnaħ.
wing-transom n., (mar.) dragant.
winged adj., mġewnaħ.
wink n., għamża.
wink v., għameż/għemeż, teptep. ***he ~ed at somebody;*** għemeż lil xi ħadd. ***he continually ~s his eyes;*** il-ħin kollu jteptep għajnejh.
winked adj. & p.p., magħmuż.
winked (at) adj. & p.p., mgħammeż.
winking n., tagħmiż, teptip.
winner n., rebbieħ.
winnow v., derra.
winnowed adj. & p.p., mderri, mlewwaħ. ***to be ~ed;*** idderra.
winnower n., derrej.
winnowing n., tidrija.
winter n., xitwa, (mar.) inverna. ***the thick of ~;*** l-eqqel tax-xitwa, il-qieraħ tax-xitwa. ***mid-, - solstice;*** qieraħ tax-xitwa.
wintry adj., xitwi.
wipe v., mesaħ. ***he ~d his eyes from tears;*** mesaħ għajnejh mid-dmugħ. ***~ repeatedly;*** messaħ.
wiped adj. & p.p., mimsuħ.
wiper n., wajper.
wiping n., mesħa, msiħ.
wire n., wajer. ***barbed ~;*** wajer mxewwek. ***~ gauze;*** gożwajer.
wire v., (elect.) iwwarja.
wire-gauge n., filliera.
wisdom n., għerf, sapjenza.
wise adj., għaqli, għaref, mgħaqqal, prudenti, sapjent. ***~ men;*** Maġi.
wise n., bil-għaqal.
wiser comp.adj., egħref.
wish n., volja, xewqa. ***good ~;*** awgurju. ***to give best ~es to;*** sella.
wish v., àwgura, ħorom, xaq, xeħa, xtieq. ***~ oneself happiness;*** àwgura feliċità.
wishful adj., xewqan. ***I ~ you success;*** nawguralek suċċess.
wit n., ras, ruħ.

witchcraft n., seħer, tisħir.
with prep., bi, bil-, ma'. ~ ***what;*** biex.
withdraw v., rtira, warrab.
withdrawal n., distakk, rtir.
wither v., dbiel, ippassula, nixef, nixxef. ***those roses on the table ~ed;*** dak il-ward fuq il-mejda dbiel. ***the flowers ~ed in the garden because of the lack of water;*** il-fjuri nixfu fil-ġnien bin-nuqqas ta' ilma.
wither (away) v., tkarmas.
withered adj. & p.p., midbiel, minxuf, kajmàn.
within adv., hemm ġewwa.
within prep. & adv., ġewwa. ~ ***the walls;*** ġewwa mis-swar. ***extremely, remotely,*** ~; ġewwa nett. ***from ~;*** minn ġewwa.
without prep., bla, mingħajr.
witless adv., bla għaqal.
witness n., testimonjanza, xhud. ***to bear ~;*** (leg.) iddepona.
witnessed adj. & p.p., mixhud.
withstanding v., irreżista, oppona. ***not ~;*** minkejja.
wittingly adv., (leg.) xjentement.
witty adj., ruħani, ħluqi.
wizard n., saħħàr.
wobble v., ixxengel.
wolf n., (zool.) dib, lipp, lupu.
woman n., mara. ***old ~;*** għaġuża. ***rambling ~;*** mara ġerrejja.
womb n., (anat.) utru, ġuf.
won adj. & p.p., maqlugħ, mirbuħ.
wonder n., għaġeb, meravilja.
wonder v., stagħġeb, tgħaġġeb.
wondered adj. & p.p., mgħaġġeb.
wonderer n., għaġġieb.
wonderful adj., meraviljuż.
wood n., bosk, għuda, injam/njam, masġar, maħtab. ***three ply ~;*** triplaj. ***alder ~;*** alder. ***campeachy ~, log ~;*** kampiġġ.
wood-chat n., (ornith.) bugiddiem, kaċċamendola.
wood-louse n., (zool.) ħanżir l-art.
wood-sorrel n., (bot.) agretta, qares.
wood-worm n., (zool.) tarlatur.
woodcock n., (ornith.) gallina.
woodlark n., (ornith.) ċuqlajta.
woodman n., gwardabosk.
woodpecker n., għasfur li jtaqqab is-siġar. ***green ~;*** (ornith.) bulebbiet aħdar.
woody adj., boskuż.
wooer n., namrat.
woof n., sefħ, tagħma, togħma.
wooing n., namur.
wool n., suf. ***to cover with ~;*** sawwaf. ~ ***bearing;*** sawwafi.
woollen adj., sufi.
woolly adj., muswaf, sawwafi, sufi. ***to become ~;*** issawwaf. ***to grow ~;*** swaf.
word n., kelma. ***in other ~s;*** ossija.
word-for-word adv., testwalment.
wording n., diċitura.
work n., opra, ħidma, xogħol. ***~ing clothes;*** ħwejjeġ tax-xogħol. ***give ~ to;*** ħaddem, deha. ***hasty and impatient in his ~;*** mferfex. ***inlaid ~;*** (artis.) intarsjar. ***over ~;*** strapazz. ***research ~;*** reserċwerk.
work v., ħadem. ***this man ~ed the bandstand;*** dan ir-raġel ħadem il-planċier tal-banda. ***he ~ed day and night;*** ħadem lejl u nhar. ***to ~ secretly;*** ħadem minn taħt. ***to ~ hard;*** impenja, irranka. ***to ~ the loom;*** newwel. ***to ~ very slowly;*** ċallam.
worked adj. & p.p., maħdum.
worker n., ħaddiem.
working n., taħdim, ħdim. ~ ***overtime;*** sahra.
workman n., lavrant, ħaddiem. ***skilled ~;*** ħaddiem tas-sengħa.
workship n., uffiċina.
world n., dinja.
world-wide adj., mondjali.
worldliness n., mondanità.
worldly adj., dinji, mondan.
worm n., (zool.) duda, verme. ***abound in ~s;*** dewwed. ***silk ~;*** (zool.) duda tal-ħarir. ***wood ~;*** (zool.) susa.
worm-eaten adj., ikkamlat, msewwes. ***to be ~;*** ikkamla. ***that coat got ~ in the wardrobe;*** dak il-kowt ikkamla kollu fil-gwardarobba. ***to become ~;*** issewwes.
worm-eel n., (ichth.) gringu tar-ramel.
worm-hole n., tarlatura.
wormwood n., (bot.) absint, assenzju.
worn adj. & p.p., milbus. ~ ***for the first time;*** mżanżan.
worries n., dwejjaq.
worry v., aġita, inkwieta, itturmenta. ***the cough worried him all night;*** is-sogħla tturmentatu l-lejl kollu. ***to be worried;*** inkwieta.
worse comp.adj., agħar, eħżen/aħżen. ***to get ~;*** iddeterjora. ***to grow ~;*** ħżien. ***to make ~;*** aggrava.
worsen v., ħżien, iggrava. ***our situation was ~ed by his statement;*** is-sitwazzjoni tagħna ggravat bl-istqarrija tiegħu.
worsened adj. & p.p., iggravat.
worsening n., peġġorament.
worship n., ġieħ, qima, venerazzjoni.
worship v., adura.
worshipped adj. & p.p., adurat, mweġġaħ, venerat.

worshipper n., aduratur, qejjiem.
wort n., kwalità ta' siġra jew pjanta. ***St John's ~;*** (bot.) fuxfiex, xagħtra, xifxifa.
worth n., ħaqq, siwi, valur. ***be ~;*** sewa.
worthily adv., denjament.
worthiness n., mistħoqqija.
worthy adj., denn, mistħoqq.
worthy (person) n., benemertu.
wound n., dabra, ferita, ġerħa, pjaga.
wound v., dewwa, fera, ġeraħ, għaqqar. ***he was deeply ~ed;*** hu kien ferut fil-fond.
wounded adj. & p.p., ferut, magħqur, mġerraħ, mgħaqqar, midrub, miġruħ. ***to be ~;*** korra.
wounded (up) adj. & p.p., mkebbeb.
wounder n., ġerrieħ.
wounding n., drib, feriment, tidrib.
woven adj. & p.p., minsuġ, mnisseġ.
wrap (up) v., geżwer, leff, qartas, tewa, tgezzez. ***he ~ped up something in paper;*** geżwer xi ħaġa fil-karti. ***to ~ in paper;*** inkarta.
wrappage n., tgeżwir.
wrapped (up) adj. & p.p., mgeżwer, milfuf, misrur, mkabbas.
wrapped adj. & p.p., mitwi.
wrasse n., kwalità ta' ħut. ***axillary ~;*** (ichth.) buxiħ. ***brown ~;*** merla/mirla. ***cleaver ~***; rużetta. ***green ~;*** tirda. ***ornate ~;*** rużun. ***rainbow ~;*** għarusa.
wrath n., għadba.
wrathful adj., merfugħ.
wreath n., girlanda, klila. ***~ of flowers;*** kuruna tal-fjuri. ***~ of laurel;*** kuruna tar-rand.
wrench v., lewa.
wrest v., għawweġ, ħataf.
wrested adj. & p.p., maħtuf/moħtuf.
wrestle v., issâra.
wrestler n., lottatur.
wrestling n., sarar.
wretched adj. & p.p., magħkus, miżerabbli.
wriggle v., iżżegleg, tgħawweġ, żegleg. ***to cause to ~;*** kagħweġ/qagħweġ.
wriggled adj. & p.p., mżegleg.
wriggling adj., mżegleg.
wring v. għasar. ***to ~ clothes;*** għasar il-ħwejjeġ.
wringle v., kemmex.
wrinkle n., kemxa, ġegħda.
wrinkled adj. & p.p., mkemmex.
wrinkling n., tikmix.
wrist n., polz.
wristband n., pulzier.
write v., kiteb. ***he wrote a letter to his brother;*** kiteb ittra lil ħuh. ***to ~ shorthand;*** stenògrafa.
writer n., kittieb, skrittur. ***prose ~;*** prożatur. ***~ of commedies;*** kummidjògrafu.
writing n., grafija, kitba.
writing-desk n., mikteb, skrittoj, skrivanija.
written adj. & p.p., miktub.
wrong adj., żbaljat.
wrong n., tort.
wryneck n., (ornith.) bulebbiet, sultan is-summien.

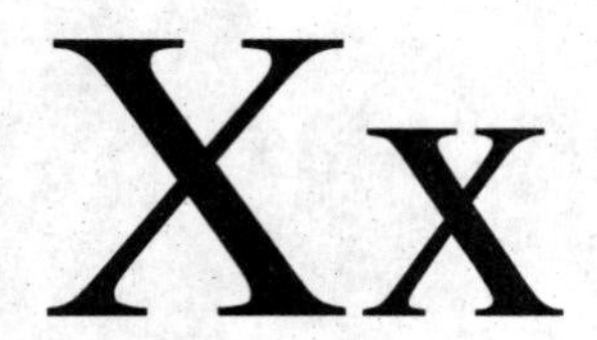

X-ray n., radjografija.
xabek n., (mar.) xambekk.
xylographer n., silògrafu.
xylographic adj., silografiku.
xylography n., (artis.) silografija.
xylophonist n., (mus.) silofonist.

Yy

yacht n., (mar.) jott, qlugħ. ***~-race;*** tellieqa tal-jottijiet.
yak n., (zool.) jakk.
yard n., bitħa, jarda, tarzna. ***small ~;*** btejħa.
yarrow n., (bot.) ħaxix tal-morliti.
yawn v., ittewweb.
yawned adj. & p.p., mittewweb.
yawning n., titwib.
year n., annu, sena. ***last ~;*** għamnewwel. ***every ~;*** kull sena, ta' kull sena. ***New Y~'s day;*** l-ewwel tas-sena. ***period of two ~s;*** bjennju.
yearbook n., annwarju.
yearly adj., annwali, annwalment, kull sena, ta' kull sena.
yeast n., ħmira.
yellow adj., isfar, safra. ***~ of the egg;*** isfar tal-bajd.
yellowish adj., safrani, sfajjar.
yellowness n., sfura, sfurija.
yelp v., nebaħ.
yes adv., iva.
yesterday n., bieraħ, iemes. ***the day before ~;*** l-ewliemes, bieraħtlula.
yet adv., eppùre.
yet conj., iżda.
yet/not yet adv., għad.
yield n., rendiment.
yield v., fied, iffrotta, renda. ***the capital ~s a lot of interest;*** il-kapital jirrendi ħafna mgħax.
yield (up) v., reħa, telaq.
yoke n., madmad.
yolk n., isfar tal-bajd.
you pers.pron., int/inti, intom.
young adj., ġuvni.
young n., żagħżugħ, żgħir. ***to feel ~ again;*** ixxettel.
younger comp.adj., iżgħar.
your pron., tagħkom.
youth adj., adolexxenti.
youth n., xbubija, xebb, ġuvinturija, żgħożija.

Zz

zeal n., żelu, ħeġġa, ħerqa, ħrara. ***without ~;*** bla ħeġġa.
zealous adj., żelanti.
zebra n., (zool.) żebra.
zenith n., żenit.
zephyr n., żiffa.
zeppellin n., żeppellin.
zero n., żero.
zeugma n., (gram.) żewgma.
zeugmatic adj., żewgmatiku.
zigzag n., żigżag.
zigzagged adj. & p.p., mserrep.
zinc n., (min.) żingu.
zinnia n., (bot.) żinnja.
zip n., żipp.
zither n., (mus.) strument tal-mużika b'xi 30 jew 40 korda.
zone n., (geog.) żona.
zoo n., ġnien żooloġiku, żu.
zoological adj., żooloġiku. ***~ garden;*** ġnien żooloġiku.
zoologist n., żoologu.
zoology n., studju fuq l-annimali, żooloġija.